© Pablo Echarri
© Nexus Ediciones
Edita: Nexus Ediciones, S.L.
Sicilia 364, entlo.
08025 Barcelona
Tel. 00 34 934 593 492
E-mail: nexus@nexusediciones.com
Imprime: JNP, Artes Gráficas, S.L.
ISBN: 84-932682-2-4
Depósito legal: B-2.759/2003
Barcelona, 2003
Impreso en España

Ortodoncia Lingual
Técnica completa paso a paso

Dr. Pablo Echarri

Nexus ediciones, S.L.
Barcelona (España)

DEDICATORIA

«A mi esposa Esther y a mis hijos Patricia, Javier y Laura por su amor y apoyo y porque este libro fue escrito en su tiempo.

A la memoria de mi amigo, Craven Kurz y de John Courtney Gorman.

A la memoria de mi amigo y maestro, Tom Creekmore.

A todos los colegas que han contribuido al desarrollo de la ortodoncia lingual».

AGRADECIMIENTO

«*Quiero agradecer su apoyo a: Miquel Mayol, José Fernández y Julio Blasco*»

Índice

Prólogo 21

Breve Historia de la técnica lingual 23

1. La ortodoncia en adultos y la técnica lingual 25
- Ortodoncia en adultos 27
  - Definición 27
  - Introducción 27
- Ortodoncia estética invisible 27
- Características del hueso alveolar adulto 30
- Metas en Ortodoncia Lingual 32
- Formas de practicar Ortodoncia Lingual 32
  - Ortodoncia lingual en los maxilares superior e inferior 33
  - Ortodoncia lingual en el maxilar superior y brackets estéticos en el maxilar inferior 33
  - Técnica Cross-over 33
  - Técnica de Takemoto 34
  - Ortodoncia pediátrica de Fávero 35
  - Ortodoncia lingual preprotésica segmentaria 35

2. Ventajas y desventajas de la ortodoncia lingual 37
- Introducción 39
- Ventajas 39
  - Para el ortodoncista 39
  - Para el paciente 39
  - Para la higienista y asistente dental 39
  - Para el técnico de laboratorio 39
- Desventajas 39
  - Para el ortodoncista 39
  - Para el paciente 39
  - Para la higienista y asistente dental 39
  - Para el técnico de laboratorio 40

3. Diagnóstico en Ortodoncia Lingual y selección de pacientes 41
- Introducción 43
- Diagnóstico 43

- Factores estéticos 43
- Consideraciones diagnósticas 44
  - Consideraciones generales 44
  - Consideraciones gingivales y periodontales 44
  - Consideraciones dentales 44
  - Coronas y obturaciones presentes 45
  - Discrepancia dento-alveolar 45
  - Problema vertical 45
  - Problema antero-posterior 45
    Clase I 45
    Clase II y III 46
  - Problema transversal 46
  - Casos quirúrgicos 46
  - Casos pre-protésicos 46
- Selección del paciente 47
  - Casos favorables 47
  - Casos desfavorables 47

4. Brackets para Ortodoncia Lingual 49
- Introducción 51
- Bracket de Fujita 51
- Bracket de Kelly 51
- Bracket de Paige 52
- Bracket Quick-Lock 53
- Bracket de Philippe 55
- Bracket Rosevear 56
- Bracket Conceal 56
- Bracket CII o Conceal II 2nd generation 58
- Bracket Stealth 59
- Bracket Torque N/M 61
- Bracket Speed 63
- Bracket Evolution LT 63
- Bracket Kurz de 7th generation 64
- Bracket de Takemoto-Scuzzo 70
- Bracket de Wiechmann 72
- Propiedades bio-mecánicas de los brackets 72
  - Clasificación de los brackets 72
  - Control del torque 72
  - Control de la alineación y nivelación 73
  - Control de la rotación 73
  - Control de la inclinación 74
  - Distancia interbrackets 74
  - El plano de mordida (bite-plane) 75

5. Arcos para Ortodoncia Lingual. Efectos secundarios de los arcos 77
- Efectos secundarios de los arcos 79
  - Efecto bowing 79
    Efecto bowing vertical 79
    Compensación del efecto bowing vertical 79

                Efecto bowing transversal 80
                Compensación del efecto bowing transversal 80
            - Efecto sliding 82
                Compensación del efecto sliding 82
            - Efecto rolling 83
                Compensación del efecto rolling 83
    • Arcos en ortodoncia lingual 84
        - Forma Standard 84
        - Forma NiTi 85
        - Tipos de arcos 85
            Respond 85
            D-Rect 85
            TMA 85
            NiTi 86
            Copper NiTi 87
            Stainless Steel 87

6. Ligaduras en Ortodoncia Lingual 89
    • Introducción 91
    • Ligadura normal metálica 91
    • Ligadura "a distancia" metálica 91
    • Ligadura normal elástica 92
    • Ligadura "a distancia" elástica 92
    • Ligadura elástica con separadores 93
    • Ligadura doble elástica "double-over-tie" 93
    • Ligadura doble elástica "double-over tie" a segundo eslabón 95
    • Ligadura doble metálica "double-over tie" 95
    • Ligadura de rotaciones circunferencial de Scott o de Smith 95
    • Ligadura de ferulización en "trenza" 97
    • Ligadura de ferulización en "8" 98
    • Ligadura circunferencial de Takemoto 98
    • Cadena continua de cierre, eslabón por bracket. CCC - EXB 100
    • Cadena continua de cierre con double-over-tie. CCC - DOT 101

7. Instrumental en Ortodoncia Lingual 103
    • Introducción 105
    • Alicate de Weingart o Alicate utility 105
    • Pinza mosquito a 90° 105
    • Pinza Mathew a 90° 105
    • Alicate de corte de ligaduras a 45° 106
    • Sonda a 45° 106
    • Instrumento Hinge-cap 106
    • Alicate para descementar brackets linguales 106
    • Llave de Torque lingual del Dr. Creekmore 106
    • Llave de Torque lingual del Dr. Echarri 106
    • Alicates para activación de torque 108
    • Alicate para activación unidental del torque 108
    • Instrumento conductor-guía de ligaduras 108
    • Alicate de Begg 108

- Alicate de Tweed omegas 108
- Alicates para hacer dobleces milimetrados 109
- Alicate de corte de ligaduras a 45° del Dr. Kim 109
- Alicate de corte distal del Dr. Kim 109
- Alicate utility del Dr. Kim 109
- Alicate cinch-back del Dr. Kim 110
- Alicate para in-sets del Dr. Kim 110
- NOLA appliance 111
- Polar Bear Instrument 111
- Instrumento guía de ligaduras de Damon 112
- Microarenadora 112
- Sand-traps 112
- Microcab 112

8. Técnicas de laboratorio para Ortodoncia Lingual 113
- Introducción 115
- Técnica de posicionamiento de brackets linguales sistema CLASS 115
  - Introducción 115
  - Etapa de laboratorio 116
    1. Confección de los modelos set-up y montaje en articulador 116
    2. Realización del oclusograma y del VTO oclusal 118
    3. Corrección de los modelos set-up 119
    4. Comprobación de la oclusión funcional obtenida 122
    5. Diseño del arco lingual 122
    6. Posicionamiento de los brackets en el modelo corregido 123
    7. Transferencia de los brackets del modelo corregido al modelo original 124
    8. Confección de la cubeta de cementado indirecto 126
  - Prescripción al laboratorio 126
  - Ventajas y desventajas del Class System 127
- The Mushroom Bracket Positioner 127
- Sistema KISS 128
  - El Set-up Model Checker 129
  - Bracket Positioner 129
  - CRC Ready-made Core 130
- El Lingual Bracket Jig 132
- TARG Unit 133
  - TARG Unit 133
  - TARG 2 133
  - AME - Appareil de Mesure des Epaisseurs 133
  - DALI - Dessin d'Arc Lingual Informatisé 134
  - TARG PRO 134
- Sistema TOP – Transfer Optimised Positioning 135
  - Eco-lingual therapy 135
- Bracketron 136
- Orthosoft Personalized Prescription (OPP) 139
  - El cálculo de la Prescripción 139
  - Diseño de la forma de arcada 141

9. Slot Machine. Confección de bandas para ortodoncia lingual 143
- Descripción de la Slot Machine 145
- Accesorios de la Slot Machine 146
- Posicionamiento de los brackets en el modelo 149
  - Posicionamiento de canino a canino 150
  - Posicionamiento de premolares y molares 157
- Confección de bandas para técnica lingual 159
- Confección de carillas estéticas para las bandas 161
- Confección de pónticos estéticos para espacios de extracción 161

10. ¿Por qué se individualiza la prescripción y cómo? 165
- Fundamentos 167
  - Ubicación inexacta de los brackets 167
  - Variaciones anatómicas de los dientes 167
  - Variaciones en las relaciones intermaxilares con los planos sagital y vertical 168
  - Elasticidad de los tejidos de soporte o tendencia a la recidiva 168
  - Deficiencias mecánicas de los brackets 168
- Variación de la prescripción 169
- Modificación de la prescripción utilizando la Slot Machine 169
  - Modificación de la altura, in-out y posición mesio-distal del bracket 169
  - Modificación de la rotación 172
  - Modificación de la inclinación 175
  - Modificación del torque 176

11. Plantilla individual para la confección de arcos 179
- Introducción 181
- Diseño de la plantilla individualizada para la forma ideal del arco 181
  - Diseño de la zona anterior del arco 181
  - Diseño de la zona posterior del arco 186
- Dibujo de la plantilla individualizada 187
  - Arco de trabajo (arco mushroom) 187
  - Arco de terminación (arco christmas) 187

12. Técnica de Cementado. Impresiones. Cubetas de transferencia 189
- Cementado directo 191
- Impresiones para ortodoncia lingual 191
- Cubetas de transferencia 191
  - Cubeta de silicona opaca 191
  - Cubeta de silicona transparente 193
  - Cubeta termoplástica 193
  - Cubetas individuales unidentales 195
    Dr. Hiro 195
    KIS System 197
    Dr. Kyung 197
- Técnica de Cementado Indirecto 197
  - Introducción 197
  - Procedimiento clínico de cementado indirecto 198

- Protocolo de cementado para un caso que presentara todos los tipos de superficies 203
- Confección de una minicubeta individual unidental 204
- Recementado de brackets descementados 206
- Cementado de bandas 208
- Preparación de la boca en 10 pasos para recibir
  los brackets linguales en las mejores condiciones 209
  - Introducción 209
  - Protocolo de 10 pasos para la preparación de la boca 210

13. Técnica de cementado progresivo 215
- Introducción 217
- Arcos seccionales 217
  - Arcos para alineación y nivelación de los sectores posteriores 217
  - Arcos para alineación, nivelación de los caninos y/o retracción inicial de caninos 218
  - Arcos para mecánica de deslizamiento de las piezas posteriores 218
  - Arcos para anclaje de expansores de cementado directo 218
- Indicaciones 218
  - Baja tolerancia a los brackets linguales 218
  - Caninos en posición ectópica 218
  - Distalización-Stripping 218
  - Disyunción 219
- Conclusiones 219

14. Casos con extracciones. Anclaje 221
- Introducción 223
- Secuencia de arcos y etapas de tratamiento 223
  - 1er ARCO: Distalización inicial de caninos 224
  - 2o ARCO: Alineación, nivelación y corrección de rotaciones (ANR) 225
  - 3er ARCO: Establecimiento de torque 230
  - 4o ARCO: Retracción en masa, cierre de espacios 230
    Mecánica de deslizamiento 231
    Mecánica de baja fricción con tubo auxiliar 234
    Mecánica de asas 235
    Problemas previsibles en esta etapa de cierre de espacios 251
    Efectos secundarios de los arcos 251
    Anclaje en ortodoncia lingual 251
  - 5o ARCO: Terminación y Detallado 252
- Casos clínicos 252

15. Casos sin extracciones. Protrusión 265
- Casos sin extracciones 267
  - Introducción 267
    Casos con discrepancia dento-alveolar negativa leve 267
    Casos con discrepancia dento-alveolar positiva 267
    Discrepancia entre la arcada superior y la arcada inferior 267
- Protrusión 267
  - Introducción 267
  - Indicaciones 267
  - Limitaciones 267

- Mecánica de la protrusión 267
  - Técnica de protrusión con omega distal 268
  - Técnica del arco con distancia inter in-sets aumentada 269
  - Secuencia biomecánica de arcos 270
- Casos clínicos 274

16. Casos sin extracciones. Distalización 285
- Introducción 287
  - Terceros molares 287
  - Tipo facial 289
  - Inclinación de los primeros y segundos molares 289
- Distalización 289
  - Indicaciones 289
  - Contraindicaciones 289
- Péndulo 289
  - Construcción 289
  - Activación 290
  - Protocolo de tratamiento 293
  - Anclaje 295
  - Caso clínico 296
- Péndulo F 297
- Placas de Scuzzo 297

17. Casos sin extracciones. Expansión. Disyunción 301
- Introducción y cálculo del espacio obtenido 303
- Examen previo a la expansión/disyunción 303
- Indicaciones y limitaciones 303
  - Indicaciones para expansión inferior 308
  - Indicaciones para expansión asimétrica superior 308
  - Indicaciones para expansión simétrica superior 308
  - Indicaciones para expansión rápida palatina o disyunción 308
  - Limitaciones a la disyunción 308
  - Limitaciones a la expansión 309
- Aparatología utilizada 309
  - Quad-hélix 309
  - Tornillos para expansión palatina rápida (EPR) o disyunción 310
- Secuencia biomecánica para casos de expansión 313
- Casos clínicos 313

18. Casos sin extracciones. Stripping 321
- Introducción 323
- Importancia de la forma dentaria en el tratamiento ortodóncico 323
- Ventajas del stripping: 324
  - El stripping minimiza las indicaciones de extracciones y sus consecuencias 324
  - Menor pérdida de tejidos dentarios 324
  - Menor amplitud de movimientos dentarios 324
  - Menor tiempo de tratamiento 324
  - Mayor estabilidad 324
  - Mejor estética 324

- Desventajas del stripping 325
  - Efectos sobre el periodonto 325
  - Efectos sobre los dientes 325
    - Espesor del esmalte 325
    - ¿Cuánto esmalte se puede desgastar? 325
- Instrumentos para stripping 326
  - Tiras abrasivas manuales de stripping 327
  - Fresas para stripping 327
  - Discos para stripping 327
  - Sistema Intensiv para stripping 327
- Stripping indicaciones 328
  - Discrepancias dento-alveolares negativas leves 328
  - Discrepancias de Bolton 329
  - Forma dentaria triangular. Triángulos negros interproximales 330
  - Macrodoncia 330
  - Coronas y obturaciones sobredimensionadas 330
  - Asimetrías dentales bilaterales 330
  - Paciente adulto (pulpa retraída) 330
  - Bajo índice de caries 330
  - Buena higiene. Bajo índice de placa bacteriana 330
  - Rotaciones múltiples por estabilidad 330
  - Paciente que acepte stripping (advertencia previa) 330
- Stripping contraindicaciones 330
- Técnica del stripping progresivo 331
- Procedimiento clínico del stripping 331
  - Consideraciones especiales 332
- Sequencia bio-mecánica de arcos en técnica lingual con stripping 333
- Casos clínicos 334

19. Tratamientos de los problemas verticales: Rotaciones mandibulares. Relación con el overjet. Mordida profunda y mordida abierta 339
- Rotaciones mandibulares. Relación con el overjet 341
  - Introducción 341
  - Aumento de overjet 341
    - 1. La posición inicial adelantada de la mandíbula. 341
    - 2. El efecto bowing 341
    - 3. Efecto sliding 341
    - 4. La posición de los brackets de los incisivos superiores y la relación interincisiva ... 342
    - 5. La rotación mandibular terapéutica 343
      - 5a. Reducción de la convexidad 343
      - 5b. Distalización molar 343
      - 5c. Intrusión de incisivos 343
      - 5d. Extracciones 343
      - 5e. Expansión 344
      - 5f. Protrusión de incisivos 344
      - 5g. Stripping 344
      - 5h. Crecimiento 345
    - 6. La extrusión molar 345
  - La rotación mandibular y el torque incisivo inferior 345

5c.

- Conclusiones 345
- Corrección de la mordida profunda anterior 346
  - Introducción 346
  - Secuencia bio-mecánica para la corrección de la mordida profunda anterior 347
- Corrección de la mordida abierta anterior 349
  - Introducción 349
  - Secuencia bio-mecánica para la corrección de la mordida abierta anterior 350

20. Terminación de casos 353
- Introducción 355
- Los objetivos de tratamiento 355
- Terminación de casos 356
  - 1. Ajustes de 1er. y 2do. orden 356
  - 2. Ajustes de 3er. orden 357
  - 3. Ajuste de las relaciones intermaxilares 359
    - 3 a. Planos sagital y frontal: línea media y overjet 361
    - 3 b. Planos vertical y transversal: overbite e intercuspidación 363
- Descementado 363
- Retención 364
- Aparatos de Retención 364
  - Para el maxilar superior: 364
    - Round-retainer gnatológico 365
    - Optical-retainer 367
    - Carillas linguales de porcelana 367
    - Férulas oclusales 370
  - Para el maxilar inferior: 370
    - Retenedor Kurz 370
    - Spring retainer 370
    - Fibra óptica 371
    - Retención fija con alambres 373

21. Tratamientos multidisciplinarios: Periodoncia, ATM, Cirugía y Prótesis 375
- Introducción 377
- Ortodoncia Lingual y periodoncia 377
  - Gingivitis 377
  - Bolsa periodontal 377
  - Recesión gingival 378
- Ortodoncia Lingual y ATM 379
  - Señales de alarma de disfunción antes o durante el tratamiento 380
  - Procedimientos clínicos para el manejo de los pacientes
    con disfunción cráneo-mandibular bajo el tratamiento ortodóncico 380
  - Ortodoncia Lingual y Prótesis 381
  - Ortodoncia lingual seccional pre-protésica 381
  - Casos clínicos 382
  - Claves para éxito de la ortodoncia lingual segmentaria pre-protésica 387
- Ortodoncia Lingual y Cirugía ortognática 387
  - Etapa clínica I 387
  - Etapa de laboratorio I 387
  - Etapa clínica II 387

- Etapa de laboratorio II 387
- Etapa clínica III 387
- Ortodoncia Lingual y caninos incluidos 390
  - Caninos incluidos en vestibular 390
  - Caninos incluidos en palatino 391

22. Confort del paciente 405
- Introducción 407
- Máximo confort en ortodoncia lingual 408

23. Comparación de los tratamientos ortodóncicos realizados con ortodoncia vestibular y con ortodoncia lingual 419
- Introducción 421
- 1. Estética durante el tratamiento 421
- 2. Estética al final del tratamiento 421
- 3. Fuerza de cementado, resistencia al descementado 421
- 4. Posicionamiento de brackets 422
- 5. Biomecánica de los brackets 422
- 6. Biomecánica de los arcos 423
- 7. Secuencia de movimientos 424
- 8. Dificultades para el paciente 424
- 9. Dificultades para el ortodoncista 424
- 10. Limitaciones propias del tratamiento ortodóncico con técnica lingual 425
- 11. Resultados 425

24. 15 claves para el éxito en Ortodoncia Lingual 427
- Introducción 429
- Las 15 claves 429
- Clave 1. Selección del paciente, motivación del paciente, entrenamiento del paciente, servicio de urgencias 429
  - 1.a. Higiene oral 429
  - 1.b. Adaptación del habla e irritación de la lengua 429
  - 1.c. Carácter del paciente 429
  - 1.d. Anatomía dentaria 429
  - 1.e. Post-rotación mandibular 430
  - 1.f. Servicio de urgencias 430
- Clave 2. Educación continuada del equipo: ortodoncista, higienista y/o asistente dental y técnico de laboratorio 430
- Clave 3. Diagnóstico y plan de tratamiento. Individualización de los protocolos 430
- Clave 4. Posicionamiento de brackets. Individualización de la prescripción 430
- Clave 5. Soldadura de precisión 430
- Clave 6. Preparación de la boca para los brackets linguales 430
- Clave 7. Técnica de cementado 430
- Clave 8. Técnica de re-cementado 431
- Clave 9. Diseño de la forma de arcos 431
- Clave 10. Secuencia de arcos: complete primero la ANR: Alineación, Nivelación y corrección de Rotaciones 431
- Clave 11. Secuencia de arcos: Exprese completamente el torque antes de cerrar espacios 431

- Clave 12. Secuencia de arcos: Está contraindicado cerrar espacios o retruir incisivos con arcos ligeros 431
- Clave 13. Secuencia de arcos: Terminación y detallado 431
- Clave 14. Retención 431
- Clave 15. La ortodoncia lingual debe ser considerada como un tratamiento a pacientes VIPs (pacientes muy importantes): optimice la estética y el confort del paciente y realice un tratamiento de alta calidad en cada visita 431
- Conclusiones 432

Bibliografía recomendada 433

Prólogo

Después de casi 15 años de practicar la ortodoncia lingual creí oportuno reflejar mi experiencia clínica en este libro como respuesta a la petición de muchos discípulos.

Este libro está basado en los más de 20 artículos sobre el tema que he publicado en revistas como: *Revista de la Sociedad Iberoamericana de Ortodoncia, Revista Portuguesa de Ortodoncia, Ortodoncia Clínica, Journal of Clinical Orthodontics, Journal of Lingual Orthodontics, Revista de la Fundación Centro de Rehabilitación y Estética Oclusal, Revista Española de Ortodoncia,* etc. así como en mis *Syllabus de Ortodoncia Lingual* utilizados en mis cursos.

Para escribir este libro he realizado una revisión de prácticamente todas las publicaciones de ortodoncia lingual en español, inglés, francés e italiano, pero por sobre todo he intentado explicar los problemas que me han surgido o que he percibido y las soluciones que encontré a los mismos.

Como su nombre lo indica "Técnica completa paso a paso", en este libro se explican todas las etapas de la técnica de forma minuciosa y detallada y con abundante iconografía para facilitar la comprensión del mismo.

Recomiendo la lectura completa y ordenada de este libro la primera vez, aunque puede usarse posteriormente como libro de consulta.

En el capítulo 1 explico las características fundamentales y diferenciales de la ortodoncia en adultos, las diferentes formas de practicar la ortodoncia lingual, cuáles son las metas del tratamiento y cómo entiendo el concepto de ortodoncia estética invisible en adultos por encima de la ortodoncia lingual.

Los capítulos 2 y 3 son muy importantes porque en ellos enumero las ventajas y desventajas del tratamiento lingual desde el punto de vista del ortodoncista, de la higienista, del técnico de laboratorio y del paciente; así como las consideraciones diagnósticas que se deben tener especialmente en cuenta para la selección del paciente.

En el capítulo 4 describo todos los brackets linguales, desde los primeros de los años '70 hasta los últimos que se empiezan a distribuir este año (2002), incluyendo los que han dejado de fabricarse, para facilitar la comprensión de la evolución de la aparatología. En este capítulo también explico la biomecánica de estos brackets comparando brackets vestibulares con brackets linguales de slot horizontal y de slot vertical.

En el capítulo 5 reseño los arcos utilizados en la técnica lingual, la forma y tamaño en que se encuentran disponibles, sus indicaciones y la comparación con los arcos de técnica vestibular. También analizo los efectos secundarios de los arcos y la forma de compensarlos.

En el capítulo 6 sintetizo los tipos de ligaduras que se utilizan en técnica lingual, sus indicaciones y su realización paso a paso y en el capítulo 7, enumero el instrumental que ha sido especialmente diseñado para la técnica lingual o que se puede adaptar para el uso en la misma.

El posicionamiento de brackets en el laboratorio es una práctica habitual en técnica lingual. En el capítulo 8 describo de forma pormenorizada los procedimientos utilizados para tal fin y también con una abundante cantidad de fotografías. En él se podrán encontrar desde los clásicos CLASS System y TARG Unit hasta los más innovadores como: BEST, TARG 2, TOP, Jig de Geron, MBP, KISS, Bracketron, etc. El capítulo 9 está dedicado a la Slot Machine que es el procedimiento de laboratorio que utilizo. Este instrumento ha sido diseñado por Thomas Creekmore, pero he realizado algunas modificaciones para que se pueda utilizar con brackets de slot horizontal o para individualizar aún más la prescripción, y sintetizo el protocolo de su utilización. También en este capítulo expongo las técnicas para realizar las bandas y los pónticos estéticos.

El capítulo 10 requiere una lectura cuidadosa porque en él quedan determinados los conceptos que se tienen que tener en cuenta para la individualización de la prescripción, fundamental en técnica lingual.

En el capítulo 11 se desarrolla la técnica que utilizo para la confección manual de la plantilla individualizada tanto del arco de trabajo (arco mushroom) como del arco de terminación (arco Christmas).

El capítulo 12 representa el primer paso clínico porque en él defino desde las características de las impresiones que debemos tomar, el protocolo de "10 pasos para preparar la boca para recibir los brackets linguales", la confección de cubetas de transferencia y las ventajas y desventajas de cada una de ellas hasta el procedimiento detallado del cementado indirecto sobre distintas superficies y el re-cementado de brackets en diferentes situaciones. El capítulo 13 complementa al capítulo 12 porque en él expongo las situaciones en que se puede realizar el cementado progresivo disminuyendo el tiempo que el paciente debe ser portador de todos los brackets.

En el capítulo 14 pormenorizo el tratamiento ortodóncico con extracciones y con brackets linguales. Este capítulo es muy importante porque en él describo los métodos para el refuerzo de anclaje sagital y vertical y demuestro la confección de cada uno de los arcos con una gran cantidad de fotografías. El capítulo detalla la secuencia bio-mecánica utilizada en los casos con extracciones y termina con casos clínicos para demostrar la efectividad de la técnica.

En los capítulos 15, 16, 17 y 18 expongo las técnicas de tratamiento ortodóncico sin extracciones con brackets linguales. Además de la secuencia bio-mecánica para casos tratados con protrusión, distalización, expansión, disyunción y stripping, y de estar ilustrados con numerosos casos clínicos, describo desde la construcción de los aparatos utilizados, las características de los materiales que se usan y discuto cuales son las mejores soluciones a las diferentes situaciones clínicas.

En el capítulo 19 expongo los problemas verticales: casos con mordida profunda y mordida abierta, y resultará de fundamental importancia el estudio de las rotaciones mandibulares, así como su influencia en el overjet y el overbite.

En el capítulo 20 sintetizo los ajustes de primer, segundo y tercer orden en la terminación de casos, así como esquematizo la utilización de los elásticos intermaxilares. En la segunda parte de este capítulo, se describen los aparatos de retención que utilizo para evitar las recidivas.

Considero fundamental el enfoque interdisciplinario del tratamiento ortodóncico, lo que he puesto de manifiesto en mi primer libro "Diagnóstico en Ortodoncia. Estudio Multidisciplinario". En el capítulo 21 se desarrollan las interrelaciones entre la ortodoncia lingual con la periodoncia, la cirugía ortognática, los problemas de ATM y la prostodoncia. Los tratamientos linguales segmentarios preprotésicos expuestos en este capítulo pueden resultar uno de los mejores entrenamientos para los ortodoncistas que se quieren iniciar en ortodoncia lingual.

El capítulo 22, titulado "Confort del paciente" es fundamental para el manejo del paciente y para minimizar las molestias que se pueden ocasionar con este tratamiento.

En el capítulo 23 comparo los tratamientos ortodóncicos con brackets vestibulares y con brackets linguales para determinar cuales son las ventajas y desventajas de cada uno de ellos.

Por último, en el capítulo 24 y a modo de resumen, sintetizo las 15 claves que considero que se deben tener en cuenta para conseguir buenos resultados con la ortodoncia lingual.

Finalmente he listado la bibliografía consultada y recomendada al final del libro clasificándola en:

- libros y syllabus exclusivos de ortodoncia lingual,
- libros que contienen capítulos de ortodoncia lingual,
- libros relacionados con la ortodoncia lingual,
- publicaciones que contienen numerosos artículos de ortodoncia lingual,
- artículos de la Task Force,
- artículos de ortodoncia lingual de los autores que más han publicado por orden alfabético,
- otros artículos de ortodoncia lingual o relacionados también por orden alfabético.

De esta forma resultará más fácil al lector encontrar más información en la que pueda estar interesado.

Es mi deseo que este libro sirva de estímulo para el estudio y la práctica de la ortodoncia lingual a todos los ortodoncistas que se interesen en ella, como libro de consulta, y que les sea de utilidad para ofrecer a sus pacientes la mejor solución para cada caso.

Breve Historia de la Ortodoncia Lingual

En los últimos años, la edad promedio del paciente ortodóncico ha aumentado, y actualmente la población adulta representa un 50 a 55% de los pacientes tratados en consultas de práctica exclusiva de ortodoncia.

Los motivos de esta situación se pueden encontrar en el envejecimiento de la población y la mejoría del status social de la misma, en conjunto con una mayor valorización de la estética y del bienestar o calidad de vida. Indudablemente la estética de la sonrisa y una correcta oclusión influyen notablemente en la vida social de las personas.

Pero también la oferta proporcionada por los especialistas en Ortodoncia es mejor: mayor conocimiento del metabolismo óseo de adultos, avances en técnicas quirúrgicas y de osteodistracción, desarrollo de nuevos materiales que permiten tratamientos más rápidos, más confortables, etc.

Quizás la única paradoja sea que un paciente que, en su mayoría, consulta para optimizar la estética de la sonrisa deba ser portador de brackets durante un período de 1 a 2 años, los cuales afectan notablemente su apariencia.

La estética del tratamiento ortodóncico es actualmente muy superior a la de hace pocos años: actualmente no se utilizan bandas en la zona anterior al disponer de mejores cementos de adhesión directa; los brackets metálicos son más reducidos e inclusive los brackets de porcelana o de composite con arcos y ligaduras estéticas hacen que el aparato ortodóncico pase prácticamente desapercibido. A pesar de todo esto, una parte importante de la población adulta continua resistiéndose al tratamiento vestibular.

Por lo menos desde el siglo XVIII (1726), con Pierre Fauchard, se han utilizado rudimentarios aparatos ortodóncicos sobre la cara lingual de los dientes. La lista de autores que describen aparatos fijos linguales o palatinos es muy extensa e incluye a Angle, Mollins, Mershon, Goshgarian, Crozat, Ricketts, Nance, Wilson, y un larguísimo etcétera; pero es durante la década de los '70 cuando realmente se desarrolla un aparato lingual multibrackets.

La ortodoncia lingual surge como una alternativa completamente invisible para satisfacer la demanda de estos pacientes. Curiosamente la ortodoncia lingual no fue la consecuencia de una demanda de estética, sino que fue iniciada en Japón por Kinja Fujita para cubrir las necesidades ortodóncicas de los pacientes practicantes de artes marciales a fin de proteger las partes blandas (labios y mejillas) del posible impacto contra los brackets. Fujita fue el primero en desarrollar una técnica lingual multibrackets y el arco mushroom.

En 1975 comenzó sus investigaciones y en 1976, Craven Kurz patentó su bracket lingual y Ormco fundó la Task Force para la investigación y el desarrollo de este bracket, así como para realizar las pruebas clínicas. Las características principales de este bracket fueron: disponer de un plano de mordida, de una base adaptada a las características anatómicas de las caras linguales de los dientes y un slot preangulado según la conversión de los torques utilizados en vestibular. Dentro del grupo de las Task Force encontramos nombres de ortodoncistas tan importantes como los Dres. Craven Kurz, John Courtney Gorman, "Bob" Smith, "Wick" Alexander, "Moody" Alexander, James Hilgers y "Bob" Scholz. Kurz también desarrolló numerosos alicates e instrumentos para la práctica clínica de la ortodoncia lingual.

De gran importancia en Estados Unidos podemos nombrar a los Dres. Kelly y Paige en los inicios y muy especialmente a Thomas Creekmore que desarrolló una técnica completa de brackets linguales con slot vertical, incluyendo el sistema de laboratorio, la Slot Machine. Creekmore también diseño plantillas de arcos, instrumentos clínicos, etc.

En los primeros tiempos, la técnica lingual tuvo un gran auge y muchos profesionales comenzaron a utilizarla pero la dificultad de la misma y los resultados poco satisfactorios llevaron a su rápido declive, hasta que se fueron desarrollando los sistemas de laboratorio:

- El TARG fue diseñado en 1981 por la casa ORMCO
- El CLASS fue diseñado por Dillinger, Newhart, y ORMCO en 1984
- El TARG 2 puesto a punto por Fillion entre 1989 – 1991
- La SLOT MACHINE por Creekmore entre 1989 y 1993

Estos sistemas de laboratorio y muchos más son explicados detalladamente en los capítulos 8 y 9 de este libro.

La técnica continuó desarrollándose y actualmente se está realizando con gran éxito en Europa, Japón, Corea y Estados Unidos, así como en otras partes del mundo, lo que se refleja también a través de las numerosas publicaciones y congresos que se organizan para continuar profundizando en la ortodoncia lingual.

También se han creado numerosos grupos de estudio y sociedades científicas para el estudio y desarrollo de la técnica, así como para la difusión de la misma y actualmente hay muchas sociedades con una gran actividad.

Por último quiero decir que la ortodoncia lingual debe estudiarse teniendo en cuenta que:

- no es sólo el uso de mecanismos vestibulares "al revés",
- no es sólo un bracket y una secuencia de arcos,
- es un mecanismo individual e innovador,
- se tratan pacientes que no presentan factores de crecimiento,
- no existe un mecanismo que sirva para todos los casos sino que se debe individualizar el protocolo de tratamiento para cada paciente,
- nos permite tratar muchos pacientes que no aceptan otro tipo de tratamientos visibles,
- nos ha inspirado para realizar determinadas modificaciones a la técnica vestibular que han facilitado la práctica clínica como las ligaduras circunferenciales de Scott o el uso de build-ups.

La ortodoncia en adultos y la técnica lingual

1

- Ortodoncia en adultos 27
  - Definición 27
  - Introducción 27
- Ortodoncia estética invisible 27
- Características del hueso alveolar adulto 30
- Metas en Ortodoncia Lingual 32
- Formas de practicar Ortodoncia Lingual 32
  - Ortodoncia lingual en los maxilares superior e inferior 33
  - Ortodoncia lingual en el maxilar superior y brackets estéticos en el maxilar inferior 33
  - Técnica Cross-over 33
  - Técnica de Takemoto 34
  - Ortodoncia pediátrica de Fávero 35
  - Ortodoncia lingual preprotésica segmentaria 35

Ortodoncia en adultos

Definición

La ortodoncia en adultos tiene características que le diferencian del tratamiento ortodóncico en el paciente en crecimiento. Dado que la ortodoncia lingual trata principalmente a pacientes adultos, debemos estudiar sus peculiaridades.

La ortodoncia lingual se refiere principalmente al tratamiento ortodóncico con aparatos cuyo punto de aplicación de la fuerza es mayoritariamente en la cara lingual de los dientes. Para diferenciarla de los aparatos auxiliares palatinos y linguales, diremos además que se trata de una técnica multibrackets basada en los principios de las técnicas de arco de canto.

Introducción

La evolución normal de la cara en el paciente adulto trascurre con disminución de la dimensión vertical especialmente del tercio inferior de la cara y con un aumento de la concavidad del perfil del tercio inferior de la misma. Secundariamente a este proceso se observa una pérdida de elasticidad y "caída" de los tegumentos que se expresa como profundización de los surcos nasogenianos y labio-mentoniano, aparición de surcos verticales a nivel de las comisuras labiales y aparición de surcos secundarios alrededor del orbicular de los labios. La "caída" del labio superior también provoca una menor exposición de los incisivos (aproximadamente a razón de 1 mm cada 10 años según Kokich).

Un correcto plan de tratamiento debería tender a protruir y expandir los dientes dentro de los límites anatómicos de los rebordes alveolares y a la vez aumentar la dimensión vertical para contrarrestar los efectos de la edad y para dar un aspecto más juvenil y pleno a la cara. La edad no es una contraindicación del tratamiento ya que los rebordes alveolares responden a los estímulos indicados con reabsorción y aposición ósea a cualquier edad, pero la respuesta es más lenta debido, principalmente, a la disminución de irrigación del hueso adulto.

La limitación del tratamiento de ortodoncia es relativa a la integridad de las piezas dentarias y del soporte periodontal. La falta de dientes, su abrasión exagerada o asimétrica (por la maloclusión), las obturaciones y/o restauraciones en mal estado, la pérdida de soporte óseo (vertical y horizontal) limitan el tratamiento ortodóncico y requieren un tratamiento interdisciplinario.

El tratamiento de ortodoncia tiene por objetivo llevar los dientes a su posición ideal (o la más cercana posible) remodelando el hueso alveolar y mejorando así la estética facial y la función masticatoria. También permite aumentar la vida fisiológica de las piezas dentarias, ya que los ubica en una posición de equilibrio con respecto a las fuerzas circundantes y recibiendo las fuerzas de la masticación en dirección axial. En caso de necesidad de reposición de piezas dentarias, el tratamiento se puede indicar para dar las mejores condiciones a la prótesis (paralelismo de pilares, equilibrio de la oclusión, guía anterior y guía canina, etc.)

El adulto suele ofrecer resistencia a estos tratamientos debido a la necesidad de llevar brackets visibles tanto sean metálicos como estéticos. El concepto de ortodoncia estética invisible cubre las expectativas de este tipo de pacientes.

Ortodoncia estética invisible

La técnica multibrackets con aparatología lingual tiene casi 30 años de desarrollo y con la experiencia de los casos tratados se ha llegado a la concepción de una técnica completamente protocolizada.

La técnica de ortodoncia estética invisible incluye los siguientes conceptos:

a. La utilización de brackets linguales, cementados a la cara interna de los dientes (fig. 1-01).
b. La utilización preferente de tubos de adhesión directa en primeros y segundos molares, limitando el uso de bandas a los casos con refuerzo de anclaje mesio-distal o vertical o a sucesivos despegamientos. En casos en que estén indicadas las bandas, se recubren por vestibular con carillas estéticas de composite (fig. 1-02).
c. La minimización del uso de brackets o botones en la cara vestibular de los dientes. Se utilizan distintos tipos de ligaduras para la corrección de rotaciones, como la ligadura circunferencial de Scott (fig. 1-01) y otros métodos para el control de las rotaciones durante los movimientos mesio-distales (ligadura circunferencial de Takemoto, toe-out, etc.)

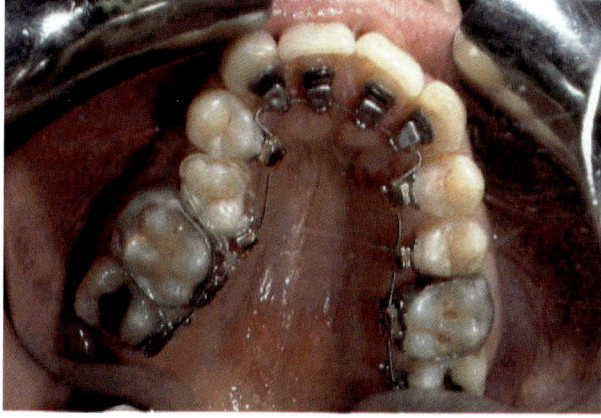

Fig. 1-01   Caso tratado con brackets linguales. Obsérvese también el botón de composite en la cara vestibular del segundo premolar superior derecho para sujetar ligadura de rotación de Scott en la pieza

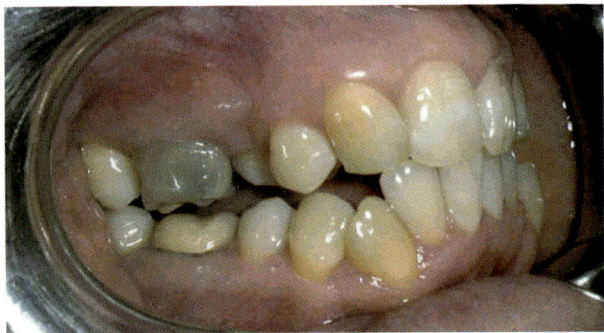
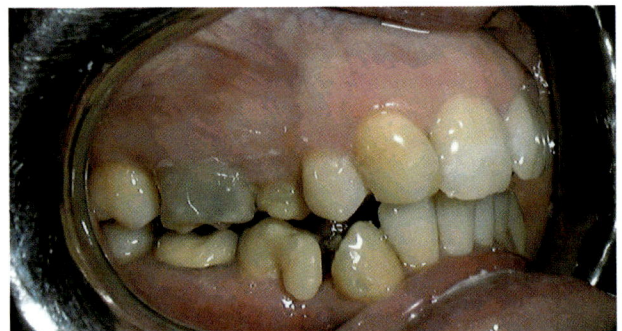

Fig. 1-02   Vista lateral de caso tratado con ortodoncia lingual. Obsérvese la desoclusión posterior provocada por el contacto de los incisivos inferiores contra los planos de mordida de los brackets de incisivos superiores. Obsérvese también el recubrimiento estético de la cara vestibular de la banda del molar superior derecho

Fig. 1-03   Vista lateral de caso tratado con ortodoncia lingual. Obsérvese el póntico estético para cubrir el espacio de extracción del primer premolar inferior derecho, el cual está recortado para permitir la distalización del canino. El póntico se irá recortando a medida que se distalize el canino

d. La minimización del uso de elásticos intermaxilares, limitándolos sólo a la fase de terminación.
e. La utilización de dientes provisionales de resina para cubrir los espacios de extracción. Los provisionales se deberán ir recortando a medida que se cierran los espacios (fig. 1-3).
f. La minimización del uso de aparatos extraorales para refuerzo de anclaje.
g. La minimización del tiempo de tratamiento con brackets linguales, mediante la utilización de pre-aparatos de expansión/disyunción, distalización o la técnica de cementado progresivo.
h. La minimización del tiempo de tratamiento por la reducción del tiempo final de ajuste mediante la individualización de la prescripción al posicionar los brackets en el modelo y cementados por técnica indirecta.
i. La utilización de brackets en la cara lingual de los dientes provoca que los posibles efectos secundarios de descalcificación, caries o manchas sólo se podrían producir en la cara lingual de los dientes.
j. La evaluación estética del paciente durante el tratamiento es mucho más exacta sin brackets que distorsionen o impidan la visión o modifiquen la posición de los labios.

Por otra parte el adulto, y especialmente el paciente de técnica lingual, requiere algunas consideraciones especiales:

a. Este paciente prefiere ser atendido en un gabinete privado y no en una sala con varios sillones donde coincida con otros pacientes (Privacidad).
b. Es un tipo de paciente que requiere muchas explicaciones, por lo que se prolonga el tiempo de visita, y se debe disponer de información escrita en forma de trípticos o página web, etc. El personal auxiliar debe estar formado para instruir y entrenar a los pacientes para solucionar las dificultades que se puedan encontrar.
c. Son pacientes con una baja resistencia al dolor-disconfort, por lo que las activaciones de los arcos deben ser más graduales y se deben diseñar protocolos de actuación frente a las posibles emergencias. Es muy importante que el personal auxiliar conozca estos protocolos.
d. Son pacientes con un altísimo nivel de exigencia en el acabado del caso. Es muy importante "escuchar" al paciente durante la primera visita para conocer sus expectativas con respecto al tratamiento y hacer un consenso entre sus expectativas y las posibilidades reales del tratamiento. Finalmente el paciente debe firmar el consentimiento informado del tratamiento.
e. Son pacientes que no les gusta esperar, por lo que se debe ajustar el horario de visitas.
f. Se les debe proveer del material necesario para su higiene y cuidado (cepillos especiales, irrigadores bucales, cera, silicona de protección).
g. Se les debe dirigir a centros especializados tanto para urgencias o para sus desplazamientos laborales o de vacaciones.

Esta técnica está muy indicada para los efectos deseados en adultos: protrusión, expansión y aumento de la dimensión vertical, aunque puede ser utilizada para casi todos los casos. Los movimientos hacia vestibular son más fáciles porque los arcos deben presionar los dientes, en vez de traccionarlos como en la técnica vestibular. El aumento de dimensión vertical se produce porque el contacto del borde de los incisivos inferiores contra el plano de mordida de los brackets de incisivos superiores favorece la extrusión de molares y la post-rotación mandibular. Esta desoclusión posterior también favorece los movimientos vestíbulo-linguales o mesio-distales de la piezas posteriores ya que no se oponen las fuerzas de oclusión.

Los planos de mordida de los brackets de los incisivos superiores actúan también como una férula de desoclusión posterior, de relajación muscular, por lo que los pacientes suelen referir una sensación de relajación a nivel de los músculos elevadores de la mandíbula, a la vez que permiten la descarga de la articulación témporo-mandibular (figs. 1-04 y 1-01).

Los pacientes más indicados para este tipo de tratamiento son los que presentan el síndrome de mordida profunda anterior sin resalte incisivo y cuyas características son: mordida profunda anterior (overbite mayor a 3 mm), resalte incisivo normal (overjet de 1,5 mm a 2 mm), dimensión vertical facial disminuida (especialmente el tercio inferior de la cara), clase I molar, o clase II, división 2ª, ángulo interincisivo aumentado, sobrecarga de las articulaciones témporo-mandibulares y cara lingual de los incisivos superiores lisa (sin cíngulo).

Todos los casos de maloclusión que pueden ser tratados con ortodoncia vestibular, pueden ser tratados con ortodoncia lingual, pero no todos los pacientes pueden ser tratados con ortodoncia lingual porque el paciente sufre algunas molestias durante el primer período de tratamiento: molestias en la lengua, dificultades de pronunciación, deglución y masticación. Estas molestias suelen desaparecer en un período de aproximadamente 3 semanas.

Los pacientes adultos acuden a la consulta ortodóncica porque quieren conservar sus dientes y porque quieren obtener el mayor resultado estético posible y es una decisión propia, no decisión de los padres como en el paciente infantil. Debemos "escuchar" al paciente para saber exactamente cuales son sus expectativas con respecto al tratamiento, explicarle cuales son las posibilidades reales del tratamiento y llegar a un "acuerdo" que quedará reflejado y firmado en el consentimiento informado. Una parte importante del diagnóstico es determinar que nivel de reconstrucción está dispuesto a aceptar y asumir (molestias durante el tratamiento, coste, etc.) el paciente y de cómo será la retención. Luego se deben hacer los diagramas de las fuerzas que van a actuar para conseguir el máximo de efectos deseados y el mínimo de efectos colaterales.

También es muy importante diagnosticar el patrón esquelético, determinar los efectos que tendrá nuestro tratamiento sobre la estética facial y decidir si se puede realizar un tratamiento que compense la disgnacia con garantías de función, estética y estabilidad o si es necesario un tratamiento combinado con cirugía ortognática u otras especialidades.

Otra característica del paciente adulto es que las extracciones están muchas veces condicionadas por el estado de deterioro de las piezas o su periodonto y esto puede modificar muchas veces los planes de tratamiento.

En cuanto al tiempo de tratamiento deberá ser el menor posible desde el punto de vista del ortodoncista y, de ser posible, mantenerse por debajo de los 2 años de tratamiento fijo para minimizar el riesgo de reabsorción radicular, especialmente si el paciente ya ha sido tratado ortodóncicamente con anterioridad. El tiempo de tratamiento será pactado con el paciente con anterioridad y deberemos adecuarnos a la capacidad de adaptación del paciente a la aparatología ortodóncica.

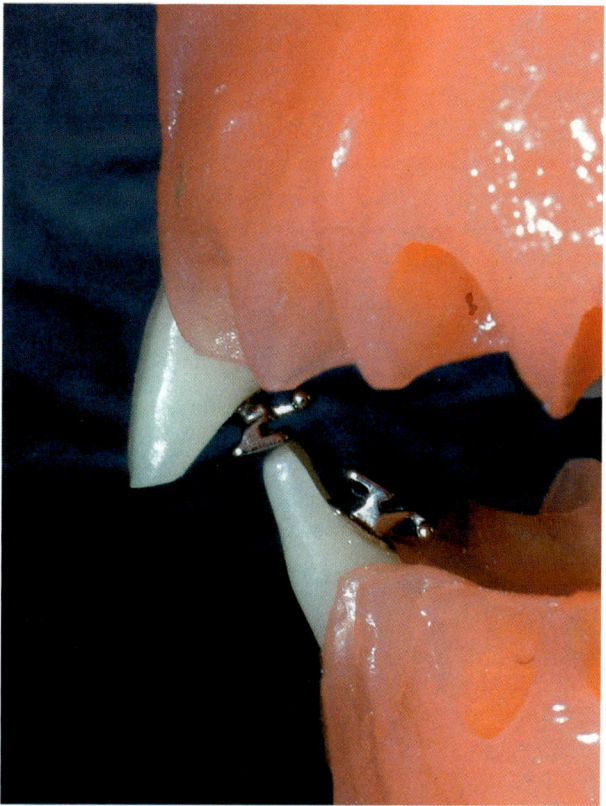

Fig. 1-04 Vista mesial de la oclusión de los incisivos inferiores contra el plano de mordida de los brackets linguales

La misma consideración deberá ser tenida en cuenta con respecto al tiempo de sillón. Si bien intentaremos cumplir con los objetivos de cada visita, el nivel de tolerancia del paciente o su estado de salud puede obligar a un menor acto clínico, por ejemplo pacientes con alteraciones de cervicales o de ATM.

Son también problemas comunes en el adulto:

- La abrasión y desgaste dentario por uso o por bruxismo. Asimismo el desgaste puede ocurrir en zonas no apropiadas del diente. Por ejemplo los dientes superiores posteriores que se encuentran en mordida cruzada pueden presentar abrasión de las cúspides vestibulares que impidan obtener una correcta intercuspidación una vez corregida la anomalía transversal sin un tratamiento interdisciplinario con una reconstrucción de ese desgaste.
- A menudo los pacientes presentan prótesis (coronas o puentes) ajustadas a la maloclusión del paciente y el plan de tratamiento de ortodoncia debe incluir el recambio de esas prótesis por otras que se ajusten a la oclusión corregida.

- La falta de piezas posteriores o piezas posteriores abrasionadas provocan una disminución de la dimensión vertical y sobremordida anterior con posible proinclinación de incisivos y aparición de diastemas. El plan de tratamiento debe incluir la reposición de las piezas posteriores o la reconstrucción de las piezas posteriores para asegurar la estabilidad del paciente.
- Esta falta de piezas posteriores reduce la capacidad de anclaje posterior, así como los casos de piezas posteriores con soporte óseo disminuido.
- La falta de piezas posteriores provoca migraciones de piezas vecinas y sobreerupción de piezas antagonistas. La intrusión de antagonistas es un movimiento complicado y el enderezamiento de molares, normalmente, provoca un aumento de la dimensión vertical.

Características del hueso alveolar adulto

En el paciente adulto, especialmente al aumentar la edad, se debe disminuir el nivel de fuerzas porque:
- Normalmente el paciente adulto refiere más dolor que el paciente infantil frente al tratamiento ortodóncico tanto sea con brackets vestibulares o linguales.
- Se debe disminuir la fuerza inicial porque el hueso adulto no dispone inicialmente de la misma cantidad de células útiles que el hueso joven. Además el hueso adulto se hace más compacto y disminuye la irrigación, reduciendo el aporte de osteoclastos y osteoblastos a la zona.
- Por otra parte el hueso cortical se adelgaza y se contrae adaptándose a la raíces dentarias de forma que es posible encontrar un aspecto ondulado al palpar el reborde alveolar. Los dientes encuentran limitados su desplazamientos por el hueso cortical, tal como ya describió Ricketts.
- Birte Melsen aconseja valorar la fuerza por unidad de hueso, en vez de por unidad de diente. Tanto por la reabsorción apical que ocurre con la edad, como por la reducción de la altura del hueso alveolar, el centro de resistencia varía su posición. El centro de resistencia se encuentra aproximadamente a un 40% de la altura de la raíz que se encuentra dentro del hueso alveolar a partir del ápice radicular. Esta variación del centro de resistencia hace que se deba utilizar una diferente proporción de momento-fuerza. Es aconsejable tomar radiografías apicales para determinar exactamente la altura de hueso. En general, la Dra. Melsen recomienda reducir la fuerza en un 50% para los pacientes adultos.
- La Dra. Melsen señala también que el hueso alveolar no crece en altura.
- Se debe tener en cuenta el hueso de las áreas desdentadas tanto por su reducción de altura (atrofia consecuente a edentación) como por la contracción de tablas. Tanto la atrofia como la contracción son más acentuadas, cuanto más tiempo haga de la extracción.

El nivel de fuerzas también debe tener en cuenta no sólo la relación de momento-fuerza según la pérdida ósea, sino también que la dentición se encuentra en un estado degenerativo, y no nos podemos permitir un daño iatrogénico. Se debe planificar un movimiento lo más pequeño posible y sin movimientos de ida y vuelta.

Es muy importante determinar correctamente no sólo la intensidad de las fuerzas sino también la dirección de las mismas para evitar una destrucción ósea excesiva. La hialinización sucede en áreas del periodonto sometidas a alta tensión: exceso de fuerza o exceso de inclinación aún con fuerzas ligeras.

En el paciente adulto se pueden mover dientes intentando dirigir las fuerzas correctamente, evitando inclinaciones y así se puede conseguir llevar dientes a áreas donde el proceso alveolar no está bien desarrollado o mover dientes a través del seno maxilar (Melsen). Para mover el diente con su cortical se necesita una distribución de la tensión dirigida a la reabsorción directa y a la correspondiente aposición ósea.

Es muy importante diferenciar (diagnosticar) cuándo intruir y cuándo extruir dientes. Siguiendo a Melsen, con pérdida de hueso vertical, nunca se debe tratar de intruir; pero si el paciente presenta una pérdida de hueso horizontal, se pueden intruir dientes, siempre que se tenga un periodonto sano y sin bolsas patológicas. Por eso es tan importante que los pacientes sean controlados por un periodoncista antes y durante los tratamientos.

Si los curetajes normales y la motivación de higiene no reducen las bolsas a 3-4 mm, se deberá hacer un raspaje a cielo abierto, mediante colgajos para la reducción de bolsas. Dos o tres días después de la cirugía, se puede empezar la intrusión. El paciente será controlado cada 4 a 6 semanas y eventualmente se harán raspajes o curetajes para remover el epitelio de los sacos que se haya desarrollado durante el tratamiento.

En la zona anterior se deben intruir o extruir los dientes intentando nivelar los márgenes gingivales para obtener una mejor estética y reconstruir o desgastar los dientes que sea necesario.

La extrusión posterior habitualmente no es estable en el paciente adulto. Salgsvold lo demostró experimentalmente en monos. También en Michigan fue demostrado que al cementar onlays sobre molares, éstos se intruían con el tiempo, volviendo a reducir la dimensión vertical. Los estudios de Creekmore y Melsen confirman que si se extruyen molares, recidivarán. Pero si se obtiene un correcto contacto anterior entre incisivos inferiores y cíngulos superiores, el reflejo mesencefálico de protección impide una fuerte contracción de los músculos elevadores mandibulares favoreciendo una mayor estabilidad. Echarri recomienda la reconstrucción de los cíngulos de los incisivos superiores con carillas de porcelana cuando la forma dentaria o la abrasión lo requiera.

En un estudio realizado en monos, se les producían bolsas patológicas y se marcaba la altura en la raíz, comenzando a intruir los dientes inmediatamente. En los tres meses posteriores a la intrusión y con una higiene continuada, se había ganado inserción de una forma consistente (entre 0,5 y 3 mm).

Las fuerzas de intrusión deben ser ligeras y continuadas según la Dra. Melsen entre 5 a 10 g. Craven Kurz señaló que la presión de los incisivos inferiores sobre los planos de mordida de los brackets de los incisivos superiores es de aproximadamente de 25 g y que resulta especialmente adecuada.

El punto de aplicación de la fuerza es crucial para la intrusión en adultos. Melsen asegura que se debe intentar intruir los dientes por traslación a lo largo de su eje mayor. No se debe intruir por inclinación porque provoca compresión del ligamento periodontal y reabsorción. Se debe intentar una traslación real en sentido apical a través del eje longitudinal del diente porque si se estiran las fibras periodontales se obtiene aposición ósea en vez de reabsorción. En los experimentos en animales también observaron un aumento de la actividad mitótica en la formación de células óseas. La aplicación de fuerzas a través de brackets linguales permite una mejor dirección de la fuerza que provoca una intrusión con menor inclinación.

Resumiendo:
1. Las fuerzas deben ser mantenidas con una intensidad baja en el paciente adulto, especialmente en el inicio del tratamiento.
2. La proporción momento-fuerza tiene que ser adecuada al nivel de hueso.
3. Debe mantenerse el control vertical durante todo el tratamiento.
4. La valoración del anclaje debe tener en cuenta el nivel de hueso de soporte y el estado de la pieza que será utilizada como anclaje.
5. Se debe realizar un plan de tratamiento en el que se puedan conseguir los objetivos del mismo con el menor movimiento posible y en el menor tiempo posible.

Según los datos aportados por numerosos ortodoncistas, aproximadamente el 30% de los pacientes adultos llegan con problemas de ATM y deben ser tratados con férulas (confeccionadas en el articulador pero siempre ajustadas en boca). Estas férulas son muy delgadas y buscan lo que llaman en Dinamarca la posición estructural, que no es ni la RC, ni la posición muscular (que a veces es imposible alcanzar al principio del tratamiento por la posición de los dientes), sino la posición mandibular asintomática que es la posición en la que hay armonía entre la musculatura, la articulación témporo-mandibular y la oclusión dentaria. El plan de tratamiento debe intentar llevar a los pacientes a esta posición.

El verdadero límite de la ortodoncia de adultos no está en hasta dónde se puede mover un diente (existiendo un periodonto sano y suficiente hueso alveolar) sino en la cantidad de piezas dentarias que se puedan aprovechar para ser utilizadas como anclaje. Por ejemplo, es fácil juntar o separar dos dientes, pero si se quieren mover los dos dientes en la misma dirección, no se puede hacer sin el suficiente anclaje. Los implantes y los "onplants" utilizados como anclaje han aumentado las posibilidades de la ortodoncia.

Zernik y colaboradores estudiaron la influencia genética en el crecimiento óseo (los genes Msx) y no descartan la posible influencia genética en el crecimiento tardío de los rebordes alveolares y que está inducido (tanto en altura como en espesor) por el crecimiento y erupción de los dientes permanentes. La agenesia dentaria o la retención de piezas permanentes se ve acompañada por deficiencias del reborde alveolar a ese nivel.

En el paciente adulto típico, hasta un 20% del calcio total del esqueleto es eliminado y depositado de nuevo cada año. Por lo tanto, como afirman Holick, Krane y Potts, el hueso es un tejido dinámico con una velocidad de recambio relativamente alta. La velocidad de recambio del hueso va disminuyendo con el tiempo. También puede determinarse que el hueso adulto no reacciona con la misma velocidad que el hueso joven a los estímulos del tratamiento ortodóncico, aunque no puede asegurarse que este hecho esté relacionado a la reducción de la velocidad de recambio general del tejido óseo o a la reducción de velocidad de recambio específica del hueso alveolar después de completarse el desarrollo de la dentición. Además los dientes se mueven con menor velocidad a través de las áreas desdentadas aunque esto no esté totalmente demostrado, se puede constatar en la clínica.

Por otra parte, en los últimos años se ha estudiado la pérdida ósea y su cuantificación en el esqueleto del adulto y del anciano, pero curiosamente, aunque se observa pérdida de hueso alveolar con la edad, no se encuentra debidamente documentada como para llegar a conclusiones en odontología.

La osteoporosis (reducción en la masa de hueso por unidad de volumen) puede tener diferentes orígenes, pero la más común no se asocia con ninguna enfermedad y se conoce como osteoporosis involutiva. La osteoporosis no se asocia a la velocidad de recambio de hueso, sino al balance de este recambio. El balance negativo neto es el que provoca la pérdida de hueso.

La osteoporosis involutiva se clasifica en:

> **CUADRO 1. METAS EN ORTODONCIA LINGUAL**
>
> - Usar los aparatos más estéticos (invisibles)
> - Usar los aparatos más confortables para el paciente y compatibles con su vida social y profesional
> - Usar los aparatos más simples para facilitar la técnica
> - Contemplar las particularidades de los tratamientos ortodóncicos en adultos
> - Tratar todos los tipos de maloclusión
> - Reducir el tiempo de tratamiento
> - Reducir el tiempo de sillón
> - Minimizar las extracciones
> - Conseguir los mismos resultados que con técnica vestibular mediante un total control tridimensional de los dientes.

- osteoporosis de tipo I (posmenopáusica)
- osteoporosis de tipo II (senil)
- osteoporosis idiopática (juvenil y del adulto)

La osteoporosis de tipo I se presenta evidentemente en mujeres en edad menopáusica y se observa una pérdida acelerada de hueso (principalmente pérdida de hueso trabecular), relacionada con el descenso de niveles de estrógeno y con fracturas frecuentes, especialmente de vértebras y antebrazos.

La osteoporosis de tipo II se presenta en hombres y mujeres de alrededor de 70 años de edad y con fracturas frecuentes de cuello femoral, húmero, tibia y pelvis. La pérdida más importante de hueso es cortical.

Otros tipos de osteoporosis son:
- Osteoporosis por:
  - Hipogonadismo.
  - Hiperadrenocorticismo.
  - Administración crónica de glucocorticoides o de heparina.
  - Hiperparatiroidismo.
  - Tirotoxicosis.
  - Malabsorción.
  - Escorbuto.
  - Deficiencia de calcio.
  - Inmovilización.
  - etc.
- Osteoporosis como característica de trastornos hereditarios:
  - Osteogénesis imperfecta.
  - Síndrome de Ehiers-Danios.
  - Síndrome de Marfan.
  - Homocistinuria.
- Osteoporosis como característica de otras afecciones:
  - Artritis reumatoide.
  - Malnutrición.
  - Alcoholismo.

Resumiendo

Se deben tener en cuenta las posibles enfermedades metabólicas que afecten al tejido óseo y en especial la osteoporosis. A veces esto se detecta por excesiva reacción a los estímulos de fuerzas. En el tratamiento de la mujer en menopausia (o próximas) que no está tratada con estrógenos o no está recibiendo un suplemento hormonal podemos preocuparnos por la regeneración ósea (que no se produzca) o por la reabsorción radicular.

Los pacientes bajo tratamiento con cortisona tienen muy pocas células disponibles para la reabsorción y aposición ósea, de tal forma que no es fácil que se produzca el movimiento ortodóncico.

Metas en Ortodoncia Lingual

- Usar los aparatos más estéticos (invisibles).
- Usar los aparatos más confortables para el paciente y compatibles con su vida social y profesional.
- Usar los aparatos más simples para facilitar la técnica
- Contemplar las particularidades de los tratamientos ortodóncicos en adultos.
- Tratar todos los tipos de maloclusión.
- Reducir el tiempo de tratamiento.
- Reducir el tiempo de sillón.
- Minimizar las extracciones.
- Conseguir los mismos resultados que con técnica vestibular mediante un total control tridimensional de los dientes.

Para poder alcanzar las metas de la ortodoncia lingual resulta imprescindible:
- Usar una técnica de laboratorio simple y precisa.
- Usar una técnica de cementado y recementado efectiva.
- Usar una mecánica de tratamiento simple.

Formas de practicar Ortodoncia Lingual

- Ortodoncia lingual en los maxilares superior e inferior
- Ortodoncia lingual en el maxilar superior y brackets estéticos en el maxilar inferior.
- Técnica Cross-over (inventada por Craven Kurz).
- Técnica de Takemoto.
- Técnica Pediátrica de Fávero.
- Ortodoncia lingual preprotésica segmentaria.

CUADRO 2. FORMAS DE PRACTICAR ORTODONCIA LINGUAL

- Ortodoncia lingual en los maxilares superior e inferior
- Ortodoncia lingual en el maxilar superior y brackets estéticos en el maxilar inferior.
- Técnica Cross-over (inventada por Craven Kurz)
- Técnica de Takemoto
- Técnica Pediátrica de Fávero
Ortodoncia lingual preprotésica segmentaria

Ortodoncia lingual en los maxilares superior e inferior

Es la técnica de elección del autor porque es la única realmente estética (figs. 1-05A y B).

Ortodoncia lingual en el maxilar superior y brackets estéticos en el maxilar inferior

En ocasiones se realizan tratamientos con brackets linguales en el maxilar superior y brackets estéticos en el maxilar inferior (figs. 1-06A y B).

La estética del tratamiento se ve minimizada (especialmente en pacientes fumadores o bebedores de café) pero existen algunas razones que pueden justificarlo:

- Torque muy negativo de los dientes inferiores.
- Escasa altura coronaria de los dientes inferiores, por ejemplo por abrasión.
- Trismus o limitación de apertura bucal.
- Baja resistencia al dolor/disconfort del paciente.
- Para reducir el coste del tratamiento.
- Porque realmente es más difícil el tratamiento en el maxilar inferior (por visibilidad y por acceso).

Técnica Cross-over

Esta técnica inventada por Craven Kurz, utiliza brackets linguales de canino a canino y brackets vestibulares en

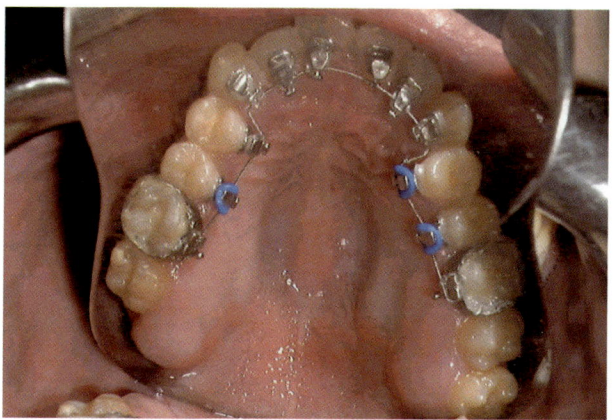

Fig. 1-05 A Caso tratado con brackets linguales superiores e inferiores. Vista oclusal superior

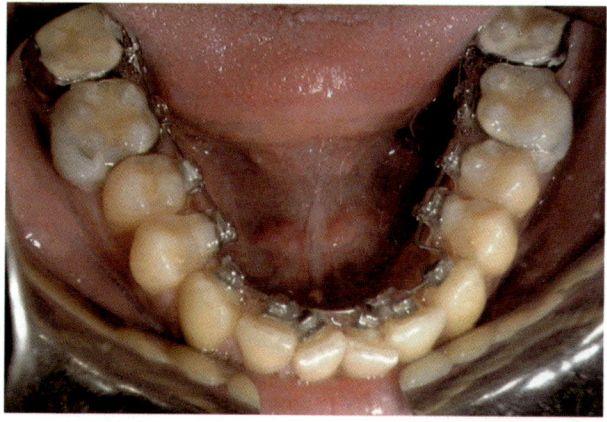

Fig. 1-05 B Caso tratado con brackets linguales superiores e inferiores. Vista oclusal inferior

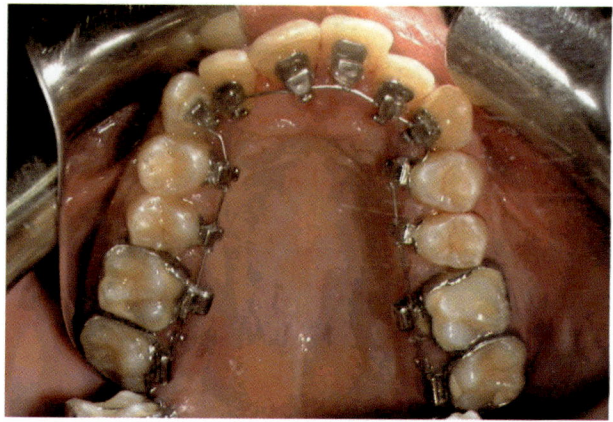

Fig. 1-06 A Caso tratado con brackets linguales superiores y brackets inferiores estéticos. Vista oclusal superior

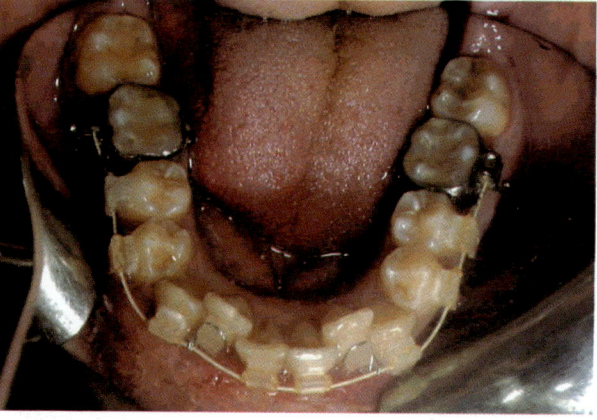

Fig. 1-06 B Caso tratado con brackets linguales superiores y brackets inferiores estéticos. Vista oclusal inferior

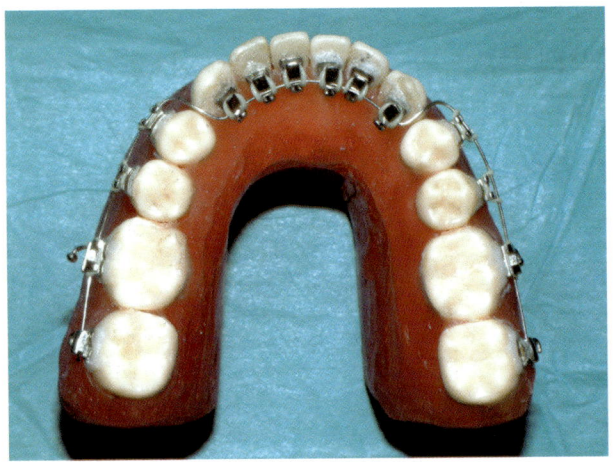

Fig. 1-07 A Técnica Cross-Over, vista oclusal

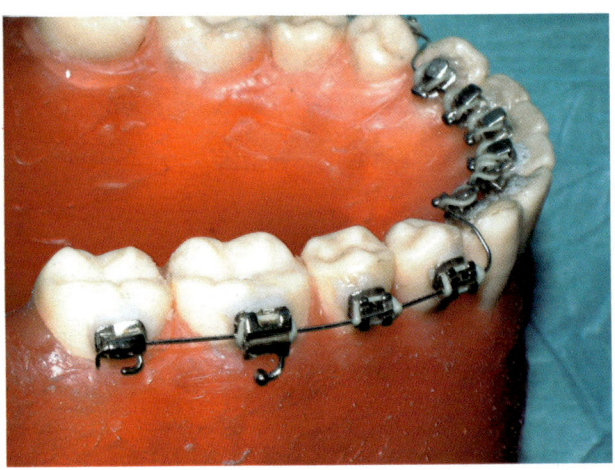

Fig. 1-07 B Técnica Cross-Over, vista lateral

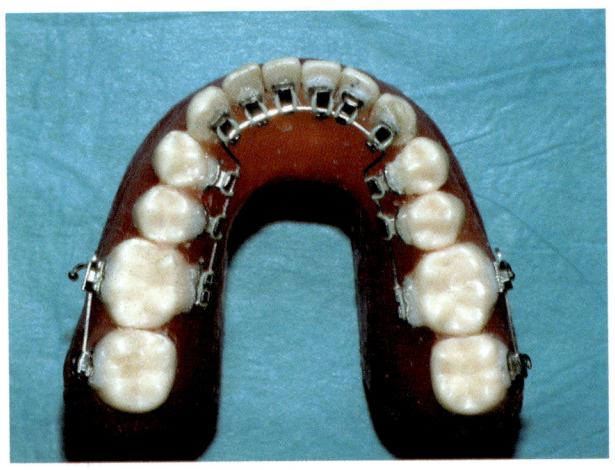

Fig. 1-08 A Técnica de Takemoto, vista oclusal

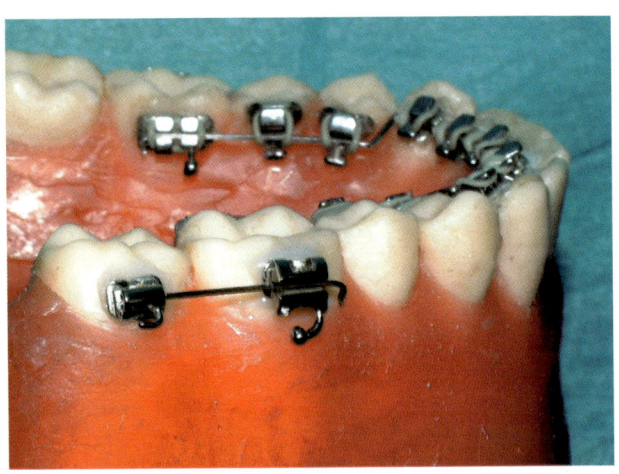

Fig. 1-08 B Técnica de Takemoto, vista lateral

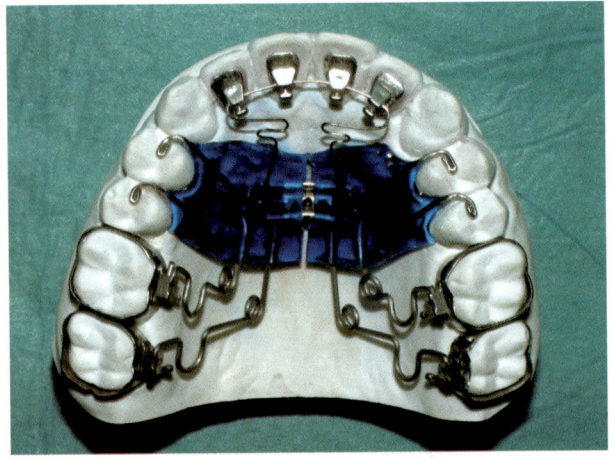

Fig. 1-09 Péndulo F de Fávero

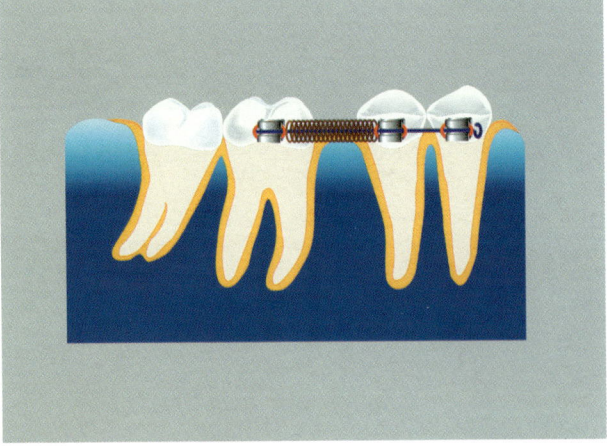

Fig. 1-10 Esquema de tratamiento lingual segmental preprotésico

premolares y molares. Se utiliza en casos con coronas cortas de las piezas posteriores y se deben utilizar arcos que crucen la oclusión a distal de canino. Esto impide que se utilice ningún tipo de arco preformado, por lo que se complica el tratamiento (figs. 1-07 A y B).

Técnica de Takemoto

Takemoto recomienda la utilización de brackets linguales de primer molar a primer molar (figs. 1-08 A y B). En los primeros molares utiliza además tubos vestibulares y en los segundos molares únicamente tubos vestibulares. Se deben utilizar entonces, arcos linguales de primer molar a primer molar y arcos seccionales vestibulares a nivel molar. Esta técnica se encuentra indicada especialmente en casos en que la cara lingual de los segundos molares esté muy reducida, por baja tolerancia a las irritaciones linguales o para un mejor control de la rotación de molares y del efecto bowing transversal.

Ortodoncia Pediátrica de Fávero

El Dr. Fávero diseñó el Péndulo F que es una modificación del Péndulo de Hilgers. Incluye un arco de TMA de .016" ó de .0175" x .0175" con doble asa para la alineación y protrusión o retrusión del grupo incisivo. Actúa sobre estos dientes a través de brackets linguales cementados a los mismos (fig. 1-09).

Ortodoncia lingual preprotésica segmentaria

Se trata de un tratamiento ortodóncico con fines preprotésicos de un sector de las arcadas dentarias. Normalmente es un tratamiento simple y de gran ayuda en tratamientos multidisciplinarios. El autor recomienda al ortodoncista que quiera iniciarse en la ortodoncia lingual, que comience con este tipo de tratamientos (fig. 1-10). Todas estas formas de realizar la ortodoncia lingual serán desarrolladas a lo largo de este libro.

Ventajas y desventajas de la ortodoncia lingual 2

- Introducción 39
- Ventajas 39
  - Para el ortodoncista 39
  - Para el paciente 39
  - Para la higienista y asistente dental 39
  - Para el técnico de laboratorio 39
- Desventajas 39
  - Para el ortodoncista 39
  - Para el paciente 39
  - Para la higienista y asistente dental 39
  - Para el técnico de laboratorio 40

Introducción

El tratamiento con ortodoncia lingual ofrece ventajas y desventajas que serán analizadas en este capítulo, aunque también es conveniente leer el capítulo 23, "Comparación de los tratamientos ortodóncicos realizados con ortodoncia vestibular y con ortodoncia lingual". De todas formas la comprensión del capítulo 23 será más completa al finalizar este libro.

Las ventajas y desventajas están clasificadas desde el punto de vista del ortodoncista, del paciente, de la higienista y asistente dental y del técnico de laboratorio.

Ventajas

Para el ortodoncista

- Le permite tratar a los pacientes que no aceptan el tratamiento ortodóncico por la estética de los brackets vestibulares.
- La evaluación estética de los dientes y labios es más fácil durante el tratamiento.
- Los brackets linguales favorecen ciertos movimientos por su posición con respecto al diente (protrusión, expansión) y con respecto al centro de resistencia del diente (intrusión).
- La desoclusión de premolares y molares favorece algunos movimientos de esas piezas.
- El efecto "férula" de los brackets linguales estimula la relajación de los músculos masticatorios favoreciendo la corrección de la mordida profunda anterior y la disminución de síntomas cráneo-mandibulares.
- Es otra fuente de odontólogos, ortodoncistas y pacientes referentes.
- Aumenta su prestigio profesional.

Para el paciente

- Estética durante el tratamiento.
- El esmalte vestibular no sufre los ataques del gravado, sellado y descementado, por lo que está especialmente indicada en pacientes con alta susceptibilidad a caries, o con alteraciones de color o amelogénesis imperfecta.
- Los labios se encuentran protegidos en caso de traumas por accidente o deportes de riesgo.
- El aumento de dimensión vertical permite una disminución de los síntomas cráneo-mandibulares.

Para la higienista y asistente dental

- El aprendizaje de la técnica lingual y de cementado indirecto brinda más oportunidades de empleo.
- Significa una forma de desarrollo profesional.

Para el técnico de laboratorio

- Significa el aprendizaje de una técnica (posicionamiento de brackets sobre modelos) que puede ser aplicada con brackets vestibulares.
- Significa una forma de desarrollo profesional.
- Significa una nueva fuente de ingresos y prestigio para su laboratorio.

Desventajas

Para el ortodoncista

- Sin una técnica depurada, tendrá menor control de:
  - la coordinación de arcos,
  - el anclaje,
  - la dimensión vertical,
  - el torque,
  - las rotaciones.
- Dificultad de cementado en coronas dentales cortas.
- Distancia interbracket reducida.
- Dificultad de ligado.
- Dificultad de ajuste de arcos directamente en boca.
- Tiempo de tratamiento algo mayor, dependiendo de la práctica.
- Tiempo de sillón mayor, dependiendo de la práctica.
- Necesidad de instrumental específico.
- Necesidad de conocer la individualización de la prescripción.
- Necesidad de conocer la técnica de cementado indirecto.
- Necesidad de conocer la técnica de recementado indirecto.

Para el paciente

Especialmente durante las 3 primeras semanas:
- Dificultad de pronunciación, en castellano las letras "R" y "S" y los vocablos "DR" y "TR".
- Dificultad para la higiene.
- Posibles irritaciones linguales.
- Dificultad de masticación.
- Mayor coste de tratamiento.

Para la higienista y asistente dental

- Aprendizaje de nuevos brackets, arcos, materiales e instrumental.
- Aprendizaje de técnicas de cementado y recementado indirecto.
- Familiarización con el trato con los laboratorios ortodóncicos, cubetas de transferencia, plantillas de arcos, etc.
- Familiarización con los problemas que pueden tener los pacientes y aprendizaje de las instrucciones y explicaciones que deben dar en cada caso.

- Aprender a resolver las posibles urgencias de los pacientes portadores de brackets linguales.

Para el técnico de laboratorio

- Aprendizaje de las técnicas de posicionamiento de brackets.
- Aprendizaje de la interpretación y entendimiento de la individualización de la prescripción.
- Aprendizaje de la realización de las diferentes cubetas de transferencia.
- Aprendizaje de la realización de plantillas de arcos.

Brackets para Ortodoncia Lingual

4

- Introducción 51
- Bracket de Fujita 51
- Bracket de Kelly 51
- Bracket de Paige 52
- Bracket Quick-Lock 53
- Bracket de Philippe 55
- Bracket Rosevear 56
- Bracket Conceal 56
- Bracket CII o Conceal II 2nd generation 58
- Bracket Stealth 59
- Bracket Torque N/M 61
- Bracket Speed 63
- Bracket Evolution LT 63
- Bracket Kurz de 7th generation 64
- Bracket de Takemoto-Scuzzo 70
- Bracket de Wiechmann 72
- Propiedades bio-mecánicas de los brackets 72
  - Clasificación de los brackets 72
  - Control del torque 72
  - Control de la alineación y nivelación 73
  - Control de la rotación 73
  - Control de la inclinación 74
  - Distancia interbrackets 74
  - El plano de mordida (bite-plane) 75

Introducción

En este capítulo se estudian los diferentes brackets que se han diseñado para ortodoncia lingual.

Algunos de los brackets que se describen ya no se fabrican y algunos otros se comenzaron a distribuir entre los años 2001 y 2002, pero se basan en la experiencia de los brackets anteriores. También estudiaremos brackets que tienen aproximadamente 25 años de utilización con éxito por ortodoncistas de muchos países.

Bracket de Fujita (fig. 4-01)

Bracket diseñado por el Dr. Kinja Fujita y manufacturado por Dentaurum Japón y posteriormente por Citizen. El Dr. Fujita patentó los brackets linguales y el arco mushroom en 1976 en Japón y en 1977 en Estados Unidos y comenzó a publicar acerca de la técnica lingual multibrackets en 1978 en Japón y en 1979 en U.S.A.

La primera generación del bracket Fujita tenía un slot horizontal abierto hacia lingual, pero la distorsión de los arcos al insertarlos, especialmente en los tubos, le indujo a modificar el diseño.

La segunda generación tenía el slot vertical abierto hacia oclusal y el Dr. Fujita encontró problemas en el control del torque y la inclinación.

El bracket actual tiene 3 slots: uno horizontal (lingual), uno vertical (oclusal) y un slot accesorio vertical (fig. 4-02):

- El slot oclusal era originariamente de .020" y actualmente es de .019" x .019" (Hong y Sohn). La prescripción de torque de este slot queda especificada en la Tabla 1 y se usa para el arco principal mushroom y para establecer el torque, así como para la corrección de las rotaciones. Otra condición importante de este slot es que el arco no tiende a salirse en los movimientos de retrusión o contracción y que se puede examinar por visión directa para determinar su orientación.
- El slot lingual es de .018" x .018" y se usa para expansión, inclinación y torque, pero su principal utilización es para mecánica de deslizamiento. Los molares en realidad presentan 5 slots: uno oclusal, dos verticales y dos linguales horizontales, uno en el fondo del otro. El slot externo es de .028" x .022" y el interno es de .018" x .018". El slot lingual interno se usa para la mecánica de deslizamiento y el slot lingual externo permite el ligado de una barra transpalatina.
- El slot vertical de .016" x .016" es para el control de las inclinaciones con resortes auxiliares o para la inserción de ganchos para elásticos.

La diversidad de slots permite la utilización de un sistema tandem de arcos o arcos dobles, con o sin resortes auxiliares que le dan una gran versatilidad a la técnica.

El Dr. Fujita inventó y patentó el arco mushroom y también diseñó la doubled-over O-ring elastic o ligadura doble elástica para ajustar mejor el arco en el slot.

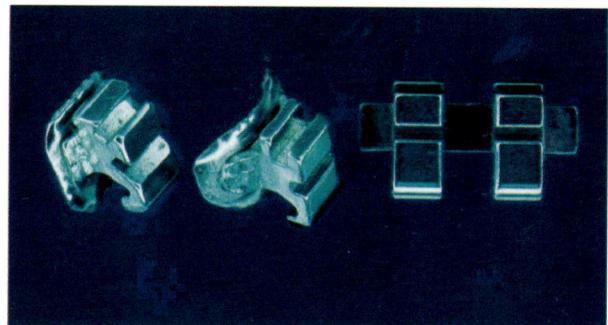

Fig. 4-01 Bracket de Fujita. De izquierda a derecha: bracket de incisivo, bracket de premolar y bracket de molar (tomado de Fujita)

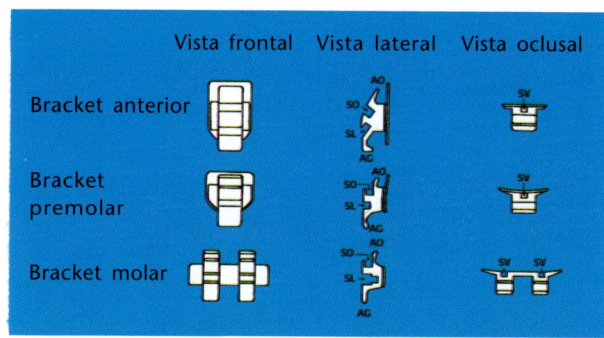

Fig. 4-02 Bracket de Fujita. Se observan esquemas de los brackets linguales de anteriores, premolares y molares, en vistas frontal, lateral y oclusal. (AL- aleta oclusal, SO- slot oclusal, SL- slot lingual, AG- aleta gingival, SV- surco vertical) (tomado y modificado de Hong y Sohn). Obsérvese que el slot lingual de los brackets de molares presenta un slot externo de mayor dimensión y otro interno menor

DIENTE	TORQUE
Central	50º
Lateral	50º
Canino	55º
Premolares	10º
Molares	15º
Incisivos	45º
Canino	50º
1er. premolar	0º
2do. premolar	0º
Molar	-5º

Tabla 1. Tabla de los valores de los parámetros del slot oclusal de los brackets FUJITA (Publicado por FUJITA)

Bracket de Kelly

Vincent Kelly presentó su técnica lingual en 1982, después de haber estudiado los trabajos de Fujita y de Craven Kurz. Utilizando y adaptando brackets vestibulares de la casa Unitek, presentó un trabajo con el trata-

miento de 55 pacientes. El bracket utilizado era un bracket vestibular de slot horizontal de .022" x .028" y sus conclusiones más importantes fueron que:
- El arco con forma de seta (mushroom) diseñado por Fujita era el más indicado para la técnica lingual.
- Los dientes que presentan variaciones morfológicas de las caras linguales deben ser retocados para asentar mejor al bracket.
- Los problemas fonéticos no son demasiado importantes y desaparecen con relativa rapidez.
- El efecto "bite" (oclusión contra los brackets) es controlable.
- La higiene es más difícil pero los pacientes debidamente entrenados y motivados consiguen disminuir la placa dental a niveles aceptables.
- Los elásticos de clase II son más efectivos en técnica lingual que en técnica vestibular.
- Es necesario realizar una plantilla para la adaptación de los arcos linguales.
- El esmalte lingual es diferente al esmalte vestibular, es más resistente.
- Los pacientes jóvenes presentan coronas cortas que no son aptas para ortodoncia lingual.
- Son necesarios los espejos para trabajar con visión indirecta. (Yo prefiero intentar trabajar con visión directa: para el maxilar superior, trabajar con el paciente con la cabeza extendida, el respaldo de sillón reclinado y ortodoncista en la posición de 9 horas; y para el maxilar inferior, el ortodoncista trabaja desde las 12 horas con el sillón menos reclinado y la cabeza menos extendida).

Bracket de Paige

Stephen Paige publicó su trabajo acerca de los tratamientos que el realizaba con la técnica multibrackets lingual. En su artículo Paige afirma que él comenzó con estos tratamientos antes de conocer los trabajos de ningún otro ortodoncista pero que antes de la publicación conoció los trabajos de Fujita y constató sus conclusiones con las del otro ortodoncista. Sus motivaciones para el desarrollo de ésta técnica fueron principalmente estéticas. Sus conclusiones fueron:
- La estética durante el tratamiento se mejora totalmente.
- El confort del paciente se disminuye pero casi la totalidad de los pacientes se acostumbra en un tiempo relativamente corto.
- Los problemas de trauma lingual y de pronunciación mejoran en poco tiempo.
- La higiene es más difícil pero los pacientes debidamente entrenados y motivados consiguen disminuir la placa dental a niveles aceptables.
- El riesgo de descalcificación del esmalte no se reduce pero sus consecuencias estéticas son menores.

- Las principales desventajas son: la dificultad para insertar y remover los arcos, así como para ajustarlos con precisión.
- Los brackets que se utilicen en técnica lingual tienen que ser más pequeños en sentido mesio-distal para compensar la reducción de la distancia interbracket en la cara lingual.
- La corta distancia intrabracket reduce el control de la inclinación, especialmente durante el cierre de espacios.
- La anatomía cóncavo-convexa de la cara lingual de los dientes anteriores hace que la altura de cementado tenga una gran influencia sobre el torque obtenido. Este problema se puede solucionar mediante la técnica de cementado indirecto, pero Paige afirma que el no cree que ésta sea la solución a largo plazo, porque tanto el recementado de un bracket descementado o los casos que no se puedan cementar todos los brackets en la primera visita por cementado indirecto complican el procedimiento clínico.
- Muchos pacientes requieren compensaciones dentales y modificaciones del torque según el patrón esquelético y la clase ósea.
- La inclinación también debe ser sobrecorregida en casos de extracciones.
- El slot vertical facilita la inserción, remoción y ligado de los arcos. El ligado de los arcos se puede facilitar mediante la inserción de pins como en la técnica vestibular de Begg.

Paige decidió utilizar brackets de Begg de TP Orthodontics (fig. 4-03) por ser suficientemente estrechos, presentar un slot oclusal vertical y un slot vertical accesorio para resortes auxiliares o pines de ligado. Luego cambió para el *Unipoint combination bracket* de Unitek, principalmente por tener una aleta gingival que utilizó como anclaje de elásticos o cadenas elásticas.

Los tubos molares utilizados fueron los tubos molares ovales con gancho de la casa Unitek (fig. 4-04). La razón para usar estos tubos fue hacer un "double back bend" (doblez distal doble). Al doblar el arco sobre sí mismo mejoraba el confort del paciente y aumentaba el control del torque molar. Asimismo los tubos ovales permiten el uso de arcos cinta.

Realizaba cementado directo con especial énfasis a la altura de cementado ya que la inclinación, torque y rotación los hacía principalmente con resortes auxiliares. En el slot oclusal utilizaba fuerzas ligeras, por lo que su mecánica está principalmente basada en la técnica de Begg. Los arcos utilizados eran .002" de menor calibre que los de vestibular y principalmente fueron el Nitinol de Unitek y el Respond de Ormco. También utilizó arcos cinta. Utilizó arcos con forma mushroom o con un loop horizontal a nivel disto-canino.

En cuanto a las ligaduras, utilizó la doubled-over O ring elastic propuesta por Fujita y ligaduras metálicas.

Fig. 4-03   Bracket de Begg utilizado por Paige

Fig. 4-04   Tubo oval utilizado por Paige

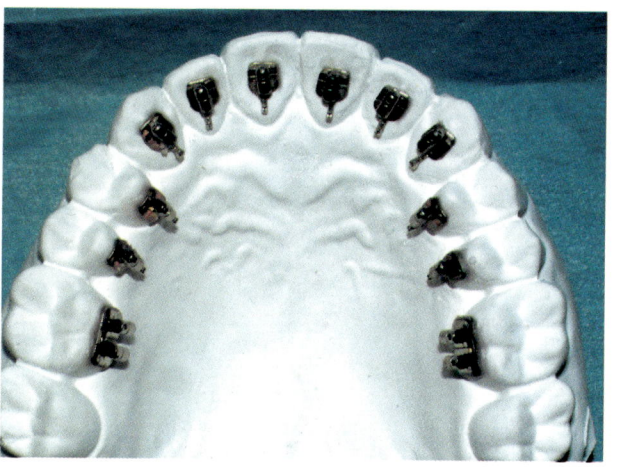

Fig. 4-05   Brackets superiores Quick-lock

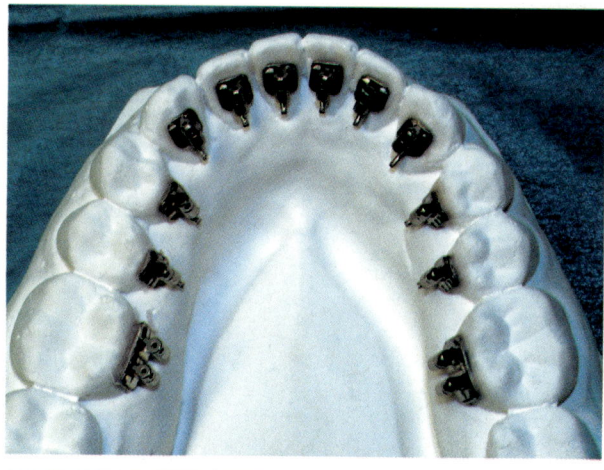

Fig. 4-06   Brackets inferiores Quick-lock

Utilizó también elementos como resortes auxiliares de enderezamiento con brazos largos de Elgiloy (Rocky Mountain) de .016" x .022" e hilo elástico de .030" para las rotaciones. Para el control del torque utilizó dos métodos igualmente efectivos: la utilización del arco auxiliar de torque que se usa en la técnica de Begg o la utilización de un arco cinta de Nitinol con torque incorporado aproximadamente de 30° para incisivos superiores y de 45° para incisivos inferiores. Estos arcos pueden realizarse con alambres de Elgiloy, acero o beta-titanio. También indicó el uso de elásticos intermaxilares desde la cara lingual o vestibular.

Bracket Quick-lock

El bracket Quick-lock (figs. 4-05 y 4-06), manufacturado por Forestadent, está inspirado en el bracket vestibular de Begg con auto-cierre de la misma compañía. Esta técnica fue propuesta por los doctores Massimo Ronchin y Giuseppe Nídoli.

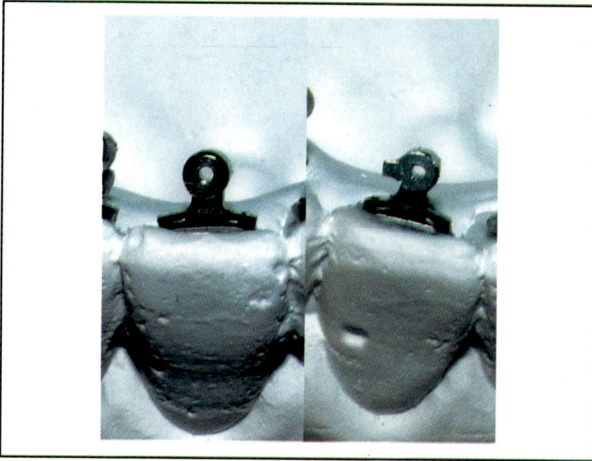

Fig. 4-07   Vista oclusal de los brackets Quick-lock abiertos y cerrados

El bracket presenta 2 slots: el slot oclusal vertical de .030" de altura y .0185" en sentido vestíbulo-lingual y el slot vertical auxilar de .020" de diámetro. Un sistema de autoligado eliminó el uso de los pins (figs. 4-07 y 4-08). Se utiliza una

DIENTE	TORQUE	ANGULACIÓN
MAXILAR		
Central	68º	5º
Lateral	58º	9º
Canino	55º	12º
Premolares	17º	17º
Molares	8º	8º
MANDIBLE		
Incisivos	46º	0º
Canino	40º	9º
1er. premolar	9º	-3º
2do. premolar	4º	-3º
Molar	-8º	0º

Tabla 2. Tabla de los valores de los parámetros de brackets QUICK-LOCK (Publicado por FORESTADENT)

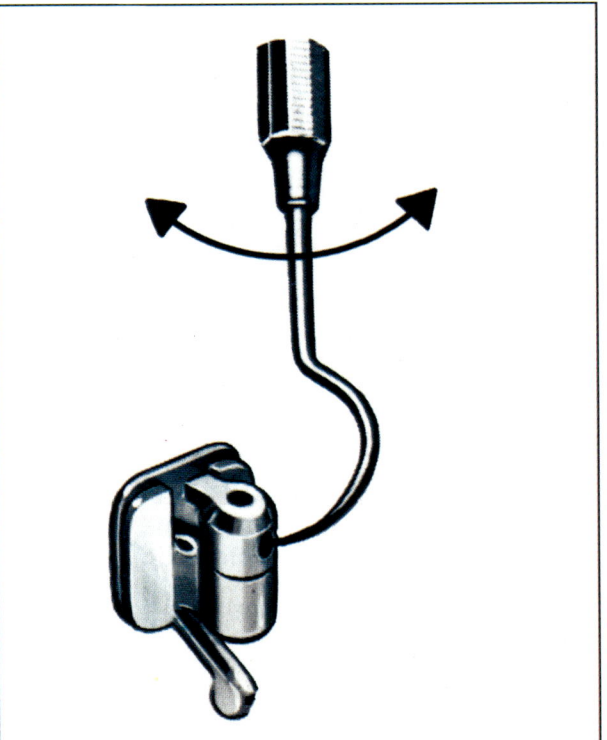

Fig. 4-08 Abriendo y cerrando un bracket Quick-lock con una sonda

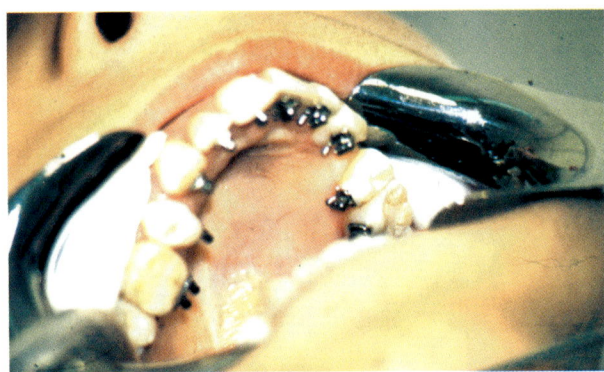

Fig. 4-09 Cementado directo de brackets Quick-lock

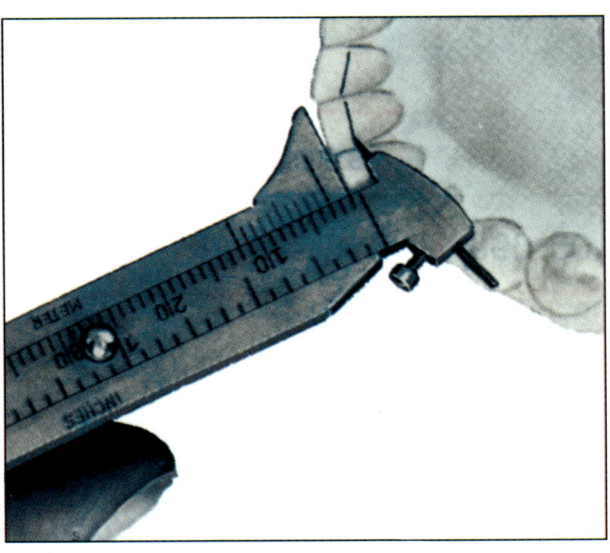

Fig. 4-10 Pie de Rey con portaminas para determinar la altura de cementado de los brackets Quick-lock

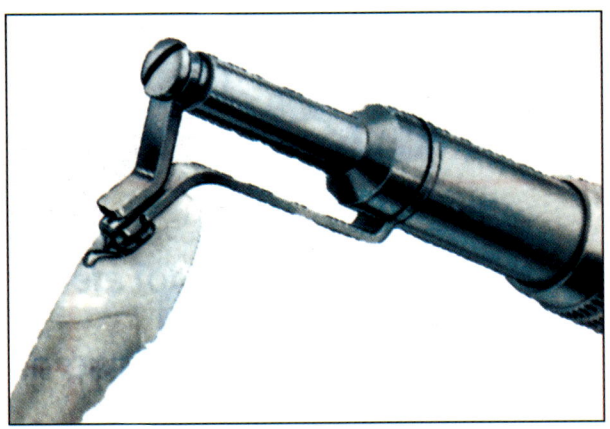

Fig. 4-11 Pinza angulada para el cementado directo de los brackets Quick-lock

sonda para abrir y cerrar el bracket. Para los molares se utiliza un bracket doble de autoligado. Los valores de torque y angulación se presentan en la Tabla 2.

La técnica está basada en la filosofía de Begg y es muy similar a la propuesta por Paige.

Se utilizaba un sistema de cementado directo (fig. 4-9) y para tal fin se diseñaron algunos instrumentos como un pie de rey con portaminas para determinar la altura de cementado (fig. 4-10) y una pinza angulada (fig. 4-11). Forestadent también ofreció plantillas Standard para el diseño de arcos, arcos preformados linguales trenzados de acero y de níquel-titanio de diferentes medidas, resortes auxiliares preformados para rotación e inclinación (fig. 4-12) y adaptadores para técnica de arco de canto (fig. 4-13).

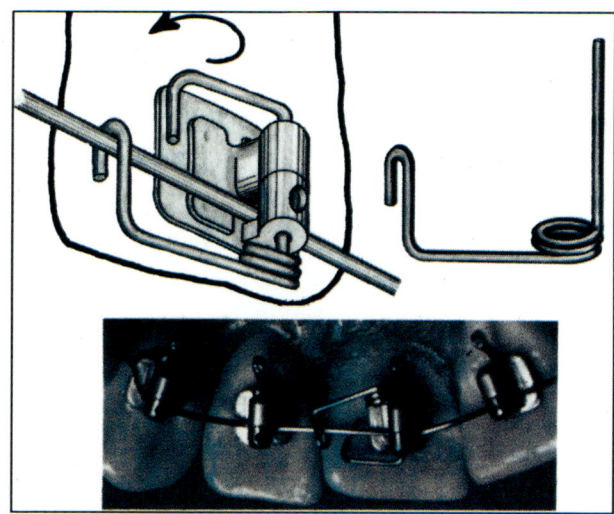

Fig. 4-12   Resortes auxiliares

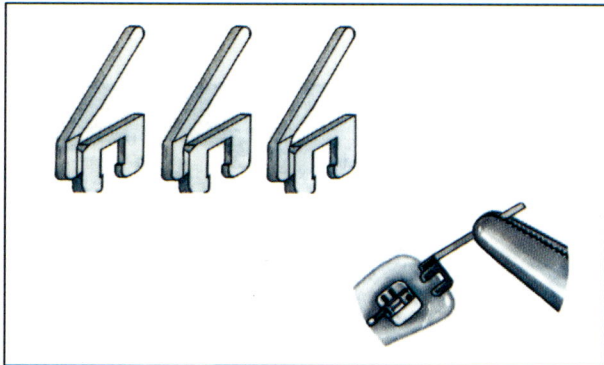

Fig. 4-13   Adaptadores para técnica de arco de canto

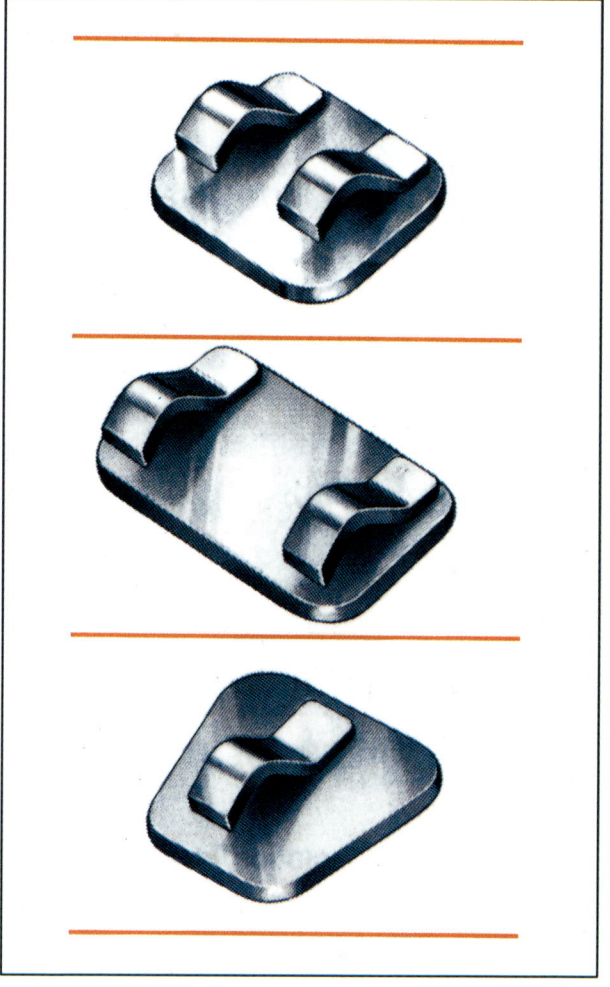

Fig. 4-14   Brackets de Philippe. Se ofrecen 3 modelos: el bracket gemelo medio, el bracket gemelo ancho, y el bracket simple

Bracket de Philippe

El bracket diseñado por el Dr. Philippe para Forestadent es muy sencillo y su slot tiene una prescripción de 0° de torque y de angulación.

El slot es vertical y se presenta en 3 modelos (fig. 4-14): el bracket gemelo medio (medium twin), el bracket gemelo ancho (large twin) y el bracket simple (narrow). Se selecciona el bracket de acuerdo con el tamaño del diente. Para los molares utilizó tubos sencillos de arco de canto.

Philippe propuso una técnica con cementado directo y arcos multi-asas (fig. 4-15) debido a que el bracket no está pre-angulado.

Está pensado principalmente para casos sencillos. Hace dos años el Dr. Aldo Macchi publicó en el *Journal of Clinical Orthodontics,* un artículo recomendando la utilización del bracket Philippe como sistema de retención y tratamiento de pequeñas recidivas con un arco trenzado. Este año el Dr. Macchi y colaboradores publicaron

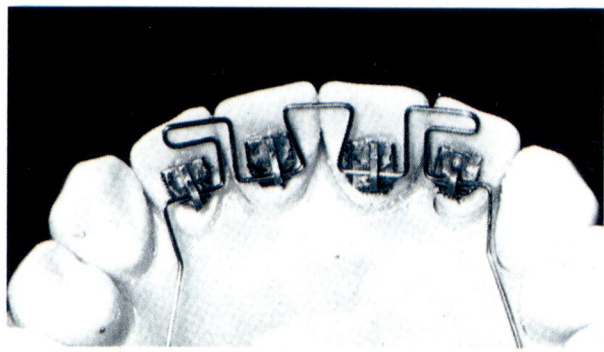

Fig. 4-15   Técnica multi-asas propuesta para los brackets Philippe

un artículo en el mismo journal sobre la utilización de brackets de Philippe de autoligado, para movimientos de primer y segundo orden exclusivamente. Esta modificación del bracket Philippe (Forestadent), cuyas aletas pueden ser abiertas con un espátula Haydeman delgada y cerradas con alicate de Weingart, está disponible en 3

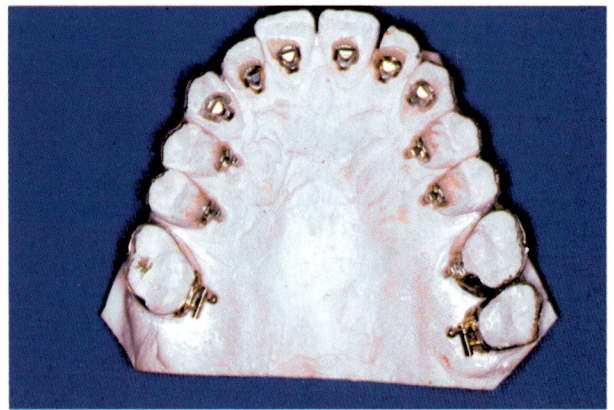

Fig. 4-16   Brackets Rosevear de maxilar superior

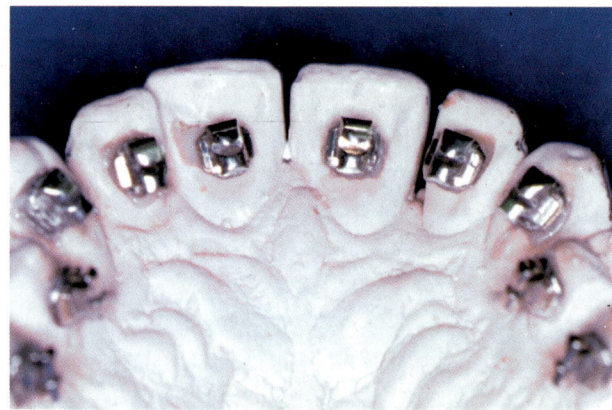

Fig. 4-17   Brackets Rosevear de incisivos superiores

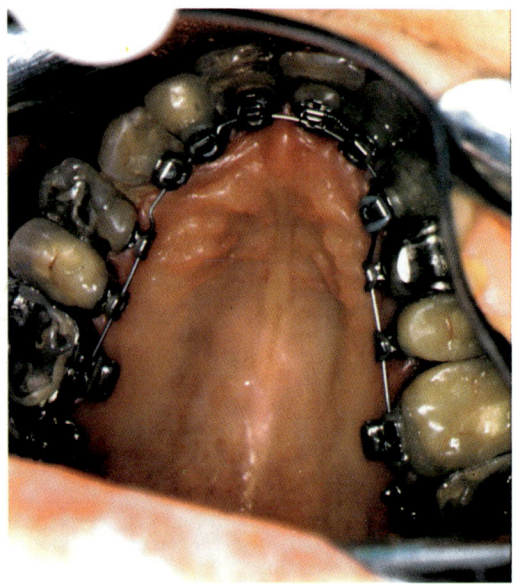

Fig. 4-18   Brackets Rosevear en boca

Diente	Torque	Angulación	Rotación
MAXILAR			
Central	44º	0º	0º
Lateral	39º	0º	0º
Canino	35º	9º	0º
Premolares	0º	0º	0º
1er molar	0º	0º	0º
MANDÍBULA			
Central	35º	0º	0º
Lateral	35º	0º	0º
Canino	35º	3º	0º
Premolares	0º	0º	0º
1er molar	0º	0º	0º

Tabla 3.   Tabla de valores de brackets AMERICAN ORTHODONTICS (Rosevear) (Estos valores son equivalentes a Prescripción de Roth. Publicado por American Orthodontics)

modelos explicados anteriormente, y un cuarto tipo de bracket con 3 aletas, para elásticos intermaxilares o movimientos sencillos de torque. Se utiliza cementado directo con marcas directas de altura para el maxilar inferior. Para el maxilar superior se utiliza una cubeta termoplástica que cubre la cara vestibular de los dientes y la lingual está recortada aproximadamente a 2 mm del borde incisal para marcar la altura a que se deben cementar los dientes. Se pueden dibujar los ejes coronarios en la parte lingual de la cubeta para facilitar la orientación del bracket.

En ocasiones se cementa toda la arcada, pero muchas veces sólo se cementan incisivos y caninos en casos de apiñamientos simples de incisivos o recidivas.

La secuencia de arcos utilizada es .012" - .014" y .016" de níquel-titanio o TMA. Para realizar asas se utilizan máquinas de tratamiento térmico como la Memory-Maker de Forestadent o la Arch-Mate de GAC.

Bracket Rosevear

Es un bracket diseñado por el Dr. Rosevear (figs. 4-16 a 18) para American Orthodontics. Presenta slot horizontal de .018" y su reducido tamaño y márgenes muy redondeados lo hacen ser muy confortable. El slot horizontal le permite tener un gran control vertical, de inclinación y del efecto bowing, pero dificulta la retracción en masa y la corrección de rotaciones por su tamaño reducido en sentido mesio-distal. La prescripción de los brackets Rosevear se puede ver en la Tabla 3.

Bracket Conceal

El Dr. Thomas Creekmore visitó al Dr. Kelly en su consulta y le gustó la idea de los brackets linguales pero no el diseño del aparato. Realizó su primer prototipo de bracket lingual para la casa 3 M Unitek en 1981 y el bracket se empezó a comercializar en 1983.

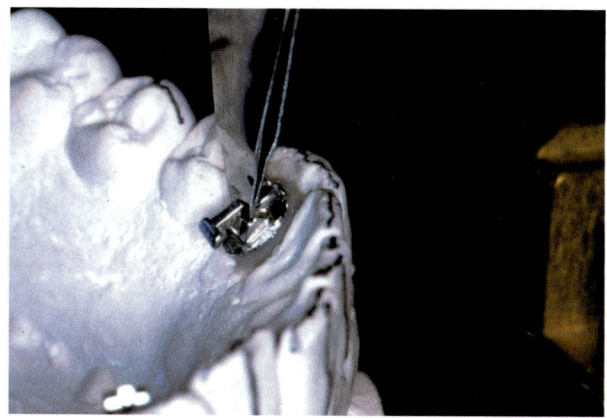

Fig. 4-19   Brackets Conceal. Posicionando un bracket Counceal en un modelo utilizando la Slot Machine. La pinza sujeta al bracket por el slot vertical

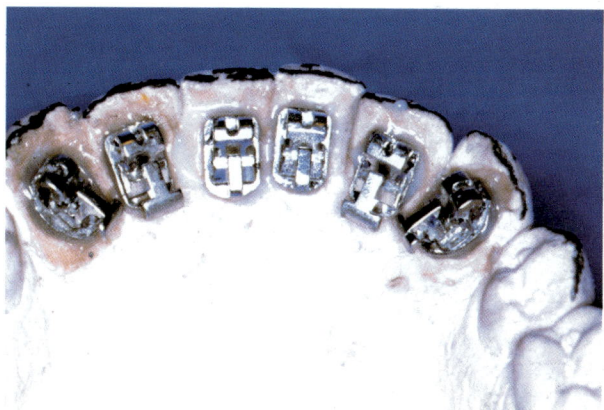

Fig. 4-20   Brackets Conceal de incisivos y caninos

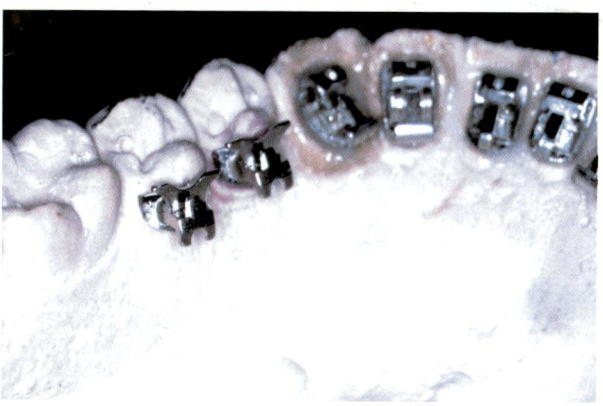

Fig. 4-21   Brackets Conceal de caninos y premolares

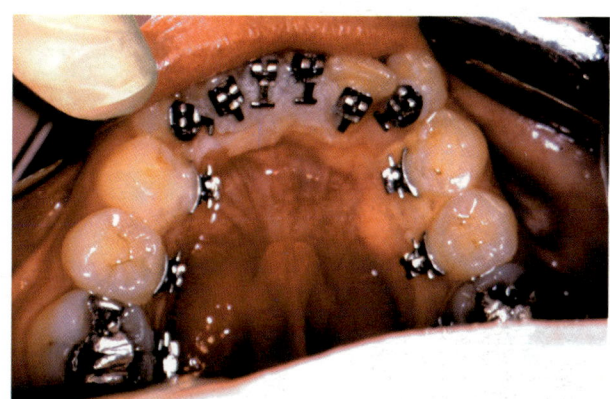

Fig. 4-22   Brackets Conceal en boca

En 1989 publicó un artículo en el *Journal of Clinical Orthodontics and Dentofacial Orthopedics* explicando el diseño de su bracket Conceal. Creekmore realizó un bracket con slot vertical (figs. 4-19 a 4-22) para facilitar la inserción y retiro del arco y para evitar la salida del arco del interior de los slots de los brackets anteriores durante el cierre de espacios. El slot mide .016" en sentido linguo-vestibular y .022" en sentido ocluso-gingival (fig. 4-23), por lo que el máximo arco que admite es un arco "cinta" de .016" x .022". Este arco tiene un juego máximo de torque de 3,5° dentro del slot (fig. 4-24).

Los brackets anteriores presentan un gancho en "T" y los premolares un gancho doble para facilitar el ligado que se puede hacer con una ligadura elástica o metálica normal (no es necesaria la doble ligadura llamada double-over-tie) porque el arco no tiende a salirse del slot durante el cierre de espacios. Estos ganchos en el bracket de la primera generación podían resultar molestos para el paciente, especialmente los brackets de premolares inferiores, pero en el Conceal II, los márgenes se han realizado mucho más redondeados y, por lo tanto, más confortables.

Estos brackets están inspirados en el bracket vestibular Unitwin de Unitek también diseñado por Creekmore, con el concepto de slot "centrado", que tiene las ventajas de los brackets simples y los gemelos. De esta forma el bracket tiene diferentes medidas de slot, dependiendo de la función que desarrolla, dando la máxima distancia interbrackets para el control de la inclinación y torque y una máxima distancia intrabracket para el control de la rotación.

En la fig. 4-25 se puede observar que:

A-B – es la distancia intrabracket para el control de la inclinación, con un brazo de fuerza de aproximadamente 0.100".

E-F – es la distancia intrabracket para el control del torque, con un brazo de fuerza de aproximadamente 0.035". El largo mesio-distal del slot no es un factor de importancia en el control del torque. Con el slot vertical tampoco la ligadura influye en el control del torque.

C-F ó E-D – es la distancia intrabracket para el control de la rotación, que da un brazo de fuerza de aproximadamente 0.070".

Los valores de la prescripción de los brackets Conceal se pueden ver en la Tabla 4.

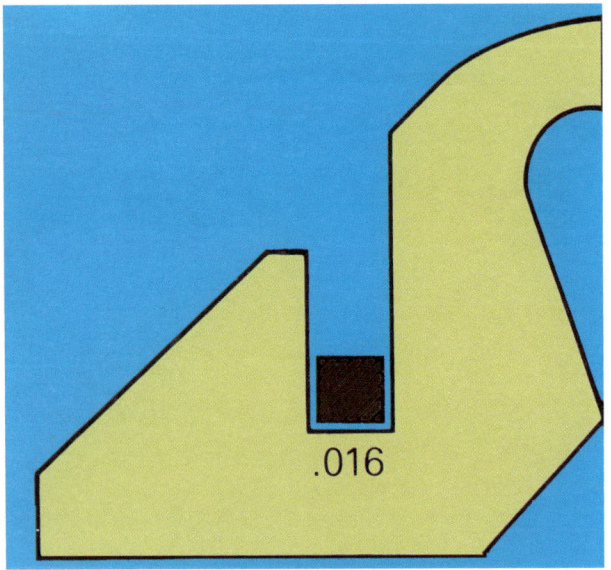

Fig. 4-23 Brackets Conceal, vista lateral. El slot vertical tiene .016" en sentido vestíbulo-lingual x .022" en sentido vertical (tomado de Creekmore)

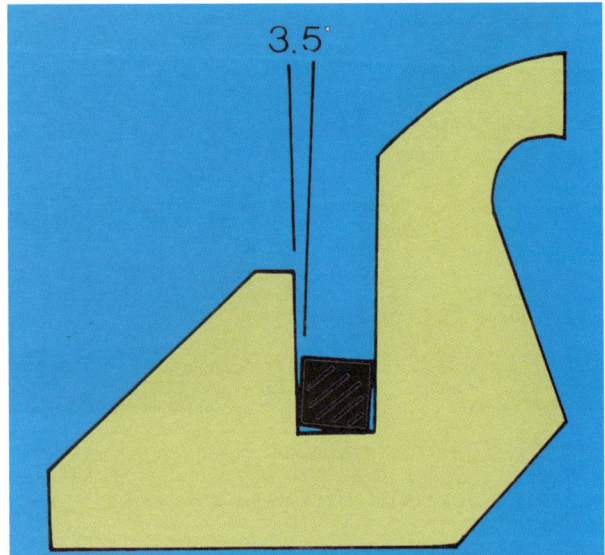

Fig. 4-24 Brackets Conceal, vista lateral. El "juego" de torque de un arco .016 x .022" en el slot también de .016" x .022" es de 3,5º (tomado de Creekmore).

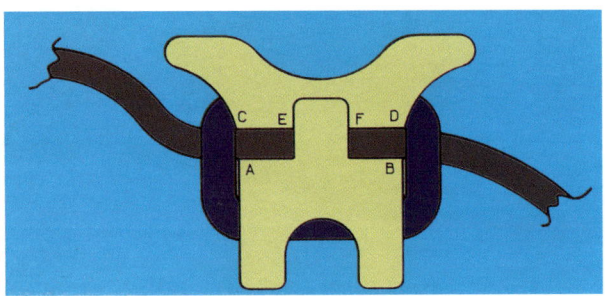

Fig. 4-25 Brackets Conceal, bracket de premolar. Este bracket tiene 3 diferentes medidas de slot para diferentes funciones. AB- para inclinación; EF- torque; CF ó ED – rotación (tomado de Creekmore)

DIENTE	TORQUE	ANGULACIÓN	OFFSET
MAXILAR			
Central	64º	5º	—
Lateral	55º	9º	6º
Canino	55º	13º	—
Premolares	7º	0º	—
Molares	7º	0º	—
MANDÍBULA			
Incisivos	42º	0º	—
Canino	42º	0º	—
1er. premolar	7º	0º	—
2do. premolar	7º	0º	—
Molar	7º	0º	—

Tabla 4. Tabla de los valores de los parámetros de brackets CONCEAL (Creekmore). (Estos valores se corresponden a la prescripción vestibular de Roth. Publicado por UNITEK)

El Dr. Creekmore inventó también la Slot Machine (ver Capítulo 9) y la llave de torque lingual (ver capítulo 7).

Bracket CII o Conceal 2nd generation

Diseñado por el Dr. Thomas Creekmore como segunda generación de su bracket Conceal y distribuido por Creekmore Enterprises Inc (figs. 4-26 a 4-31). La dimensión del slot vertical y la prescripción son las mismas que las del Conceal original (Tabla 4) pero presenta las siguientes diferencias:
- Márgenes más redondeados especialmente en premolares.
- Gancho en "I" en incisivos centrales y caninos y gancho en "T" en incisivos laterales superiores, premolares y molares (figs. 4-26 y 4-29).
- Base microarenada para aumentar la retención.
- Tubos universales de primeros molares con gancho en

Fig. 4-26 Bracket CII (Conceal II, 2nd generation). (tomado de Creekmore)

Capítulo 4

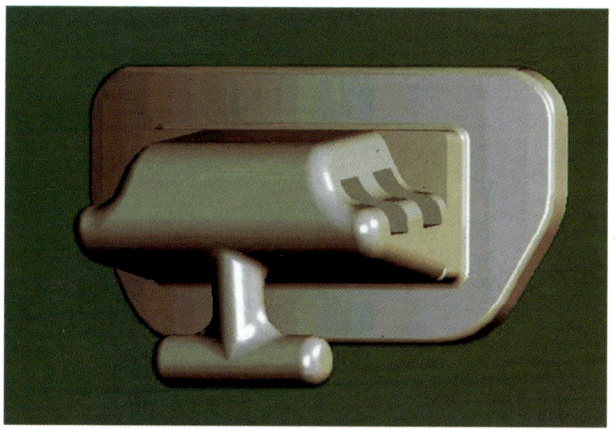

Fig. 4-27   Bracket CII (Conceal II, 2nd generation). (tomado de Creekmore)

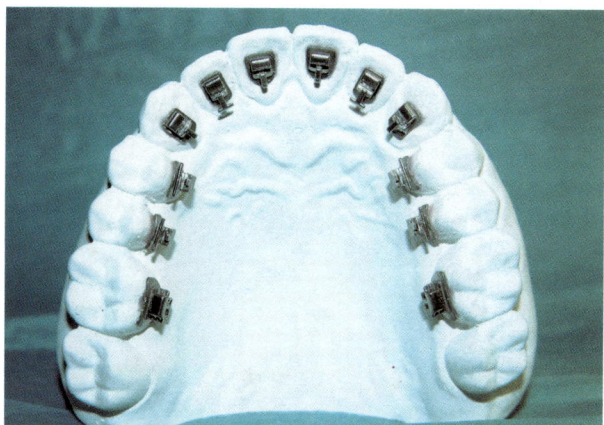

Fig. 4-28   Bracket CII (Conceal II, 2nd generation). Brackets de la arcada superior

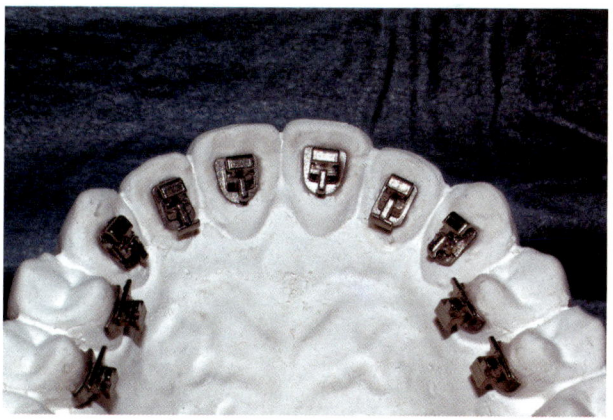

Fig. 4-29   Bracket CII (Conceal II, 2nd generation). Brackets de dientes anteriores superiores

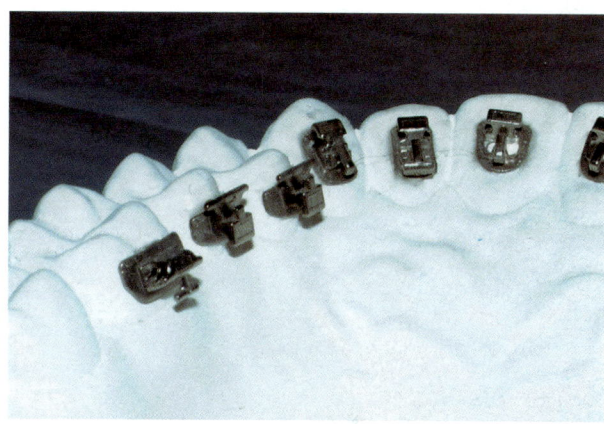

Fig. 4-30   Bracket CII (Conceal II, 2nd generation). Brackets de dientes anteriores y posteriores superiores

"T" y tubo doble para el cierre de espacios con menor fricción (figs. 4-27 y 4-30).
- Realizados con un proceso de inyección en moldes de una pieza llamado MIM (Metal Injection Molding).

Brackets Stealth

El bracket Stealth ha sido diseñado por el Dr. Jim Wildman y con la colaboración de Scott Huge para American Orthodontics (figs. 4-32 a 4-35).
Este bracket presenta una base extendida para aumentar la retención, un slot de baja fricción con ganchos en "T" para facilitar el ligado y los elásticos intermaxilares (figs. 4-36 y 4-37). Wildman también diseñó un accesorio para autoligado actualmente en fase de prototipo (fig. 4-38).
En cuanto al slot:
- De canino a canino, los brackets presentan un slot oclusal vertical de .018" ó de .022" con gancho en "T" (fig. 4-33).
- Los premolares y molares son brackets gemelos con

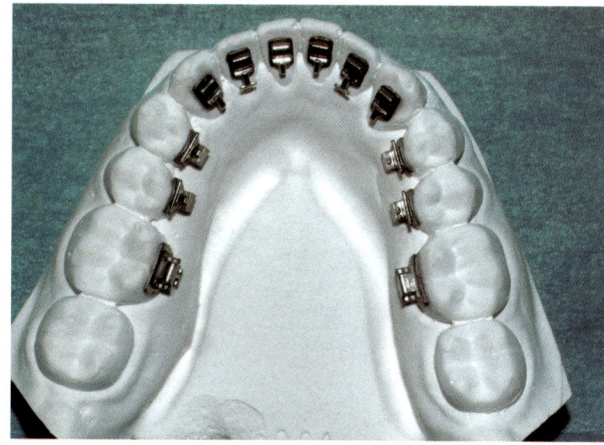

Fig. 4-31   Bracket CII (Conceal II, 2nd generation). Brackets de la arcada inferior

slot horizontal de .018" ó de .022" con gancho bola (fig. 4-34).
- Todos los brackets, tanto anteriores como posteriores presentan un slot vertical auxiliar de .030" x .020".

La prescripción de estos brackets puede verse en la Tabla 5.

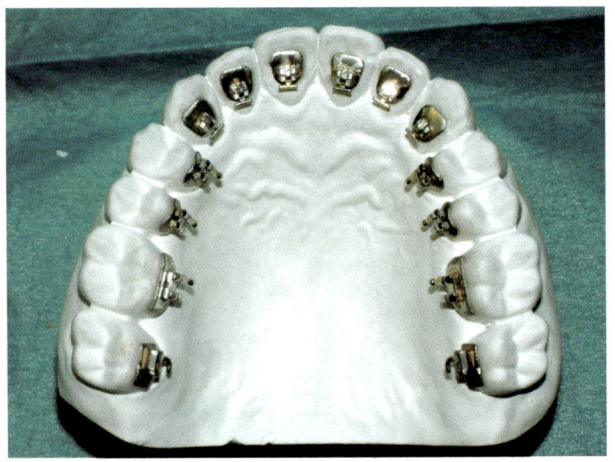

Fig. 4-32   Brackets Stealth. Maxilar superior

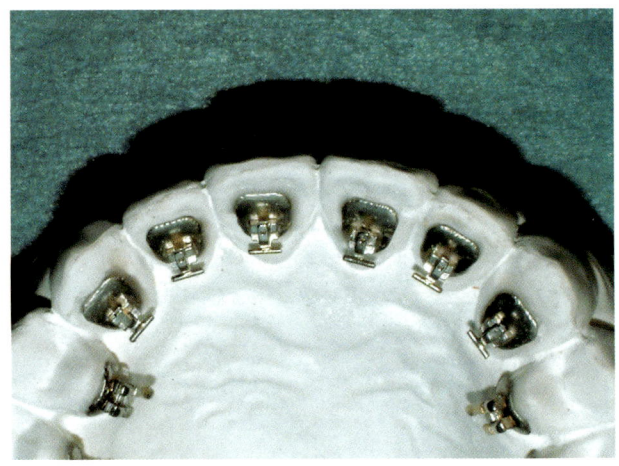

Fig. 4-33   Brackets Stealth. Brackets anteriores superiores

Fig. 4-34   Brackets Stealth. Brackets posteriores superiores

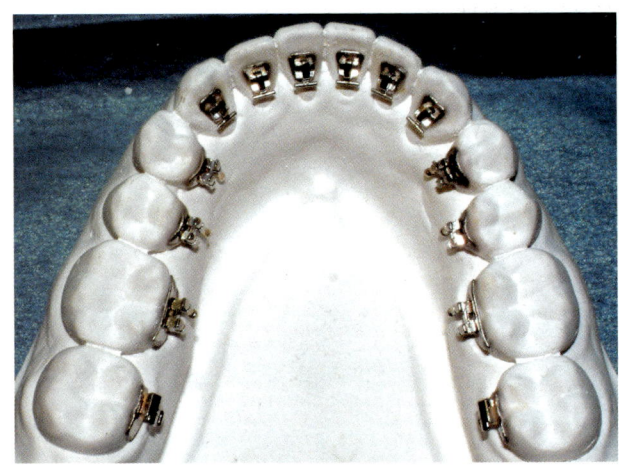

Fig. 4-35   Brackets Stealth. Maxilar inferior

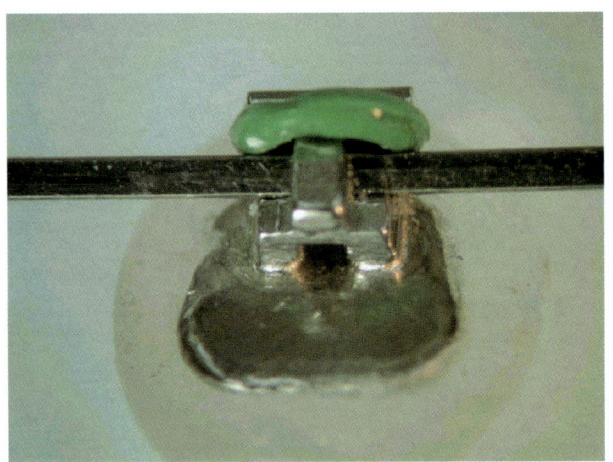

Fig. 4-36   Brackets Stealth. Ligadura elástica verde colocada en el gancho "T" para un fácil ligado (tomado de Wildman)

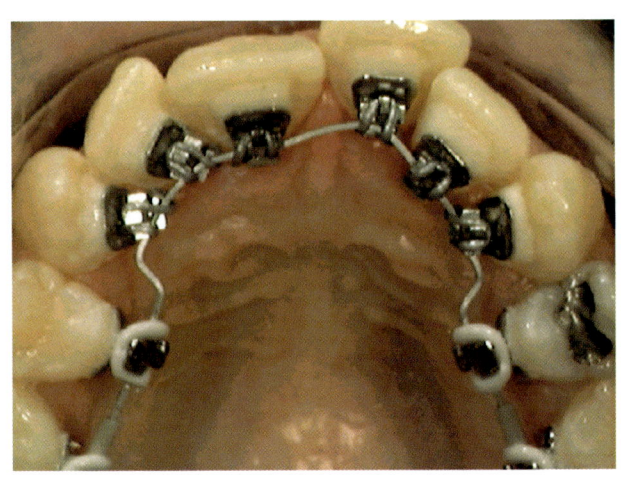

Fig. 4-37   Brackets Stealth. Caso cementado en boca y con ligaduras elásticas. (tomado de Wildman)

Capítulo 4

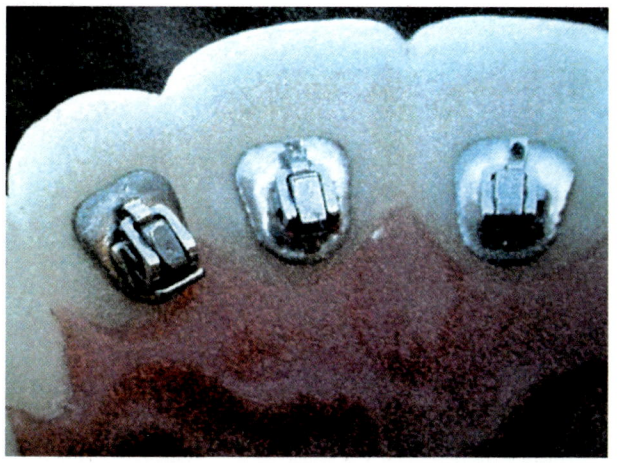

Fig. 4-38   Brackets Stealth. Obsérvese el accesorio de autoligado que se inserta por el tubo auxiliar vertical y se cierra sobre el arco (tomado de Wildman)

DIENTE	TORQUE	ANGULACIÓN
MAXILAR		
Central	55º	0º
Lateral	55º	0º
Canino	45º	0º
Premolares	12º	0º
Primeros Molares	8º	0º
Segundos Molares	10º	0º
MANDÍBULA		
Incisivos	45º	0º
Canino	45º	0º
Premolares	12º	0º
Primeros molares	8º	0º
Segundos molares	10º	0º

Tabla 5.   Tabla de los valores de los parámetros de brackets STEALTH (Wildman) (Publicado por AMERICAN ORTHODONTICS)

Bracket torque N/M

El bracket torque N/M (Nídoli/Macchi) (figs. 4-39 a 4-44) ha sido diseñado por los Dres. Giuseppe Nídoli y Aldo Macchi para Forestadent, después de 20 años de experiencia en técnica lingual con brackets Quick-lock y Philippe.

Se trata de un bracket muy confortable por sus márgenes redondeados y por su pequeño tamaño: base cuadrada de 3,2 mm x 3,2 mm y un espesor reducido de 1,8 mm.

El torque es de 45° para incisivos y caninos superiores e inferiores y de 0° para las piezas posteriores. El slot vertical es para todas las piezas y capaz de aceptar como máximo un arco cinta de .022" x .016". De esta forma sólo con dos tipos de brackets es suficiente para las dos arcadas.

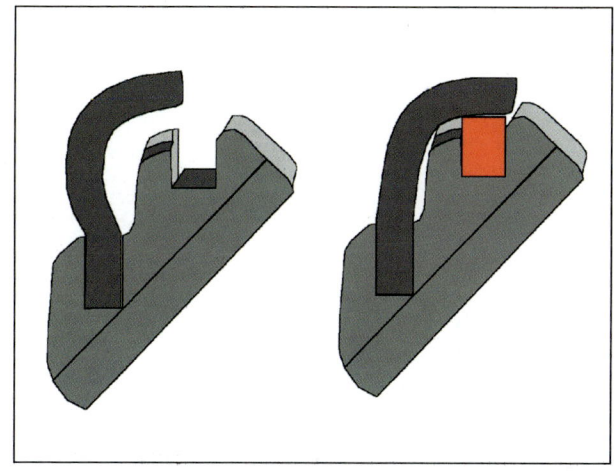

Fig. 4-39   Bracket torque N/M. Esquema de apertura y cierre del bracket (tomado de Nídoli y Macchi)

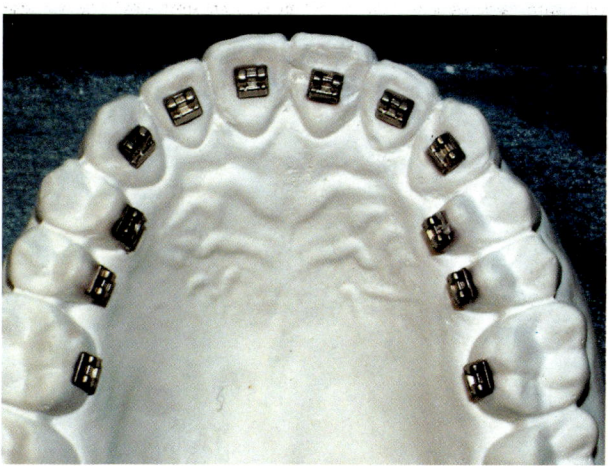

Fig. 4-40   Bracket torque N/M. Brackets del maxilar superior

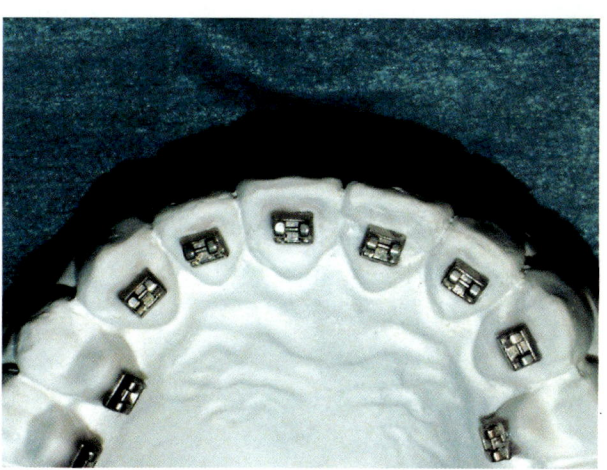

Fig. 4-41   Bracket torque N/M. Brackets de incisivos y caninos superiores

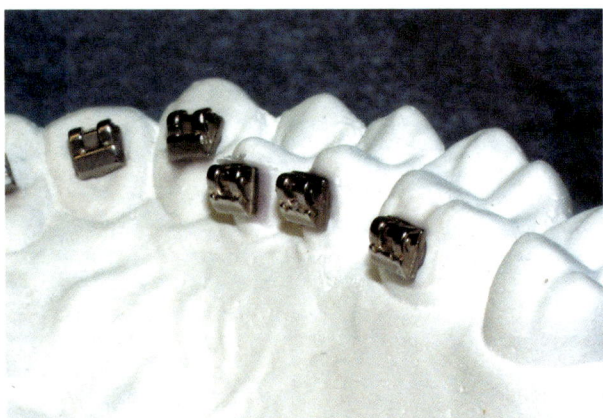

Fig. 4-42 Bracket torque N/M. Brackets de premolares y molares superiores

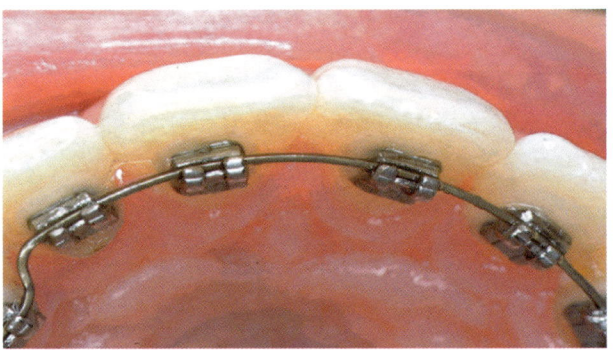

Fig. 4-43 Bracket torque N/M. Brackets del maxilar inferior

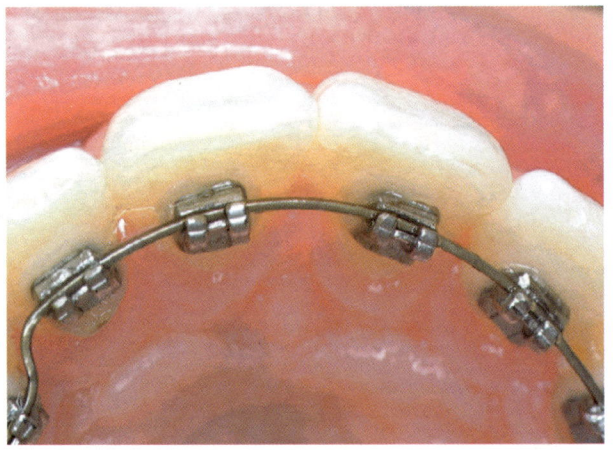

Fig. 4-44 Bracket torque N/M. Brackets en boca (tomado de Forestadent)

Es un bracket gemelo que tiene una mayor dimensión mesio-distal que la mayoría de los demás brackets linguales por lo que tiene un gran control sobre las rotaciones.

Al tratarse de un bracket de autoligado se reduce el tiempo de sillón y se favorece la mecánica de deslizamiento de cierre de espacios al reducir la fricción. Las aletas de cierre se pueden presionar más o menos logrando un efecto de fricción progresiva según el caso.

Este bracket no tiene ganchos para mejorar el confort del paciente pero puede aceptar los eslabones de la cadena elástica por gingival del arco y por dentro de las aletas de cierre o alrededor de las mismas para contribuir al control de las rotaciones.

El sistema de posicionamiento de los brackets en el laboratorio recomendado por los autores es el Class System, pero los brackets se suministran con un sistema de tranferencia (figs. 4-45 y 4-46) que consiste en una H de acero (H

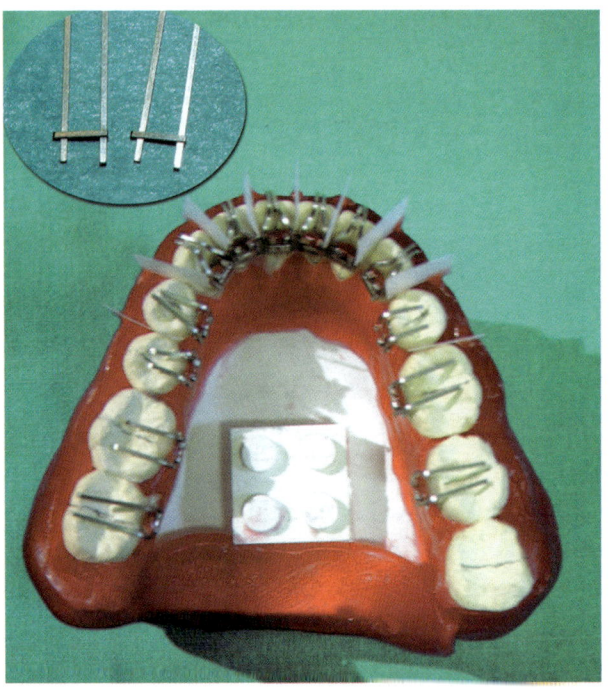

Fig. 4-45 Bracket torque N/M. Sistema de posicionamiento de los brackets N/M

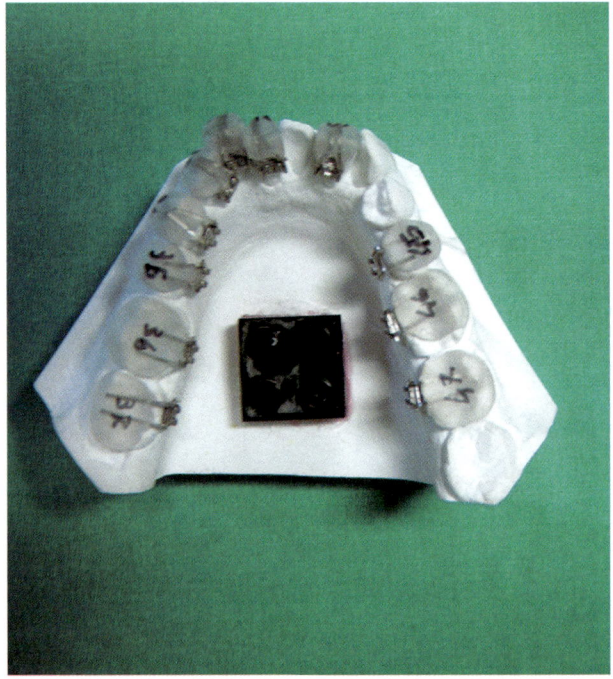

Fig. 4-46 Bracket torque N/M. Sistema de posicionamiento de los brackets N/M adaptado

Capítulo 4

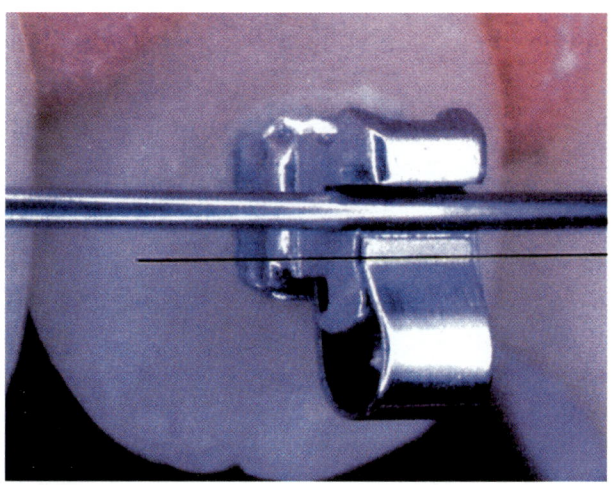

Fig. 4-47   Bracket Speed abierto

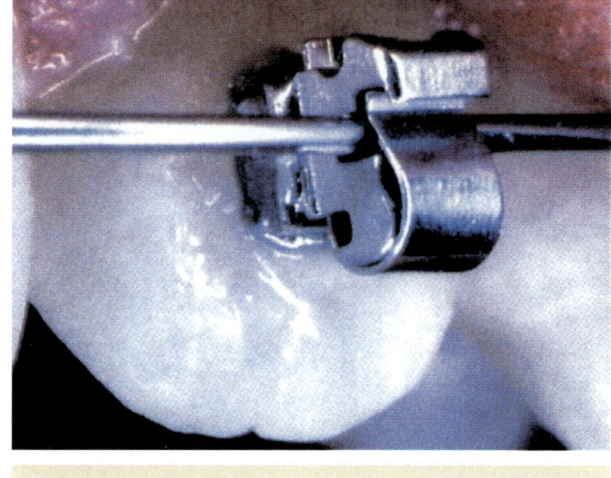

Fig. 4-48   Bracket Speed cerrado

Laboratory Transfer). Se suministran dos tipos de sistemas de transferencia: con 45° para dientes anteriores y con 0° para las piezas posteriores. El brazo horizontal de la H ("plena talla" de .022" x .016") se inserta en el slot del bracket con las aletas abiertas y se fija con cera (no cerrar las aletas). Los brazos verticales de la H se adaptan a la cara oclusal del diente y se hace una cofia de resina autocurable. De esta forma se transfieren los brackets directamente a boca, pudiendo volver a ser utilizadas para recementados.

Bracket Speed

Los brackets Speed de técnica vestibular han sido utilizados por algunos autores en técnica vestibular. Se trata de un bracket simple de autoligado con un clip superelástico de níquel-titanio que actúa como un resorte sobre el arco (figs. 4-47 y 4-48) fabricado por Strite Industries Limited en Ontario, Canadá.

Es un bracket con gancho bola y márgenes redondeados, utilizado para una técnica de baja fricción. Su uso no se ha extendido en técnica lingual.

Bracket Evolution LT

El bracket Evolution LT (Lingual Technique) ha sido diseñado por el Dr. Hatto Loidl de Alemania para Adenta (Alemania). Es un bracket de autoligado con un clip interactivo (fig. 4-49) que actúa también como plano de mordida. Tiene la base microarenada para aumentar la retención (Tabla 6). Es un bracket gemelo (excelente control de la rotación con 2,60 mm en sentido mesio-distal del bracket) con slot vertical en incisivos y caninos y slot horizontal en premolares y molares (figs. 4-50 a 4-53).

El slot vertical de dientes anteriores (fig. 4-51) tiene una pared lingual de .015" pero la pared dental es mucho más alta. En sentido vestíbulo-lingual, el slot mide .018". Acepta

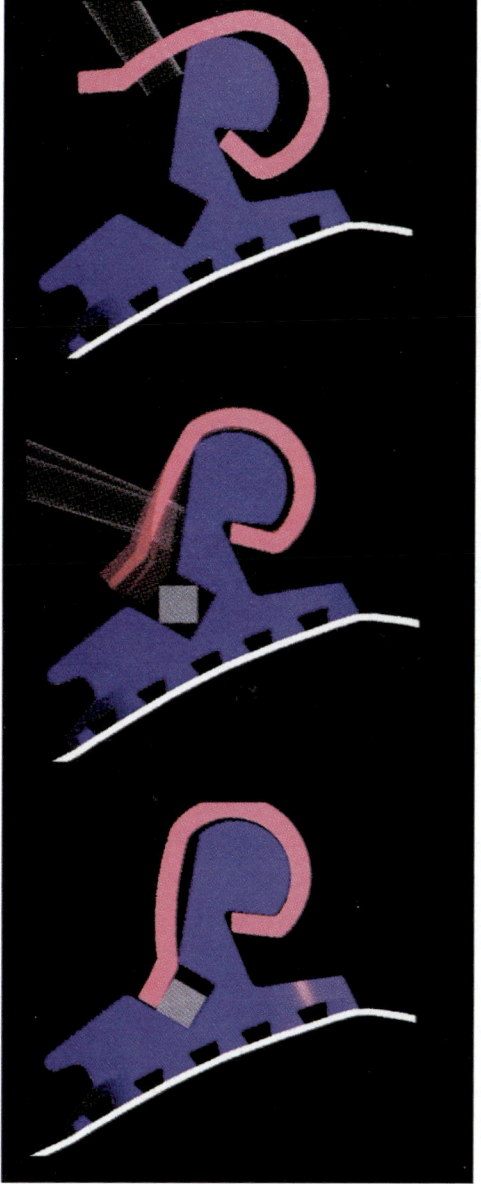

Fig. 4-49   Bracket Evolution LT. Esquema de apertura y cierre del bracket (tomado de Adenta)

DIENTE	TORQUE	ANCHO M-D
MAXILAR		
Central	45º	2,60
Lateral	45º	2,60
Canino	35º	2,60
Premolares	10º	2,60
Primeros Molares	10º	2,60
Segundos Molares	10º	2,60
MANDÍBULA		
Incisivos	30º	2,60
Canino	35º	2,60
Premolares	10º	2,60
Primeros molares	10º	2,60
Segundos molares	15º	2,60

Tabla 6. Tabla de los valores de los parámetros de brackets EVOLUTION LT (Loidl) (Publicado por ADENTA)

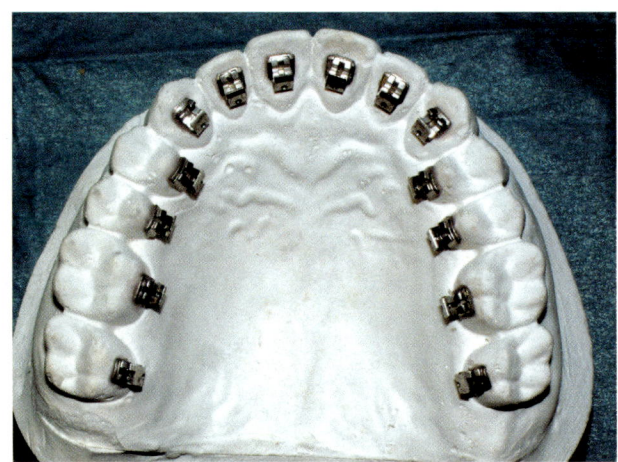

Fig. 4-50 Bracket Evolution LT. Brackets del maxilar superior

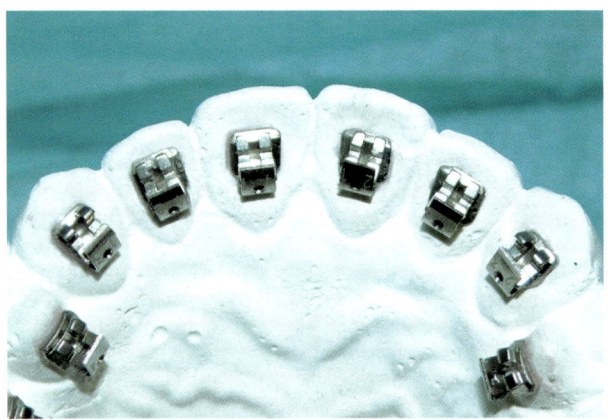

Fig. 4-51 Bracket Evolution LT. Brackets de incisivos y caninos superiores

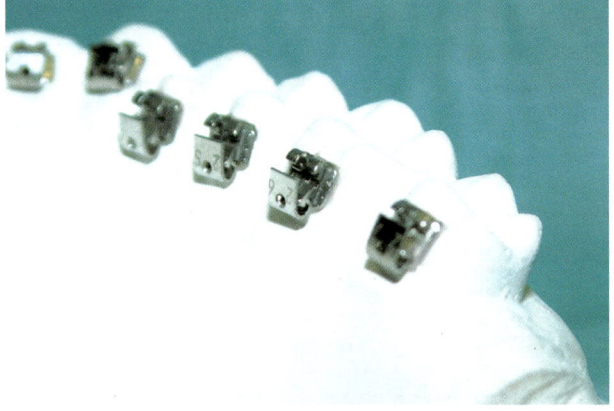

Fig. 4-52 Bracket Evolution LT. Brackets de premolares y molares superiores.

arcos de .016" x .022" aunque sobresalen la pared lingual del slot. La secuencia habitual de arcos es .012" NiTi, .016" TMA, .016" x .016" TMA, y .016" x .022" Stainless Steel. El slot horizontal de dientes posteriores (fig. 5-52) es de .018" x .025".

Brackets Kurz 7th generation

A mediados de los años 70, el Dr. Craven Kurz comenzó a experimentar con brackets linguales. Comenzó con brackets plásticos vestibulares de Lee Fisher para poder adaptarlos mejor a las caras linguales junto con el Dr. James Mulik de 1973 a 1975. A partir de aquí desarrolló el bracket lingual ORMCO, pasando por 7 generaciones que fueron perfeccionando su diseño, a partir del año 1976 hasta el año 1990. Contó con la ayuda de los ingenieros Frank Miller y Craig Andreiko y de la Task Force: John Courtney Gorman, Bob Smith, "Wick" Alexander, "Moody" Alexander, Jim Hilgers y "Bob" Scholtz. Su evolución consistió en hacerlos más pequeños, agregar ganchos y optimizar las propiedades mecánicas de los mismos.

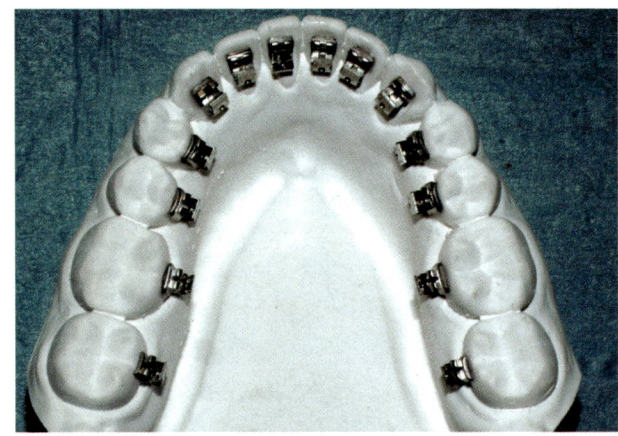

Fig. 4-53 Bracket Evolution LT. Brackets de maxilar inferior

Actualmente se encuentran disponibles con slot de '018" y con slot de '022", pero prácticamente sólo se utilizan los de '018". El esquema de identificación de los brackets se puede ver en la figura 4-54. La prescripción y las dimensiones de los brackets Kurz 7ª generación se pueden ver en las Tablas 7 y 8.

Bracket de incisivo central superior (fig. 4-55)

Este bracket, al igual que los brackets de los 6 dientes anteriores superiores consta de las siguientes partes: base (pad) con rejilla para retención de adhesivos, gancho compacto para elásticos que se puede doblar para adaptarlo a la mucosa palatina, plano de mordida (bite-plane), rampa extendida para facilitar la inserción del arco y superficie aumentada entre la base y la aleta oclusal para poder alojar la doble ligadura (double-over-tie). Su prescripción es de 68° de torque (equivalentes a 12° de torque vestibular de la prescripción Roth) y 5° de inclinación. Para diferenciar el bracket del incisivo central y el del incisivo lateral, se debe tener en cuenta el tamaño, ya que los brackets centrales son más grandes (figs. 4-56 y 4-57). Para diferenciar el bracket de la pieza 11 y el del 21, se debe observar que el borde distal de la base es recto y el borde mesial es inclinado (esto se observa mejor desde la base del bracket) (fig. 4-58). El bite-plane se encuentra centrado en la base y el gancho tiene forma de "T". Para diferenciar los brackets de incisivos de los brackets de caninos se debe observar el gancho: gancho en "T" en incisivos y ganchos en "L" en caninos (figs. 4-55 y 4-59).

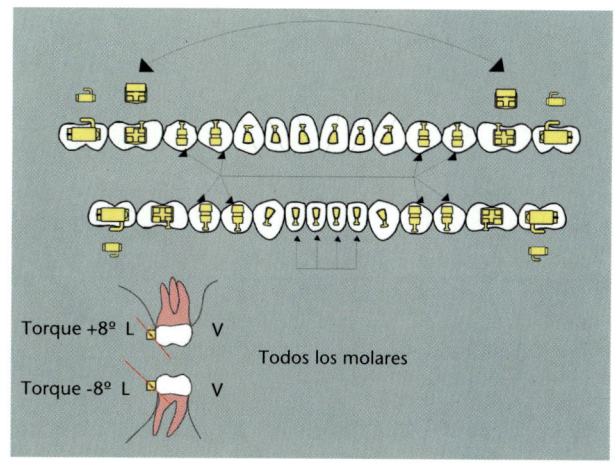

Fig. 4-54 Bracket Kurz 7ª. Esquema para identificación de los brackets.

DIENTE	TORQUE	ANGULACIÓN	MEDIDA MESIO-DISTAL
MAXILAR			
Central	+68º	+5º	.132"
Lateral	+58º	+9º	.107"
Canino	+55º	+12º	.115"
Premolares	+17º	0º	.075"
Molares	+8º	0º	.200"
MANDÍBULA			
Incisivos	+46º	0º	.070"
Canino	+40º	+9º	.070"
1er. premolar	+9º	0º	.075"
2do. premolar	+4º	0º	.075"
Molar	-8º	0º	.200"

Tabla 7. Tabla de valores de los Parámetros de brackets ORMCO (Kurz). Publicado por Siciliani

	H	I	J	K	L	m	n
MAXILAR							
Central	4,3	4,2	2,3	0,9	2,3	+68º	+5º
Lateral	4,3	2,7	2	1,1	2,5	+58º	+9º
Canino	4,3	3	2,5	0,5	1,9	+55º	+12º
Premolares	4,8	2,5	2,5	0,7	1,8	+12º	0
Molares	-	-	-	-	-	+9º	0
MANDÍBULA							
Incisivos	3,1	1,7	1,7	0,9	1,9	+46º	0
Caninos	3,1	1,7	1,7	0,5	1,5	+40º	+9º
Molares	-	-	-	-	-	-9º	0

Tabla 8. Características dimensionales y angulares de los brackets de la generación 7. (Publicado por Philippe y Altounian) (longitudes expresadas en milímetros): H: ancho mesio-distal de la base del brackets; I: ancho incisal o oclusal mesio-distal del plano de mordida o aleta; J: longitud mesio-distal del slot; K: espesor desde el fondo del slot hasta la base del bracket; L: distancia desde el centro del fondo del slot hasta el borde incisal de la base del bracket, medido sobre una paralela a la dirección del slot; M: torque; N: inclinación

Fig. 4-55   Bracket Kurz 7ª. Bracket de incisivo central superior

Fig. 4-56   Bracket Kurz 7ª. Bracket de incisivo lateral superior

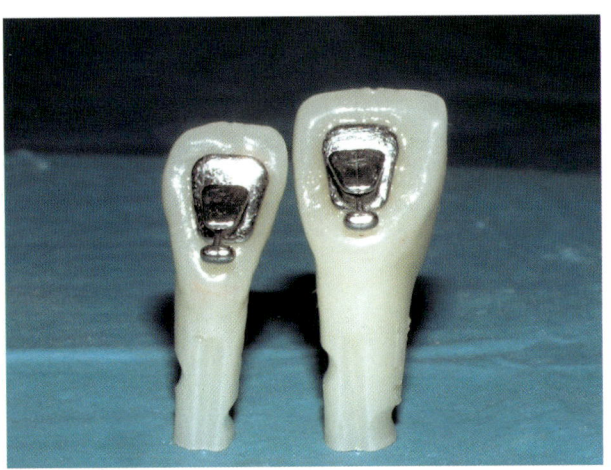

Fig. 4-57   Bracket Kurz 7ª. Comparación entre los brackets de incisivos centrales e incisivos laterales

Fig. 4-58   Bracket Kurz 7ª. Brackets de incisivos centrales superiores, vistos desde el pad

Bracket de incisivo lateral superior (fig. 4-56)

Este bracket es básicamente parecido al del central pero: es más pequeño, el gancho sigue siendo en "T", el bite-plane está más desplazado hacia mesial en la base, y el borde mesial de la base es más inclinado, lo que sirve para diferenciar el bracket derecho del izquierdo. Su prescripción es 58° de torque (equivalentes a 8° vestibulares) y 9° de inclinación. El espesor desde el fondo del slot hasta la base está aumentado para compensar que los incisivos laterales son más pequeños en sentido vestíbulo-lingual que los incisivos centrales.

Bracket de canino superior (fig. 4-59)

Este bracket es parecido al bracket del central pero los bordes mesiales de la base y del bite-plane son más inclinados, el gancho tiene forma de "L" con el extremo libre dirigido hacia mesial, lo que sirve también para diferenciar el bracket derecho del izquierdo. Su prescripción es de 55° de torque y 12° de inclinación. El espacio desde el fondo del slot hasta la base está más disminuido porque

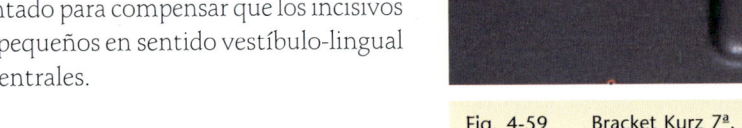

Fig. 4-59   Bracket Kurz 7ª. Bracket de canino superior

el canino es el diente más ancho en sentido vestíbulo-lingual.

Brackets de premolares (figs. 4-60 y 4-61)

Los brackets de premolares son universales, es decir que se pueden utilizar para los 8 premolares. El diseño de la

Fig. 4-60   Bracket Kurz 7ª. Bracket de premolares

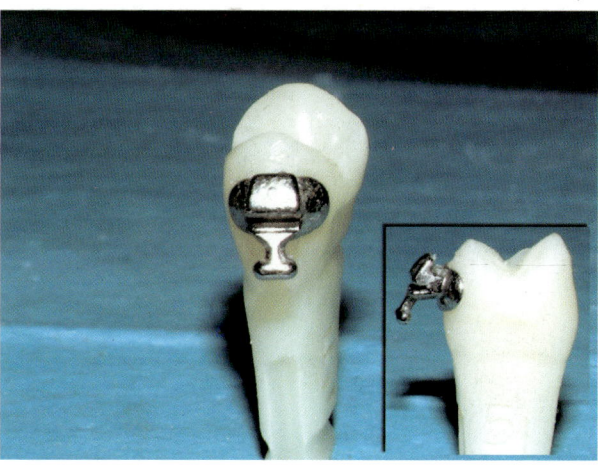

Fig. 4-61   Bracket Kurz 7ª. Bracket de premolares

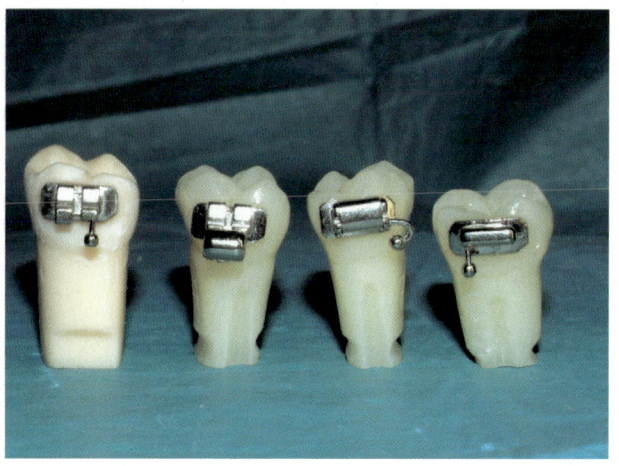

Fig. 4-62   Bracket Kurz 7ª. Tubos disponibles para esta técnica

Fig. 4-63   Bracket Kurz 7ª. Bracket gemelo de molar

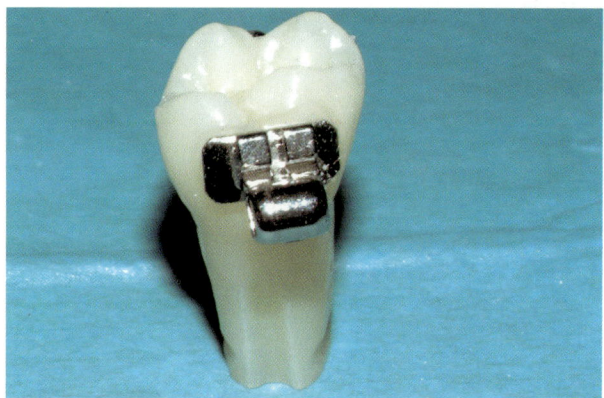

Fig. 4-64   Bracket Kurz 7ª. Bracket gemelo de molar con tubo auxiliar

7ª generación es más ancho en sentido mesio-distal para contribuir al control de las rotaciones. No se realizan dobles ligaduras por lo que el espacio debajo de las aletas es igual en oclusal y gingival. El gancho es en forma de "T". Su prescripción es de 12° de torque y 0° de inclinación. Se encuentra disponible para adhesión y para soldar a bandas, aunque el uso de este último es excepcional.

Brackets de molares (fig. 4-62)

Existen varios tipos de brackets de molares:
- bracket gemelo,
- bracket gemelo con tubo auxiliar,
- tubo auto-cierre (hinge-cap),
- tubo terminal.

El bracket gemelo de molares (figs. 4-63 y 4-64) lleva un gancho en mesiogingival y se liga de forma normal. Se encuentra disponible para adhesión o para soldar a bandas. Su prescripción es 9° de torque y 0° de inclinación. No se pueden intercambiar de hemiarcada por

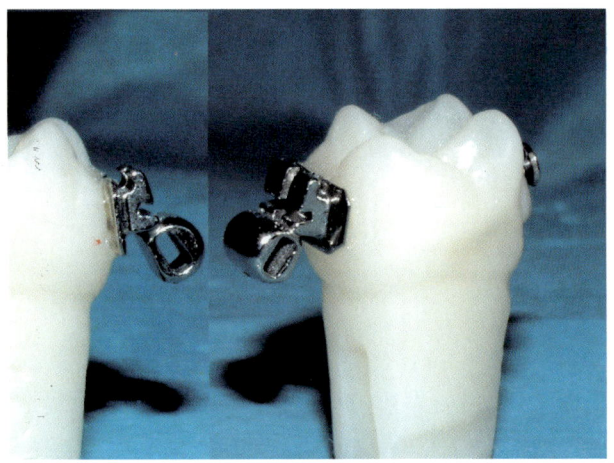

Fig. 4-65 Bracket Kurz 7ª. Vista mesial y distal del bracket gemelo de molar con tubo auxiliar

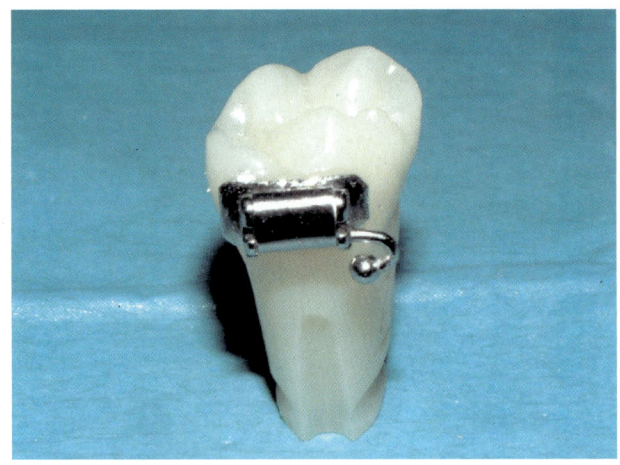

Fig. 4-66 Bracket Kurz 7ª. Tubo Hinge cap para molares

Fig. 4-67 Bracket Kurz 7ª. Tubo Hinge-cap abierto y cerrado, vista frontal

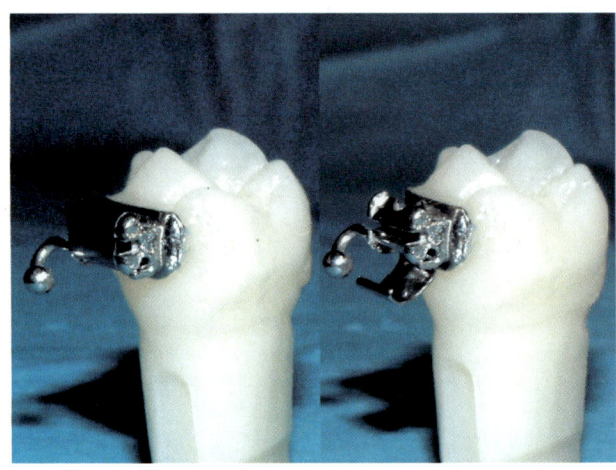

Fig. 4-68 Bracket Kurz 7ª. Tubo Hinge-cap abierto y cerrado, vista proximal

Fig. 4-69 Bracket Kurz 7ª. Tubo terminal molar

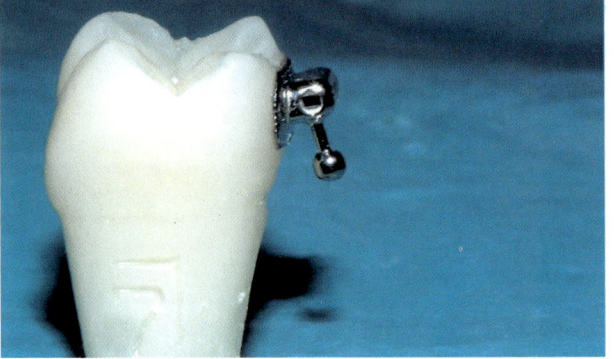

Fig. 4-70 Bracket Kurz 7ª. Tubo terminal molar, vista proximal

la presencia del gancho a pesar de tener la misma inclinación. Es el tubo de elección cuando se cementan los segundos molares y no se requieren aparatos auxiliares.

El bracket gemelo con tubo auxiliar (figs. 4-65 y 4-66) tiene la misma prescripción y no presenta gancho por lo que se puede utilizar en derecha y en izquierda. El tubo auxiliar se utiliza para la instalación de aparatos auxiliares como barras transpalatinas o botones de Nance. Sólo se suministra para soldar a bandas pero se puede arenar para aumentar la retención de la base y usarlo para adhesión.

Fig. 4-71   Bracket Kurz 7ª. Bracket de incisivos inferiores

Fig. 4-72   Bracket Kurz 7ª. Bracket de caninos inferiores

El tubo de auto-cierre Hinge-cap (figs. 4-67 a 4-68) se suministra con la misma prescripción y tanto para adhesión como para soldar a bandas. Tiene una tapa que se puede abrir y cerrar para insertar el arco y se debe abrir con el instrumento hinge-cap especialmente diseñado para ello. Tienen un gancho para elásticos dirigido hacia distal. Es el tubo de elección como último de la arcada porque es fácil la inserción del arco y lo sujeta mientras se ligan los otros brackets.

El tubo terminal (figs. 4-69 y 4-70) es un tubo muy pequeño que se selecciona cuando la altura gíngivo-oclusal del molar no permite el posicionamiento del tubo hinge-cap, pero se dificulta la inserción del arco. Se suministra con la misma prescripción que los otros tubos molares y tanto para adhesión como para soldar a bandas. Tiene un gancho para elásticos dirigido hacia distal.

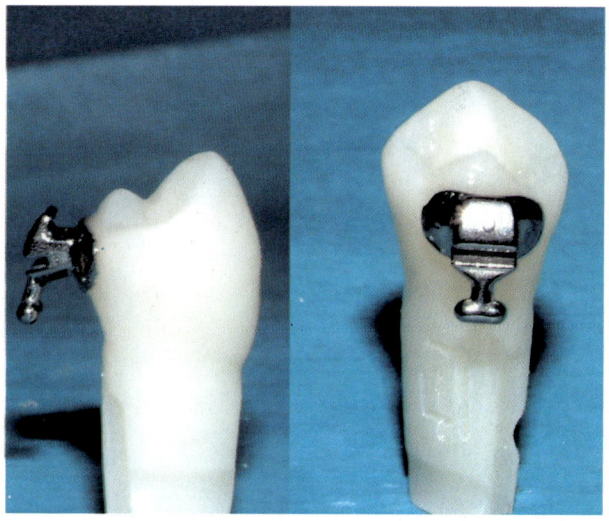

Fig. 4-73   Bracket Kurz 7ª. Bracket de premolares inferiores

Brackets de incisivos inferiores (fig. 4-71)

Los brackets de los 4 incisivos inferiores tienen la misma prescripción y se pueden intercambiar entre sí: torque de 46° y 0° de inclinación. Son muy estrechos en sentido mesio-distal y requieren ligaduras circunferenciales para corregir las rotaciones. No presentan bite-plane como los brackets de incisivos superiores y su gancho es en forma de "T". Los lados mesial y distal de la base son simétricos.

Brackets de caninos inferiores (fig. 4-72)

No presentan bite-plane como los superiores, el gancho tiene forma de "L" con el extremo libre dirigido hacia mesial y el borde mesial de la base es más inclinado que el borde distal, lo que sirve para difrenciar el bracket derecho del izquierdo. Su prescripción es de 40° de torque y 9° de inclinación.

Brackets de premolares inferiores (fig. 4-73)

Se utiliza el mismo bracket que para maxilar superior ya que es universal.

Brackets gemelos de molares inferiores

Son iguales a los superiores, pero la prescripción es de –9° de torque y 0° de inclinación.

Brackets de auto-cierre de molares inferiores

Son iguales a los superiores, pero la prescripción es de –9° de torque y 0° de inclinación.

Para diferenciar los tubos superiores de los tubos inferiores, ya que el diseño de los mismos es igual, se deben observar desde mesial o distal (fig. 4-74). Obsérvese que el torque positivo de los molares superiores condiciona que el slot se dirija hacia gingival, mientras que el torque

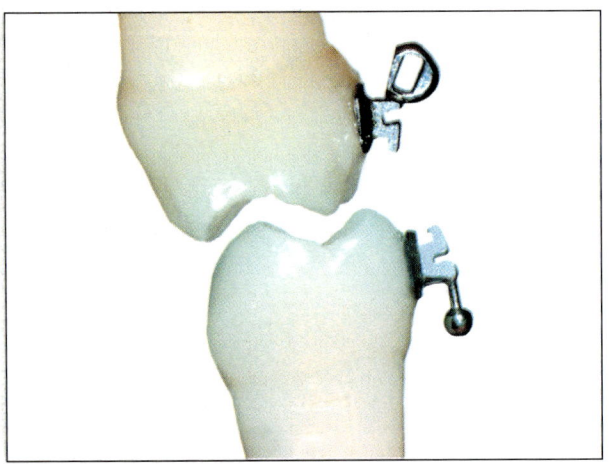

Fig. 4-74 Bracket Kurz 7ª. Brackets de molares superiores e inferiores. Obsérvese que el torque positivo de los molares superiores condiciona que el slot se dirija hacia gingival, mientras que el torque negativo de los molares inferiores condiciona que el slot se dirija hacia oclusal. Esta es la forma de diferenciar los tubos superiores de los inferiores

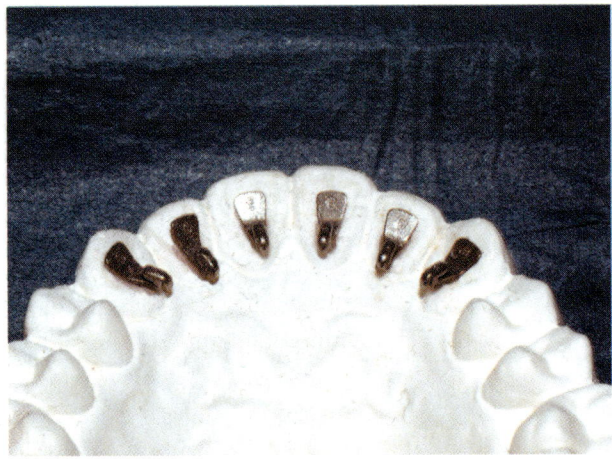

Fig. 4-75 Bracket de LSW. Brackets de Takemoto y Scuzzo

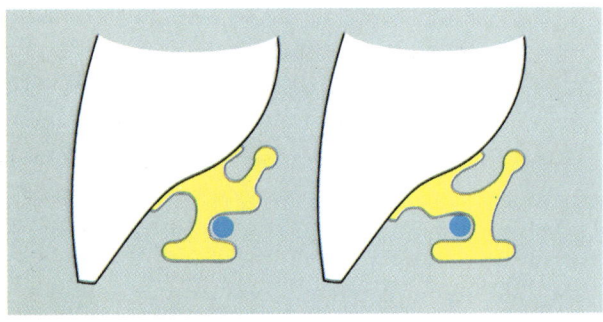

Fig. 4-76 Bracket de LSW. Comparación del slot horizontal del bracket Takemoto con el bracket Kurz. El slot es horizontal y el arco se debe insertar en sentido linguo-oclusal en el bracket Kurz, mientras que el bracket Takemoto tiene el slot horizontal, pero la inserción del arco se tiene que hacer en sentido vestíbulo-lingual

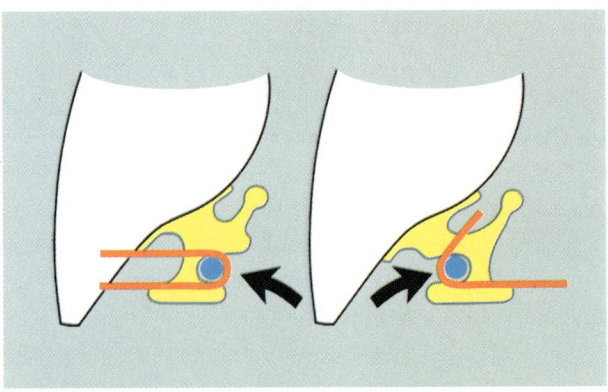

Fig. 4-77 Bracket de LSW. El bracket de Kurz necesita doble ligadura, mientras que el de Takemoto y Scuzzo sólo necesita ligadura simple

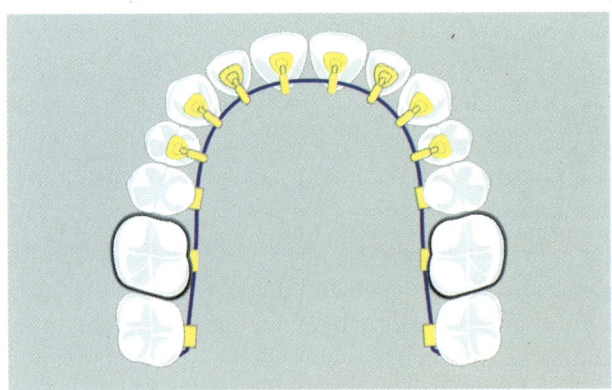

Fig. 4-78 Bracket de LSW. Esquema de los brackets de Takemoto y Scuzzo y del arco lingual recto

negativo de los molares inferiores condiciona que el slot se dirija hacia oclusal.

Bracket de Scuzzo y Takemoto

Actualmente los Dres. Kyoto Takemoto y Giuseppe Scuzzo están desarrollando el diseño del bracket lingual para la técnica de LSW (Lingual Straight Wire) que se encuentra en la 5ª generación (figs. 4-75 a 4-79).
La técnica LSWA, Lingual Straight Wire Appliance o Aparato de Arco Recto Lingual, ha sido presentada en el 3er. Congreso de European Society of Lingual Orthodontics en Roma por el Dr. Giuseppe Scuzzo y está publicada en el *Journal of Clinical Orthodontics*.
Las referencias que han tomado son:
 1. El punto Li-Point, Punto Lingual que es el punto más prominente de la cara lingual de los dientes. Este punto está muy en la mitad de la cara lingual en sentido gíngivo-oclusal en premolares y molares, pero en incisivos y caninos, este punto se encuentra sobre el cíngulo, muy cercano del cuello del diente.

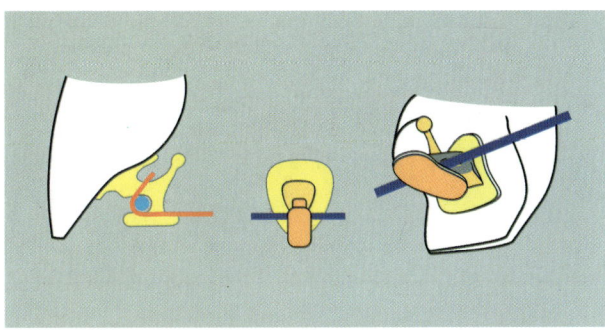

Fig. 4-79 Bracket de LSW. Obsérvese el plano de mordida que presenta los brackets de los dientes anteriores superiores

2. Embrasure Line, o línea de las troneras. Tal como la definió Andrews, es la línea que conecta los puntos de contacto interdentarios.
3. Lingual Crown Height (LCH) es la altura de la cara lingual de la corona clínica.
4. Lingual Straight Plane (L-S Plane) o Plano del Arco Recto Lingual, que pasa por donde estarían los slots de los brackets y pasa por el centro de las coronas clínicas linguales de premolares y molares y se extiende recto hacia los dientes anteriores. Normalmente este plano pasa en el maxilar superior por el centro de la corona clínica de premolares y molares y por el tercio gingival de la corona clínica de incisivos y caninos. En el maxilar inferior, este plano pasa por el centro de todas las coronas clínicas, posteriores y anteriores, a excepción de los premolares con cúspide lingual corta, por los que el plano pasa por encima.
5. Bracket Height (H), altura del bracket, que es la distancia desde el borde incisal hasta el L-S Plane.

La distancia desde la Embrasure Line hasta los puntos Li de cada diente no varía prácticamente. Los caninos y premolares difieren significativamente en el diámetro vestíbulo-lingual cerca del borde incisal, pero esta diferencia se minimiza a nivel de los cíngulos. En esto se basa la técnica de Arco Recto Lingual para evitar el in-set distocanino del arco con forma mushroom.

Este bracket presenta:
- plano de mordida (bite-plane),
- slot horizontal pero de inserción vestíbulo-lingual cuyas dimensiones son .016" de altura por .022" de profundidad,
- en su construcción está contemplada la compensación de la diferencia de anchos vestíbulo-linguales entre caninos y premolares mediante brackets más largos en el sector anterior,
- gancho para elásticos.

La forma de inserción del arco evita la necesidad de la doble ligadura porque el arco no tiende a salirse del slot durante la retrusión de los incisivos y, además, la 5ª generación de este bracket tiene un muelle de níquel-titanio para el autoligado, reduciendo el tiempo de sillón.

El prototipo del bracket de Takemoto utiliza el mismo bracket de canino a canino y brackets vestibulares de la técnica Alexander en los dientes posteriores.

El Dr. Toshiaki Hiro publicó en el *Journal of Lingual Orthodontics* (2002) las "Seis claves del éxito para la técnica LSWA":

1er. clave: El diagnóstico es diferente que para técnica vestibular. El Dr. Hiro afirma que el anclaje es mucho más fuerte en técnica lingual que en técnica vestibular. Takemoto aporta datos estadísticos de que la diferencia de pérdida de anclaje molar entre los casos tratados con extracción de 1er. premolar y de 2do. premolar es de solo 2 mm. El Study Club of Lingual Orthodontics de Japón asegura que es mucho más fácil distalizar en técnica lingual que en técnica vestibular. Por este motivo casos que se tratarían con extracciones en técnica vestibular, pueden ser tratados sin extracciones con técnica lingual. El Dr. Kubo ha publicado en el *Journal of Japanese Lingual Orthodontics Association*, un caso de Cirugía de Le Fort I como complicación de pérdida de control en un caso de ortodoncia lingual.

2da. clave: La calidad del Set-up es muy importante. Pequeñas diferencias en el posicionamiento de brackets pueden provocar variaciones importantes en la posición de los dientes. Como la técnica LSWA utiliza el Class System para el posicionamiento de brackets, la exactitud del set-up de modelos condiciona el resultado final. También se recomienda la sobrecorrección de rotación, torque o inclinación. La sobrecorrección tiene que estar relacionada con aspectos de la técnica que realice el ortodoncista como por ejemplo la medida de la sección del arco final.

3ra. clave: Cementado con precisión. El Dr. Hiro recomienda la cubetas rígidas individuales de su sistema RCIBS (Resin Core Indirect Bonding System) (ver capítulo 12) para evitar los problemas que pueden producirse por la resiliencia de la silicona.

4ta. clave: Ligaduras ajustadas. El arco debe estar perfectamente ligado para reproducir en la boca las mismas condiciones obtenidas con el set-up de modelos y transferidas de una forma precisa a los dientes con cubetas rígidas. El sentido de inserción vestíbulo lingual del arco en el slot del bracket de la LSWA, hace que no sea necesario realizar la double-over-tie que se tiene que hacer con el bracket de Kurz 7ª. En premolares, el Dr. Hiro utiliza un bracket gemelo de 45° de torque para que tampoco sea necesario realizar la doble ligadura en el sector posterior.

5ta. clave: Sistema de fuerzas. Se debe comprender el sistema de fuerzas antes de cementar los brackets. Algunos efectos de los arcos son diferentes en técnica vestibular y en técnica lingual y es importante estudiarlos y conocerlos antes de comenzar el tratamiento.

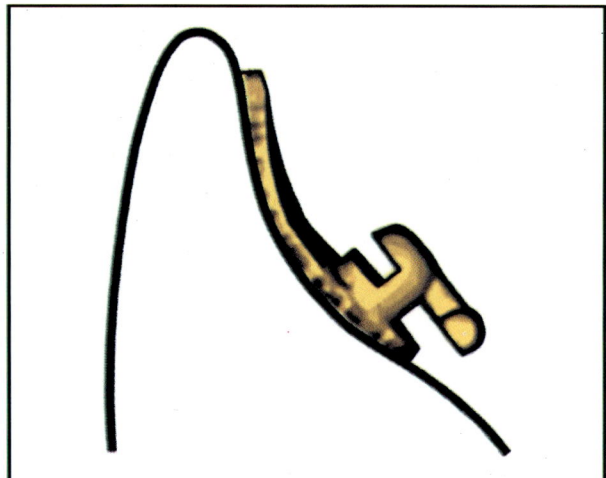

Fig. 4-80 Esquema de los brackets Wiechman. Vista lateral de un incisivo (cedida por Dr. Wiechman)

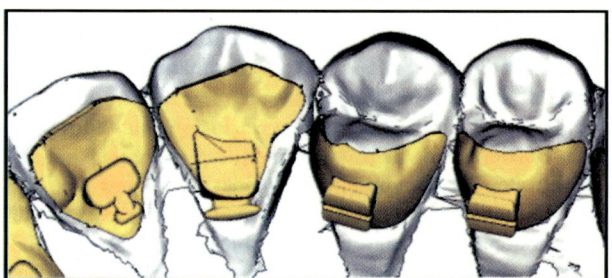

Fig. 4-81 Esquema de los brackets Wiechman (cedida por Dr. Wiechmann)

6ta. clave: Instrumental específico. Es muy importante disponer del instrumental específico de la técnica lingual para facilitar las maniobras clínicas, reducir el tiempo de sillón y obtener los resultados deseados.

Sin lugar a dudas un tratamiento lingual con arco recto minimiza la necesidad de dobleces y facilita la mecánica. Por otra parte la dirección del slot facilita el recementado de brackets sin necesidad de desligar el arco.

NOTA: Este bracket no está comercializado todavía.

Bracket de Wiechmann

Los brackets del Dr. Dirk Wiechmann (figs. 4-80 y 4-81) presentados en el 5to. Congreso de la European Society of Lingual Orthodontics (ESLO) en Berlín están descritos en el capítulo 8. Se trata de brackets hechos a medida para cada paciente luego de escanear los modelos reales del paciente, crear un modelo set-up virtual, una corrección virtual del set-up. Los brackets son creados con una base sobreextendida y muy adaptada que permite el cementado directo de los brackets. El slot de canino a canino es vertical y horizontal para los dientes posteriores. La prescripción se puede individualizar para cada caso. El ordenador convierte los brackets virtuales en brackets reales en el material Degunorm M (Degussa, Alemania) con una máquina llamada Rapid Prototyping (ver capítulo 8).

Propiedades biomecánicas de los brackets

Clasificación de los brackets

Actualmente existen en el mercado numerosos brackets disponibles, y pueden clasificarse por la dirección del slot. El hecho de que entre el año 2001 y el año 2002 se hayan presentado 3 nuevos brackets y se presentará uno más, demuestra el auge que está teniendo la técnica y el interés que está despertando en estas compañías.

Slot Horizontal
- Kurz 7ª generación (ORMCO)
- Takemoto-Scuzzo (prototipo y estará disponible a finales del 2002)

Slot Horizontal, Vertical y Accesorio (3 slots)
- Bracket Fujita (Citizen – Japón)

Slot Vertical
- Conceal II – 2nd generation (Creekmore Enterprises)
- Bracket N/M (Forestadent)
- Bracket Wiechmann (Wiechmann)

Slot Mixto
- Vertical en anteriores y horizontal en posteriores – Evolution LT (Adenta).

Slot Mixto
- Vertical en anteriores y horizontal en posteriores y Accesorio (2 slots) - Stealth (American Orthodontics).

En otros capítulos de este libro se comparan las técnicas vestibular y lingual por lo que aquí sólo se exponen los aspectos que considero más importantes:

Control del torque

El control del torque está en relación con la ocupación del slot con un arco de canto y el "juego" del arco dentro del slot, pero no está en relación con la dimensión mesiodistal del slot. Desde este punto de vista el control del torque que realizan los brackets vestibulares y linguales es similar.

Tiene mucha importancia tener en cuenta que la cara vestibular es mucho más uniforme que la cara lingual. En vestibular, al modificar la altura de cementado se está modificando el torque de la prescripción especialmente en dientes convexos. Pero, en técnica lingual, esta variación de torque no es tan importante en premolares y molares pero determinante en los dientes anteriores por la forma cóncavo-convexa de esta cara de incisivos y

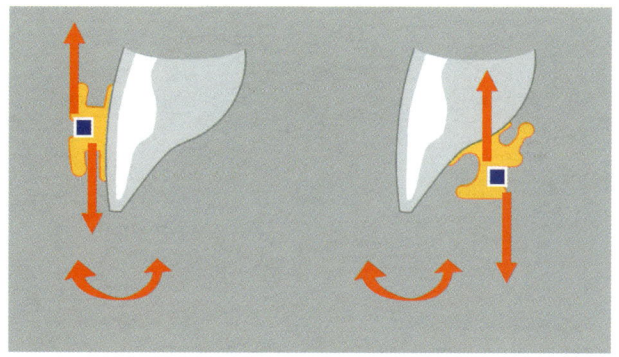

Fig. 4-82 Comparación del control del torque con brackets vestibulares y con brackets linguales

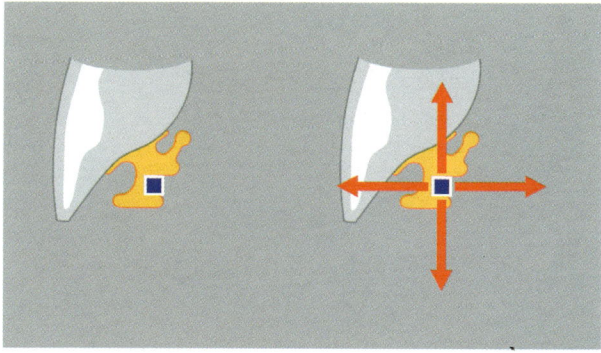

Fig. 4-83 Control de alineación y nivelación con brackets Kurz 7ª

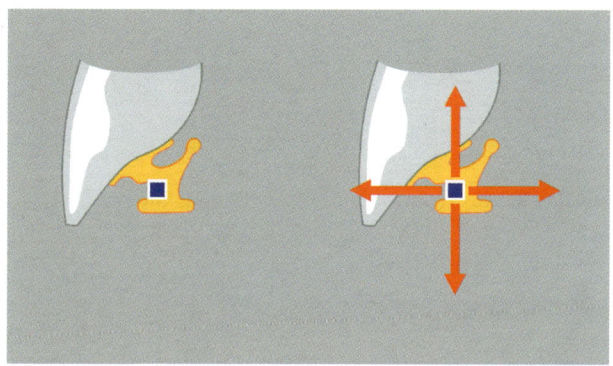

Fig. 4-84 Control de alineación y nivelación con brackets Takemoto-Scuzzo

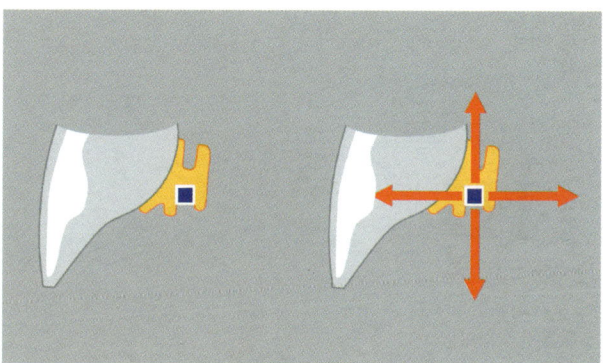

Fig. 4-85 Control de alineación y nivelación con brackets de slot vertical

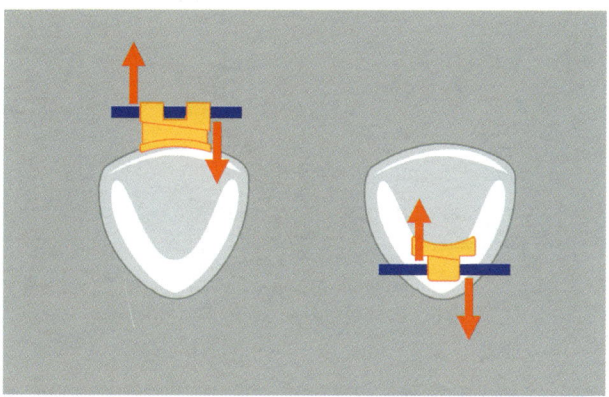

Fig. 4-86 Comparación del control de la rotación con brackets vestibulares y linguales

caninos, especialmente cuanto más prominente sea el cíngulo. Por esta razón es muy importante la técnica de posicionamiento de los brackets.

También es importante tener en cuenta que en los movimientos de intrusión y extrusión se modifica más el torque con brackets vestibulares que con linguales, ya que los últimos están más cerca del centro de resistencia de los dientes (fig. 4-82).

Compararemos la mecánica de los brackets vestibulares con los linguales teniendo en cuenta las dos posibilidades: slot horizontal y slot vertical.

Control de la alineación y nivelación

Los brackets de slot horizontal como el bracket Kurz (fig. 4-83) tienen buen control sobre la nivelación y en la alineación tienen buen control sobre las piezas que se deben protruir o expandir, pero no tanto sobre las piezas que se deben retruir o contraer porque el arco tiende a salirse del slot. Es fundamental realizar la doble-over-tie o ligadura doble (ver capítulo 6).

Los brackets de slot horizontal como el de Takemoto-Scuzzo (fig. 4-84) también tienen buen control sobre la nivelación y también buen control sobre la alineación, especialmente sobre las piezas que se deben contraer, aunque no tanto sobre las piezas que se deben protruir o expandir.

Los brackets de slot vertical tienen buen control sobre la alineación y las rotaciones, pero pierden control sobre la nivelación.

Control de la rotación

El control de la rotación es mayor cuanto más ancho (en sentido gíngivo-oclusal) sea el bracket (figs. 4-86 y 4-87). Con los brackets de Kurz es necesario realizar ligaduras de Scott para la corrección de las rotaciones (ver capítulo 6) pero los brackets de slot vertical tienen ventajas en este sentido, especialmente los brackets Conceal, por su sistema especial de aletas.

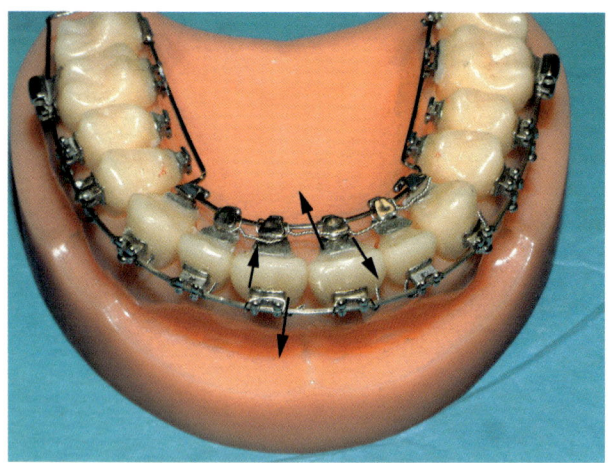

Fig. 4-87 Comparación del control de la rotación con brackets vestibulares y linguales.

Fig. 4-88 Comparación del control de la inclinación con brackets gemelos, simples y linguales

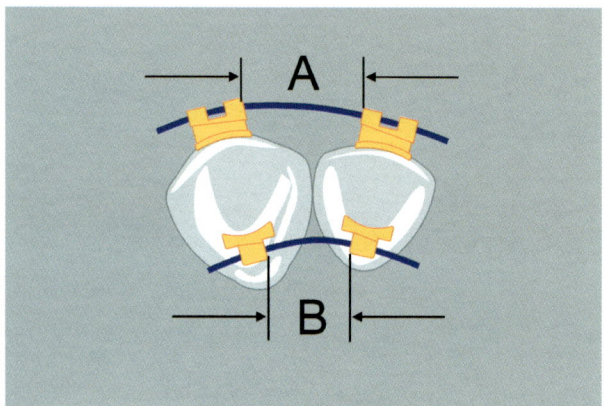

Fig. 4-89 Comparación de la distancia interbrackets con brackets vestibulares y linguales

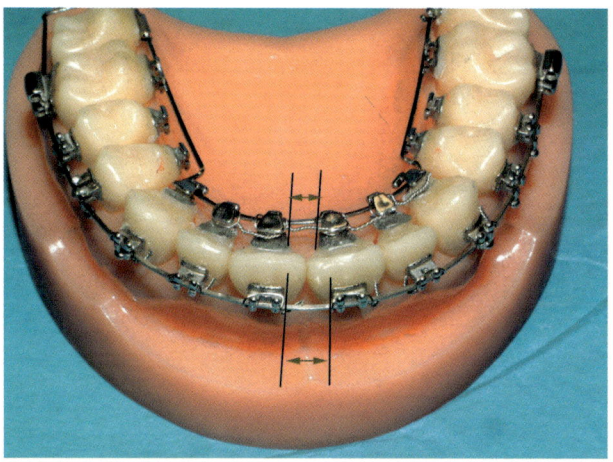

Fig. 4-90 Comparación de la distancia interbrackets con brackets vestibulares y linguales en dientes anteriores

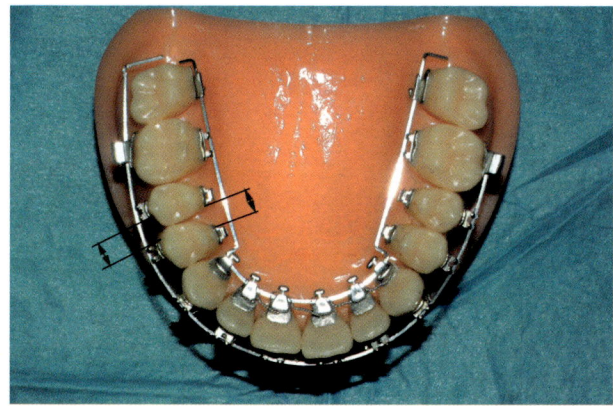

Fig. 4-91 Comparación de la distancia interbrackets con brackets vestibulares y linguales en dientes posteriores

Control de la inclinación

El control sobre la inclinación se realiza mucho mejor con brackets de slot horizontal que con brackets de slot vertical.

En la figura 4-88 se muestra la influencia del ancho mesio-distal en el control de la inclinación. Los brackets linguales tienen un control intermedio de la inclinación entre los brackets gemelos y los brackets simples vestibulares. Algunos autores incluyen surcos auxiliares para resortes auxiliares de control de la inclinación.

Distancia interbrackets

En las figuras 4-89 y 4-90 se puede observar como la distancia interbracket es mayor para los brackets vestibulares que para los brackets linguales en los dientes anteriores porque los arcos linguales describen curvas de menor radio. Por esta razón la presión que ejercen los arcos sobre los dientes es mayor en técnica lingual que en vestibular para un mismo calibre, composición y tratamiento térmico de arco. En la figura 4-91 se puede observar como la distancia interbrackets es aproximadamente igual en técnica vestibular y lingual en los dientes posteriores.

El plano de mordida (bite-plane)

El plano de mordida de los brackets Kurz de incisivos y caninos resulta muy útil para:
- Evitar o minimizar fracturas y abrasiones de los bordes incisales de los incisivos inferiores.
- Evitar o minimizar las interferencias oclusales durante el tratamiento.
- Facilitar los movimientos de las piezas posteriores en las primeras fases del tratamiento.
- El efecto "splint" o "férula de descarga" que realiza sobre las articulaciones y musculatura por el aumento de dimensión vertical y eliminación inmediata de interferencias. Actúa como una férula de desoclusión posterior.
- Facilitar la corrección de las mordidas profundas anteriores.

Arcos para Ortodoncia Lingual. Efectos secundarios de los arcos 5

- Efectos secundarios de los arcos 79
  - Efecto bowing 79
    - Efecto bowing vertical 79
    - Compensación del efecto bowing vertical 79
    - Efecto bowing transversal 80
    - Compensación del efecto bowing transversal 80
  - Efecto sliding 82
    - Compensación del efecto sliding 82
  - Efecto rolling 83
    - Compensación del efecto rolling 83
- Arcos en ortodoncia lingual 84
  - Forma Standard 84
  - Forma NiTi 85
  - Tipos de arcos 85
    - Respond 85
    - D-Rect 85
    - TMA 85
    - NiTi 86
    - Copper NiTi 87
    - Stainless Steel 87

Capítulo 5

Efectos secundarios de los arcos

Los arcos ortodóncicos al ser ligados a los brackets provocan los siguientes efectos secundarios:
- efecto bowing,
- efecto sliding,
- efecto rolling.

Efecto bowing

El efecto bowing es un efecto de arqueado o abombamiento que se produce en los arcos en dos planos: vertical y transversal.

Efecto bowing vertical

En el plano vertical los arcos se curvan a concavidad oclusal tanto en técnica vestibular como en técnica lingual, es decir que forman una curva anti-Spee superior y Spee-aumentada inferior (figs. 5-01 A y B).
El efecto bowing vertical provoca:
- extrusión de incisivos,
- distoversión de caninos,
- intrusión de premolares,
- extrusión de molares,
- mesioversión de molares.

Secundariamente podrá observarse:
- desoclusión de premolares
- aumento de overbite por extrusión de incisivos
- post rotación mandibular por extrusión de molares

Compensación del efecto bowing vertical

Para compensar el efecto bowing vertical se debe incorporar en el arco una curva vertical (también llamada sagital) contraria (fig. 5-02), es decir Spee-aumentada superior y anti-Spee inferior. La profundidad de esta curva de compensación es de aproximadamente 4 a 6 mm, pero varía según los casos. Si se espera que se produzca mayor efecto bowing, se debe formar una curva de compensación de mayor profundidad y viceversa. De todas formas es imprescindible el control clínico: si se evidencia un efecto bowing vertical, se deberá aumentar la profundidad de la curva de compensación para volver a nivelar la arcada.

Otras formas de compensar el efecto bowing vertical son:
- No cerrar espacios con arcos ligeros. Cerrar espacios con arcos pesados y fuerzas ligeras.
- Corregir completamente las inclinaciones (especialmente las inclinaciones de caninos y molares) antes de comenzar a cerrar espacios.
- Completar la nivelación, especialmente de caninos y premolares, antes de comenzar el cierre de espacios.
- No comenzar el cierre de espacios hasta que se restablezca la oclusión posterior. Inicialmente los brackets linguales de incisivos superiores provocan una desoclusión posterior.

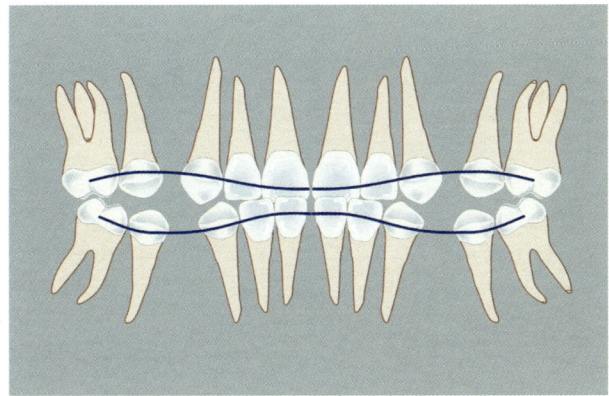

Fig. 5-01 A Efecto bowing vertical

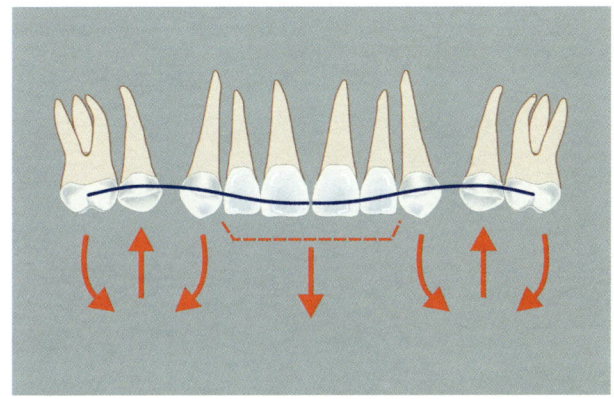

Fig. 5-01 B Efecto bowing vertical. Las flechas indican las consecuencias del efecto bowing vertical: extrusión de incisivos, distoversión de caninos, intrusión de premolares, extrusión de molares y mesio-versión de molares

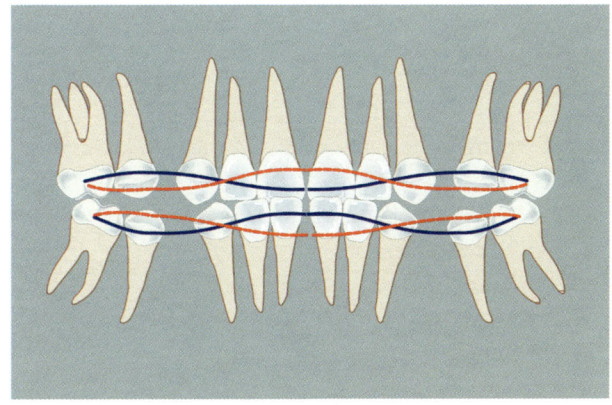

Fig. 5-02 Compensación del efecto bowing vertical con curva sagital de compensación: curva de Spee aumentada superior y anti-curva de Spee inferior

- Minimizar el uso de elásticos intermaxilares.
- Utilizar elásticos verticales de premolares superiores a premolares inferiores durante el cierre de espacios, si fuera necesario.
- Aumentar el anclaje vertical molar con barras de Goshgarian o build-ups si fuera necesario.

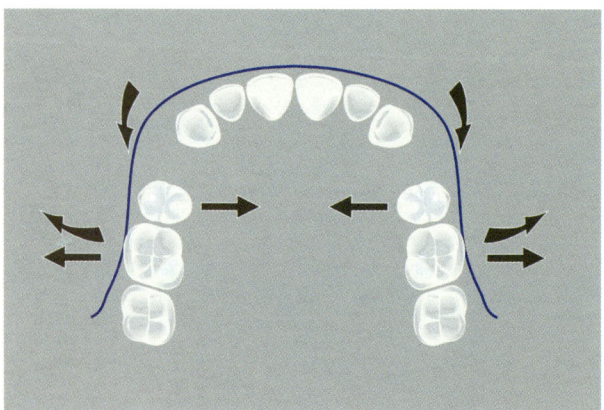

Fig. 5-03 Efecto bowing transversal vestibular. Las flechas indican las consecuencias del efecto bowing transversal vestibular: distorotación de caninos, contracción de premolares, expansión de molares y mesiorotación de molares

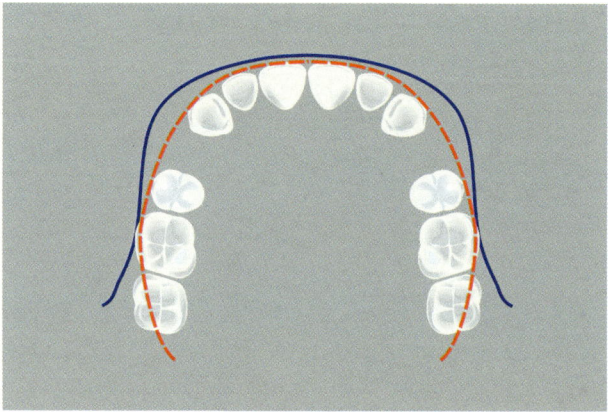

Fig. 5-04 Compensación del efecto bowing transversal vestibular a curva de compensación horizontal ovoide o curva toe-in

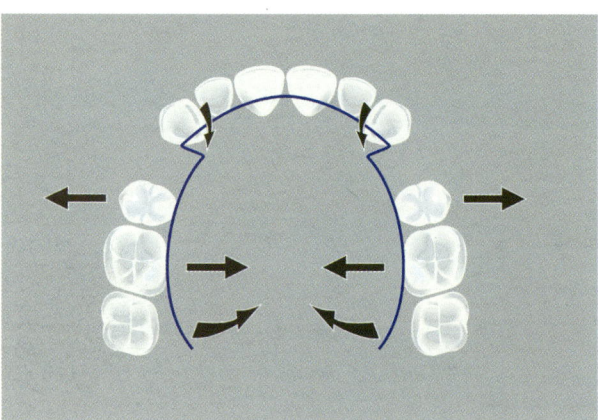

Fig. 5-05 Efecto bowing transversal lingual. Las flechas indican las consecuencias del efecto bowing transversal lingual: mesiorotación de caninos, expansión de premolares, contracción de molares y distorotación de molares

Se observa mayor efecto bowing vertical en los siguientes casos:
1. referente al paciente y la maloclusión:
   - paciente dólicofacial
   - bajo soporte periodontal
   - diastemas
   - espacios desdentados
   - casos de extracción
   - interposición lingual lateral
   - succión de mejilla
   - mordida profunda anterior inicial
   - caninos inicialmente en una posición elevada vestibular (ectópicos)
   - caninos inicialmente en distoversión
   - premolares intruidos
   - molares inicialmente extruidos
   - molares inicialmente en mesioversión
2. referente a la técnica:
   - arcos ligeros
   - brackets con distancia intrabracket disminuida (distancia interbrackets aumentada)
   - arcos de cierre de espacios (por mecánica de deslizamiento o por mecánica de asas)
   - uso de elásticos intermaxilares (rectos o en "Z")
   - en técnica lingual se aumenta el efecto bowing por la desoclusión molar inducida por el plano de mordida de los brackets antero-superiores.

El efecto bowing es más evidente en paciente durante la alineación y nivelación, sobre todo con caninos en posición ectópica, y especialmente durante el cierre de espacios.

Efecto bowing transversal

El efecto bowing transversal es contrario en técnica vestibular y técnica lingual. Mientras que en técnica vestibular los arcos se curvan a concavidad vestibular en los segmentos laterales, en técnica lingual lo hacen a concavidad lingual.

El efecto bowing transversal VESTIBULAR provoca (fig. 5-03):
- distorotación de caninos,
- contracción de premolares,
- mesiorotación de molares,
- expansión de molares.

El efecto bowing transversal VESTIBULAR se compensa con curva transversal (también llamada horizontal) de compensación hacia adentro. Se conoce también con los nombres de forma ovoide o curva toe-in (fig. 5-04).

El efecto bowing transversal LINGUAL provoca (fig. 5-05):
- mesiorotación de caninos,
- expansión de premolares,
- distorotación de molares,
- contracción de molares.

Compensación del efecto bowing transversal

El efecto bowing transversal LINGUAL se compensa con curva transversal (también llamada horizontal) de compensación hacia fuera (fig. 5-06 A). Se conoce tam-

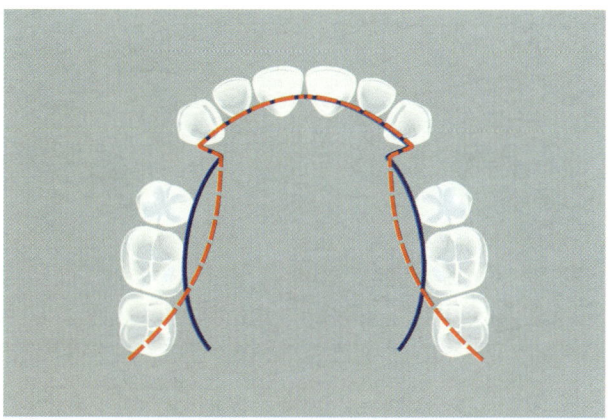

Fig. 5-06 A Compensación del efecto bowing transversal lingual con curva de compensación horizontal toe-out

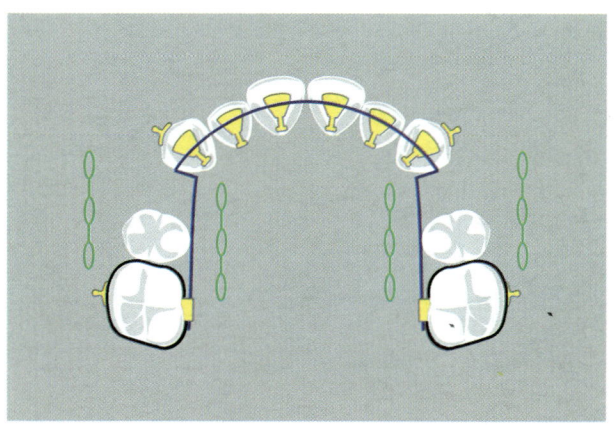

Fig. 5-06 B Compensación del efecto bowing transversal lingual con cadenas elásticas dobles de canino a molar por vestibular y por lingual utilizando botones vestibulares

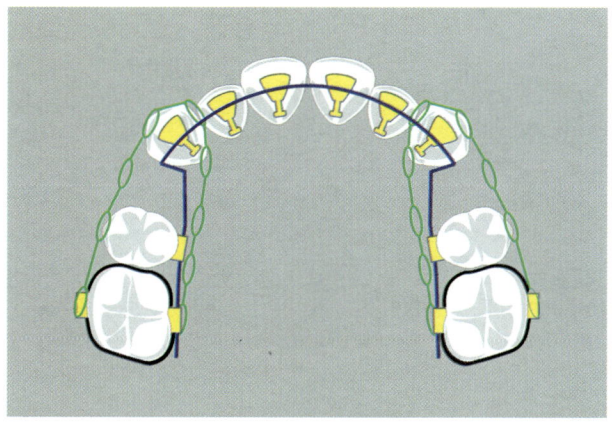

Fig. 5-06 C Compensación del efecto bowing transversal lingual con cadena elástica circular de Takemoto (ver capítulo 6)

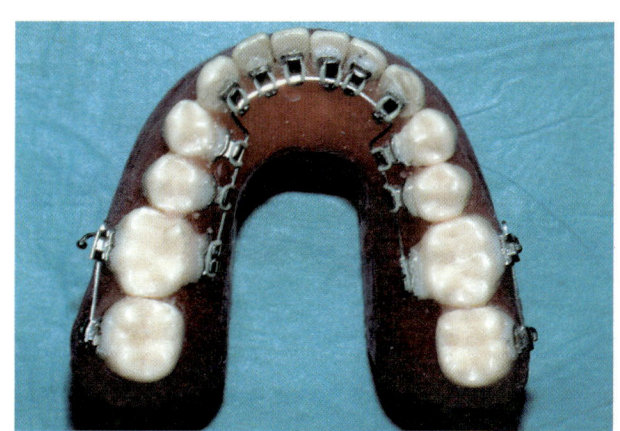

Fig. 5-06 D Compensación del efecto bowing transversal lingual con técnica de Takemoto utilizando un arco lingual de primer molar a primer molar y arco vestibular seccional de primer molar a segundo molar

bién con el nombre de curva toe-out. La profundidad de esta curva de compensación es de aproximadamente 4 a 6 mm, pero varía según los casos. Si se espera que se produzca mayor efecto bowing, se debe formar una curva de compensación de mayor profundidad y viceversa. De todas formas es imprescindible el control clínico: si se evidencia un efecto bowing transversal, se deberá aumentar la profundidad de la curva de compensación para volver a alinear la arcada.

Otras formas de compensar el efecto bowing transversal LINGUAL son:

- No cerrar espacios con arcos ligeros. Usar arcos pesados y fuerzas ligeras para el cierre de espacios.
- Corregir las rotaciones totalmente (especialmente las rotaciones de caninos y molares) antes de comenzar a cerrar espacios.
- Utilizar cadenas elásticas dobles de canino a molar para el cierre de espacios cementando botones vestibulares en caninos y molares (fig. 5-06 B).
- Utilizar la cadena elástica circular de Takemoto que va desde el gancho lingual del bracket molar a un gancho o botón vestibular en el molar y pasando por la cara mesial del canino. Se debe cementar un tope de composite en la parte gíngivo-mesial de la cara vestibular para evitar que la cadena elástica se deslice sub-gingivalmente (fig. 5-06 C).
- Utilizar la técnica de Takemoto con arco lingual de primer molar a primer molar y arco seccional por vestibular de primer molar a segundo molar (figs. 5-06 D y E)
- Si sólo se quiere aumentar el anclaje molar sin modificar su posición, se puede cementar un alambre de acero directamente sobre la cara vestibular de los molares (sin tubos).
- Los aparatos auxiliares como barra de Goshgarian o botón de Nance también aumentan el anclaje molar.

Se observa mayor efecto bowing transversal en los siguientes casos:

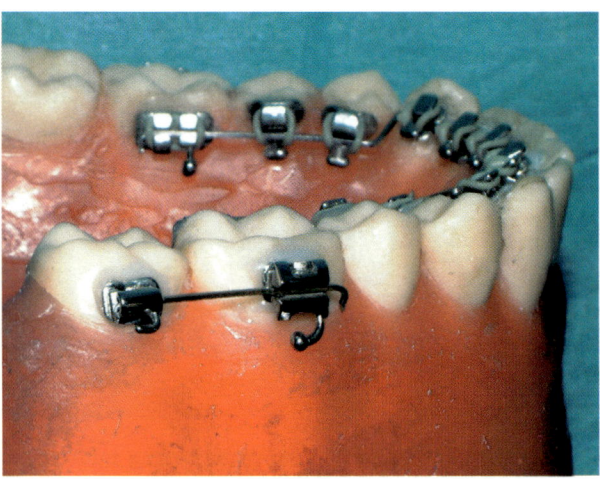

Fig. 5-06 E Compensación del efecto bowing transversal lingual con técnica de Takemoto. Vista del arco seccional vestibular. También se puede cementar un arco de acero directamente a las caras vestibulares de los molares (sin tubos) cuando se quiera aumentar el anclaje pero no modificar la posición de los molares

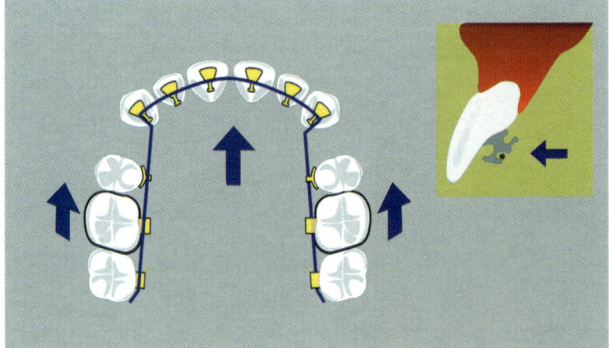

Fig. 5-07 Efecto sliding. Las flechas indican las consecuencias del efecto sliding: protrusión de incisivos, aumento de torque incisivo y aparición de diastemas interincisivos

1. referente al paciente y la maloclusión:
   - paciente dólicofacial,
   - bajo soporte periodontal,
   - diastemas,
   - espacios desdentados,
   - casos de extracción,
   - caninos inicialmente en una posición vestibular,
   - caninos inicialmente en mesiorotación,
   - premolares contraídos,
   - molares inicialmente contraídos,
   - molares inicialmente en distorotación.
2. referente a la técnica
   - arcos ligeros,
   - brackets con distancia intrabracket disminuida (distancia interbrackets aumentada),
   - arcos de cierre de espacios (por mecánica de deslizamiento o por mecánica de asas),
   - uso de elásticos intermaxilares (verticales o en "Z"),
   - en técnica lingual se aumenta el efecto bowing por la desoclusión molar inducida por el plano de mordida de los brackets antero-superiores.

El efecto bowing es más evidente en paciente durante la alineación y nivelación y especialmente durante el cierre de espacios.

Efecto sliding

El efecto sliding (fig. 5-07) es igual en técnica vestibular y lingual. Los arcos ligados tienden a deslizarse hacia mesial.

El efecto sliding provoca:
- protrusión de incisivos
- aumento de torque de incisivos
- disminución de la guía anterior
- diastemas en la zona incisiva

Compensación del efecto sliding

El efecto sliding se compensa evitando el deslizamiento anterior del arco mediante (Fig. 5-08):
a. omegas o hooks ligados al molar,
b. doblez distomolar ajustado a distal del tubo molar,
c. ligadura en "8" de ferulización de canino a canino,
d. in-set distocanino ajustado al bracket del canino,
e. longitud de arco entre in-sets apropiada evitando que el doblez del arco se apoye contra la cara mesial del premolar o su bracket.

En los casos en que se quiere protruir o aumentar el torque no se deberá compensar el efecto sliding, pero en otros casos puede ser muy importante su control.

El efecto sliding será mayor en los casos que presentan:
- Apiñamientos en la zona incisivo-canina.
- En técnica lingual es mayor porque la oclusión de inci-

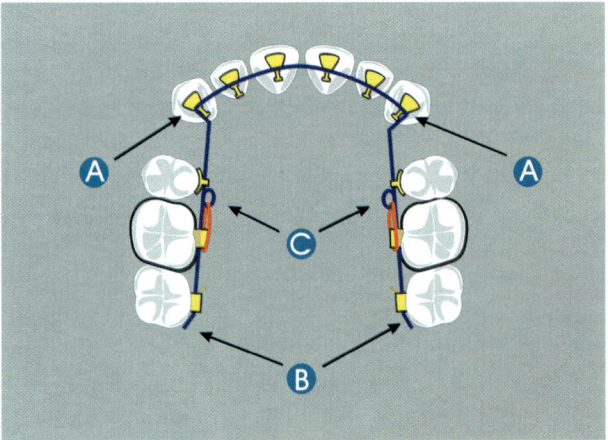

Fig. 5-08 Compensación del efecto sliding:
a. omegas o hooks ligados al molar
b. doblez distal ajustado
c. ligadura en "8" de canino a canino
d. in-set distocanino ajustado al bracket canino

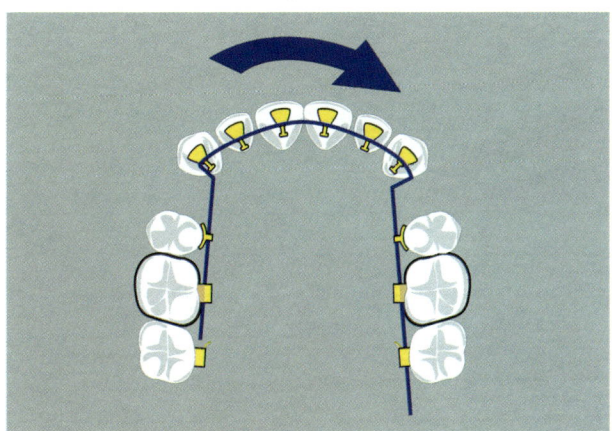

Fig. 5-09 Efecto rolling. Las consecuencias son: injurias de tejidos blandos del lado de deslizamiento, descontrol de la posición molar del lado contrario y asimetrías de la arcada

sivos inferiores contra el plano de mordida superior tiene un componente anterior.
- Bajo soporte óseo de incisivos, especialmente tabla vestibular delgada.
- Colapso de la oclusión, por pérdida de dimensión vertical.
- Arcos redondos.
- Arcos de canto con "juego" en el slot.

El efecto sliding nos preocupa principalmente en las primeras etapas del tratamiento porque se produce mayoritariamente con arcos redondos y especialmente si el paciente presenta apiñamientos en la zona incisivo-canina. Cuando se complete la alineación, el efecto sliding es mucho menor.

Efecto rolling

El efecto rolling (fig. 5-09) es igual en técnica vestibular y lingual. Los arcos ligados tienden a deslizarse lateralmente hacia uno de los lados.
El efecto rolling provoca:
- lesiones de tejidos blandos en el lado en que se ha deslizado el arco
- descontrol de la posición del molar en el lado contrario al deslizamiento
- asimetrías

Compensación del efecto rolling

Para evitar el deslizamiento lateral del arco (Fig. 5-09) se debe realizar:
 a. in-sets distocaninos ajustados a los brackets caninos
 b. dobleces distomolares ajustados a distal de los tubos molares
 c. omegas o hooks ligados a los tubos molares

El efecto rolling es mayor en los casos que presentan:
- Asimetrías de apiñamientos (corre hacia el lado mejor alineado).
- Asimetrías de arcada.
- Extracciones asimétricas.
- Al usar arcos redondos.

El efecto rolling nos preocupa principalmente en las primeras etapas del tratamiento porque se produce mayoritariamente con arcos redondos que son utilizados al principio y porque después de completar la alineación se pueden ajustar los insets distocaninos a los brackets caninos y el arco no puede deslizarse lateralmente.

Arco	Forma	Tamaño	Dobleces	Fuerza de Carga Ligado	Fuerza de Descarga "Sobre el Diente"	Resistencia a la Deformación Permanente	Confort Del Paciente
Respond	Standard	1	SI in-sets	Muy poca	Muy poca	Baja (visitas muy frecuentes)	Muy, muy bueno
D - Rect	Standard	1	SI in-sets	Muy poca	Muy poca	Baja (visitas muy frecuentes)	muy bueno
TMA	Standard	1	SI in-sets Asas sencillas	Media	Media	Media alta	Muy bueno
NiTi	NiTi mushroom	3sup./3inf.	SI in-sets Asas muy sencillas	Media	Media	Media	Bueno
35º Copper NiTi	NiTi mushroom	3sup./3inf. Comprobar a 35º	Minimas	Media Baja	Media (menos que NiTi)	Muy alta (visitas muy espac.)	Muy, muy bueno
Stainless Steel	Standard	1	SI insets Asas precisas	Alta	Alta	Alta	Bajo

Tabla 5-01 Esquema para la utilización de los arcos linguales

1er ORDEN

Vestibular	Lingual
.0155" Respond	
.0175" Respond	
	.0135" Respond
.016" x .022" D – Rect	
.016" NiTi	
	.0175" Respond
.017" x .025" D – Rect	
.018" NiTi	
.016" TMA	
.018" x .018" NiTi	
.014" SS	
	.016" x .022" D – Rect
	.016" NiTi
.016" x .022" NiTi	
.016" SS	
.017" x .025" NiTi	
	.018" NiTi
.016" x .022" TMA	
.018" SS	
	.016" TMA
.016" x .016" SS	
.017" x .025" TMA	.014" SS
	.016" SS
	.0175" x .0175" TMA
.016" x .022" SS	
	.018" SS
.017" x .025" SS	
	.017" x .025" TMA
	.016" x .022" SS

Tabla 5-02 Tabla de equivalencias entre arcos vestibulares y linguales en referencia al primer orden (modificada de Morán)

2do ORDEN

Vestibular	Lingual
.0155" Respond	
.0175" Respond	
.014" NiTi	
.016" x .022" D-Rect	.0155" Respond
.016" NiTi	
	.0175" Respond
.018" NiTi	
.016" TMA	
.016" x .022" NiTi	.014" NiTi
.018" x .018" NiTi	
	.016" x .022" D-Rect
.014" SS	
.017" x .025" NiTi	
.016" x .022" TMA	.016" NiTi
.016" SS	
.0175" x .0175" TMA	
.017" x .025" TMA	
.018" SS	
	.016" NiTi
.018" SS	
	.016" TMA
.016" x .016" SS	
.016" x .022" SS	
.017" x .025" SS	
	.016" SS
	.0175" x .0175" TMA
	.017" x .025" TMA
	.016" x .022" SS

Tabla 5-03 Tabla de equivalencias entre arcos vestibulares y linguales en referencia al segundo orden (modificada de Morán)

Arcos en Ortodoncia Lingual

En la Tabla 5-01 se resume la utilización adecuada de los arcos linguales y en las Tablas 5-02 a 5-04 se resumen las equivalencias entre los arcos vestibulares y linguales para primer orden (alineación, nivelación y rotación), segundo orden (inclinación) y tercer orden (torque).

Los arcos para ortodoncia lingual se presentan en dos formas:

Forma Standard (fig. 5-11)

Estos arcos sólo están preformados con la curvatura lingual, pero sin dobleces (in-set) distocaninos. Se presentan en sólo un tamaño para maxilar superior e inferior. Los arcos trenzados redondos **(Respond)**, trenzados rectangulares **(D-Rect)**, los arcos de titanio-molibdeno **(TMA)** se presentan así y es muy difícil cambiarles la curvatura. Por este motivo no sirven para establecer la forma de arcada. Los arcos de acero **(Stainless Steel)** también se presentan así pero se puede modificar la curvatura. Son los arcos idóneos para establecer la forma de arcada y coordinar el maxilar superior e inferior.

A los arcos de forma Standard se le deben incorporar los dobleces (in-set) distocaninos y también se pueden ha-

3er ORDEN		
.016" x .022" D – Rect		
.017" x .025" D – Rect		
	.016" x .022" D – Rect	
.016" x .022" NiTi		
.017" x .025" NiTi		
.0175" x .0175" TMA		
.016" x .022" TMA		
	.0175" x .0175" TMA	
.017" x .025" TMA		
.016" x .016" SS		
	.017" x .025" TMA	
.016" x .022" SS		
	.016" x .022" SS	
.017" x .025" SS		

Tabla 5-04 Tabla de equivalencias entre arcos vestibulares y linguales en referencia al tercer orden (modificada de Morán)

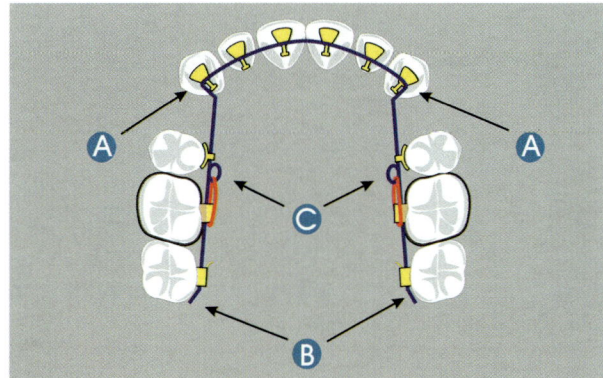

Fig. 5-10 Compensación del efecto rolling
a. in-sets distocaninos ajustados a los brackets caninos
b. doblez distal ajustado a distal de los tubos molares
c. omegas o hooks ligados al molar

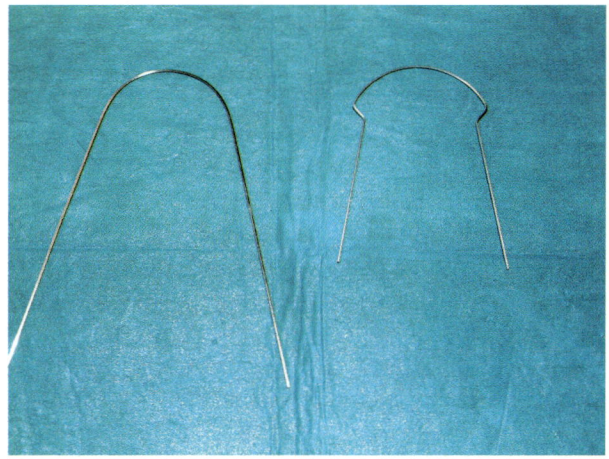

Fig. 5-11 Forma Standard y NiTi de los arcos

cer dobleces o asas en la zona incisivo-canina, ya que la distancia entre los in-sets depende del operador. Los arcos no son demasiado largos por lo que no se puede utilizar demasiado alambre en asas.

Forma NiTi (fig. 5-11)

Es la forma mushroom o arco de trabajo. Los arcos de níquel-titanio (**NiTi**) y de níquel-titanio-cobre (**Copper NiTi**) se presentan así en varios tamaños superiores e inferiores. Prácticamente no se pueden hacer asas en la zona incisivo-canina a menos que se disponga de suficiente alambre entre los in-sets. Es muy difícil rectificar la medida del in-set si no se ajusta a la discrepancia de espesor entre el canino y el premolar, pero se puede hacer un doblez complementario.

Tipos de arcos

Respond (fig. 5-12)

Es un arco trenzado (Fig. 5-12), únicamente redondo de '0155" ó de '0175", en forma **Standard**, únicamente en un tamaño para maxilar superior o inferior. Acepta dobleces (in-sets disto-caninos) pero no asas con formas muy definidas. La fuerza de carga es muy ligera (fácil ligado) y la fuerza de descarga también es muy ligera (muy poco efecto sobre los dientes, mucho confort para el paciente), poca resistencia a la deformación permanente (no permanece mucho tiempo activada, se debe cambiar el arco en un plazo corto de tiempo).

Indicaciones: Alineación y nivelación inicial. No corrige rotaciones. Utilizar como primer arco en pacientes con enfermedad periodontal o expectación de baja tolerancia al dolor/disconfort. No completará la fase de alineación y nivelación.

Observaciones: Se deberán incorporar los dobleces disto-caninos y el cierre distal. No compensa los efectos secundarios del arco, por lo que está contraindicado para cierre de espacios. No establece torque por su sección circular. Su baja resistencia a la deformación permanente hace que se deba cambiar el arco en seguida que el paciente lo tolere.

D-Rect (fig. 5-13)

Es un arco trenzado de sección rectangular únicamente de '016" x '022" en forma **Standard**. Básicamente todo es igual al **Respond** pero hace una fuerza un poco mayor y puede establecer inicialmente el torque.

TMA (fig. 5-14)

Es un arco de titanio molibdeno de sección redonda, cuadrada o rectangular: '016"; '0175" x '0175" y '017" x '025" en forma Standard.

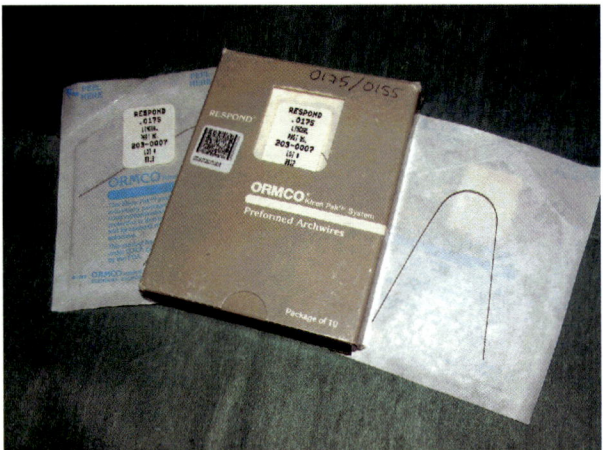

Fig. 5-12   Arcos Linguales Respond

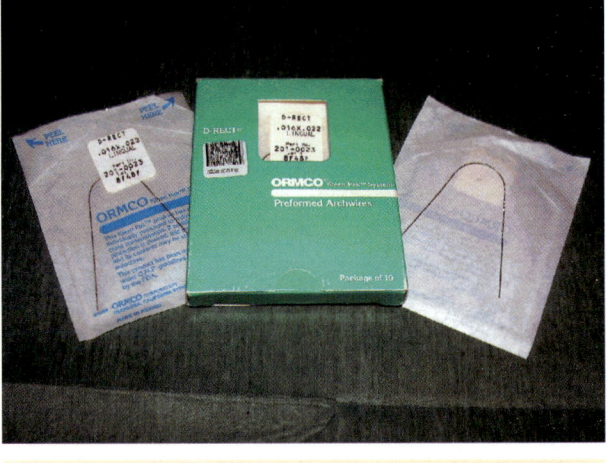

Fig. 5-13   Arcos Linguales D-Rect

Para técnica vestibular se ofrecen varias opciones de arcos de titanio-molibdeno: TMA, Reverse Curve, Reverse Curve con asas en "T", TMA baja fricción, baja fricción en colores (agua, púrpura y miel) y Titanium Niobium F.A. (Finishing Archwire) que acepta más dobleces, pero en lingual sólo encontramos la forma Standard.

Presenta una fuerza de carga media (facilitando el ligado) y una fuerza de descarga media (que facilita el ligado temprano de arcos de mayor sección y aumenta la tolerancia y confort del paciente), se pueden formar in-sets y asas que luego presentan una resistencia a la deformación media (que lo hace apto para formar asas de cierre y se pueden prolongar los períodos entre visitas).

Indicaciones: '016" Alineación y nivelación inicial. No corrige rotaciones totalmente. Utilizar como primer arco en:

- pacientes con expectativa de tolerancia media al dolor/disconfort,
- pacientes con malposiciones dentarias graves,
- pacientes en los que los arcos de NiTi no ajusten por la distancia inter in-sets,
- pacientes en los que los arcos de NiTi no ajusten por la longitud del in-sets,
- Pacientes que requieran in-sets adicionales o asas en la zona incisivo-canina.

Este arco puede completar la fase de alineación y nivelación.

'0175" x '0175" Es el arco de elección para establecer el torque. Se deben incorporar los in-sets distocaninos y el cierre distal.

'017" x '025" Se puede utilizar para establecer el torque o para cierre de espacios con mecánica de asas. No se debe utilizar para cerrar espacios con mecánica de deslizamiento debido a su alta fricción.

Observaciones: Se deberán incorporar los dobleces disto-caninos y el cierre distal aunque es mejor utilizar los hooks antemolares para evitar el efecto sliding y la protrusión o proinclinación de los incisivos.

El cierre de espacios con estos arcos se debe realizar con precaución y control clínico de los efectos bowing.

Su fuerza de descarga media lo hace muy indicado para establecer el torque.

Su resistencia media a la deformación permanente hace que se pueda prolongar el lapso de tiempo entre visitas.

Ni Ti (fig. 5-15)

Es un arco de níquel-titanio en forma NiTi (mushroom) en 3 tamaños superiores y 3 tamaños inferiores (diferentes distancias entre in-sets siendo el 1 el más grande, el 2 el mediano y el 3 el más pequeño). Se presenta en '016" y '018". Se pueden conformar insets y asas sencillas.

Su fuerza de carga es media (por lo que el ligado es de una dificultad media) y la fuerza de descarga es media (por lo que tiene un buen efecto sobre los dientes y el nivel de disconfort del paciente es bueno si el caso no presenta malposiciones muy severas).

Indicaciones: Es un arco muy indicado para la fase de alineación y nivelación y controla las rotaciones aunque no completa su corrección sin ligaduras circunferenciales o botones-brackets vestibulares y pares de fuerzas. No tiene control sobre el torque. También se puede utilizar para alineación/nivelación con protrusión incorporando una asa de protrusión antemolar.

Observaciones: Se debe seleccionar el arco del tamaño adecuado ya que no se puede corregir ni la posición ni la longitud de los in-sets distocaninos. Para controlar el efecto sliding no deseado se debe hacer doblez distal o incorporar un hook antemolar. Está contraindicado para cerrar espacios porque no controla ni el efecto bowing ni el torque incisivo. No hay alambre suficiente en el sector incisivo-canino para insets o asas por lo que los dientes que no puedan ser ligados normalmente, deberán ser ligados más adelante o con ligaduras "a distancia" (cadena o hilo elástico).

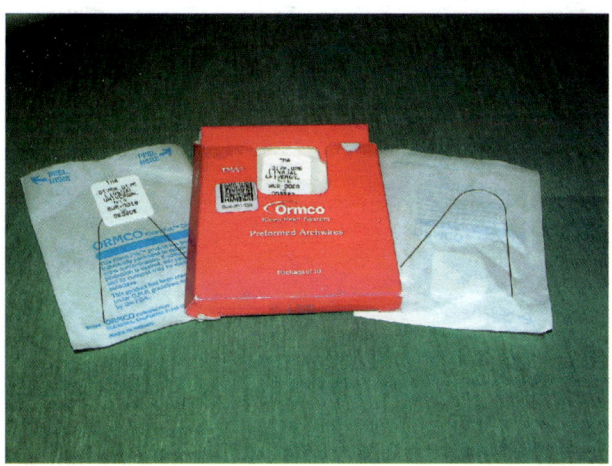

Fig. 5-14   Arcos Linguales TMA

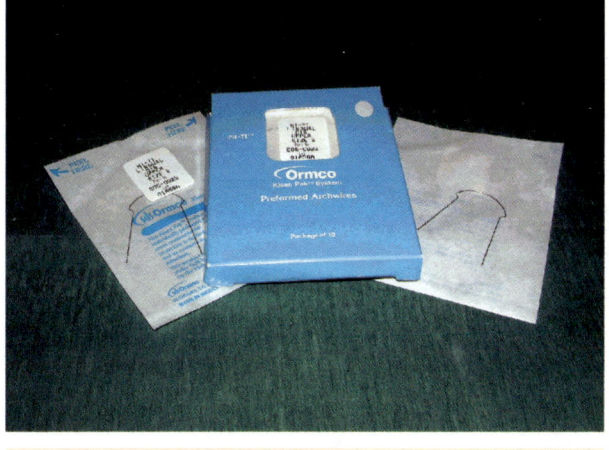

Fig. 5-15   Arcos Linguales NiTi

35ºC Copper Ni Ti (fig. 5-16)
Es un arco que tiene Níquel, Titanio, Cromo y Cobre. Está disponible en forma NiTi (mushroom) en 3 tamaños superiores y 3 tamaños inferiores (diferentes distancias entre in-sets: 1, 2 y 3). Se presenta .017" x .017" y .017" x .025" completando la gama de los redondos en NiTi.
El cobre como buen conductor permite mejorar las propiedades termo-reactivas del arco ajustando la temperatura de transformación de los cristales martensíticos en austeníticos. Los cristales en forma martensita son plásticos y en forma austenítica son elásticos. Dependiendo de la cantidad de cobre se ofrecen para vestibular arcos de 27ºC, 35ºC y 40ºC.
Las propiedades generales de estos arcos:
- Son más resistentes a la deformación permanente y presentan mejor recuperación de su forma inicial (permiten ligar dientes en malposiciones más severas).
- Demuestran una fuerza de carga menor para el mismo grado de deformación, permitiendo ligar antes los arcos de mayor sección.
- La histéresis disminuida (propiedad física por la cual la reacción no sólo depende del estímulo sino también de los estados anteriores) y la curva de descarga aplanada resulta en fuerzas más constantes y con más tiempo de activación (permite períodos de tiempo mayores entre visitas ya que la activación perdura más dentro del límite de las fuerzas fisiológicas).
- Muestra una relación más consistente entre fuerza/deformación lo que hace más seguro el efecto al cambiar de un arco al siguiente.
- Presenta baja fricción para un desplazamiento leve durante la alineación/nivelación pero no es buen arco para cerrar espacios.

Los arcos vestibulares se presentan en 3 versiones:
- 27ºC Superelástico Copper NiTi - que tiene una menor fuerza de carga (fácil ligado) y una fuerza de descarga similar a la de los arcos NiTi.
- 35ºC Thermoactive Copper NiTi - que tiene una menor fuerza de carga y una fuerza de descarga menor y más constante a temperatura de boca.
- 40ºC Termoactive Copper NiTi - tiene una fuerza intermitente, ya que sólo son elásticos cuando la boca está a 40ºC. Indicado para pacientes periodontales o con baja tolerancia.

Indicaciones: Es un arco muy efectivo para alinear-nivelar y establecer el torque. Reduce el tiempo de sillón ya que el ligado es más fácil. El intervalo entre visitas puede ser mayor porque permanece más tiempo activo y el tiempo de tratamiento se reduce ya que alinea y nivela con control de torque. Expresa mejor el torque y aumenta el confort del paciente por su menor nivel de fuerzas.

Observaciones: No corrigen rotaciones sin ligaduras circunferenciales o botones-brackets vestibulares. El ligado se facilita enfriando el arco. Usar el instrumento Polar Bear o el Damon SL Cool Tool de ORMCO. La longitud del in-set se puede compensar con un doblez adicional si resulta insuficiente pero este doblez se debe sumergir en el agua caliente para comprobar si se mantiene el doblez. Se debe impedir el efecto sliding con hooks antemolares ya que el doblez distal es insuficiente. No se debe utilizar este arco para cerrar espacios por los efectos secundarios (bowing).

Stainless Steel (fig. 5-17)
Es el arco de acero disponible en forma Standard en '014"; '016"; '018"; '016" x '016"; '016" x '022"; '017" x '025" y '018" x '025".
Son arcos con poca fricción, poca elasticidad y aceptan todo tipo de dobleces. También se puede utilizar alambre en tiras.

Indicaciones: Los rectangulares son arcos para ser utilizados cuando se han completado la alineación, nivelación, rotaciones y se ha establecido el torque; para cerrar espacios y para establecer la forma de arcada.

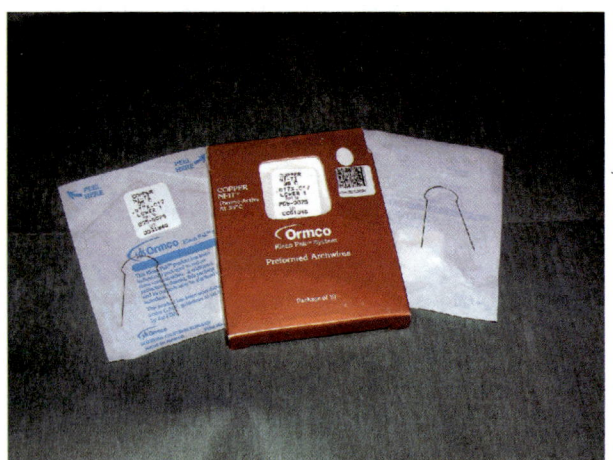

Fig. 5-16   Arcos Linguales NiTi Copper 35º

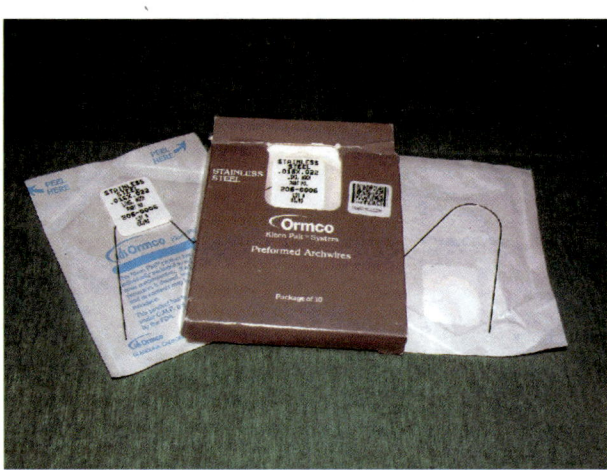

Fig. 5-17   Arcos Linguales Stainless Steel

Los arcos redondos se utilizan en la etapa de distalización inicial de caninos y en la etapa de terminación.

Observaciones: Antes de la etapa de Alineación-Nivelación-Rotaciones, no es conveniente la utilización de estos arcos ya que no se pueden deflexionar más de 1 mm y requieren dobleces y asas o ligaduras a distancia para mantenerse dentro de un nivel de fuerzas toleradas por el diente, los tejidos de sostén y el paciente. Su baja fricción los hace muy aptos para utilizar mecánica de deslizamiento pero también pueden ser utilizados con mecánica de asas. Comparándolos con los arcos TMA tienen que ser activados con un menor rango de activación y más frecuentemente pero se puede incorporar mejor la compensación del efecto bowing.

Ligaduras en Ortodoncia Lingual

6

- Introducción 91
- Ligadura normal metálica 91
- Ligadura "a distancia" metálica 91
- Ligadura normal elástica 92
- Ligadura "a distancia" elástica 92
- Ligadura elástica con separadores 93
- Ligadura doble elástica "double-over-tie" 93
- Ligadura doble elástica "double-over tie" a segundo eslabón 95
- Ligadura doble metálica "double-over tie" 95
- Ligadura de rotaciones circunferencial de Scott o de Smith 95
- Ligadura de ferulización en "trenza" 97
- Ligadura de ferulización en "8" 98
- Ligadura circunferencial de Takemoto 98
- Cadena continua de cierre, eslabón por bracket. CCC - EXB 100
- Cadena continua de cierre con double-over-tie. CCC - DOT 101

Introducción

La forma de los brackets linguales hace que sea necesario realizar algunos tipos de ligaduras especiales que se explican a continuación.

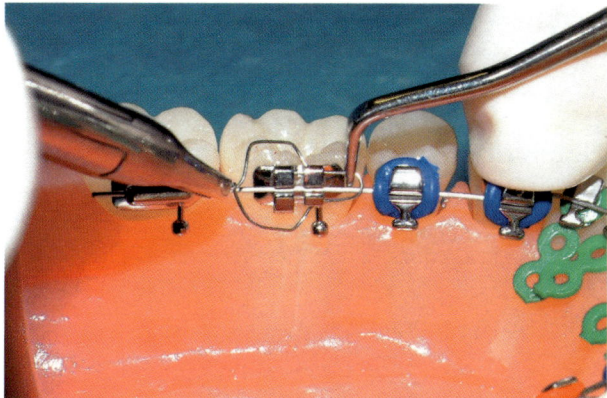

Fig. 6-01   Ligadura normal metálica 1. Con la pinza Mathew se está colocando la ligadura metálica alrededor de las aletas del bracket

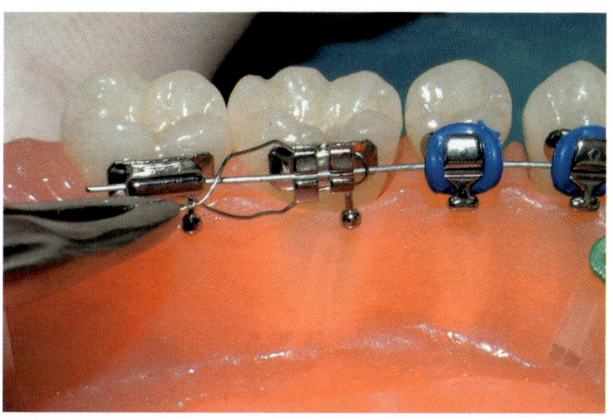

Fig. 6-02   Ligadura normal metálica 2. Presionando el arco al slot con la ligadura

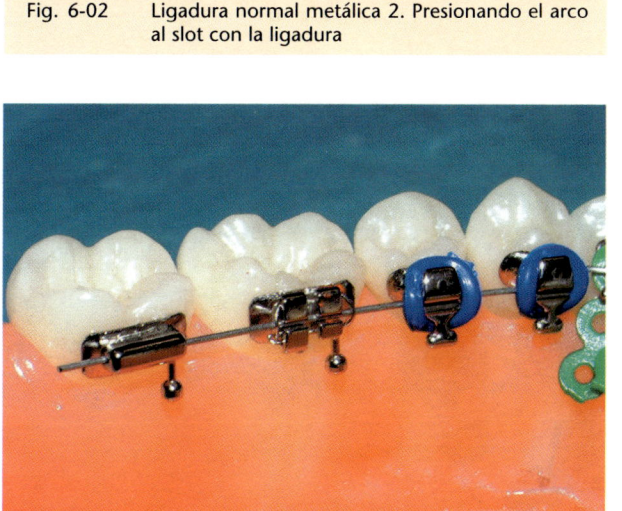

Fig. 6-04   Ligadura normal metálica 4. Ligadura terminada con el extremo cortado y doblado por debajo del arco

Ligadura normal metálica (figs. 6-01 a 6-04)

Se usa en los sectores posteriores para completar la corrección de rotaciones o durante la mecánica de cierre de espacios. Se usan ligaduras preformadas cortas y la técnica es similar a la utilizada en vestibular.

Ligadura "a distancia" metálica (figs. 6-05 a 6-07)

Se pueden utilizar en las primeras etapas de la alineación/nivelación. Se liga el arco al bracket con una deflexión mínima, cuando el arco no puede llegar hasta el bracket con una fuerza fisiológica, atando el bracket al arco deflexionado. Se debe ir activando a medida que se corrige la alineación/nivelación del diente. No corrige rotaciones ni torque. Pueden provocar disconfort y retienen alimentos. Otras soluciones son utilizar arcos con mayor poder de deflexión (debido a un menor calibre del arco o por otra composición química) o formar asas en el arco.

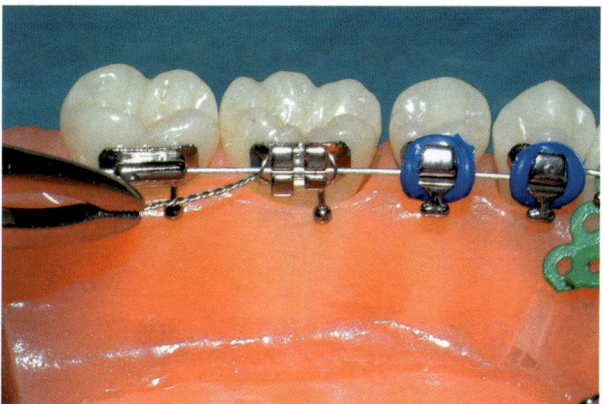

Fig. 6-03   Ligadura normal metálica 3. Cerrando la ligadura con la pinza Mathew

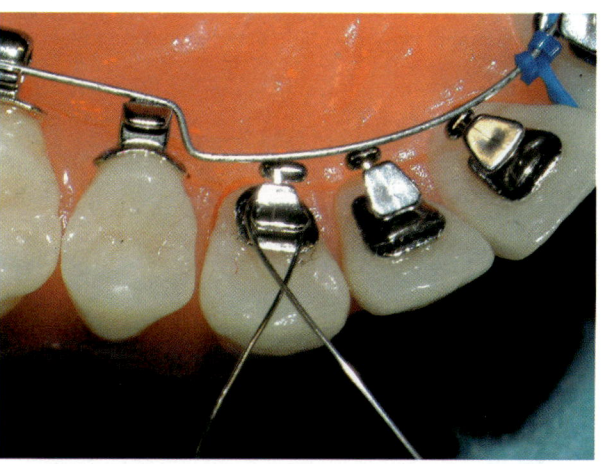

Fig. 6-05   Ligadura "a distancia" metálica 1. Utilizando alambre de ligaduras o ligaduras largas, se rodea el bracket con la ligadura y se cruzan los extremos.

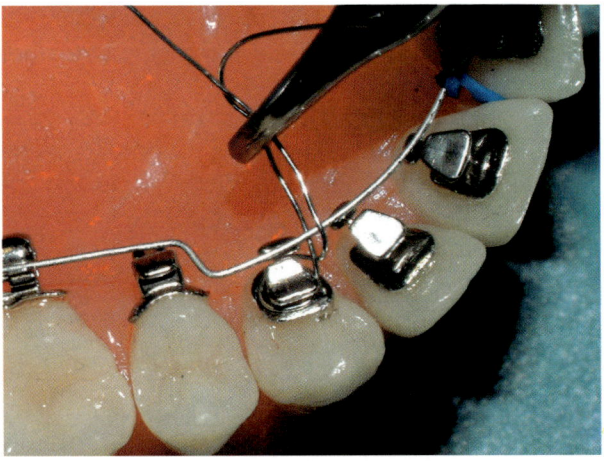

Fig. 6-06   Ligadura "a distancia" metálica 2. Pasando un extremo por debajo del arco y otro por encima del mismo, se cierra la ligadura presionando el arco contra el bracket

Ligadura normal elástica
(figs. 6-08 a 6-10)

Se usa en los sectores posteriores o anteriores cuando las piezas están en una posición muy cercana a su posición correcta y no presentan rotaciones. No son recomendables durante la mecánica del cierre de espacios.

Ligadura "a distancia" elástica
(figs. 6-11 a 6-14)

Es igual a la ligadura "a distancia" metálica pero con una cadena elástica. Se hace un nudo corredizo en el arco y se lleva hasta el bracket.

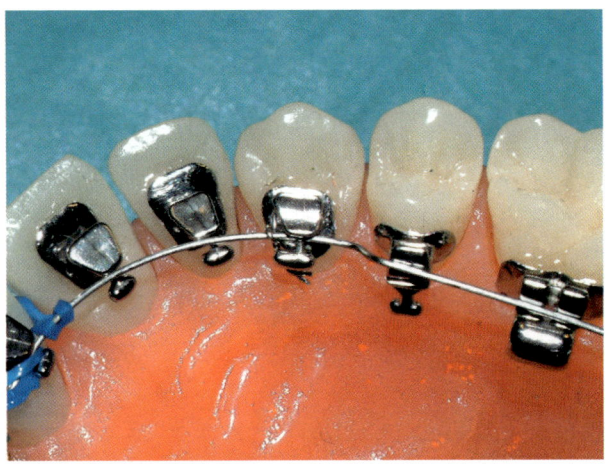

Fig. 6-07   Ligadura "a distancia" metálica 3. Ligadura terminada

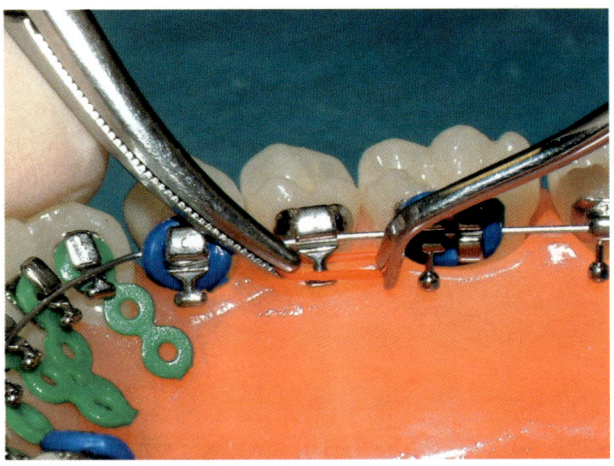

Fig. 6-08   Ligadura normal elástica 1. Colocando la ligadura elástica con una pinza mosquito ayudándose con un conductor de ligaduras

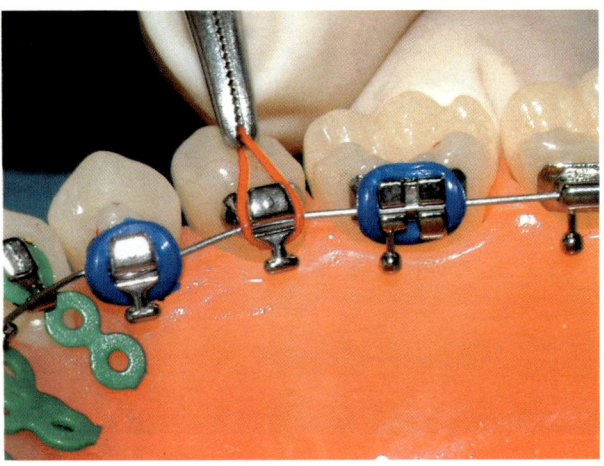

Fig. 6-09   Ligadura normal elástica 2. Acabando de colocar la ligadura elástica

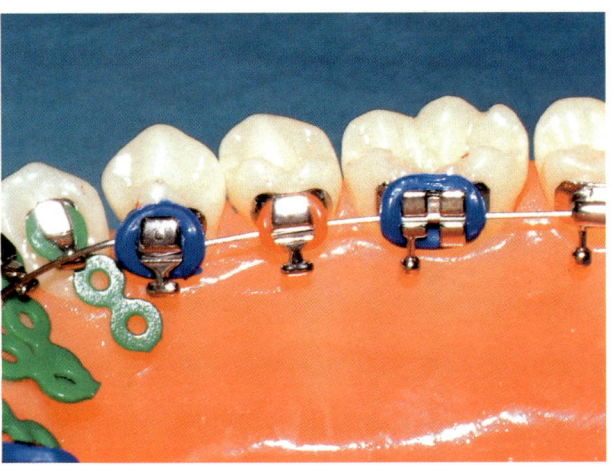

Fig. 6-10   Ligadura normal elástica 3. Ligadura terminada

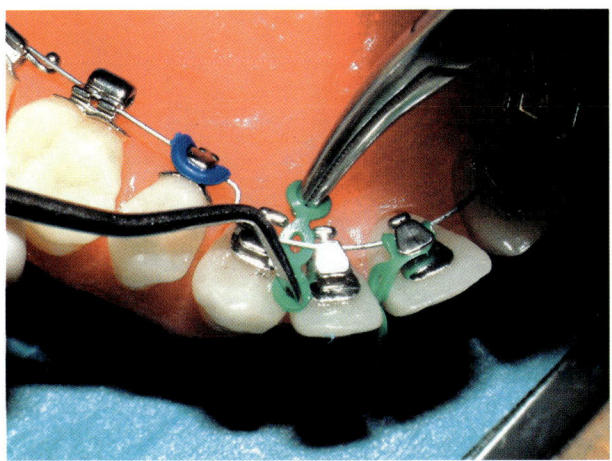

Fig. 6-11 Ligadura "a distancia" elástica 1. Se corta un segmento de cadena elástica de 3 ó 4 eslabones. Se pasan las dos puntas cerradas de la pinza mosquito por el eslabón de uno de los extremos de la cadena y se pasa el otro extremo de la cadena por debajo del arco

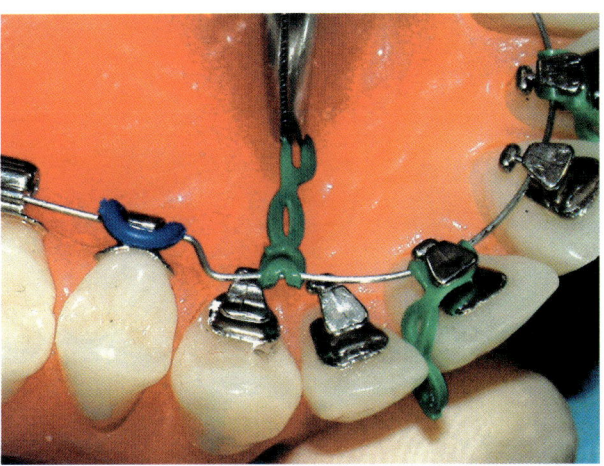

Fig. 6-12 Ligadura "a distancia" elástica 2. Se abre la pinza mosquito para pinzar el otro extremo de la ligadura y se tracciona para completar un lazo alrededor del arco

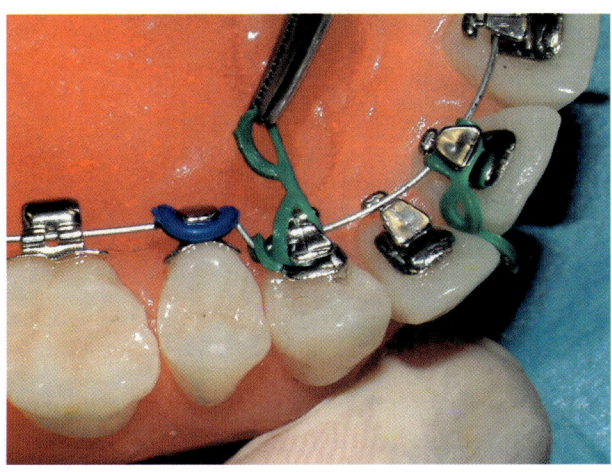

Fig. 6-13 Ligadura "a distancia" elástica 3. Se presiona el arco hacia el bracket y se rodea el bracket con el eslabón más próximo de la cadena, cortando el resto sobrante

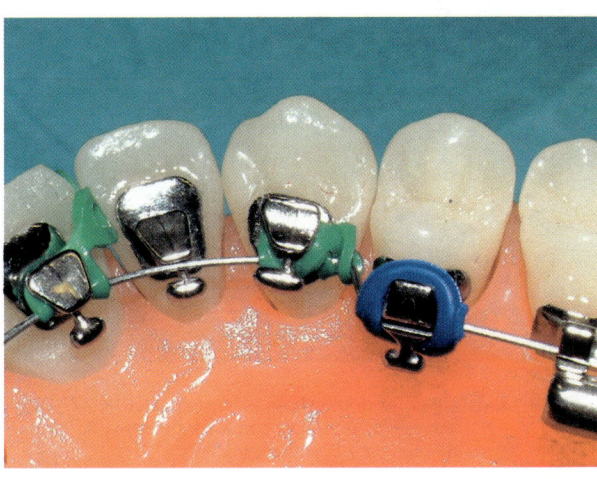

Fig. 6-14 Ligadura "a distancia" elástica 4. Ligadura terminada

Ligadura elástica con separadores (figs. 6-15 a 6-16)

Se usa en los sectores posteriores en vez de la ligadura normal metálica para dar más confort al paciente que no se lesiona con los bordes de los brackets.

Ligadura doble elástica "double-over-tie" (figs. 6-17 a 6-20)

Se usa especialmente en el sector anterior para completar la corrección de rotaciones y para la retracción del frente anterior para asegurarse que el arco se posiciona en el fondo del slot. Se usa una cadena elástica de 3 esla-

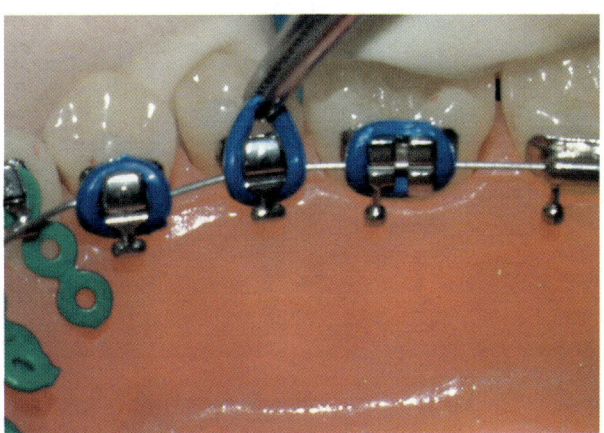

Fig. 6-15 Ligadura elástica con separadores 1. Colocando el separador elástico alrededor del bracket con la pinza mosquito

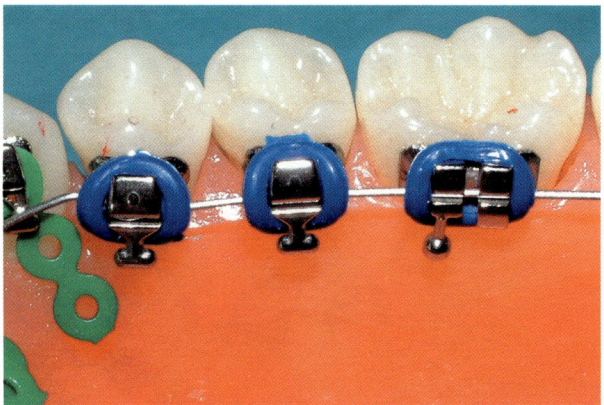

Fig. 6-16 Ligadura elástica con separadores 2. Ligadura terminada

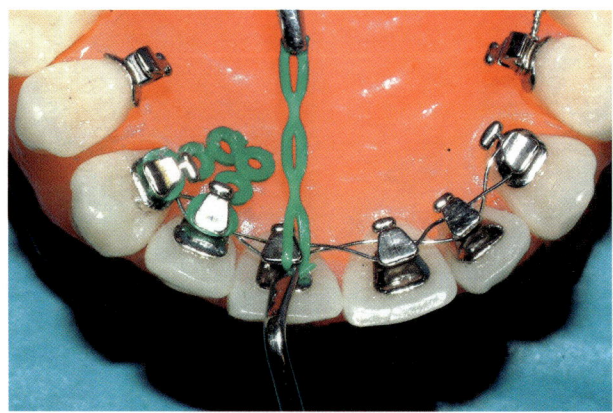

Fig. 6-17 Ligadura doble elástica "double-over-tie" 1. Se colocan segmentos de cadena elástica de 3 eslabones alrededor del bracket con el sobrante hacia gingival. Se utiliza una pinza mosquito y se puede ayudar con un conductor de ligaduras

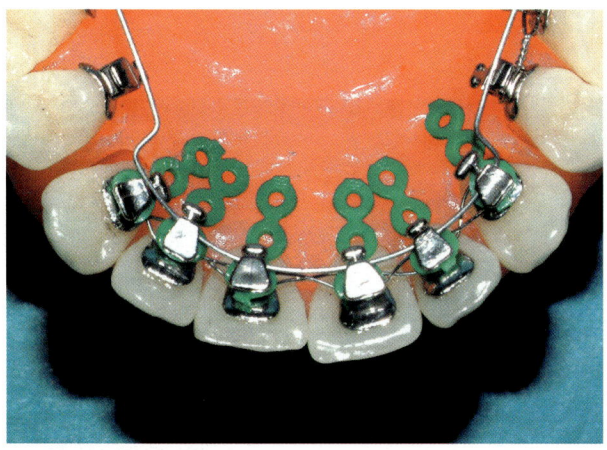

Fig. 6-18 Ligadura doble elástica "double-over-tie" 2. Obsérvese los 6 dientes con los segmentos de cadena elástica y el arco en los slots

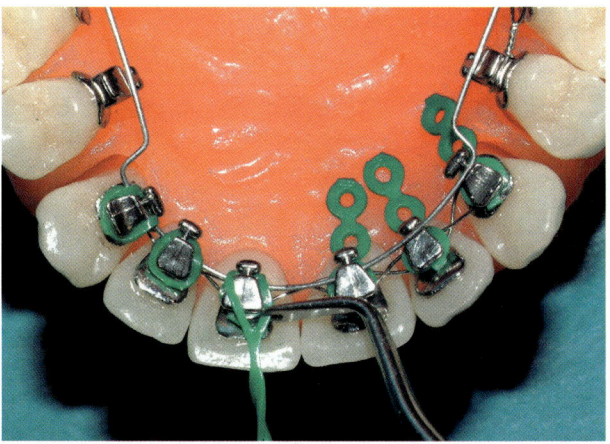

Fig. 6-19 Ligadura doble elástica "double-over-tie" 3. Con una pinza mosquito se pinza el extremo libre de la cadena para llevarlo hacia oclusal. El mismo eslabón pasará dos veces por debajo de la aleta incisal del bracket rodeando el arco

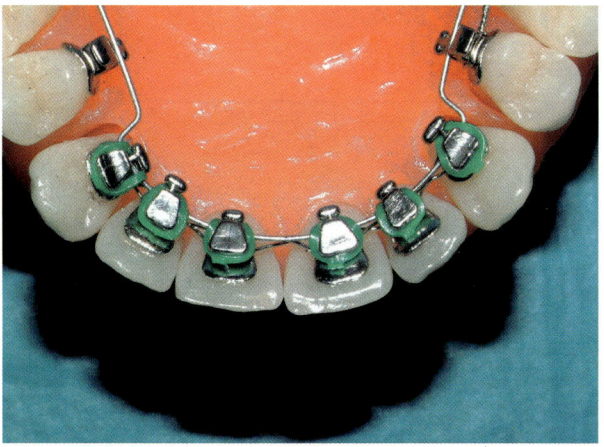

Fig. 6-20 Ligadura doble elástica "double-over-tie" 4. Se cortan los dos eslabones sobrantes

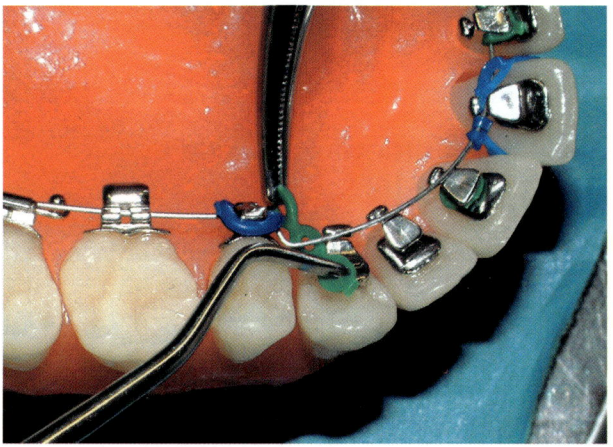

Fig. 6-21 Ligadura doble elástica "double-over tie" a segundo eslabón 1. Se corta un segmento de cadena elástica de 3 eslabones y con una pinza mosquito y un conductor de ligaduras, se rodea al bracket con un extremo de la cadena quedando los 2 eslabones sobrantes hacia gingival

bones. Se coloca un eslabón rodeando todo el bracket y con los otros 2 eslabones hacia gingival. A continuación se introduce el arco en el slot y manteniéndolo, se tracciona de la cadena hacia oclusal hasta que queda el mismo eslabón en la parte oclusal del bracket, cortándose los 2 eslabones sobrantes.

Ligadura doble elástica "double-over tie" a segundo eslabón (figs. 6-21 a 6-24)

Es igual a la anterior pero se llega al bracket con el segundo eslabón en vez de con el primero. Se utiliza para dientes que se encuentran en una posición más distante del arco.

Ligadura doble metálica "double-over tie" (figs. 6-25 a 6-29)

Es igual a la anterior pero hecha con una ligadura preformada metálica larga. Es más difícil de realizar pero asegura más la posición del arco.

Ligadura de rotaciones circunferencial de Scott o de Smith (figs. 6-30 a 6-35)

Es una ligadura indispensable en ortodoncia lingual y sirve para corregir rotaciones. Se usa una cadena elástica de 5 - 6 eslabones y se hace un nudo corredizo en el arco lingual en el espacio interdentario opuesto a la rotación,

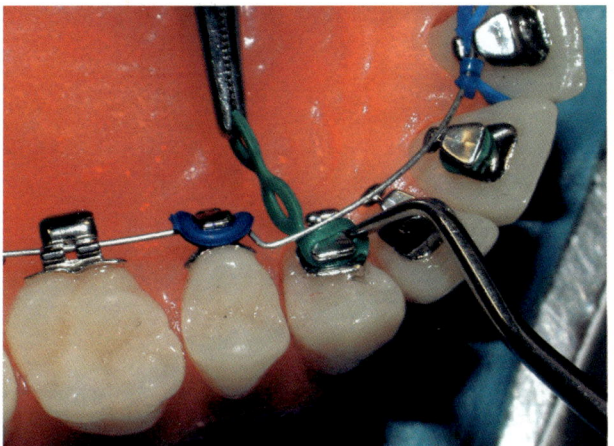

Fig. 6-22   Ligadura doble elástica "double-over tie" a segundo eslabón 2. Se completa la maniobra anterior

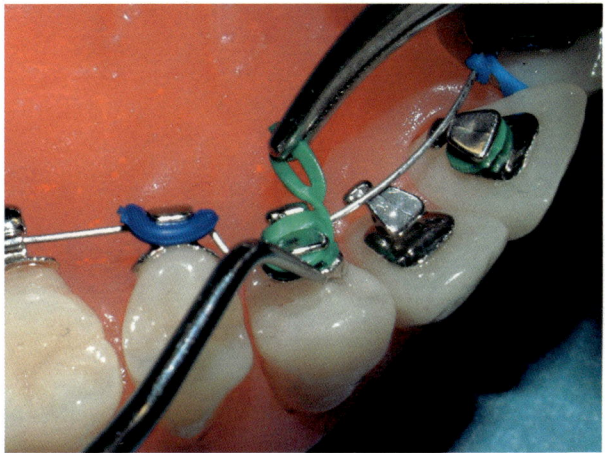

Fig. 6-23   Ligadura doble elástica "double-over tie" a segundo eslabón 3. Se lleva la cadena hacia oclusal como en la ligadura "double-over-tie" normal pero se liga el segundo eslabón a la aleta incisal del bracket para disminuir la fuerza del arco

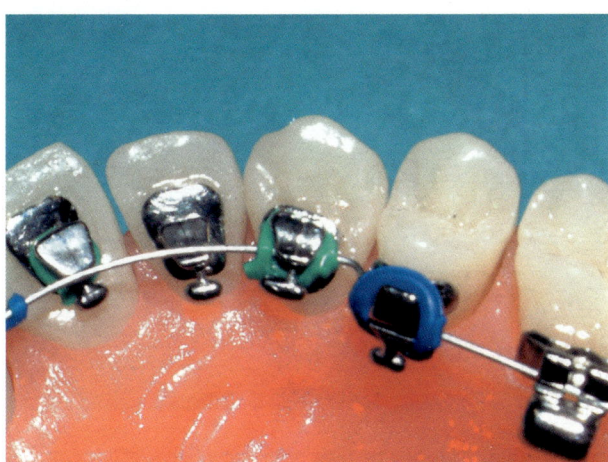

Fig. 6-24   Ligadura doble elástica "double-over tie" a segundo eslabón 4. Ligadura terminada

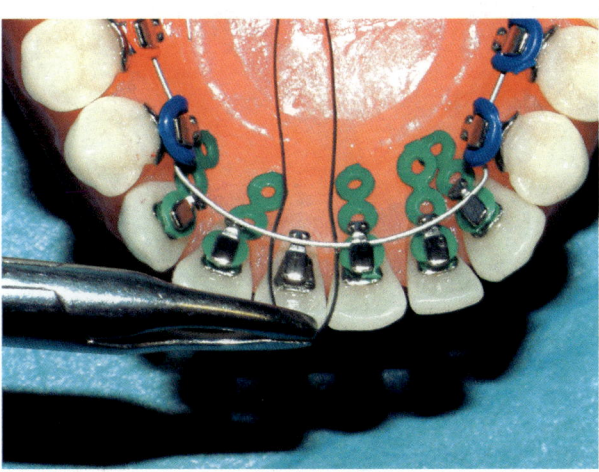

Fig. 6-25   Ligadura doble metálica "double-over tie" 1. Se pasa un segmento de alambre de ligaduras por debajo del arco hacia gingival y quedando por debajo de la aleta incisal de bracket

Ligaduras en Ortodoncia Lingual

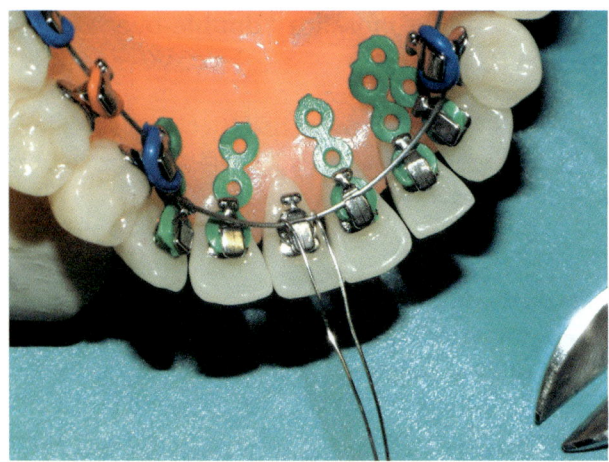

Fig. 6-26   Ligadura doble metálica "double-over tie" 2. Insertando el arco en el slot, se desplazan los dos extremos del alambre de ligadura presionando el arco hacia el bracket

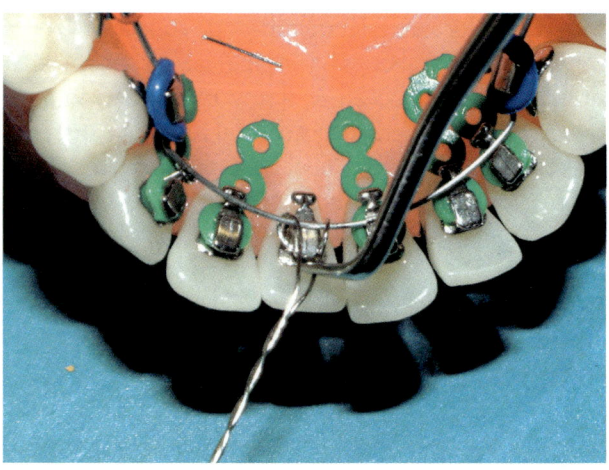

Fig. 6-27   Ligadura doble metálica "double-over tie" 3. Se cierra la ligadura con una pinza Mathew

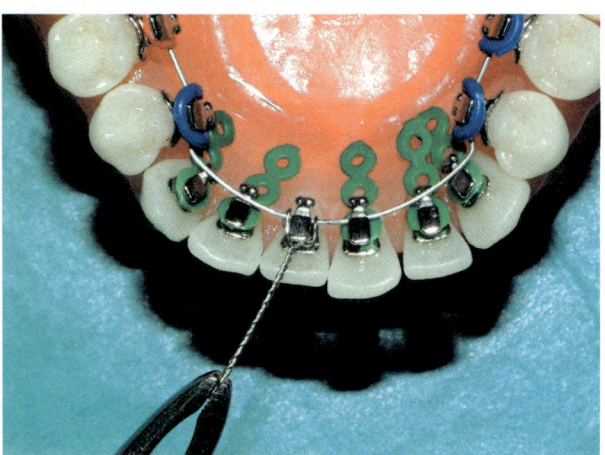

Fig. 6-28   Ligadura doble metálica "double-over tie" 4. Se completa la maniobra anterior

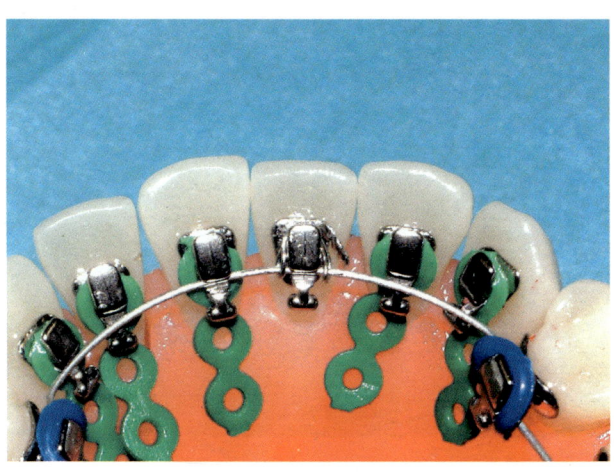

Fig. 6-29   Ligadura doble metálica "double-over tie" 5. Se corta el exceso, y se desplaza el extremo por debajo del arco

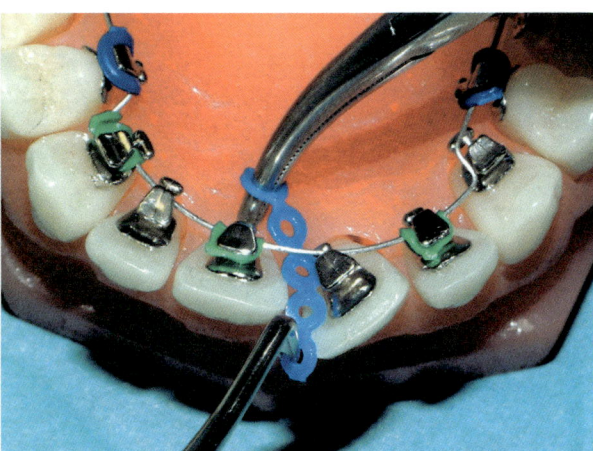

Fig. 6-30   Ligadura de rotaciones circunferencial de Scott 1. Se corta un segmento de cadena elástica de 6 ó 7 eslabones. Se pasan los dos extremos cerrados de la pinza mosquito por el eslabón de uno de los extremos de la cadena y se pasa el otro extremo de la cadena por debajo del arco

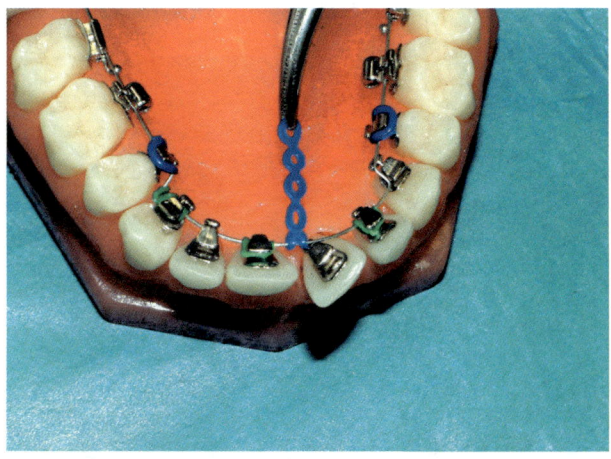

Fig. 6-31   Ligadura de rotaciones circunferencial de Scott 2. Abriendo la pinza mosquito se pinza el otro extremo de la cadena elástica formando un lazo alrededor del arco

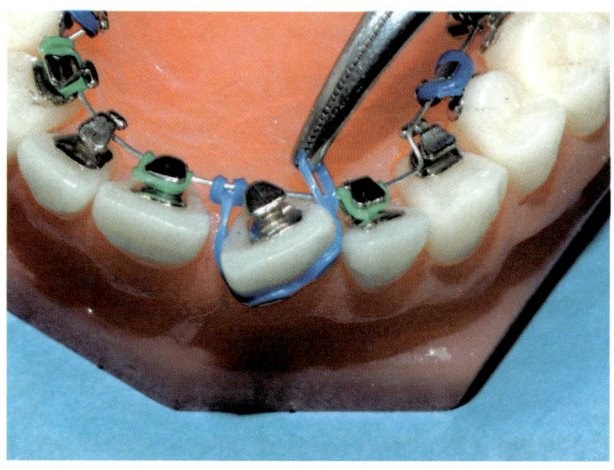

Fig. 6-32   Ligadura de rotaciones circunferencial de Scott 3. Se rodea al diente con la cadena elástica

se pasa la cadena por la cara vestibular a través de la cara proximal y por la otra cara proximal se devuelve la cadena a lingual fijándola al bracket de la misma pieza. Es necesario hacer una retención de composite en la cara vestibular para que no se deslice la cadena hacia oclusal o hacia gingival.

Ligadura de ferulización en "trenza" (figs. 6-36 a 6-38)

Se usa para ferulizaciones en el sector posterior. Se debe colocar antes del arco y la ligadura va fijándose a los brackets y trenzándose en el espacio interdentario. Debe ir bien ajustada para impedir que se abran diastemas y para que se consolide el sector.

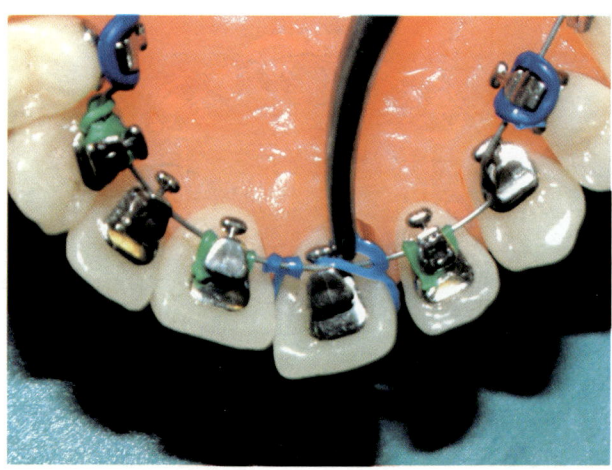

Fig. 6-33   Ligadura de rotaciones circunferencial de Scott 4. Se liga el otro extremo de la cadena al gancho del bracket

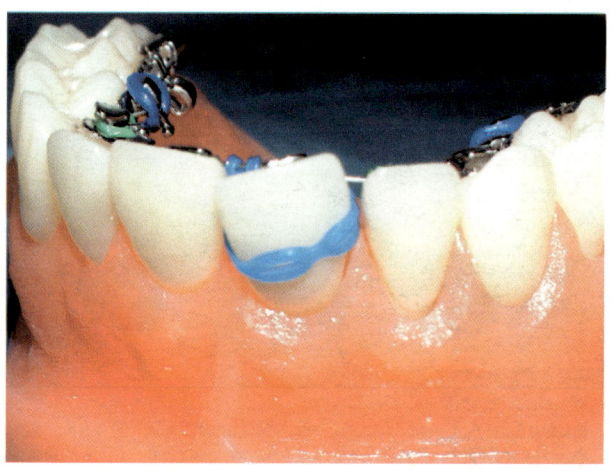

Fig. 6-34   Ligadura de rotaciones circunferencial de Scott 5. Vista vestibular

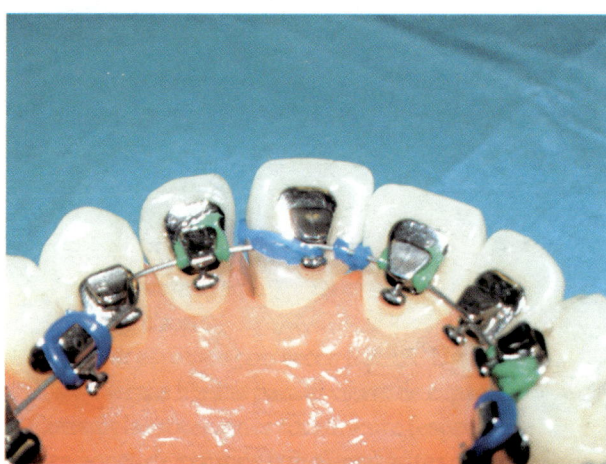

Fig. 6-35   Ligadura de rotaciones circunferencial de Scott 6. Vista lingual

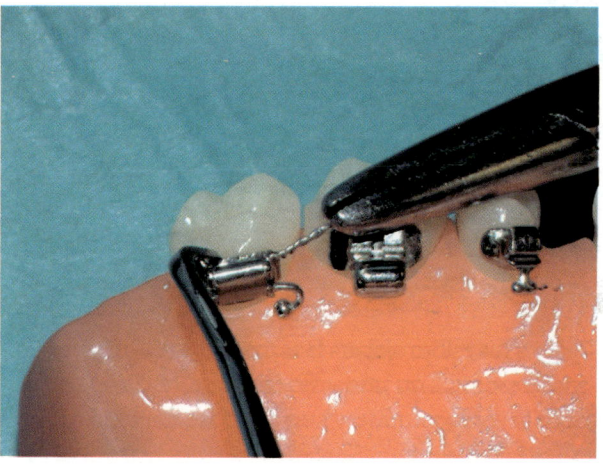

Fig. 6-36   Ligadura de ferulización en "trenza" 1. Con un segmento de alambre de ligaduras se rodea el tubo del último diente y se retuerce el alambre con la pinza Mathew

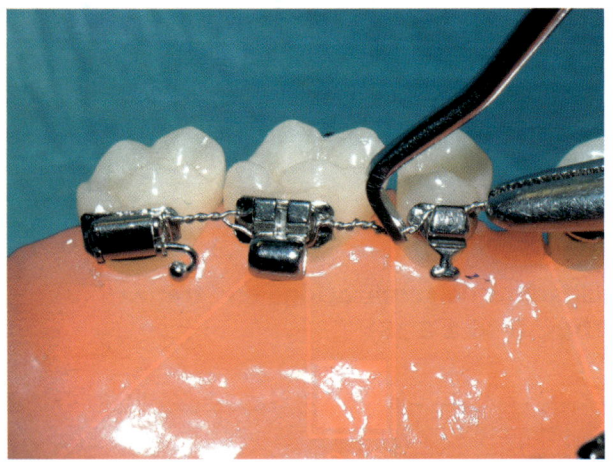

Fig. 6-37 Ligadura de ferulización en "trenza" 2. Se rodea al siguiente bracket y se vuelve a retorcer el alambre

Ligadura de ferulización en "8" (figs. 6-39 a 6-41)

Se usa para ferulizaciones en el sector anterior. Se debe colocar antes del arco y la ligadura va fijándose a los brackets y cruzándose en el espacio interdentario. Se puede hacer con una ligadura preformada larga o con alambre de ligaduras. Debe ir bien ajustada para impedir que se abran diastemas y para que se consolide el sector.

Ligadura circunferencial de Takemoto (figs. 6-42 a 6-47)

Se realiza con una cadena elástica de 10-12 eslabones que se fija a la cara lingual del molar (gancho del bracket)

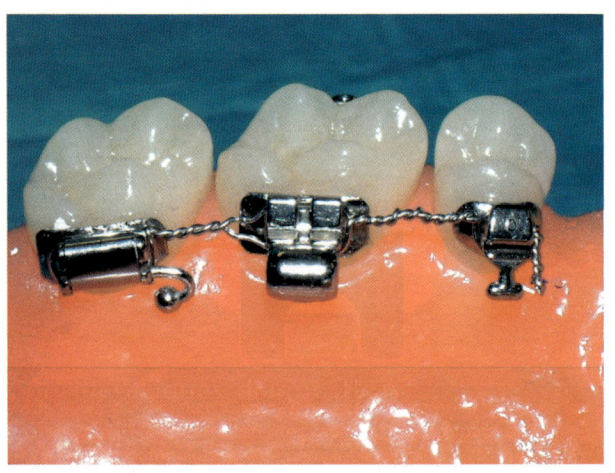

Fig. 6-38 Ligadura de ferulización en "trenza" 3. Ligadura terminada

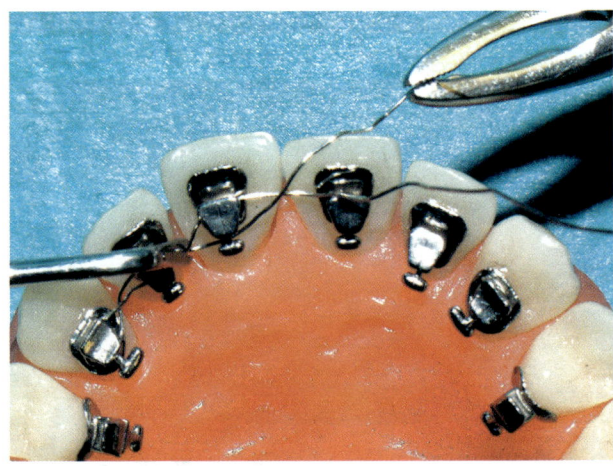

Fig. 6-39 Ligadura de ferulización en "8" 1. Con la pinza Mathew y el conductor de ligaduras, se rodean los brackets con alambre de ligaduras, cruzando el alambre en los espacios interbrackets

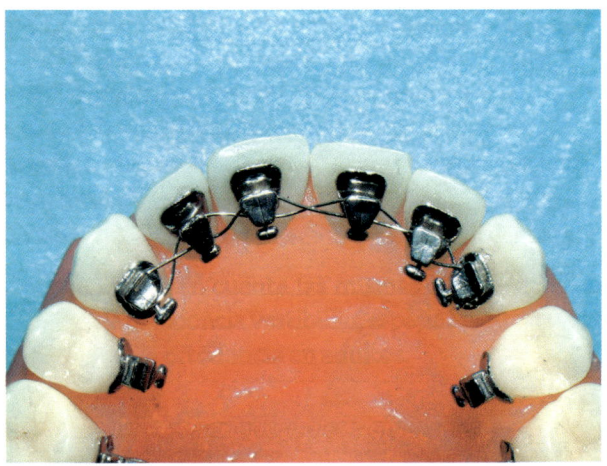

Fig. 6-40 Ligadura de ferulización en "8" 2. Ligadura terminada, vista lingual

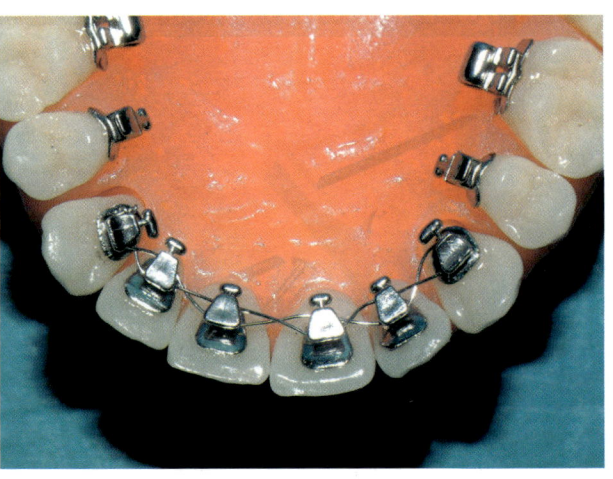

Fig. 6-41 Ligadura de ferulización en "8" 3. Ligadura terminada, vista incisal

Capítulo 6

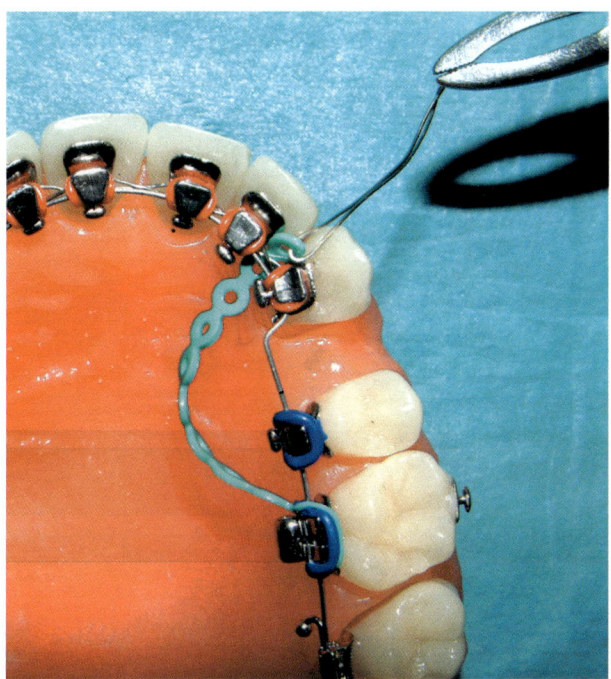

Fig. 6-42   Ligadura circunferencial de Takemoto 1. Se corta un segmento de cadena elástica y se liga un extremo al gancho del bracket molar. Se pasa el otro extremo por debajo del arco a mesial del bracket del canino. Puede ser útil un segmento de alambre de ligaduras para pasar la cadena por debajo del arco

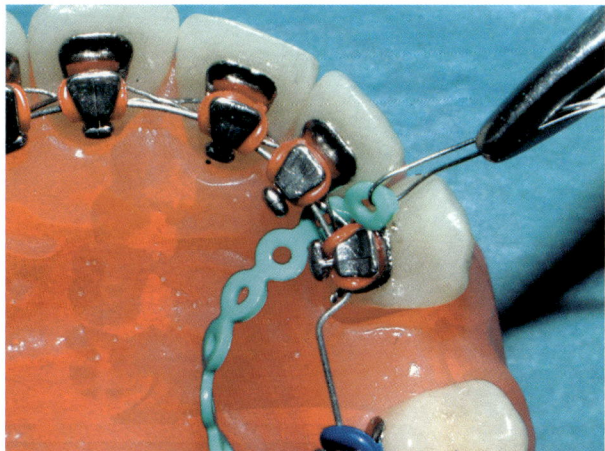

Fig. 6-43   Ligadura circunferencial de Takemoto 2. Continuación de la maniobra anterior

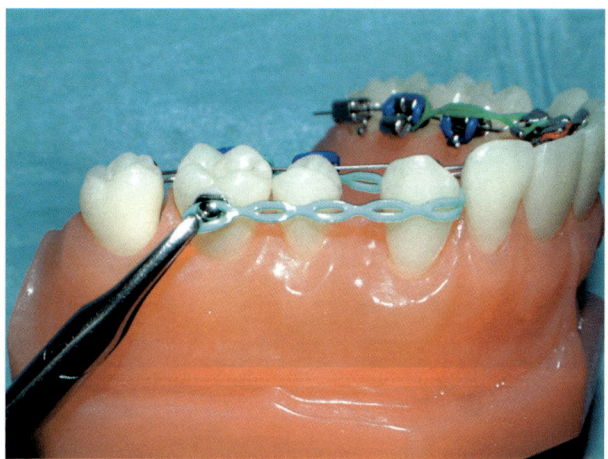

Fig. 6-44   Ligadura circunferencial de Takemoto 3. Pasando la cadena por debajo del arco y por mesial del canino, se liga al botón vestibular del molar. Puede ser necesario cementar un tope de composite gingival y mesial de la cara vestibular del canino para evitar el deslizamiento de la cadena hacia el surco gingival mesial del canino

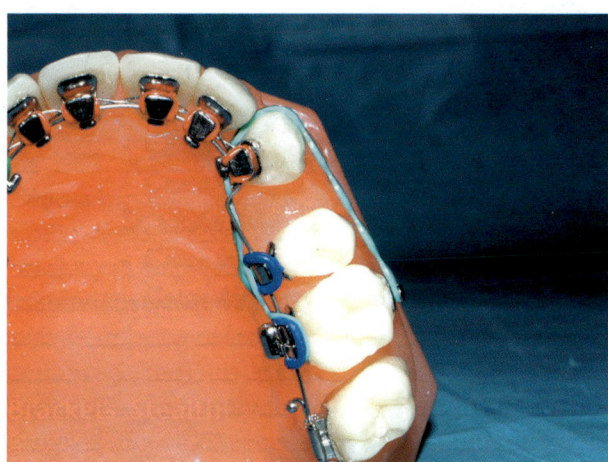

Fig. 6-45   Ligadura circunferencial de Takemoto 4. Ligadura terminada, vista oclusal

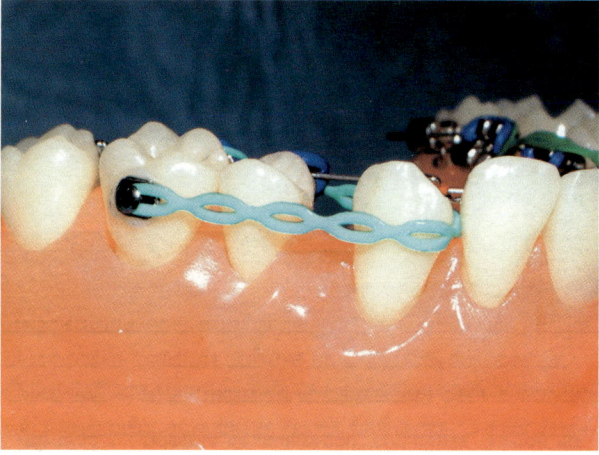

Fig. 6-46   Ligadura circunferencial de Takemoto 5. Ligadura terminada, vista vestibular

pasa por mesial del canino (que debe estar ferulizado a los incisivos y con una retención de composite para evitar que la cadena se deslice hacia gingival) y llega hasta vestibular del molar (botón o gancho auxiliar de la banda). Permite cerrar espacios con control del efecto bowing transversal y de las rotaciones del canino y del molar.

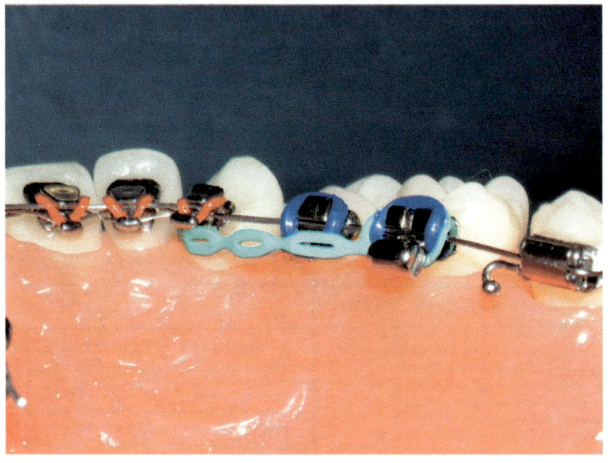

Fig. 6-47 Ligadura circunferencial de Takemoto 6. Ligadura terminada, vista lingual

Cadena continua de cierre, eslabón por bracket. CCC - EXB
(figs. 6-48 a 6-52)

Se corta un segmento de cadena elástica ("narrow", la que tiene menor distancia entre eslabones) con un número de eslabones igual a los dientes que se quieran tratar cerrando diastemas. Primero se coloca un eslabón en los ganchos de cada bracket con una pinza mosquito, se coloca el arco en los slots, y luego se deslizan los eslabones hasta la aleta oclusal de los brackets utilizando una sonda, sujetando así el arco. Sirve para cerrar diastemas menores pero no tiene gran control sobre la rotación de los dientes.

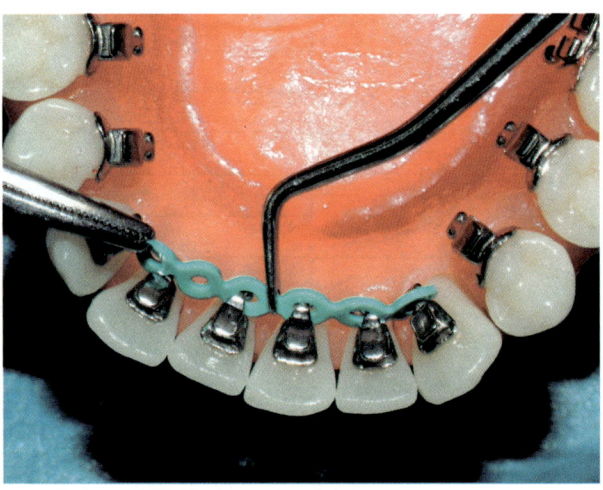

Fig. 6-48 Cadena continua de cierre, eslabón por bracket. CCC - EXB 1 - Colocación de la cadena elástica en los ganchos de los brackets

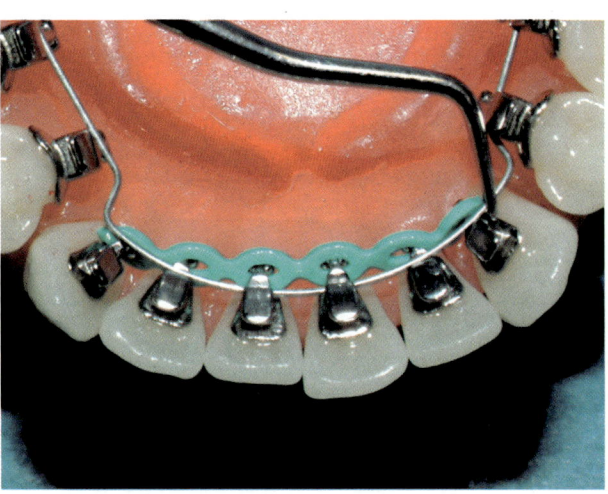

Fig. 6-49 Cadena continua de cierre, eslabón por bracket. CCC - EXB 2 - Inserción del arco en los slots

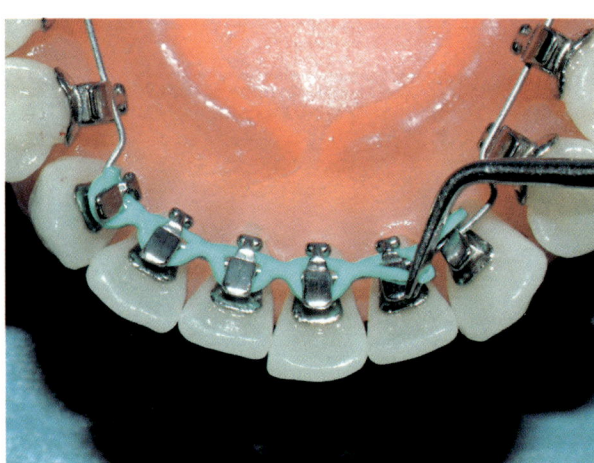

Fig. 6-50 Cadena continua de cierre, eslabón por bracket. CCC - EXB 3 - Con una sonda o con el conductor de ligaduras, se cierran los eslabones alrededor de los brackets

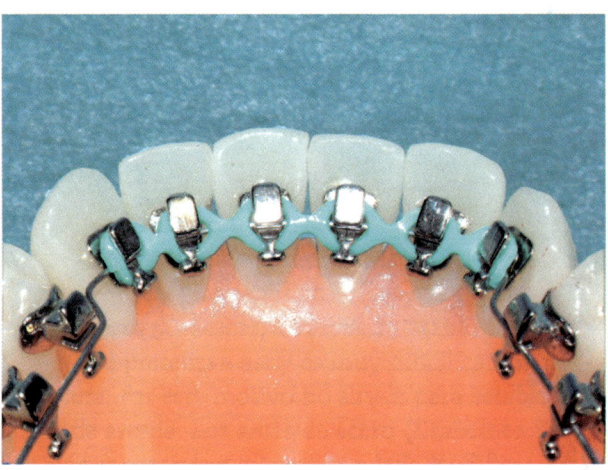

Fig. 6-51 Cadena continua de cierre, eslabón por bracket. CCC - EXB 4 - Ligadura terminada, vista lingual

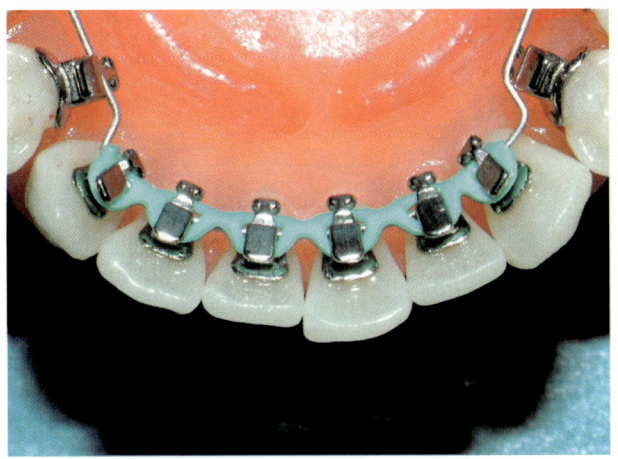

Fig. 6-52 Cadena continua de cierre, eslabón por bracket. CCC - EXB 5 - Ligadura terminada, vista incisal

Cadena continua de cierre con double-over-tie. CCC-DOT
(figs. 6-53 a 6-56)

Se corta un segmento de cadena elástica ("narrow", la que tiene menor distancia entre eslabones) con un número de eslabones igual a los dientes que se quieran tratar cerrando diastemas. Primero se coloca un eslabón alrededor de los brackets de cada diente con una pinza mosquito, luego se coloca el arco en los slots, y luego con una sonda se sujeta el arco a modo de double-over-tie. Cierra diastemas con un gran control sobre la rotación de los dientes.

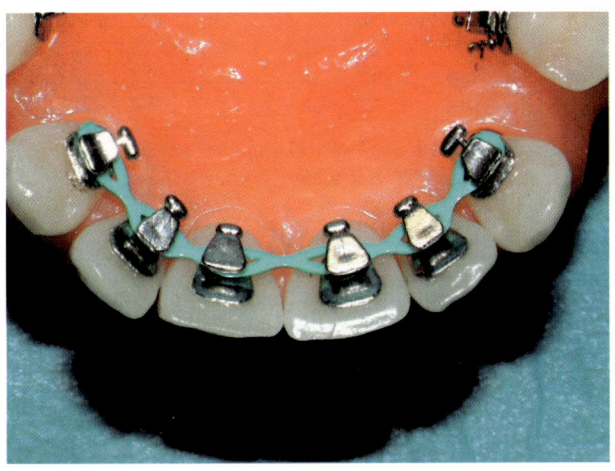

Fig. 6-53 Cadena continua de cierre con double-over-tie. CCC - DOT 1 - Se coloca la cadena alrededor de cada bracket

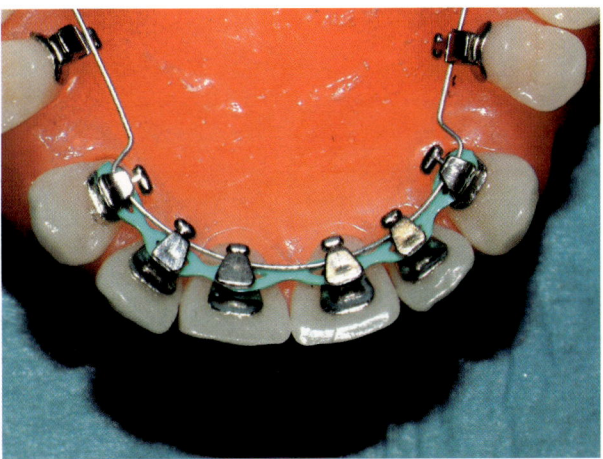

Fig. 6-54 Cadena continua de cierre con double-over-tie. CCC - DOT 2 - Se inserta el arco en los slots

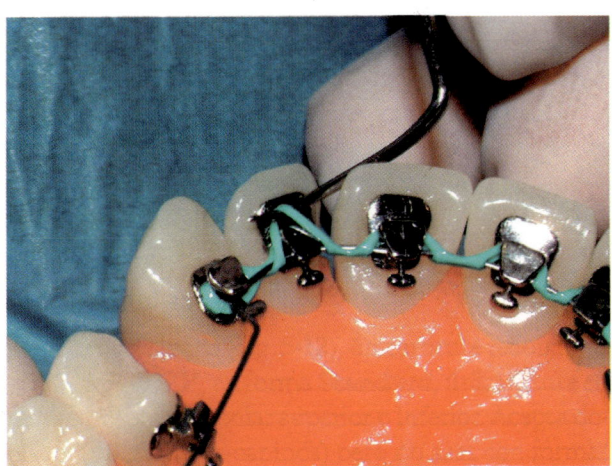

Fig. 6-55 Cadena continua de cierre con double-over-tie. CCC - DOT 3 - Con una sonda se desplaza la parte gingival de cada eslabón hasta la aleta incisal de cada bracket

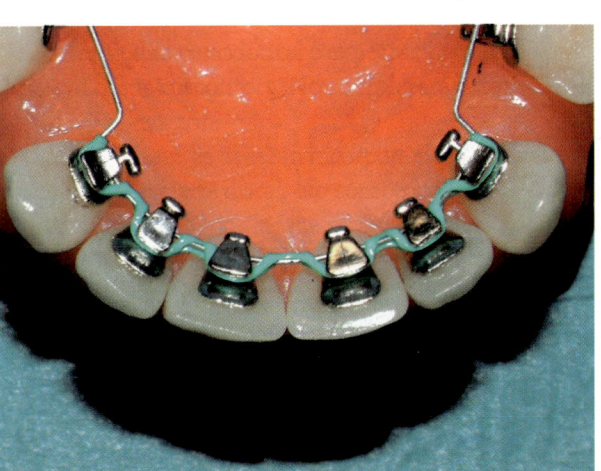

Fig. 6-56 Cadena continua de cierre con double-over-tie. CCC - DOT 4 - Ligadura terminada

Instrumental en Ortodoncia Lingual 7

- Introducción 105
- Alicate de Weingart o Alicate utility 105
- Pinza mosquito a 90° 105
- Pinza Mathew a 90° 105
- Alicate de corte de ligaduras a 45° 106
- Sonda a 45° 106
- Instrumento Hinge-cap 106
- Alicate para descementar brackets linguales 106
- Llave de Torque lingual del Dr. Creekmore 106
- Llave de Torque lingual del Dr. Echarri 106
- Alicates para activación de torque 108
- Alicate para activación unidental del torque 108
- Instrumento conductor-guía de ligaduras 108
- Alicate de Begg 108
- Alicate de Tweed omegas 108
- Alicates para hacer dobleces milimetrados 109
- Alicate de corte de ligaduras a 45° del Dr. Kim 109
- Alicate de corte distal del Dr. Kim 109
- Alicate utility del Dr. Kim 109
- Alicate cinch-back del Dr. Kim 110
- Alicate para in-sets del Dr. Kim 110
- NOLA appliance 111
- Polar Bear Instrument 111
- Instrumento guía de ligaduras de Damon 112
- Microarenadora 112
- Sand-traps 112
- Microcab 112

Introducción

Resulta indispensable disponer de instrumentos especiales para el ejercicio de la ortodoncia lingual.
El Dr. Craven Kurz diseñó y patentó varios instrumentos para ser utilizados en la práctica clínica de la Ortodoncia Lingual, que fueron fabricados por ORMCO, pero su mayoría se encuentran actualmente descatalogados. El Dr. Kim también ha diseñado alicates de gran utilidad y son fabricados por IV TECH.
A continuación se describen algunos de los alicates especialmente diseñados para ser utilizados en la técnica lingual:

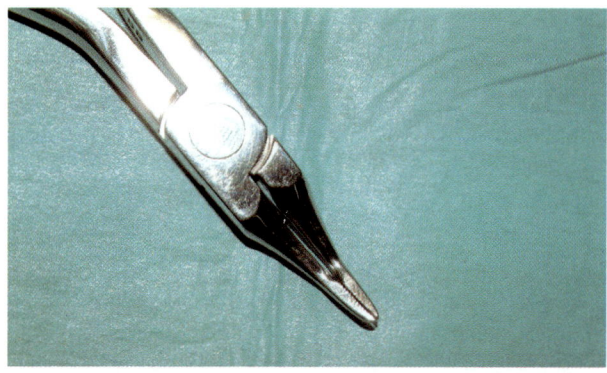

Fig. 7-01 Alicate de Weingart normal

Alicate de Weingart o Alicate utility

Se puede utilizar el alicate normal de Weingart (fig. 7-01) pero tiene una angulación insuficiente para muchas de las maniobras que se realizan. Alicate utility a 90° diseñado por Kurz (fig. 7-02) es muy útil para colocar el arco y cerrar los tubos de autocierre. Actualmente el alicate utility de Kurz está descatalogado en ORMCO, pero está disponible el alicate utility de Alexander que cumple con las mismas funciones.

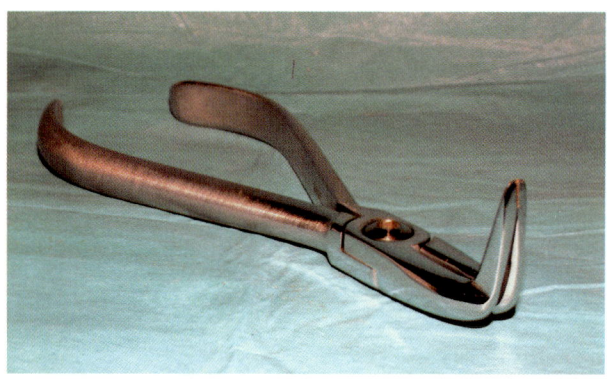

Fig. 7-02 Alicate utility a 90º de Kurz de punta larga y de punta corta

Pinza mosquito a 90º

Diseñada por Kurz es muy útil para colocar las ligaduras elásticas y las cadenas elásticas. La pinza mosquito a 90° de punta larga y de punta fina (fig. 7-03) se encuentra descatalogada en ORMCO, pero se encuentran disponibles pinzas mosquito curvas de punta fina (fig. 7-04) que resultan muy útiles.

Pinza Mathew a 90º

Diseñadas por Kurz (fig. 7-05) para realizar ligaduras metálicas y ferulizaciones con alambre de ligaduras, se en-

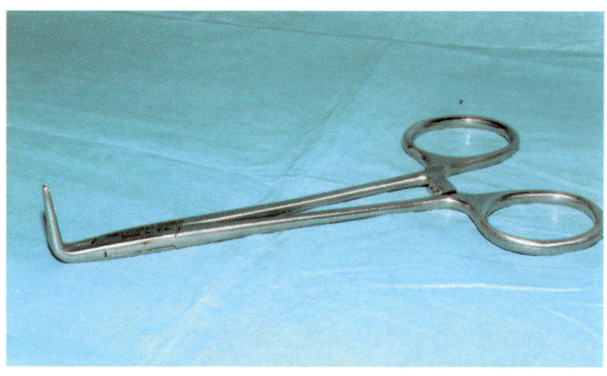

Fig. 7-03 Pinza mosquito a 90º de Kurz de punta larga y de punta corta

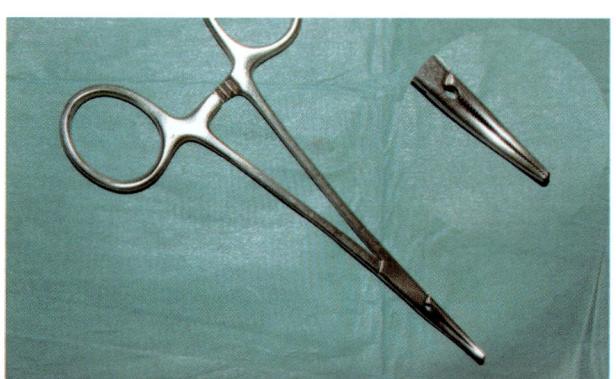

Fig. 7-04 Pinza mosquito de punta curva y fina

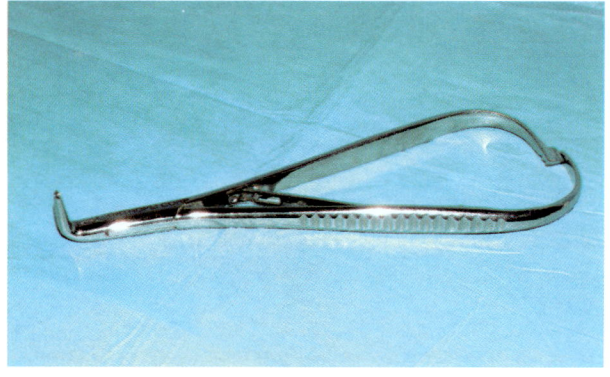

Fig. 7-05 Pinza Mathews a 90º de Kurz

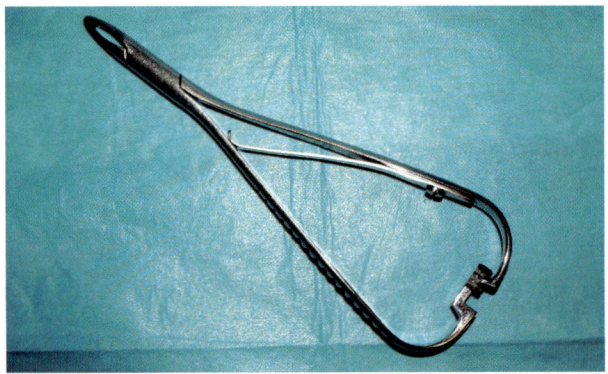

Fig. 7-06 Pinza Mathews pequeña

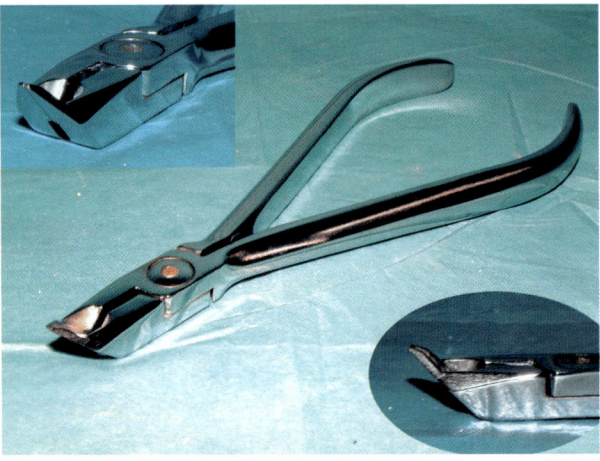

Fig. 7-07 Alicate de corte de ligaduras a 45º y de punta fina de Kurz

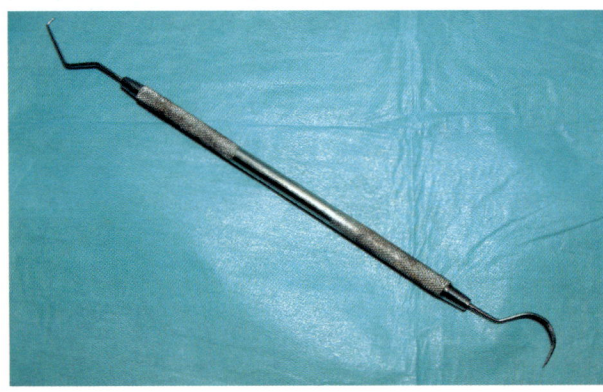

Fig. 7-08 Sonda a 45º

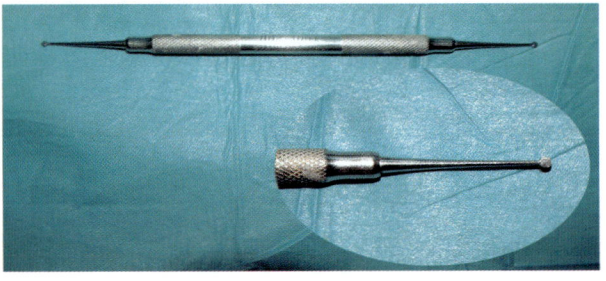

Fig. 7-09 Instrumento hinge-cap para abrir los tubos de auto-ligado hinge-cap

cuentran actualmente descatalogadas por ORMCO, pero se pueden encontrar pinzas Mathew pequeñas (fig. 7-06) que también resultan útiles.

Alicate de corte de ligaduras a 45º

Para cortar las ligaduras metálicas y las cadenas elásticas es necesario un alicate de corte de ligaduras angulado y de punta fina. Kurz diseñó su alicate para ORMCO (fig. 7-07) encontrándose actualmente descatalogado, pero se pueden utilizar alicates similares.

Sonda a 45º

La sonda a 45º (fig. 7-08) resulta muy útil para retirar las ligaduras y cadenas elásticas, así como para realizar la double-over-tie o la ligadura de Scott.

Instrumento Hinge-cap

El instrumento hinge-cap (fig. 7-09) de ORMCO es imprescindible para abrir los tubos de auto-ligado hinge-cap de la misma casa. Se coloca uno de los extremos del instrumento en la parte media oclusal del tubo (fig. 7-10) y presionando la base del tubo hacia el diente (para evitar descementados) rotar el instrumento para conseguir abrirlo (fig. 7-11). El alicate utility de Alexander o el alicate utility de Kim son los instrumentos adecuados para cerrar estos tubos (fig. 7-12).

Alicate para descementar brackets linguales

El alicate para descementar brackets linguales de Kurz (fig. 7-13) resulta imprescindible para descementar los brackets (fig. 7-14).

Llave de Torque lingual del Dr. Creekmore

La llave de torque del Dr. Creekmore (fig. 7-15) descatalogada en Unitek y fabricada actualmente por Ladent es muy útil para dirigir e insertar el arco en los slots de los brackets y para activar el torque con 2 llaves o con una llave de torque y un alicate utility.

Llave de Torque lingual del Dr. Echarri

La llave de torque del Dr. Echarri (fig. 7-16 y 7-17) está fabricada por Ladent, tiene la misma función de la llave de torque lingual del Dr. Creekmore pero tiene otros

Capítulo 7

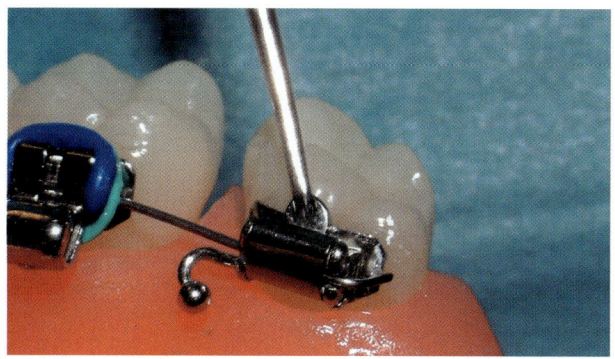

Fig. 7-10   Abriendo el tubo hinge-cap con el instrumento hinge-cap, 1er. paso. (ver texto)

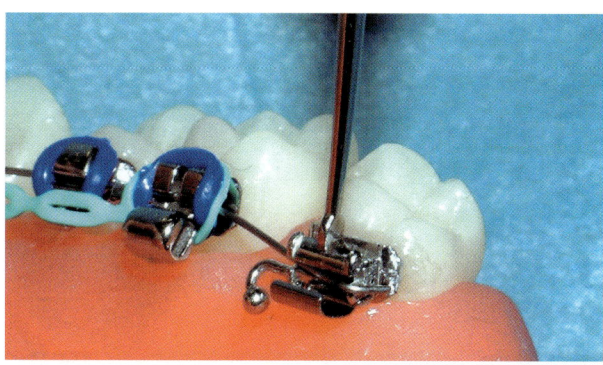

Fig. 7-11   Abriendo el tubo hinge-cap con el instrumento hinge-cap, 2do. paso. (ver texto)

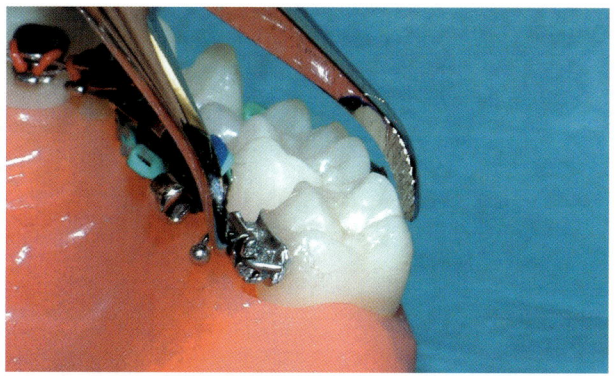

Fig. 7-12   Cerrando el tubo hinge-cap con el alicate utility de Kim

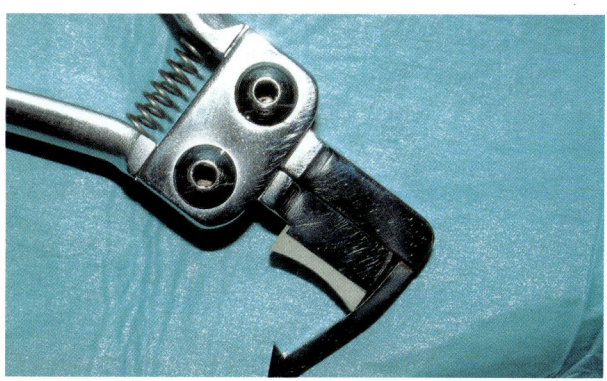

Fig. 7-13   Alicate para descementar brackets linguales de Kurz

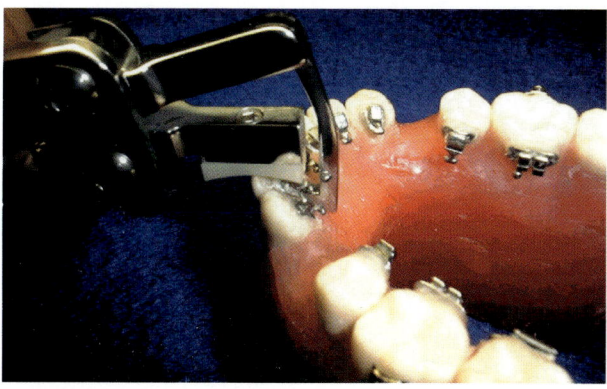

Fig. 7-14   Descementando un bracket lingual con el alicate de descementar brackets de Kurz

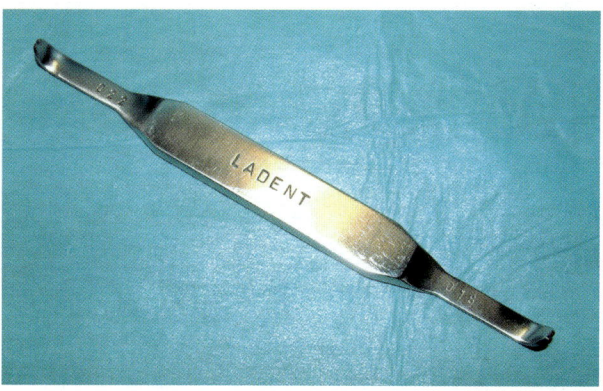

Fig. 7-15   Llave de torque lingual de Creekmore

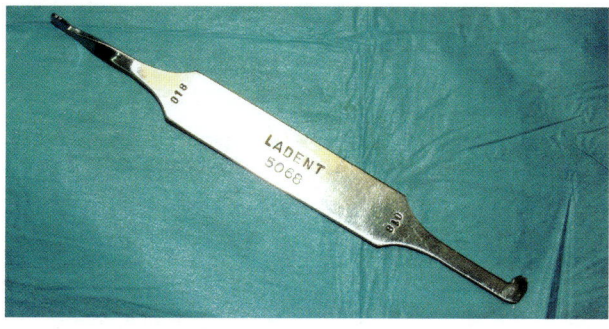

Fig. 7-16   Llave de torque lingual de Echarri

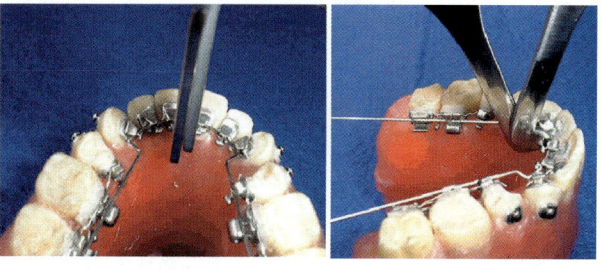

Fig. 7-17   Activando el torque con dos llaves de torque linguales de Echarri

107

ángulos de acceso, especialmente para incisivos y caninos superiores.

Alicates para activación de torque

Son alicates (fig. 7-18) que sirven para la activación extraoral del torque. Tienen que utilizarse dos alicates.

Alicate para activación unidental del torque

Es un alicate (fig. 7-19) que sujeta el arco en dos puntos y una llave de torque que activa el torque del arco entre las dos puntas del alicate.

Instrumento conductor-guía de ligaduras

Es un instrumento (fig. 7-20) que sirve para guiar las ligaduras. Se debe utilizar un instrumento de punta fina y angulada.

Alicate de Begg

Se utiliza para formar asas en los arcos (fig. 7-21).

Alicate de Tweed omegas

Se utiliza para formar asas omegas (fig. 7-22).

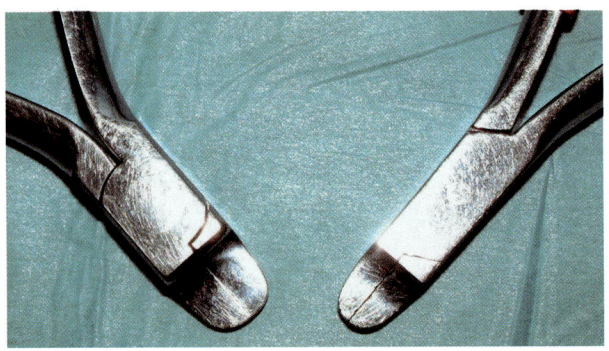

Fig. 7-18 Alicates para activación de torque (se utilizan dos alicates)

Fig. 7-19 Alicate para activación de torque en un diente (alicate y llave de torque)

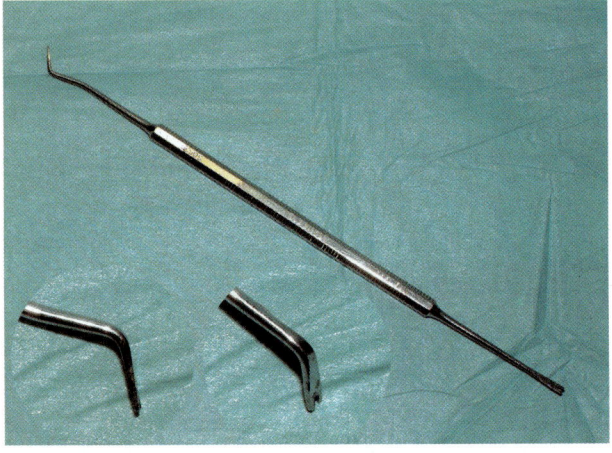

Fig. 7-20 Instrumento conductor-guía de ligaduras de punta fina

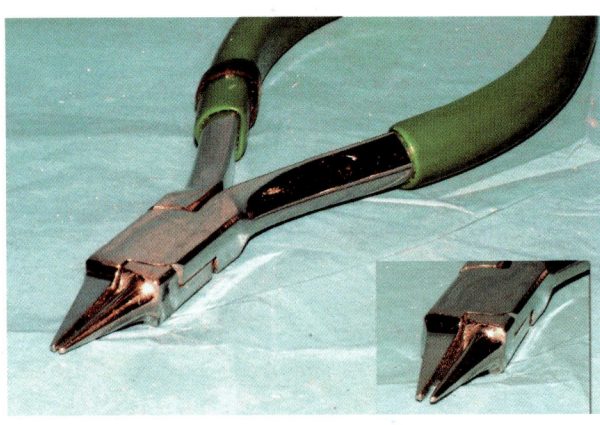

Fig. 7-21 Alicate de Begg

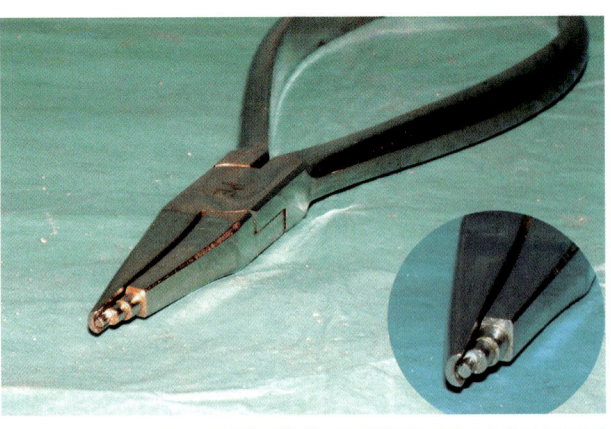

Fig. 7-22 Alicate de Tweed Omegas

Alicates para hacer dobleces milimetrados

Son 3 alicates que pueden hacer dobleces milimetrados de 1mm, ¾ mm y 1/2mm con un solo pinzado (figs. 7-23 y 7-24). Pueden hacer dobleces en ambos sentidos por su extremo doble.

Alicate de corte de ligaduras a 45º del Dr. Kim

Es un alicate para cortar ligaduras, especialmente diseñado para ser utilizado en técnica lingual. Disponible en IV TECH (fig. 7-25). Su angulación espacial lo hace ser muy útil.

Alicate de corte distal del Dr. Kim

Es un alicate para cortar ligaduras, especialmente diseñado para ser utilizado en técnica lingual. Disponible en IV TECH (fig. 7-26). Su angulación especial lo hace ser muy útil.

Alicate utility del Dr. Kim

Alicate utility a 90º y de extremos finos imprescindible en técnica lingual. Disponible en IV TECH (figs. 7-27 y 7-12).

Fig. 7-23 Alicates para hacer dobleces milimetrados (vista superior)

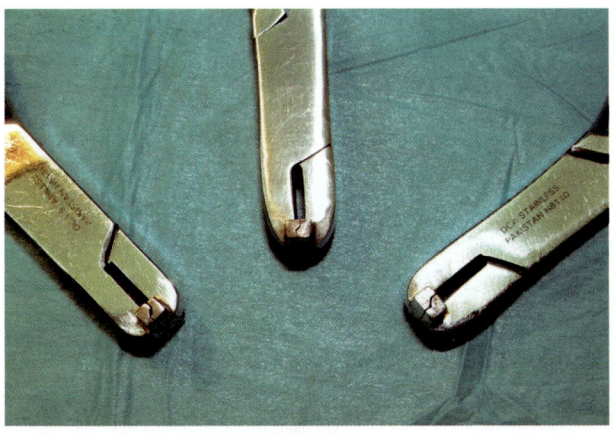

Fig. 7-24 Alicates para hacer dobleces milimetrados (vista lateral)

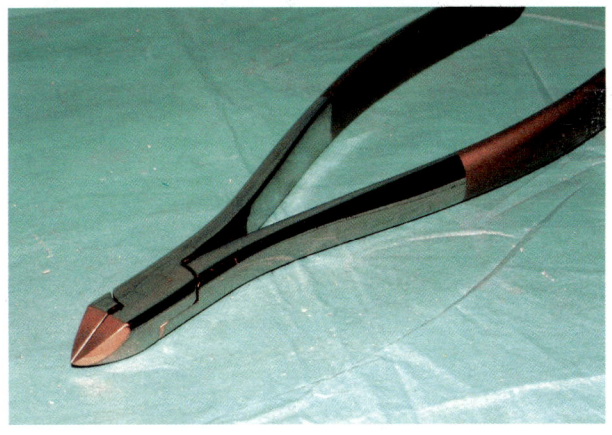

Fig. 7-25 Alicate de corte de ligaduras de Kim

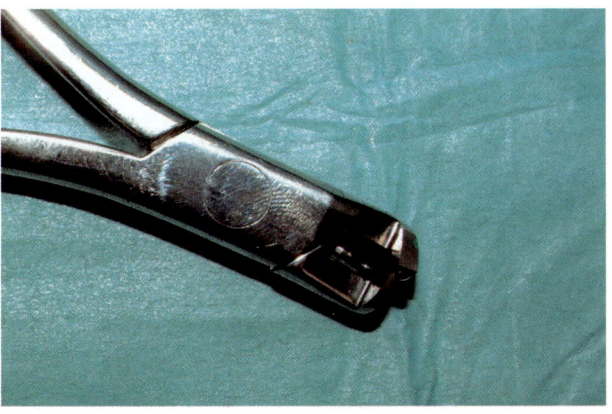

Fig. 7-26 Alicate de corte distal de Kim

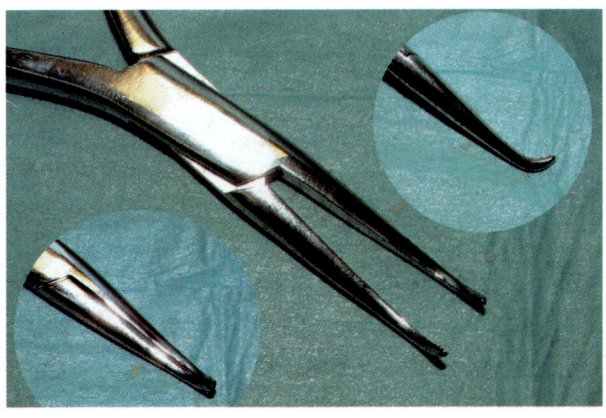

Fig. 7-27 Alicate utility de Kim

Alicate cinch-back del Dr. Kim

Alicate para realizar dobleces distales intraoralmente en ambos extremos del arco por el extremo doble del alicate. Es un alicate muy útil, disponible en IV TECH (figs. 7-28 y 7-29).

Alicate para in-sets del Dr. Kim

Este alicate diseñado por el Dr. Kim (fig. 7-30) y disponible en IV TECH presenta dos medidas para realizar los in-sets distocaninos de maxilar superior y para maxilar inferior (figs. 7-31, 7-32 y 7-33).

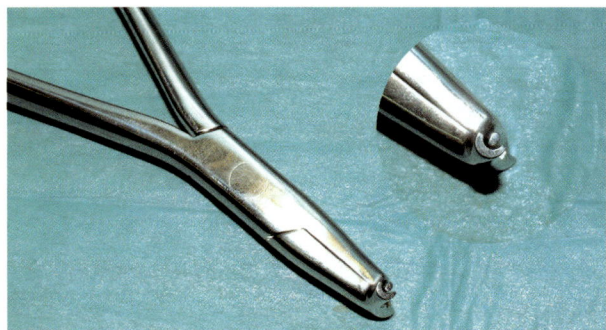

Fig. 7-28   Alicate cinch-back de Kim

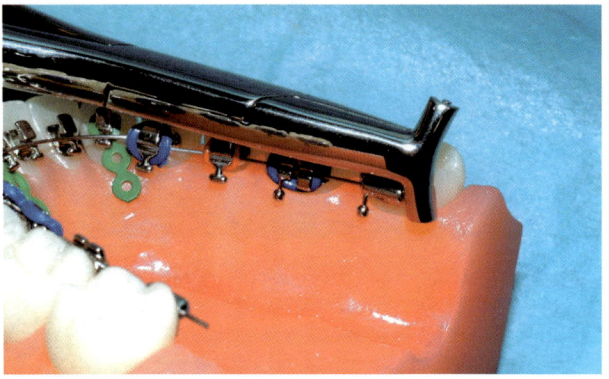

Fig. 7-29 A   Realizando el doblez distal con el alicate cinch-back de Kim

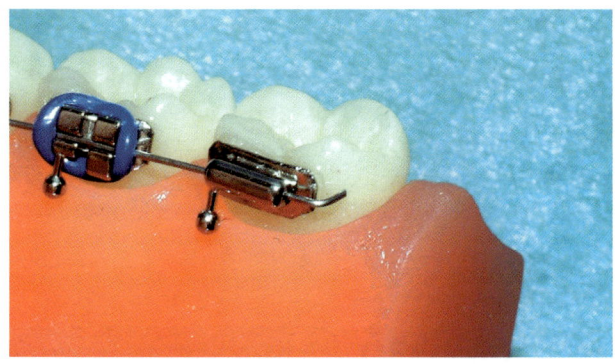

Fig. 7-29 B   Realizando el doblez distal con el alicate cinch-back de Kim

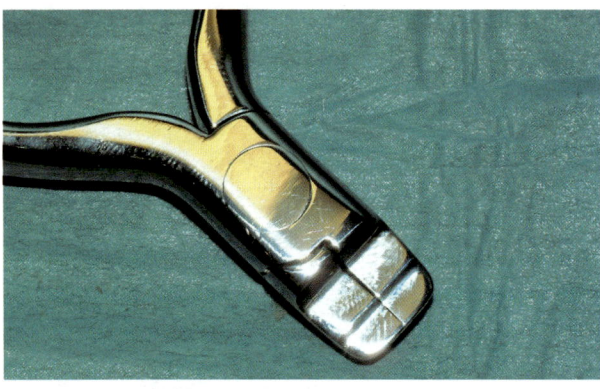

Fig. 7-30   Alicate para in-sets de Kim

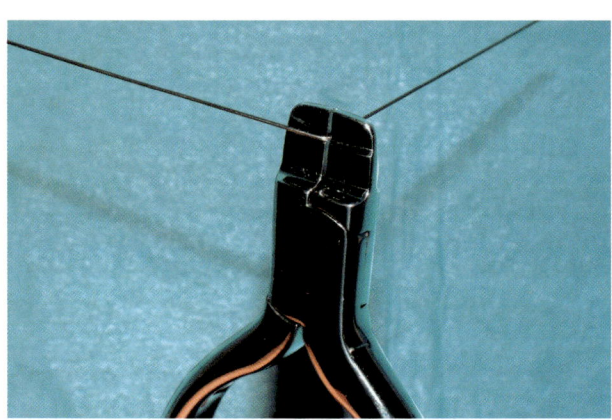

Fig. 7-31   Realizando el inset con el alicate de Kim. 1er paso

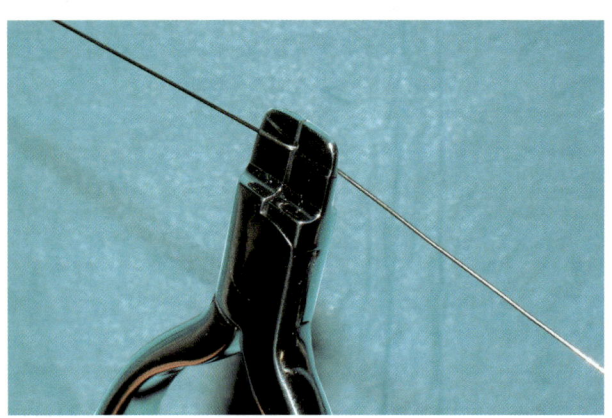

Fig. 7-32   Realizando el inset con el alicate de Kim. 2º paso

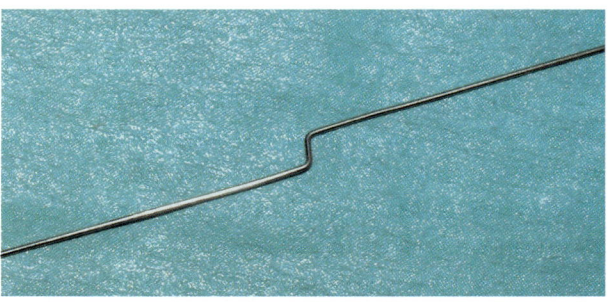

Fig. 7-33   In-set distocanino realizado con el alicate de Kim

Capítulo 7

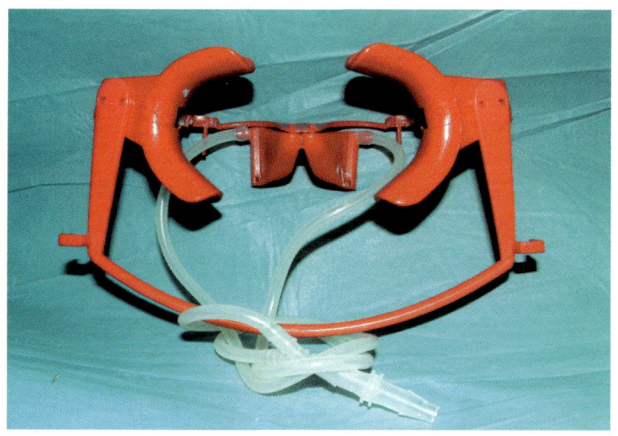

Fig. 7-34   NOLA Appliance

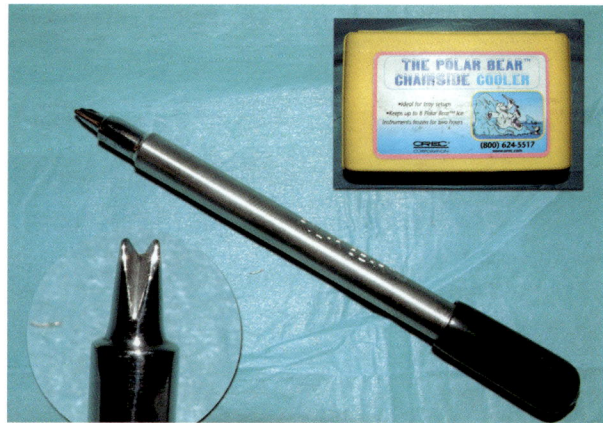

Fig. 7-35   Polar Bear Instrument

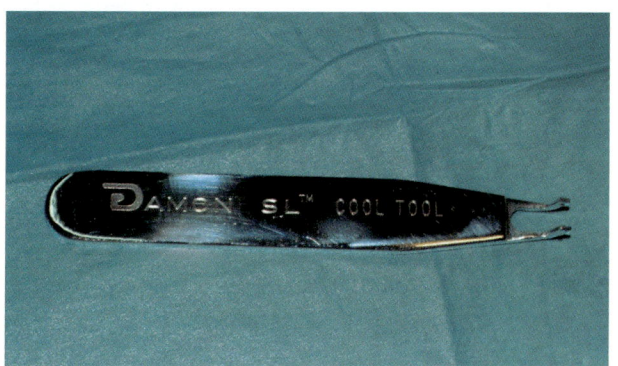

Fig. 7-36   Instrumento guía de arcos de Damon

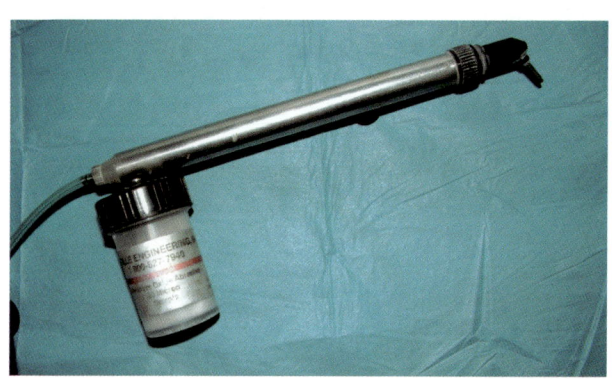

Fig. 7-37   Microarenadora

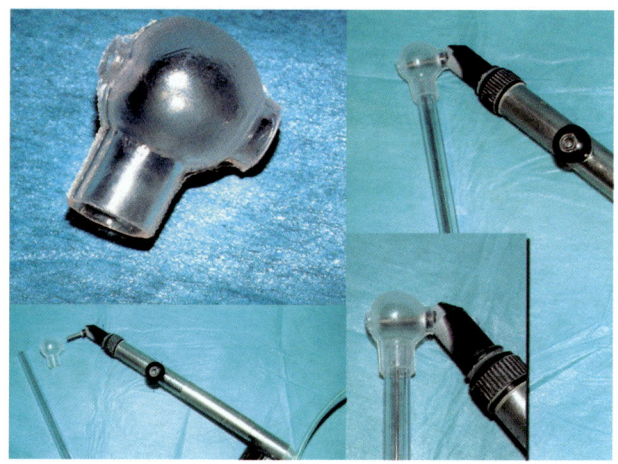

Fig. 7-38   Sandtraps

Fig. 7-39   Microcab

NOLA appliance

Resulta imprescindible durante el cementado de brackets linguales. Este instrumento separa las mejillas, sujeta la lengua y actúa como aspirador conectado al sistema de aspiración de la unidad dental (fig. 7-34). Distribuido por Great Lakes.

Polar Bear Instrument

Es un instrumento conductor de ligaduras pero que puede ser rellenado con agua y congelarse para ligar más

111

fácilmente a los arcos térmicos. Distribuido por Great Lakes (fig. 7-35).

Instrumento guía de ligaduras de Damon

Es un instrumento conductor de ligaduras pero con un mango grueso. Puede congelarse y mantener las bajas temperaturas durante el tiempo suficiente como para ligar fácilmente arcos térmicos. Distribuidos por ORMCO (fig. 7-36).

Microarenadora

La Microetcher de Danville Engineering resulta muy útil para aumentar la adhesión mediante la proyección de partículas de 50 micrones de óxido de aluminio (fig. 7-37).

Sand-traps

Esferas plásticas con 3 perforaciones. En una de ellas se introduce la microarenadora, en otra el aspirador del equipo y la otra perforación se dirige al diente que se deba gravar (fig. 7-38). Sirve para evitar lesiones por arenado directo de tejidos blandos y para que el paciente no aspire el óxido de aluminio. Danville Engineering.

Microcab

Cabina con aspiración para arenar brackets extraoralmente (fig. 7-39). Danville Engineering.

Técnicas de laboratorio para Ortodoncia Lingual

8

- Introducción 115
- Técnica de posicionamiento de brackets linguales sistema CLASS 115
  - Introducción 115
  - Etapa de laboratorio 116
    1. Confección de los modelos set-up y montaje en articulador 116
    2. Realización del oclusograma y del VTO oclusal 118
    3. Corrección de los modelos set-up 119
    4. Comprobación de la oclusión funcional obtenida 122
    5. Diseño del arco lingual 122
    6. Posicionamiento de los brackets en el modelo corregido 123
    7. Transferencia de los brackets del modelo corregido al modelo original 124
    8. Confección de la cubeta de cementado indirecto 126
  - Prescripción al laboratorio 126
  - Ventajas y desventajas del Class System 127
- The Mushroom Bracket Positioner 127
- Sistema KISS 128
  - El Set-up Model Checker 129
  - Bracket Positioner 129
  - CRC Ready-made Core 130
- El Lingual Bracket Jig 132
- TARG Unit 133
  - TARG Unit 133
  - TARG 2 133
  - AME - Appareil de Mesure des Epaisseurs 133
  - DALI - Dessin d'Arc Lingual Informatisé 134
  - TARG PRO 134
- Sistema TOP – Transfer Optimised Positioning 135
  - Eco-lingual therapy 135
- Bracketron 136
- Orthosoft Personalized Prescription (OPP) 139
  - El cálculo de la Prescripción 139
  - Diseño de la forma de arcada 141

Introducción

En técnica de ortodoncia lingual es imprescindible realizar el cementado indirecto de los brackets y un posicionamiento exacto de los mismos sobre el modelo, debido a que:
- La forma irregular de la cara lingual de los dientes crea la necesidad de un moldeado individual de la base de los brackets linguales.
- La variación individual de la forma dentaria requeriría medir cada caso para seleccionar brackets apropiados en espesor vestíbulo-lingual (in-out) y torque.
- La dificultad de visión es una dificultad añadida al posicionar el bracket en altura y alinearlo con el eje mayor corono-radicular.
- Se requiere una gran precisión al cementar los brackets linguales debido a la dificultad de hacer dobleces compensatorios en el arco y al disconfort que provoca la presencia de asas.

Las técnicas de laboratorio para el posicionamiento de brackets linguales se pueden clasificar en:
- técnicas con set-up de modelos,
- técnicas sin set-up de modelos.

En cuanto a los cementos que se pueden usar para fijar los brackets a los modelos, se pueden encontrar de dos tipos:
- Materiales que se deben eliminar antes del cementado en boca (en este caso, en el procedimiento clínico de cementado se debe usar un cemento con relleno de pasta y no sólo un adhesivo líquido). En este grupo encontramos el Red Laboratory Adhesive de Unitek o adherir los brackets al modelo con azúcar caliente, como se hacía en los primeros tiempos.
- Materiales que se mantienen para formar la base hecha a medida y que luego pueden ser cementados en boca con un adhesivo líquido. Dentro de esta categoría podemos encontrar:
    - polimerización por calor (Thermacure de Reliance),
    - polimerización química (Excell de Reliance),
    - fotopolimerización (Enlight de Ormco, Light Bond de Reliance).

Nosotros utilizamos el Light Bond o el Enlight porque es mejor mantener la base a medida de composite, lo que da más precisión al transferir la prescripción realizada en el laboratorio y porque facilita el cementado en boca.

Técnica de posicionamiento de brackets linguales sistema CLASS

Introducción

El CLASS System es un sofisticado procedimiento de laboratorio para posicionar los brackets linguales o vestibulares sobre los modelos. Class es una sigla que significa «Custom Labial/Lingual appliances Set-up Service» o «Sistema o Servicio de montaje individualizado o personalizado de brackets linguales o vestibulares».

Este sistema de laboratorio fue diseñado por: la Task-Force a partir de una idea de los Dres. Roy Thomas y Scott Newheart en 1984.

Este sistema consiste principalmente en la realización de modelos set-up y su corrección para posicionamiento de los brackets.

Se entiende por modelos set-up aquellos modelos que tienen los dientes de yeso extra-duro o resina, rebordes alveolares de cera y base del modelo en yeso.

Estos modelos se montan en articulador y se realiza la corrección de los mismos obteniendo una oclusión fisiológica. A continuación se diseña un arco ideal lingual de "plena talla» o se utilizan algunos de los instrumentos de laboratorio de precisión que estudiaremos a continuación para posicionar los brackets al modelo. Posicionado el arco o el instrumento con los brackets sobre el modelo, se adaptan los brackets a los dientes rellenando los gaps (vacíos entre base del bracket y diente) con composite, realizando así una base personalizada al bracket.

Se retira el arco o el instrumento y los brackets se cementan en boca con cubetas individuales uno a uno o se trasladan los brackets al modelo inicial a fin de construir la cubeta de cementado indirecto.

Tradicionalmente se divide el CLASS SYSTEM en tres etapas:

Etapa clínica 1

En la etapa clínica 1 se debe realizar:
- Impresiones de alta precisión y registros para el montaje en articulador.
- Análisis de los datos y determinación del plan de tratamiento a fin de obtener las metas gnatológicas oclusales y los principios de Andrews.
- Indicaciones al laboratorio.

Las metas gnatológicas de la oclusión mutuamente protegida en ortodoncia son:
1. Contactos bilaterales posteriores simultáneos en Relación Céntrica. La Relación Céntrica es la posición de los cóndilos más anterior y superior, dentro de la fosa glenoidea, con el disco interpuesto.
2. Desoclusión posterior inmediata en el movimiento de protrusión (guía incisiva).
3. Desoclusión de balance inmediata en el movimiento de lateralidad (guía canina).
4. Ángulos funcionales masticatorios iguales (masticación bilateral).
5. Movimientos friccionantes libres.
6. Desoclusión de reposo de 2 mm aproximadamente.
7. Fuerzas axiales a todos los dientes.
8. Dientes posicionados sobre las bases óseas: incisivos en la posición de equilibrio entre lengua y labios y molares en la posición de equilibrio entre lengua y mejillas.
9. Ausencia de hábitos y disfunciones.
10. Crecimiento del paciente terminado.

11. Balance facial frontal (simetría facial).
12. Balance del perfil (relación sagital).
13. Autoestima del paciente y satisfacción de los motivos de consulta.

En resumen: Estética, Función y Estabilidad.

Los principios de Andrews son:
1. Establecer la relación de Clase I molar también con el segundo molar.
2. Establecer la inclinación propia de cada diente (especial interés en los casos de extracciones).
3. Establecer el torque propio de cada diente (especial interés al control del torque incisivo en la retrusión o protrusión).
4. Corregir todas las rotaciones.
5. Establecer correctos puntos de contacto interproximales.
6. Nivelar las curvas de Spee. También la curva de Wilson.

El laboratorio debe realizar las correcciones de acuerdo con el plan de tratamiento indicado en el formulario.

Se aconseja la preparación de la boca antes de la toma de las impresiones definitivas según el protocolo de 10 pasos explicado en el capítulo 12.

Es indispensable realizar una profilaxis y detartraje, realizar las obturaciones indicadas y el pulido de las obturaciones presentes antes de la toma de las impresiones. No se deben provocar cambios en los dientes desde que se toman las impresiones hasta que se cementen los brackets para asegurar el ajuste de la cubeta de transferencia.

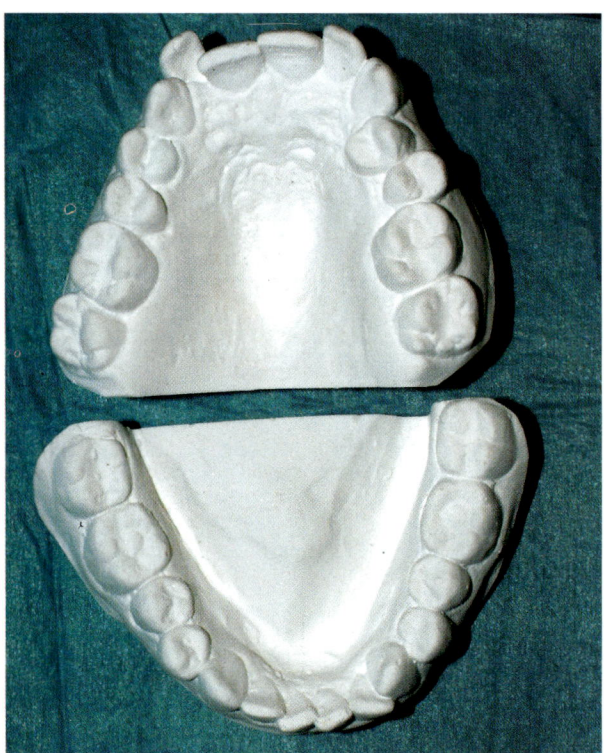

Fig. 8-01   Modelos de un caso para CLASS System

Las extracciones se realizan después del cementado y, en la misma visita, se cementarán los pónticos provisionales que aseguran la estética.

Etapa de laboratorio
Confección de modelos set-up y todo el proceso hasta la obtención de la cubeta de transferencia.

Etapa clínica 2
Procedimiento clínico de cementado indirecto.

Etapa de laboratorio

Los pasos que se deben realizar son:
1. Confección de los modelos set-up y montaje en articulador.
2. Realización del oclusograma y del VTO oclusal.
3. Corrección de los modelos set-up.
4. Comprobación de la oclusión funcional obtenida.
5. Diseño del arco lingual.
6. Posicionamiento de los brackets en el modelo corregido.
7. Transferencia de los brackets del modelo corregido al modelo original
8. Confección de la cubeta de cementado indirecto.

1. Confección de modelos set-up y montaje en articulador

Los modelos set-up pueden ser utilizados para varios fines:
- Para diagnóstico comparando los resultados que se pueden obtener practicando diferentes extracciones u otros métodos terapéuticos.
- Para la confección de férulas quirúrgicas en los tratamientos combinados de ortodoncia y cirugía ortognática.
- Para la confección de posicionadores de corrección o terminación.
- Para el sistema Class System de posicionamiento de brackets.
- Para la confección de plantilla individualizada de arcos.

Para la confección de modelos set-up, el primer paso es la realización de impresiones de alta calidad. Los modelos deben ser vaciados con yeso extraduro y de forma inmediata utilizando una máquina de espatulado al vacío de yeso. Los modelos deben ser retocados, si fuera necesario (poros, burbujas, etc...) o se debe repetir la impresión cuando esté indicado (fig. 8-01).

Los modelos son montados en articulador semiajustable y se programa el articulador. Yo utilizo el articulador SAM 3 (figs. 8-02 A, B, C y D) y los siguientes registros: Arco facial; registro de relación céntrica con Leaf-gauge, y registros de protrusión y lateralidades.

A continuación se tomará una impresión de los modelos. Algunos autores utilizan el alginato, pero yo prefiero utilizar la máquina Biostar y duplicar los modelos con Bioplast de 2 mm (fig. 8-03). Otro método muy preciso es la duplicación con hidrocoloides.

Capítulo 8

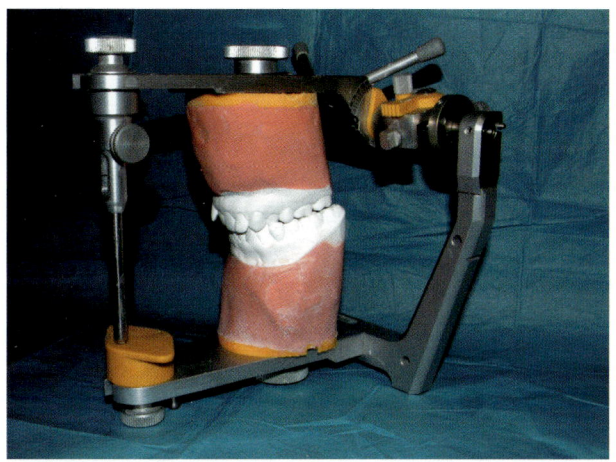

Fig. 8-02 A Modelos montados en articulador SAM

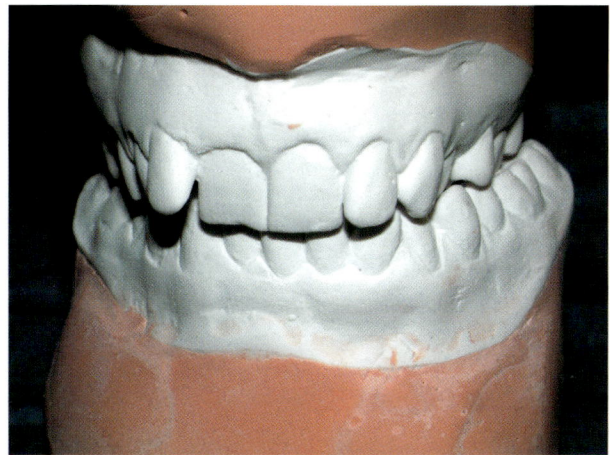

Fig. 8-02 B Modelos montados en articulador SAM (vista frontal)

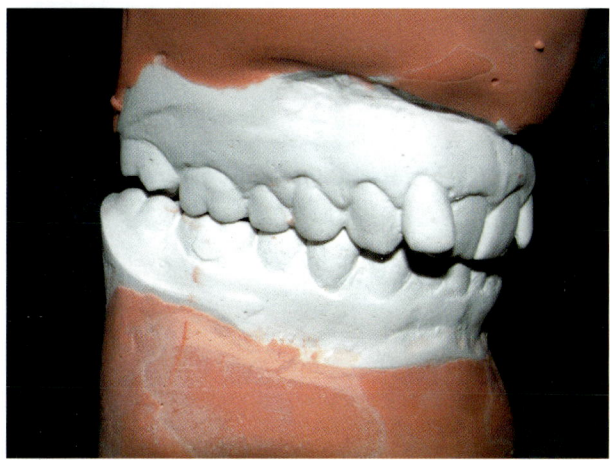

Fig. 8-02 C Modelos montados en articulador SAM (vista derecha)

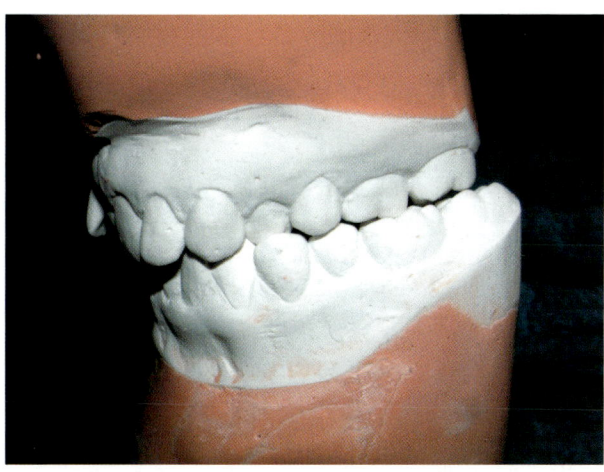

Fig. 8-02 D Modelos montados en articulador SAM (vista izquierda)

Seguidamente se realizará un vaciado de la zona dentaria, coronal y radicular, en yeso o resina autopolimerizable. Es más común utilizar yeso piedra. Para realizar esta operación colocamos el Bioplast en la taza de goma para evitar que al apoyar la impresión en la mesa se quede alguna cúspide deformada por presión.

Cuando el yeso haya fraguado, se retira el modelo de la impresión (es mejor secar el modelo en el horno) y se numeran los dientes con un lápiz (fig. 8-04). A continuación se corta la base del modelo (con una sierra) hasta el cuello (fig. 8-05) y la zona coronaria se fractura. No se debe utilizar la sierra en la zona coronaria porque desgasta demasiado los puntos de contacto, reduciendo el tamaño dentario.

Después de individualizar todos los dientes, se le da forma troncocónica a las raíces (con un lado plano para que no giren), y se reposicionan en el Bioplast (figs. 8-06 A y B).

El Bioplast se coloca una vez más sobre la taza de goma, la que debe estar llena de agua fría. Se calienta cera y se vacía la zona alveolar. Yo utilizo un fundidor eléctrico de cera. La cera se debe deslizar entre las raíces de los dientes evitando que queden poros. Si la cera no está suficientemente caliente no se desliza adecuadamente y si está demasiado caliente, podría deformar el Bioplast, por

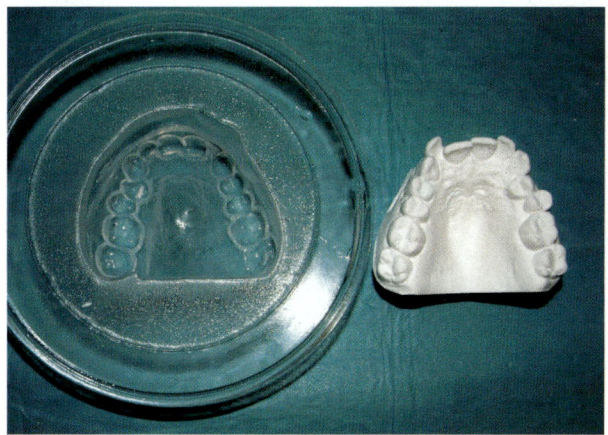

Fig. 8-03 Duplicado del modelo con Bioplast de 2 mm y vaciado de la impresión de la zona dentaria y alveolar

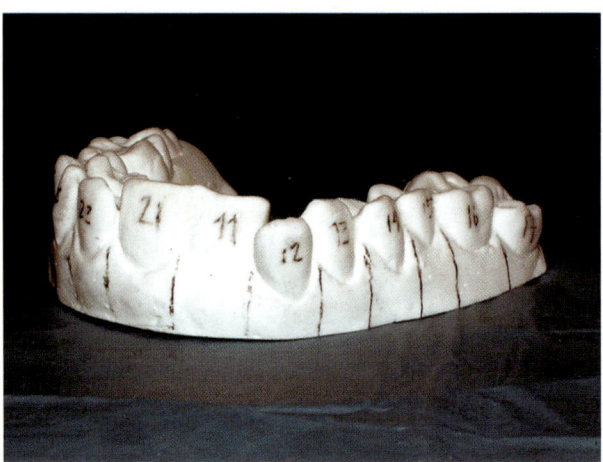

Fig. 8-04 Modelo de la zona dentaria y alveolar con los dientes numerados y marcas verticales para señalar los cortes

Fig. 8-05 Recortando los dientes para obtener modelos individuales de cada diente

lo que resulta importante el control de la temperatura de la cera. La cera se enfría inmediatamente con el agua de la taza de goma.

Se hacen unas retenciones en la cera (rodete de cera en forma de cono invertido o retenciones de alambre) para luego vaciar la base del modelo en yeso (fig. 8-08). Estos modelos set-up son remontados en el articulador SAM 3 en sustitución de los modelos iniciales.

2. Realización del oclusograma y del VTO oclusal

Se realizan fotocopias oclusales de los modelos superior (fig. 8-09) e inferior y se realizan mediciones en dos planos en el modelo y la fotocopia para comprobar que la escala de la fotocopia concuerde con el modelo.

Normalmente se realizan oclusogramas superior e inferior, pero sólo un VTO oclusal inferior. Se corrige el modelo set-up tomando como referencia el VTO inferior y se corrige el modelo set-up superior de acuerdo con el modelo set-up inferior. Una vez corregido el superior se compara con el oclusograma inicial superior para comprobar que los movimientos realizados sean posibles ortodóncicamente.

En una hoja de acetato se calca la forma de todos los dientes (figs. 8-10 A y B). A este dibujo se le llama oclusograma inicial y se realiza normalmente en negro, pero en las figuras se ha realizado en color para facilitar la visualización.

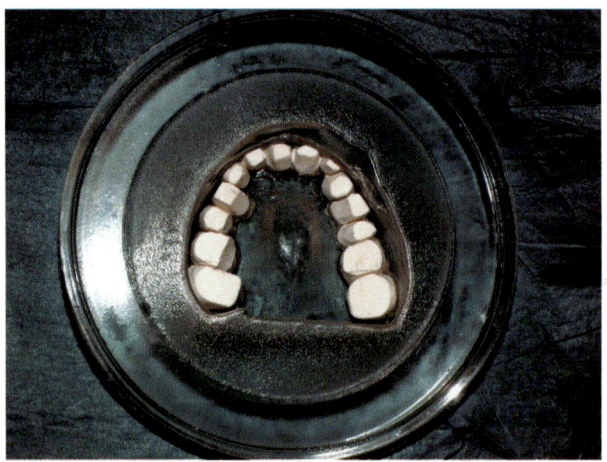

Fig. 8-06 A Una vez que se le da forma aproximadamente cónica (con un lado plano para que no gire) a cada modelo individual de diente, éstos son reubicados en la impresión de Bioplast (vista apical)

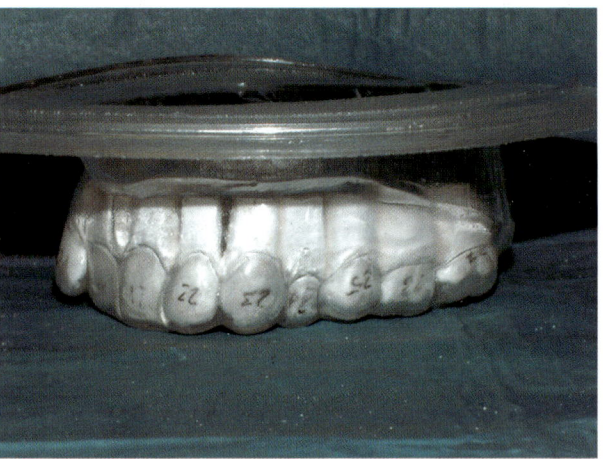

Fig. 8-06 B Una vez que se le da forma aproximadamente cónica (con un lado plano para que no gire) a cada modelo individual de diente, éstos son reubicados en la impresión de Bioplast (vista lateral)

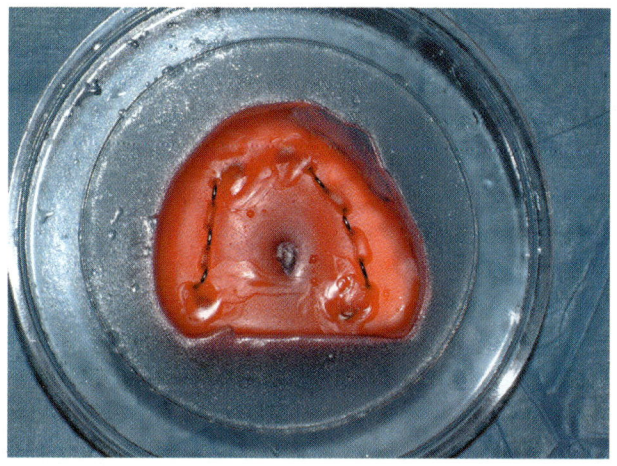

Fig. 8-07 A Vaciado en cera de la zona alveolar (vista apical)

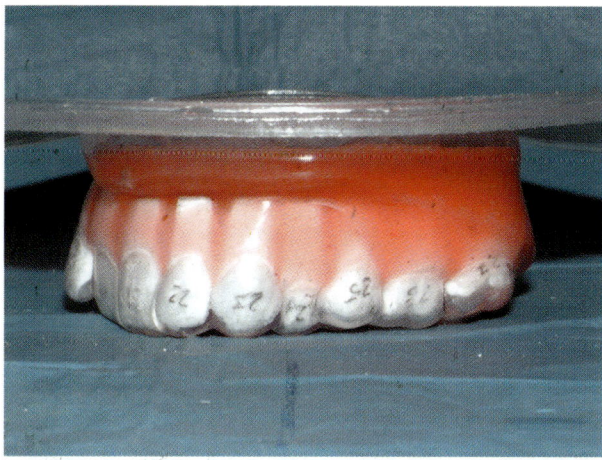

Fig. 8-07 B Vaciado en cera de la zona alveolar (vista lateral)

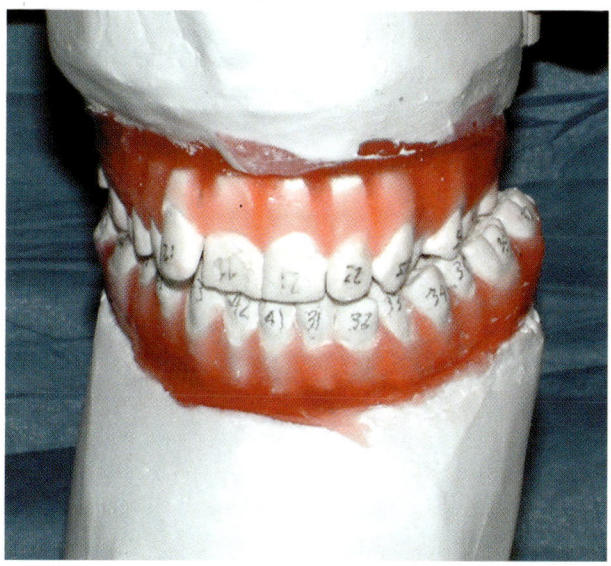

Fig. 8-08 Modelos set-ups remontados en articulador

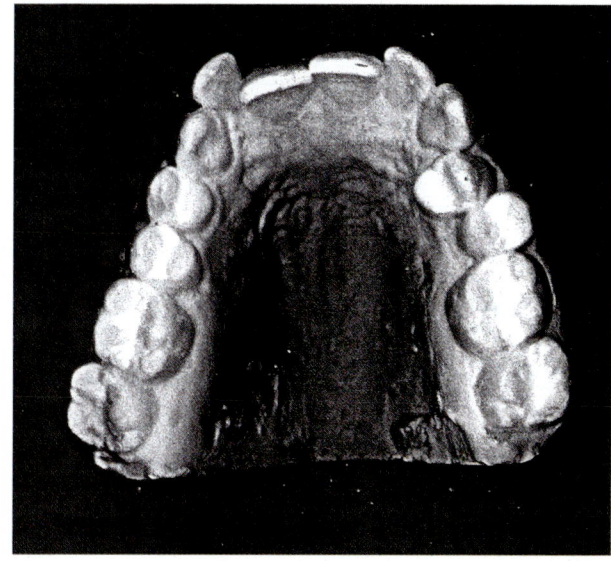

Fig. 8-09 Fotocopia oclusal del modelo

Para realizar el VTO oclusal (Visual Treatment Objective, Objetivo Visual de Tratamiento) debemos seleccionar el arco en el que vamos a alinear los dientes con la plantilla de arcos vestibulares (fig. 8-11).

Para realizar el VTOO se superpone una nueva hoja de acetato sobre el arco vestibular seleccionado de la plantilla y se dibuja esa curva con lápiz rojo (figs. 8-12 A y B). Se marca la línea media y el punto interincisivo que nos permitirá hacer superposiciones con el oclusograma original. Para superponer el VTOO con el oclusograma se harán coincidir las líneas medias y el punto incisivo original. Si el VTOO incluye movimientos de protrusión o retrusión, se tendrán en cuenta para la superposición.

Comenzando con los incisivos centrales y siguiendo con los incisivos laterales, caninos, premolares y molares se dibujarán los dientes, calcándolos del original pero corrigiendo rotaciones y apiñamientos y dibujándolos sobre el arco seleccionado (figs. 8-13 y 8-14). Los dientes deberán reducirse en tamaño mesio-distal si el plan de tratamiento incluye stripping.

Una vez completado el VTOO se superpone con el oclusograma original haciendo coincidir la línea media y el punto B1 incisivo para evaluar si los movimientos dentarios realizados son posibles o no ortodóncicamente (fig. 8-15).

3. Corrección de los modelos set-up

Utilizando el OPI, Occlusal Plane Indicator o Indicador de Plano Oclusal (accesorio del articulador SAM) se superpondrá el VTOO sobre el modelo del articulador (figs. 8-16 A, B, C y D).

El OPI nos permitirá mantener el plano oclusal, nivelar la curva de Spee y realizar los movimientos dentarios indicados en el plan de tratamiento. Se desplazan los dientes hasta que coincidan con el VTOO.

Utilizando el articulador SAM y el analizador de guía

Técnicas de laboratorio para ortodoncia lingual

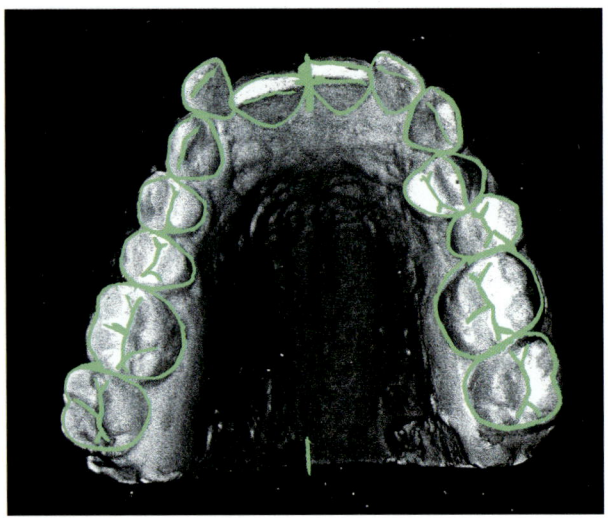

Fig. 8-10 A Calcando en un papel de acetato la forma de los dientes, se obtiene el oclusograma

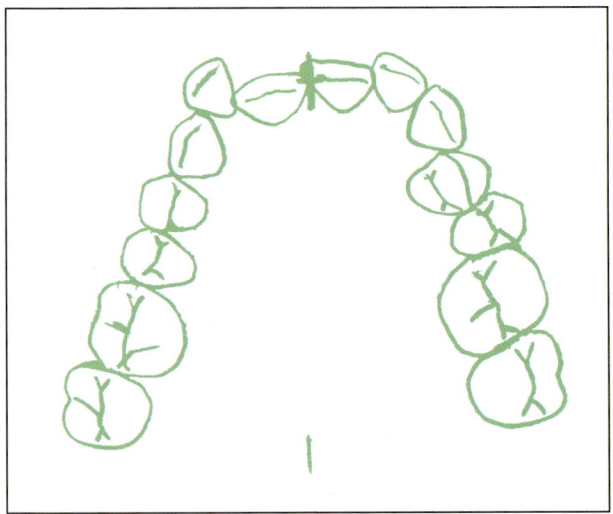

Fig. 8-10 B Oclusograma (obsérvese también las marcas de la línea media)

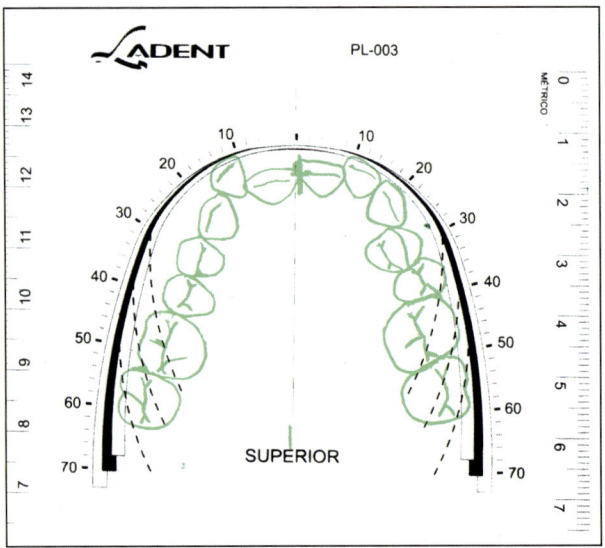

Fig. 8-11 Buscando la línea ideal de arcada vestibular con la plantilla de arcos Tru-arch teniendo en cuenta la línea media

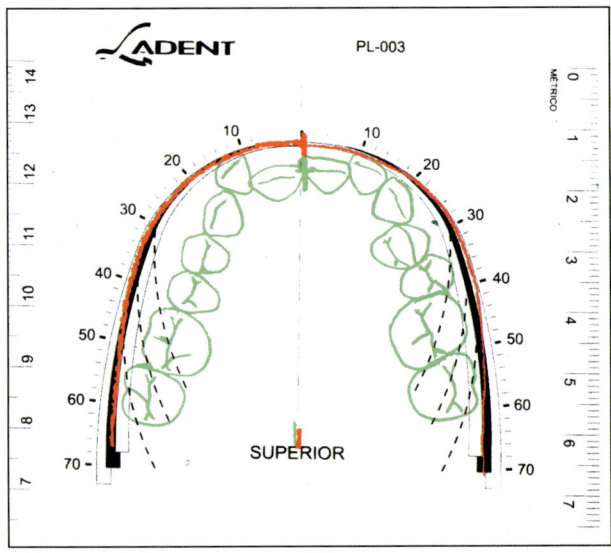

Fig. 8-12 A Se dibuja la línea de arcada y se marca la línea media

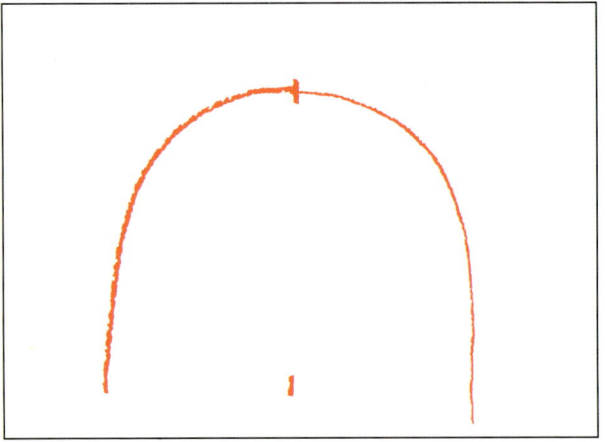

Fig. 8-12 B Línea de arcada y línea media

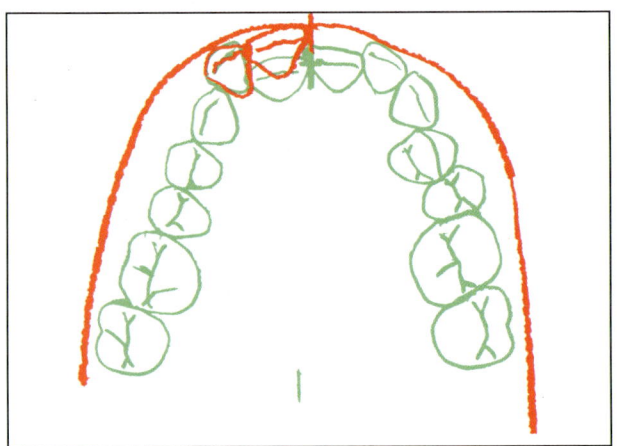

Fig. 8-13 Se comienza a calcar la forma de cada diente alineados en la línea de arcada

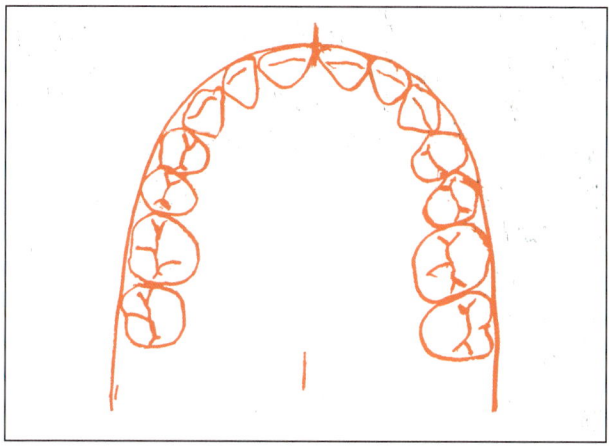

Fig. 8-14 Occlusal Visual Treatment Objective, Objetivo visual de tratamiento oclusal

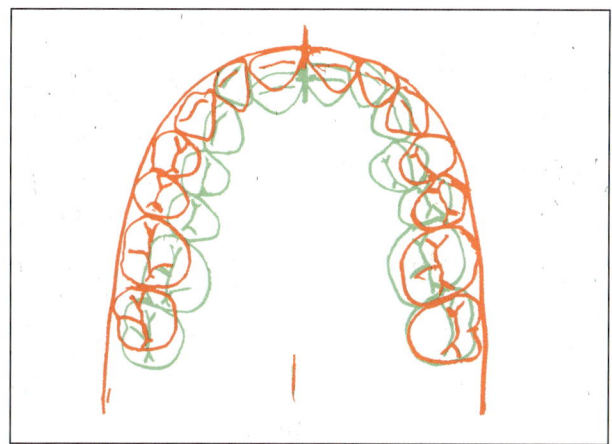

Fig. 8-15 Superposición del oclusograma y el VTOO

Fig. 8-16 A VTOO adherido al OPI – Oclusal Plane Indicator, Indicador de Plano Oclusal

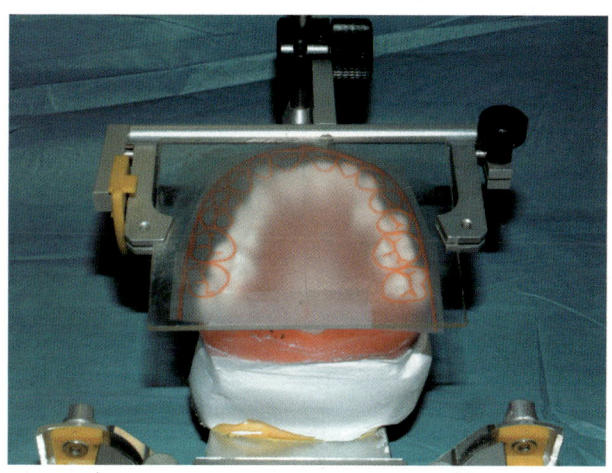

Fig. 8-16 B El OPI con el VTOO posicionado en el articulador y superpuesto sobre el modelo set-up

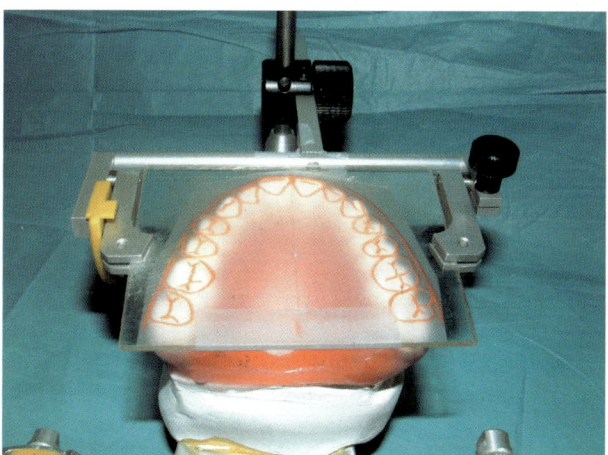

Fig. 8-16 C El modelo set-up corregido de acuerdo con el VTOO

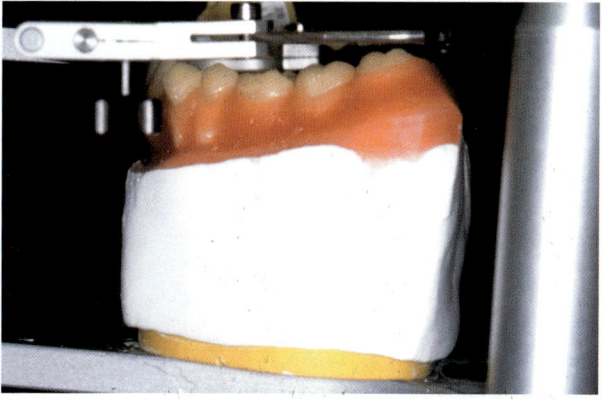

Fig. 8-16 D OPI superpuesto sobre el modelo para controlar la nivelación de la curva de Spee y que no se haya modificado ni la altura ni la rotación del plano oclusal durante la corrección, a menos que esté indicado

anterior-inferior de Whip-mix (fig. 8-16 E) comprobaremos que los dientes recibirán fuerzas axiales en la masticación. El analizador de Whip-mix no ajusta en los cóndilos del articulador SAM por lo que he tenido que confeccionar otro adaptador que consiste en un tubo de aluminio del mismo diámetro que el original pero con las perforaciones condilares a la medida de los cóndilos del SAM.

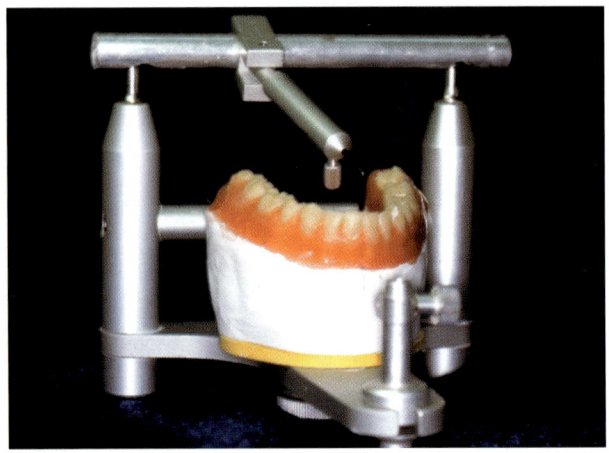

Fig. 8-16 E Control del torque de los dientes inferiores con el Analizador de Guía Anterior Inferior de Whip-Mix adaptado al articulador SAM

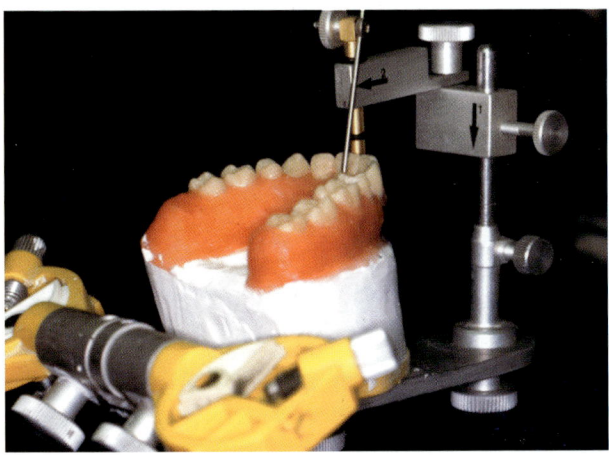

Fig. 8-16 F Control del torque de los dientes superiores con el Analizador de Guía Anterior Superior de Whip-Mix adaptado al articulador SAM

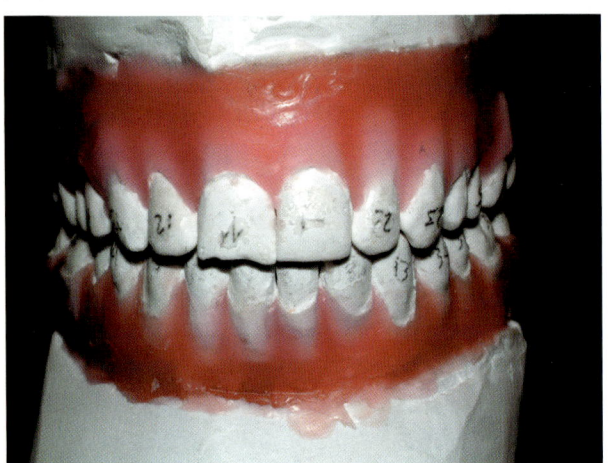

Fig. 8-17 A Modelos set-up corregidos (vista frontal)

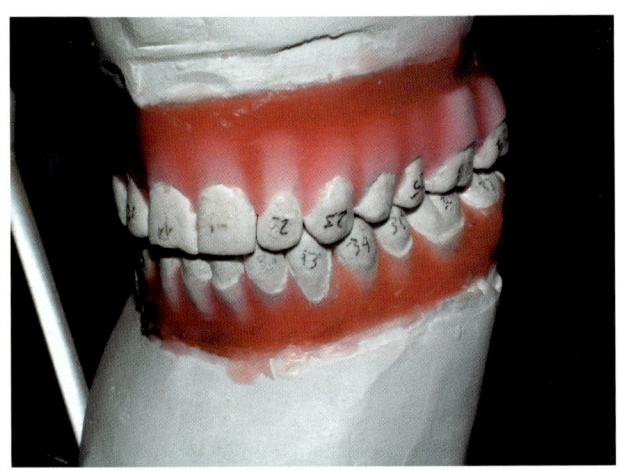

Fig. 8-17 B Modelos set-up corregidos (vista lateral)

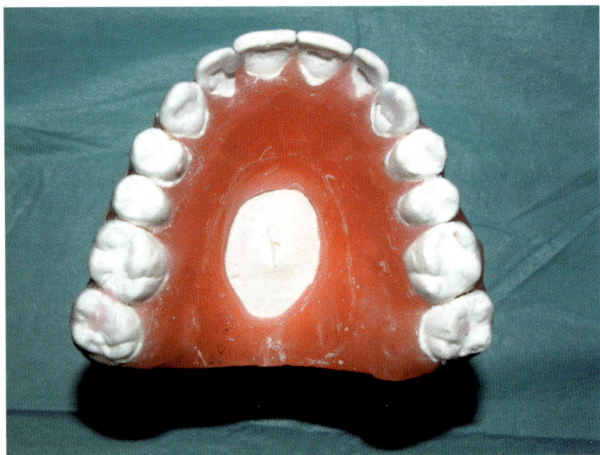

Fig. 8-17 C Modelos set-up corregidos (vista oclusal superior)

4. Comprobación de la oclusión funcional obtenida

Se utiliza el analizador de guía anterior-superior de Whip-mix (se puede utilizar directamente sin ningún tipo de adaptación) para comprobar que la guía anterior sea la adecuada, es decir cinco grados mayor que la trayectoria condílea (fig. 8-16 F). De esta forma podremos asegurar que se producirá una desoclusión posterior inmediata en el movimiento de protrusión.

Se verificará que todas las fases funcionales no presenten ningún tipo de interferencia y que las guías caninas provoquen desoclusiones de balance de la misma dimensión vertical. Al coincidir ambos ángulos funcionales masticatorios, aseguramos una masticación bilateral. Obsérvense los modelos set-up corregidos en las figuras 8-17 A, B y C.

5. Diseño del arco lingual

Se adapta un arco de acero de .018" x .025" para los brackets Kurz de ORMCO o de la mayor medida que acepten los brackets que se van a utilizar, formando los insets distocaninos (arco Mushroom) y entre molares si hace falta (arco Christmas).

El arco se termina sobre las caras oclusales de los últimos molares (fig. 8-18).

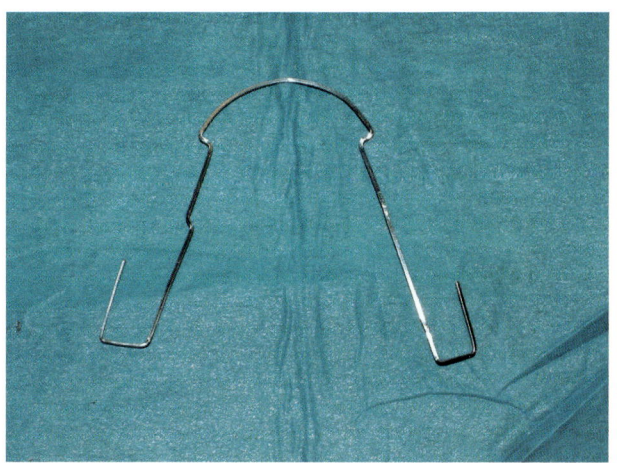

Fig. 8-18 Arco "plena talla" adaptado al modelo set-up corregido

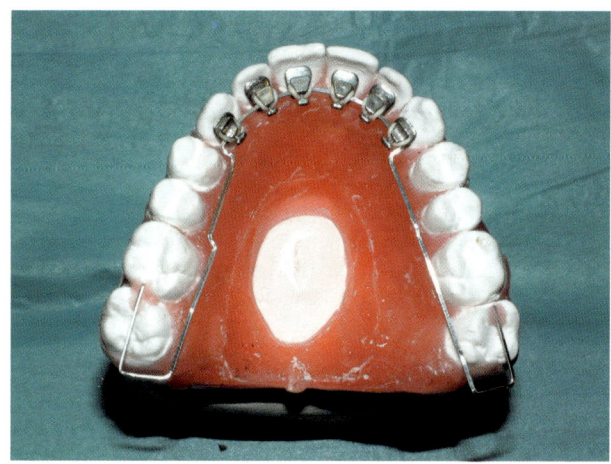

Fig. 9-19 A Se ligan al arco los brackets de canino a canino con ligaduras elásticas y se comprueba y ajusta la adaptación del arco

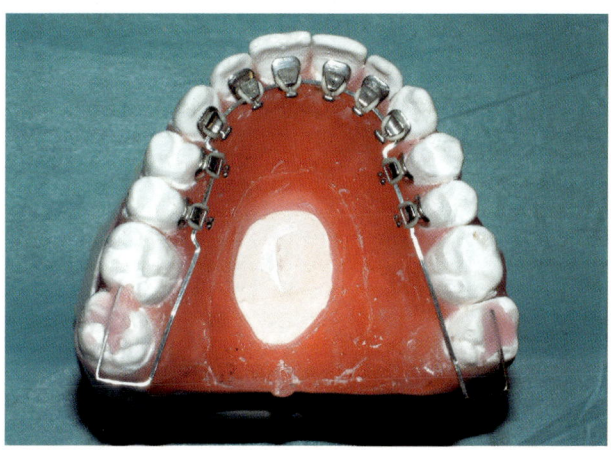

Fig. 9-19 B Se ligan al arco los brackets de premolares con ligaduras elásticas y se comprueba y ajusta la adaptación del arco

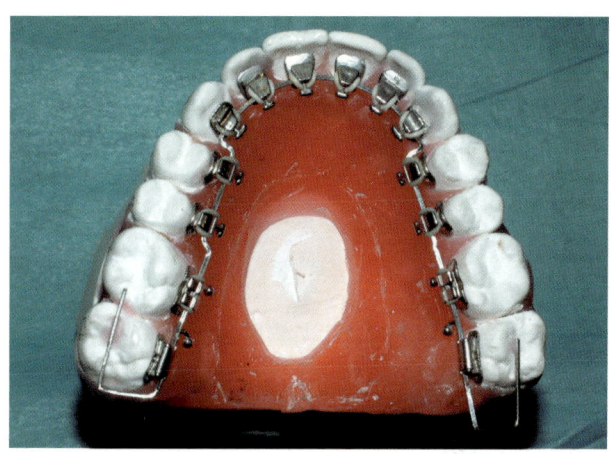

Fig. 9-19 C Se ligan al arco los brackets de molares con ligaduras elásticas y se comprueba y ajusta la adaptación del arco

6. Posicionamiento de los brackets en el modelo corregido

Los brackets deben ser tratados con microarenadora y con óxido de aluminio de 50 micrones en la malla de su base para aumentar la retención de los mismos.

Una vez realizado el arco de plena talla en acero inoxidable, se ligan los brackets linguales al arco y a continuación se posicionará el arco en el modelo. Si fuera necesario se readapta el arco para acercar los brackets a los dientes, pero el arco debe quedar sin tensión. Es mejor ligar primero los brackets de canino a canino y comprobar el arco, luego los premolares y por último los molares (figs. 8-19 A, B y C).

En la figura 8-20 puede observarse el arco terminado con todos los brackets ligados. Se pincela una fina capa de separador de yeso en el modelo y se fija el arco al modelo en el punto interincisivo y sobre la cara oclusal de los últimos molares con Band-Lock Ultra azul (Reliance) (figs. 8-21 A, B y C).

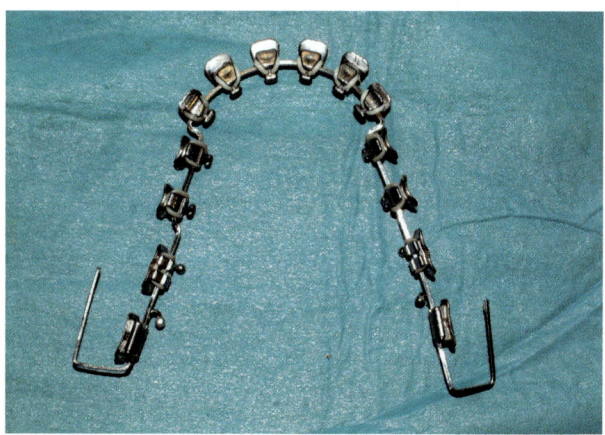

Fig. 8-20 Arco terminado con todos los brackets ligados

A continuación se cementan todos los brackets a los dientes con composite. Utilizamos la pasta del Enlight o el Light Bond y se polimeriza con lámpara halógena (figs.

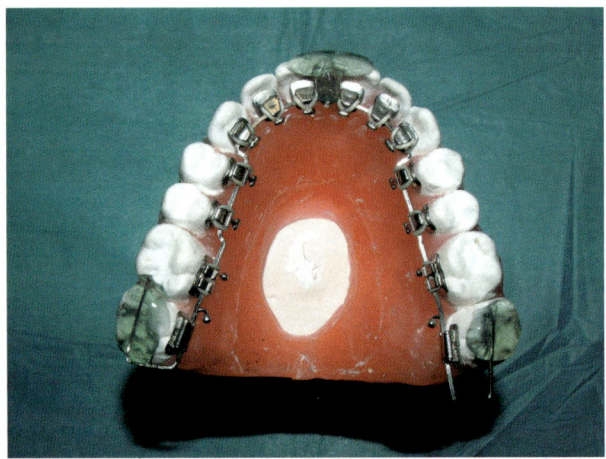

Fig. 8-21 A Se fija el arco al modelo con 3 apoyos de Bandlock ultra azul (vista oclusal)

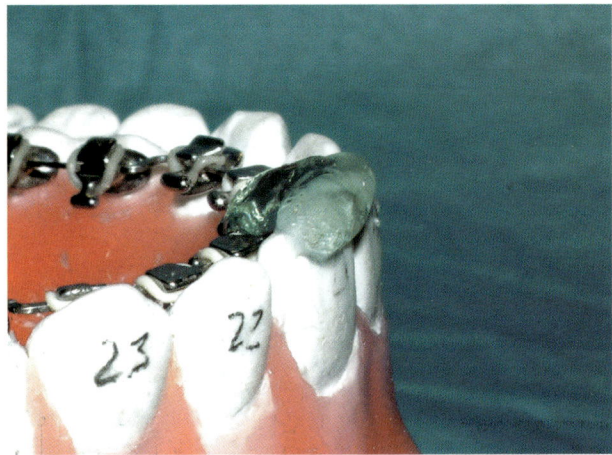

Fig. 8-21 B Se fija el arco al modelo con 3 apoyos de Bandlock ultra azul (apoyo incisal)

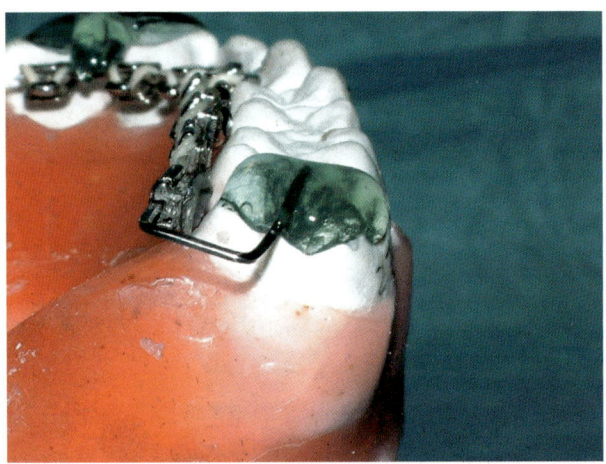

Fig. 8-21 C Se fija el arco al modelo con 3 apoyos de Bandlock ultra azul (apoyo molar)

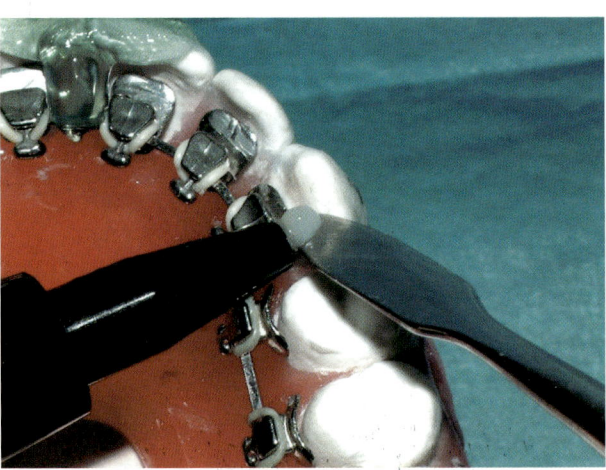

Fig. 8-22 A Cementando los brackets al modelo con Light-Bond

8-22 A y B). El composite deberá rellenar los espacios que queden entre la base de los brackets y los dientes realizando las bases a medida de los brackets.

Se retira el arco con los soportes incisivo y molar (figs. 8-23 y 8-24) y se guarda por si se debe volver a posicionar un bracket y hacer una minicubeta.

En vez de utilizar un arco de plena talla, se pueden usar laminillas de '018" que se acoplan a la Targ Unit y que permiten cementar los brackets de los 4 incisivos simultáneamente. Otro accesorio permite cementar los brackets de premolares y molares de la misma hemiarcada simultáneamente. Como veremos más adelante existen otros instrumentos de precisión para el posicionamiento de brackets en el modelo set-up corregido: el Mushroom Bracket Positioner y el Bracket Positioner del sistema KISS que serán estudiados más adelante.

7. Transferencia de los brackets del modelo corregido al modelo original

Una vez cementados los brackets al modelo set-up corregido se pueden seguir dos caminos:

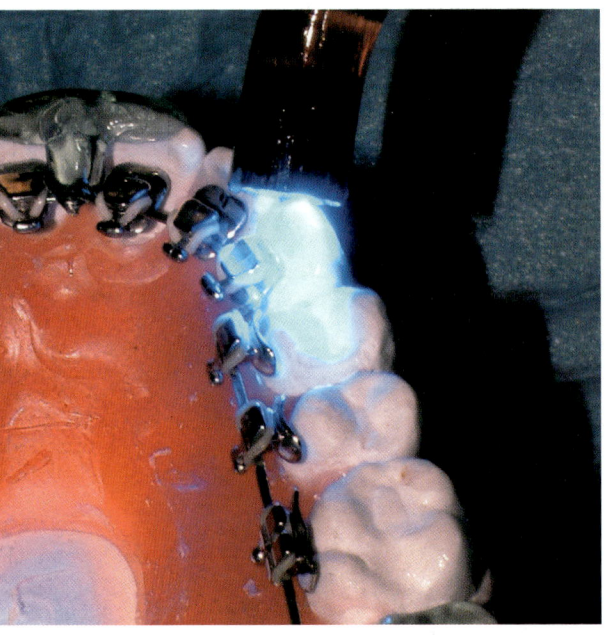

Fig. 8-22 B Polimerizando el adhesivo con luz halógena

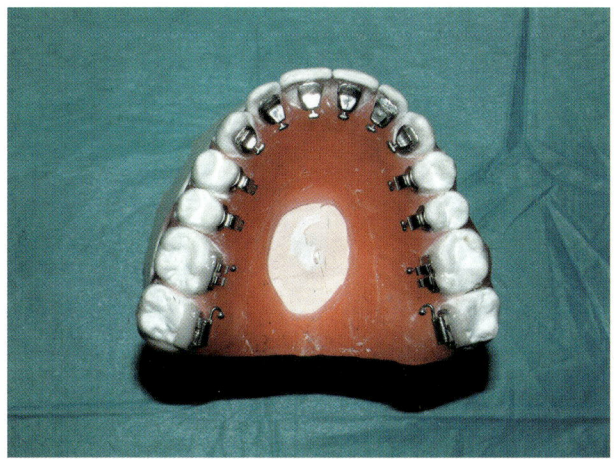

Fig. 8-23   Todos los brackets cementados al modelo

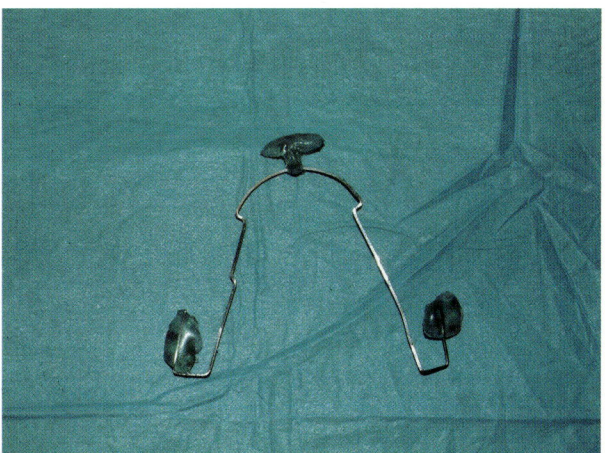

Fig. 8-24   Arco retirado del modelo con los apoyos incisal y molares

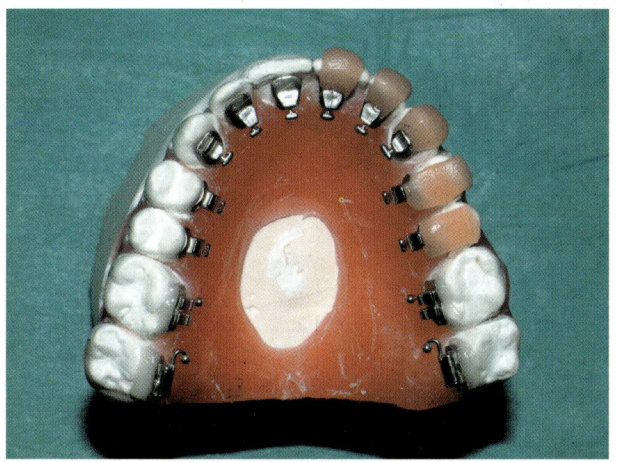

Fig. 8-25 A   Llaves de resina para transferir los brackets desde el modelo set-up corregido al modelo de maloclusión

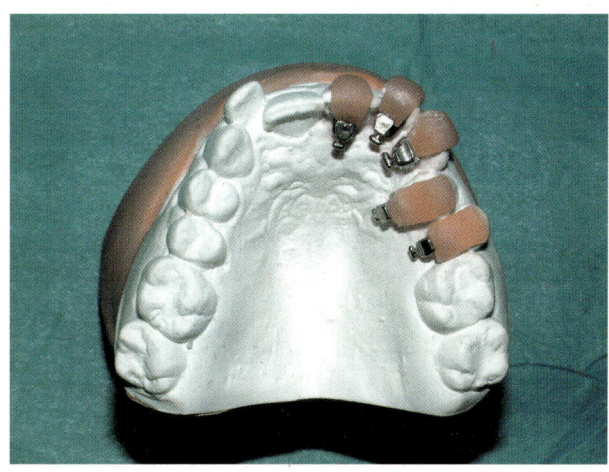

Fig. 8-25 B   Brackets transferidos al modelo de maloclusión

- Transferir los brackets al modelo original y hacer una cubeta de transferencia para cementar todos los brackets simultáneamente en boca.
- Hacer cubetas unidentales y transferir los brackets uno a uno directamente a boca.

Todos los tipos de cubetas son estudiados en el capítulo 12.

Para realizar una cubeta completa de transferencia, se debe utilizar el modelo original de maloclusión. Entonces se hace necesario transferir los brackets a este modelo como paso previo a la confección de la misma.

El método que utilizamos normalmente para transferir los brackets son minicubetas de resina fotopolimerizable Triad (figs. 8-25A, 8-25 B y 8-26 B) pero existen más métodos.

El método original de Gorman (fig. 8-26 A) consiste en realizar pequeñas cavidades con una fresa en todas las caras linguales de los dientes del modelo antes de que se duplique para confeccionar el set-up. Las bases de composite que se realicen en los dientes del modelo set-up para cementar los brackets deberán ser sobre-extendidas y tienen que rellenar estas cavidades. Sumergiendo el modelo set-up con los brackets ya cementados en agua se despegarán todos los brackets con las bases y se llevarán individualmente al modelo original.

La sobre-extensión de la base de composite y la cavidad permitirían posicionar correctamente los brackets en el modelo original, pero esto tiene el inconveniente de que una vez realizada la cubeta de cementado indirecto se deben eliminar esas salientes de composite para poder posicionarlos en boca.

También se pueden realizar minicubetas de godiva en barras (fig. 8-26 B).

El método BASS (Base Alveolar Set-up Service) de los doctores Scuzzo y Cannavo, incluye los siguientes pasos (fig. 8-26 C y D):

- Una vez duplicado el modelo, vaciada la zona dentaria, e individualizados los troqueles, se deberán aislar minuciosamente los troqueles y hacer un vaciado en yeso. De esta forma obtenemos un modelo de yeso que se puede extraer cada diente.

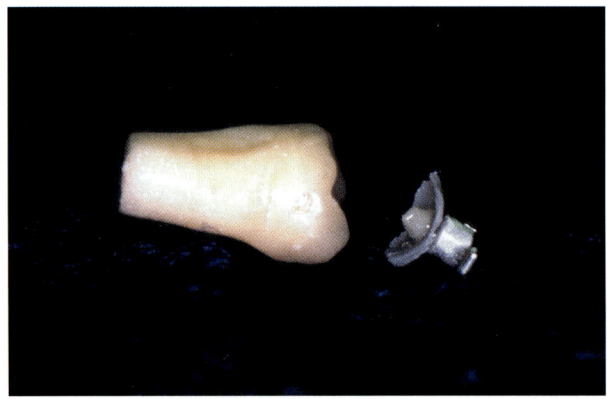

Fig. 8-26A Sistema de transferencia de brackets original con una amplia base de composite y retención en el diente

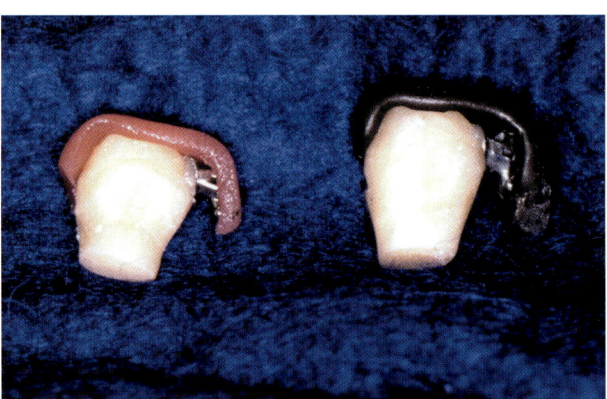

Fig. 8-26 B Sistema de transferencia de brackets con llave de resina fotopolimerizable y con godiva en barra

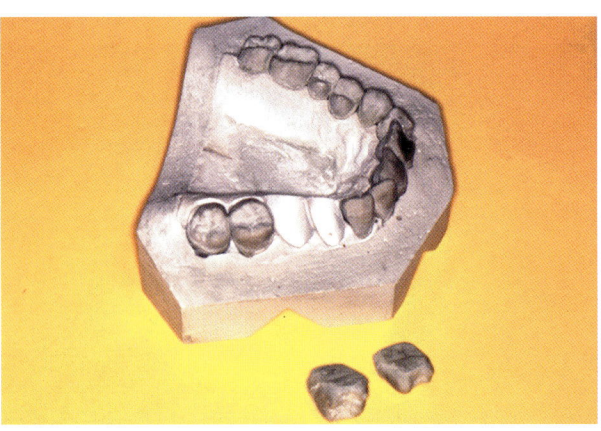

Fig. 8-26C Sistema de transferencia de brackets sistema BASS. Se vacía la base del modelo en yeso y luego se recuperan los dientes de yeso y se vacía en cera

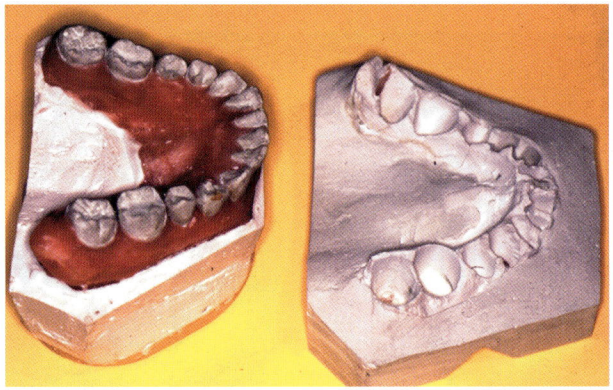

Fig. 8-26D Sistema de transferencia de brackets sistema BASS. Después de cementar los brackets a los dientes del modelo set-up, los dientes con los brackets se transfieren a la base de yeso

- Guardando esta base alveolar se vuelven a posicionar todos los troqueles en el Bioplast y se realiza el set-up con cera de la forma habitual. Una vez que se han cementado los brackets en el modelo set-up corregido, se trasladan los dientes con su bracket, retirándolos de la cera hasta la base alveolar. Así tendremos los brackets cementados en el modelo de maloclusión pudiéndose confeccionar la cubeta de transferencia.

Un sistema parecido es el que proponen el Dr. Paul-Georg Jost. Brinkmann y colaboradores. Ellos utilizan un método de preparación del modelo con los dientes desmontables mediante un sistema de pins con vainas insertables. El set-up se prepara con los dientes con los pins, guardando la base del modelo original con las vainas. Se realiza el método habitual CLASS para la corrección del set-up y cementado de brackets en el modelo corregido. Para devolver los dientes con los brackets cementados al modelo original, simplemente se retiran del set-up y se insertan los pins en sus vainas del modelo original.

8. Confección de la cubeta de cementado indirecto

Una vez que los brackets están correctamente posicionados y cementados en el modelo original de maloclusión, se debe realizar una cubeta de transferencia a fin de cementarlos en la boca del paciente en esta misma posición. Normalmente utilizamos cubetas de silicona opaca (ver capítulo 12).

Prescripción al laboratorio

La Task Force denominó a la prescripción de este sistema CLASS RxB. El Dr. Mario Paz ha propuesto el 3x3 CLASS, haciendo el set-up sólo de canino a canino para los casos en que los dientes posteriores se encuentren en una posición correcta.

Es imprescindible aportar datos al laboratorio para la correcta realización del Class System (ver hoja de laboratorio).

1. Información del tipo de bracket y los tipos de tubos molares (de autocierre, tubos terminales, bracket molar, con tubo auxiliar, etc.).
2. Información del tipo de cubeta: Silicona o termoplástica, en una pieza o seccionada en 2 ó 3 partes.

3. Se deben indicar los dientes en que se desean bandas haciendo un círculo sobre los mismos en el diagrama.
4. Se indican con una «x» los dientes que van a ser extraídos y el color del póntico estético.
5. También se deben indicar los dientes ausentes o que no se quieren cementar todavía.
6. Si se practica stripping, se debe indicar la localización y cantidad.
7. Se indicará con flechas la dirección del cierre de espacios en los casos de extracción.
8. Se debe indicar si se realizará mantención de la forma de arcada, expansión o contracción.
9. Con respecto a la curva de Spee, si ésta se desea mantener, nivelar o aumentar.
10. En referencia al overbite, si se indica mantener, aumentar o disminuir con respecto a la norma.
11. El overjet se indicará normal, aumentado o disminuido.
12. Torque anterior (superior e inferior), mantener, aumentar o disminuir.
13. Sobrecorrección de rotaciones.
14. Indicaciones especiales.

En cualquier caso es preferible que el ortodoncista apruebe el montaje set-up antes de cementar los brackets.

Ventajas y desventajas del CLASS System

Ventajas

1. Utilización como diagnóstico de los modelos set-up comprobando el plan de tratamiento y la discrepancia de Bolton (puede ayudar en la decisión de primer o segundo premolar).
2. Permite comprobar en el articulador las fases excursivas e incluir su corrección en el plan de tratamiento.
3. Comprobación del diastema remanente (espacio residual de la extracción una vez alineados y nivelados incisivos y caninos y corregido el overjet). Es importante para determinar los requerimientos de anclaje.
4. Diseño directo de la forma del arco ideal de técnica lingual (AITL).
5. Instrumento de apoyo para la educación y demostración al paciente.
6. Se puede utilizar para construir un posicionador de terminación y retención.
7. No requiere disponer de maquinaria o instrumental especial en el laboratorio y tampoco utiliza materiales de coste elevado. Aunque pueden utilizarse instrumentos que hacen que el método sea más preciso.
8. Sirve para cualquier tipo de brackets, también vestibulares.
9. Se individualiza la prescripción de los brackets.

Desventajas

1. Es necesario realizar dos transferencias de brackets: del modelo corregido al original y de éste a la boca del paciente, aumentando así la posibilidad de variaciones, a menos que se utilicen cubetas individuales de transferencia.
2. Es un proceso laborioso y largo, por lo que se requiere técnicos de laboratorio muy especializados y una gran precisión en cada paso.
3. No es posible hacer fácilmente modificaciones de la prescripción como las realizadas con la Slot Machine en cuanto a torque, inclinación, rotación, etc.
4. El Class System es más económico desde el punto de vista de la inversión (no requiere instrumental de precisión) pero es más caro por las horas-técnico necesarias para su realización.
5. La informática nos brinda suficientes y más sofisticados medios para la educación y explicación de los pacientes.

The Mushroom Bracket Positioner

El Dr. Hee-Moon Kyung desarrolló en 1986 el IIBT, Individual Indirect Bonding Technique (Técnica de cementado indirecto individual).

El IIBT consta de 3 pasos:
- Montaje en articulador de modelos set-up, corrección del caso y sobrecorrección.
- Posicionamiento de los brackets en el modelo corregido con la Mushroom Bracket Positioner, MBP (fig. 8-27).
- Realización de cubetas individuales flexibles: la Flexible Core Tray, FCT.

Una vez realizada la corrección de los modelos set-up, se realiza la sobrecorrección con un transportador de ángulos modificado para tal fin.

El Dr. Kyung diseñó el Mushroom Bracket Positioner (MBP) (Dentos Inc.) para el posicionamiento de los brackets en el modelo corregido.

El MBP consta de:
- un soporte articulado para modelos (fig. 8-27),
- una platina para brackets (figs. 8-28 A y B),
- una base con un brazo vertical y horizontal para sujeción de la platina de brackets (fig. 8-27).

El soporte articulado permite orientar el modelo con una articulación de esfera.

La platina de brackets tiene dos soportes de brackets curvos anteriores para incisivos, dos soportes individuales para caninos o dientes en posiciones atípicas y dos soportes posteriores para premolares y molares. Todos los soportes son articulados para una mejor adaptación al modelo. Los brackets se deben inmovilizar con ligaduras elásticas (figs. 8-29 a 8-31).

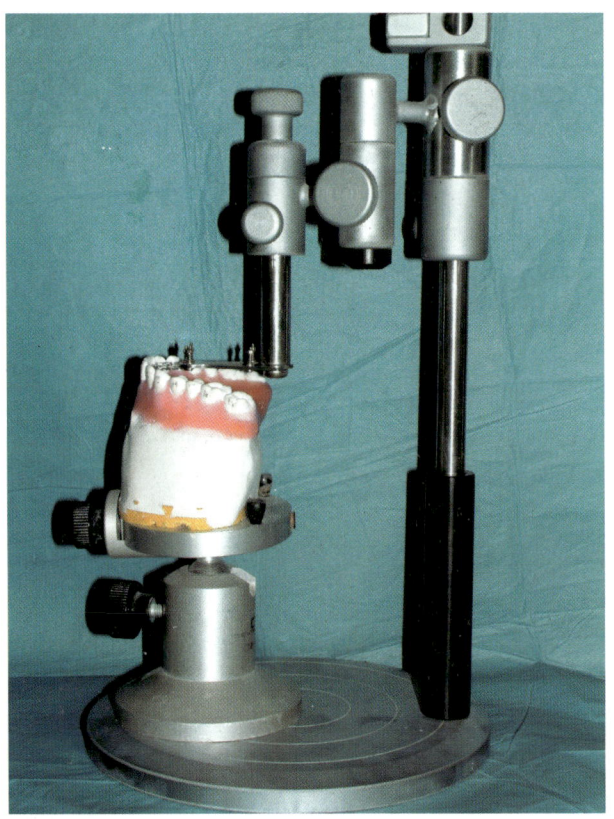

Fig. 8-27 Mushroom Bracket Positioner (MBP) del Dr. Kyung. Obsérvese el soporte para modelos, la base con brazo articulado y la platina para brackets

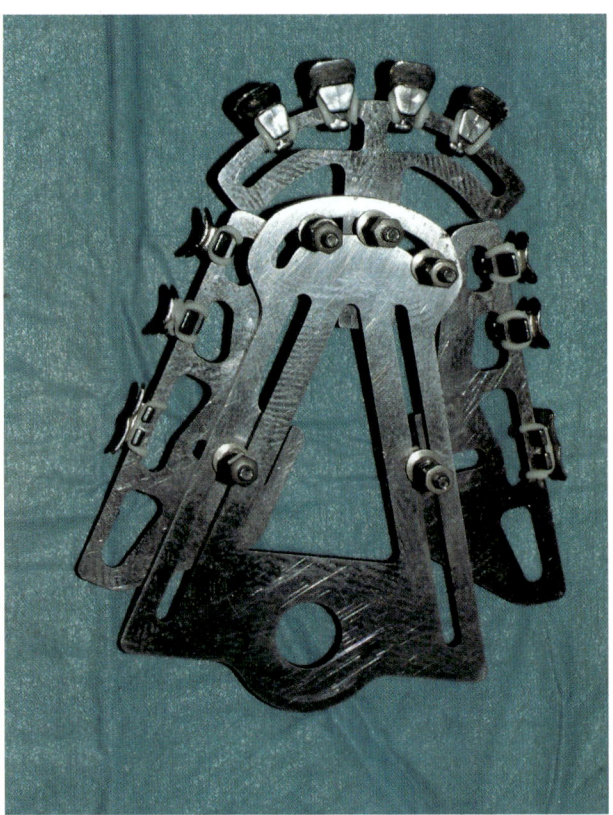

Fig. 8-28 A MBP - Platina para brackets ajustable con los brackets ligados (vista superior)

El soporte de modelos se coloca sobre la base y el brazo articulado permite relacionar correctamente la platina de brackets con el modelo.

Los brackets son fijados al modelo con resina Bisfil Core (Bisco), luego se retira la platina y el MBP y se realizan las cubetas individuales flexibles: Flexible Cure Trays (FCTs) (ver capítulo 12).

La cubetas individuales se realizan con Fermit (Ivoclar Vivadent) que es un material resiliente fotopolimerizable cubriendo todo el bracket y por encima se cubre con una resina rígida (Dentaplast, Bredent) que recubre el Fermit y tiene un apoyo en el borde incisal o la cara oclusal.

Sistema KISS

El Dr. Tae Weon Kim y la Korean Society of Lingual Orthodontics (KSLO) desarrollaron el sistema KISS: Korean Indirect bonding Set-up System que traducido sería: Sistema Coreano de Montaje para Cementado Indirecto.

Según estos autores, el posicionamiento ideal de los brackets linguales depende de: modelos set-up ideales, posicionamiento ideal de los brackets en los modelos set-up y una transferencia precisa de los brackets hasta los dientes del paciente.

Fig. 8-28 B MBP - Platina para brackets ajustable con los brackets ligados (vista inferior)

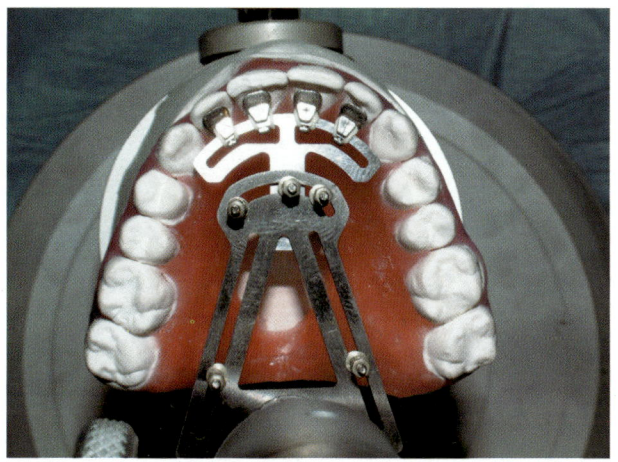

Fig. 8-29 MBP – Platina para brackets con los brackets incisivos y comprobación del ajuste al modelo

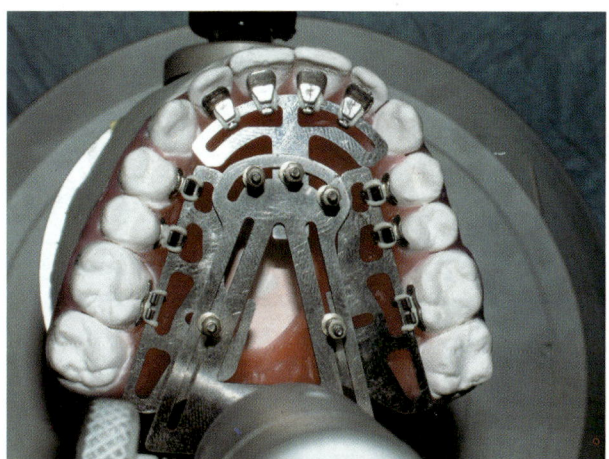

Fig. 8-30 MBP - Platina para brackets con los brackets incisivos y brackets posteriores y comprobación del ajuste al modelo

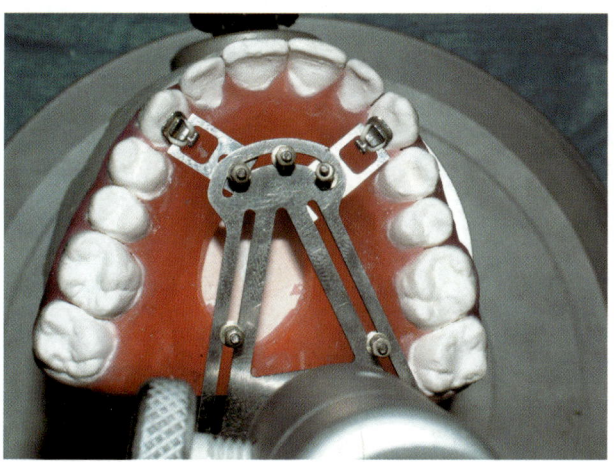

Fig. 8-31 MBP - Platina para brackets con los brackets caninos y comprobación del ajuste al modelo

Los componentes del sistema KISS son:
1. El Set-up Model Checker
2. Bracket Positioner
3. CRC Ready-made Core

El Set-up Model Checker

El Set-up Model Checker (figs. 8-32 a 8-33) está diseñado para medir el torque exacto y la inclinación exacta de los dientes en el modelo original o en el modelo set-up. Se trazan los ejes longitudinales de las coronas clínicas de los dientes (FACC, facial axis of clinical crown) y se apoyan los tres pines con muelle del Model Checker sobre este eje. En la escala superior se mide el torque (figs. 8-32A y B) y en la escala posterior se mide la inclinación (fig. 8-33). Con este instrumento se puede medir la posición inicial de los dientes y también la posición obtenida con la corrección del Set-up (variación realizada, simetrías a ambos lados, etc.). También se pueden realizar las sobrecorrecciones de manera exacta.

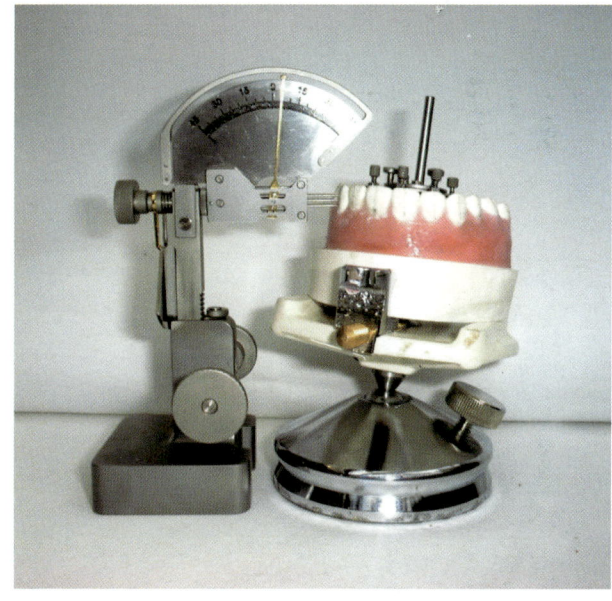

Fig. 8-32 A Sistema KISS. Model Checker, vista lateral

Bracket Positioner

El bracket positioner (fig. 8-34 a 8-38) sirve para posicionar los brackets correctamente en el modelo set-up corregido.

Consta de un soporte para el modelo, una base con un brazo articulado y una platina para brackets (fig. 8-34). El soporte de modelos tiene una articulación de esfera y el brazo articulado también permite movimientos en varios planos para orientar la platina de brackets adecuadamente.

Los brackets se ligan a la platina con ligaduras elásticas (figs. 8-35 a 8-38). Es un instrumento de gran exactitud que permite posicionar los brackets anteriores a diferente altura que los brackets posteriores y minimiza el espesor de composite dando un torque anterior más efectivo.

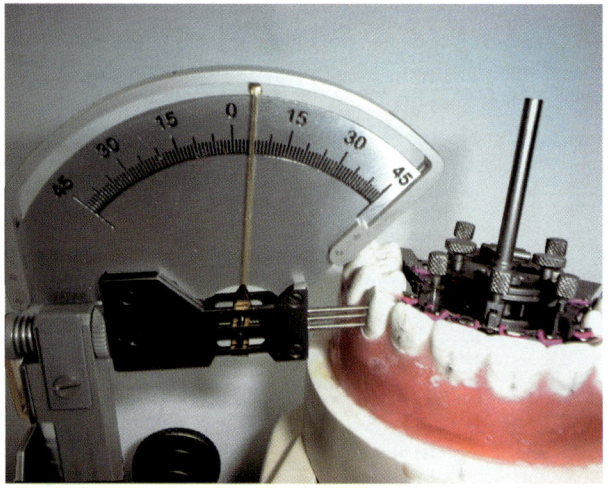

Fig. 8-32 B   Sistema KISS. Model Checker, obsérvese la escala para medir el torque

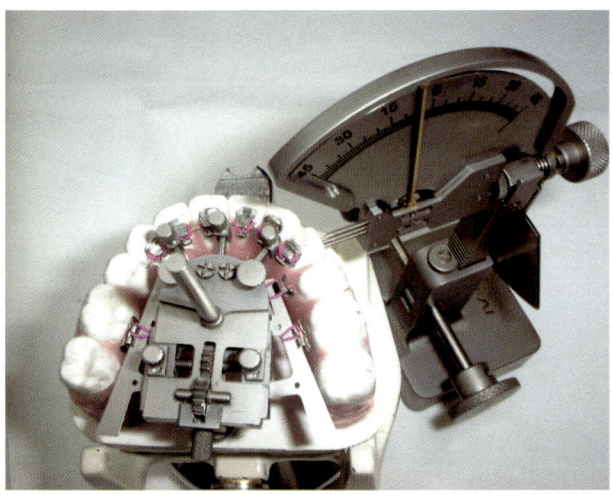

Fig. 8-32 C   Sistema KISS. Model Checker, vista superior

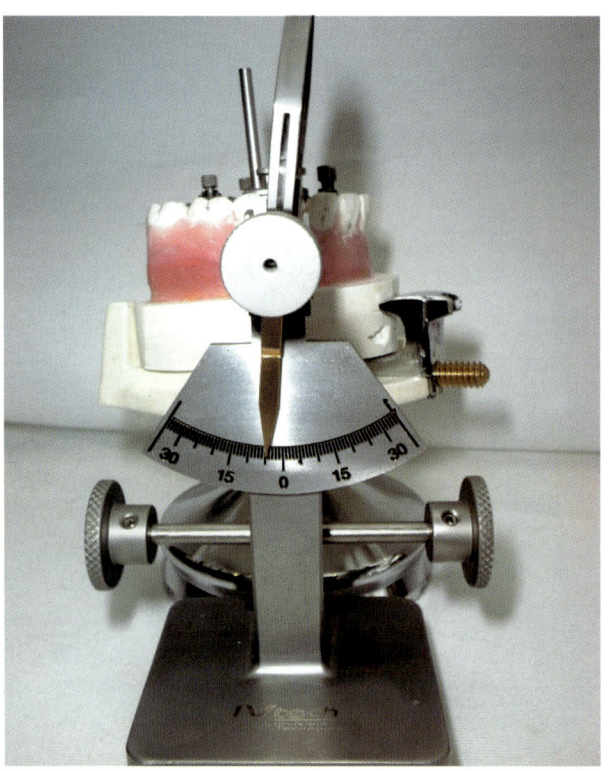

Fig. 8-33   Sistema KISS. Model Checker, obsérvese la escala para medir la inclinación

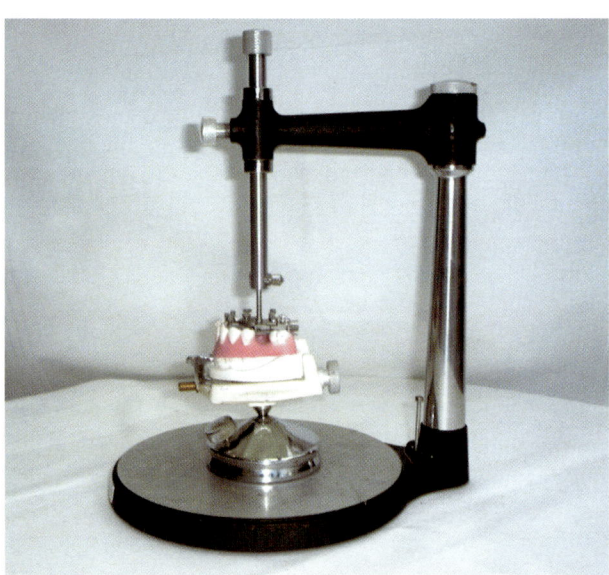

Fig. 8-34   Sistema KISS. Bracket positioner. Obsérvese el soporte articulado de modelos, la base con brazo articulado y la platina para brackets

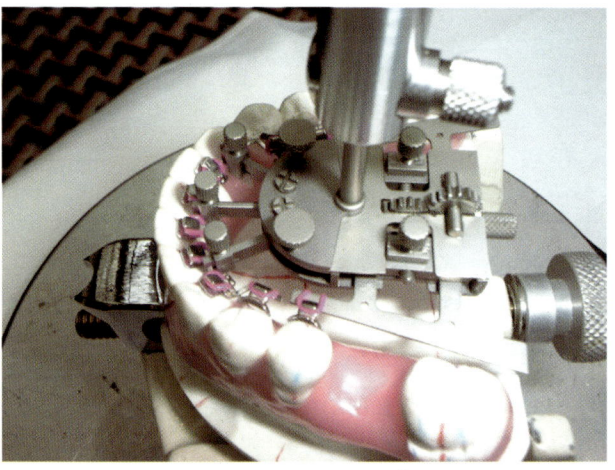

Fig. 8-35   Sistema KISS. Bracket positioner. Platina para brackets adaptable con los brackets ligados, vista lateral

CRC Ready-made Core

El sistema de cubetas individuales (figs. 8-39 A y B) (ver capítulo 12) se realiza por un sistema que muy próximamente se comercializará a través de la compañía IV TECH (Invisible Technologies Co Ltd) los CRC Ready Made Core. Se trata de cubetas individuales prefabricadas que reproducen la parte externa de los brackets Kurz y sólo hace falta hacer la unión con el diente en el laboratorio.

Capítulo 8

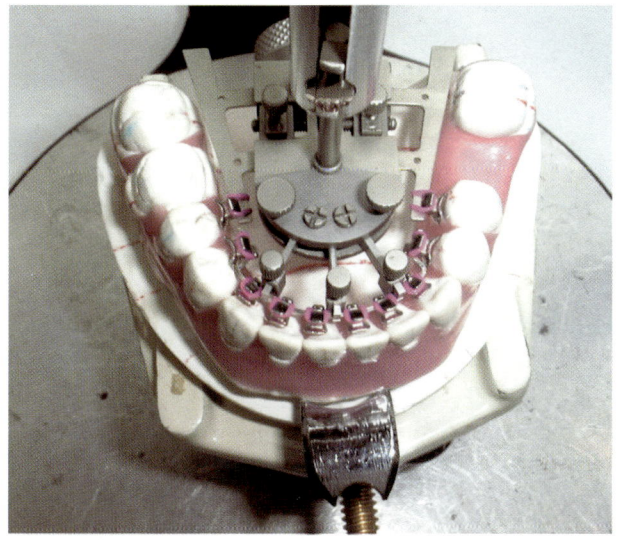

Fig. 8-36A Sistema KISS. Bracket positioner. Platina para brackets adaptable con los brackets ligados, vista anterior

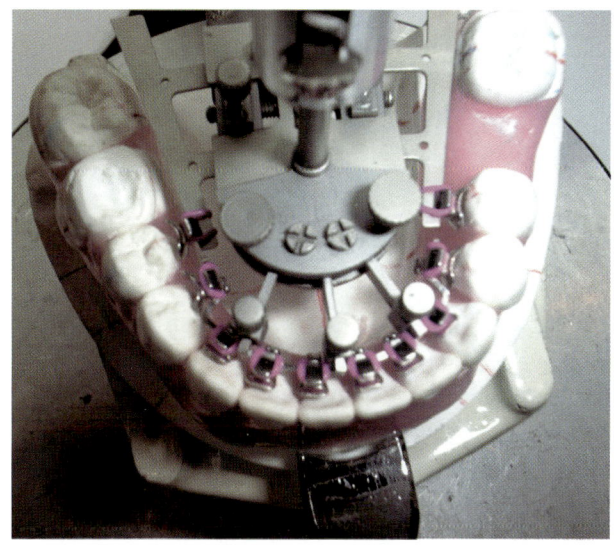

Fig. 8-36B Sistema KISS. Bracket positioner. Platina para brackets adaptable con los brackets ligados, vista anterior aumentada

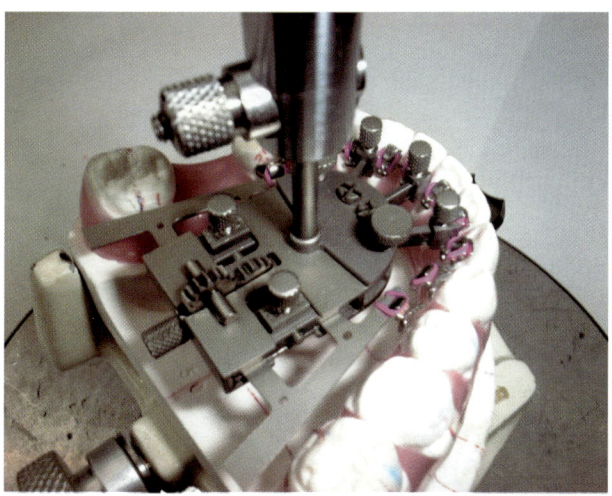

Fig. 8-37 Sistema KISS. Bracket positioner. Platina para brackets adaptable con los brackets ligados, vista lateral con los brackets posteriores

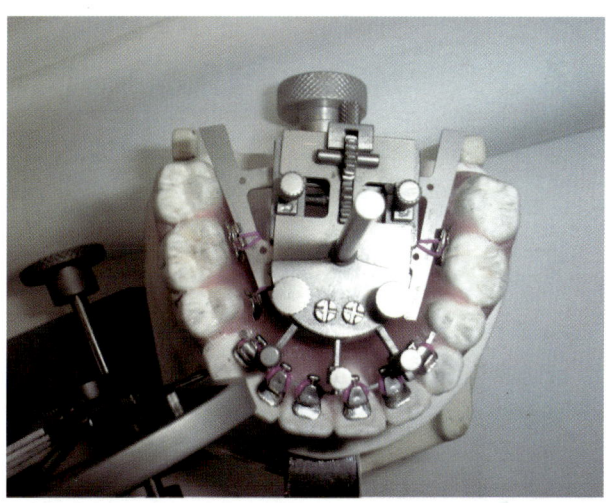

Fig. 8-38 Sistema KISS. Bracket positioner. Platina para brackets adaptable con los brackets ligados, vista superior con adaptadores para un solo bracket

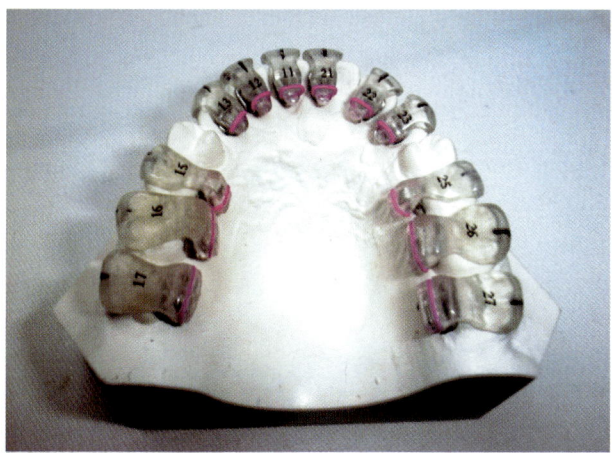

Fig. 8-39 A Sistema KISS. CRC Ready-made Core. Cubetas individuales adaptadas, vista oclusal

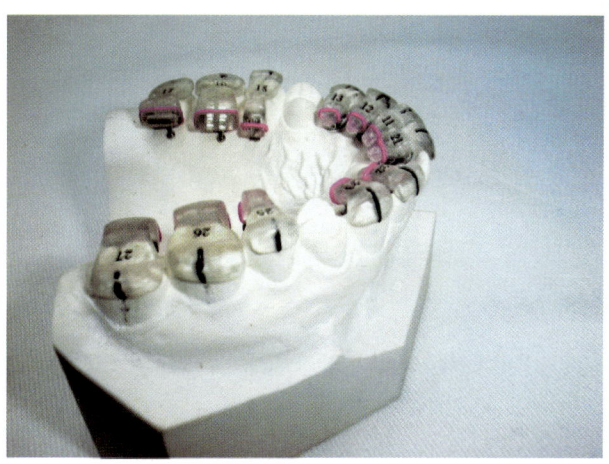

Fig. 8-39 B Sistema KISS. CRC Ready-made Core. Cubetas individuales adaptadas, vista lateral

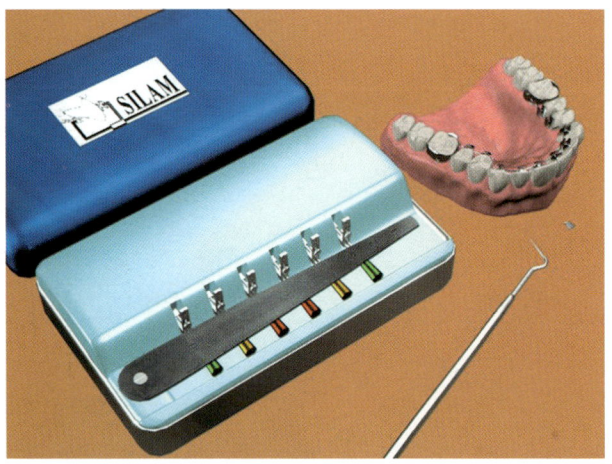

Fig. 8-40　El Lingual Bracket Jig de Silvia Geron incluye posicionadores para incisivos y caninos superiores y una regla de medición (cedida por Dr. Geron)

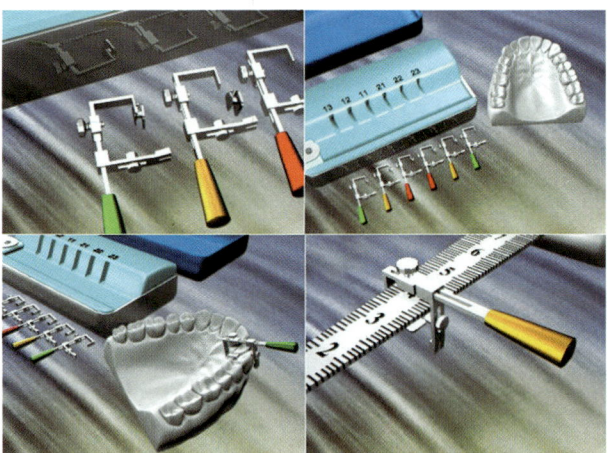

Fig. 8-41　En esta fotografía se puede observar: superior-izquierda: posicionadores para diferentes dientes superior-derecha: caja de posicionadores, modelos y posicionadores inferior-izquierda: posicionando el bracket de canino inferior-derecha: midiendo el espesor vestíbulo-lingual (in-out) (cedida por Dr. Geron)

Fig. 8-42　Posicionador sujetando el bracket por el slot (cedida por Dr. Geron)

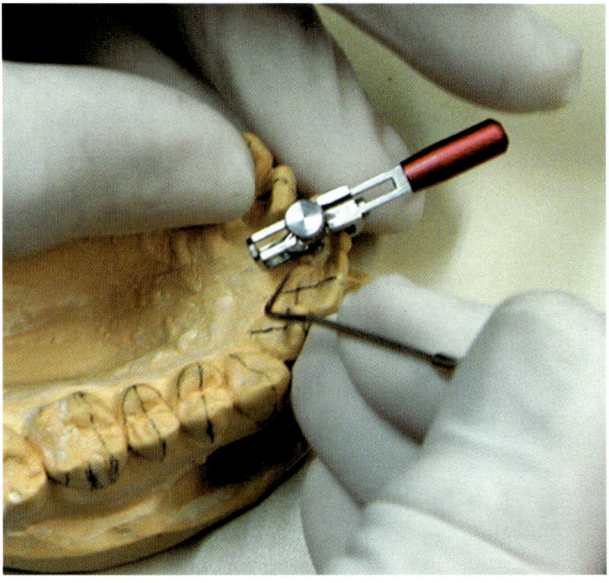

Fig. 8-44　Posicionando el bracket en el canino para medir el espesor vestíbulo-lingual (cedida por Dr. Geron)

Fig. 8-43　Posicionador completo (cedida por Dr. Geron)

El Lingual Bracket Jig

La Dra. Silvia Geron de Israel diseñó el Lingual Bracket Jig que se puede usar tanto para cementado directo como para cementar los brackets en el modelo y luego hacer una cubeta de transferencia.

El kit consta de 6 posicionadores, uno para cada incisivo y canino superior y una regla medidora (fig. 8-40). También tiene un posicionador universal para dientes posteriores. Cada posicionador tiene un brazo lingual y un brazo vestibular. El brazo lingual sujeta al bracket por el slot y se puede deslizar en sentido vestíbulo lingual (fig. 8-42). El brazo vestibular tiene un tope incisal como medidor de altura y se apoya en vestibular con una prescripción que se observa en la tabla 8-1 (fig. 8-43). La prescripción del LBJ presenta extra-torque para compensar la pérdida de torque durante el tratamiento. Como los brazos vestibular y lingual son paralelos, la prescripción se trasmite al bracket lingual.

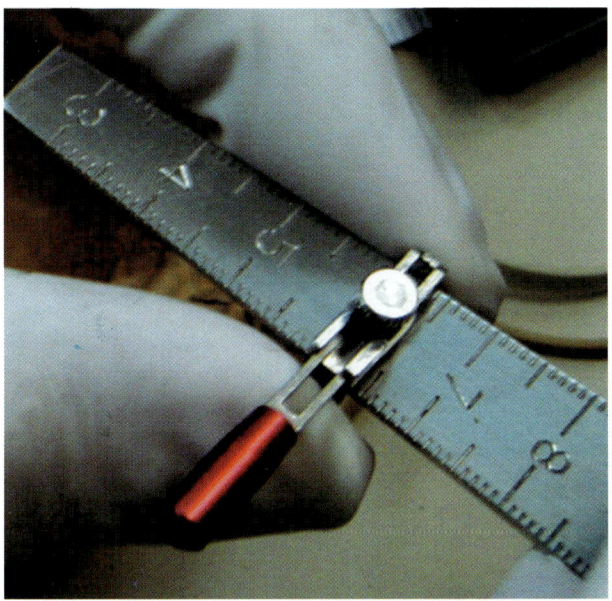

Fig. 8-45   Midiendo el espesor vestíbulo-lingual con la regla (cedida por Dr. Geron)

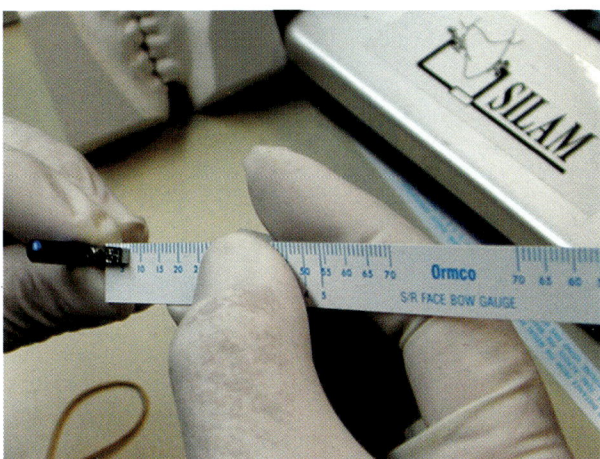

Fig. 8-46   Midiendo la altura a que se van a cementar los brackets (cedida por Dr. Geron)

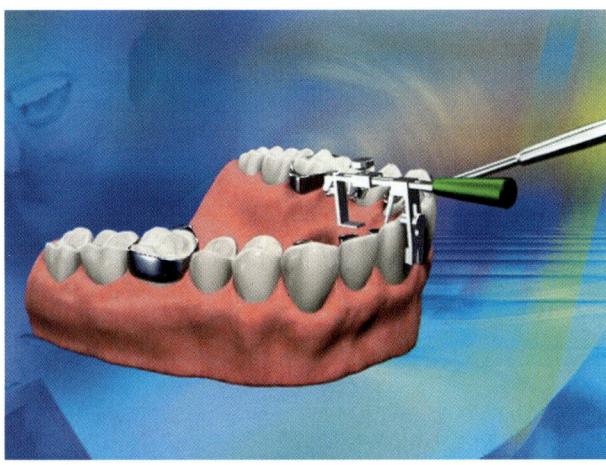

Fig. 8-47   Cementando los brackets de los 6 dientes anteriores con la misma altura e in-out (cedida por Dr. Geron)

En la figura 8-41 se pueden observar:
- superior-izquierda: posicionadores para diferentes dientes,
- superior-derecha: caja de posicionadores, modelos y posicionadores,
- inferior-izquierda: posicionando el bracket de canino,
- inferior-derecha: midiendo el espesor vestíbulo-lingual (in-out).

Se comienza por uno de los caninos, por ser los dientes de mayor espesor vestíbulo-lingual. Se coloca el bracket en el posicionador sujetado por el slot (figs. 8-42 y 8-43). Se ubica el posicionador con el bracket para medir espesor vestíbulo-lingual del canino (fig. 8-44). Luego se mide el in-out (fig. 8-45) y se mide la altura (fig. 8-46). Antes de cementar el bracket, se mide el otro canino, siguiendo el mismo procedimiento y se toma como referencia el diente más grueso. Luego se fijan todos los posicionadores con la misma altura e in-out y se cementan todos los brackets de canino a canino (fig. 8-47).

El LBJ significa un método sencillo de laboratorio, preciso y seguro y a la vez un sistema fácil para el recementado de los brackets despegados. Los brackets pueden ser recementados directamente en boca con el jig y como la misma prescripción utilizada inicialmente.

TARG Unit

El TARG Unit fue diseñado en 1981 por la «Task Force» y la casa ORMCO.

Es un instrumento de precisión para el posicionamiento de brackets linguales directamente sobre el modelo original y tiene por nombre una sigla que significa «Torque Angulation Reference Guide» o «Guía de referencia de torque y angulación».

El instrumento original constaba de:
- Un soporte para modelos con una articulación de esfera para orientar el modelo.
- Una base con un brazo vertical y otro brazo articulado horizontal y vertical para sujetar la pinza de brackets.
- Una torre vestibular que sujeta los posicionadores y que se puede orientar para modificar tanto el torque como la angulación.
- Un juego de posicionadores con la prescripción de cada diente.

Este sistema ha sido modificado por el Dr. Didier Fillión entre 1989 - 1991 con el agregado del A.M.E. (Appareil de Mesure del Epaisseurs o Medidor de espesores dentarios) constituyendo lo que se denomina Targ-Unit 2. El AME es un calibrador o pie de rey de la casa MITUTOYO modificado para sujetar el bracket (figs. 8-49 y 8-50). AME (sigla en francés) es como más se conoce a este instrumento, aunque también lo podemos

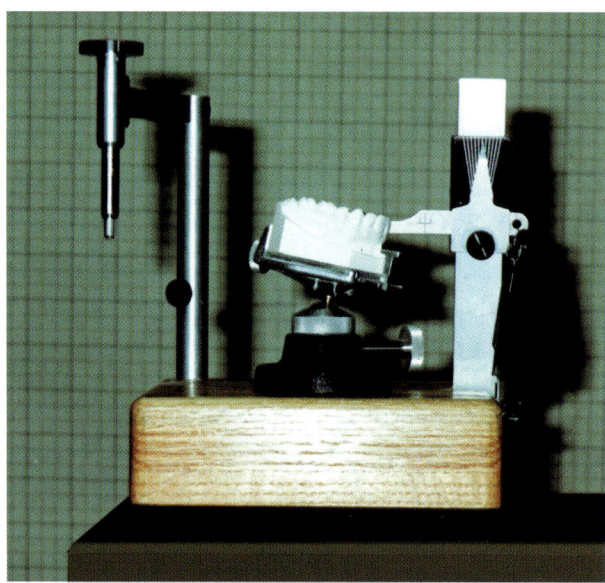

Fig. 8-48 A TARG UNIT. Obsérvese la base con brazo articulado, el soporte para modelos y la torre vestibular con posicionadores. También se puede observar en la parte superior de la torre vestibular, la escala para medir torques

Fig. 8-48 B TARG UNIT. Obsérvese en la base de la torre vestibular la escala para medir inclinaciones mesio-distales (angulaciones)

Fig. 8-48 C TARG UNIT. Posicionando un bracket lingual

encontrar como TMA - Thickness Measure Appliance (sigla en inglés).

Fillión también ha diseñado un programa informático para el diseño de los arcos linguales llamado DALI (Dissaigne de Arch Linguale Informatizé) que se explica más adelante. La unión del Targ-Unit 2 y el programa DALI son denominadas BEST System que significa "Bond Equal Specific Thickness" (Cementar con espesores específicos iguales).

Más adelante también se le agregó un medidor de altura al brazo vertical y pasó a llamarse TARG PRO ó TARG profesional (fig. 8-48).

El procedimiento es el siguiente:

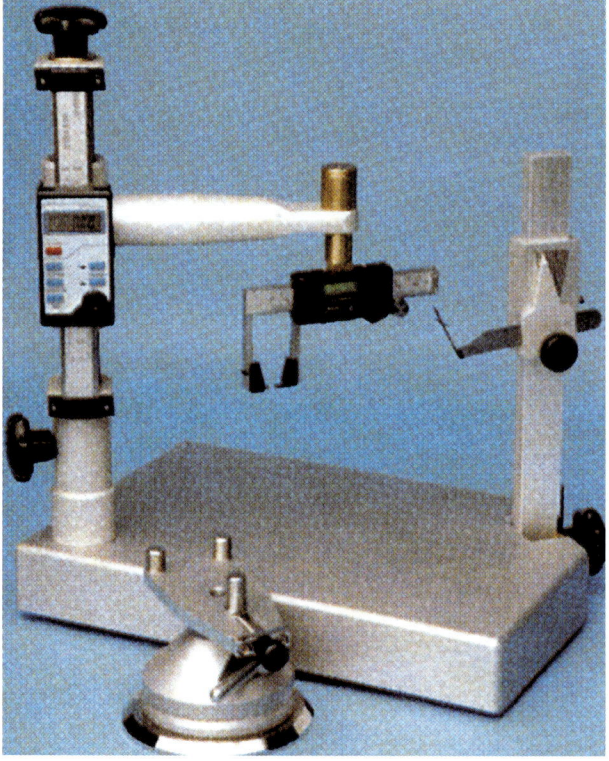

Fig. 8-49 TARG PRO o TARG Profesional. El TARG original constaba del soporte de modelos, la base, el brazo articulado y la torre vestibular pero no tenía ni el AME, ni el medidor de altura. En la fotografía puede observarse el medidor de altura en el brazo vertical que sale de la base y el AME soldado al otro brazo vertical

- Obtención del modelo original, seco y recortado. Se trazan los ejes axiales de las caras vestibulares y se

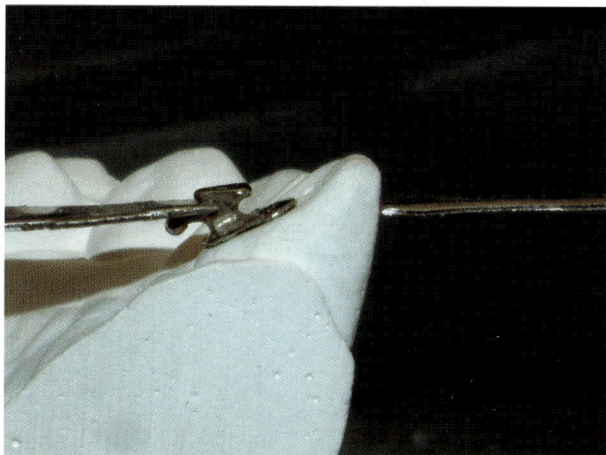

Fig. 8-50 Detalle del AME con la platina que se introduce en el slot del bracket y la parte que contacta con la cara vestibular del diente

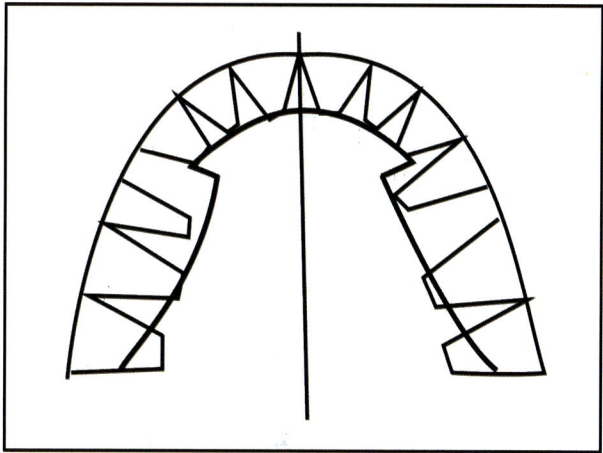

Fig. 8-51 DALI - Esquema de la corrección informática de la posición de los dientes y diseño del arco mushroom que realiza el programa DALI (simulación)

aísla con separador de yeso. Es muy importante que sea el ortodoncista quien trace los ejes.
- En la torre vestibular se fijará el posicionador del diente que estamos trabajando (el posicionador tiene la información de altura, torque e inclinación).
- Colocando el modelo en el soporte de modelos, se orientará el diente hasta que su superficie vestibular contacte perfectamente con el posicionador.
- Se fija el bracket en el AME y se mide la distancia desde la cara vestibular del diente hasta el fondo del slot del bracket.
- Comenzando por el canino de mayor espesor vestíbulo-lingual para determinar cual es la distancia mayor slot-diente, se cementa el bracket al diente, realizando una base adaptada "a medida" de composite.

La altura recomendada para cementar los brackets linguales, teniendo en cuenta que la cara lingual es mucho más corta que la cara vestibular, es:
- distancia del plano de mordida del bracket al borde incisal -1,2 mm,
- distancia de la rampa extendida al borde incisal - 2 mm,
- distancia de la rampa extendida al plano de mordida - 0,8 mm.

Fillión y Altounian recomiendan microarenar las bases de los brackets antes de cementarlos al modelo para aumentar la retención.
- Se orienta cada diente con su posicionador correspondiente y se cementan los brackets de canino a canino con la misma distancia slot-diente.
- Se procede de la misma forma con los premolares y molares pero con otra distancia slot-diente aumentada, lo que condiciona el uso de arcos mushroom. Si los molares y premolares no pueden cementarse con la misma distancia slot-diente, se deberá realizar un arco Christmas.
- A continuación se realiza la cubeta de transferencia.

Fillión recomienda la cubeta de silicona transparente para poder utilizar adhesivos fotopolimerizables.
El programa DALI (Diseño del Arco Lingual Informatizado) permite diseñar el arco ideal para el paciente a partir de una fotocopia del modelo con los brackets cementados y los datos obtenidos del AME y la medición de los diámetros mesio-distales de los dientes. El programa realiza un diagrama de la posición de los dientes con la línea media y el arco ideal vestibular para ese caso. A continuación se realiza la corrección virtual de la posición de los dientes y el diseño del arco mushroom y Christmas (figs. 8-51). La impresión de la plantilla individualizada del arco se realiza en una escala 1:1. Este diseño es muy preciso pero se debe recordar que este programa no puede funcionar sin el AME ya que es indispensable introducir las medidas slot-cara vestibular para realizar el diseño.
La TARG UNIT también es utilizada por muchos laboratorios para posicionar los brackets en el modelo set-up del sistema CLASS.

Sistema TOP - Transfer Optimised Positioning

El sistema TOP (Transfer Optimised Positioning, Posicionamiento y transferencia optimizadas) es parte de la filosofía de tratamiento ECO-lingual therapy del Dr. Dirk Wiechmann.
El sistema ECO-lingual comprende:
- Un sistema optimizado de posicionamiento de brackets y transferencia de los mismos utilizando la TARG Unit PRO (fig. 8-49). Actualmente ha realizado sus nuevos brackets con la base diseñada por ordenador.
Para ello utiliza un escáner 3-D (8-52). Se puede utilizar una buena impresión tomada con silicona y escanear el

Fig. 8-52   Scanner intraoral de la casa Orametrix Suresmile

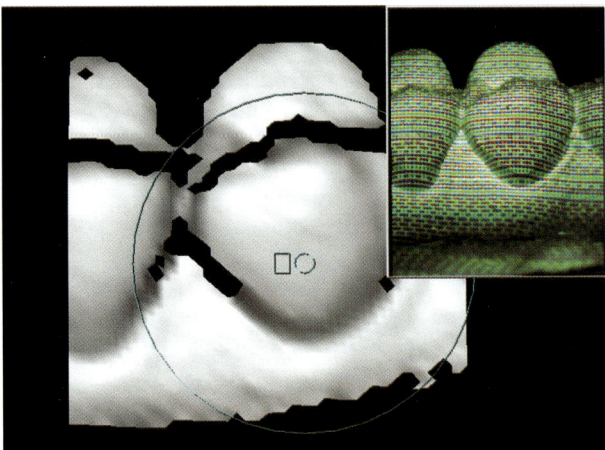

Fig. 8-53   Escaneado de los dientes para la creación de un modelo virtual

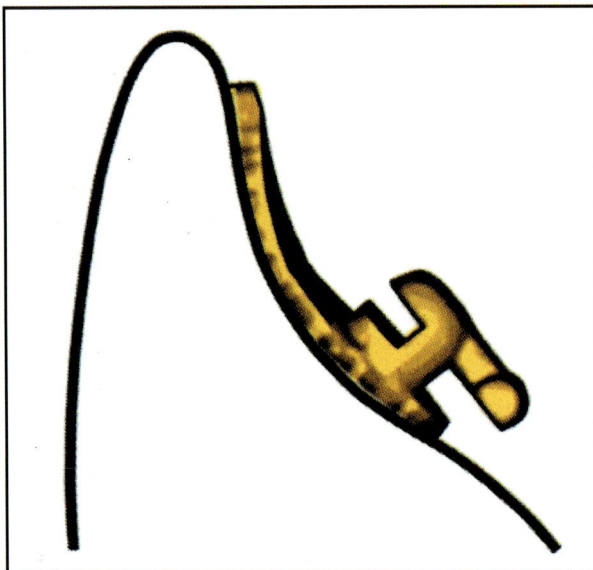

Fig. 8-54   Brackets de Wiechmann, vista lateral

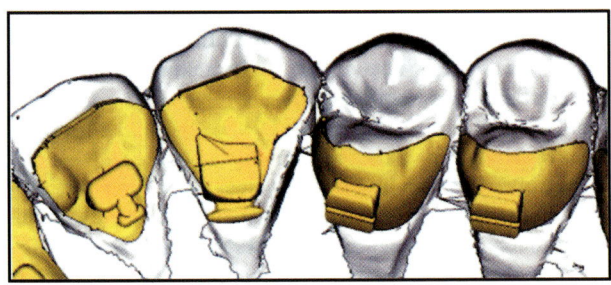

Fig. 8-55   Brackets de Wiechmann, vista lingual

- Un sistema seguro y fiable de cementado utilizando Maximum Cure (Reliance) y microarenando los dientes. Los brackets pueden ser cementados directamente o también se puede realizar una cubeta de silicona para cementado indirecto. Wiechmann utiliza Exact N y Lutesil (Bisico) como silicona liviana y pesada respectivamente. Los brackets tienen que ser microarenados antes de cementarse.
- Una reducida secuencia de arcos doblados y tratados térmicamente por un robot: el New Orametrix bending robot (Orametrix, Dallas, U.S.A.) utilizando 1, 2 ó 3 arcos por maxilar con especial énfasis a la utilización de los arcos Copper NiTi. El robot está compuesto con un programa de ordenador (el Orthomate) y la Bending Unit, que tiene dos brazos que doblan el alambre y lo tratan térmicamente al mismo tiempo (figs. 8-56 A y B).

Bracketron

El Bracketron es un instrumento de precisión para el posicionamiento de brackets en el laboratorio diseñado por el Dr. Fontenelle (figs. 8-57 y 8-58). Este instrumento tiene una interfase para ordenador y un programa que controla todos sus movimientos. Este programa ade-

modelo con un escáner GOM (Braunschweig, Alemania). Mediante el escáner se obtiene un modelo virtual en tres dimensiones (fig. 8-53). Con una adaptación de un programa CAD-CAM se diseñan las bases de los brackets Wiechmann, las cuales se adaptan perfectamente a toda la cara lingual de los dientes. Esta base tan amplia brinda seguridad con respecto a la prescripción que se está dando al diente y permite el cementado y recementado directo de los mismos por su perfecta adaptación. Otra ventaja es que se pueden fabricar brackets muy delgados que dan un gran confort a los pacientes.

Una vez creada la base del bracket, el programa dispone de modelos virtuales de brackets y tubos que se adhieren a la base con la prescripción indicada. Utiliza slot vertical de canino a canino y slot horizontal en premolares y molares.

El ordenador convierte los brackets virtuales en brackets reales (figs. 8-54 y 8-55) en el material Degunorm M (Degussa, Alemania) con una máquina llamada Rapid Prototyping.

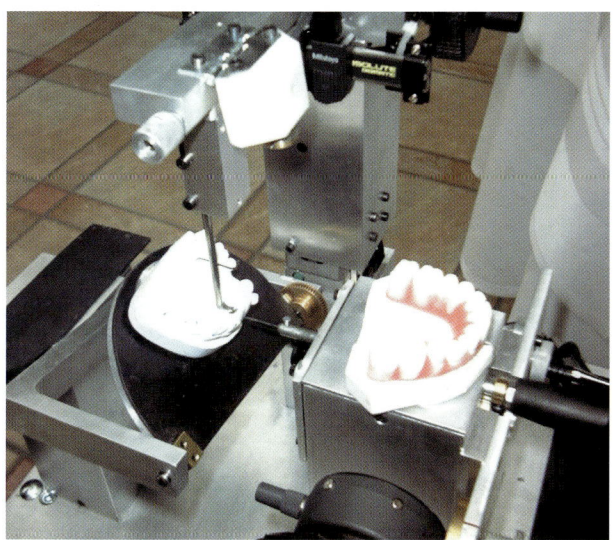

Fig. 8-64   Bracketron - Se traslada el modelo a la tercera platina que se orienta según el torque e inclinación del diente (tomados antes) y, si está indicado se modifica el torque o la inclinación. Esta platina orienta el modelo como si se hubiera hecho un modelo set-up. A continuación se posiciona el bracket (vista general)

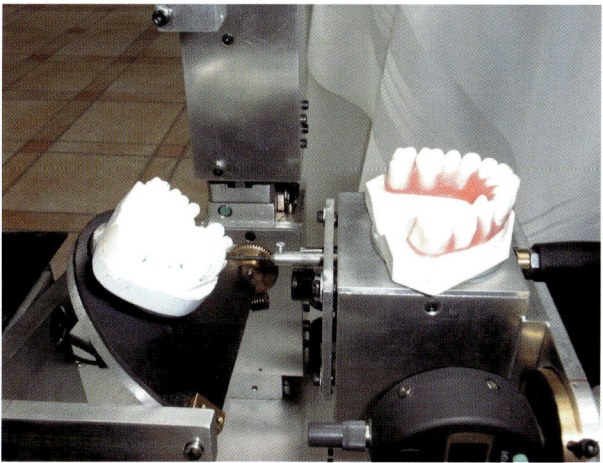

Fig. 8-65   Bracketron - Posicionando el bracket (a mayor aumento)

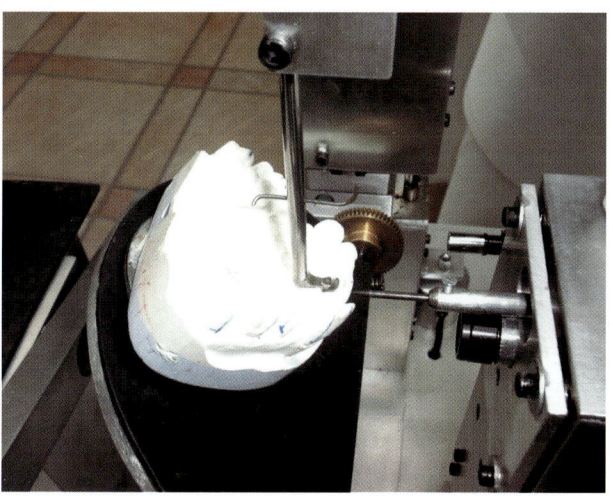

Fig. 8-66   Bracketron - Posicionando el bracket (a mayor aumento)

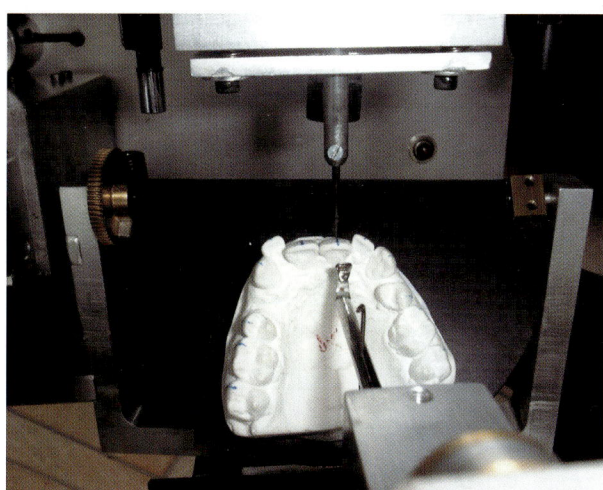

Fig. 8-67   Bracketron - Se proyecta una línea láser sobre el borde incisal para orientar la rotación antes de cementar el bracket

Entonces posiciona el bracket (fig. 8-64, 8-65 y 8-66). Antes de cementar el bracket al modelo, el Bracketron proyecta una línea láser sobre el borde incisal para ajustar la rotación mediante movimientos de la base (fig. 8-67).

Orthosoft Personalized Prescription (OPP)

El Orthosoft Personalized Prescription (OPP) es un programa creado por el Dr. Luis Carlos Ojeda para facilitarle al ortodoncista:

1. El cálculo de la Prescripción (torque y angulación) tanto para la técnica vestibular como lingual, teniendo en cuenta una serie de variables de interés. (esqueléticas, neuro-musculares, biomecánicas, periodontales y dentarias).
2. El diseño de la forma de arcada individualizada (vestibular o lingual) de cada uno de nuestros pacientes.

El cálculo de la Prescripción

En la primera pantalla del programa (fig. 8-68) se hará constar: nombre del paciente, fecha de envío al laboratorio, fecha de cementado en boca, si se usarán brackets vestibulares o linguales, y, en el caso de ser vestibulares, se debe dejar constancia si se usarán brackets metálicos o cerámicos. También se tomará nota de las observaciones que se deben tener en cuenta.

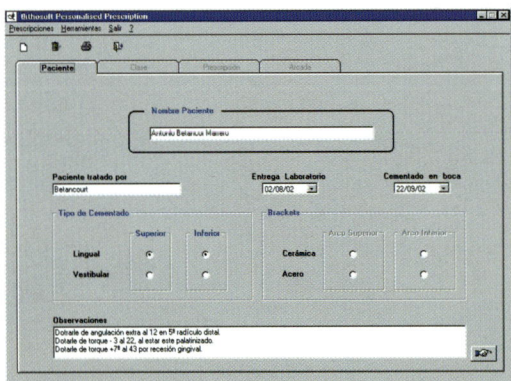

Fig. 8-68 Orthosoft Personalised Prescription. Primera pantalla del programa para introducción de datos del paciente (cedida por Dr. Ojeda Perestelo)

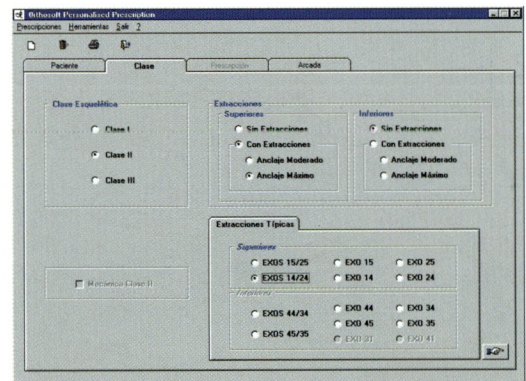

Fig. 8-69 Orthosoft Personalised Prescription. En la pantalla de CLASE (segunda pantalla) se hacen constar la clase esquelética, si se realizan extracciones y que piezas serán extraídas en caso afirmativo, así como los requerimientos de anclaje (cedida por Dr. Ojeda Perestelo)

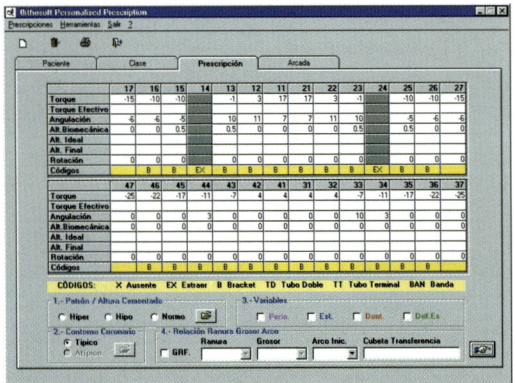

Fig. 8-70 Orthosoft Personalised Prescription. En la pantalla de PRESCRIPCIÓN (tercera pantalla) se calcula la prescripción que se realizará para el paciente (ver texto) (cedida por Dr. Ojeda Perestelo)

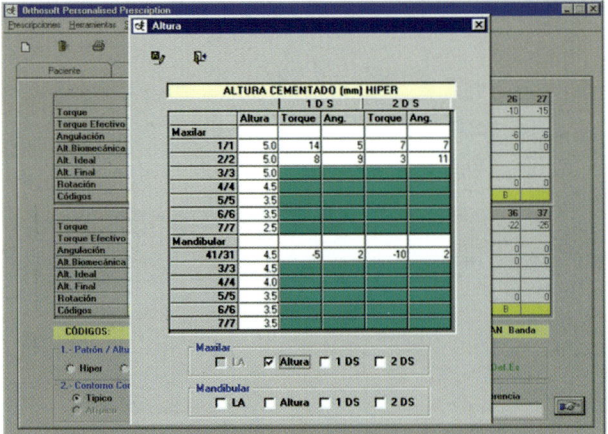

Fig. 8-71 Orthosoft Personalised Prescription. Altura de cementado según tipo facial (cedida por Dr. Ojeda Perestelo)

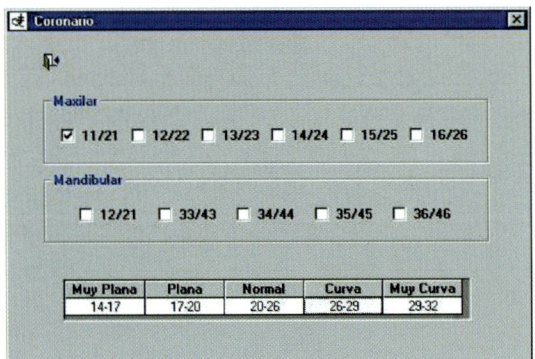

Fig. 8-72 Orthosoft Personalised Prescription. Cálculo del torque según el contorno coronario (cedida por Dr. Ojeda Perestelo)

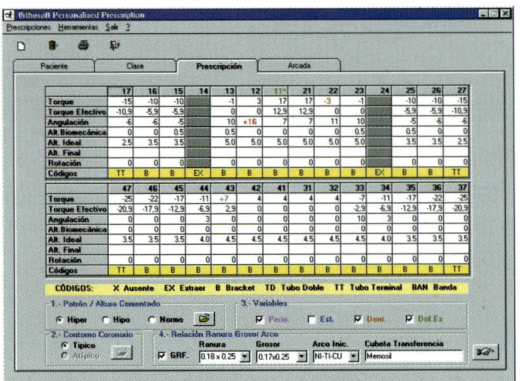

Fig. 8-73 Orthosoft Personalised Prescription. Una vez introducidos todos los datos, OPP calcula la pérdida de prescripción según el tipo de ranura y la sección del arco (cedida por Dr. Ojeda Perestelo)

Una vez introducidos los datos de interés de nuestro paciente y el tipo de cementado, comenzamos con la planificación de nuestra prescripción, en función de las necesidades del caso.

En la segunda pantalla del programa (fig. 8-69), llamada Clase, estudiaremos:

A. Variaciones esqueléticas

Introduciendo la clase esquelética de nuestro paciente, OPP le definirá el torque y la angulación compensatorio tanto para la clase III, II o I.

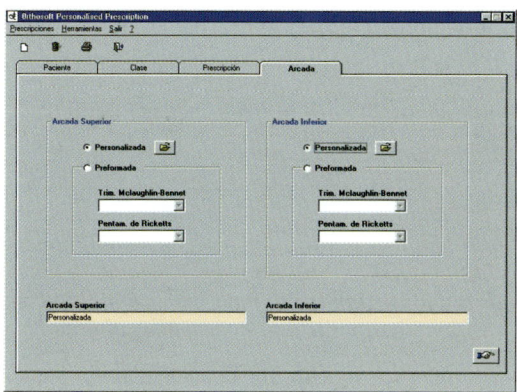

Fig. 8-74 Orthosoft Personalised Prescription. Pantalla de selección de la forma del arco (cedida por Dr. Ojeda Perestelo)

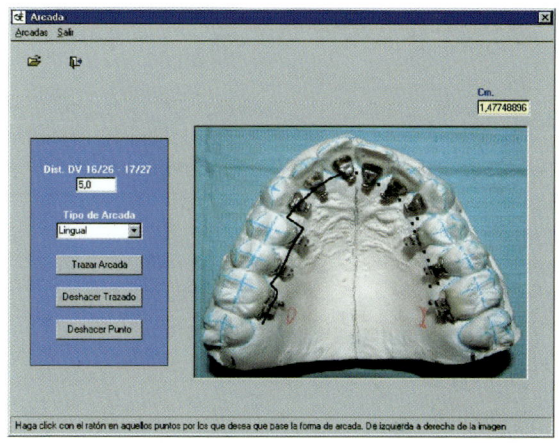

Fig. 8-75 Orthosoft Personalised Prescription. Dibujando la forma del arco (cedida por Dr. Ojeda Perestelo)

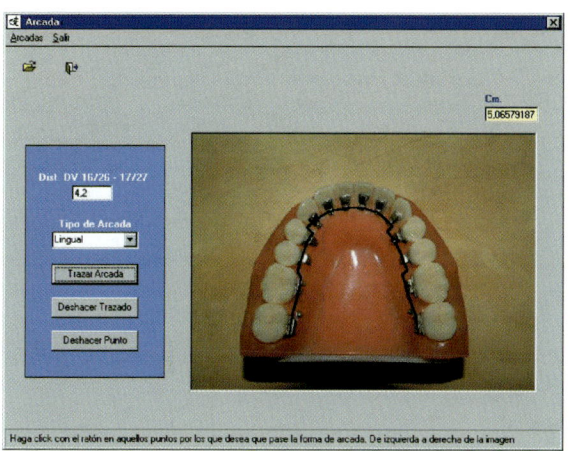

Fig. 8-76 Orthosoft Personalised Prescription. Forma del arco dibujada (cedida por Dr. Ojeda Perestelo)

B. Variaciones biomecánicas

En función del tipo de anclaje (máximo o moderado) y las posibles extracciones indicadas (simétricas o asimétricas), OPP le calculará los torques e inclinaciones extras debido a los movimientos dentarios.

Los valores calculados se pueden ver en la tercera pantalla del programa, llamada Prescripción (fig.8-70), en una tabla denominada de "Prescripción variable Básica", donde podemos ir introduciendo otros aspectos de interés sobre el caso como: torque efectivo, altura de cementado, rotaciones, contorno coronario y defectos del esmalte.

En la tabla de Prescripción Variable Básica aparecen los torques y angulaciones calculados de acuerdo con los datos de las pantallas anteriores y, además, pueden ser modificados teniendo en cuenta:

C. El patrón neuro-muscular

Se han definido dos patrones neuro-musculares (hiper ó hipo-divergente) con sus recomendaciones de altura de cementado y/o de torque y angulación con una y dos desviaciones estándar tanto para el maxilar superior como para la mandíbula (fig. 8-71).

D. El contorno coronario

El contorno coronario se ha definido como típico o atípico. En caso de que el contorno de sus coronas sean planas (típico) o curvas (atípico), con la consecuente afectación en el torque, OPP realiza el cálculo compensatorio en su torque prescrito para esa forma de corona (fig. 8-72).

E. El resto de variables

OPP ofrece la posibilidad de realizar todas las modificaciones que el ortodoncista considere indicadas por criterios periodontales, estéticos, dentarios o defectos que presente el esmalte y que puedan influir sobre el cementado. Cada una de estas variables está identificada con un código de colores que le facilitará al ortodoncista recordar las causas de sus modificaciones. Estas modificaciones son libres.

Por último OPP calculará la pérdida de prescripción teniendo en cuenta la dimensión del slot que se utilizará (.018" ó .022") y el calibre del arco de finalización, pudiendo introducir además el tipo de cubeta de transferencia y el arco de iniciación que se van a utilizar.

Finalmente OPP presenta una tabla resumen de todos los datos obtenidos (fig. 8-73).

Diseño de la forma de arcada

A. Forma de arcada vestibular

OPP permite la posibilidad de registrar la forma de arcada de una manera preformada o personalizada.

Arcada preformada: El ortodoncista sólo tiene que seleccionar aquella forma de arcada que mejor ajuste a su caso, o sea, tiene que elegir las plantillas trimórficas de McLaughlin-Bennet o las plantillas pentamórficas de Ricketts (fig. 8-74).

B. Forma de arcada lingual

Una vez introducida la imagen de la arcada preferentemente con cámara digital (Resolución 640x480), se introduce la distancia intermolar en centímetros para ajustar las medidas de la imagen. Procedemos al trazado de nuestra arcada marcando los puntos por donde el ortodoncista quiere que pase el arco. Disponemos de un contador en cm que nos va informando de la distancia existente entre un punto y otro para ajustar nuestros insets a los diferentes espesores dentarios (figs. 8-75 y 8-76).

Por último, OPP presentará un informe resumen del caso incluyendo la prescripción calculada y con sus formas de arcadas impresas en relación 1:1 (figs. 8-73, 8-75 y 8-76).

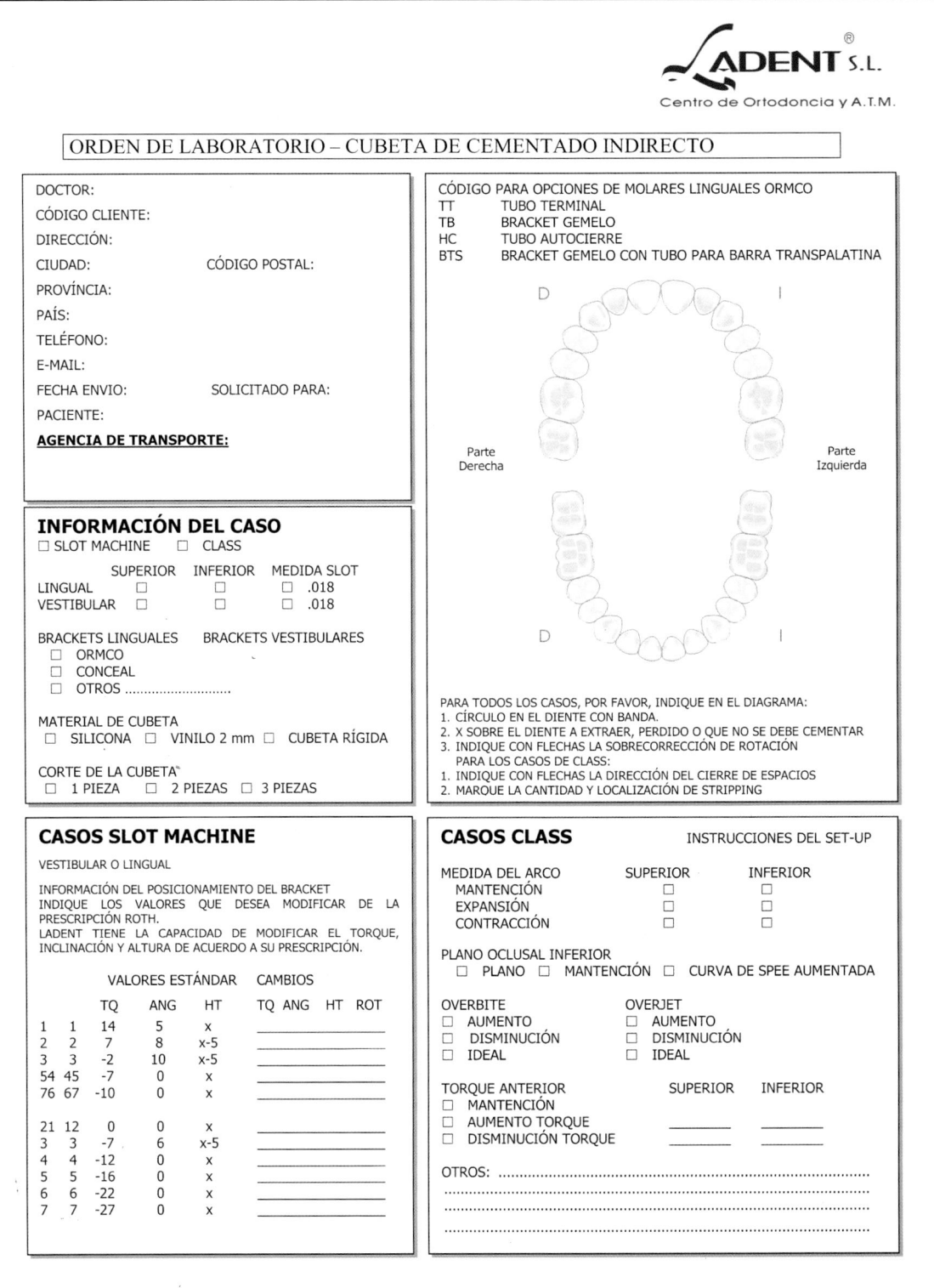

Capítulo 8

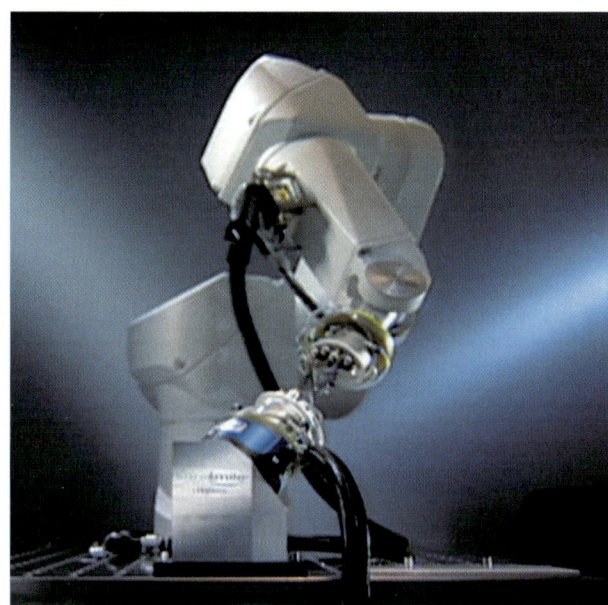

Fig. 8-56A Robot para doblar arcos y tratamiento térmico: New Orametrix bending robot (Orametrix, Dallas, U.S.A.)

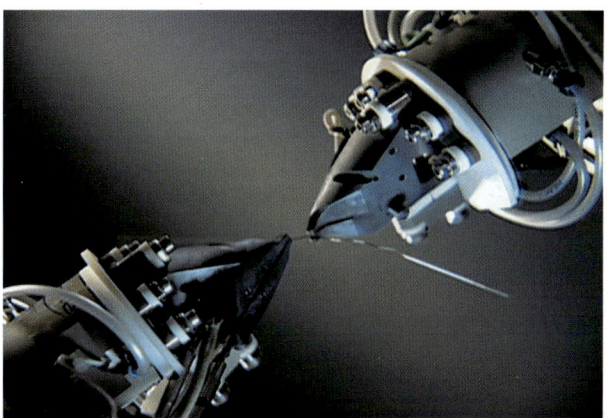

Fig. 8-56 B Robot para doblar arcos y tratamiento térmico: New Orametrix bending robot (Orametrix, Dallas, U.S.A.)

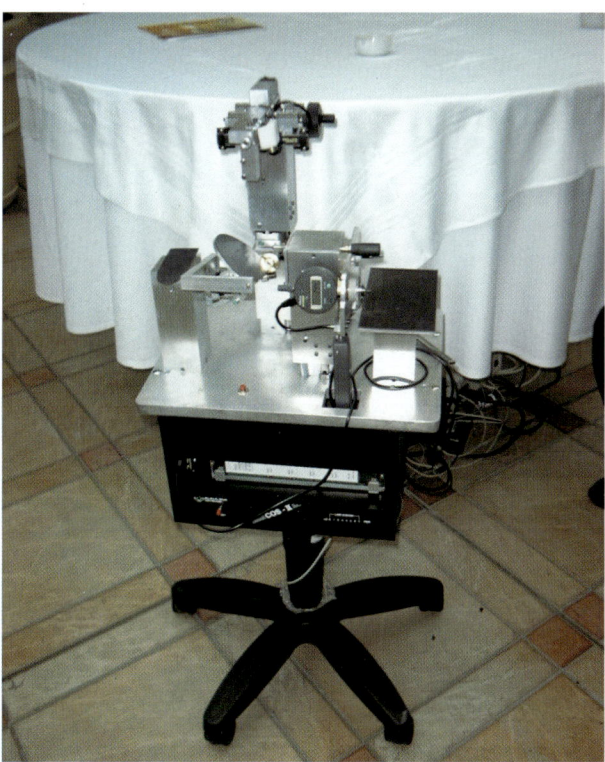

Fig. 8-57 Bracketron - Instrumento de precisión para el posicionamiento de brackets en el laboratorio diseñado por el Dr. Fontenelle, vista completa

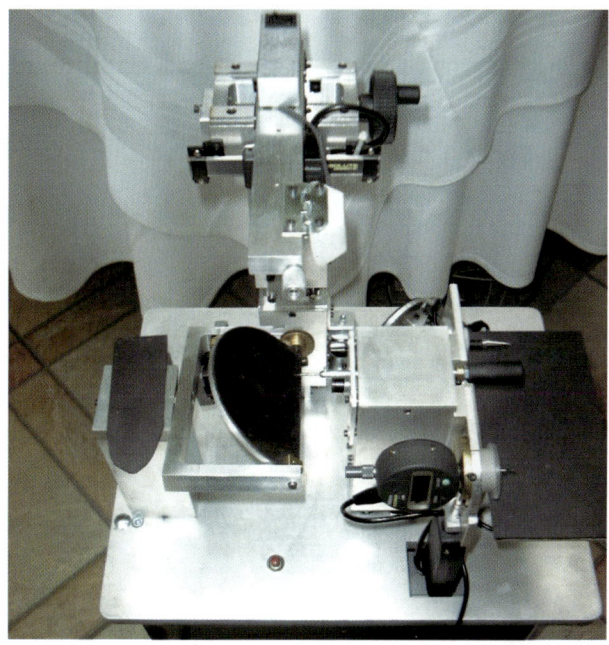

Fig. 8-58 Bracketron - Instrumento de precisión para el posicionamiento de brackets diseñado por el Dr. Fontenelle, detalle

Fig. 8-59 Bracketron - Pie de rey electrónico adaptado para la medición de la altura de modelos

más tiene una base de datos con las posiciones de cada bracket que posiciona y puede reproducirlas, por lo que resulta muy útil para recementados.

El Bracketron tiene además un pie de rey electrónico adaptado para la medición de la altura de modelos conectado también con el ordenador (fig. 8-59).

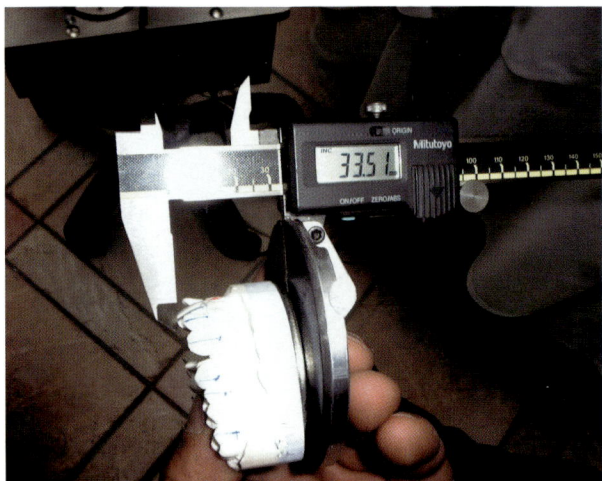

Fig. 8-60 Bracketron - Midiendo la altura desde la base del modelo hasta el borde incisal de cada diente. La interfase con el ordenador permite introducir directamente la medición en la base de datos. De la misma forma se mide la distancia desde la base del modelo hasta el margen gingival de cada diente

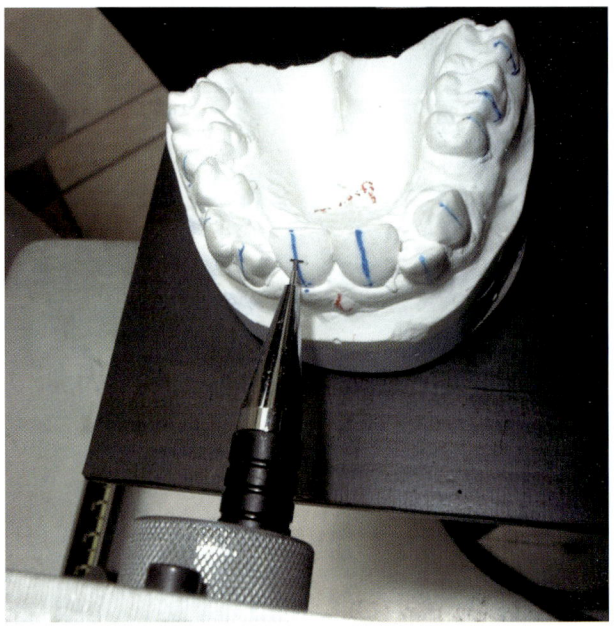

Fig. 8-61 Bracketron - La máquina puede calcular el centro de la corona clínica y marcar una línea en el diente del modelo (vista oclusal). Para calcular el centro de la corona clínica se basa en las distancias medidas desde la base del modelo hasta el borde incisal y el margen gingival. El lápiz es fijo, pero el modelo se fija a una base que tiene movimientos verticales programados a la distancia requerida

Fig. 8-62 Bracketron - La máquina puede calcular el centro de la corona clínica y marcar una línea (vista vestibular indirecta con un espejo del instrumento)

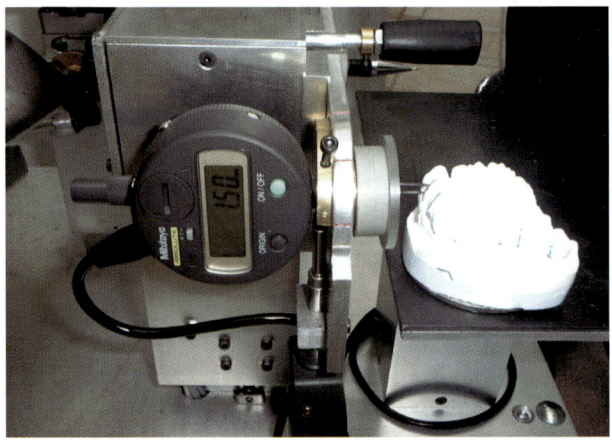

Fig. 8-63 Bracketron - Se traslada al modelo a la segunda platina que mediante 2 agujas mide el torque y la inclinación del diente

Siguiendo su protocolo, se comienza trazando los ejes longitudinales de las coronas en el modelo y midiendo la altura desde la base del modelo hasta el borde incisal y el margen gingival de cada diente (fig. 8-60). La interfase con el ordenador permite introducir directamente las mediciones obtenidas en la base de datos simplemente presionando una tecla en el pie de rey.

A partir de estas mediciones, el Bracketron puede calcular el centro de cada corona clínica y marcar una línea en cada diente del modelo (fig. 8-61 y 8-62) con un portaminas del aparato. El lápiz está fijo en el aparato, pero el modelo se fija a una base que tiene movimientos verticales que el ordenador programa a la distancia requerida.

Se traslada al modelo a la segunda platina con movimientos en varios ejes, que mediante 2 agujas móviles que se apoyan en el eje de la corona del diente, mide el torque y la inclinación del diente (fig. 8-63). Estos datos también son archivados en la base de datos.

Se traslada el modelo a la tercera platina que se orienta según el torque y la inclinación del diente (tomado antes). Si está indicado se puede modificar el torque o la inclinación a través del ordenador. Esta platina orienta el modelo como si se hubiera hecho un modelo set-up.

Slot Machine. Confección de bandas para ortodoncia lingual

9

- Descripción de la Slot Machine 145
- Accesorios de la Slot Machine 146
- Posicionamiento de los brackets en el modelo 149
  - Posicionamiento de canino a canino 150
  - Posicionamiento de premolares y molares 157
- Confección de bandas para técnica lingual 159
- Confección de carillas estéticas para las bandas 161
- Confección de pónticos estéticos para espacios de extracción 161

Descripción de la Slot Machine

La Slot Machine (figs. 9-01 y 9-02), diseñada por el Dr. Thomas Creekmore entre 1989 y 1993, es un instrumento de precisión para el posicionamiento de brackets vestibulares o linguales directamente sobre el modelo original, permitiendo la modificación de cualquiera de los parámetros de los brackets de acuerdo con las necesidades del caso.

Originalmente diseñada para brackets vestibulares y brackets linguales de slot vertical, el Dr. Echarri ha diseñado accesorios para la utilización de brackets linguales de slot horizontal.

Se debe entender a la Slot Machine como un instrumento que puede mantener fijo el plano por donde pasa el arco o L.A. PLANE (Andrews) y posicionar los brackets sobre el modelo de tal forma que cuando todos los brackets estén ligados a un arco ideal que ocupe completamente los slots (arco de plena talla), los dientes se encuentren también en la posición ideal.

El procedimiento consiste en posicionar tridimensionalmente los dientes y luego aproximar el bracket al diente, lo máximo posible, orientando el slot con respecto al L.A. PLANE de Andrews y adaptar la base del bracket al diente con una «cuña» o «almohadilla» de composite. De esta forma se consigue una base hecha a medida para cada bracket, la cual se adapta perfectamente al diente y orienta el slot con la prescripción indicada.

Tal y como veremos, también es posible realizar variaciones en la prescripción de los brackets, si el caso así lo requiere, tal como han establecido Creekmore y Kunik.

La Slot Machine consta de las siguientes partes:

1. Una **base del soporte de modelos**. Mediante dos tornillos permite desplazar el «soporte de modelos» de derecha a izquierda o de adelante a atrás (figs. 9-01 y 9-02).

2. Un **soporte de modelos** que se puede orientar en todos los planos del espacio por su forma especialmente diseñada para tal fin. Esta forma, diseñada por Creekmore, permite que el modelo rote en todos los planos según diferentes ejes. Uno de los movimientos más interesantes es la rotación con un centro de rotación situado en el punto de contacto del posicionador dental con el borde incisal del diente. La gran ventaja de este sistema frente a la articulación de esfera en la base del modelo de otros aparatos, es que se puede modificar un solo parámetro (rotación, inclinación, torque) sin variar los demás parámetros (figs. 9-01 y 9-02).

   El soporte de modelos también permite ajustar la altura mediante un tornillo.

   El modelo se fija a la platina-soporte con una masilla especial.

3. Una **torre vestibular** que aloja los posicionadores dentales, accesorios de rotación, altura e inclinación y la pinza para técnica vestibular (figs. 9-01 y 9-02).

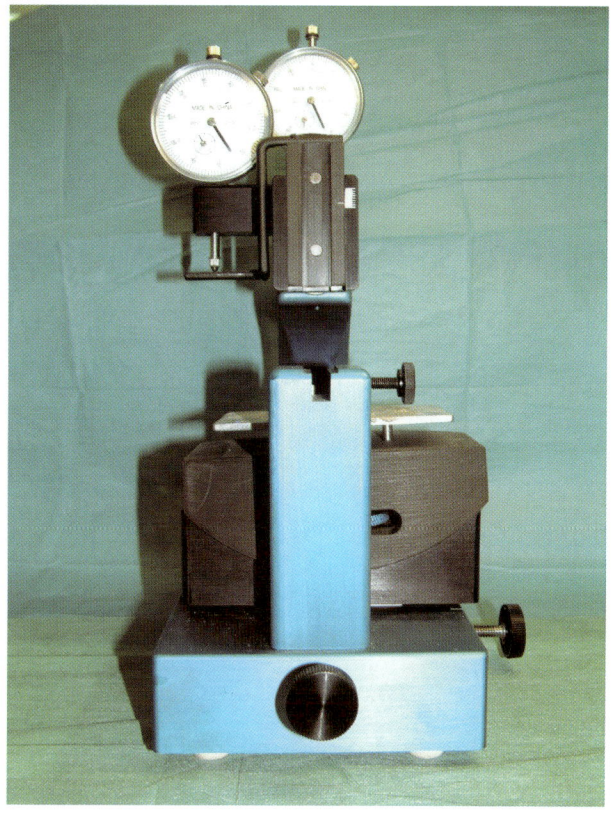

Fig. 9-01 Slot Machine, vista frontal

Fig. 9-02 Slot Machine, vista lateral

Fig. 9-03 Medidor de altura de cementado de los brackets linguales

Fig. 9-04 A Medidor de in-out de cementado de los brackets linguales

Fig. 9-04 B Vista lateral con el tornillo para el movimiento de in-out del cementado de los brackets linguales. Se observa también el medidor de esfera de este movimiento

4. Una **torre lingual** para sujetar la pinza en técnica lingual. Esta torre contiene dos tornillos micrométricos que permiten modificar y medir variaciones de altura o de in-out en el plano del arco ideal de técnica lingual (AITL) (figs. 9-01 y 9-02). La torre lingual tiene dos medidores: el medidor de altura (fig. 9-03) y el medidor de in-out (fig. 9-04A). En la figura 9-04B se observa una vista lateral de la torre lingual con el medidor de esfera de in-out, el medidor lineal de in-out (en el tubo horizontal plateado con escala) y el tornillo posterior a la torre que permite el movimiento de in-out.

Todos los brackets deberían posicionarse con el mismo in-out y altura para poder utilizar un arco recto. Cuando por cualquier motivo no se pueden posicionar los brackets con uniformidad de estos parámetros, se deberán realizar dobleces de compensación de primer orden en el arco.

Accesorios de la Slot Machine

1. Posicionadores Dentales. Se utilizan para posicionar tridimensionalmente los dientes. Son diferentes para cada diente y cada prescripción ya que permiten posicionar el diente en altura, in-out, inclinación mesiodistal y torque. Principalmente disponemos de posicionadores de prescripción Roth para dientes superiores en azul (fig. 9-05A), posicionadores de prescripción Andrews para dientes superiores en amarillo (fig. 9-05B), posicionadores extratorque para incisivos superiores en naranja (fig. 9-05C), posicionadores de prescripción Roth para dientes inferiores en negro (fig. 9-05D), posicionador de prescripción Alexander para incisivos inferiores en rojo (fig. 9-05E). Además de los colores para diferenciar las prescripciones cada posicionador tiene grabado el diente al que corresponde para facilitar su identificación.

2. Accesorios de rotación. Permiten posicionar los dientes en cuanto a su rotación o modificarla en 2°, 4°, 6°, 8°, 12° tanto en mesio-rotación como en disto-rotación (fig. 9-6A).

3. Accesorios de altura. Permiten modificar la altura del slot en sentido gingival o en sentido incisal sin variar ningún otro parámetro (torque, etc.). Sólo se utiliza en

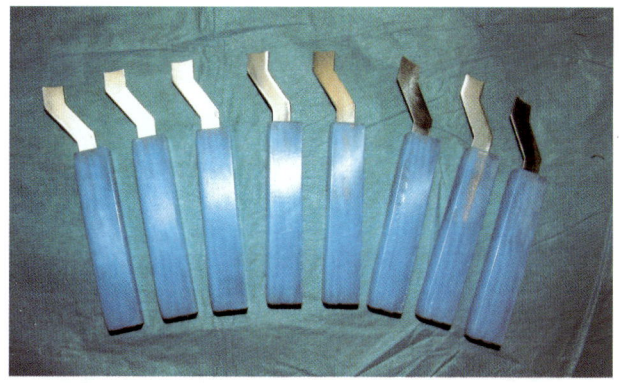

Fig. 9-05 A   Accesorios de la Slot Machine. Posicionadores de prescripción Roth para dientes superiores

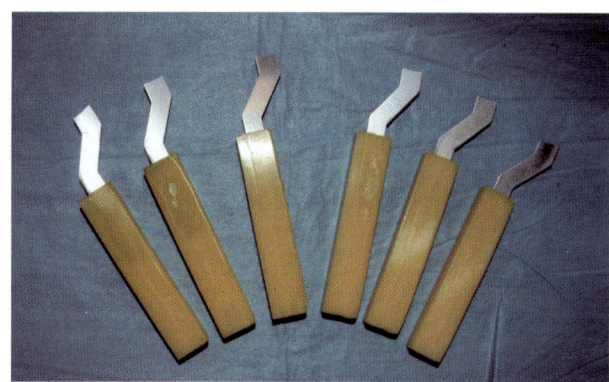

Fig. 9-05 B   Accesorios de la Slot Machine. Posicionadores de prescripción Andrews para dientes superiores

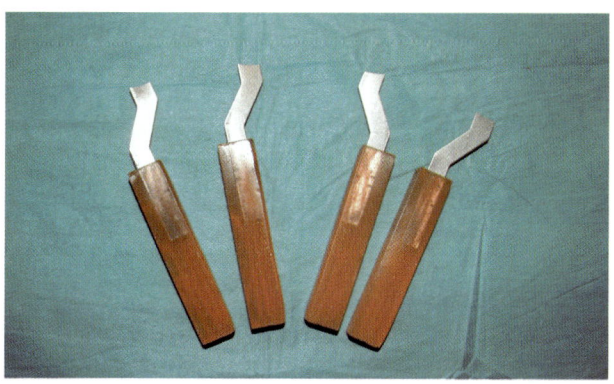

Fig. 9-05 C   Accesorios de la Slot Machine. Posicionadores de prescripción Extra-torque para incisivos superiores

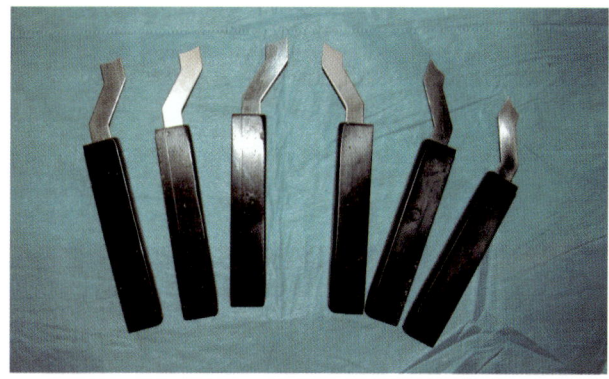

Fig. 9-05 D   Accesorios de la Slot Machine. Posicionadores de prescripción Roth para dientes inferiores

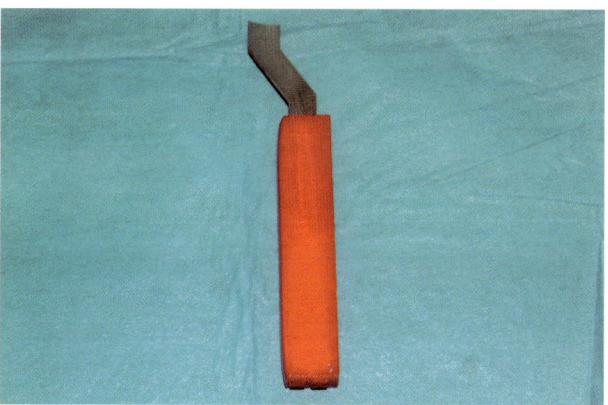

Fig. 9-05 E   Accesorios de la Slot Machine. Posicionador de prescripción Alexander para incisivos inferiores

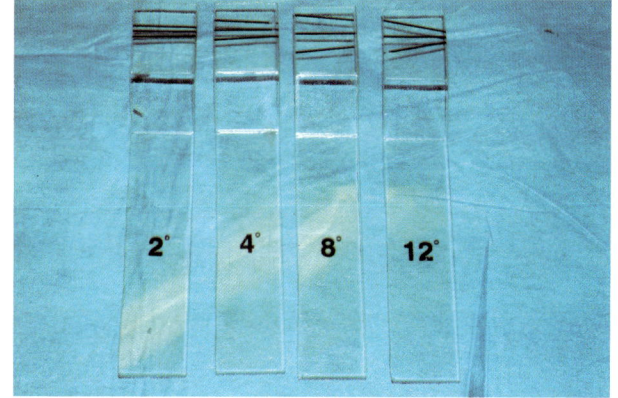

Fig. 9-06 A   Accesorios de la Slot Machine. Accesorios de rotación

técnica vestibular, ya que en técnica lingual existe un tornillo micrométrico para tal fin en la torre lingual (fig. 9-06B).

4. Accesorio de torque. Permite modificar el torque en un ángulo dado sin modificar los otros parámetros (diseñado por el Dr. Echarri) (fig. 9-06C).

5. Accesorios de Inclinación. Permiten modificar la inclinación en un ángulo dado en la técnica vestibular (se deben utilizar en conjunto con los accesorios de altura) (diseñados por el Dr. Echarri) (fig. 9-06D). Para modificar la inclinación en la técnica lingual también disponemos de la plantilla de 6° (diseñada por el Dr. Echarri) (fig. 9-06 E).

6. Pinza para brackets vestibulares y brackets linguales de slot vertical. Permite ocupar todo el Slot y posicionar el bracket con el Slot debidamente orientado (fig. 9-07 A y B).

7. Pinza para brackets linguales de slot horizontal. Esta pinza modificada por el Dr. Echarri per-

Fig. 9-06 B Accesorios de la Slot Machine. Accesorios de altura para técnica vestibular

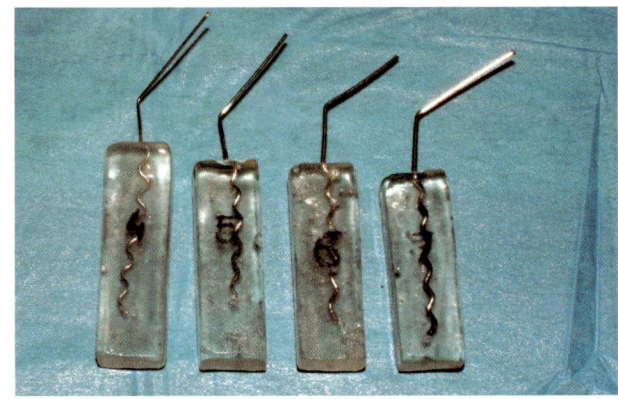

Fig. 9-06 C Accesorios de la Slot Machine. Accesorios de torque

Fig. 9-06 D Accesorios de la Slot Machine. Accesorios de inclinación utilizados en técnica vestibular

Fig. 9-06 E Accesorios de la Slot Machine. Plantilla de 6º para modificar la inclinación

Fig. 9-07 B Accesorios de la Slot Machine. Pinza original para brackets de slot vertical. En este caso con un bracket Conceal

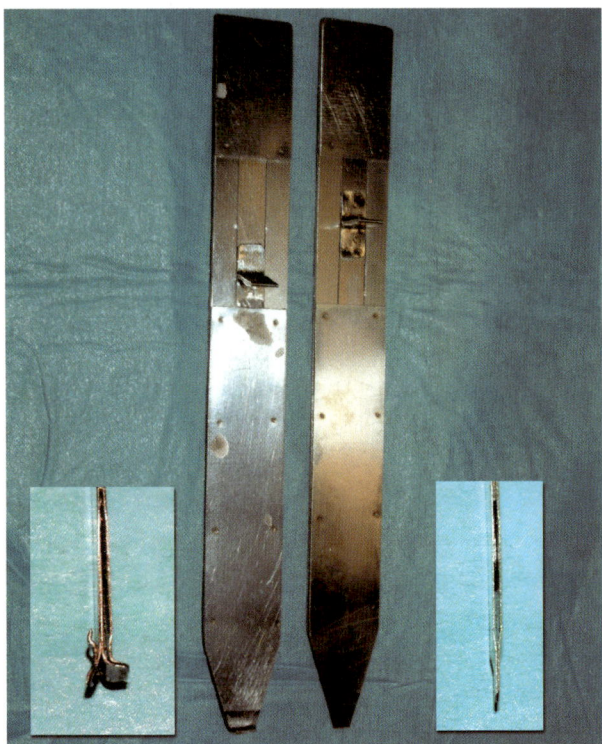

Fig. 9-07 A Accesorios de la Slot Machine. Pinza para brackets vestibulares y brackets linguales de slot vertical y pinza para brackets linguales de slot horizontal

mite posicionar brackets de slot horizontal utilizando la Slot Machine, en vez de ser utilizada sólo para brackets Conceal como era su diseño original (fig. 9-07A). En la figura 9-07C se observa la pinza con un bracket Kurz; en la figura 9-07D se observa la pinza con un bracket Adenta y en las figuras 9-07E y F se observan dos posibilidades de utilización con los brackets de Takemoto: sosteniendo el bracket por el slot y sosteniendo el bracket por el plano de mordida respectivamente.

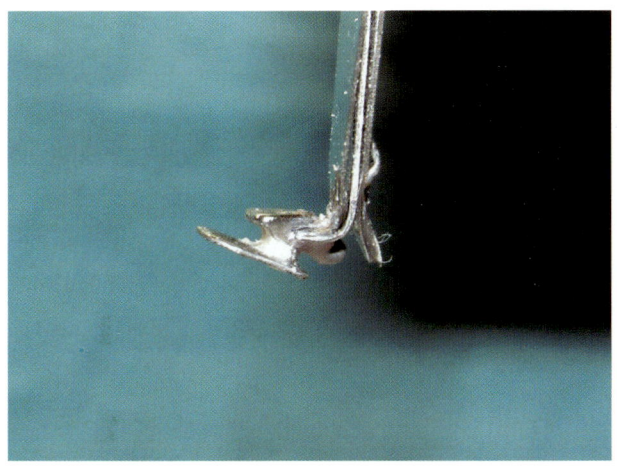

Fig. 9-07 C   Accesorios de la Slot Machine. Pinza modificada para brackets de slot horizontal. En este caso con un bracket Ormco

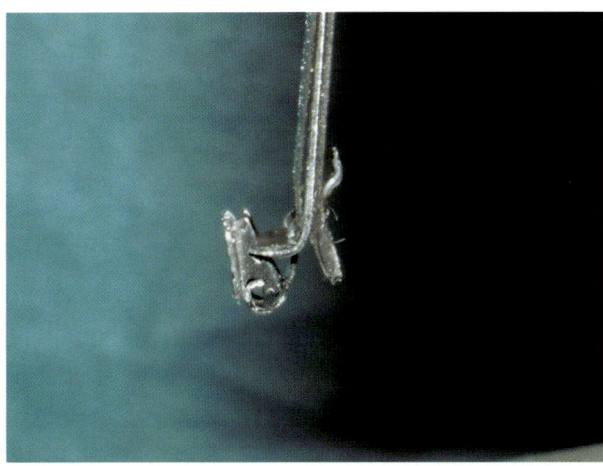

Fig. 9-07 D   Accesorios de la Slot Machine. Pinza modificada para brackets de slot horizontal. En este caso con un bracket Evolution LT

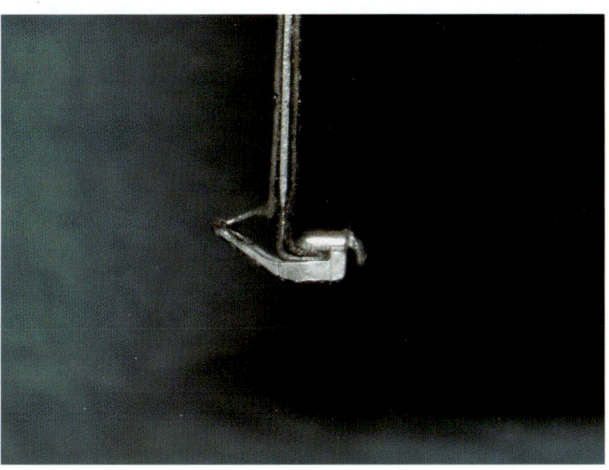

Fig. 9-07 E   Accesorios de la Slot Machine. Pinza modificada para brackets de slot horizontal. En este caso con un bracket Takemoto; 1ª posibilidad: la pinza sostiene el bracket por el slot

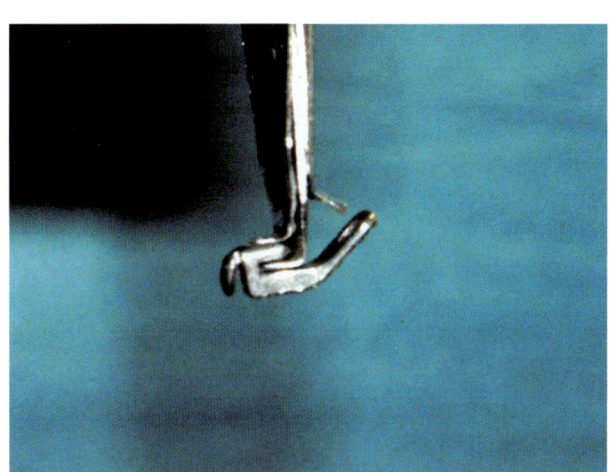

Fig. 9-07 F   Accesorios de la Slot Machine. Pinza modificada para brackets de slot horizontal. En este caso con un bracket Takemoto; 2ª posibilidad: la pinza sostiene el bracket por el plano de mordida

Posicionamiento de los brackets en el modelo

Se recorta el modelo adecuadamente y se pulen las imperfecciones (fig. 9-08).

Se dibujan los ejes de rotación. De canino a canino los ejes de rotación coinciden con los bordes incisales, y en las piezas posteriores, el eje de rotación se marca sobre las cúspides vestibulares y paralelo a los surcos medios de premolares y molares (fig. 9-09).

Se dibujan los ejes longitudinales (fig. 9-10). Se dibujan los ejes mayores corono-radiculares por lo que se deberán tener especialmente en cuenta las obturaciones o coronas protésicas que puedan modificar la forma original de la corona del diente y también se deben ir controlando con la ortopantomografía las posibles dilaceraciones corono-radiculares. Es conveniente que sea el

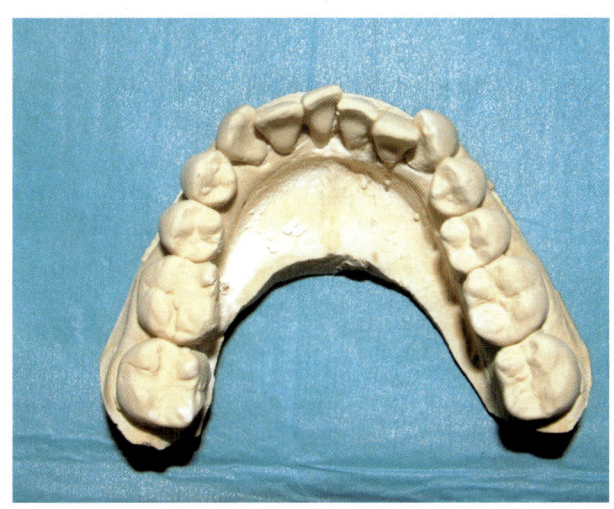

Fig. 9-08   Modelo inferior

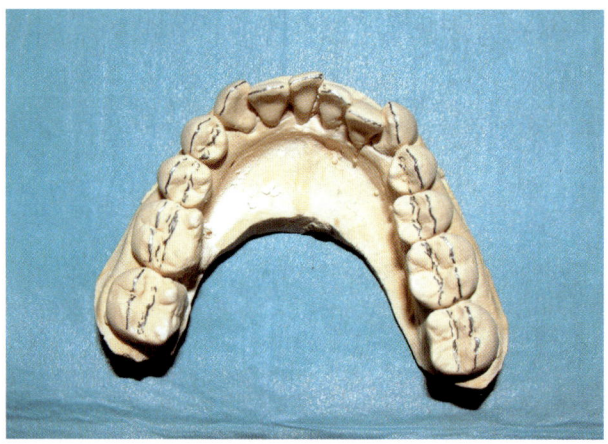

Fig. 9-09   Modelo inferior con los ejes de rotación trazados

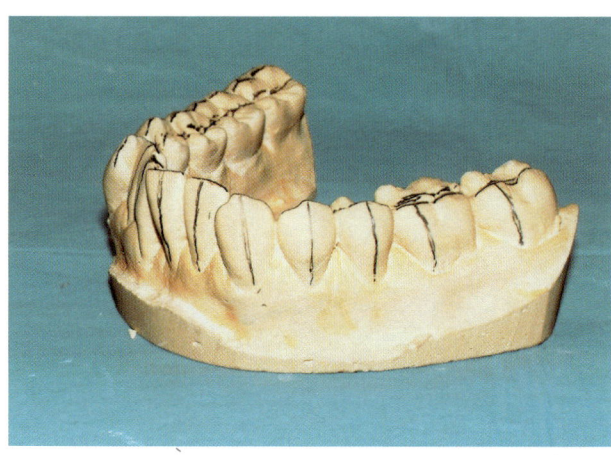

Fig. 9-10   Modelo inferior con los ejes longitudinales trazados

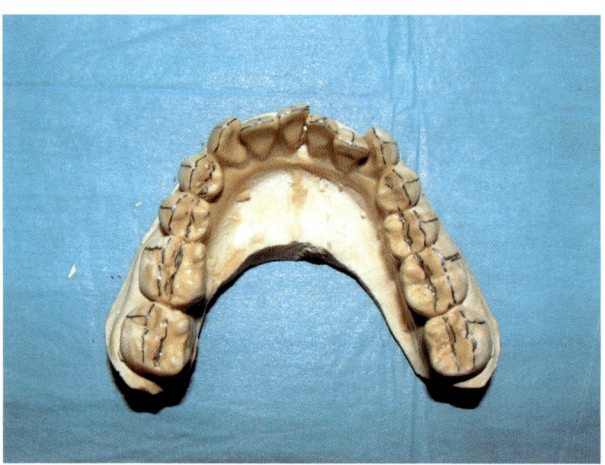

Fig. 9-11   Modelo inferior con separador de yeso en las caras linguales

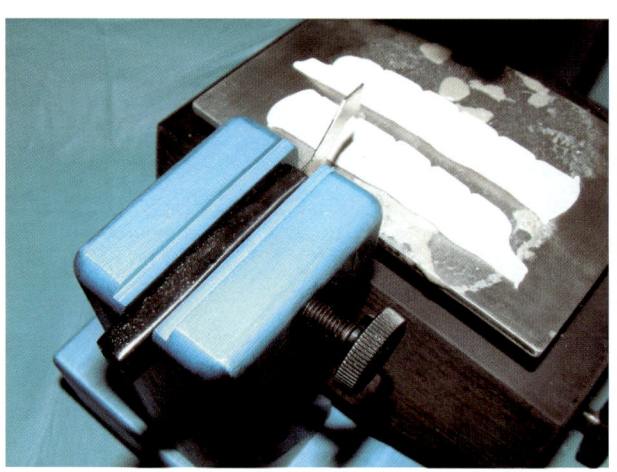

Fig. 9-12   Colocando el posicionador del canino inferior izquierdo en la torre lingual y fijándolo con el tornillo lateral de esta torre

ortodoncista quien dibuja los ejes antes de enviar el modelo al laboratorio.

Se pincela el modelo con separador de yeso (fig. 9-11). Los dientes son posicionados desde vestibular utilizando los posicionadores de la prescripción. Los brackets son posicionados desde el slot, a fin de orientarlo correctamente.

La torre lingual permite modificar el plano AITL (arco ideal de técnica lingual) en in-out y altura (mediante los dos tornillos micrométricos), en el momento de posicionar los brackets.

El objetivo es posicionar los brackets de canino a canino a la misma altura e in-out a fin de que el arco pueda ser recto en el frente anterior facilitando la fono-vocalización y permitiendo los movimientos mesio-distales que sean necesarios.

El espacio que pueda quedar entre la base del bracket y la cara lingual de los dientes es compensado con composite con el cual también se adapta la forma de la base del bracket a la anatomía dentaria que es muy irregular: cíngulos, crestas marginales, etc. («cuña» o «almohadilla»).

Posicionamiento de canino a canino

Se debe comenzar por los caninos ya que son los dientes de mayor espesor vestíbulo-lingual y por la forma irregular de sus cíngulos.

Para posicionarlos se fija el posicionador de ese diente en la torre vestibular y se aprieta el tornillo lateral para inmovilizarlo (fig. 9-12). Se fija el modelo a la platina-soporte con la masilla en la posición más cercana posible entre el diente y el posicionador. A continuación ajustando la posición de la base con los tornillos y rotando la base de modelos se hará coincidir el posicionador con el eje corono-radicular y se nivela el borde incisal con el posicionador (fig. 9-13). Al ajustar el posicionador al eje dibujado en el diente, estamos ajustando la prescripción de inclinación. Al tocar el diente con los extremos incisal

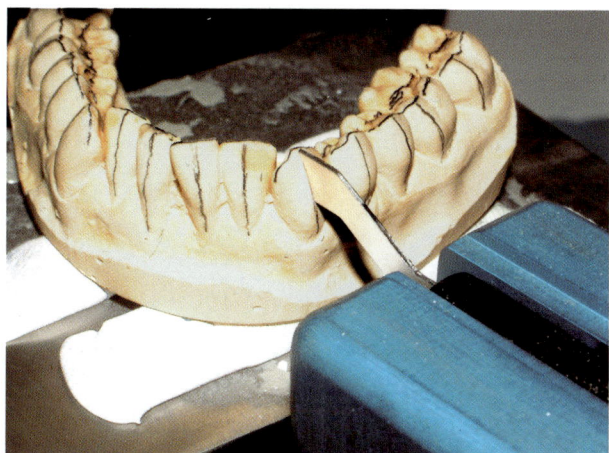

Fig. 9-13   Se fija el modelo a la platina con la masa especial y se orienta la platina hasta hacer coincidir el eje mayor trazado en el diente con el posicionador. También se debe nivelar el borde incisal del diente con el borde incisal del posicionador

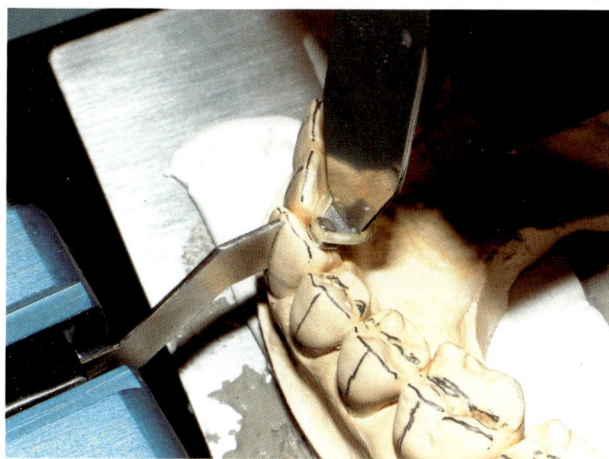

Fig. 9-15   Se fija el bracket lingual del canino a la pinza y la pinza en la torre lingual de la Slot Machine. Con los tornillos de in-out y altura de la pinza lingual se posiciona el bracket en la cara lingual del canino en la mejor posición posible, pero no se cementa todavía

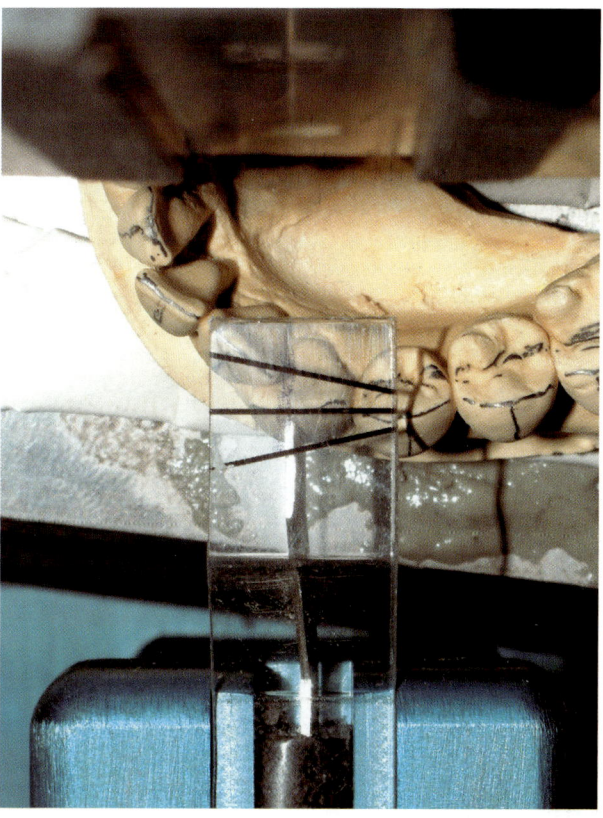

Fig. 9-14   Se ajusta el eje de rotación trazado en el diente con el accesorio de rotación, movimiento la platina

Fig. 9-16   Se toma nota de la altura de cementado

y gingival del posicionador, estamos ajustando el torque. Al nivelar el posicionador y el diente, estamos ajustando la altura (los posicionadores tienen en cuenta la altura mayor en caninos y la altura menor de los incisivos laterales superiores, por lo que los brackets linguales luego se posicionan a la misma altura manteniendo estas proporciones).

Colocando el accesorio de rotación sobre el posicionador en la torre vestibular, se gira la base de modelos hasta que el eje de rotación coincide con el eje del accesorio de rotación (fig. 9-14). Si no se quiere modificar la rotación, se utiliza el eje central de cualquiera de los accesorios de rotación. De esta forma ajustamos la prescripción de rotación.

Una vez posicionado uno de los caninos en la Slot Machine (eje mayor, altura, torque, inclinación y rotación) se pone el bracket en la pinza y se comprueban los parámetros más favorables para cementar el bracket de altura e in-out en la torre lingual: el mínimo in-out y la posición más gingival posible respetando los tejidos gingivales. Estos parámetros se miden con los medidores de esfera (figs. 9-16 y 9-17).

No se cementa el bracket en el modelo pero se toma nota de los parámetros en la tabla de valores del laboratorio (figs. 9-18 y 9-19).

Fig. 9-17 Se toma nota del in-out de cementado

	Altura	In-out
31		
32		
33	0,25	1,05
34		
35		
36		

Fig. 9-19 Se registran los valores de altura e in-out de cementado en la tabla de valores del laboratorio

Paciente					
Doctor			Fecha		
Pieza	Altura	In-out	Rotación	Inclinación	Torque
11					
12					
13					
14					
15					
16					
17					
21					
22					
23					
24					
25					
26					
27					
31					
32					
33					
34					
35					
36					
37					
41					
42					
43					
44					
45					
46					
47					

Tipo de cubeta

Observaciones

Fig. 9-18 Tabla de valores de cementado del laboratorio

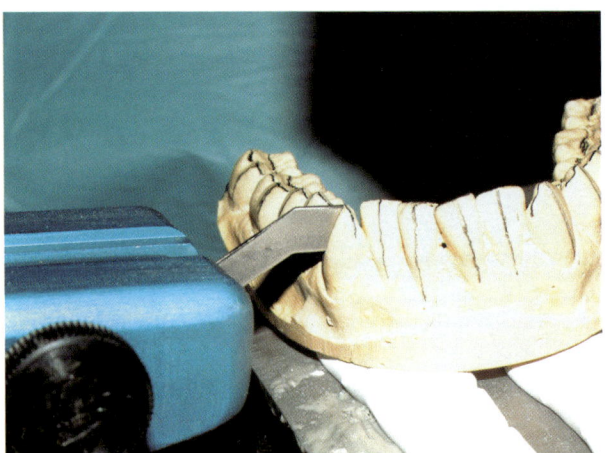

Fig. 9-20 Se posiciona el modelo haciendo coincidir el eje mayor del canino inferior derecho con su posicionador y se nivela la altura

Se procede de la misma forma con el otro canino para comprobar ambos parámetros (altura e in-out) del canino contralateral (figs. 9-20 a 9-24).

Fig. 9-21 Se ajusta el eje de rotación del diente con el accesorio de rotación

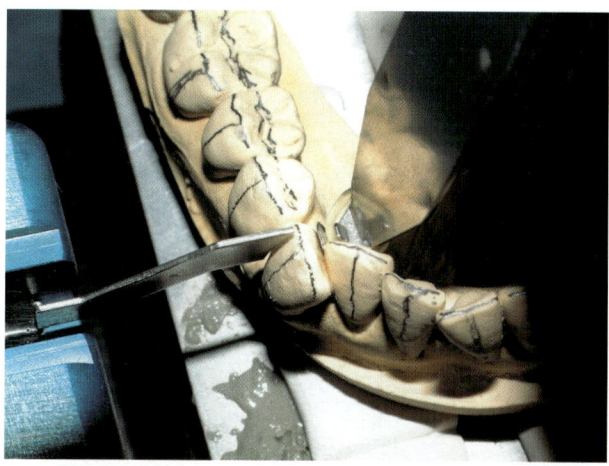

Fig. 9-22   Se posiciona el bracket lingual del canino derecho de la misma forma que el izquierdo, pero no se cementa todavía

Fig. 9-23   Se toma nota de la altura de cementado

Fig. 9-24   Se toma nota del in-out de cementado

ADENT S.L.
Centro de Ortodoncia y A.T.M.

	Altura	In-out
31		
32		
33	0,25	1,05
34		
35		
36		
37		
41		
42		
43	0,36	1,07

Fig. 9-25   Se registran los valores de altura e in-out de cementado en la tabla de valores del laboratorio

ADENT S.L.
Centro de Ortodoncia y A.T.M.

	Altura	In-out
31		
32		
33	0,36	1,07
34		
35		
36		
37		
41		
42		
43	0,36	1,07

Fig. 9-26   Se escogen los valores menos favorables de altura e in-out entre los valores registrados al posicionar los brackets de ambos caninos, que son los valores mayores registrados porque son las posiciones más alejadas del diente

Se comparan los valores de in-out y altura calculados para cada canino (fig. 9-25) y se toman como valores de cementado los más desfavorables (fig. 9-26). Como las mediciones de in-out y altura de la Slot Machine aumentan su valor cuando separamos el bracket del diente (in-out) y cuando acercamos el bracket al borde incisal, las mediciones más desfavorables son las de mayor valor numérico, y estas son las que se deben seleccionar para cementar ambos caninos y también todos los incisivos.

Los brackets de caninos e incisivos se deben posicionar con los mismos parámetros de altura e in-out. Estos parámetros son técnicos y representan los dobleces que tendríamos que hacer en el arco: por ejemplo dos dientes cementados con los mismos parámetros pueden ser alineados y nivelados con un arco recto, pero dos dientes cementados con diferentes parámetros necesitarán dobleces de primer orden compensatorios en el arco para su alineación y nivelación.

Fig. 9-27   Se posiciona el canino inferior derecho con su posicionador

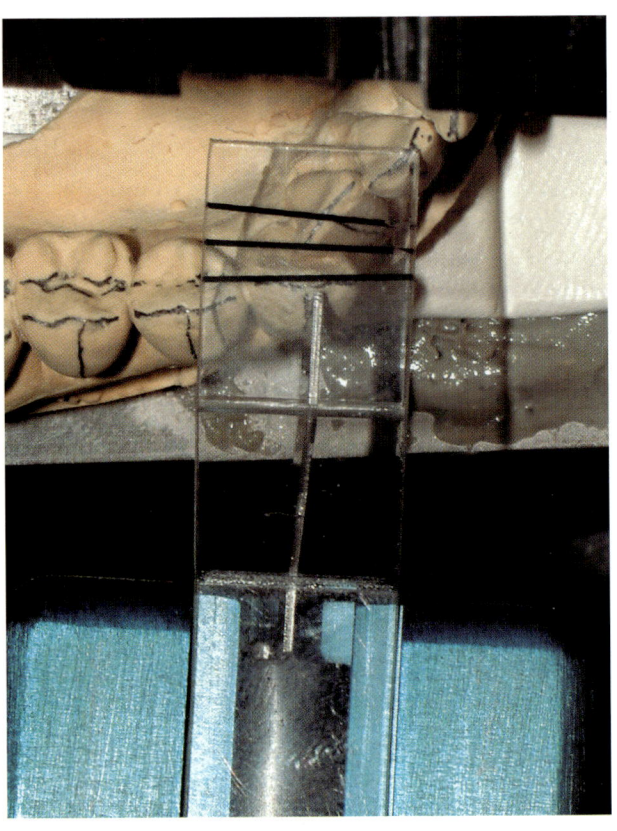

Fig. 9-28   Se ajusta la rotación del canino inferior derecho

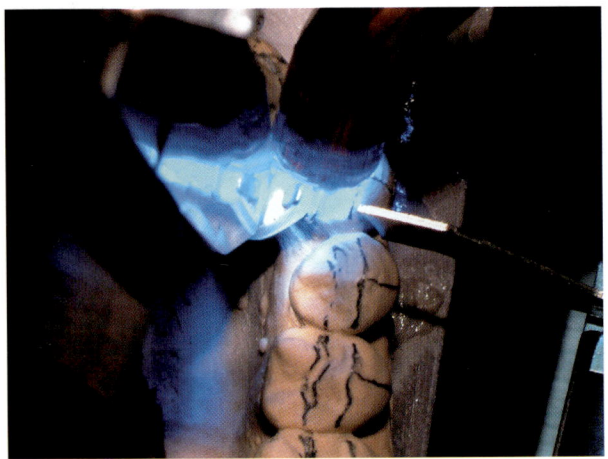

Fig. 9-29   Se posiciona el bracket del canino inferior derecho con los valores de in-out y altura seleccionados Se cementa con Light Bond, se eliminan los excesos de composite y se polimeriza con lámpara halógena

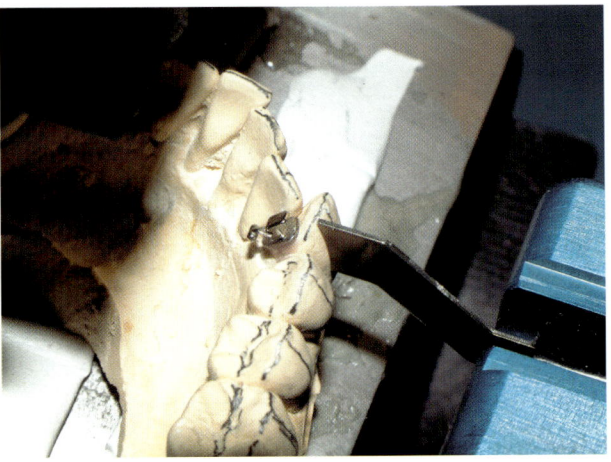

Fig. 9-30   El bracket del canino inferior derecho cementado

Para cementar los brackets al modelo una vez posicionado el diente y el bracket utilizamos la pasta de Light Bond (Reliance) y se polimeriza con luz halógena (figs. 9-27 a 9-30). Utilizando los posicionadores de cada diente y ajustando (altura, eje mayor y rotación) se cementarán todos los brackets de los seis dientes anteriores, adaptando las bases de los brackets a los dientes con composite («cuñas» o «almohadilla») (figs. 9-31 a 9-33).

Los brackets linguales de slot vertical (Conceal II de Creekmore Enterprises) se posicionan con la pinza original diseñada por el Dr. Creekmore y los brackets linguales de slot horizontal (Kurz de Ormco, etc.) se posicionan con la pinza diseñada por el Dr. Echarri.
En la tabla de valores del laboratorio se deben registrar los parámetros en que se han posicionado los brackets. Esto resulta imprescindible ya que la plantilla será utili-

Capítulo 9

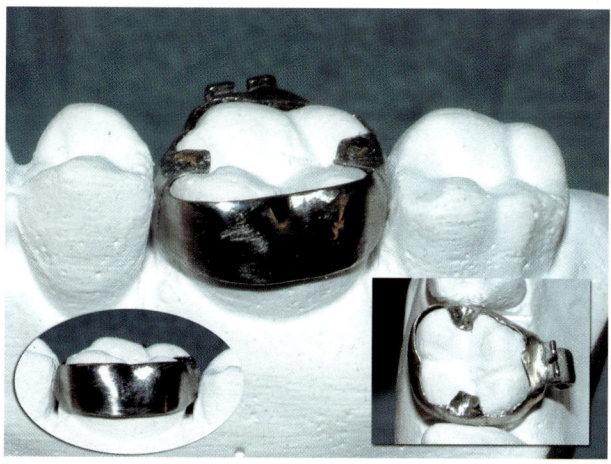

Fig. 9-48   Confección de la carilla estética 2: Banda terminada tipo Hamula

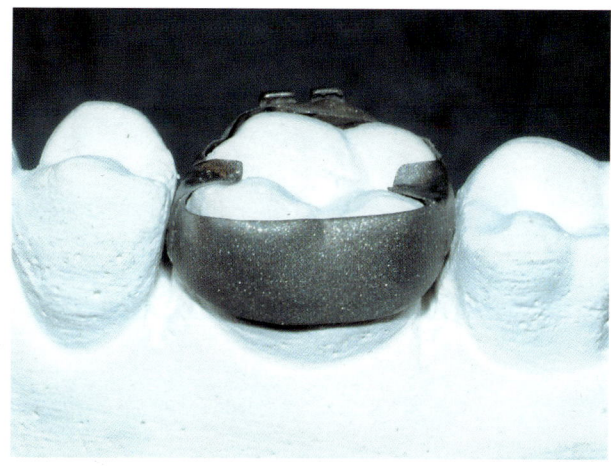

Fig. 9-49   Confección de la carilla estética 3: Banda arenada en la cara vestibular

Fig. 9-50   Confección de la carilla estética 4: Comparación de la cara vestibular de la banda antes y después de arenarla

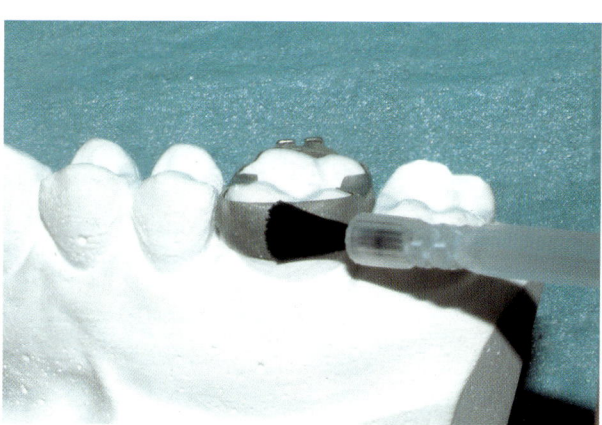

Fig. 9-51   Confección de la carilla estética 5: Pincelado con Metal Primer

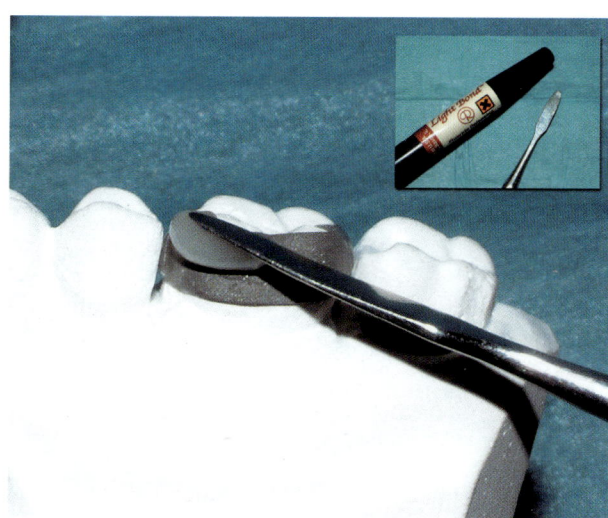

Fig. 9-52   Confección de la carilla estética 6: Confección de la carilla estética con composite fotopolimerizable

miento antes descrito. Se harán constar todos los valores de cementado en la tabla de valores del laboratorio (fig. 9-39).

Para enviar casos al laboratorio se deberá aportar la información solicitada en el formulario 1. La individualización de la prescripción será tratada en el capítulo 10. El laboratorio nos enviará un informe según el formulario 2.

Confección de bandas para técnica lingual

Se indica el uso de bandas sólo cuando utilizamos aparatos auxiliares con Péndulo, Disyuntor, etc. o frente a descementados reiterativos de los tubos molares. Cuando utilizamos bandas se realizará una carilla vestibular estética por encima de la banda.

En el laboratorio se adapta una banda tipo Hamula con soportes oclusales en mesial y distal (fig. 9-42). Estos

Fig. 9-53 Confección de la carilla estética 7: Carilla terminada

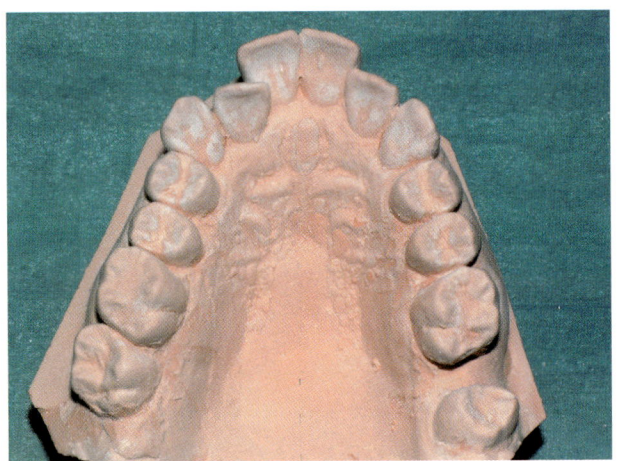

Fig. 9-54 Confección del póntico estético 1: Modelo inicial

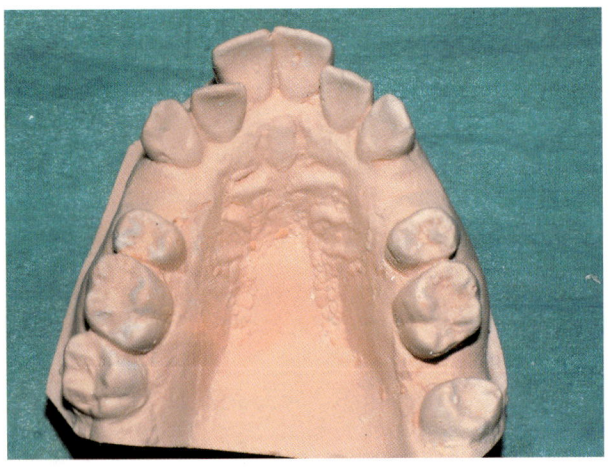

Fig. 9-55 Confección del póntico estético 2: Recorte de los dientes que se van a extraer

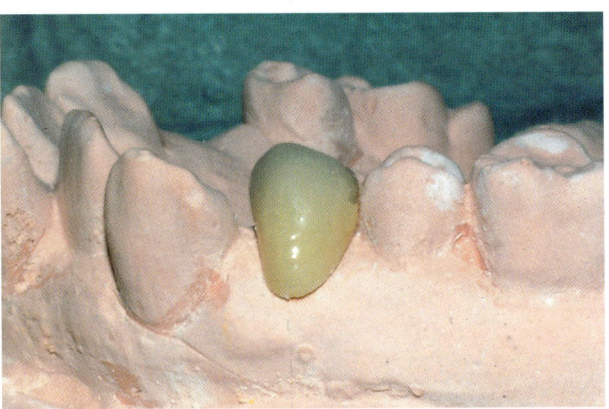

Fig. 9-56 Confección del póntico estético 3: Selección y ajuste del diente de prótesis, vista lateral

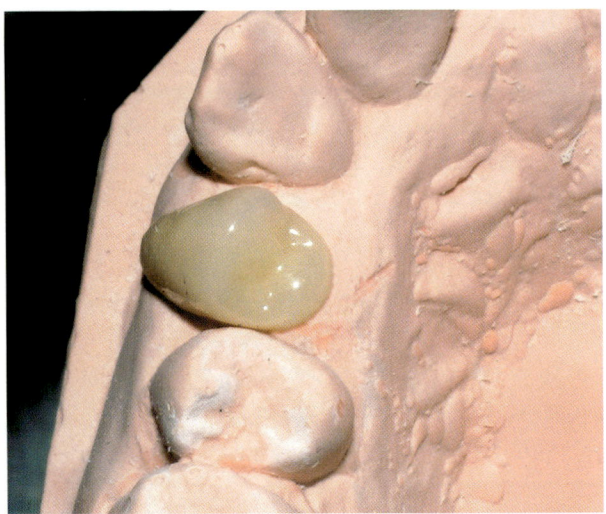

Fig. 9-57 Confección del póntico estético 4: Selección y ajuste del diente de prótesis, vista oclusal

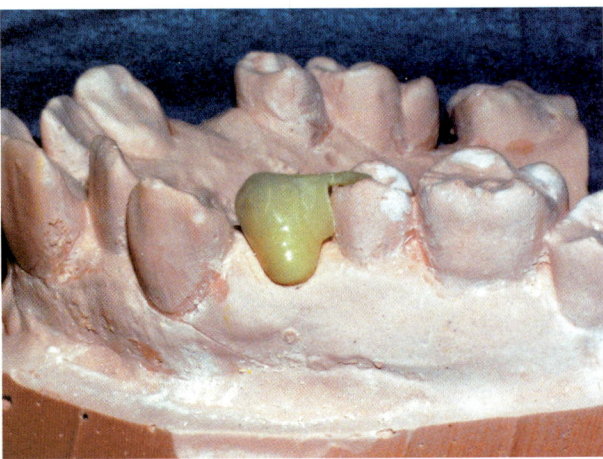

Fig. 9-58 Confección del póntico estético 5: Adaptación con resina del diente de prótesis al segundo premolar para aumentar la superficie de adhesión

soportes servirán para poder cementar la banda en boca exactamente en la misma posición en la que está en el modelo (ver cementado de bandas en el capítulo 12).

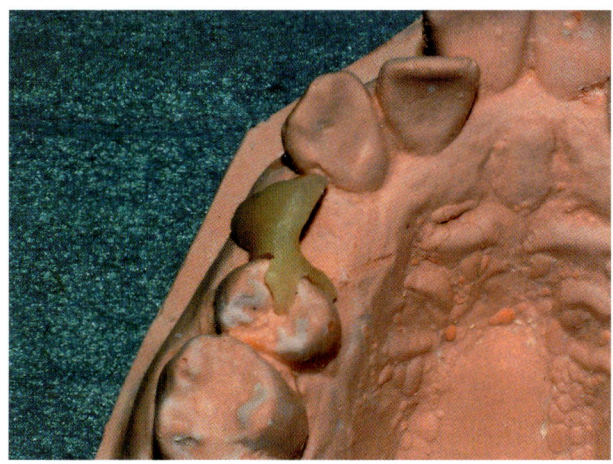

Fig. 9-59 Confección del póntico estético 6: Recorte del diente de prótesis dejando sólo la parte estética vestibular

Se posiciona el tubo molar en la banda utilizando la Slot Machine (figs. 9-43A y B).
Se fija el tubo a la banda utilizando los electrodos manuales de la soldadora de puntos (fig. 9-44).
Se bloquea el tubo molar con la pasta protectora de color (Dentaurum) para que la soldadura no corra hacia dentro del bracket (fig. 9-45).
Se suelda el bracket a la banda con un mini mechero (Dentaurum) y soldadura de plata (Universal Solder, White, Produits Dentaires, S.A., Suiza) (fig. 9-46).
Se eliminan los excesos de soldadura con una fresa y se pule con una goma (fig. 9-47).
Con este procedimiento nos aseguramos de la correcta posición del bracket en la banda y que la transferencia de esta prescripción a la boca del paciente se realice fácilmente y con precisión.

Confección de carillas estéticas para las bandas

Una vez terminada la banda (fig. 9-48), se debe arenar con la Microetcher y con óxido de aluminio de 50 micrones para aumentar la retención (fig. 9-49). Obsérvese en la figura 9-50 la comparación entre la banda antes y después de arenar.
A continuación se pincela la cara vestibular de la banda arenada con Metal Primer (fig. 9-51), se deja secar y se hace la carilla estética con composite fotopolimerizable (figs. 9-52 y 9-53).

Confección de pónticos estéticos para espacios de extracción

En el modelo terminado (fig. 9-54) se recortan los dientes que se van a extraer (fig. 9-55).
Se selecciona y se ajusta un diente de prótesis que tenga un tamaño adecuado (figs. 9-56 y 9-57). Se aplica separador de yeso al modelo y se adapta el diente de prótesis al segundo premolar con resina autopolimerizable para aumentar la superficie de adhesión (fig. 9-58). Para terminar se recorta la cara oclusal del diente, dejando exclusivamente la cara vestibular estética del póntico (fig. 9-59).

Slot Machine. Confección de bandas para ortodoncia lingual

| ORDEN DE LABORATORIO – CUBETA DE CEMENTADO INDIRECTO |

DOCTOR:
CÓDIGO CLIENTE:
DIRECCIÓN:
CIUDAD: CÓDIGO POSTAL:
PROVÍNCIA:
PAÍS:
TELÉFONO:
E-MAIL:
FECHA ENVIO: SOLICITADO PARA:
PACIENTE:
AGENCIA DE TRANSPORTE:

CÓDIGO PARA OPCIONES DE MOLARES LINGUALES ORMCO
TT TUBO TERMINAL
TB BRACKET GEMELO
HC TUBO AUTOCIERRE
BTS BRACKET GEMELO CON TUBO PARA BARRA TRANSPALATINA

Parte Derecha   Parte Izquierda

PARA TODOS LOS CASOS, POR FAVOR, INDIQUE EN EL DIAGRAMA:
1. CÍRCULO EN EL DIENTE CON BANDA.
2. X SOBRE EL DIENTE A EXTRAER, PERDIDO O QUE NO SE DEBE CEMENTAR
3. INDIQUE CON FLECHAS LA SOBRECORRECCIÓN DE ROTACIÓN
PARA LOS CASOS DE CLASS:
1. INDIQUE CON FLECHAS LA DIRECCIÓN DEL CIERRE DE ESPACIOS
2. MARQUE LA CANTIDAD Y LOCALIZACIÓN DE STRIPPING

INFORMACIÓN DEL CASO
☐ SLOT MACHINE   ☐ CLASS

	SUPERIOR	INFERIOR	MEDIDA SLOT
LINGUAL	☐	☐	☐ .018
VESTIBULAR	☐	☐	☐ .018

BRACKETS LINGUALES   BRACKETS VESTIBULARES
☐ ORMCO
☐ CONCEAL
☐ OTROS ....

MATERIAL DE CUBETA
☐ SILICONA ☐ VINILO 2 mm ☐ CUBETA RÍGIDA

CORTE DE LA CUBETA
☐ 1 PIEZA   ☐ 2 PIEZAS   ☐ 3 PIEZAS

CASOS SLOT MACHINE
VESTIBULAR O LINGUAL

INFORMACIÓN DEL POSICIONAMIENTO DEL BRACKET
INDIQUE LOS VALORES QUE DESEA MODIFICAR DE LA PRESCRIPCIÓN ROTH.
LADENT TIENE LA CAPACIDAD DE MODIFICAR EL TORQUE, INCLINACIÓN Y ALTURA DE ACUERDO A SU PRESCRIPCIÓN.

	VALORES ESTÁNDAR			CAMBIOS			
	TQ	ANG	HT	TQ	ANG	HT	ROT
1 1	14	5	x				
2 2	7	8	x-5				
3 3	-2	10	x-5				
54 45	-7	0	x				
76 67	-10	0	x				
21 12	0	0	x				
3 3	-7	6	x-5				
4 4	-12	0	x				
5 5	-16	0	x				
6 6	-22	0	x				
7 7	-27	0	x				

CASOS CLASS   INSTRUCCIONES DEL SET-UP

MEDIDA DEL ARCO	SUPERIOR	INFERIOR
MANTENCIÓN	☐	☐
EXPANSIÓN	☐	☐
CONTRACCIÓN	☐	☐

PLANO OCLUSAL INFERIOR
☐ PLANO ☐ MANTENCIÓN ☐ CURVA DE SPEE AUMENTADA

OVERBITE   OVERJET
☐ AUMENTO   ☐ AUMENTO
☐ DISMINUCIÓN   ☐ DISMINUCIÓN
☐ IDEAL   ☐ IDEAL

TORQUE ANTERIOR   SUPERIOR   INFERIOR
☐ MANTENCIÓN
☐ AUMENTO TORQUE   _____   _____
☐ DISMINUCIÓN TORQUE   _____   _____

OTROS: ....
....
....
....

C/ Museu 6 1º 1ª 08912 Badalona (Barcelona) Telf.: 93 3844705 Fax: 93 4642242

Formulario 1.   Formulario de petición al laboratorio

INFORME – CUBETA DE CEMENTADO INDIRECTO			
Doctor:		Código Cliente:	
Paciente:			
Fecha Salida:			

INFORMACIÓN DEL CASO:

SUPERIOR   VESTIBULAR ☐   LINGUAL ☐   SLOT   ☐ .018
INFERIOR   VESTIBULAR ☐   LINGUAL ☐   ☐ .022

☐ BRACKETS LINGUALES   ☐ BRACKETS VESTIBULARES   CUBETA   CORTE DE CUBETA
                                                   ☐ SILICONA   ☐ 1 PIEZA
                                                   ☐ VINILO 2 mm.   ☐ 2 PIEZAS
                                                   ☐ CUBETA RÍGIDA   ☐ 3 PIEZAS

CASOS SLOT MACHINE

MAXILAR SUPERIOR

	Altura	Rotación	IN-OUT	Inclinación	Torque
11					
12					
13					
14					
15					
16					
17					
21					
22					
23					
24					
25					
26					
27					

MAXILAR INFERIOR

	Altura	Rotación	IN-OUT	Inclinación	Torques
31					
32					
33					
34					
35					
36					
37					
41					
42					
43					
44					
45					
46					
47					

Observaciones:

C/ Museu 6 1º 1ª 08912 Badalona (Barcelona) Telf.: 93 3844705 Fax: 93 4642242
e-mail: ladent@centroladent.com   http://www.centroladent.com

Formulario 2 .   Tabla de valores del laboratorio

¿Por qué se individualiza la prescripción y cómo? 10

- Fundamentos 167
  - Ubicación inexacta de los brackets 167
  - Variaciones anatómicas de los dientes 167
  - Variaciones en las relaciones intermaxilares con los planos sagital y vertical 168
  - Elasticidad de los tejidos de soporte o tendencia a la recidiva 168
  - Deficiencias mecánicas de los brackets 168
- Variación de la prescripción 169
- Modificación de la prescripción utilizando la Slot Machine 169
  - Modificación de la altura, in-out y posición mesio-distal del bracket 169
  - Modificación de la rotación 172
  - Modificación de la inclinación 175
  - Modificación del torque 176

Fundamentos

Las causas por las que no se pueden conseguir todos los objetivos del tratamiento en todos los casos con un arco recto han sido estudiadas por Creekmore y Kunik en su conjunto basándose también en trabajos de otros muchos autores que estudiaron estas razones por separado.

Para terminar los casos tratados con un arco recto con un acabado excelente los diferentes autores recomiendan:

1. Tomar impresiones, antes de descementar los brackets, al final del tratamiento. Estos modelos se montan en articulador para reevaluar el caso, y se recementan los brackets que sea necesario, para conseguir el acabado excelente. Esta técnica consiste en reposicionar el bracket desplazándolo en el sentido opuesto al movimiento indicado (Por ejemplo, para extruir un diente y conseguir mejor intercuspidación, se debe reposicionar el bracket en sentido gingival). No es aconsejable en técnica lingual porque el recementado de brackets modificando la posición del mismo implica una etapa de laboratorio.
2. Hacer dobleces de 1er. orden en el arco en el sentido del movimiento deseado. (Por ejemplo, para extruir un diente se hace un doblez de 1er. orden en sentido incisal). No es aconsejable en técnica lingual por la dificultad de realización y por el confort del paciente.
3. Terminado con posicionadores ortognáticos realizados a medida sobre modelos set-up.

Las nuevas tendencias se dirigen hacia la individualización de la prescripción de los brackets modificando los parámetros del mismo en cuanto a inclinación, torque y rotación de acuerdo a las necesidades del caso.

Con la Slot Machine se puede construir una base «hecha a medida» para cada bracket y modificar de manera exacta los diferentes parámetros de cada bracket. En mi clínica utilizo la técnica de cementado indirecto tanto para técnica vestibular como para técnica lingual, aconsejando al profesional que quiera iniciarse en técnica lingual, comenzar con técnica indirecta vestibular, como parte de su entrenamiento.

Creekmore y Kunik establecen las razones por las que es necesario individualizar la prescripción de los brackets:

1. Ubicación inexacta de los brackets.
2. Variaciones anatómicas de los dientes.
3. Variaciones en las relaciones intermaxilares con los planos sagital y vertical.
4. Elasticidad de los tejidos de soporte o tendencia a la recidiva.
5. Deficiencias mecánicas de los brackets.

1. Ubicación inexacta de los brackets

Balut y colaboradores hicieron un estudio para técnica vestibular. Diez ortodoncistas cementaron 5 casos completos cada uno. Los 50 montajes fueron fotografiados y medidos por ordenador determinando una discrepancia de 0,34 mm. en altura y 5,54 en la inclinación del eje.

N.G. Taylor realizó un estudio similar con 12 operadores llegando a conclusiones similares.

Las variaciones de altura al posicionar un bracket afecta tanto a la nivelación como al torque porque las superficies de los dientes son curvas en sentido gíngivo-oclusal. Las discrepancias entre el eje longitudinal del bracket y el eje del diente provocarán alteraciones en la inclinación del diente.

Errores en el posicionamiento mesio-distal del diente afectará a la rotación de la pieza.

No hay estudios de este tipo realizados en técnica lingual, pero es obvio que las discrepancias serían mayores por la anatomía de la cara lingual de los dientes y por la dificultad de visión y acceso a las mismas. Por otra parte las variaciones en altura al posicionar un bracket lingual, y debido a la forma de la cara lingual de los dientes, también afectaría a la alineación, porque variaría la distancia desde el fondo del slot hasta la cara vestibular de los dientes. La presencia de crestas marginales de canino a canino provoca un efecto mucho mayor sobre la rotación al modificar la posición mesio-distal del bracket.

2. Variaciones anatómicas de los dientes

R.M.S. Taylor en su tesis doctoral y en publicaciones, estudió las variaciones morfológicas de los dientes humanos concluyendo que el rango de variación normal de cada diente es mucho mayor que lo sugerido o ilustrado en los libros de anatomía. Taylor describió las variaciones morfológicas de los caninos y las variaciones anatómicas producidas por el «uso» (desgaste) de los dientes. Carter también ha publicado artículos referentes a las variaciones de angulación entre el eje coronario y el radicular, así como de alteraciones de forma y curvatura de las raíces.

Esta individualidad de la forma dentaria se confirma por su utilización en medicina forense para la identificación de cadáveres.

Germane y colaboradores estudiaron 600 dientes en cuanto a los contornos vestibulares de los diferentes dientes situados en la misma posición; el contorno desde oclusal a gingival de la cara vestibular y los ángulos entre el eje coronario y el eje radicular. Sus conclusiones fueron que el contorno de la superficie vestibular de los dientes del mismo tipo varían desde ±2,6° hasta ±6,4° en el mismo punto y que esta variación es progresivamente mayor desde los incisivos hasta los molares en ambos maxilares. Esta variación no es constante y un error vertical de 1 mm. en el posicionamiento de brackets puede alterar el torque en hasta 10°. También establecen que este estudio difiere con la consistencia descrita por Andrews para el «LA point». También concluyen que el torque de los dientes es controlado por varias variables morfológicas y biológicas además de por el posicionamiento de brackets.

Las variaciones entre el eje radicular y el eje coronario generan diferentes inclinaciones radiculares aun manteniendo constante la inclinación de la corona. Por consiguiente el uso de una misma prescripción de brackets no puede obtener los mismos resultados en todos los pacientes por lo que se recomiendan dobleces de 3er. orden en los arcos finales o unos brackets con prescripción individualizada a cada paciente en cuanto a anatomía (ajuste de la base del bracket a la anatomía de la cara del diente) y al tipo facial (vertical y sagital).

La forma inclinada de la cara lingual de los dientes hace que una variación de altura influya en la alineación además de en el torque.

La curvatura de la base del bracket en sentido gíngivo-oclusal debe ser más cóncava que cualquier posible convexidad de la anatomía dentaria para que siempre contacten los bordes incisal y gingival del bracket asegurando el torque de la prescripción. Lo mismo se puede decir de la curvatura de la base del bracket en sentido mesio-distal y su influencia en la rotación.

Por otra parte las caras linguales tienen muchos detalles anatómicos como cíngulos, crestas marginales, tubérculos de Caravelli, etc. que pueden influir en la posición del bracket y, como consecuencia, en la posición final del diente.

Las razones 1 y 2 justifican entonces el posicionamiento mecánico de los brackets en técnica lingual.

3. Variaciones en las relaciones intermaxilares en los planos sagital y vertical

La inclinación vestíbulo-lingual de los incisivos (torque) debe ser tal que permite una oclusión con guía anterior. Para ello la inclinación de la cara lingual de los incisivos superiores debe ser 5° mayor que la trayectoria condílea. La inclinación del plano oclusal influye de manera determinante en la guía anterior tal como estableció Tieleman en su fórmula de equilibrio oclusal. Para mantener el equilibrio oclusal, cuanto más post-rotado se encuentre el plano oclusal, es necesaria mayor inclinación de la guía anterior para obtener la inmediata desoclusión posterior en el movimiento de protrusión. Para aumentar la guía anterior se debe incorporar torque más negativo a los incisivos superiores.

Ross y colaboradores encontraron que el patrón de crecimiento facial influye en el torque incisivo. Cuanto más dólicofacial sea el paciente, más post-rotación del plano oclusal y más negativo tiene que ser el torque de los incisivos y viceversa. No encontraron una significación estadística referente al torque de los incisivos inferiores.

El estudio determina los siguientes valores promedio:

Tipo facial	Ángulo del plano nasal SN^GoGn	Ángulo del plano oclusal SN^POc	Ángulo incisivo sup. 11^SN
Braquifacial	22,4°	9,2°	103,7°
Mesofacial	32°	13,8°	102,4°
Dolicofacial	44,2°	22,4°	100,9°

Además el arco no rota igual dentro del slot en los diferentes tipos faciales. De esta forma podemos concluir que «un mismo aparato no puede servir para todos los casos».

4. Elasticidad de los tejidos de soporte o tendencia a la recidiva

Zachrisson demostró que para conseguir un 100% de la corrección de las rotaciones se deben sobrecorregir entre un 10% y un 20% por la tendencia a la recidiva. Roth y Swain afirman que esta misma tendencia también existe en la altura, inclinación y torque.

5. Deficiencias mecánicas de los brackets

Los aparatos de arco recto tienen 3 deficiencias mecánicas significativas:

5a. La aplicación de la fuerza al diente a través del bracket siempre se realiza fuera del centro de resistencia del diente.

5b. Libertad de movimiento del arco dentro del slot o surco del bracket.

5c. Disminución progresiva de la fuerza.

5a. El hecho de que la fuerza no pueda aplicarse a nivel del centro de resistencia del diente tiene especial importancia cuando se deben realizar desplazamientos radiculares.

   5a1. En técnica lingual al distalizar caninos existe una tendencia a la distoinclinación y a la mesiorotación. La inclinación se ve influida de la misma forma que en técnica vestibular; pero el efecto sobre la rotación es contrario al efecto producido en la técnica vestibular.

   5a2. Al perder anclaje o mesializar premolares y molares, la tendencia es a la mesio-versión y disto-rotación de estas piezas.

   5a3. La protrusión provoca aumento de torque. La expansión posterior también.

   5a4. La retrusión provoca pérdida de torque. La contracción posterior también.

   5a5. La intrusión incisiva en técnica vestibular provoca aumento de torque y la extrusión, pérdida de torque. En técnica lingual no es así. Las fuerzas de intrusión o extrusión pasan aproximadamente por el centro de resistencia del diente y no modifican prácticamente el torque.

5b. La libertad de movimiento del arco dentro del slot es mayor cuanto menor sea la sección del arco, pero existe aun con los arcos de «plena talla» debido a las tolerancias de fabricación. Los brackets de 0,018" son en realidad de 0,0182" hasta 0.0192" con una media de 0,0187". Los brackets de 0,022" están construidos entre 0,0220" y 0,0230" con una media del 0,0225". Los arcos de 0,018" están construidos de 0,0178".

De esta forma los arcos de plena talla tanto en brackets de 0,018" como en los de 0,022" tienen un juego de 3° a 4°. Cuanto menor sea el calibre del arco de terminación, aumenta el «juego» del arco-slot y disminuye la calidad del acabado.

El juego del arco dentro del bracket provoca que existan entre el arco de terminación (plena-talla) y el slot, las siguientes variaciones (se debe tener en cuenta que los valores de torque de los brackets linguales son equivalentes a una prescripción Roth vestibular):

Torque dentario	Juego arco-slot «Plena-Talla»	Torque final del diente en protrusión	Torque final del diente en retrusión
12°	4°	12° + 4° = 16°	12° - 4° = 8°

La diferencia entre la altura del arco y la altura del slot se traduce como defectos de nivelación.

Thurow determinó que la libertad de movimiento en la inclinación depende del calibre del arco con respecto a la altura y ancho mesio-distal del bracket. El juego de un arco de 0,016" x 0,022" en un bracket de 0,018" es de unos 3° a 4° durante la distalización de caninos, más aproximadamente 2° más por el efecto bowing vertical del arco, lo que produce una disto-inclinación coronaria de 6° aproximadamente. También existe el mismo razonamiento para la rotación durante la distalización (Rotación de 2° - 4°).

Un bracket lingual más ancho en sentido mesio-distal controlaría mejor estos efectos pero disminuiría mucho la distancia interbracket, ya de por sí disminuida en técnica lingual. Esto aumenta la fuerza (inversamente proporcional al cubo de la longitud de arco) y provocaría una secuencia de arcos más lenta y más progresiva (más cantidad de arcos).

5c. Disminución progresiva de la fuerza. Las fuerzas necesarias para conseguir el movimiento dentario dependen de la superficie radicular que se oponga al movimiento (Ricketts), pudiéndose distinguir fuerzas ineficaces, óptimas y excesivas (con efectos secundarios).

La fuerza realizada por un arco depende del módulo elástico (composición química y tratamiento térmico), longitud (al cubo), diámetro (a la 4ª potencia) y de la deflexión del arco para alcanzar al bracket desde su posición pasiva.

Cuando el diente se aproxima a su posición, la deflexión del arco disminuye y por tanto la fuerza que se ejerce sobre el diente también disminuye, no permitiendo la corrección completa.

Variación de la prescripción

En las Tablas 10-01 y 10-02 se pueden observar las modificaciones de la prescripción recomendadas por la Task Force y por el Dr. Didier Fillión respectivamente.

De acuerdo con nuestra práctica, recomendamos las siguientes variaciones de la prescripción con brackets linguales de 0,018" y la secuencia de arcos que utilizamos (Tabla 10-06).

La forma del arco debe incorporar curvatura sagital de compensación (tipo tip-back) y curvatura horizontal de compensación (tipo toe-out) (Takemoto, Echarri, Baca). Al incorporar curvas sagital y horizontal al arco no es necesario compensar la inclinación y rotación en premolares y molares en los casos de extracción. Asimismo la curva sagital incorporada en el arco, aumenta el torque del mismo en la zona incisiva, reduciendo la compensación de torque necesaria para la retrusión de los mismos.

En resumen las modificaciones más importantes de la prescripción son:

Al distalizar caninos, se compensarán 6° de distoinclinación radicular y 2° de rotación disto-lingual.

Al retruir incisivos, se sumarán 4° al torque de los incisivos superiores (16°).

Al protruir incisivos, se restarán 4° al torque (8°).

Las rotaciones se deben sobrecorregir de un 10 a 15%. Estas compensaciones se realizan para conseguir un 100% de corrección y no para sobrecorregir la posición del diente.

Las modificaciones deben ser indicadas al laboratorio para conseguir un trabajo correcto. De la misma forma todos los parámetros del cementado se deben hacer constar en la tabla de valores de laboratorio, por si fuera necesario realizar una nueva mini-cubeta de un diente para re-cementar un bracket perdido.

Modificación de la prescripción utilizando la Slot Machine

Modificación de la altura, in-out y posición mesio-distal del bracket

Se debe entender a la Slot Machine como una máquina capaz de posicionar el plano del arco lingual con respecto a cada diente, como si hiciera un set-up del modelo

DIENTE	TORQUE Sin extracción	TORQUE Con extracción de 1er premolar	ANGULACIÓN Sin Extracción	ANGULACIÓN Con extracción de 1er premolar	ALTURA
MAXILAR SUPERIOR					
Incisivo central superior	+14º	+24º	+5º	+5º	-
Incisivo lateral superior	+12º	+12º	+8º	+8º	-
Canino superior	-2º	0º	+10º	+14º	+0,5º
2do premolar superior	-7º	-7º	0º	-5º	-
1er molar superior	-9º	-9º	0º	-6º (tip back)	-
2do molar superior	-9º	-9º	0º	-9º (tip back)	-
MAXILAR INFERIOR					
Incisivo central inferior	0º	0º	0º	0º	-
Incisivo lateral inferior	0º	0º	+3º	+3º	-
Canino inferior	-7º	-7º	+6º	+12º	+0,5º
2do premolar inferior	-16º	-16º	0º	-5º	-
1er molar inferior	-25º	-25º	0º	-6º (tip back)	-
2do molar inferior	-27º	-27º	0º	-6º (tip back)	-

Tabla 10-01 Prescripción estándar de Kurz, Gorman y Smith

DIENTE	TORQUE Sin extracción	TORQUE Con extracción de 1er premolar	ANGULACIÓN Sin Extracción	ANGULACIÓN Con extracción de 1er premolar	ALTURA
MAXILAR SUPERIOR					
Incisivo central superior	+14º	+24º	+3º	+3º	-
Incisivo lateral superior	+8º	+5º	+5º	+8º	-
Canino superior	-2º	0º	+10º	+14º	+0,5º
2do premolar superior	-7º	-7º	0º	-5º	+0,5º (con extracción)
1er molar superior	-9º	-4º	0º	-6º (tip back)	-
2do molar superior	-9º	-4º	0º	-6º (tip back)	-
MAXILAR INFERIOR					
Incisivo central inferior	0º	+5º	+2º	+2º	-
Incisivo lateral inferior	0º	+5º	+4º	+4º	-
Canino inferior	-7º	-2º	+6º	+11º	+0,5º
2do premolar inferior	-16º	-16º	0º	-5º	+0,5º (con extracción)
1er molar inferior	-25º	-25º	0º	-6º (tip back)	-
2do molar inferior	-27º	-27º	0º	-6º (tip back)	-

Tabla 10-02 Prescripción estándar de Didier Fillion

(fig. 10-01). En las tablas 10-03, 10-04 y 10-05 se detallan los parámetros de los posicionadores de la Slot Machine.

Una vez trazados los ejes longitudinales (tener en cuenta la ortopantomografía para considerar las dilaceraciones al trazar los ejes) y de rotación en el modelo, se coloca el posicionador del diente correspondiente en la torre vestibular. Se fija el modelo a la platina en la posición más ajustada posible. A continuación se acaba de ajustar desplazando la platina de modelos hasta que el posicionador quede alineado con el eje mayor del diente y a la altura del borde incisal (fig. 10-02).

Luego se hace coincidir el eje de rotación con el 0º del accesorio de rotación.

Posteriormente se coloca el bracket con la altura e in-out determinados. Como ya se ha explicado en el capítulo 9,

ROTH (azul)

MAXILAR SUPERIOR	TORQUE	ANGULACIÓN	ALTURA (mm)
Centrales	12º	5º	4,5
Laterales	8º	9º	4,25
Caninos	-2º	11º	4,75
Premolares	-7º	0º	4,5
Molares	-10º	0º	4,5
MAXILAR INFERIOR	**TORQUE**	**ANGULACIÓN**	**ALTURA**
Anteriores	-1º	0º	4,0
Caninos	-11º	5º	4,25
1er premolar	-17º	0º	4,0
2do premolar	-22º	0º	3,75
Molares	-25º	0º	3,75

Tabla 10-03 Tabla de los parámetros de los posicionadores de Roth de la Slot Machine.

ANDREWS (amarillo)

MAXILAR SUPERIOR	TORQUE	ANGULACIÓN	ALTURA (mm)
Centrales	7º	5º	4,5
Laterales	3º	9º	4,25
Caninos	-7º	11º	4,75
Premolares	-7º	0º	4,5
Molares	-10º	0º	4,5

Tabla 10-04 Tabla de los parámetros de los posicionadores de Andrews de la Slot Machine.

ALEXANDER (rojo)

MAXILAR SUPERIOR	TORQUE	ANGULACIÓN	ALTURA (mm)
Anterior	-5º	0º	4,0
EXTRATORQUE (marrón)			
MAXILAR INFERIOR	**TORQUE**	**ANGULACIÓN**	**ALTURA (mm)**
Central	16º	5º	4,5
Lateral	12º	9º	4,25

Tabla 10-05 Tabla de los parámetros de los posicionadores de Alexander y extratorque de la Slot Machine

estos valores se determinan por los caninos y deben ser iguales entre los dientes de un mismo sector (fig. 10-03).
En caso de que esté indicado modificar estos parámetros, se puede variar la altura con el tornillo micrométrico de altura de la torre lingual sin influir en el torque ni in-out. También se puede modificar el in-out, con el tornillo micrométrico de in-out de la torre lingual sin modificar altura o torque. Las modificaciones que se realicen en el in-out o altura de los brackets, deberán ser compensadas con dobleces de primer orden en el arco lingual. En la figura 10-04 se muestra como se puede modificar la altura y el in-out con los tornillos micrométricos de la torre lingual y en la figura 10-05A se esquematiza la posición de un bracket a diferentes alturas sin modificar el torque. En las figuras 10-05B a 10-05D se esquematizan las compensaciones de torque a diferentes alturas.

En cuanto a la posición mesio-distal del bracket, el objetivo es posicionar el bracket en el centro mesio-distal del diente. De esta forma la longitud interbracket del arco es la mayor posible entre los dientes vecinos. Esto a veces no es posible (rotaciones, apiñamientos). Con el tornillo lateral de la base de la Slot Machine se puede desplazar el bracket hacia mesial o distal sin influir en la rotación (figs. 10-06 a 10-08).
Para técnica vestibular existen accesorios de altura incisal y gingival que no son necesarios para técnica lingual porque el diseño de la torre lingual ya incluye tornillos de altura e in-out.
Si no se pueden cementar los brackets de los dientes posteriores a la misma altura que los brackets de los dientes anteriores se debe hacer una compensación en el arco a nivel inset distocanino (fig. 10-09).

PRESCRIPCIÓN RECOMENDADA POR EL DR. ECHARRI EN TÉCNICA LINGUAL

DIENTE	RETRUSIÓN (con extracciones)			ESTÁNDAR (sin extracciones)			PROTRUSIÓN		
	TORQUE	ANGUL.	ROTAC.	TORQUE	ANGUL.	ROTAC.	TORQUE	ANGUL.	ROTAC.
MAXILAR SUPERIOR									
Central	16º	5º	-	12º	5º	-	7º	5º	-
Lateral	12º	9º	-	8º	9º	-	3º	9º	-
Canino	12º	17º	+2º	-2º	11º	-	-7º	11º	-
Premolares	-7º	0º	-	-7º	0º	-	-7º	0º	-
Molares	-10º	0º	-	10º	0º	-	-10º	0º	-
MAXILAR INFERIOR									
Incisivos	-1º	0º	-	-1º	0º	-	-3º	0º	-
Caninos	-7º	11º	+2º	-11º	3º	-	-11º	3º	-
1er premolar	-17º	0º	-	-17º	0º	-	-17º	0º	-
2do premolar	-22º	0º	-	-22º	0º	-	-22º	0º	-
Molares	-25º	8º	-	-25º	0º	-	-25º	0º	-

ROTACIONES → SOBRECORREGIR 10 – 15%

Tabla 10-06 Tabla de los parámetros de la prescripición recomendada por el Dr. Pablo Echarri

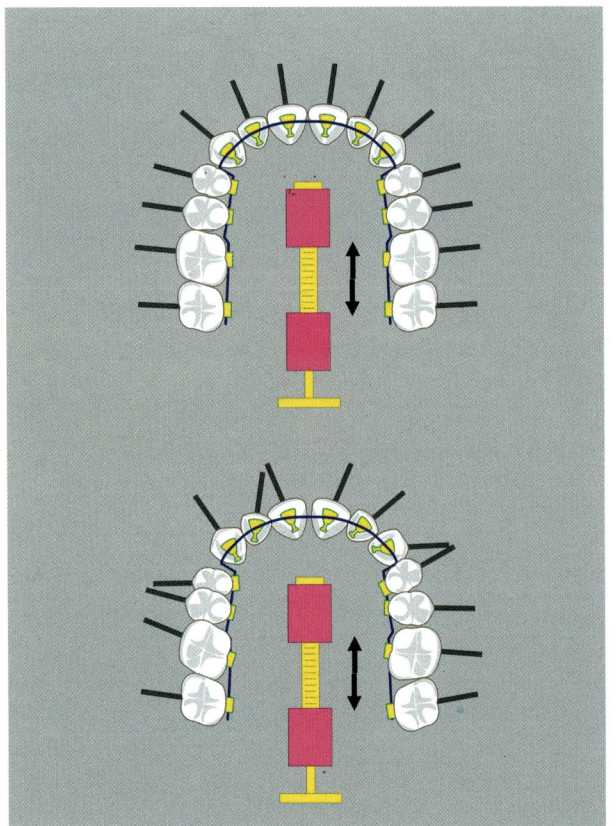

Fig. 10-01 Esquema de la Slot Machine. En la parte superior una arcada a la que se le ha realizado el set-up de corrección. Las líneas por vestibular de los dientes representan los posicionadores y la torre lingual aproxima el plano del arco lingual a cada diente. En la parte inferior la misma operación con la arcada sin corregir. La aproximación del plano del arco lingual se realiza independientemente para cada diente como si su posición estuviese corregida

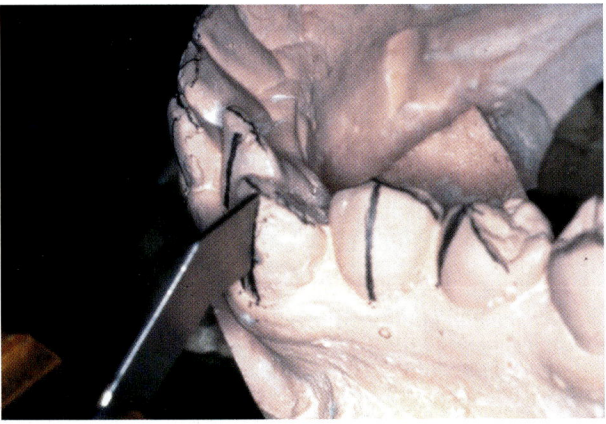

Fig. 10-02 Alineación del posicionador con el eje longitudinal de un diente y con el borde incisal del mismo

Modificación de la rotación

Se considera que la rotación es 0° cuando:
1. los dientes anteriores describen la línea de arcada con sus bordes incisales,
2. los surcos centrales de los dientes posteriores están alineados de forma que los movimientos mandibulares friccionantes se producen sin interferencias.

Si la cara vestibular se dirige hacia mesial, se considera mesiorotación y la rotación se expresa en grados con un valor negativo. Si la cara vestibular se dirige hacia distal, se considera distorotación y la rotación se expresa en grados con un valor positivo (fig. 10-10).

En la figura 10-11A se esquematiza la medición visual de la rotación con los grados aproximados de cada rotación. En la figura 10-11B se esquematizan las compensaciones de rotación con brackets vestibulares y linguales.

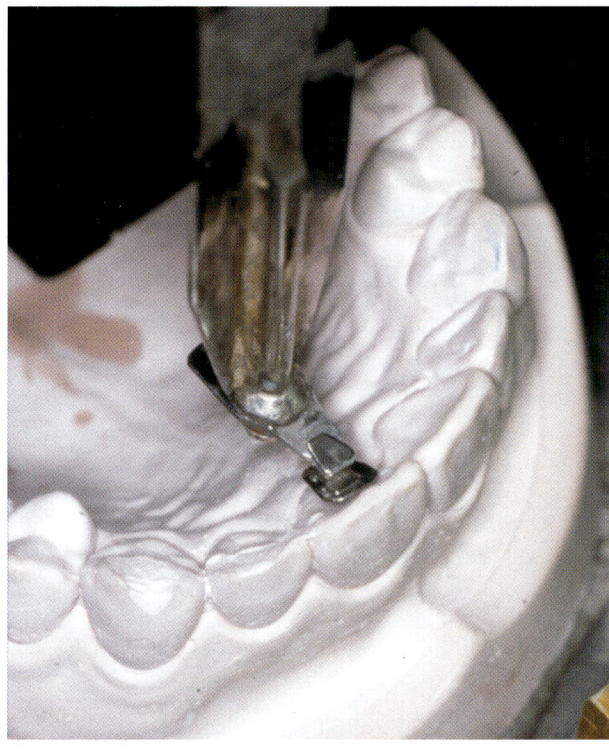

Fig. 10-03 Posicionamiento de un bracket de slot horizontal con la pinza modificada por el Dr. Echarri

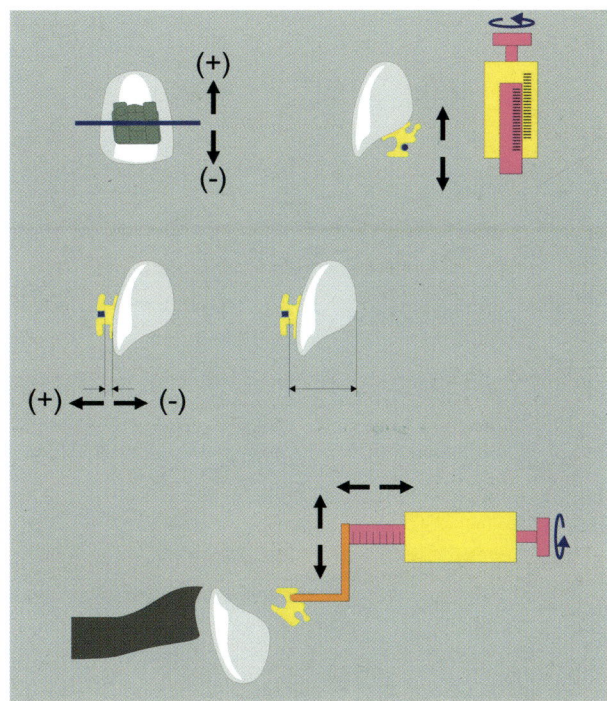

Fig. 10-04 Esquema de modificación de la altura y del in-out del bracket con los tornillos micrométricos de la torre lingual de la Slot Machine. Por los dientes cuyos brackets se posicionan con los mismos valores de altura e in-out puede utilizarse un arco recto lingual (forma mushroom). Las modificaciones de altura e in-out que se realizan, deberán compensarse con dobleces en el arco

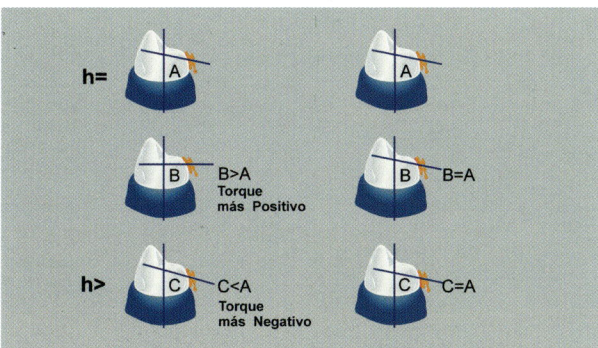

Fig. 10-05 A Esquema de comparación del posicionamiento de un bracket lingual a diferentes alturas de forma directa y su influencia en el torque, y el posicionamiento del bracket lingual a diferentes alturas con la Slot Machine sin modificar el torque

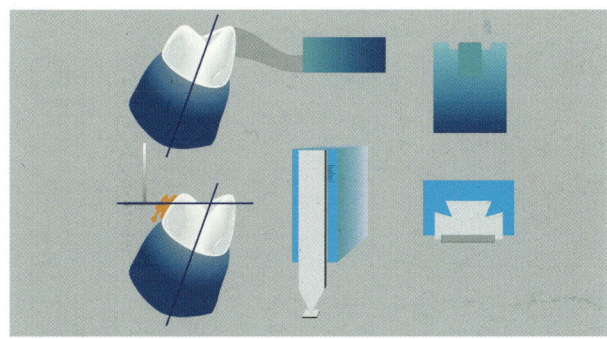

Fig. 10-05 B Esquema del posicionamiento del bracket a la altura normal

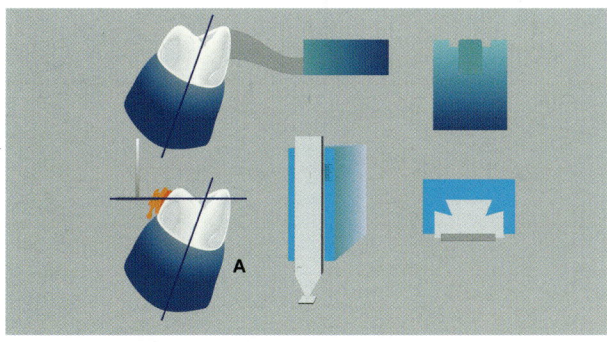

Fig. 10-05 C Esquema del posicionamiento del bracket en una altura más oclusal y compensación de composite (rojo) para mantener el mismo torque

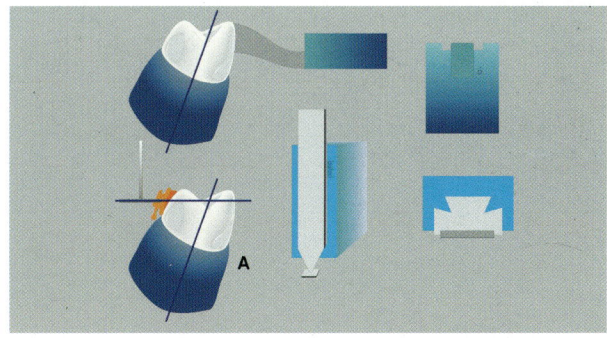

Fig. 10-05 D Esquema del posicionamiento del bracket en una altura más gingival y compensación de composite (rojo) para mantener el mismo torque

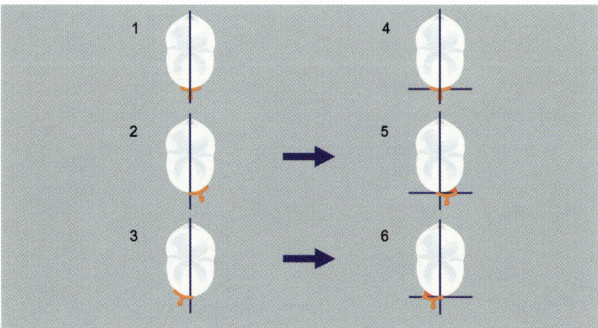

Fig. 10-06 Esquema de comparación del posicionamiento de un bracket lingual en diferentes posiciones mesio-distales y su influencia en la rotación, y el posicionamiento del bracket lingual en diferentes posiciones mesio-distales con la Slot Machine sin modificar la rotación

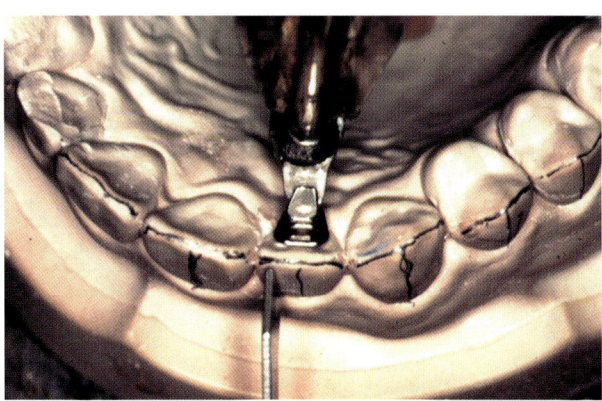

Fig. 10-07 Posicionamiento de un bracket lingual en el centro de la cara lingual del diente con un valor de rotación indicado

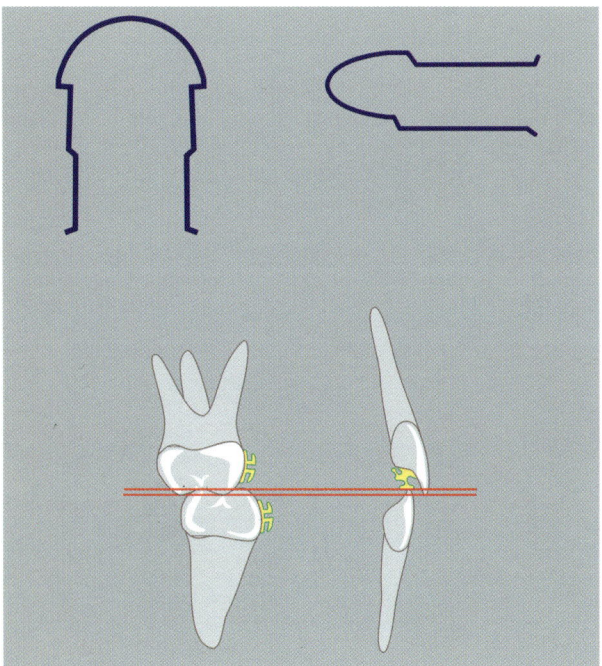

Fig. 10-09 Doblez de altura en el arco para compensar diferencias de altura en el cementado de los brackets anteriores y posteriores

Para posicionar un bracket con la rotación normal, se alinean el eje longitudinal y el borde incisal con el posicionador del diente y se debe alinear el eje de rotación con el 0° del accesorio de rotación. A continuación se posiciona el bracket de la forma habitual (fig. 10-12).

Para posicionar un bracket con sobrecorrección de rotación se procede de la misma forma, pero en vez de alinear el eje de rotación con el 0° del accesorio de rotación, se alinea con la sobrecorrección deseada del accesorio de rotación, sea mesio o disto-rotación. A continuación se posiciona el bracket de la forma habitual (figs. 10-13 a 10-14C).

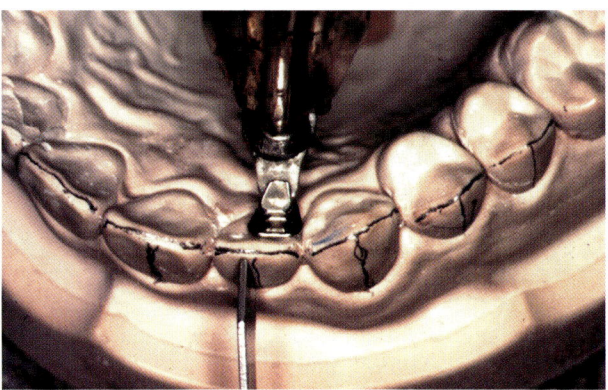

Fig. 10-08 Posicionamiento del mismo bracket en la parte distal de la cara lingual del diente con el mismo valor de rotación indicado

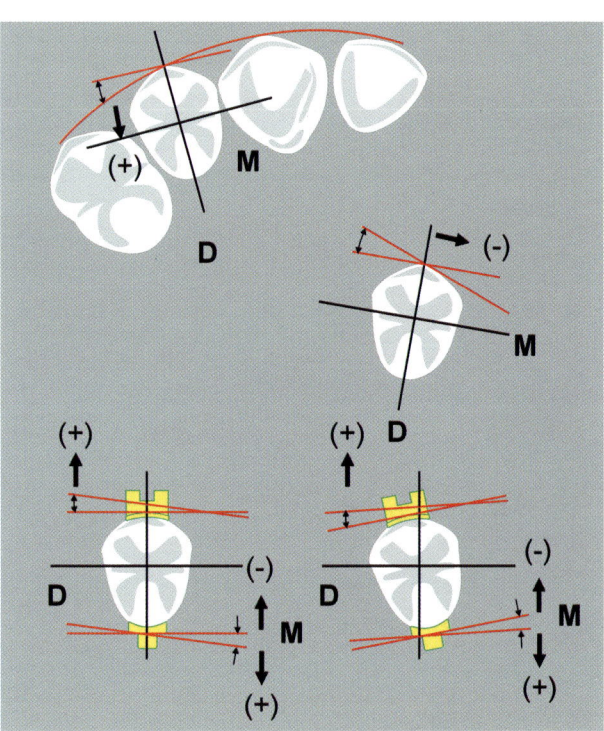

Fig. 10-10 Esquema de las rotaciones. Si la cara vestibular está rotada hacia mesial, se denomina mesiorotación y tiene un valor de rotación negativo en grados. Si la cara vestibular está rotada hacia distal, se denomina distorotación y tiene un valor de rotación positivo en grados

Capítulo 10

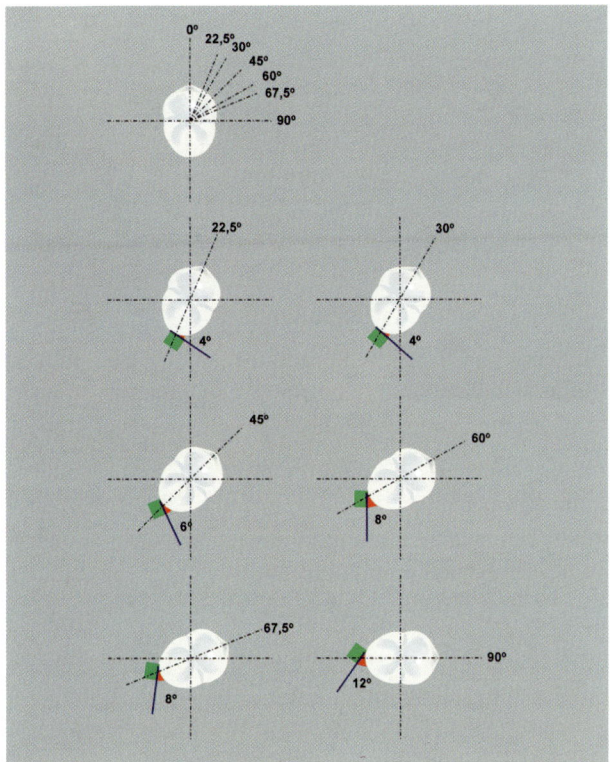

Fig. 10-11 A Esquema de las rotaciones. Cálculo visual de los grados de rotación

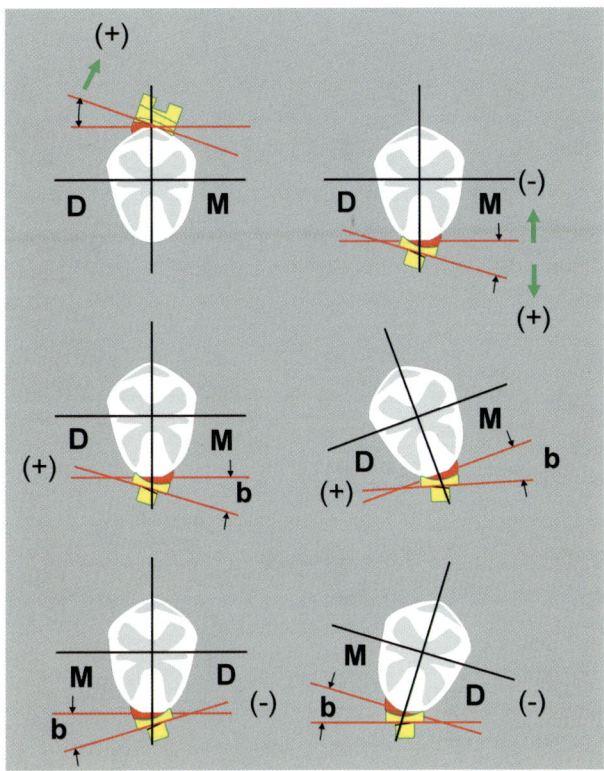

Fig. 10-11 B Esquema de la sobrecorrección de rotaciones con brackets vestibulares y linguales

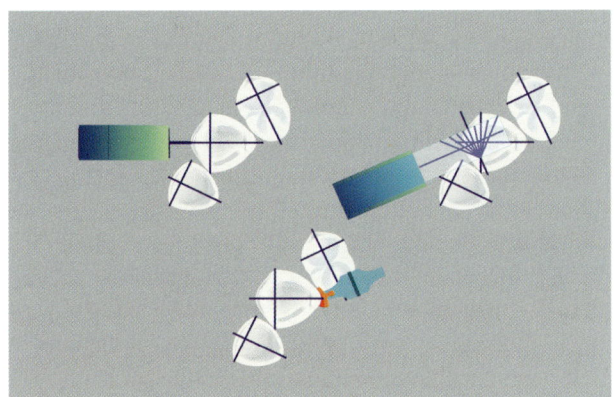

Fig. 10-12 Esquema del posicionamiento de un bracket con rotación normal

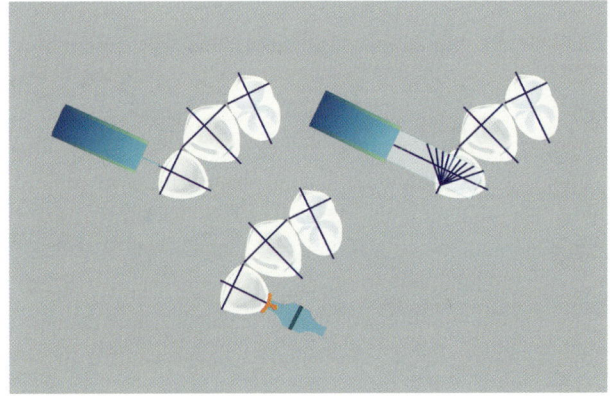

Fig. 10-13 Esquema de la sobrecorrección de la rotación

Modificación de la inclinación

Se considera inclinación más positiva cuando la raíz se dirige más hacia distal e inclinación más negativa cuando la raíz se dirige más hacia mesial (fig. 10-15).

Para posicionar un diente con la inclinación normal, se alinea el eje longitudinal del diente y se posiciona el bracket que quedará con la inclinación del posicionador (fig. 10-16). Para técnica vestibular, se alinea el eje mayor del diente con el posicionador y se utiliza el accesorio de inclinación, diseñado por el Dr. Echarri, debajo de la pinza vestibular. El procedimiento es el siguiente: colocar el posicionador del diente con los 2 accesorios de altura hacia incisal y luego, al colocar la pinza, se utiliza el accesorio de inclinación por debajo de la pinza. Se debe seleccionar el accesorio con el valor de inclinación deseada. El bracket queda posicionado a la altura estándar.

En técnica lingual se traza el eje longitudinal del diente y luego se utiliza la plantilla de inclinación de 6° (diseñada por Echarri) para modificar el eje mayor de la pieza (figs. 10-18 y 10-19).

Una vez trazado el nuevo eje, se alinea el posicionador dental con este nuevo eje y se posiciona el bracket según el procedimiento habitual. El bracket queda ubicado con la sobrecorrección de inclinación.

175

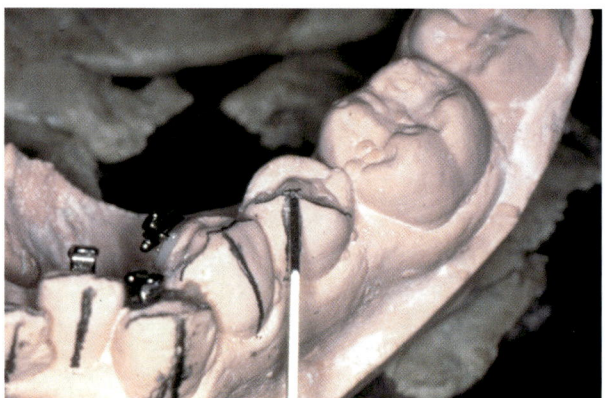

Fig. 10-14 A Posicionando un premolar rotado con el posicionador correspondiente

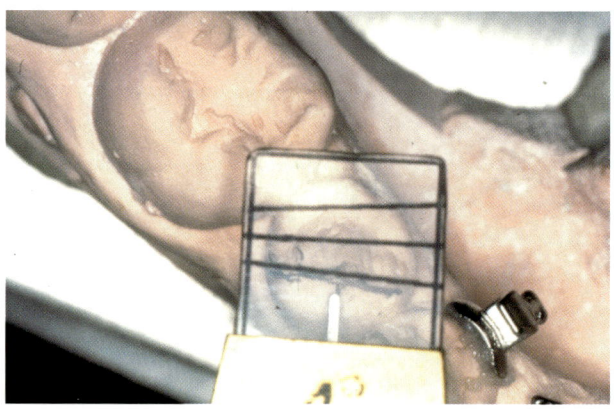

Fig. 10-14 B Sobrecorrigiendo la rotación con el accesorio de rotación

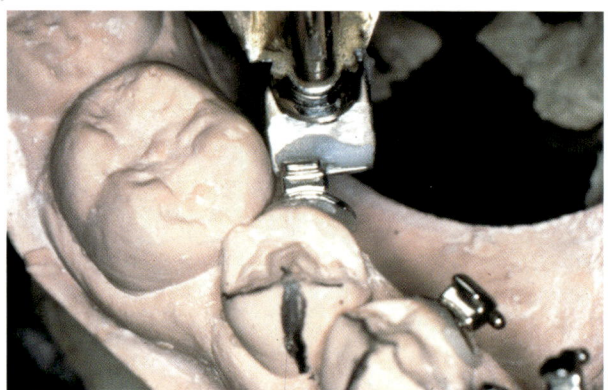

Fig. 10-14 C Cementando el bracket con la sobrecorrección incorporada

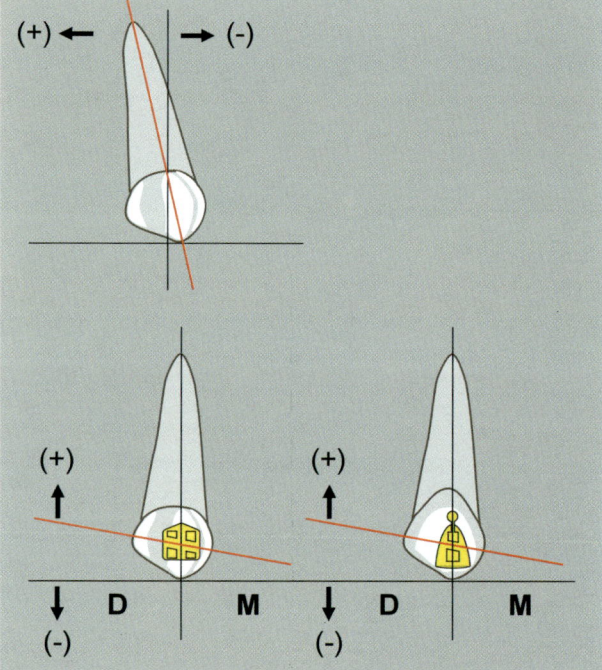

Fig. 10-15 Esquema de la inclinación positiva y negativa. Si la raíz se inclina más hacia distal es positiva y si la raíz se inclina más hacia mesial es negativa

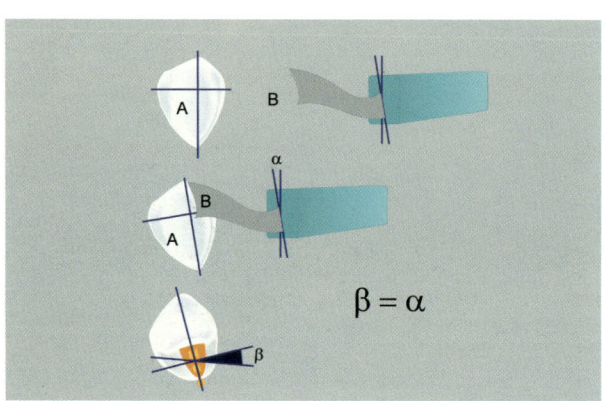

Fig. 10-16 Posicionando un bracket con la inclinación de su posicionador ajustado al eje longitudinal del diente

Modificación del torque

Se considera torque más negativo al torque más radículo-vestibular y torque más positivo al torque más radículo-palatino o lingual (fig. 10-20). En la figura 10-21 se esquematizan las compensaciones de torque.

Al conseguir que los extremos incisal y gingival del posicionador contacten con el diente, el bracket quedará posicionado con el torque de la prescripción (fig. 10-22).

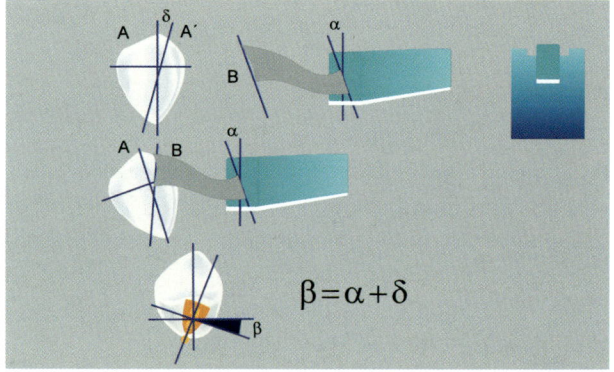

Fig. 10-17 Posicionando un bracket con la inclinación modificada al ajustar su posicionador al eje longitudinal modificado

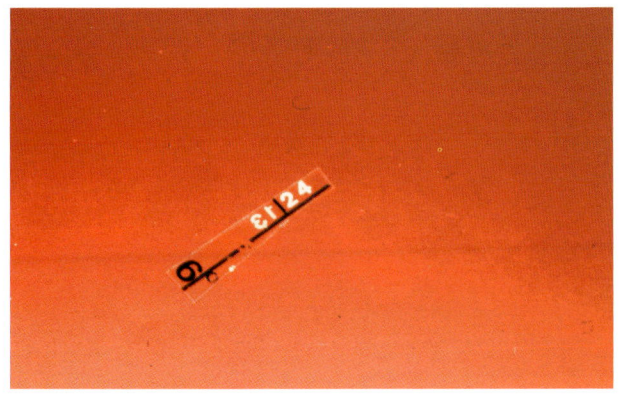

Fig. 10-18 Accesorio de inclinación (Dr. Echarri)

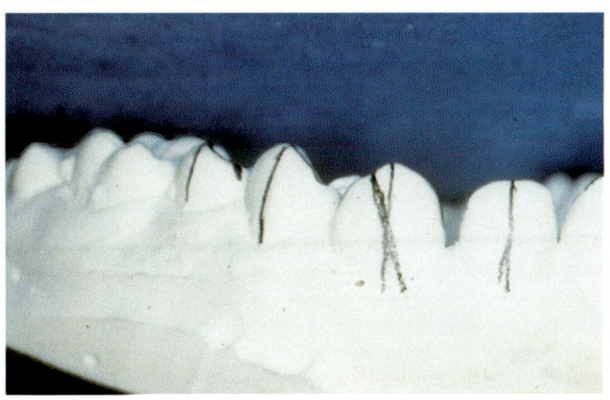

Fig. 10-19 Canino con el eje longitudinal mayor y el eje modificado 6º distoradicular (más positivo)

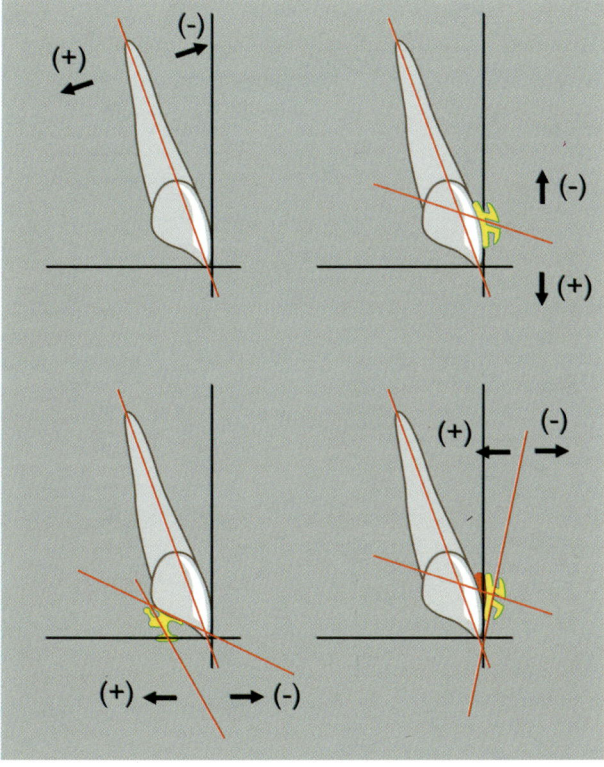

Fig. 10-20 Esquema de torques positivos (radículo-palatino) y torques negativos (radículo-vestibular)

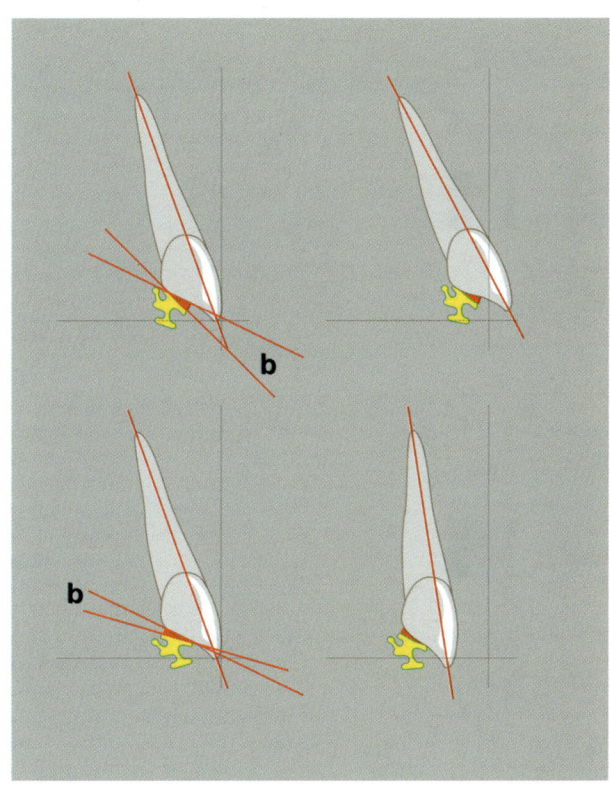

Fig. 10-21 Compensación de torques con bases de composite a medida

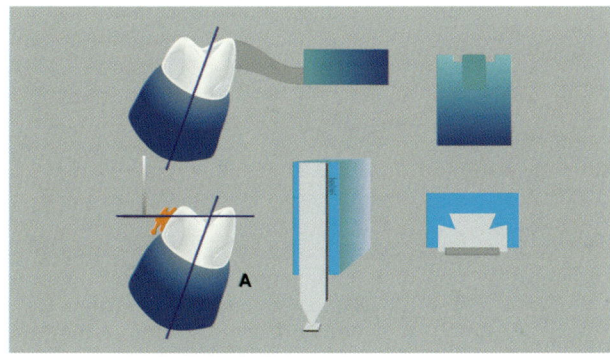

Fig. 10-22 Posicionando el bracket con el torque normal

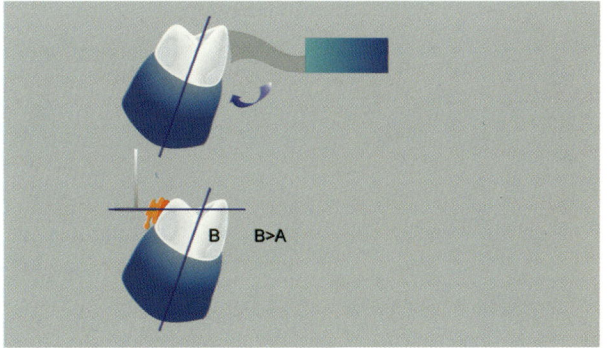

Fig. 10-23 Posicionando un bracket con el torque aumentado

¿Por qué se individualiza la prescripción y cómo?

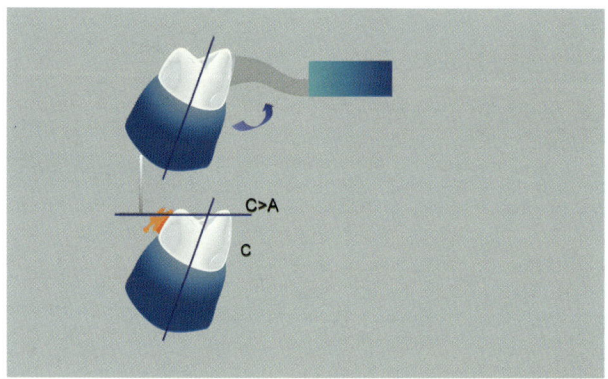

Fig. 10-24   Posicionando un bracket con el torque disminuido

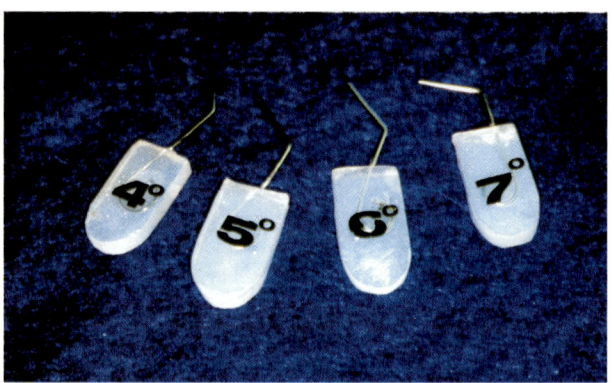

Fig. 10-25   Accesorios de torque diseñados por el Dr. Echarri

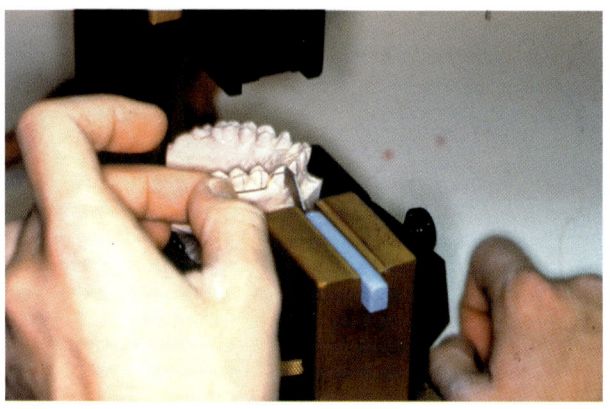

Fig. 10-26   Accesorio de torque interponiéndose entre el diente y uno de los extremos del posicionador

Si se separa el extremo gingival del posicionador de la cara vestibular del diente, el bracket quedará posicionado con un aumento de torque (fig. 10-23); mientras que si se separa el extremo incisal-oclusal, el bracket quedará posicionado con una reducción del torque (fig. 10-24). Los accesorios de torque (diseñados por Echarri) (fig. 10-25) permiten modificar el torque (aumento o disminución) en un ángulo determinado al interponer el accesorio adecuado entre el extremo correspondiente del posicionador y el diente (fig. 10-26).

Plantilla individual para la confección de arcos

11

- Introducción 181
- Diseño de la plantilla individualizada para la forma ideal del arco 181
  - Diseño de la zona anterior del arco 181
  - Diseño de la zona posterior del arco 186
- Dibujo de la plantilla individualizada 187
  - Arco de trabajo (arco mushroom) 187
  - Arco de terminación (arco christmas) 187

Introducción

A continuación se describe el método manual para el diseño de la forma del arco utilizado por el autor y publicado por los Dres. Echarri y Baca, a partir de la información obtenida durante el posicionamiento de brackets en el modelo con la Slot Machine. En el capítulo 8 se describen otros métodos para la confección de la plantilla de arcos.

Una vez posicionados los brackets en el modelo con el slot orientado según la prescripción indicada por el ortodoncista, el técnico de laboratorio deberá cumplimentar el formulario de laboratorio donde se indican exactamente los parámetros utilizados para el posicionamiento de los brackets (este formulario resultará imprescindible para la realización de la plantilla de arcos). Antes de realizar la cubeta de transferencia, se deberá realizar una fotocopia del modelo. También se puede realizar una fotografía en escala 1:1 o utilizar un escáner y una impresora para obtener una imagen de escala 1:1.

Diseño de la plantilla individualizada para la forma ideal del arco

Los elementos necesarios para el diseño de la plantilla son los siguientes:
a. Fotocopia oclusal de los modelos con los brackets cementados (fig. 11-01).
b. Plantilla de forma de arcos linguales estándar (Dr. Creekmore) (figs. 11-03 A y 11-03 B).
c. Plan de tratamiento.
d. Tabla de valores del posicionamiento de brackets (fig. 11-02).
e. Papel de acetato, lápiz.

Antes de hacer la fotocopia del modelos es conveniente dibujar sobre el mismo la línea media y marcar los siguientes puntos: interincisivo a nivel del borde incisal, fosas mesiales de primeros premolares y fosas mesiales de primeros molares. Se tomarán las medidas sobre el modelo entre las fosas mesiales de premolares y de molares, así como la distancia entre las fosas molares y el punto interincisivo. Se compararán con las mismas medidas de la fotocopia para comprobar si la escala de la fotocopia es correcta. La línea media dibujada servirá para centrar la plantilla estándar de arcos (figs. 11-03A y 11-03B).

Se realizarán una o dos plantillas, dependiendo del caso. En caso de que exista una importante diferencia entre el espesor vestíbulo-lingual de los premolares y molares, será necesario realizar dos plantillas:
a. Plantilla del arco de trabajo (arco mushroom) (fig. 11-15).
b. Plantilla del arco de terminación (arco christmas) (fig. 11-14).

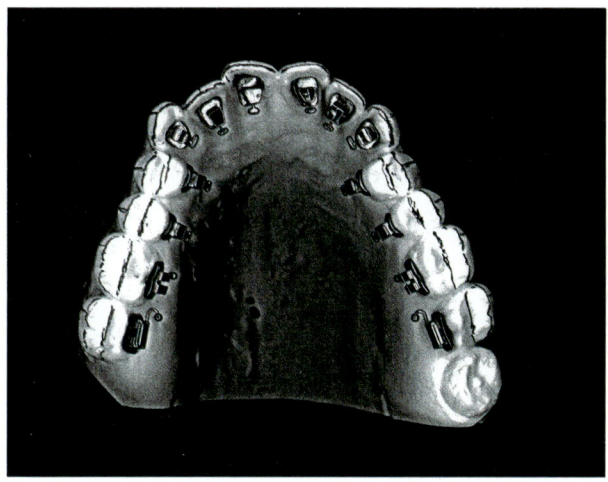

Fig. 11-01 Fotocopia oclusal del modelo superior con brackets

La diferencia entre ambas plantillas se debe principalmente a las zonas posteriores: la plantilla del arco de trabajo debe ser recta desde el inset post-canino hacia distal, para permitir el deslizamiento del arco durante la mecánica de cierre de espacios. El arco de terminación será el mismo si no se deben compensar con dobleces las diferencias de espesores entre premolares y molares, y de lo contrario será necesario realizar otro arco.

También se puede hacer sólo un arco, aún con diferencias en las piezas posteriores, cuando no se requiera desarrollar una mecánica de deslizamiento (casos sin extracciones ni diastemas) que es cuando se va a mantener la longitud de la arcada. En estos casos se pueden incorporar las dobleces de 1er. orden (alineación-nivelación) desde el 1er. arco.

Diseño de la zona anterior del arco

La sección del arco entre ambos caninos debe únicamente tener la forma curva de la plantilla, siguiendo la filosofía del arco recto. Para esto es imprescindible que los brackets de incisivos y caninos estén cementados a la misma altura de in-out. Las rotaciones y torques también deben ser individualizados con el cementado.

La altura de cementado de los brackets anteriores queda determinada por los caninos y se realiza en la zona de la cara lingual más conveniente entre 2 mm del borde incisal y 1 mm del borde gingival.

La altura a la que se posicionan los brackets de molares y premolares depende de la altura de su corona clínica y puede no ser la misma en el sector anterior y en los sectores posteriores derechos o izquierdos. Si la altura de cementado es igual en los 3 sectores, el inset post-canino estará en el mismo plano horizontal. Pero este inset también puede servir para compensar posibles diferentes alturas entre los sectores anterior y posteriores.

Plantilla individual para la confección de arcos

Centro de Ortodoncia y A.T.M.

INFORME – CUBETA DE CEMENTADO INDIRECTO

Doctor:
Paciente:
Fecha Salida:

Código Cliente:

INFORMACIÓN DEL CASO:

| SUPERIOR | VESTIBULAR ☐ | LINGUAL ☐ | SLOT | ☐ .018 |
| INFERIOR | VESTIBULAR ☐ | LINGUAL ☐ | | ☐ .022 |

☐ BRACKETS LINGUALES   ☐ BRACKETS VESTIBULARES

CUBETA
☐ SILICONA
☐ VINILO 2 mm.
☐ CUBETA RÍGIDA

CORTE DE CUBETA
☐ 1 PIEZA
☐ 2 PIEZAS
☐ 3 PIEZAS

CASOS SLOT MACHINE

MAXILAR SUPERIOR

	Altura	Rotación	IN-OUT	Inclinación	Torque
11	3,5	6 MR	7,50		
12	3,5		7,50		
13	3,5		7,50		
14	2		4,25		
15	2		4,25		
16	2		3		
17	2		3		
21	3,5	6 DR	7,50		
22	3,5		7,50		
23	3,5		7,50		
24	2		4,25		
25	2		4,25		
26	2		3		
27	2		3		

MAXILAR INFERIOR

	Altura	Rotación	IN-OUT	Inclinación	Torques
31					
32					
33					
34					
35					
36					
37					
41					
42					
43					
44					
45					
46					
47					

Observaciones:

C/ Museu 6 1º 1ª 08912 Badalona (Barcelona) Telf.: 93 3844705 Fax: 93 4642242
e-mail: ladent@centroladent.com   http://www.centroladent.com

Fig. 11-02   Plantilla de valores de los parámetros de posicionamiento de brackets en el laboratorio

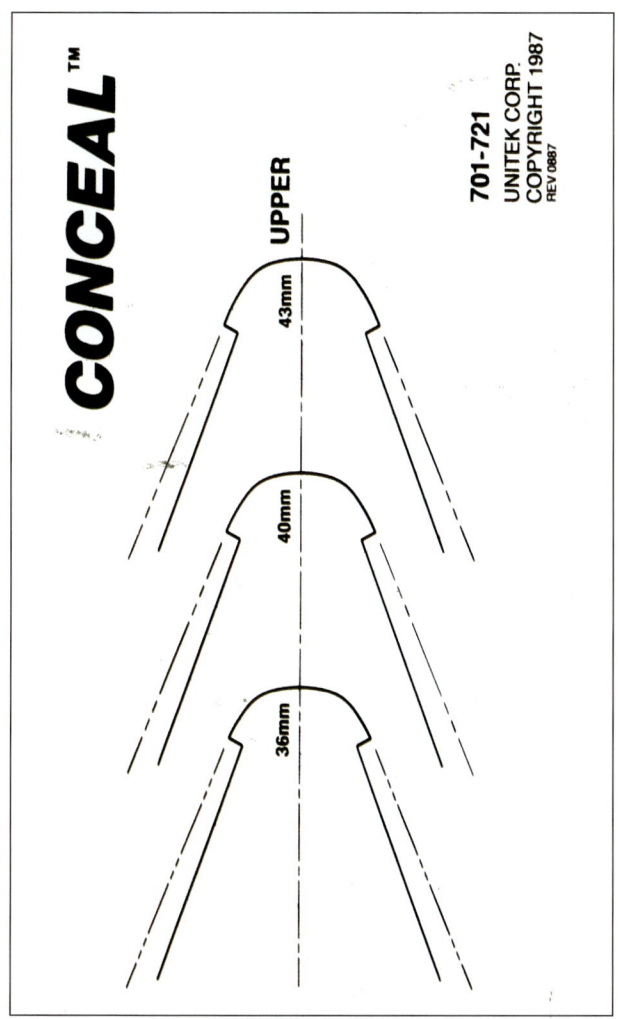

Fig. 11-03 A   Plantillas de arcos linguales Standard superiores (Dr. Creekmore)

Fig. 11-3 B   Plantillas de arcos linguales Standard inferiores (Dr. Creekmore)

En resumen: Si las lecturas verticales de Slot Machine en los 3 sectores son iguales, el arco será plano. En el inset distocanino se deberá formar un «escalón» vertical en los casos que exista diferencia entre los parámetros de altura de cementado de la zona anterior y zona posterior, para compensar esta diferencia.

En el sentido horizontal, la dimensión del inset se establece por las diferencias de in-out en el cementado de la zona anterior y posterior. Ambas medidas se indican en la plantilla individualizada.

Las plantillas de arcos estándar (diseñada por Creekmore, figs. 11-03A y 11-03B) tienen 2 medidas de arcadas inferiores y 3 superiores. Para coordinar los arcos, se selecciona primero la forma inferior, ya que es la forma de arcada que menos queremos modificar. Para coordinar ambas arcadas, se debe tener en cuenta lo siguiente: si se elige el tamaño menor de arcada inferior, se debe escoger la forma pequeña o la mediana de las 3 formas superiores (la que más ajuste). Si se selecciona la forma grande inferior, la superior deberá ser la mediana o la grande.

Superponiendo la plantilla estándar de arcos linguales (fig. 11-04) sobre la fotocopia del modelo, se selecciona el tamaño más adecuado. Se debe superponer la línea del arco sobre la zona donde están los slots y que es aproximadamente a la mitad del plano de mordida de los brackets. Entonces se superpone una hoja de acetato sobre la plantilla de arcos y la fotocopia (fig. 11-05A) y se dibuja la curva anterior hasta distal de los brackets de los caninos (figs. 11-05A y 11-05B).

Conocida la curvatura anterior y el tamaño del inset, tanto en sentido horizontal como vertical (medidas que se obtienen de la tabla de valores de posicionamiento de brackets, fig. 11-02), falta establecer la longitud de la curvatura anterior para saber donde se debe realizar el inset. La angulación del inset puede ser determinada por el operador.

La distancia entre los insets debe ser por lo menos igual a la suma de los diámetros mesio-distales de caninos e incisivos. Se pueden presentar 3 casos:

a. La zona anterior permanecerá constante. En este caso no hay apiñamientos ni diastemas, por lo que se realiza el inset 1 mm. a distal del bracket de canino.

Plantilla individual para la confección de arcos

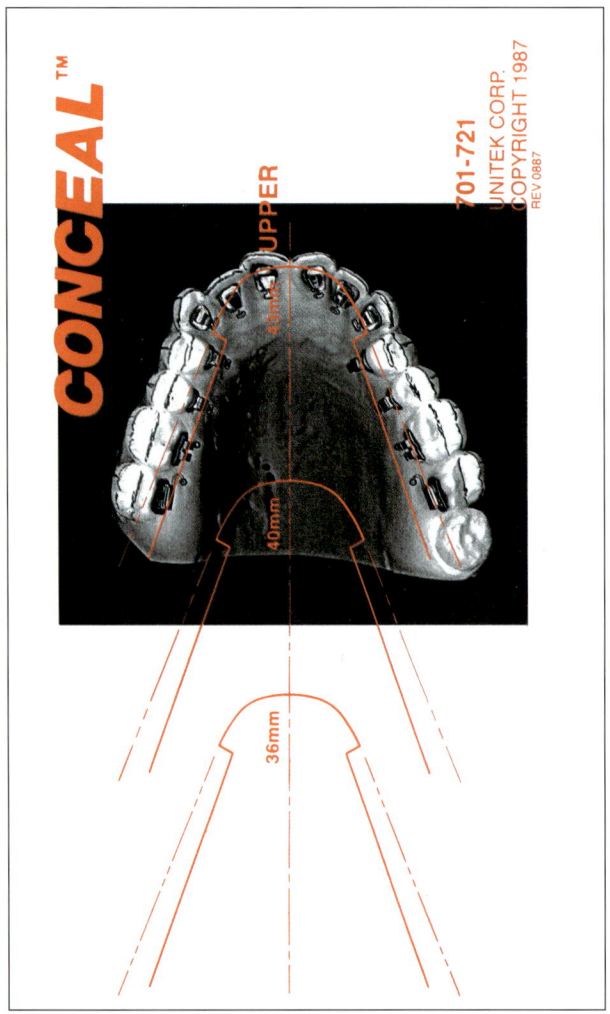

Fig. 11-04 Superponiendo la plantilla de arcos linguales Standard sobre la fotocopia del modelo

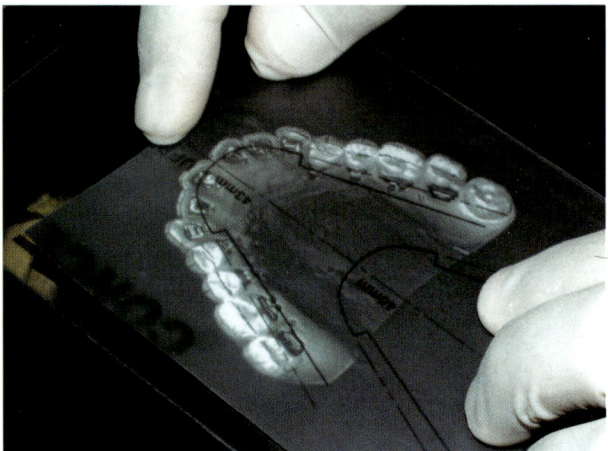

Fig. 11-05 A Superponiendo una hoja de papel de acetato sobre la plantilla de arcos ideales linguales Standard, que está superpuesta a la fotocopia del modelo

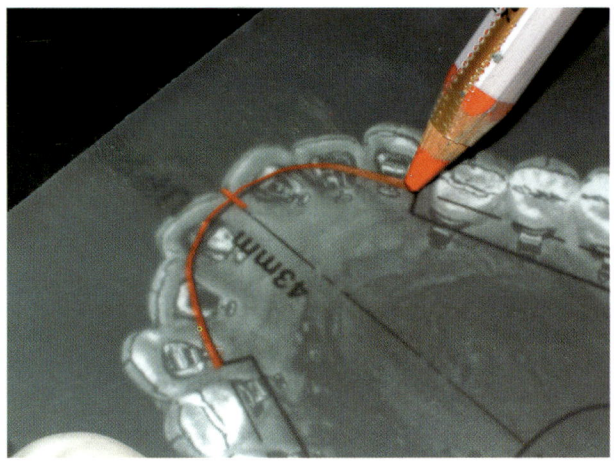

Fig. 11-05 B Dibujando el sector anterior del arco

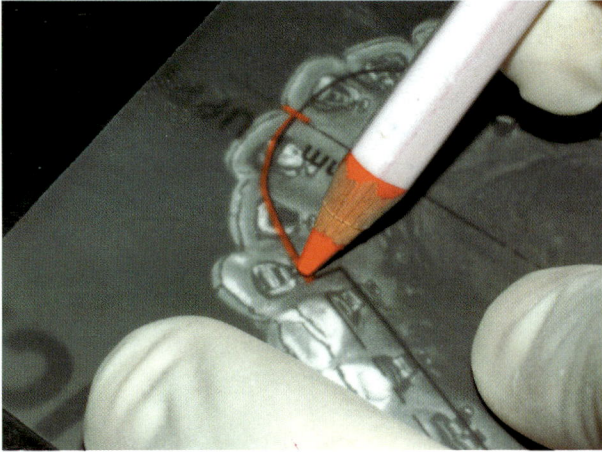

Fig. 11-05 C Sector anterior del arco dibujado

b. La zona anterior debe aumentar su longitud. En este caso se presentan apiñamientos y la distancia entre los dos insets debe permitir la alineación por lo que debe ser mayor que la distancia entre brackets de los caninos en una magnitud igual al apiñamiento anterior. Para ello se miden los dientes de canino a canino con un pie de rey (fig. 11-06) y se mide la longitud alveolar de distal de canino a distal de canino (fig. 11-07). La diferencia entre longitud alveolar de distal de canino a distal de canino menos la suma de los diámetros dentarios de incisivos y caninos se llama discrepancia dento-alveolar anterior. Esta distancia se deberá agregar a la longitud del arco anterior antes de doblar el in-set distocanino (fig. 11-08).

c. La zona anterior debe disminuir su longitud. En este caso hay diastemas o se realizará stripping por lo que el 1er. arco (de trabajo) será igual a la distancia de los brackets caninos. Una vez cerrados los diastemas, los siguientes arcos deberán poder reducir la longitud de la zona anterior para cerrar el diastema entre caninos y premolares.

En casos de extracciones, la situación del inset también puede variar en las diferentes etapas del tratamiento.

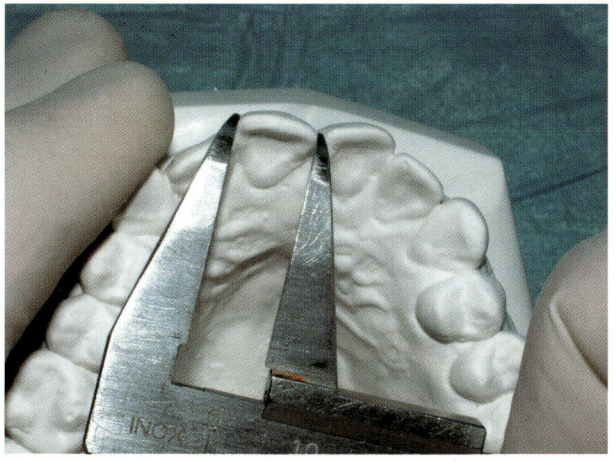

Fig. 11-06 Midiendo los dientes de canino a canino con un pie de rey

Fig. 11-07 Midiendo la longitud alveolar anterior con un pie de rey

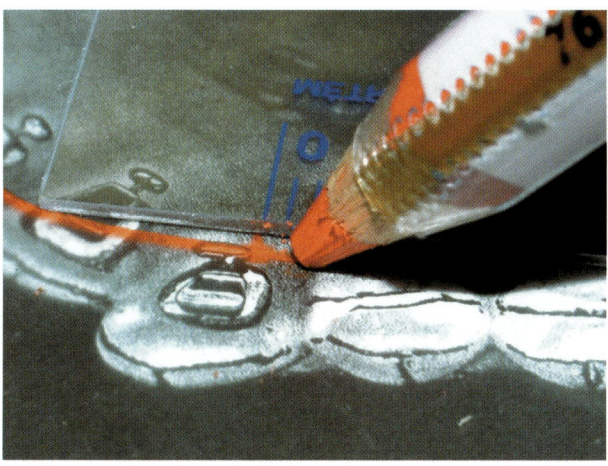

Fig. 11-08 Dibujando la longitud agregada a la zona anterior del arco

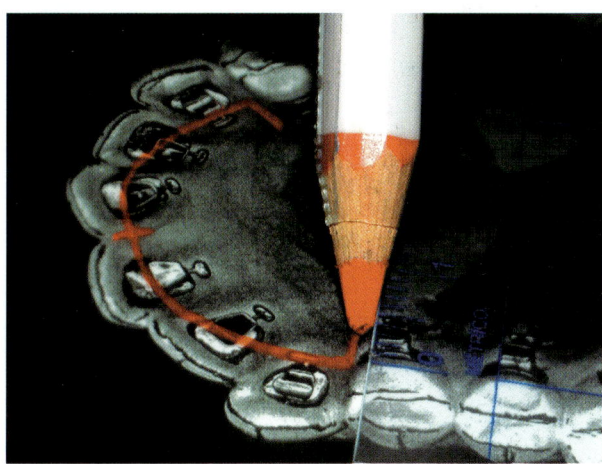

Fig. 11-09 Dibujando el in-set

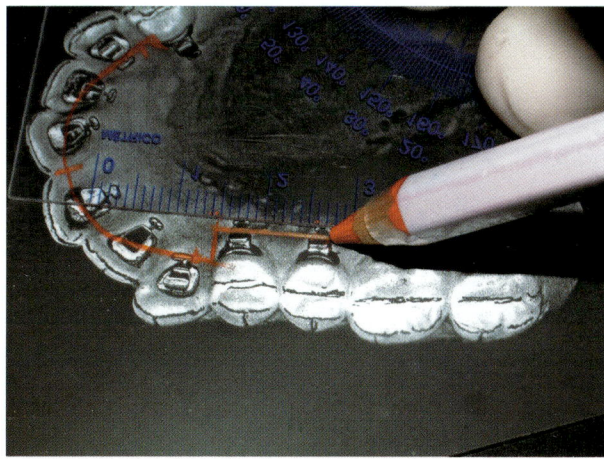

Fig. 11-10 Dibujando el sector premolar del arco

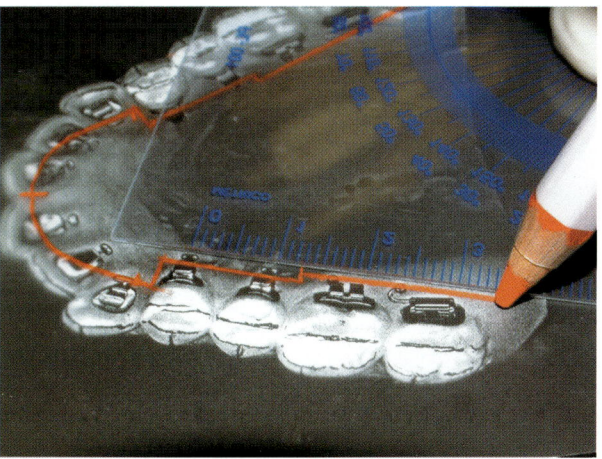

Fig. 11-11 Dibujando el sector molar del arco

Con el 1er. arco se realizará la distalización inicial de caninos que consiste en distalizar el canino lo suficiente como para poder alinear el frente anterior, es decir como para llevar a cero la discrepancia dento-alveolar ante-

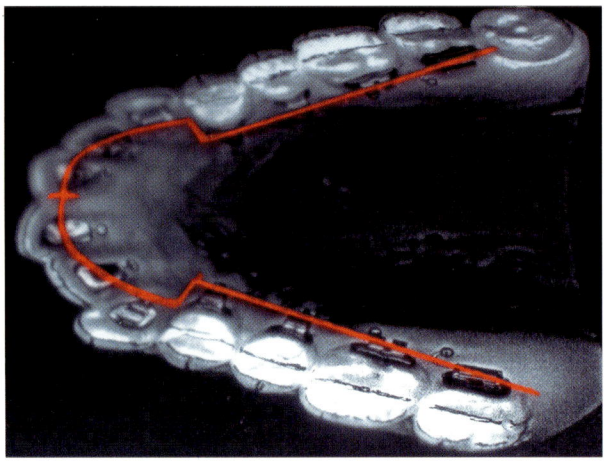
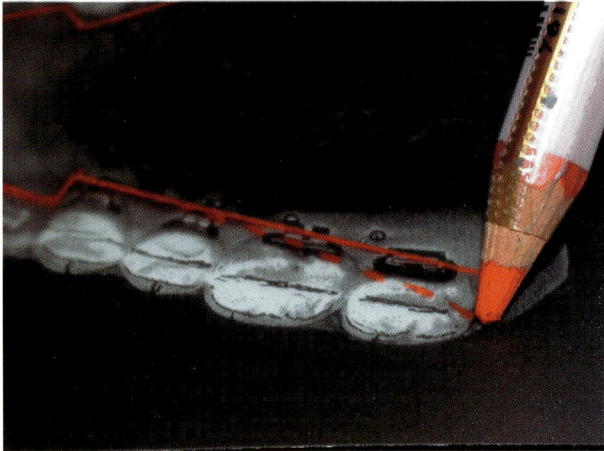

Fig. 11-12A Dibujando la curva de compensación horizontal (curva toe-out). La curva debe llegar aproximadamente a la mitad de la cara distal del segundo molar

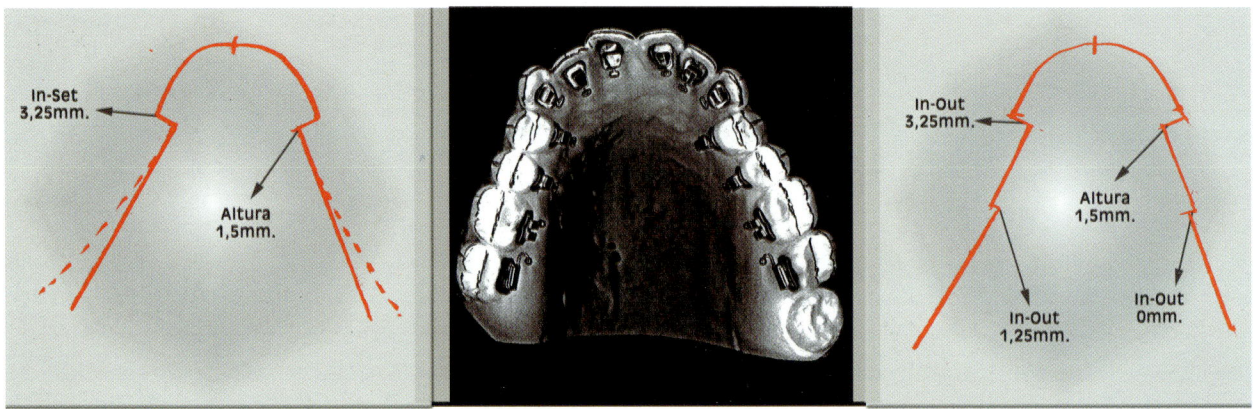

Fig. 11-13 Plantilla individual del laboratorio con fotocopia del modelo. Plantilla de arco mushroom (de trabajo) pegada a la izquierda y plantilla de arco Christmas (de terminación) pegada a la derecha.

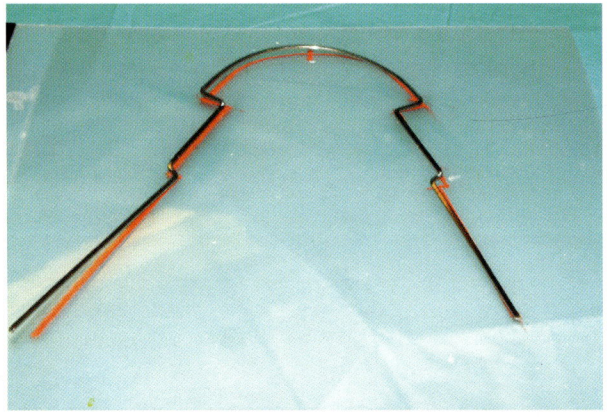

Fig. 11-14 Arco Christmas de acero formado sobre la plantilla

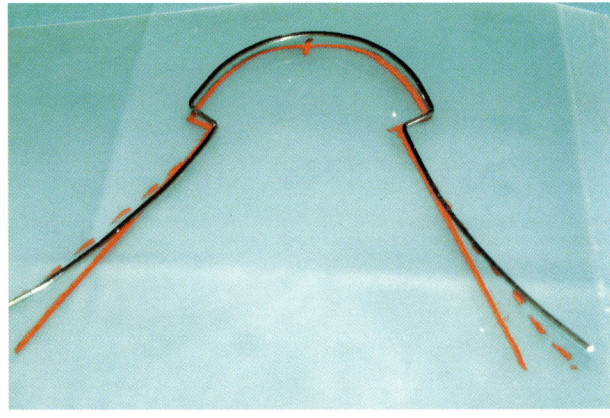

Fig. 11-15 Arco mushroom de acero formado sobre la plantilla

rior (de canino a canino). Para la distalización inicial, el inset se debe realizar dejando una longitud de arco anterior suficiente para hacer efectivo el movimiento. Normalmente el inset de este primer arco se realiza junto a la cara mesial del 2do. premolar.

Diseño de la zona posterior del arco

En los arcos de cierre de espacios (arco de trabajo, arco mushroom) los sectores posteriores tienen que ser rectos. En los arcos de terminación se deben incorporar los dobleces de 1er. orden (in-out / alineación y altura / ni-

Fig. 11-16 A Vista lateral de un arco lingual con compensación de altura a nivel del in-set disto-canino

Fig. 11-16 B El mismo arco con curva de compensación sagital (tip-back)

velación) necesarios para compensar los parámetros que no se hayan podido compensar en el cementado. Siempre se dobla el extremo distal del arco hacia vestibular para evitar molestias en la lengua.

El ajuste transversal del arco se debe realizar con arreglo a las necesidades de expansión o contracción del caso.

Se deben incorporar las curvaturas de compensación vertical y horizontal del efecto bowing.

El efecto bowing vertical es igual en los arcos vestibulares y linguales, es decir, que existe una tendencia a la mesioversión y extrusión de molares, intrusión de premolares y extrusión de incisivos. Se debe compensar con una curvatura sagital del arco a concavidad gingival, es decir, curva de Spee aumentada en el maxilar superior y curva de Spee invertida en el maxilar inferior.

El efecto bowing horizontal es opuesto en los arcos linguales y vestibulares.

En lingual la tendencia es hacia la disto-rotación y contracción de molares, la expansión de premolares y mesiorotación de caninos. Se debe compensar con una curvatura horizontal opuesta a la forma ovoide que incorporamos en los arcos vestibulares, es decir, que equivaldría a un toe-out.

Ambas curvas consideradas desde caninos a 2os. molares tendrán normalmente una profundidad de 2 mm., pero esta profundidad se aumentará cuando el efecto bowing se vea aumentado por las características del caso.

Dibujo de la plantilla individualizada

Arco de trabajo (arco mushroom)

a. Se superpone la curvatura seleccionada de la plantilla estándar de arcos linguales sobre la zona de los slots de canino a canino de la fotocopia (fig. 11-04).
b. Se superpone una hoja de papel de acetato encima de la plantilla y se dibuja la curvatura con una longitud acorde a lo explicado anteriormente (figs. 11-05A a 11-08).
c. Se dibujan los inset disto-caninos con la medida horizontal aportada por la hoja de parámetros de la Slot Machine y se especifican a un lado los valores horizontales y verticales del inset.
d. Se selecciona la línea recta que se corresponde con la línea de los slots de premolares y molares. En los casos de expansión o contracción se realizará otra línea punteada expandiendo o contrayendo el arco. Asimismo se dibuja en línea punteada la curva horizontal de compensación y se indica en números la profundidad de la curva sagital de compensación (figs. 11-10 a 11-12).
e. Se hacen unas marcas en el extremo mesial y distal del último tubo molar para referencia de la posición del omega y del doblez distal.
f. Se recorta la plantilla individualizada en el papel de acetato, se superpone sobre la fotocopia del modelo y se fija con cinta adhesiva por el lado izquierdo de la fotocopia (fig. 11-13).

Arco de terminación (arco christmas)

a. Se fija otra hoja de papel de acetato por el lado derecho, también con cinta adhesiva.
b. Se dibuja la zona anterior y los insets disto-caninos que permanecen iguales y los sectores posteriores deberán reflejar en forma de dibujos los dobleces horizontales necesarios para compensar la diferencia de diámetros mesio-distales de premolares y molares que no se hayan compensado en el cementado. Se indicará con números en un lado la magnitud de los dobleces horizontales y verticales de compensación (fig. 11-13).

Es conveniente confeccionar el 1er. arco en el laboratorio según la plantilla y probarlo en el modelo con los brackets cementados (antes de hacer la cubeta de transferencia) para comprobar si no hay diferencias de magnitud entre la fotocopia y el modelo. En caso de que el arco no ajuste al modelo se deberá rectificar la plantilla (figs. 11-14 y 11-15).

En las figuras 11-16A y 11-16B se pueden observar arcos con compensación de altura entre la zona anterior y posterior del arco a nivel del in-set distocanino. Obsérvese que el arco queda en dos planos. El arco se debe realizar de esta forma cuando no se pueden cementar los brackets anteriores y posteriores a la misma altura. Este desnivel queda indicado en la plantilla de arcos con una cifra a la altura del inset. También se puede observar en la segunda fotografía la curva de compensación sagital (tip back) leve.

En nuestra práctica podemos asegurar que muy raramente debemos rectificar la plantilla, pero evidentemente existen métodos más exactos para obtener oclusogramas en escala 1:1. El Dr. Charles Burstone (Universidad de Connecticut) diseñó la primera cámara fotográfica para oclusogramas; el Occlusal Tracer (Behavioral Motivations, Hobbs) y el mismo Burstone publicó en 1979 los oclusogramas informatizadas por primera vez.

El mismo procedimiento indicado puede ser realizado con la imagen obtenida por cualquiera de los métodos descritos.

Posteriormente Marcotte (VTO oclusal manual basado en Simon y Burstone), Ricketts (VTO oclusal informatizado), Didier Fillion en su aplicación lingual (DALI, software para Diseño de Arcos Linguales Informatizados) y Luis Carlos Ojeda, el programa informático OPP (Orthosoft Personalized Prescription) han descrito métodos informatizados para el diseño del arco.

Es importante destacar los trabajos de Larry White con oclusogramas y su utilización haciendo dibujos de la arcada superior e inferior y superponiéndolos para comprobar la oclusión. Destacó su uso para: hacer formas individualizadas de arcos, medidas de la discrepancia dento-alveolar, comprobación de la discrepancia súpero-inferior de Bolton, simulaciones oclusales y evaluación de varios planes de tratamiento.

Nosotros también utilizamos el oclusograma realizando el VTO para la corrección de modelos set-up en casos de: set-up diagnóstico, CLASS System, posicionadores elásticos y férulas quirúrgicas.

Técnica de Cementado. Impresiones. Cubetas de transferencia

12

- Cementado directo 191
- Impresiones para ortodoncia lingual 191
- Cubetas de transferencia 191
  - Cubeta de silicona opaca 191
  - Cubeta de silicona transparente 193
  - Cubeta termoplástica 193
  - Cubetas individuales unidentales 195
    Dr. Hiro 195
    KIS System 197
    Dr. Kyung 197
- Técnica de Cementado Indirecto 197
  - Introducción 197
  - Procedimiento clínico de cementado indirecto 198
  - Protocolo de cementado para un caso que presentara todos los tipos de superficies 203
  - Confección de una minicubeta individual unidental 204
  - Recementado de brackets descementados 206
- Cementado de bandas 208
- Preparación de la boca en 10 pasos para recibir
  los brackets linguales en las mejores condiciones 209
  - Introducción 209
  - Protocolo de 10 pasos para la preparación de la boca 210

Cementado directo

En ortodoncia lingual se comenzó con el cementado directo de los brackets sobre las caras linguales de los dientes, y algunas casas comerciales, diseñaron instrumentos para tal fin.

Este método no proporcionó los resultados esperados por varias razones:
- Se debe trabajar con visión indirecta.
- La anatomía de las caras linguales de los dientes es muy irregular e impide el correcto asentamiento de las bases de los brackets sobre los dientes.
- Algunos pacientes presentan limitación de apertura bucal, limitaciones para mantener la boca abierta por un período de tiempo prolongado o hipermovilidad lingual.
- La dificultad para el aislamiento del campo, especialmente en el maxilar inferior, y por la condensación del vapor de agua de la respiración sobre la cara lingual de los dientes.
- Los diferentes espesores vestíbulo-linguales de los dientes obligarían a realizar numerosos dobleces de compensación de primer orden para conseguir la alineación correcta.
- La gran variación de forma de la cara lingual de los dientes anteriores en cuanto a cóncavo-convexo, provoca grandes variaciones en las prescripciones de torque y rotación de los brackets cementados directamente y esto afecta directamente a la posición radicular y a la nivelación.

Impresiones para ortodoncia lingual

Es imprescindible posicionar los brackets linguales sobre modelos de yeso muy exactos, los cuales sólo se pueden obtener a partir de impresiones de alta calidad. En ocasiones resulta imprescindible realizar cubetas individuales o individualizar las cubetas de stock. También es conveniente utilizar siliconas de impresión si no se va a vaciar el modelo inmediatamente (fig. 12-01).
También es muy importante que no se realice ningún cambio a nivel dentario entre el momento de la impresión y el momento del cementado, especialmente:
- no realizar exodoncias,
- no realizar stripping,
- no realizar detartraje,
- no utilizar separadores para bandas,
- no cementar bandas,
- no utilizar ningún tipo de aparato activo.

De lo contrario, no ajustará la cubeta de transferencia.

Cubetas de transferencia

Se comienza pincelando el modelo con separador de yeso. Los brackets son siempre arenados en su rejilla

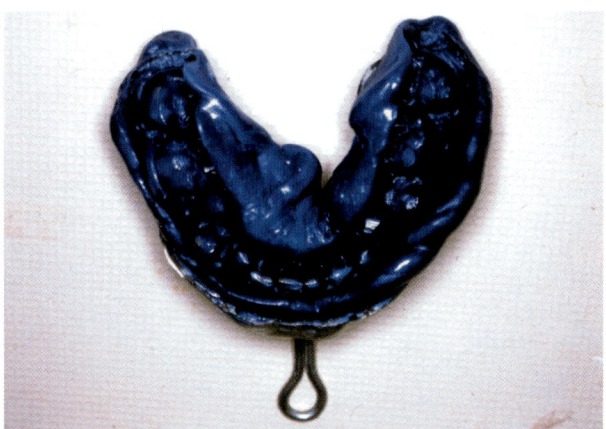

Fig. 12-01 Impresión definitiva realizada con cubeta individual acrílica y silicona.

con la Microetcher antes de cementarse al modelo. El arenado se realiza dentro de la Microcab con óxido de aluminio de 50 micrones para aumentar su retención mecánica y luego los brackets son cementados al modelo con la pasta de Light Bond (Reliance) polimerizando con lámpara de luz halógena.

Una vez cementados todos los brackets al modelo se debe hacer una fotocopia oclusal del modelo con los brackets cementados, la cual será utilizada junto con la tabla de valores del laboratorio para hacer el diseño del arco.

En este momento se debe realizar la cubeta de transferencia para transferir los brackets a la boca en la misma posición que se encuentran en el modelo.

Las cubetas se pueden realizar de:
- Silicona opaca
- Silicona transparente
- Termoplástica
- Cubetas individuales unidentales:
  - Dr. Hiro
  - KISS System
  - Dr. Kyung

Cubeta de silicona opaca

Se cubren todos los brackets con silicona liviana (yo utilizo Xantopren azul o verde de Bayer, fig. 12-02) procurando que no quede ninguna burbuja de aire (fig. 12-03).

ENTRE EL MOMENTO DE LA IMPRESIÓN Y EL CEMENTADO

- no realizar exodoncias
- no realizar stripping
- no realizar detartraje
- no utilizar separadores para bandas
- no cementar bandas
- no utilizar ningún tipo de aparato activo

De lo contrario no ajustará la cubeta de transferencia.

Cuadro 12-01

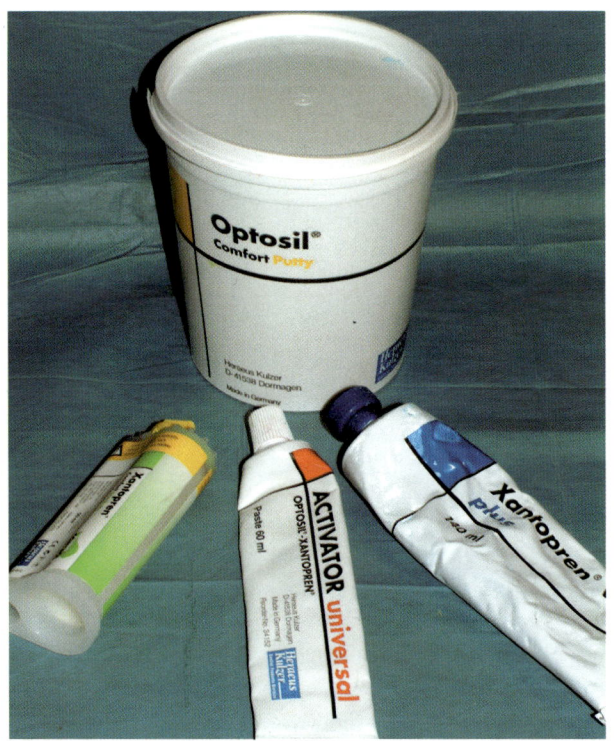

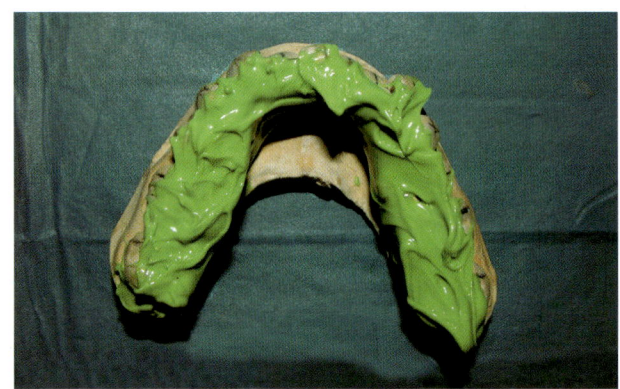

Si no se tiene suficiente práctica, es conveniente preparar la silicona para cada 2 dientes, obteniendo mayor tiempo de manipulación. A continuación se completa la cubeta con silicona pesada (Optosil de Bayer) (figs. 12-03, 12-04A y 12-04B).

Se recorta a nivel de cuellos y se marca la línea media. Una vez endurecida la silicona, se sumerge el modelo en agua fría durante 15 minutos para que los brackets se despeguen del modelo.

Fig. 12-02 Material para cubeta de transferencia de silicona: Optosil y Xantropren de Bayer

Fig. 12-03 El modelo con brackets es pincelado con separador de yeso y los brackets son cubiertos con silicona liviana, en este caso, Xantropren verde de Bayer

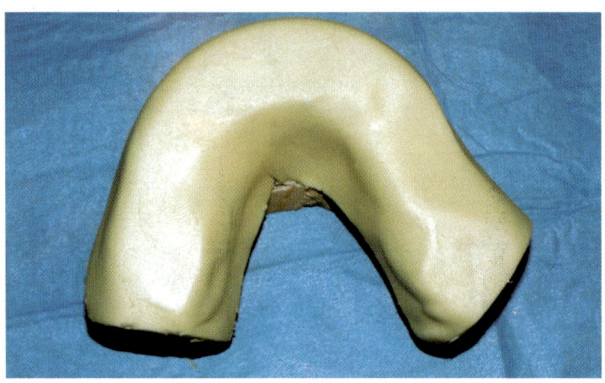

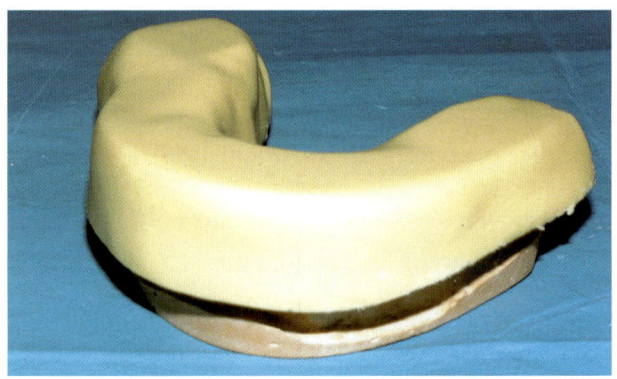

Fig. 12-04 A Cubeta terminada con la silicona pesada (Optosil de Bayer), vista oclusal

Fig. 12-04 B Cubeta terminada con la silicona pesada (Optosil de Bayer), vista lateral

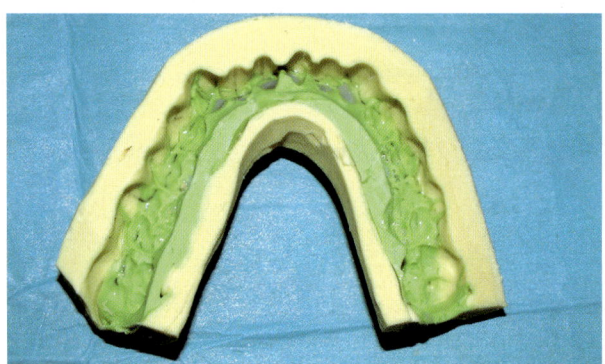

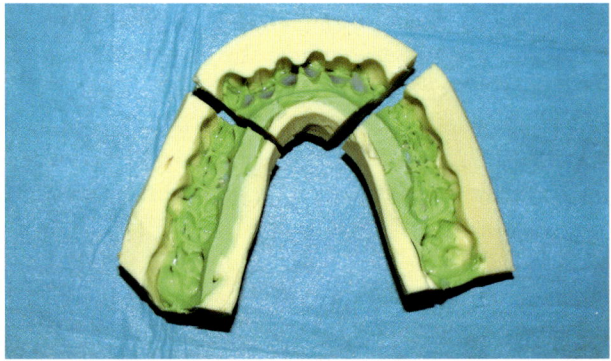

Fig. 12-05 A Cubeta terminada con la silicona pesada (Optosil de Bayer), vista interior

Fig. 12-05 B Cubeta terminada con la silicona pesada (Optosil de Bayer), vista interior. La cubeta ha sido separada en 3 secciones

Capítulo 12

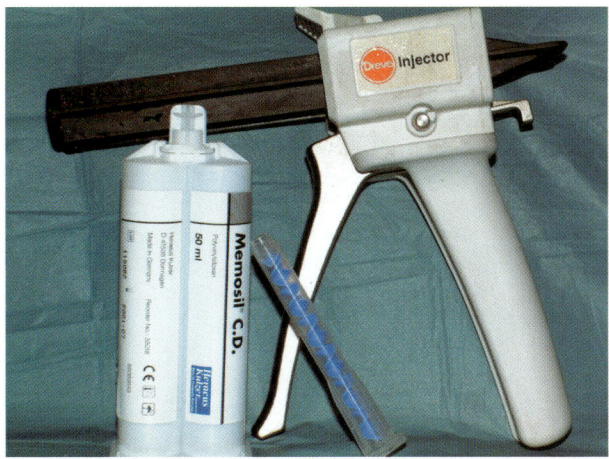

Fig. 12-06 Material para cubeta de transferencia de silicona traslúcida: Memosil de Kulzer

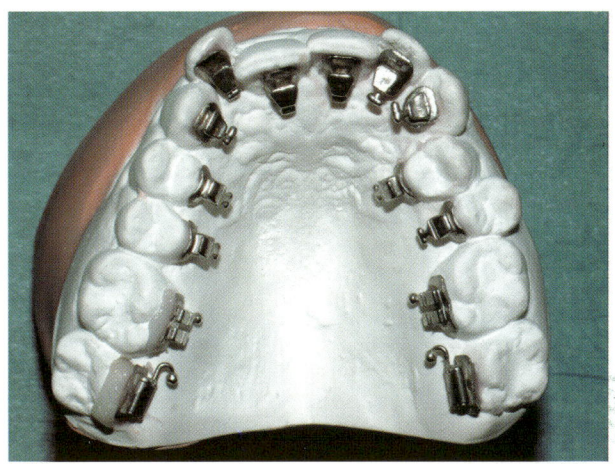

Fig. 12-07 A Modelo con los brackets y separador de yeso

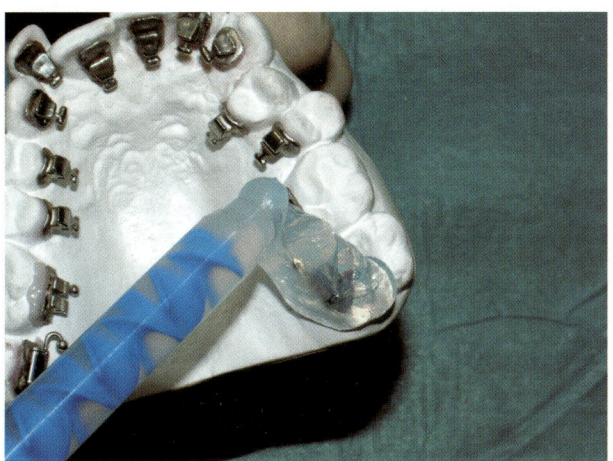

Fig. 12-07 B Cubriendo los brackets con la silicona

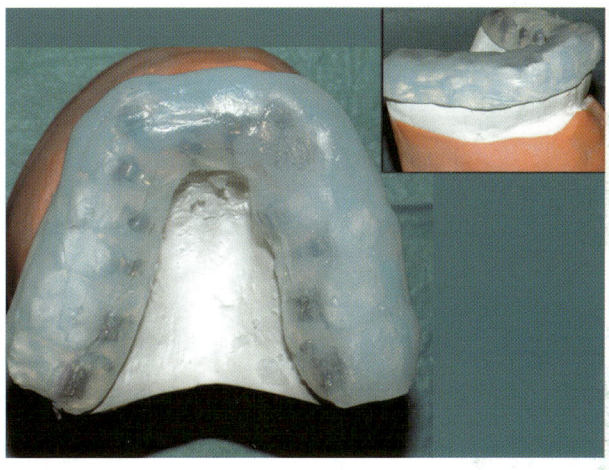

Fig. 12-08 Cubeta terminada

En la figura 12-05A se puede ver el interior de la cubeta y observarse que se han conservado las bases de composite de los brackets. Normalmente se secciona la cubeta en 3 secciones para facilitar el retiro (fig. 12-05B).

Este es el tipo de cubetas que yo utilizo porque no necesito una cubeta transparente al usar un cemento de polimerización química y porque se puede reutilizar la cubeta en caso de descementados recortando una cubeta unidental.

Cubeta de silicona transparente

La cubeta de silicona transparente puede reutilizarse y es la cubeta indicada si se utiliza un cemento fotopolimerizable. Se utiliza una silicona de una sola consistencia: Memosil de Kulzer (fig. 12-06). Se debe aplicar con una pistola dosificadora. En la figura 12-07A se observa el modelo con los brackets cementados; en la 12-07B, la aplicación de la silicona; y en la 12-08 la cubeta terminada.

Fig. 12-09 Máquina Biostar

Cubeta termoplástica

Se debe utilizar una máquina de vacío (Biostar, fig. 12-09) para la realización de las cubetas termoplásticas. Se

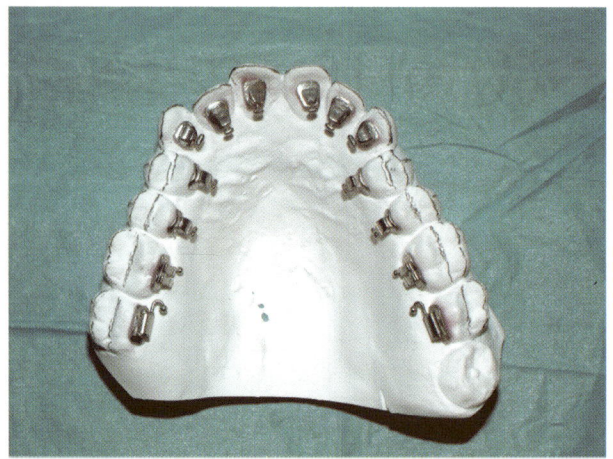

Fig. 12-10 A Modelo con brackets

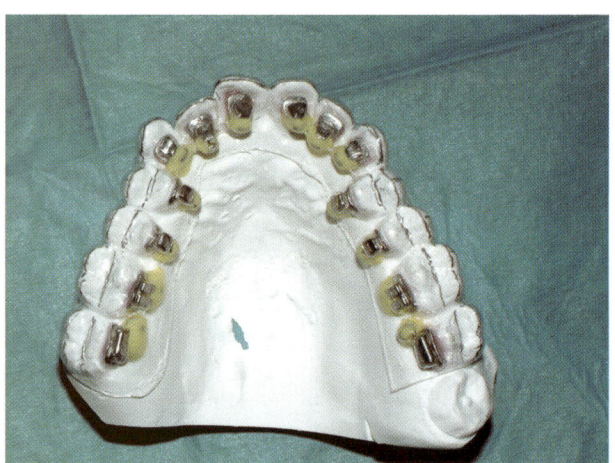

Fig. 12-10 B Modelo con brackets. Los ganchos han sido aliviados con Optosil sin activador

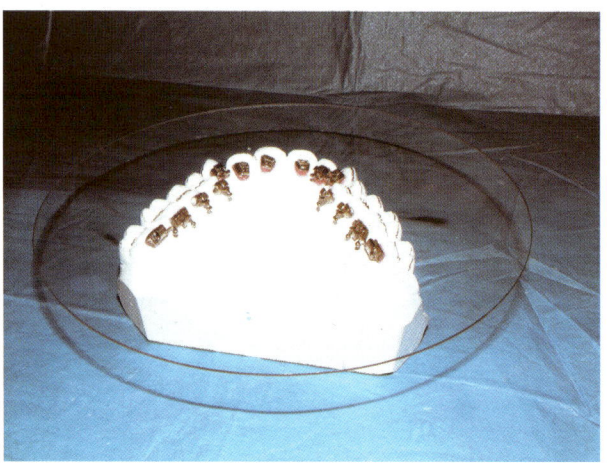

Fig. 12-11 Modelo con la plancha de Copiplast superpuesta

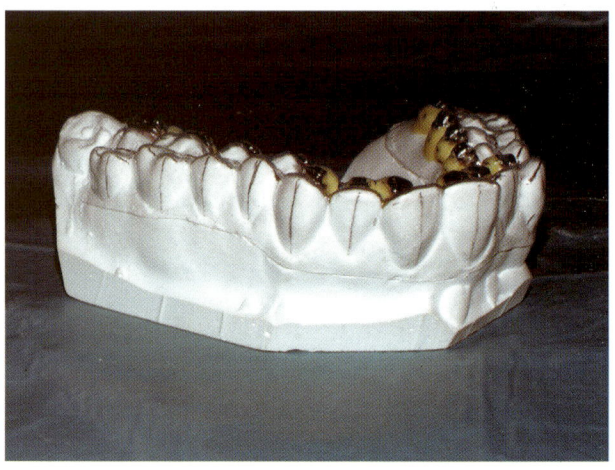

Fig. 12-12 Modelo con la cubeta de Copiplast adaptada y recortada 1mm hacia gingival de los cuellos

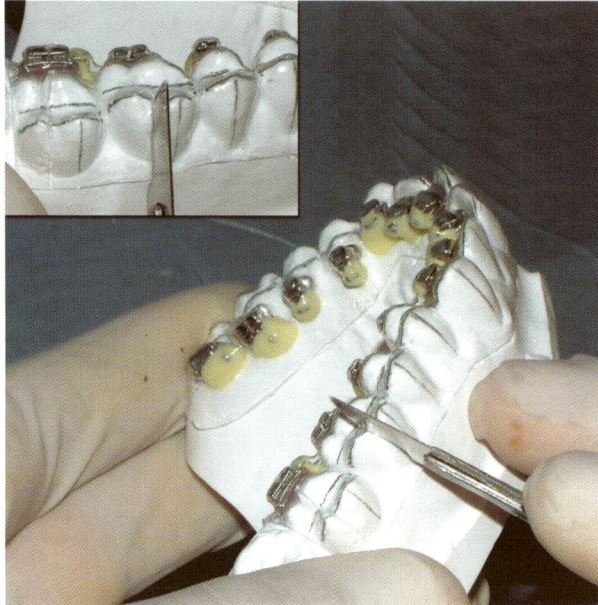

Fig. 12-13 Realizando cortes verticales en la cubeta de Copiplast a nivel de cada diente

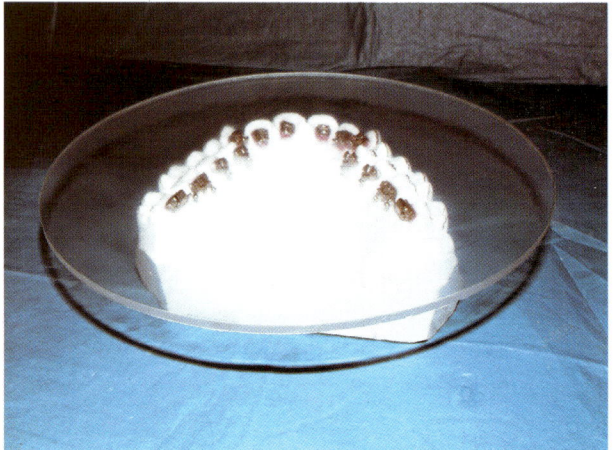

Fig. 12-14 Plancha de Bioplast de 2 mm sobre el modelo con brackets y con la cubeta de copiplast

cementan los brackets al modelo (fig. 12-10A) y se bloquea el espacio por debajo de los ganchos con Optosil sin polimerizar (fig. 12-10B). Se hace una cubeta de

Capítulo 12

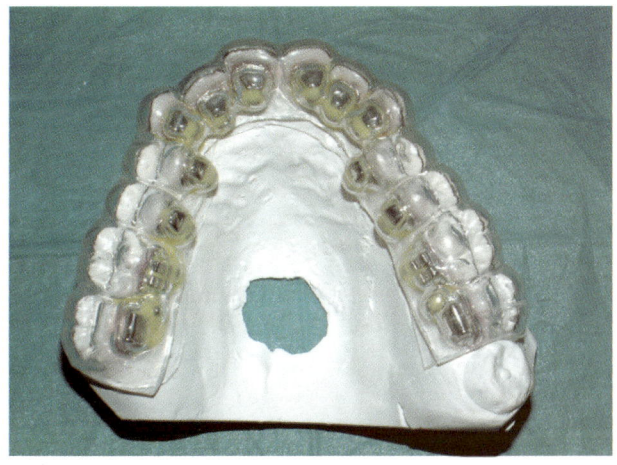

Fig. 12-15 A Cubeta de Bioplast terminada y recortada a nivel de cuellos, de forma que la cubeta de Copiplast sobresale 1 mm, vista oclusal.

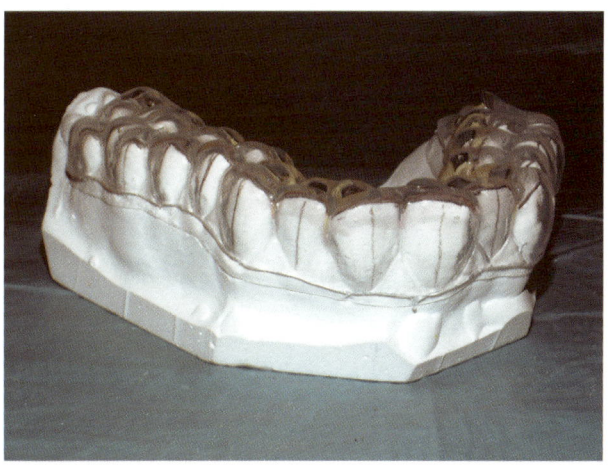

Fig. 12-15 B Cubeta de Bioplast terminada y recortada a nivel de cuellos, de forma que la cubeta de Copiplast sobresale 1 mm, vista lateral

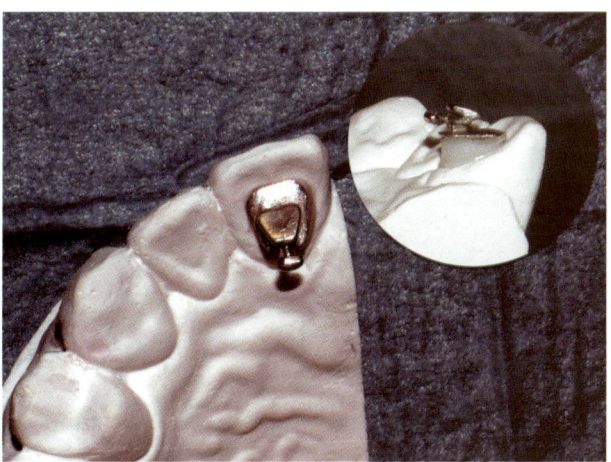

Fig. 12-16 Vista lateral de un bracket cementado al modelo. Obsérvese la base "hecha a medida" de composite

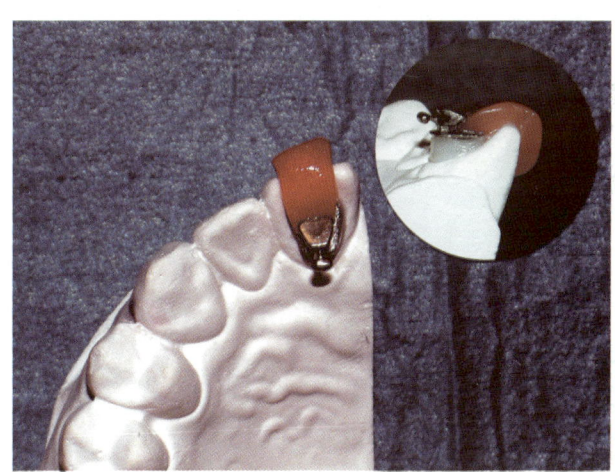

Fig. 12-17 Cubeta individual de transferencia, Dr. Hiro

Copiplast de 0,5 mm (figs. 12-11 y 12-12). Con un bisturí se hace un corte vertical por el centro de la cara vestibular de cada diente (fig. 12-13) y se recorta la cubeta 1 mm por debajo del margen gingival. A continuación se realiza la segunda cubeta Bioplast 2 mm por encima de la anterior (figs. 12-14, 12-15A y 12-15B). Esta segunda cubeta se recorta a nivel del margen gingival por lo que la cubeta interna sobresale 1 mm de la cubeta externa.

Este sistema es conocido como two-trays o doble cubeta. Las ventajas de la cubeta termoplástica es que facilita mucho el retiro y que permite utilizar cementos fotopolimerizables. Para retirar esta cubeta, se retira la cubeta de Bioplast sujetando la cubeta de Copiplast por la parte que sobresale y luego se retira la cubeta de Copiplast muy fácilmente por estar recortada. Esta cubeta no puede ser reutilizada para recementar como la cubeta de silicona.

Cubetas individuales unidentales

Los sistemas de cubetas individuales son especialmente útiles cuando se realiza el sistema CLASS, porque permite transferir los brackets directamente desde el modelo set-up corregido a la boca, eliminando la transferencia del bracket al modelo original. De esta forma se gana en precisión al eliminar un paso del proceso, se reduce el tiempo de laboratorio pero se aumenta el tiempo clínico de cementado.

Dr. Hiro

El Dr. Toshiaki Hiro de Japón desarrolló un sistema de cubetas individuales unidentales para transferir los brackets desde el modelo hasta la boca.

El Dr. Hiro llamó a este sistema RCIBS - Resin Core Individual Bonding System que utiliza cubetas individuales de transferencia rígidas. RCIBS puede traducirse como "Sistema de Cementado con cubetas individuales

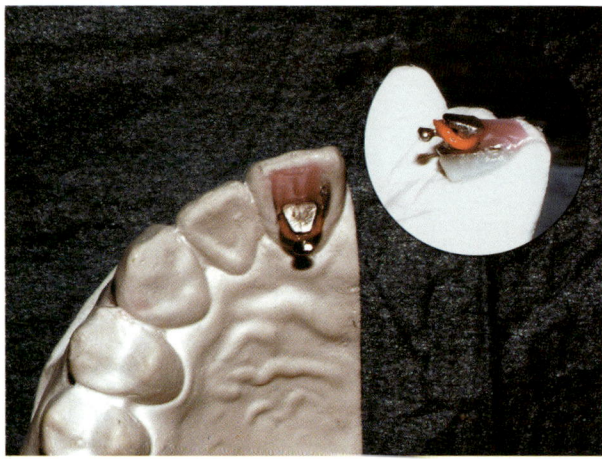

Fig. 12-18 A Cubeta individual de transferencia, KISS System 1. Bloqueo del slot con una ligadura elástica y bloqueo de la aleta oclusal con cera

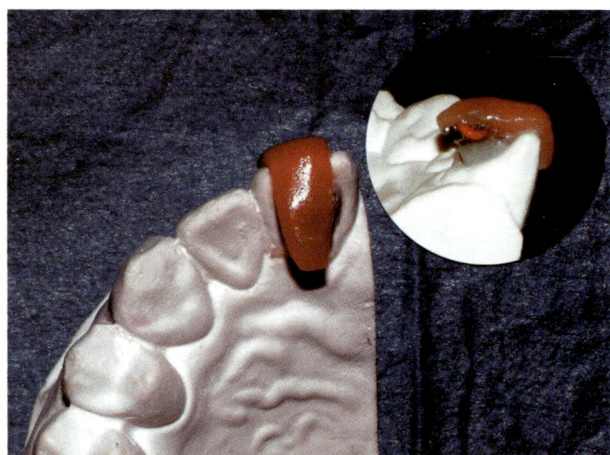

Fig. 12-18 B Cubeta individual de transferencia, KISS System 2. Confección de la cubeta en resina

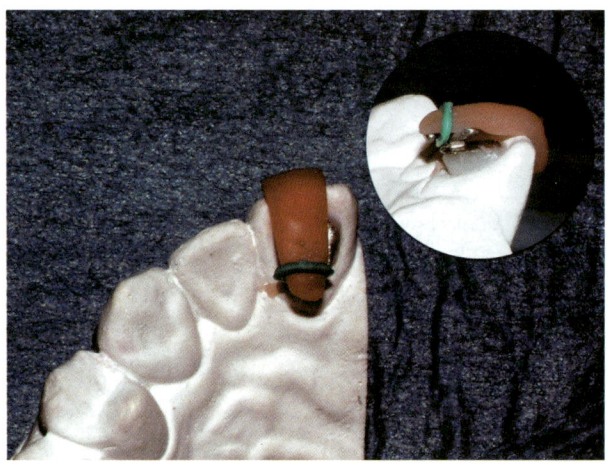

Fig. 12-18 C Cubeta individual de transferencia, KISS System 3. Se hace un surco en la parte oclusal de la cubeta a nivel del gancho y se liga el bracket a la cubeta con una ligadura elástica

LAS CUBETAS SE PUEDEN REALIZAR DE:

- Silicona opaca
- Silicona transparente
- Termoplástica
- Cubetas individuales unidentales:
Dr. Hiro
KIS System
Dr. Kyung

Cuadro 12-02

de resina Core". La resina utilizada es la resina Bisfil Core de Bisco.
En la figura 12-16 se observa un bracket lingual de Kurz cementado a un diente con su base de composite individualizada y en la figura 12-17 la cubeta rígida individual.
El Dr. Hiro encontró los siguientes problemas en el cementado indirecto:

1. Como las cubetas son flexibles es posible que se deformen.
2. En CLASS, a veces se transfieren mal los brackets desde el modelo corregido al modelo de maloclusión.
3. Errores en el cementado, obligan a realizar dobleces complicados en la terminación.
4. No se puede controlar el flash-paste que irrita los tejidos gingivales con las cubetas de silicona o termoplásticas.
5. La eliminación del flash-paste polimerizado es muy difícil para el ortodoncista e incómoda para el paciente.
6. Las cubetas se deben guardar hasta el final del tratamiento y las de silicona pueden perder estabilidad dimensional.
7. El recementado es difícil recortando minicubetas de silicona.
8. No se pueden mover los dientes desde la impresión hasta el cementado.

Ventajas del RCIBS:
1. Es más simple en clínica (retiro de la cubeta) y en el laboratorio (omite pasos del CLASS).
2. No se deforman.
3. El Dr. Hiro dice que no hay que guardar las minicubetas porque se recementa por ajuste directo, pero hay que tener en cuenta que la anatomía de los dientes de los pacientes orientales suele tener cíngulos más marcados y esto no se puede hacer con los pacientes europeos. Si se guardan, estas cubetas rígidas de resina tienen más estabilidad dimensional que las minicubetas de silicona.
4. Se pueden hacer movimientos desde la impresión hasta el cementado, porque su ajuste es individual.
5. No se necesitan máquinas de vacío en contraposición con las cubetas termoplásticas.
6. Se puede remover el flash-paste antes de polimerizar el cemento y utilizar cementos fotopolimerizables.

Pasos del RCIBS
1. Hacer set-up de modelos montados en articulador.
2. Hacer arco ideal y ligar los brackets al arco (ver CLASS System).
3. Aplicar separador de yeso en el modelo y cementar los brackets al modelo ideal ligados al arco.
4. Hacer los RCIBS y recortarlos adecuadamente.
5. Comprobar el ajuste en el modelo de maloclusión por rotaciones o apiñamientos.
6. Cementar uno a uno en boca eliminando el flashpaste con cemento fotopolimerizable y gravando las superficies dentarias de la forma adecuada.
7. Remover la minicubeta rígida.
8. Comprobar excesos de adhesivo.
9. Ligar el arco

KIS System

El Dr. Tae Weon Kim y la Korean Society of Lingual Orthodontics (KSLO) desarrollaron el sistema KISS: Korean Indirect bonding Set-up System que traducido sería: Sistema Coreano de Montaje para Cementado Indirecto (ver capítulo 8).

Según estos autores, el posicionamiento ideal de los brackets linguales depende de: modelos set-up ideales, posicionamiento ideal de los brackets en los modelos set-up y una transferencia precisa de los brackets hasta los dientes del paciente.

El sistema KISS tiene 3 componentes (ver capítulo 8):
- El set-up model checker
- El Bracket Positioner
- CRC Ready-made Core

El sistema de cubetas individuales presentado por Tae Weon Kim se realiza de la siguiente manera:
- Una vez cementado el diente al modelo set-up con el Bracket Positioner, se coloca una ligadura elástica que pasa por el slot del bracket y por la aleta oclusal para bloquear el slot. Además se bloquea el espacio por debajo de la aleta incisal con cera (fig. 12-18A).
- A continuación se realiza una cubeta individual con resina Bisfil Core de Bisco que cubre el bracket y el borde incisal o cara oclusal de los dientes (fig. 12-18B).
- Se elimina la cera y la ligadura del slot.
- Se recorta la cubeta y se hace un surco en la cara externa de la cubeta a la altura del slot.
- Se liga el bracket a la cubeta con una ligadura elástica (fig. 12-18C).

Estas cubetas son fácilmente utilizables para recementar brackets que se hubieran descementado. Para ello deben ser identificadas con la numeración del diente y almacenadas ordenadamente.

Muy próximamente se comercializarán a través de la compañía IV TECH (Invisible Technologies Co Ltd) los CRC Ready Made Core que ahorrarán mucho tiempo de laboratorio ya que son cubetas individuales prefabricadas que reproducen la parte externa de los brackets Kurz y sólo hace falta hacer la adaptación con resina al diente en el laboratorio.

Dr. Kyung

El Dr. Hee-Moon Kyung desarrolló el Individual Indirect Bonding Technique (IIBT) explicado en el capítulo 8 desarrollando también unas cubetas individuales con materiales de diferente consistencia: una más flexible en contacto con el bracket y una más rígida para apoyarse sobre los dientes.

Los brackets son fijados al modelo y con resina Bisfil Core (Bisco) se realizan las cubetas individuales flexibles: Flexible Cure Trays (FCT).

La cubetas individuales se realizan con Fermit (Ivoclar Vivadent) que es un material resiliente fotopolimerizable cubriendo todo el bracket y por encima se cubre con una resina rígida (Dentaplast, Bredent) que recubre el Fermit y tiene un apoyo en el borde incisal o la cara oclusal.

Técnica de Cementado Indirecto

Introducción

Una vez que se ha realizado la cubeta de transferencia y la plantilla del arco lingual ideal y que el paciente ya ha sido preparado para recibir los brackets linguales, se puede comenzar el procedimiento clínico de cementado indirecto.

Uno de los momentos más críticos del cementado indirecto es el retiro de la cubeta, por lo que es aconsejable que los ortodoncistas comiencen familiarizándose con la técnica de cementado indirecto con brackets vestibulares, para luego continuar con la técnica lingual. Yo utilizo habitualmente las cubetas de transferencia de silicona, aunque el procedimiento descrito en este artículo puede ser utilizado también con cubetas termoplásticas.

El procedimiento de cementado debe ser muy estricto ya que el descementado de brackets supone un retraso en el tiempo de tratamiento con posibles complicaciones y un desánimo para el paciente y el profesional.

Chumak y colaboradores han demostrado, en un estudio in vitro, que la resistencia del despegamiento de los brackets linguales era incluso superior que en la cara vestibular (ver cuadro 12-03), por lo que no existen motivos adicionales para que el descementado sea más frecuente que con los brackets vestibulares.

Otras conclusiones de ese estudio fueron que el descementado aumenta si hay zonas de resina no polimerizadas o si la base del bracket no está correctamente adaptada a la anatomía del diente, por lo que resulta muy importante prestar atención a estos aspectos.

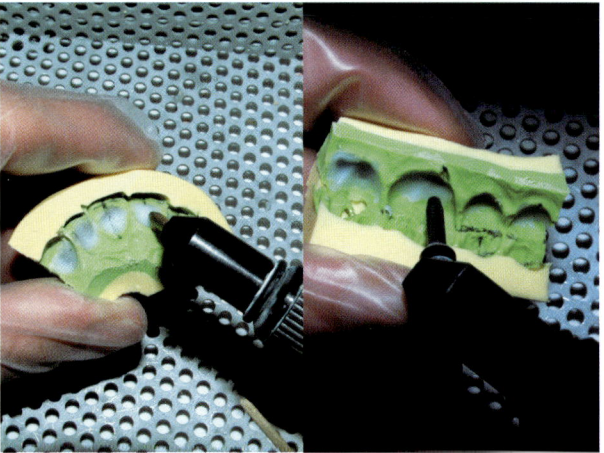

Fig. 12-19 Técnica de cementado indirecto. Preparación de la cubeta de transferencia para el cementado 1 - Arenado suave de las bases de composite, lavado y secado

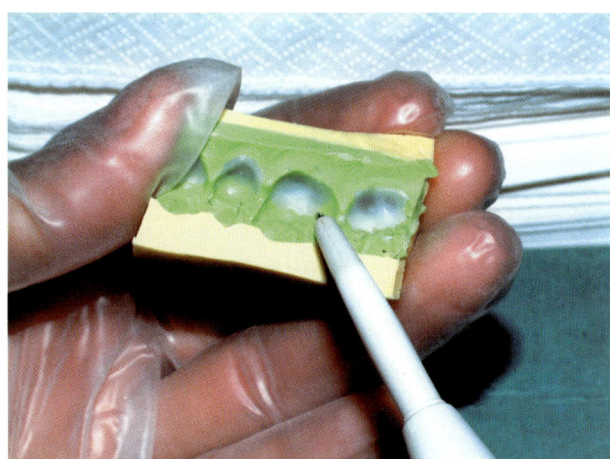

Fig. 12-20 Técnica de cementado indirecto. Preparación de la cubeta de transferencia para el cementado 2 - Lavado y secado con la jeringa

DIENTE	Resistencia al Despegamiento (Kg/cm²)	
	Vestibular	Lingual
Premolares Superiores	127,7	138,2
Premolares Inferiores	121,6	136,2
Incisivos Inferiores	161,1	166,3

Cuadro 12-03 Estudio de resistencia al despegamiento de Chumak y cols

Zachrisson y colaboradores han demostrado que no existen diferencias clínicamente significativas entre el porcentaje de éxito de cementado de técnicas directas o indirectas, pero que las técnicas directas facilitan la remoción del exceso de cemento que pueda provocar inflamación gingival o áreas de descalcificación por lo que resulta importante no utilizar cantidades excesivas de cemento.

Hocevar y colaboradores hicieron una comparación de fuerzas de cementado y localización del fallo con técnicas de cementado directo e indirecto in vitro, concluyendo que la fuerza de cementado en ambos grupos no presentaban diferencias significativas pero que en cuanto a la localización del fallo en la técnica indirecta se produce más en la interfase diente-cemento (72%) con respecto a la técnica directa (56%).

Este estudio destaca además los siguientes aspectos de la técnica indirecta:
  a. se reduce la cantidad de excesos de cemento.
  b. se reduce el riesgo de vacíos de cemento que facilitan la acumulación de placa.
  c. se minimiza el espesor de adhesivo.
  d. se obtiene suficiente fuerza de cementado.
  e. es fácil la limpieza posterior al descementado.

Procedimiento clínico de cementado indirecto

Es imprescindible realizar una profilaxis y detartraje antes de la toma de impresión definitiva y enviar el modelo al laboratorio para la confección de la cubeta de transferencia.

1. Prueba del ajuste de la cubeta de transferencia y preparación de la misma

Se comprobará que la cubeta de transferencia ajuste adecuadamente en la boca del paciente. Para aquellos ortodoncistas que se inician en esta técnica es conveniente que dividan la cubeta en 2 ó 3 piezas (fig. 12-5B) a fin de facilitar el eje de entrada-salida. Esto es también aconsejable en aquellos casos de apiñamientos graves, rotaciones o dientes con diferentes ejes, a fin de facilitar el retiro de la cubeta.

Una vez aceptado el ajuste de la cubeta, se procederá a la preparación de la misma:
 1a. arenado suave de las bases de composite con microetcher y óxido de alumino de 50 micrones (Danville Engineering) (fig. 12-19)
 1b. lavado y secado (fig. 12-20)
 1c. aplicación de Plastic Primer (Reliance, Ormco) (fig. 12-21)
 1d. aplicación del líquido para bracket del adhesivo (fig. 12-21)

2. Profilaxis

Se realizará una profilaxis con copa de goma y pasta de profilaxis libre de fluor y aceites (Reliance First & Final, Reliance), se lava y se seca (fig. 12-22).

3. Aislamiento del campo

Es imprescindible mantener los dientes completamente aislados de saliva durante todo el procedimiento. Resulta de gran ayuda los separadores-aspiradores tipo NOLA

PROCEDIMIENTO CLÍNICO DE CEMENTADO

1. Prueba del ajuste de la cubeta de transferencia y preparación de la misma.
2. Profilaxis
3. Aislamiento del campo
4. Obtención de retención mecánica en las piezas dentarias
   - 4a. Esmalte
   - 4b. Metales preciosos y no preciosos
   - 4c. Porcelana
   - 4d. Resina y composite
5. Secado
6. Cementado propiamente dicho
   - 6a. Preparación de la cubeta
   - 6b. Cementado
7. Mantención de la cubeta en posición
8. Retiro de la cubeta
9. Comprobación con seda dental
10. Ligado de arcos

Cuadro 12-04

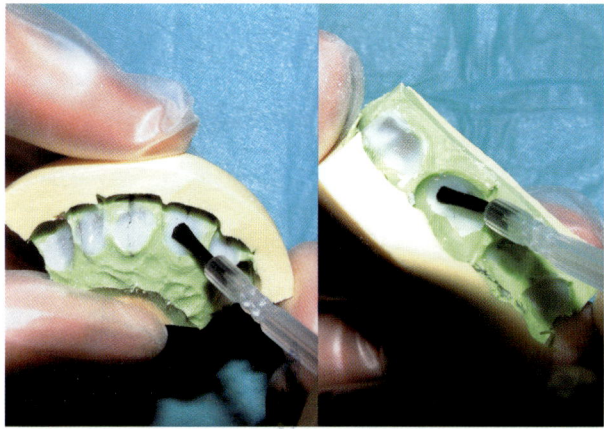

Fig. 12-21 Técnica de cementado indirecto. Preparación de la cubeta de transferencia para el cementado 3 – Aplicación de Plastic Primer y aplicación del líquido para brackets del adhesivo. El plastic primer y el adhesivo deben aplicarse en el mismo momento que se aplica el adhesivo en boca.

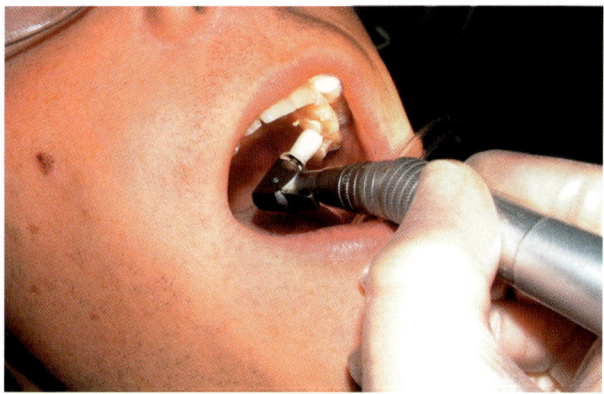

Fig. 12-22 Técnica de cementado 1 - Profilaxis con copa de goma y pasta de profilaxis

Appliance (Great Lakes), ya que separan simultáneamente labios, mejillas y lengua, a la vez que ofrecen múltiples puntos de aspiración (figs. 7-34 y 12-23). El aislamiento se completa con rollos de algodón en el fondo del vestíbulo y fosas linguales, y escudos de algodón para bloquear la saliva del conducto de Stenon.

En ocasiones se puede indicar la reducción del flujo salival mediante la administración de SAL-TROPINE 0'4mg (Laboratorio Hope Pharmaceuticals) (1 tableta, 30 minutos antes del cementado) (se encuentra contraindicado en caso de Glaucoma). Si el paciente usa lentes de contacto, se le debe indicar que se los retire antes de tomar esta medicación.

4. Obtención de retención mecánica en las piezas dentarias

Se deben realizar retenciones mecánicas sobre las caras linguales de las piezas dentarias. La mayoría de los pacientes de ortodoncia lingual son adultos que pueden presentar obturaciones, coronas y/o puentes de diferentes materiales, y las distintas superficies deben ser tratadas de acuerdo con su diferente naturaleza.

Zachrisson y colaboradores han estudiado la adhesión en profundidad sobre distintas superficies y Fillion y Altounian han realizado numerosos estudios clínicos sobre adhesión para técnica lingual.

Estos estudios demuestran además que la microarenadora clínica resulta imprescindible para disminuir al mínimo los fracasos de cementado («caída o descementado de brackets»).

4a. Esmalte

El esmalte será tratado con microarenadora para abrasión en superficie y a continuación con grabado ácido para abrasión en profundidad. La combinación de ambos métodos, en este orden, se ha manifestado como la más efectiva.

El microarenado del esmalte se realizará con partículas de óxido de aluminio de 50 micrones durante 3 segundos por pieza a 5-10 mm. de distancia, estando contraindicada la utilización de partículas de mayor tamaño o el arenado durante más tiempo.

Se debe arenar exclusivamente la superficie dentaria donde se va a cementar el bracket, evitando especialmente el arenado directo de los tejidos blandos y gingivales.

La protección del paciente durante el arenado se realiza suministrando al paciente gafas protectoras y utilizando la microarenadora con las sandtraps (fig. 7-38) para evitar la ingestación o aspiración de óxido de aluminio (fig. 12-23).

La protección del ortodoncista se realiza con gafas protectoras y mascarillas para evitar la inhalación de polvo.

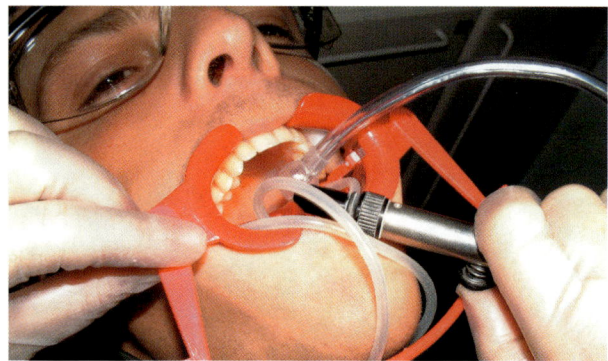

Fig. 12-23 Técnica de cementado 2 - Aislamiento con Nola appliance y rollos de algodón. Protección del paciente con gafas. Arenado de las superficies dentarias utilizando Microetcher, Sandtraps y aspiración

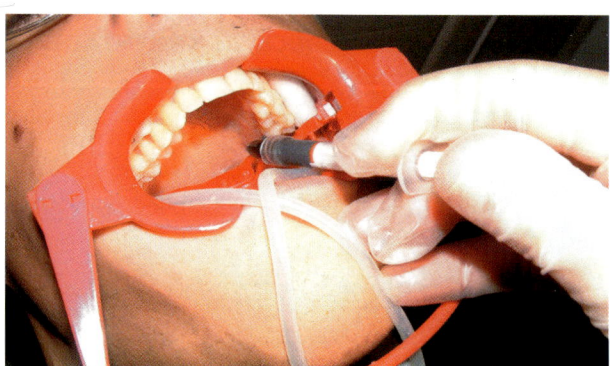

Fig. 12-24 Técnica de cementado 3 - Gravado ácido

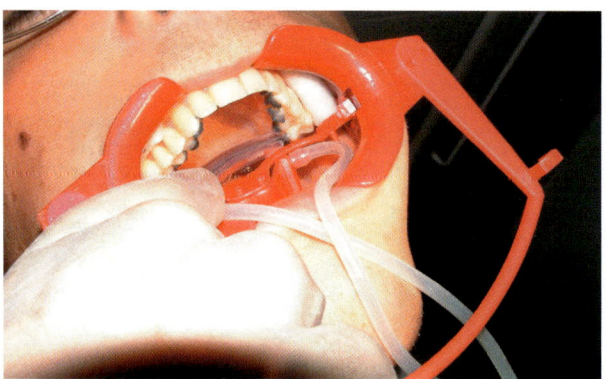

Fig. 12-25 Técnica de cementado 4 - Aspiración del ácido con aspiración quirúrgica

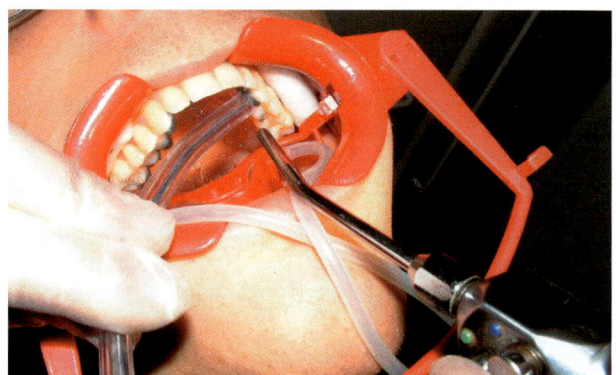

Fig. 12-26 Técnica de cementado 5 - Lavado

A continuación se lavan abundantemente los dientes, manteniendo la aspiración quirúrgica suplementaria.

Se secan los dientes y se procede al gravado ácido. Para ello utilizo gel de ácido ortofosfórico al 40% (fig. 12-24). El gel ONIX (Centrix) ofrece esta concentración y presenta un color negro de fácil visualización (importante en técnica lingual). Su consistencia media permite que el gel no se desplace del espacio dentario donde ha sido dosificado y, a la vez, eliminarlo fácilmente con el spray de la jeringa. El gravado ácido se realiza durante 30 segundos, luego se elimina con el aspirador (fig. 12-25) y se debe lavar cada diente durante al menos 10 segundos (fig. 12-26).

4b. Metales preciosos y no preciosos

El gravado ácido no resulta efectivo sobre coronas y puentes de metales preciosos o no preciosos o sobre obturaciones de amalgama.

Estas superficies deben ser tratadas con arenado utilizando partículas de óxido de aluminio durante 10 segundos a 5-10 mm. de distancia. A continuación se realiza un lavado abundante. La protección del paciente y el operador es la misma arriba descrita. Después del arenado se pincela con el Metal Alloy Primer de Panavia y posteriormente no se debe lavar.

Zachrisson y colaboradores demostraron que el microarenado de la amalgama aumenta la adhesión sobre la misma aunque esta adhesión continua siendo inferior a la adhesión sobre esmalte y que la mayoría de fallos se dan en la interfase amalgama-cemento.

Zachrisson y colaboradores también han demostrado que el microarenado aumenta la adhesión sobre oro, amalgama y porcelana. También demuestra que el estañado puede aumentar la fuerza de cementado a los metales nobles después del microarenado, pero debido a que el aumento no es significativo y a su potencial de toxicidad, el estañado no está recomendado actualmente en la práctica ortodóncica.

Una vez finalizado el tratamiento y descementados los brackets se deberán pulir estas superficies metálicas con gomas de pulido.

Si el plan de tratamiento incluye la sustitución de las coronas o puentes a continuación del tratamiento ortodóncico, es preferible realizar extensas retenciones mecánicas con forma de cola de milano, utilizando fresas con forma de cono invertido.

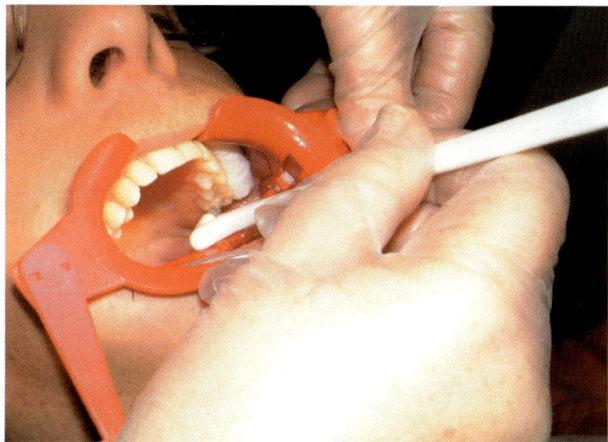

Fig. 12-27 Técnica de cementado 6 - Pincelado con una solución de éter-acetona y secado

4c. Porcelana

El grabado ácido tampoco resulta efectivo sobre coronas de porcelana, por lo que se debe recurrir a otras técnicas. El primer paso es gravar la porcelana microarenando con partículas de óxido de aluminio de 50 micrones durante 10 segundos a 5-10 mm. de distancia (se debe proteger al paciente y al operador con los métodos antes mencionados). A continuación se debe lavar abundantemente y secar.

A continuación se aplicarán 2-3 capas de Porcelain Primer (Reliance, Ormco) a fin de silanizarla, dejando secar y sin volver a lavar.

4d. Resina y composite

Se tratan microarenando con partículas de óxido de aluminio de 50 micrones durante 10 segundos a 5-10 mm. de distancia y se lava abundantemente y se seca. Se aplican 2-3 capas de Plastic Primer (Reliance y Ormco) y se deja secar sin volver a lavar.

Importante: La aplicación de acondicionador de porcelana o acondicionador plástico debe ser realizada al final cuando ya se han gravado, lavado y secado los demás dientes. No se deberá lavar ni secar después de la aplicación del acondicionador.

5. Secado

Después del gravado se debe mantener el aislamiento todo el tiempo, evitando la contaminación con saliva, y el secado también es muy importante. Se cambiarán los rollos de algodón.

Normalmente el aire de la jeringa del equipo dental puede tener aceite o condensación de agua, por lo que es más conveniente utilizar los secadores dentales a resistencia eléctrica y ventilador (este aire es caliente y completamente seco).

El procedimiento será un secado suave con el secador y luego se pincela el diente con una solución al 50% de éter y acetona.

PROCEDIMIENTO CLÍNICO DEL CEMENTADO DE BANDAS

- Cementado de brackets.
- Prueba de las bandas y el cementado de las mismas o colocación de separadores radio-opacos (Separators de Ormco).
- En la misma visita o en la siguiente, si se tuvo que usar separadores, microarenar la banda por la cara interna para aumentar la retención mecánica de la misma y conformarlas con el alicate de Johnson.
- Cementado de la banda con cementado de vidrio-ionómero en pasta de polimerización dual (OptiBand de Ormco en dos jeringas unidas y mezcla, Band Lock en dos jeringas separadas y mezcla y Band Lock Ultra en una jeringa sin mezcla de Reliance).
- Asentamiento de la banda con empujador Mershon. No empujar la banda sobre los apoyos mesiales y distales de la misma para no deformarlos.
- Eliminación de excesos.
- Polimerización con lámpara halógena.

Cuadro 12-05

Esta solución aumenta la adhesión porque:
- es desengrasante,
- es hidrófila y volátil con lo que mejora el secado,
- disminuye la tensión superficial, facilitando el pincelado posterior con el Primer.

Luego de aplicar esta solución se vuelve a secar con el secador.

La solución de éter-acetona se debe mantener en un recipiente de cristal cerrado y tomar las precauciones necesarias porque es muy inflamable.

6. Cementado propiamente dicho

6a. Preparación de la cubeta

Se debe realizar el secado de la cubeta y el arenado suave de la base de todos los brackets, lavando abundantemente y secando. A continuación se pincelarán todas las bases de los brackets con acondicionador plástico. Todos estos pasos pueden ser realizados con antelación pero el líquido para brackets del adhesivo debe ser aplicado en este momento, simultáneamente con la aplicación del adhesivo del diente.

6b. Cementado

Existen cementos especialmente diseñados para el cementado indirecto.

Cuando se realiza la cubeta de transferencia, la base de los brackets es arenada para aumentar la adhesión y, normalmente, todas las bases de los brackets en la cubeta tendrán una base de adaptación de composite.

Las características especiales de un cemento para técnica indirecta son:
- un tiempo de trabajo prolongado para disponer del tiempo suficiente para todo el proceso,

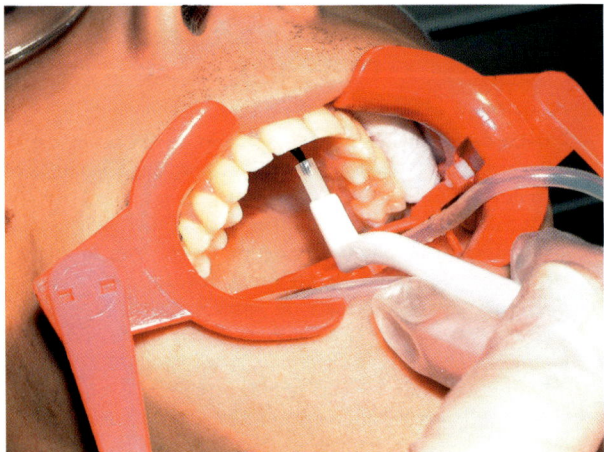

Fig. 12-28 Técnica de cementado 7 - Pincelado con OrthoSolo

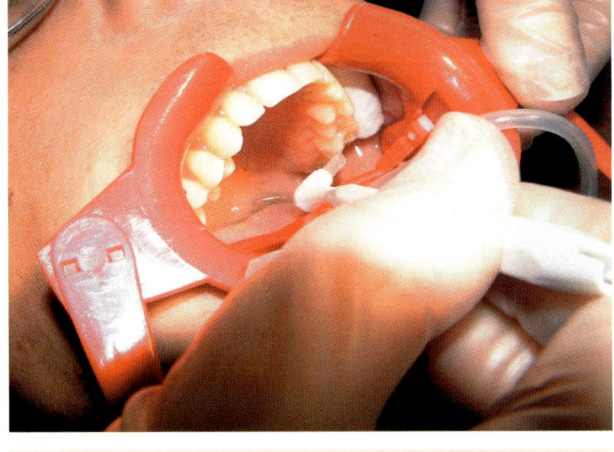

Fig. 12-29 Técnica de cementado 8 - Aplicación del líquido para dientes del cemento

- un alto índice de fluidez para no desplazar los brackets de su posición en el modelo.

Un ortodoncista experimentado dosificará cantidades de cemento sin excesos a fin de evitar el flash-paste (exceso de pasta) que es tan difícil de eliminar en técnica lingual.

Se pueden seleccionar diferentes tipos de adhesivos para cementado indirecto:

a. Cementos de dos líquidos sin mezcla y polimerización química. En este grupo podemos encontrar el Custom I.Q. de Reliance y el Sondhi Indirect Bonding de Unitek.
b. Cementos de dos líquidos con mezcla y polimerización química. En este grupo podemos encontrar el Maximum Cure de Reliance.
c. Cementos con mezcla de dos líquidos y de dos pastas para aumentar la adhesión. En este grupo encontramos el Excel de Reliance, con un tiempo de polimerización prolongado.
d. Cementos fotopolimerizables como el Fuji LC (Light Cure) o el Enlight y Enlight LV (low viscosity) de Ormco.
e. Cementos de polimerización químico de líquido y pasta sin mezcla como el Rely-a-bond de Reliance o el System 1+.

También existen sellantes para aumentar la adhesión. Se trata de líquidos que se usan antes del adhesivo para aumentar sus propiedades aún en superficies húmedas. En este grupo encontramos el OrthoSolo de Ormco, el MIP Transbond (Moisture Insensitive Primer) de Unitek y el Assure Sealant de Reliance que son hidrofílicos. Yo utilizo diferentes cementos dependiendo de la situación clínica:

En todos los casos utilizo primero el OrthoSolo o el MIP Transbond sobre el diente para aumentar la adhesión.

- Para cementar toda la arcada con cubeta de silicona opaca, prefiero usar el Sondhi Indirect Bonding.
- Para cementar sólo un diente con una cubeta individual unidental transparente o Hiro System, utilizo un cemento fotopolimerizable como en Enlight.
- Si utilizo la minicubeta de silicona opaca recortada de la original con un bracket nuevo (sin base de composite) utilizo el Rely-a-Bond o el System 1+.

Los pasos clínicos normales son entonces:
- Pincelar los dientes con OrthoSolo (fig. 12-28).
- Pincelar los dientes con el líquido para dientes del Sondhi Indirect Bonding (fig. 12-29).
- Pincelar la base de composite de los brackets de la cubeta con el líquido para brackets del Sondhi Indirect Bonding.
- Insertar la cubeta (12-30A y 12-30B).

La inserción se puede realizar con la cubeta en una sola pieza de toda la arcada, en dos piezas dividiendo la cubeta en la línea media o en 3 piezas: grupo anterior (fig. 12-30A) y cada grupo posterior (fig. 12-30B). Esto depende de la destreza del operador y de los apiñamientos y eje de los diferentes dientes.

7. Mantención de la cubeta en posición

Se debe mantener la cubeta presionando sobre la cara lingual durante 5 minutos (fig. 12-30 B) y luego 5 minutos adicionales antes de retirarla.

8. Retiro de la cubeta

Este es uno de los momentos más conflictivos de la técnica. Se debe separar primero la parte vestibular hacia vestibular y luego retirar la cubeta de lingual siguiendo una dirección lingual. Es más fácil con la cubeta en 3 piezas. En la figura 12-31 se puede observar con flechas la dirección del retiro de cada sección de cubeta, debiendo retirarse primero las secciones posteriores.

Si alguno de los brackets no se hubiese cementado se cortará una mini-cubeta de ese diente, se reinserta el bracket en la cubeta y se vuelve a cementar repitiendo los pasos anteriormente descritos.

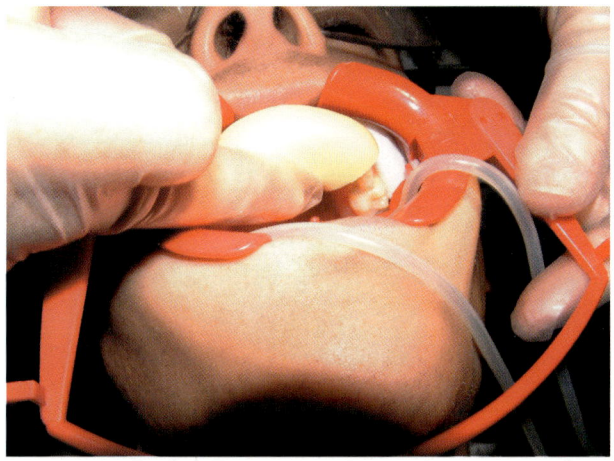

Fig. 12-30 A Técnica de cementado 9 - Inserción de la parte anterior de la cubeta de transferencia

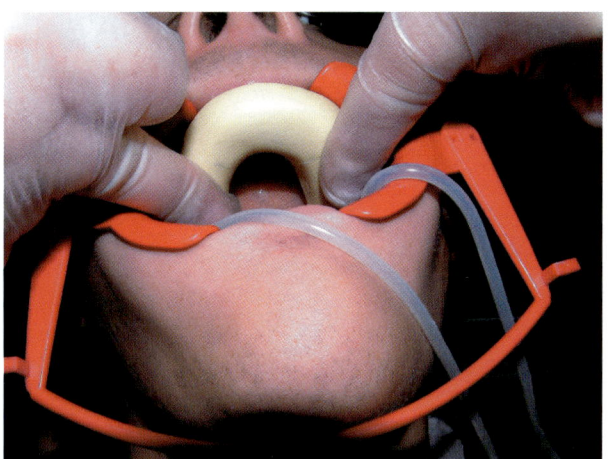

Fig. 12-30 B Técnica de cementado 10 - Inserción de las partes posteriores de la cubeta de transferencia y manutención bajo presión

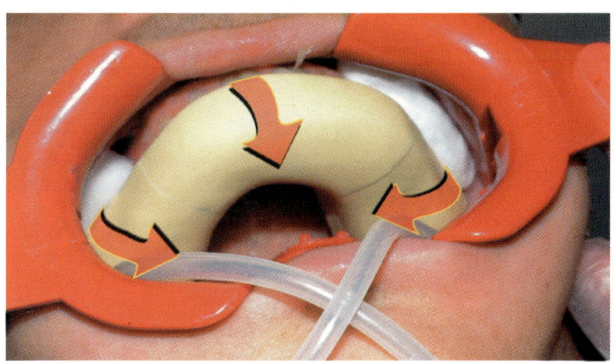

Fig. 12-31 Técnica de cementado 11 - Retiro de la cubeta según el sentido de las flechas. Se deben retirar primero las partes posteriores y por último la parte anterior de la cubeta

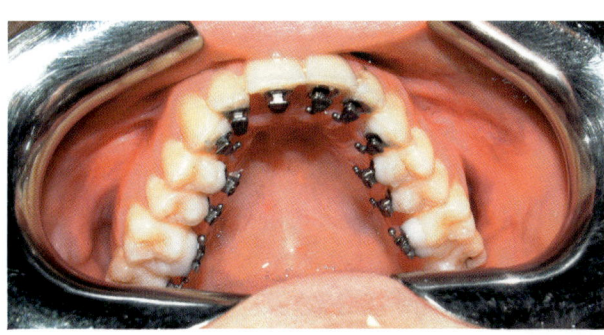

Fig. 12-32 Técnica de cementado 12 - Brackets cementados en boca una vez retirada la cubeta de transferencia

9. Comprobación con seda dental

Una vez que se retira la cubeta y se observan todos los brackets cementados (fig. 12-32), se comprobará que no existan excesos de adhesivo que ferulicen los dientes impidiendo sus movimientos. Para ello se pasará seda dental entre los dientes (fig. 12-33).

10. Ligado de arcos

Se esperarán de 5 a 10 minutos antes de aplicar presión ligando los arcos indicados.

Protocolo de cementado para un caso que presentara todos los tipos de superficies

- Arenado de todos los dientes con tiempos diferentes según superficie:
  - 3" para esmalte
  - 5-10" para plásticos
  - 15-20" para porcelana y metales.
- Lavado y secado normal.
- Gravado de esmalte con ácido ortofosfórico 30".

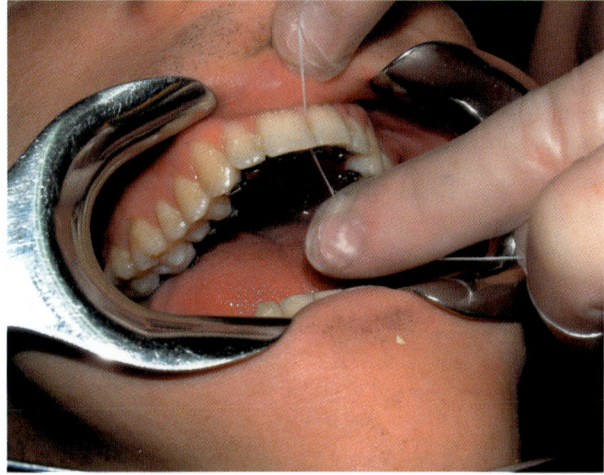

Fig. 12-33 Técnica de cementado 13 - Comprobar con seda dental que no hayan excesos de cemento que unan dos dientes

- Secado con éter-acetona de todas las superficies.
- Aplicación de:
  - Plastic Primer a coronas de resina u obturaciones de composite

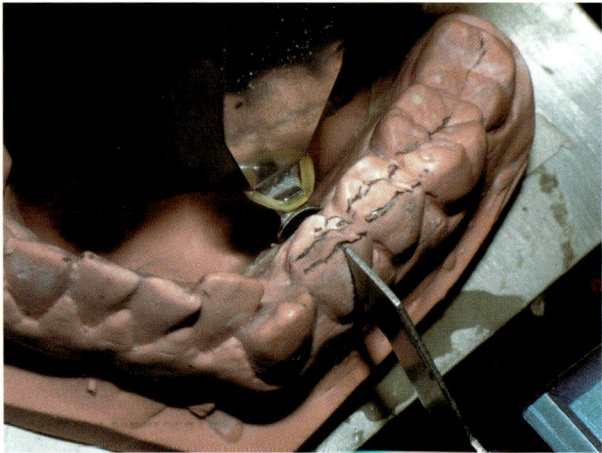

Fig. 12-34 Confección de una minicubeta 1 - Posicionando el bracket en el diente con la Slot Machine con la misma prescripción original utilizando la tabla de valores del laboratorio

Fig. 12-35 Confección de una minicubeta 2 - Ajustando la rotación indicada.

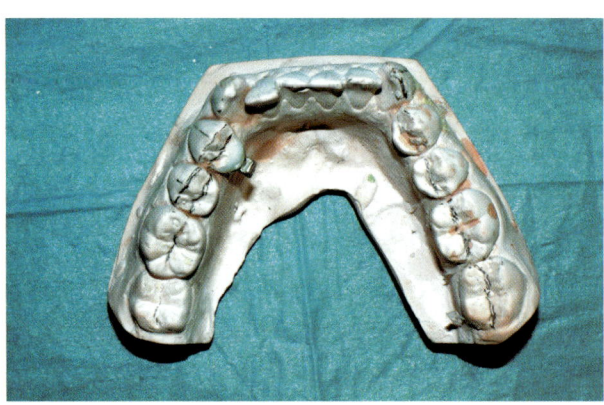

Fig. 12-36 Confección de una minicubeta 3 - Bracket cementado en el modelo

- Porcelain Conditioner a coronas de porcelana
- Metal-Primer a coronas metálicas u obturaciones de amalgama.
- NO LAVAR DESPUÉS.
• Aplicación del sellante hidrófilo.
• Aplicación del adhesivo.

Confección de una minicubeta individual unidental

Cuando se descementa un bracket y el ortodoncista ha conservado la cubeta de transferencia original de silicona, se podrá recortar una cubeta individual para recementar el bracket. Se deberá comprobar el ajuste de la misma que se puede haber perdido por el movimiento del diente desde el momento en que se realizó la cubeta o por la estabilidad dimensional de la silicona.

Si no ajusta se deberá realizar una nueva minicubeta. Para esto es imprescindible conservar la tabla de valores del laboratorio a fin de realizar una cubeta con los mismos parámetros.

Se posiciona el modelo en la Slot Machine con los mismos valores de in-out y altura (fig. 12-34) y se controla la rotación indicada (fig. 12-35). En la figura 12-36 puede observarse el bracket cementado al modelo con Light-Bond de Reliance. A continuación se realiza un apoyo incisal u oclusal (depende del diente) con Light-Bond para dar más estabilidad a la minicubeta. Se aplica la silicona

---

PROTOCOLO DE CEMENTADO PARA UN CASO QUE PRESENTARA TODOS LOS TIPOS DE SUPERFICIES

- Arenado de todos los dientes con tiempos diferentes según superficie:
  3" para esmalte
  5-10" para plásticos
  15-20" para porcelana y metales.
- Lavado y secado normal.
- Grabado de esmalte con ácido ortofosfórico 30".
- Secado con éter-acetona de todas las superficies.
- Aplicación de:
  Plastic Primer a coronas de resina u obturaciones de composite
  Porcelain Conditioner a coronas de porcelana
  Metal-Primer a coronas metálicas u obturaciones de amalgama
  NO LAVAR DESPUÉS.
- Aplicación del sellante hidrófilo.
- Aplicación del adhesivo.

Cuadro 12-06

Capítulo 12

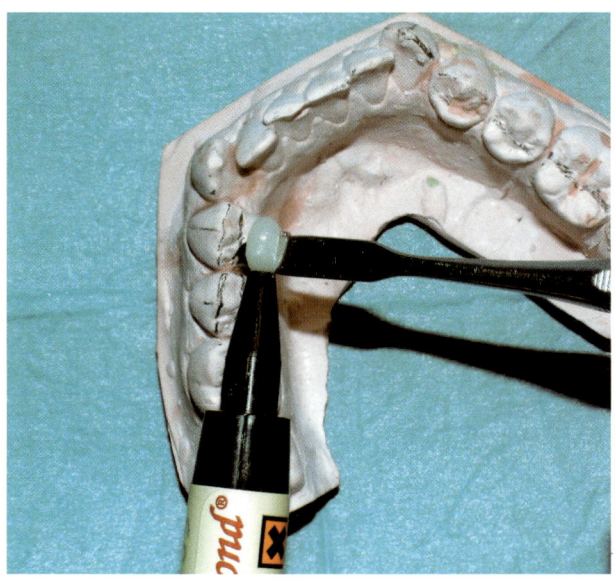

Fig. 12-37 A Confección de una minicubeta 4 - Realizando el apoyo incisal con composite

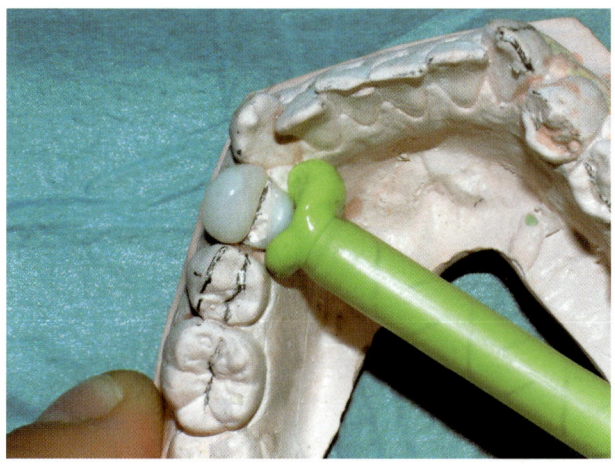

Fig. 12-38 A Confección de una minicubeta 6 - Cubriendo el bracket y el apoyo oclusal con silicona liviana

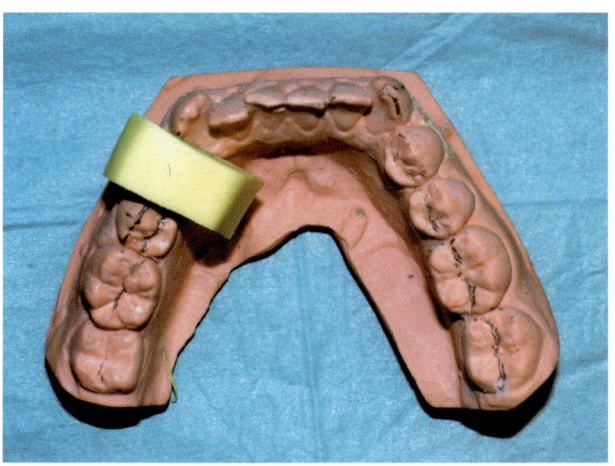

Fig. 12-39 A Confección de una minicubeta 8 - Cubeta terminada con silicona pesada, vista oclusal

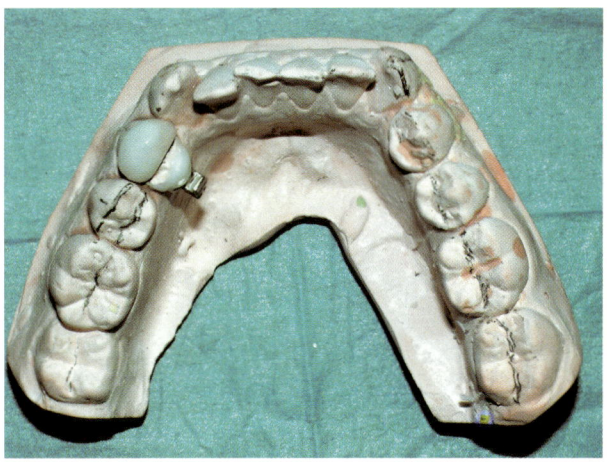

Fig. 12-37 B Confección de una minicubeta 5 - Apoyo incisal realizado

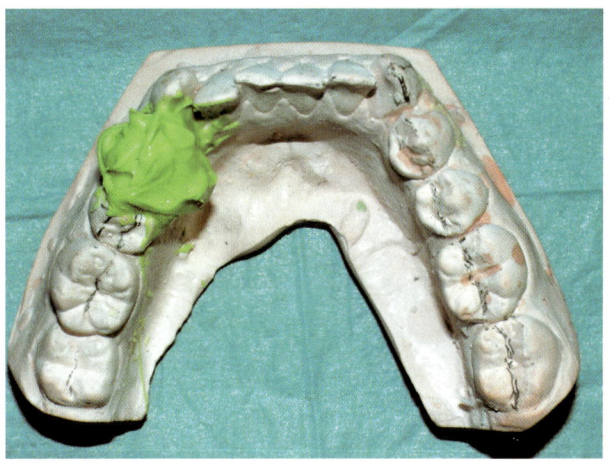

Fig. 12-38 B Confección de una minicubeta 7 - Parte de silicona liviana terminada

Fig. 12-39 B Confección de una minicubeta 9 – Cubeta terminada con silicona pesada, vista interior

liviana (Xantropren verde) (figs. 12-38A y 12-38B). Inmediatamente después se termina la minicubeta con silicona pesada (Optosil) (figs. 12-39A y 12-39B).

205

Técnica de Cementado. Impresiones. Cubetas de transferencia

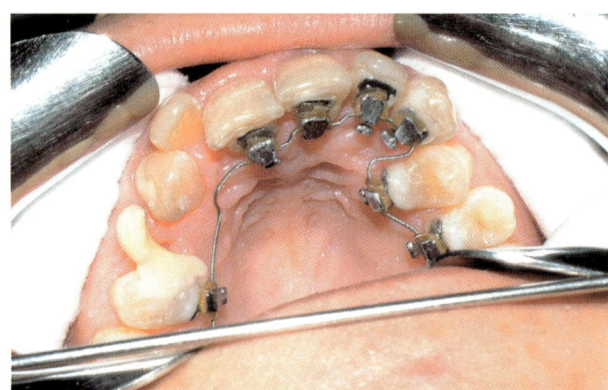

Fig. 12-40   Técnica de re-cementado 1 - Paciente que ha perdido el bracket del canino superior derecho

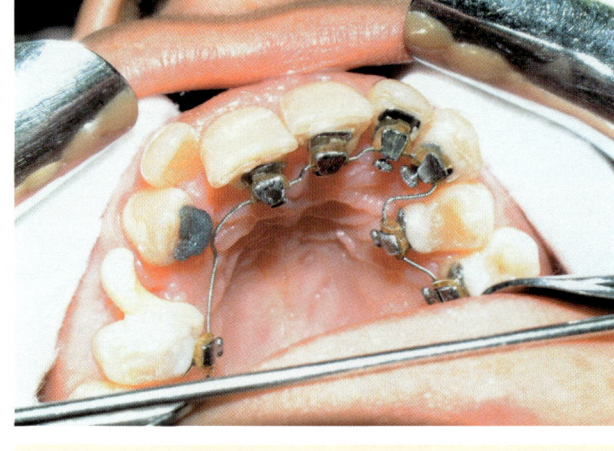

Fig. 12-41   Técnica de re-cementado 2 - Gravado ácido

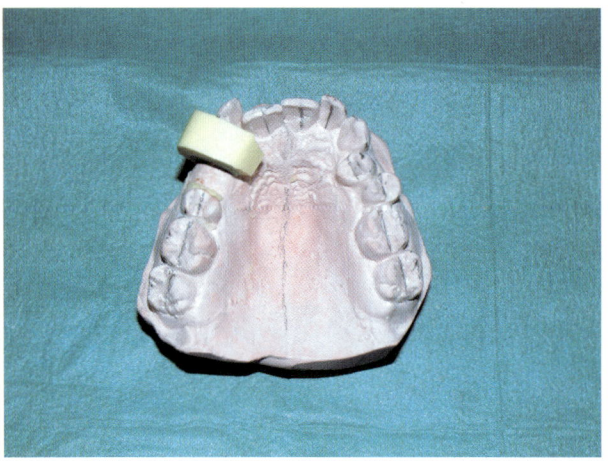

Fig. 12-42 A   Técnica de re-cementado 3 - Mini-cubeta de ese diente en el modelo

Fig. 12-42 B   Técnica de re-cementado 4 - Mini-cubeta de ese diente vista interior

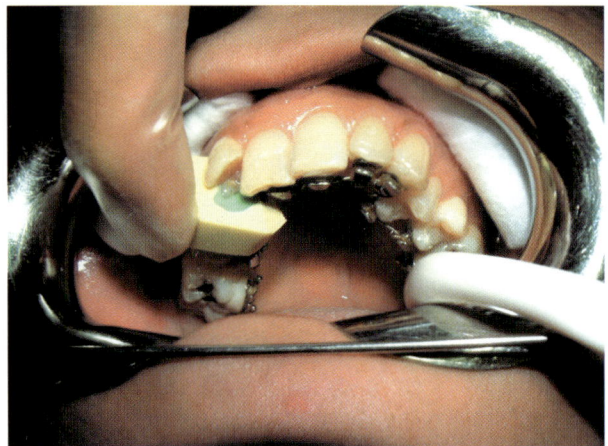

Fig. 12-43   Técnica de re-cementado 5 - Mini-cubeta en boca sujetada durante la polimerización del cemento

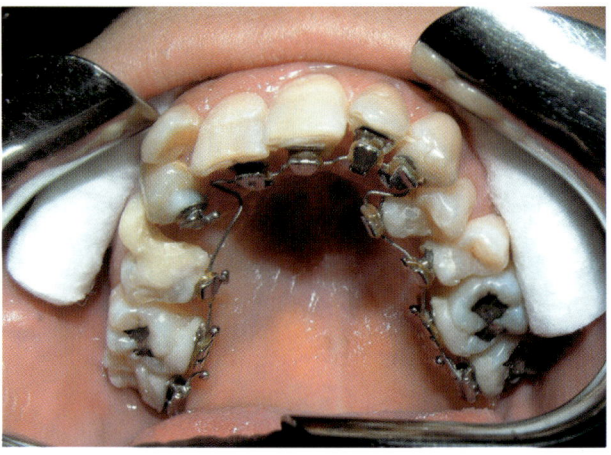

Fig. 12-44   Técnica de re-cementado 6 - Bracket cementado

Recementado de brackets descementados

Pueden darse las siguientes situaciones:

1. **El paciente tiene el bracket y el ortodoncista tiene la cubeta inicial de cementado indirecto y la base de composite a quedado en el bracket.** Se secciona una mini-cubeta de ese diente cortando la cubeta de silicona en los puntos de contacto mesial y distal con un bisturí. Se comprueba el ajuste de la minicubeta en boca y se inserta el

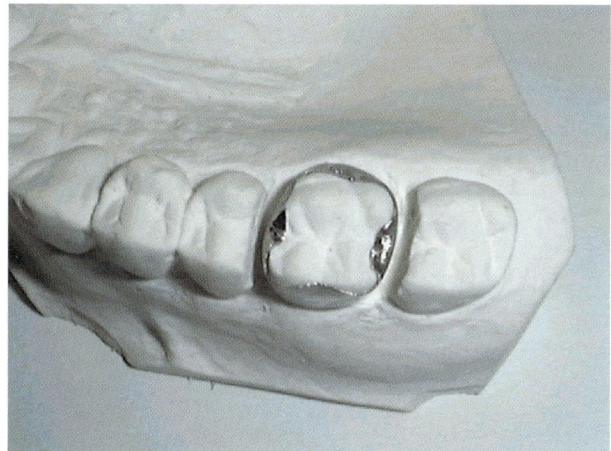

Fig. 12-45 A Banda tipo Hamula con apoyos oclusales mesiales y distales

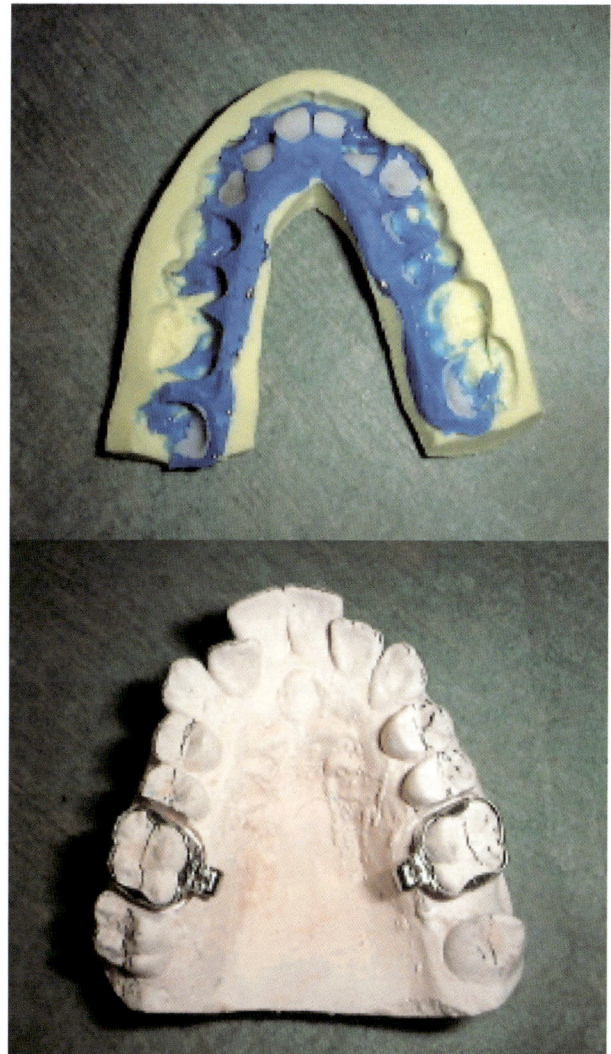

Fig. 12-45 B Cubeta de transferencia y modelo con las bandas terminadas

bracket en la misma. En la figura 12-40 se observa un caso en que se ha descementado el bracket del canino superior derecho. Se arena y se grava de la forma usual (fig. 12-41). Se desligan los dos dientes vecinos y se secciona la cubeta (figs. 12-42A y 12-42B). Se arena la base del bracket, se lava y seca y se aplica el Plastic Primer y el adhesivo. Se coloca la minicubeta en posición y se mantiene (fig. 12-43). Se retira la cubeta y el bracket queda cementado (fig. 12-44).

2. **El paciente no tiene el bracket y el ortodoncista tiene la cubeta inicial de cementado indirecto.** Se selecciona un bracket nuevo de la misma marca. En este caso es preferible usar un adhesivo de pasta-líquido sin mezcla de polimerización química. Realizamos todos los pasos anteriores pero utilizamos Rely-a-Bond o System 1+.
3. **El paciente tiene o no el bracket pero el ortodoncista no tiene la cubeta o ésta no ajusta por los movimientos dentarios que se han producido.** Se debe enviar al laboratorio a realizar

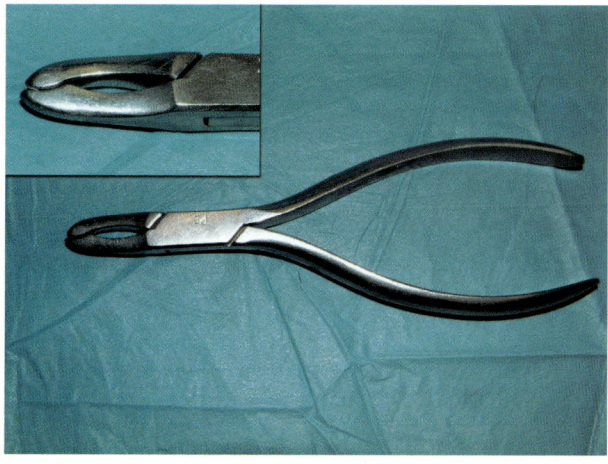

Fig. 12-46 A Alicate de Johnson

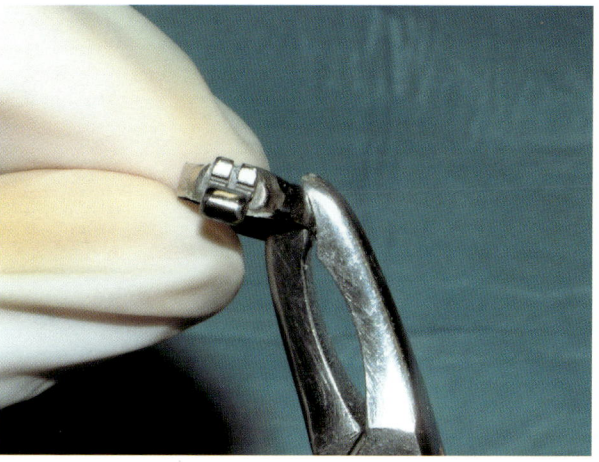

Fig. 12-46 B Contorneando el margen gingival de la banda con el alicate de Johnson

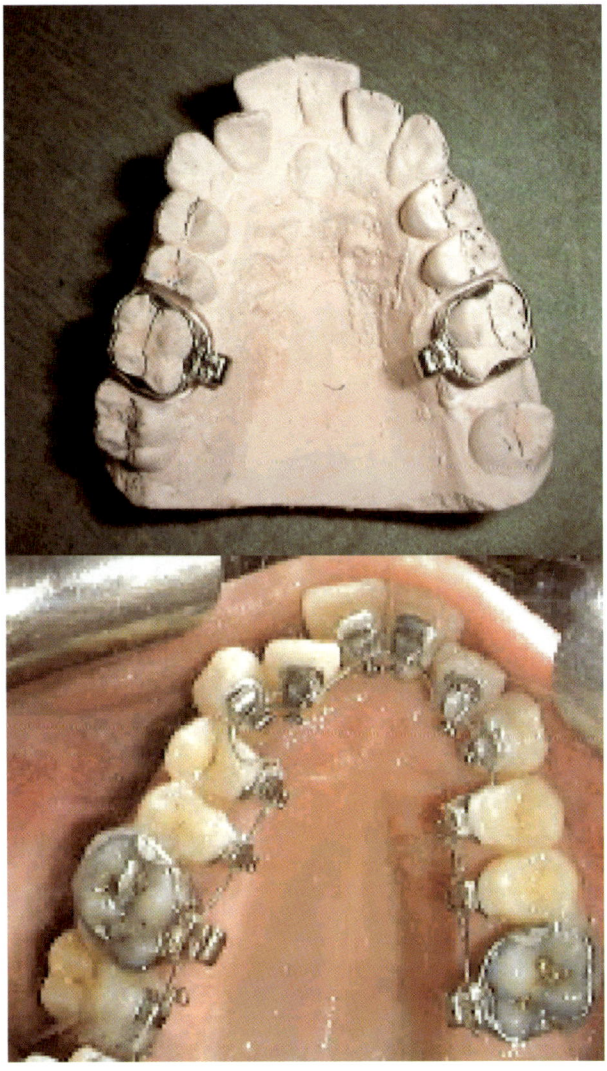

Fig. 12-47 Modelo con las bandas terminadas y las bandas cementadas en boca en la misma posición

PARA LA PREPARACIÓN DE LA BOCA SE DEBE TENER EN CUENTA:

a. Anatomía de la cara lingual de los dientes.
b. Altura gíngivo-oclusal de la cara lingual de los dientes.
c. La oclusión.
d. El plan de tratamiento.
e. Las necesidades estéticas.
f. Las coronas y puentes presentes.
g. Las exodoncias indicadas.

Cuadro 12-08

Cementado de bandas

En el capítulo 9 se explica el procedimiento para confección de bandas. Para asegurarse que los brackets o tubos quedan en la misma posición que se posicionan con la Slot Machine, usamos bandas tipo Hamula (figs. 12-45A y B), que tienen dos apoyos oclusales: una a mesial y otra a distal. Al cementar la banda en boca debemos asegurarnos que estos apoyos asientan sobre la cara oclusal del diente.

Las bandas se deben cementar normalmente después del cementado de brackets para que los separadores no modifiquen la posición de los dientes impidiendo el asentamiento de la cubeta de transferencia. Nos enviarán del laboratorio la cubeta de transferencia con los brackets y el modelo con las bandas (fig. 12-45B). Cuando se usan aparatos previos como el Péndulo, las bandas están cementadas con mucha antelación.

El procedimiento clínico es el siguiente:

- Cementado de brackets.
- Prueba de las bandas y el cementado de las mismas o colocación de separadores radio-opacos (Separators de Ormco).
- En la misma visita o en la siguiente, si se tuvo que usar separadores, microarenar la banda por la cara interna para aumentar la retención mecánica de la misma. También se deberá conformar el borde gingival de la banda con el alicate de Johnson para aumentar la retención y para evitar el flujo gingival del cemento (flash-paste) (figs. 12-46A y B).
- Cementado de la banda con cementado de vidrio-ionómero en pasta de polimerización dual (OptiBand de Ormco en dos jeringas unidas y mezcla, Band Lock en dos jeringas separadas y mezcla y Band Lock Ultra en una jeringa sin mezcla de Reliance) (fig. 12-47).

Estos cementos tienen las siguientes propiedades:
- Liberan fluor por lo que minimizan caries, manchas y descalcificaciones.
- No tienen adhesión química con el acero de la banda, por lo que se aumenta la adhesión mecánica con el arenado.
- Tienen adhesión química con el diente, que aumenta la retención de la banda.
- La polimerización dual que se inicia con lámpara halógena brinda suficiente tiempo de trabajo, pero

LAS ETAPAS DEL TRATAMIENTO LINGUAL SON:

1. Diagnóstico y Plan de Tratamiento
2. Preparación de la boca para recibir los brackets linguales en las mejores condiciones.
3. Individualizar el posicionamiento de los brackets y una depurada técnica de cementado indirecto.
4. Diseño y mantención de la forma de arco lingual ideal a lo largo de todo el tratamiento.
5. Buena organización y técnica para re-cementar los brackets descementados.
6. Secuencia de arcos lógica y efectiva
7. Retención y prevención de recidiva.

Cuadro 12-07

una mini-cubeta de ese diente indicando que se realice con la misma prescripción del inicio y se cementa de la forma arriba explicada.

Capítulo 12

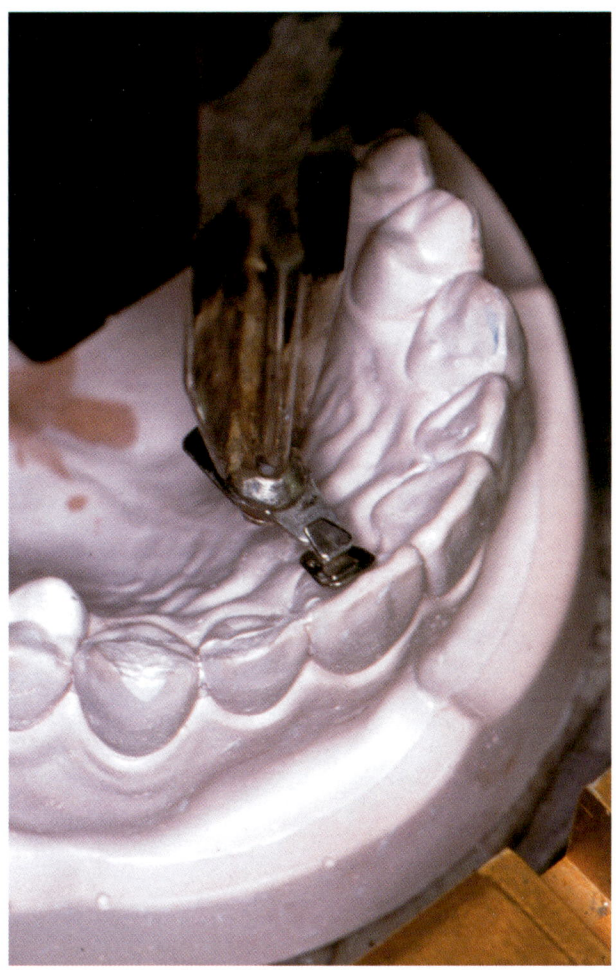

Fig. 12-48 Probando el ajuste del bracket en el modelo

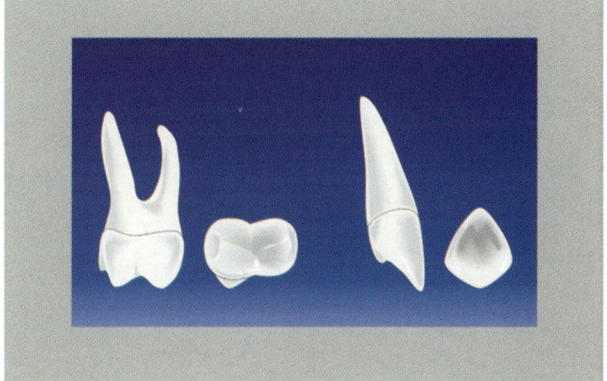

Fig. 12-49 A Esquema de superficies linguales irregulares como tubérculos de Caravelli en molares o caninos con cíngulos y crestas marginales muy marcadas

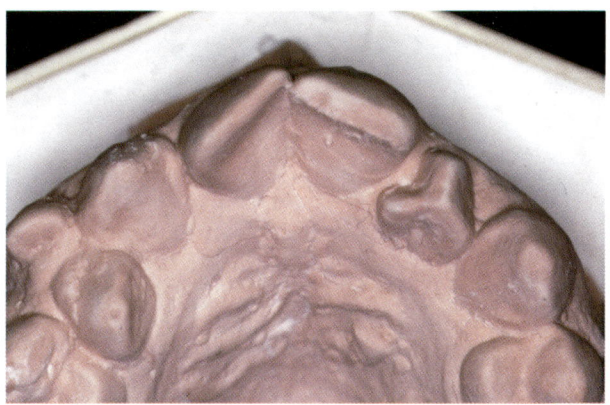

Fig. 12-49 B Modelo de un paciente con incisivos laterales cuya superficie lingual es muy irregular

se completa químicamente para las zonas que no llega la luz.
- La fotopolimerización inmediata de las capas superficiales del cemento evitan la necesidad de utilizar aislante para proteger a la mezcla de la humedad debido a su hidrofilia.
- En estos cementos se ha aumentado la resistencia mecánica de la mezcla con macropartículas.
- Asentamiento de la banda con empujador Mershon. No empujar la banda sobre los apoyos mesiales y distales de la misma para no deformarlos.
- Eliminación de excesos.
- Polimerización con lámpara halógena.

Preparación de la boca en 10 pasos para recibir los brackets linguales en las mejores condiciones

Introducción

Las etapas del tratamiento lingual son:
1. Diagnóstico y Plan de Tratamiento

PROTOCOLO DE 10 PASOS PARA LA PREPARACIÓN DE LA BOCA

1. Diagnóstico y Plan de Tratamiento
1. Profilaxis dental, tratamiento gingival.
2. Impresiones primarias y modelos de estudio.
3. Comprobación del ajuste de los brackets linguales en el modelo.
4. Observación del modelo desde distal.
5. Remodelar las superficies linguales.
6. Pre-aparatos para distalizar, disyunción, anclaje, etc.
7. Expansión inicial estratégica de la arcada
8. Exodoncias, puentes estéticos, stripping y sección de puentes.
9. Build-up.
10. Cubetas individuales e impresiones primarias.

Cuadro 12-09

2. Preparación de la boca para recibir los brackets linguales en las mejores condiciones.
3. Individualizar el posicionamiento de los brackets y una depurada técnica de cementado indirecto.
4. Diseño y mantención de la forma de arco lingual ideal a lo largo de todo el tratamiento.

Técnica de Cementado. Impresiones. Cubetas de transferencia

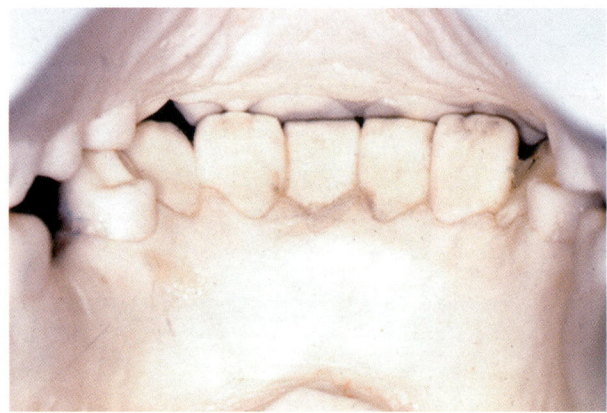

Fig. 12-50 A Observando los modelos desde atrás para ver realmente donde se pueden posicionar los brackets

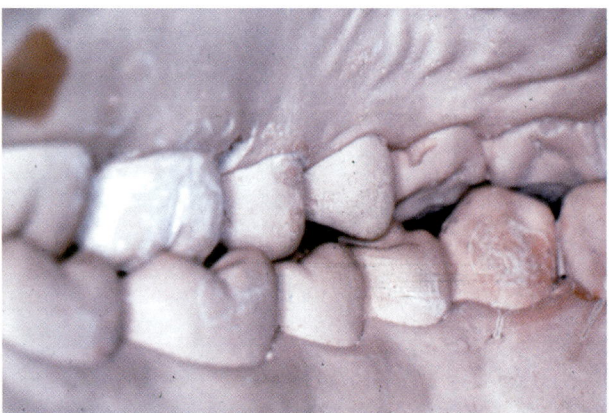

Fig. 12-50 B Observando los modelos desde atrás para ver si se pueden aumentar las cúspides linguales de premolares

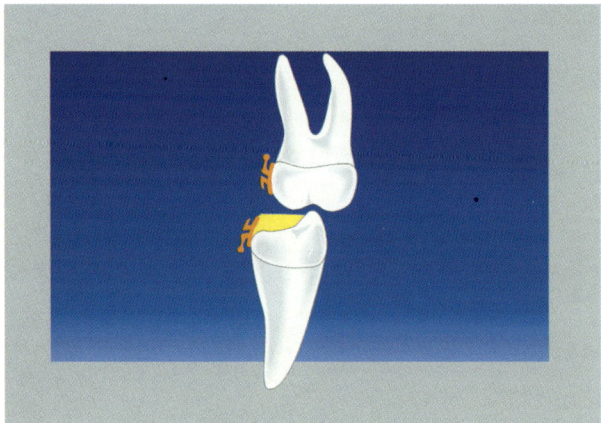

Fig. 12-51 A Esquema de cúspide de premolar inferior reconstruida para dar lugar al bracket

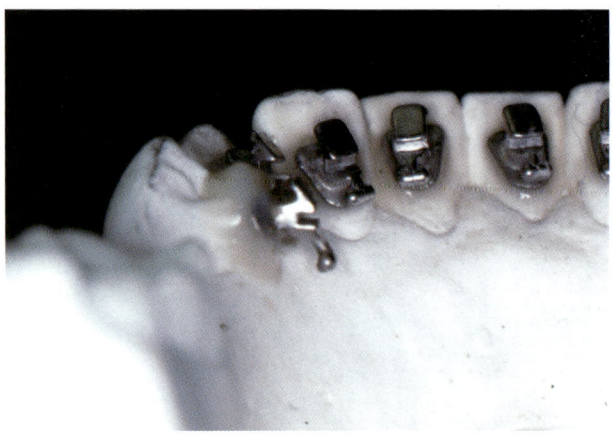

Fig. 12-51 B Modelo de un paciente con cara lingual corta de premolares inferiores. Se cementa el bracket y se aumenta la cara lingual reconstruyendo la cúspide lingual en altura con composite

5. Buena organización y técnica para re-cementar los brackets descementados.
6. Secuencia de arcos lógica y efectiva
7. Retención y prevención de recidiva.

Para la preparación de la boca se debe tener en cuenta:
a. Anatomía de la cara lingual de los dientes.
b. Altura gíngivo-oclusal de la cara lingual de los dientes.
c. La oclusión.
d. El plan de tratamiento.
e. Las necesidades estéticas.
f. Las coronas y puentes presentes.
g. Las exodoncias indicadas.

Protocolo de 10 pasos para la preparación de la boca

1. Profilaxis dental, tratamiento gingival.
2. Impresiones primarias y modelos de estudio.
3. Comprobación del ajuste de los brackets linguales en el modelo.

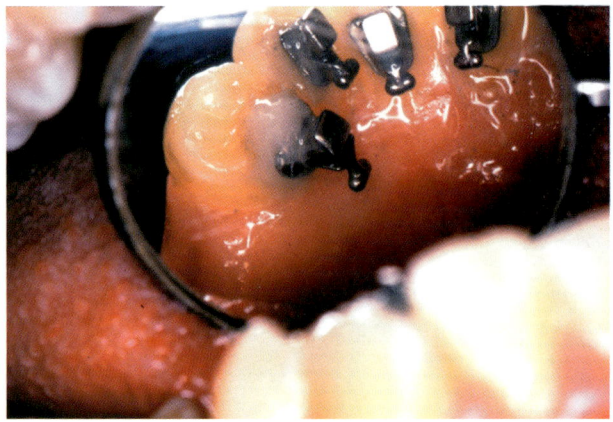

Fig. 12-51 C El mismo caso cementado en boca, transfiriendo la reconstrucción con la cubeta de cementado

4. Observación del modelo desde distal.
5. Remodelar las superficies linguales.
6. Pre-aparatos para distalizar, disyunción, anclaje, etc.

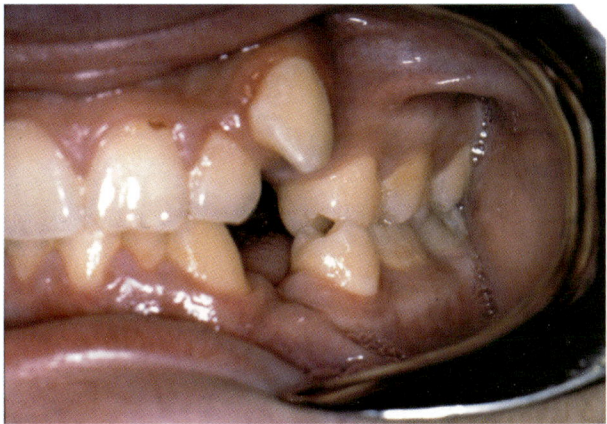

Fig. 12-52 A Caso con canino superior izquierdo en posición alta vestibular y con la cara lingual no expuesta

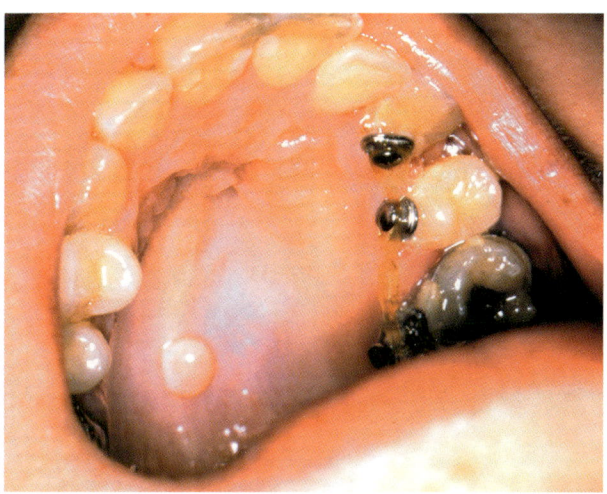

Fig. 12-52 B El mismo caso en el que el canino se ha acercado a su posición con botones linguales y cadena elástica. En este momento se toma impresión para posicionar los brackets y comenzar el tratamiento

7. Expansión inicial estratégica de la arcada
8. Exodoncias, puentes estéticos, stripping y sección de puentes.
9. Build-up.
10. Cubetas individuales e impresiones primarias.

1. Profilaxis dental, tratamiento gingival

Una de las contraindicaciones temporales al tratamiento ortodóncico se refiere al estado gingival y periodontal del paciente. Es indispensable realizar un correcto diagnóstico periodontal, especialmente en pacientes adultos y eventualmente será necesario un tratamiento previo con el periodoncista.

Es imprescindible eliminar totalmente el cálculo antes de las impresiones primarias ya que en esos modelos se va a comprobar el ajuste de los brackets.

Se debe educar al paciente para que consiga una higiene correcta: como cepillar adecuadamente las caras linguales, el uso de cepillos interdentales y pastillas reveladoras de placa bacteriana, así como de los irrigadores bucales con colutorios. Esta es la única forma de reducir la gingivitis, especialmente en las zonas donde se cierran diastemas o espacios de extracción.

También es conveniente el tratamiento con bicarbonato de sodio en la clínica, cuando el paciente presente placa bacteriana.

2. Impresiones primarias y modelos de estudio

Es necesario utilizar alginatos o siliconas de alta calidad y tomar impresiones sobre-extendidas. También es preferible el vaciado inmediato de la impresión, utilizando yesos extraduros y vibradores y espatuladores al vacío.

3. Comprobación del ajuste de los brackets linguales en el modelo

Se debe comprobar el ajuste de los brackets en el modelo (fig. 12-48) especialmente en aquellos casos en que la altura gíngivo-oclusal de la cara lingual de los dientes se encuentre disminuida o cuando se observan detalles ana-

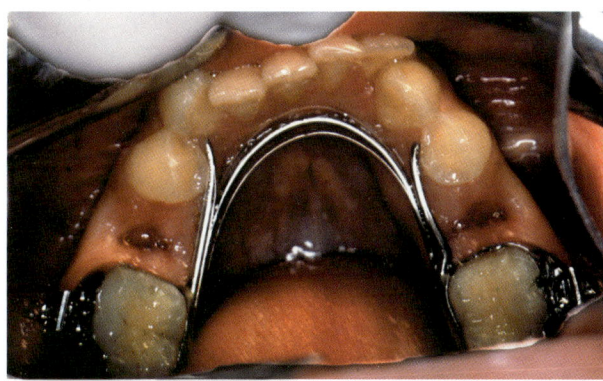

Fig. 12-53 Expansión inicial estratégica en la arcada inferior con arco lingual activo

tómicos tales como cíngulos ó crestas marginales muy marcados, tubérculos de Carabelli, etc. (figs. 12-49A y 12-49B).

Los dientes más problemáticos suelen ser los premolares inferiores por la baja altura de su cara lingual, pero se puede reconstruir una cúspide.

4. Observación del modelo desde distal

Observando los modelos montados desde distal, se puede evaluar el espacio disponible para los brackets linguales (figs. 12-50A y 12-50B).

También se puede valorar la posibilidad de aumentar la altura de la cúspide lingual de algunos dientes (especialmente premolares inferiores) mediante cúspides provisionales. Algunos autores recomiendan la gingivectomía para aumentar la cara lingual de estos dientes, pero el autor contraindica esta maniobra clínica por la posibilidad de un gravado y posicionamiento del bracket sobre el cemento radicular a menos que se trata de un caso de hipertrofia gingival. Indica el aumento de la cúspide

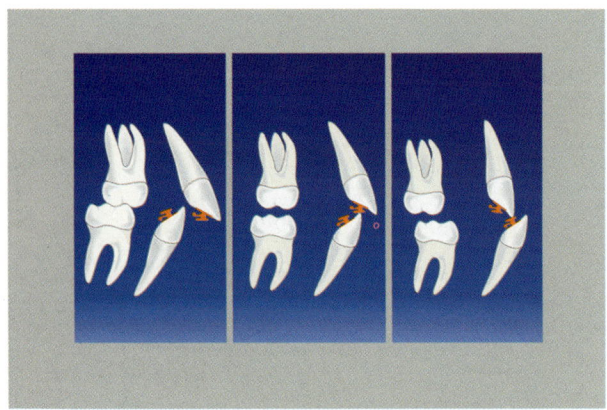

Fig. 12-54 Tres posibles relaciones de overjet con overbite profundo. Primero overbite profundo y overjet aumentado, segundo, overbite profundo y overjet normal y finalmente overbite profundo y overjet invertido

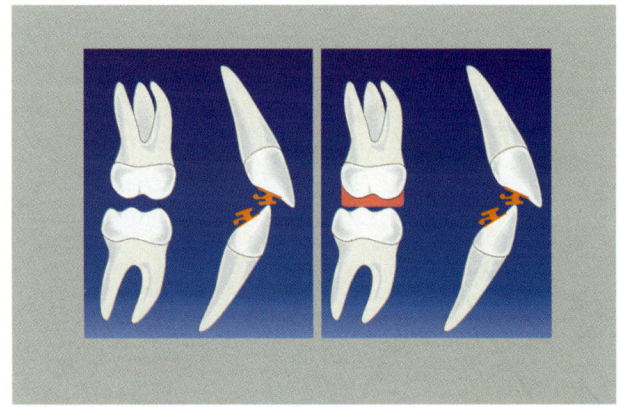

Fig. 12-55 En los casos con overbite aumentado y overjet normal, puede tenerse que hacer build-ups si se aumenta mucho la dimensión vertical

lingual con composite con el fin de aumentar el espacio para alojar los brackets. En la figura 12-51A se observa el esquema de la reconstrucción cuspídea; en la figura 12-51B, la reconstrucción de la cúspide en el laboratorio sobre el modelo y en la figura 12-51C, la transferencia a boca del bracket y la cúspide.

5. Remodelar las superficies linguales

Si la superficie lingual de los dientes es muy irregular, se debe considerar la posibilidad de remodelar la superficie del esmalte, especialmente cíngulos muy marcados. En el caso de la figura 12-49B que presenta transposición del canino superior derecho con el incisivo lateral superior derecho y forma atípica del incisivo lateral izquierdo superior, se decidió realizar el tratamiento con extracción de ambos incisivos laterales y proceder al cierre de espacios (ver el caso completo en el capítulo 14).

6. Pre-aparatos para distalizar, disyunción, anclaje, etc.

Cuando el plan de tratamiento incluye expansión, disyunción o distalización, es conveniente realizarlas antes de cementar los brackets linguales para reducir el tiempo que éstos deben estar cementados.

Los aparatos más utilizados por el autor con este fin son:

Maxilar superior
- **Expansión:** Quad-hélix.
- **Disyunción:** Hyrax o Hyrax de adhesión directa.
- **Distalización:** Pendulum.
- **Anclaje:** Botón de Nance o Barra transpalatina de Goshgarian.

Maxilar inferior
- **Expansión:** Arco lingual activo.
- **Distalización:** Placa activa de distalización.

En ocasiones se puede recurrir a mecánicas muy sencillas. Ante la presencia de caninos con erupción ectópica vestibular, el cementado de brackets linguales es imposible por lo que se puede recurrir a botones y cadenas

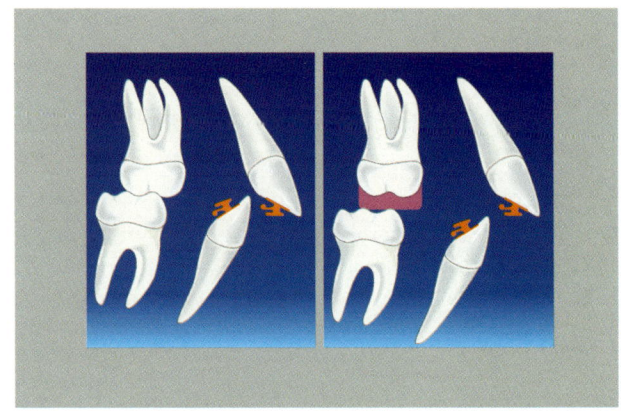

Fig. 12-56 En los casos con overbite aumentado y overjet aumentado, se usan build-ups para poder retruir los incisivos superiores sin el bloqueo de los brackets

elásticas para el distalización inicial de los caninos y a continuación tomar impresión para el cementado e inicio del tratamiento (figs. 12-52A y 12-52B).

7. Expansión inicial estratégica de la arcada

La arcada inferior presenta más dificultades para la técnica lingual especialmente cuando se deben tratar pacientes con arcadas estrechas o dientes con torque negativo. En estos casos se puede comenzar realizando una expansión de la arcada inferior con un arco lingual activo (fig. 12-53). Una vez conseguido el aumento de torque se tomarán impresiones para el posicionamiento de brackets y el arco lingual se eliminará inmediatamente después del cementado.

La expansión estratégica inicial recidivará pero facilita el cementado (mejor eje de entrada para la cubeta de transferencia) y proporciona mayor espacio para la lengua en los primeros días por lo que contribuye a que el paciente se acostumbre mejor a los brackets.

Capítulo 12

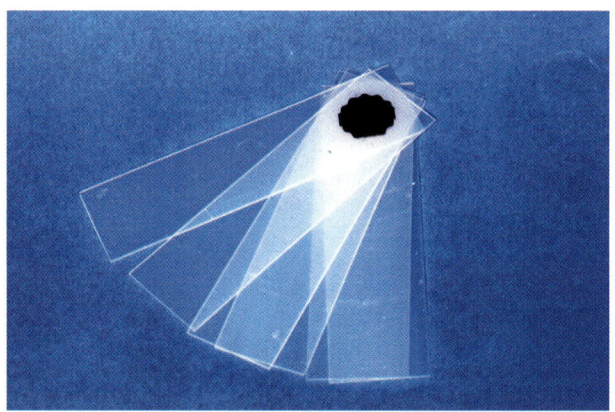

Fig. 12-57 Leaf-Gauge utilizado para la realización de build-ups en boca

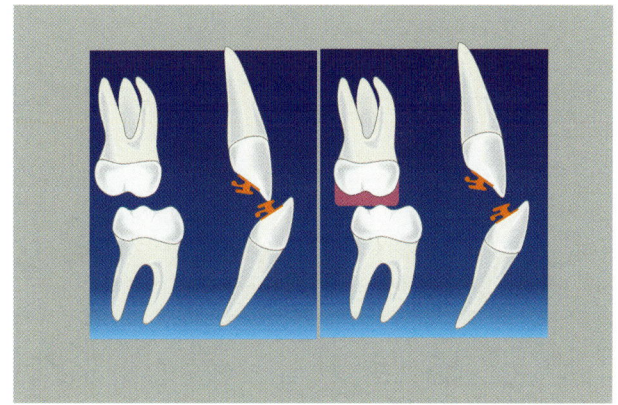

Fig. 12-58 En los casos de overbite aumentado y mordida cruzada anterior, se usan build-ups para facilitar la corrección

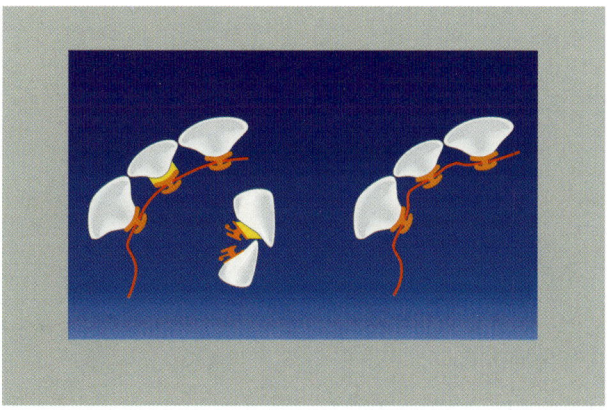

Fig. 12-59 Caso con incisivo lateral microdóntico en el que el composite de la base queda demasiado grueso. Entonces se puede hacer un doblez de compensación en el arco para disminuir el espesor de composite

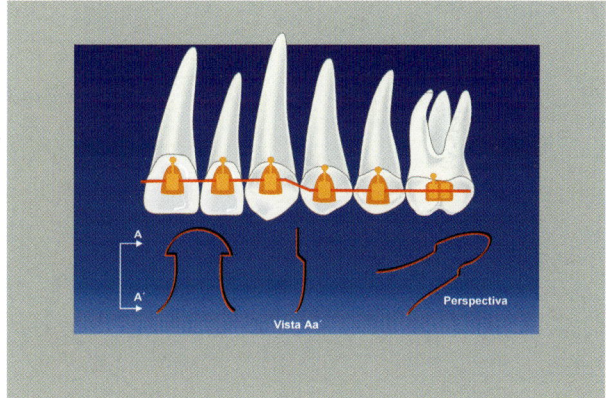

Fig. 12-60 Arco con compensación de altura en el inset distocanino porque no se pudo cementar los brackets anteriores y posteriores a la misma altura

8. Exodoncias, puentes estéticos, stripping, sección de puentes

Cuando el plan de tratamiento incluye exodoncias, se deben preparar pónticos estéticos para el espacio de extracción. La extracción se debe realizar inmediatamente después del cementado, ya que si se hace antes los dientes pueden modificar su posición e impedir el ajuste perfecto de la cubeta de transferencia.

Normalmente realizamos el cementado, la extracción con sutura y el cementado del póntico estético en la misma visita para mejorar la estética del tratamiento.

El diámetro mesio-distal del póntico deberá reducirse progresivamente a medida que se va cerrando el espacio de extracción.

El stripping se debe realizar después del cementado de brackets para evitar migraciones dentarias y desajustes de la cubeta de transferencia así como para un mejor manejo del anclaje.

Con referencia a los puentes presentes, se deberán to-

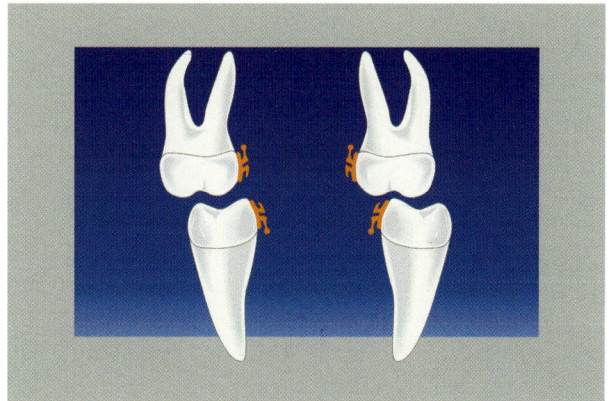

Fig. 12-61 En mordidas cruzadas posteriores, las cúspides palatinas superiores pueden interferir contra los brackets inferiores. Por esto es preferible corregir previamente las mordidas cruzadas posteriores

mar en cuenta los requerimientos de anclaje. Si está indicado el movimiento de los dientes pertenecientes al puente, éste se debe seccionar inmediatamente después del cementado, de lo contrario se puede utilizar como unidad de anclaje.

9. Build-ups

Los planos de mordida de los brackets de Kurz trabajan muy bien en los casos de sobremordida provocando una desoclusión posterior.

Si se trata de un caso de mordida abierta anterior, los brackets de incisivos superiores no van a interferir, pero si se trata de un caso de mordida profunda, la dimensión vertical se aumentará inmediatamente después del cementado.

Existen 3 posibles situaciones iniciales (fig. 12-54):
- overbite aumentado y overjet normal,
- overbite aumentado y overjet aumentado,
- overbite aumentado y overjet disminuido.

Normalmente los pacientes toleran muy bien el aumento de dimensión vertical y el plano de mordida actúa como una férula de relajación muscular. Pero algunas veces los pacientes sienten incomodidad. Estos casos ocurren cuando la desoclusión molar inicial es de más de 3 mm o cuando el contacto sobre los brackets anteriores no se realiza sobre un mínimo de 3 brackets para dar una cierta estabilidad a la oclusión.

Se pueden realizar build-ups en los primeros molares para conseguir 3 puntos de apoyo (tripoidismo).

Los build-ups se realizan sobre los primeros molares inferiores de la siguiente forma:
- Se limpian las caras oclusales de los primeros molares inferiores con una copa de goma y pasta de profilaxis y se eliminan caries o fisuras que estuvieran presentes.
- No se gravan las caras oclusales a menos que las cúspides, surcos y fosas sean demasiado planas.
- Se aplica OrthoSolo para aumentar la adhesión.
- Se cementa el composite en los molares y se hace ocluir hasta el tope con los brackets superiores.
- Se ajusta con papel de articular para lograr el tripoidismo.
- Se deja la superficie oclusal totalmente lisa, sin la marca de los dientes antagonistas.
- Se deberá ir rebajando conforme se abra la mordida anterior.
- Se eliminan con vibración del Cavitrón y pulido con gomas.

En la figura 12-55 se muestra un caso de overjet normal, overbite aumentado y realización de build-ups molares.

En el caso de la figura 12-56 el overbite está aumentado y overjet también aumentado. No se puede corregir la clase II incisiva porque los brackets linguales impiden tanto la retrusión superior como la protrusión inferior. Se usan build-ups en molares y primeros premolares inferiores para elevar la oclusión con 4 puntos de apoyo, ya que no se puede obtener apoyo anterior. El procedimiento para realizarlo es aproximadamente el mismo pero se utiliza un Leaf-Gauge para determinar cuanto se debe aumentar la dimensión vertical.

- Se van colocando laminillas del Leaf-Gauge (fig. 12-57) entre los molares derechos hasta conseguir el overbite deseado al final del tratamiento.
- Se limpian las caras oclusales del primer molar y primer premolar izquierdos con una copa de goma y pasta de profilaxis y se eliminan caries o fisuras que estuvieran presentes.
- No se grava la cara oclusal a menos que las cúspides, surcos y fosas sean demasiado planas.
- Se aplica OrthoSolo para aumentar la adhesión.
- Se cementa el composite en el molar y el premolar y se hace ocluir hasta el tope con el Leaf-Gauge.
- Se procede de la misma forma para realizar los build-ups derechos haciendo tope con los build-ups izquierdos.
- Se ajusta con papel de articular para lograr cuatro puntos de apoyo.
- Se deja la superficie oclusal totalmente lisa, sin la marca de los dientes antagonistas.
- Se deberá ir rebajando conforme se abra la mordida anterior.
- Se eliminan con vibración del Cavitrón y pulido con gomas.

Cuando se trata de un caso con mordida cruzada anterior (fig. 12-58), también se indica el uso de build-ups en primeros molares y primeros premolares inferiores, para un aumento temporal de la dimensión vertical, facilitando la corrección. El procedimiento es el explicado anteriormente.

Otras situaciones especiales se plantean en las figs. 12-59 a 12-60.

10. Cubetas individuales e impresiones primarias

Las impresiones definitivas deben ser de muy alta calidad. Si es necesario por la forma irregular de la arcada se puede indicar el uso de cubetas individuales y la toma de impresión con siliconas.

Técnica de cementado progresivo

13

- Introducción 217
- Arcos seccionales 217
  - Arcos para alineación y nivelación de los sectores posteriores 217
  - Arcos para alineación, nivelación de los caninos y/o retracción inicial de caninos 218
  - Arcos para mecánica de deslizamiento de las piezas posteriores 218
  - Arcos para anclaje de expansores de cementado directo 218
- Indicaciones 218
  - Baja tolerancia a los brackets linguales 218
  - Caninos en posición ectópica 218
  - Distalización-Stripping 218
  - Disyunción 219
- Conclusiones 219

Introducción

El concepto de cementado progresivo consiste en no cementar todos los brackets en la primera visita de cementado cuando sea necesario. Sus objetivos son facilitar la mecánica y la tolerancia del paciente a los brackets durante los primeros días.

En algunos pacientes también nos encontramos con dientes apiñados o rotados, así como caninos en una posición vestibular alta y no tenemos acceso a la cara lingual del diente, por lo que se debe esperar a lograr el espacio para cementar ese diente. En estos casos solicitamos al laboratorio una cubeta de transferencia con los brackets de todos los demás dientes, y una minicubeta o cubeta unidental para ese diente en particular.

Arcos seccionales

Utilizamos principalmente los siguientes tipos de arcos seccionales:
- Arcos para alineación y nivelación de los sectores posteriores.
- Arcos para alineación, nivelación de los caninos y/o retracción inicial de caninos.
- Arcos para mecánica de deslizamiento de las piezas posteriores.
- Arcos para anclaje de expansores de cementado directo.

Arcos para alineación y nivelación de los sectores posteriores

Se pueden usar seccionales arcos súper elásticos como de Ni-Ti, -Copper NiTi o TMA y también ligaduras circunferenciales de Scott para alineación y nivelación de los sectores posteriores (figs. 13-01 y 13-03).

Arcos para alineación, nivelación de los caninos y/o retracción inicial de caninos

Para los casos en que los caninos no tienen expuesta la cara lingual por encontrarse en una posición alta vestibular y en vestibular del incisivo lateral, se puede recurrir al uso de un botón lingual con el fin de lograr una disto-inclinación y luego poder cementar el bracket canino.

Los caninos que inicialmente presentan mesiorotación y deben ser distalizados, también representan un problema porque la distalización con brackets linguales produce mesiorotación. En estos casos se puede usar un arco seccionales de distalización con mecánica de asas.

Los arcos seccionales linguales con asa en "I" son útiles para corregir la alineación y rotaciones y las asas en "T" están indicadas para nivelación (figs. 13-02 y 13-05).

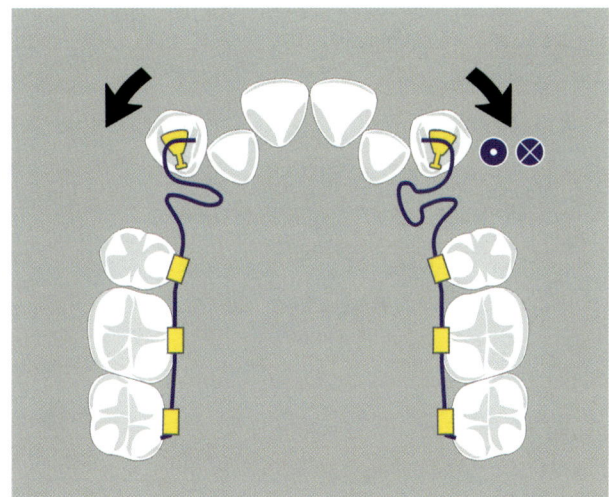

Fig. 13-02 Esquema de arcos seccionales para alineación, nivelación y retracción inicial de caninos

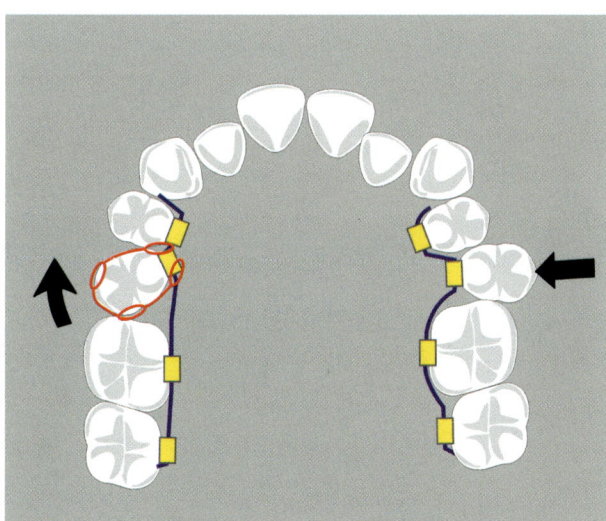

Fig. 13-01 Esquema de arcos seccionales para alineación y nivelación de los sectores posteriores

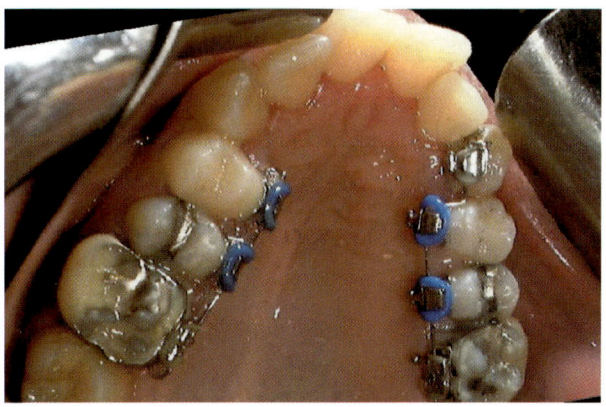

Fig. 13-03 Caso # 1. En la primera visita se cementan de los sectores posteriores

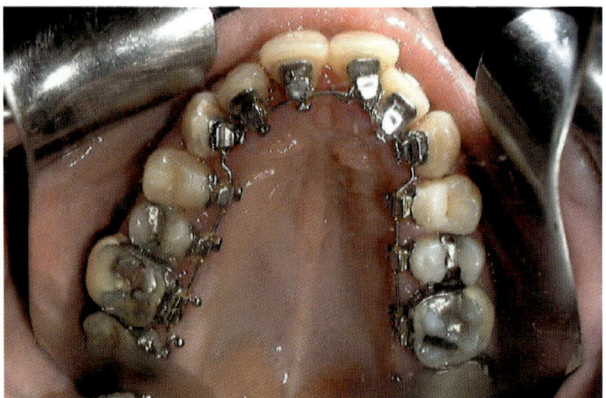

Fig. 13-04 Caso # 1. En la siguiente visita se completa el cementado superior

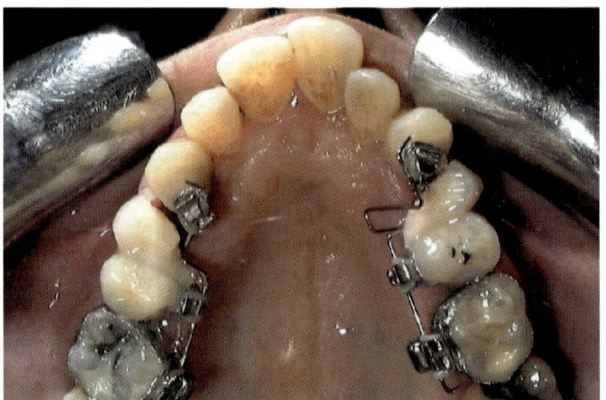

Fig. 13-05 Caso # 2. En la primera visita: cementado de sectores posteriores y arcos seccionales para distalización y distorotación de caninos

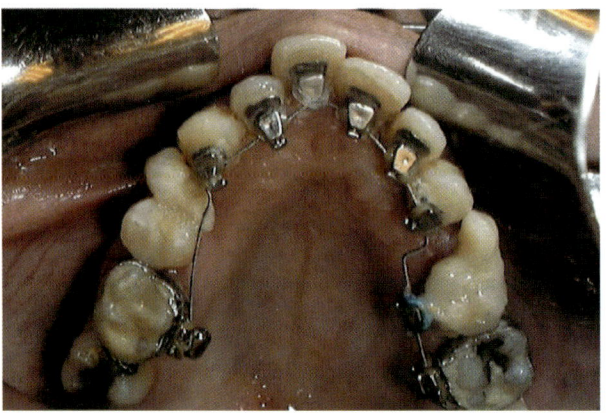

Fig. 13-06 Caso # 2. En una visita posterior: cementado completo superior

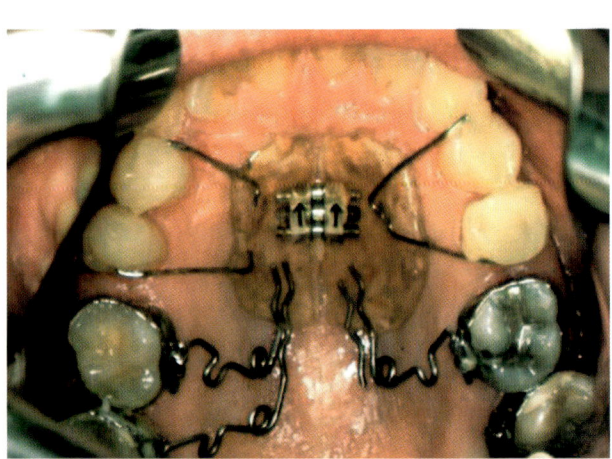

Fig. 13-07 Caso # 3. Péndulo para distalizar molares

Arcos para mecánica de deslizamiento de las piezas posteriores

Para la distalización de premolares después de haber usado un Pendulum de Hilgers, o en la técnica de stripping progresivo, se pueden usar arcos seccionales de acero de '016" ó de '016" x '016" rectos (figs. 13-07 y 13-08).

Arcos para anclaje de expansores de cementado directo

Para el mejor anclaje de los expansores de cementado directo es conveniente cementar brackets en premolares y utilizar un arco seccional de acero de '016" ó de '016" x '016" adaptado a los dientes (figs. 13-09 y 13-10).

Indicaciones

Las indicaciones para el cementado progresivo son:
1. Baja tolerancia a los brackets linguales
2. Caninos en posición ectópica. (Otros dientes en posición ectópica o que no tienen libre la cara lingual)
3. Distalización-Stripping
4. Disyunción

Baja tolerancia a los brackets linguales

El paciente de la figura 13-03 demostraba baja tolerancia a los brackets linguales diagnosticada a través de los bordes laterales festoneados de la lengua y cierta dificultad de pronunciación. Por este motivo se prefirió cementar únicamente los sectores posteriores en la primera visita. Se esperó a su adaptación a estos brackets antes de cementar el resto de la arcada (Fig. 13-04).

Caninos en posición ectópica

El paciente de la figura 13-05 presentaba mesio-rotación de los caninos superiores. Se indicó cementado progresivo y arcos seccionales de rotación (Figs. 13-05 y 13-06).

Distalización-stripping

En el caso de la figura 13-07, se utilizó un Péndulo para distalizar los molares superiores (fig. 13-07). A conti-

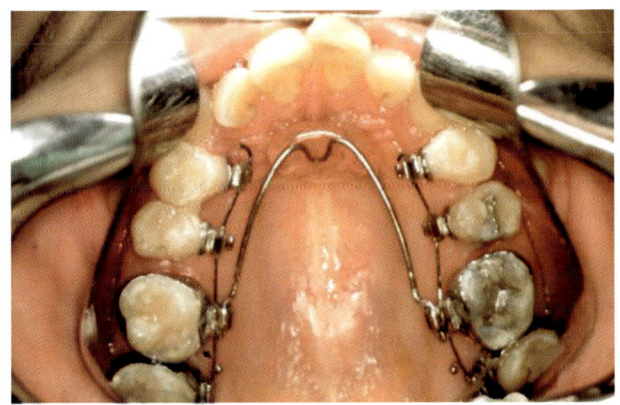

Fig. 13-08   Caso # 3. Botón de Nance y distalización de premolares con arcos seccionales y mecánica de deslizamiento

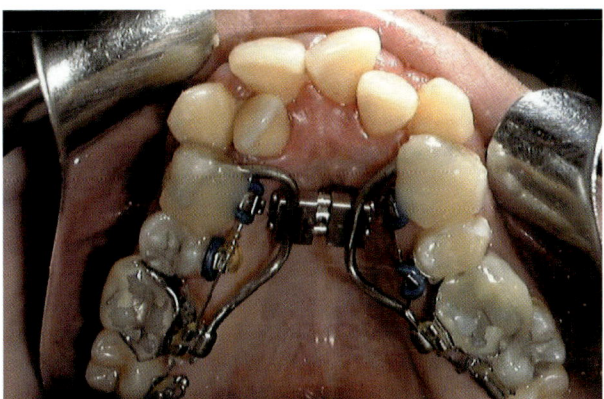

Fig. 13-09   Caso # 4. Disyuntor Hyrax de cementado directo y arcos seccionales de anclaje

nuación se indicó un botón de Nance y arcos linguales seccionales para anclaje y distalizar los premolares con mecánica de deslizamiento (fig. 13-08).

Disyunción

En el caso de la fig. 13-09, se utilizó un disyuntor Hyrax modificado para cementado directo como se ve en la fig. 13-09. El tornillo está ajustado a los tubos accesorios de las bandas molares y cementado a la cara oclusal de los primeros premolares. Para ferulizar los premolares y molares se utilizaron brackets linguales y arcos seccionales (figs. 13-09 y 13-10).

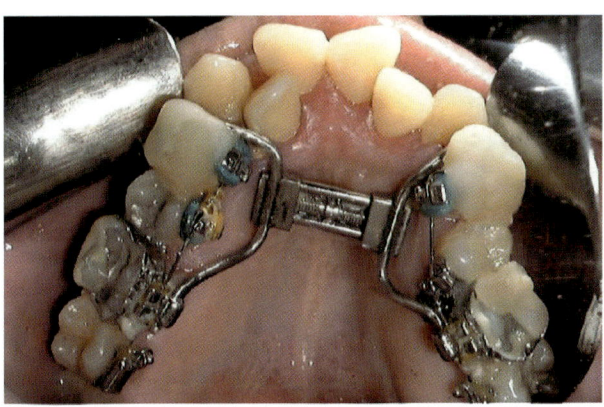

Fig. 13-10   Caso # 4 - Disyunción terminada

Conclusiones

No siempre está indicado cementar todos los brackets en la primera visita. En los casos arriba descritos se demuestran las ventajas del cementado progresivo y los arcos seccionales linguales en la primera etapa del tratamiento ortodóncico, reduciendo así el tiempo que el paciente debe ser portador de todos los brackets.

Casos con extracciones. Anclaje

14

- Introducción 223
- Secuencia de arcos y etapas de tratamiento 223
  - 1er ARCO: Distalización inicial de caninos 224
  - 2o ARCO: Alineación, nivelación y corrección de rotaciones (ANR) 225
  - 3er ARCO: Establecimiento de torque 230
  - 4o ARCO: Retracción en masa, cierre de espacios 230
    - Mecánica de deslizamiento 231
    - Mecánica de baja fricción con tubo auxiliar 234
    - Mecánica de asas 235
    - Problemas previsibles en esta etapa de cierre de espacios 251
      - Efectos secundarios de los arcos 251
      - Anclaje en ortodoncia lingual 251
  - 5o ARCO: Terminación y Detallado 252
- Casos clínicos 252

Introducción

El procedimiento diagnóstico es similar al utilizado para la técnica vestibular en pacientes adultos, ya que la mayoría de los pacientes tratados con técnica lingual son pacientes que ya han completado el crecimiento. Discutir en este capítulo las indicaciones del tratamiento ortodóncico con extracciones o la selección del diente a extraer escapa a las dimensiones del mismo, pero se deberá tener en cuenta que los brackets Kurz 7ª generación favorecen la postrotación mandibular debido al contacto de los bordes incisales inferiores con el plano de mordida de los brackets de incisivos superiores. Esta disminución de overbite conlleva un aumento de overjet que deberá ser tenido en cuenta para decidir la necesidad de exodoncias superiores.

Existen básicamente 5 sistemas para el tratamiento de la discrepancia negativa y se encuentran esquematizados en la figura 14-01 con sus respectivos factores de conversión que serán estudiados en cada capítulo. Las extracciones se realizarán cuando no puedan ser utilizados los demás sistemas, es decir como último recurso. Muchos pacientes adultos acuden a la consulta del ortodoncista con dientes ausentes y pueden ser tratados como casos con extracciones.

En la figura 14-02 se esquematiza que las extracciones tienen un factor de conversión 1, lo que significa que la medida del diámetro mesio-distal de la pieza extraída es igual al espacio que se ganará en la longitud alveolar.

Secuencia de arcos y etapas de tratamiento.

En técnica vestibular realizamos tratamientos ortodóncicos fijos divididos en 3 etapas:

1. **A.N.R.** **A**lineación, **N**ivelación y corrección de **R**otaciones.
2. **E.T.R.I.** Cierre de **E**spacios, establecimiento del **T**orque y corrección de la **R**elación **I**ncisiva (overjet y overbite).
3. **M.I.D.** Ajuste de línea **M**edia, **I**ntercuspidación y **D**etallado.

En técnica lingual, y en los casos de extracciones, normalmente se realizan 5 pasos:

1. Distalización inicial
   de caninos   .016" S.S.
2. Alineación, nivelación,   .0155" ó .0175" Trenzado
   rotaciones (ANR)   .016" ó .018" NiTi
                        .016" TMA
                        .017" x .017" Copper NiTi
3. Establecimiento   .0175" x .0175" TMA
   del torque   .017" x .025" TMA
                        .017" x .025" Copper NiTi
                        .016" x .022" SS
4. Retracción en masa   .016" x .022" SS
                        .017" x .025" TMA

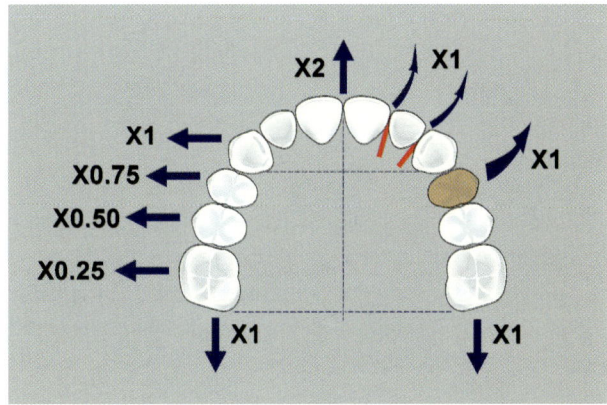

Fig. 14-01 Esquema de los sistemas para el tratamiento de la discrepancia negativa y sus factores de conversión (Cada sistema será estudiado en su capítulo correspondiente)

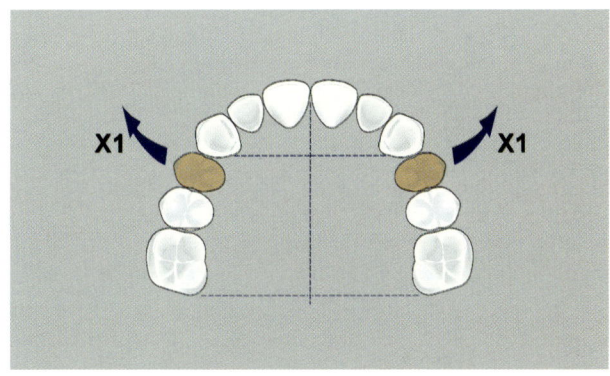

Fig. 14-02 Esquema del tratamiento con extracciones con factor de conversión 1, lo que significa que se ganará un espacio igual al diámetro mesio-distal del diente extraído

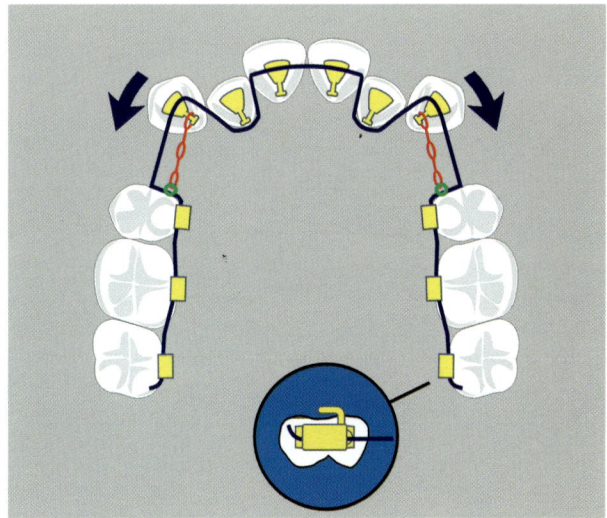

Fig. 14-03 Esquema del arco de distalización de caninos: adaptado en la zona anterior (si es necesario), inset a nivel de la cara mesial del segundo premolar, un loop a nivel del centro del inset, doblez distal distomolar, curvas de compensación sagital y horizontal

5. Terminación y detallado .016" SS
.016" TMA
Arco de canto

1er ARCO: Distalización inicial de caninos

En los casos en que el paciente presenta apiñamientos en la zona anterior (incisivos y caninos) es necesaria la distalización inicial de caninos antes de alinear y nivelar, especialmente si no está indicada la protrusión del frente anterior. La distalización del canino debe ser mínima, sólo lo necesario como para solucionar la discrepancia dento-alveolar anterior.

Se realiza con un arco de .016" de acero (fig. 14-03) con inset a mesial de 2do premolar y asa en circulo ante 2do premolar. El arco debe estar conformado a los incisivos ya que debe permanecer pasivo en esta zona. Se extenderá una cadena elástica desde el gancho del bracket del canino hasta el asa en círculo del arco. Se debe hacer un doblez distal (hacia vestibular) para evitar la mesialización del arco con la consecuente protrusión del sector anterior. También se debe considerar la compensación del efecto bowing incorporando curva sagital (tip-back) y curva horizontal al arco (toe-out). En las figuras 14-04 a 14-17 se muestra paso a paso la confección de este arco. Se encuentran disponibles arcos de .016" de acero en forma Standard (sin in-set distocaninos pero con curvatura lingual y en sólo un tamaño tanto para maxilar superior o inferior), o se puede realizar a partir del alambre de acero en tiras de .016".

En los casos de extracción de 1er premolar, se suele cementar una pieza de prótesis al 2do premolar para mejorar la estética del espacio de extracción y para evitar grandes pérdidas de anclaje. A medida que se distaliza el canino, se debe ir recortando el póntico.

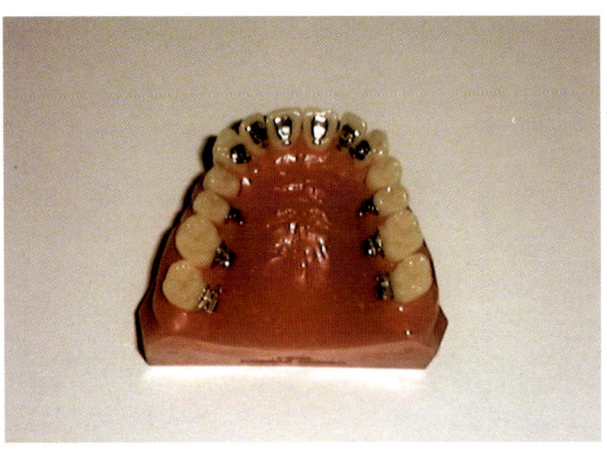

Fig. 14-04 Confección del primer arco 1- Tipodonto ORMCO del maxilar superior

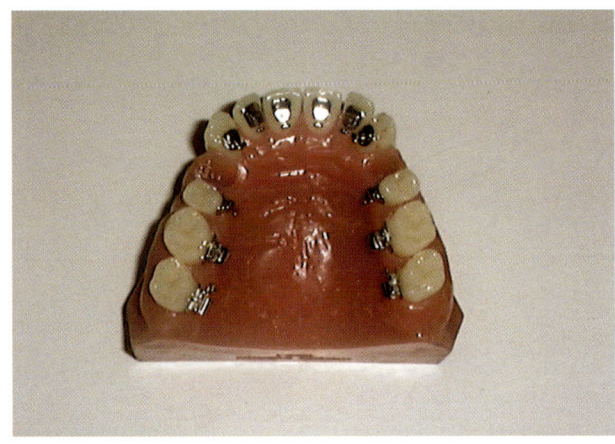

Fig. 14-05 Confección del primer arco 2- Tipodonto ORMCO del maxilar superior al que se le retiraron los primeros premolares superiores derecho e izquierdo

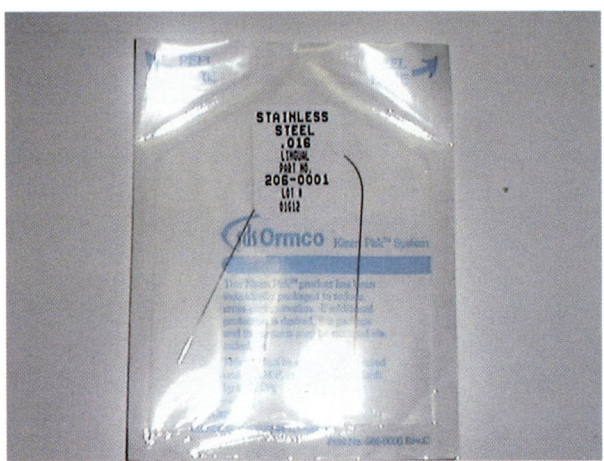

Fig. 14-06 Confección del primer arco 3- Arco de .016" de acero. Están disponibles en un solo tamaño superior e inferior y en forma Standard (sin insets distocaninos)

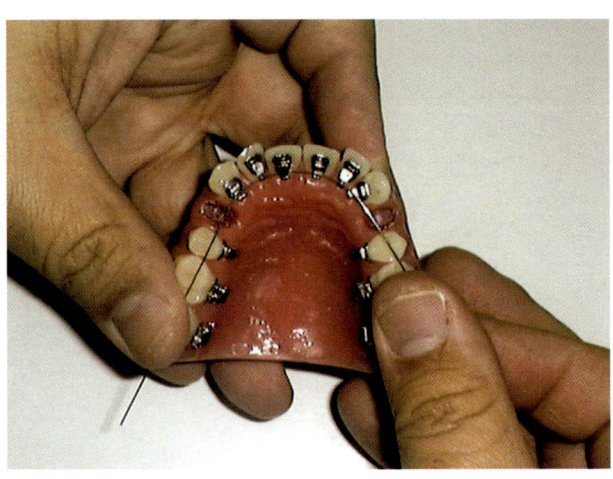

Fig. 14-07 Confección del primer arco 4- Prueba del arco en el tipodonto y adaptar la zona anterior si fuera necesario

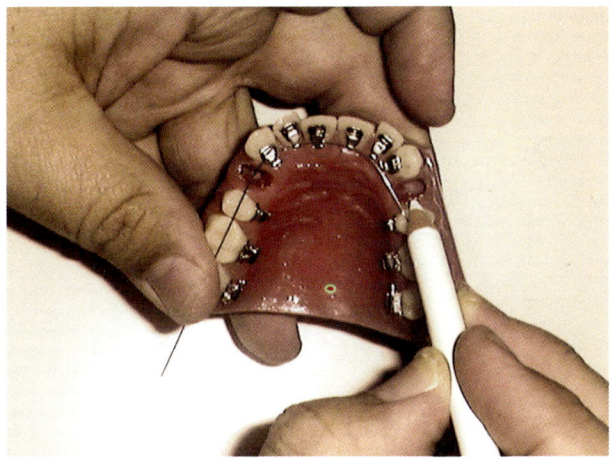

Fig. 14-08 Confección del primer arco 5- Marcar con un lápiz a nivel de la cara mesial del segundo premolar

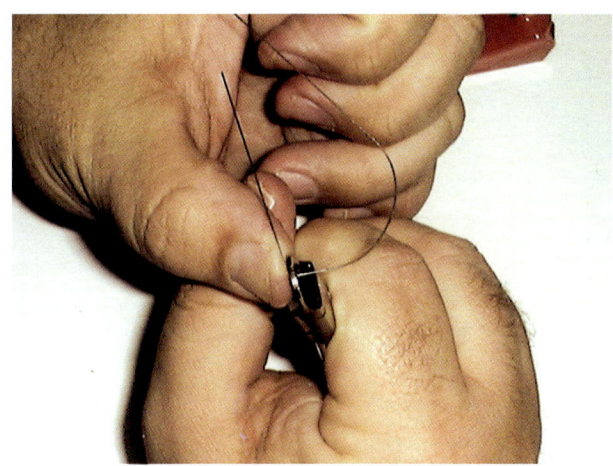

Fig. 14-09 Confección del primer arco 6- Hacer un doblez hacia lingual a nivel de la marca realizada (inset distocanino) con un alicate de torque

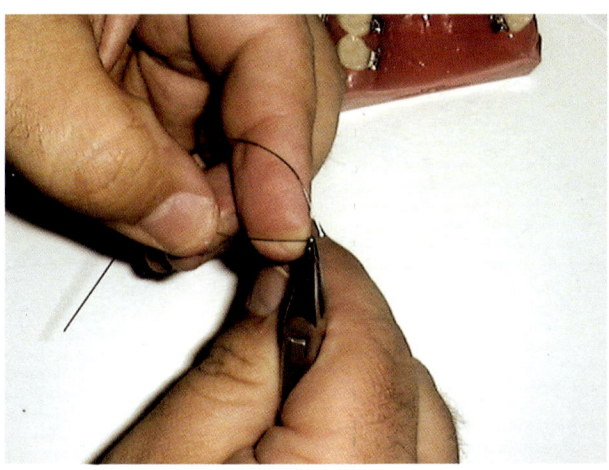

Fig. 14-10A Confección del primer arco 7A- Hacer un círculo hacia oclusal a mitad de inset con el alicate de Jarabak

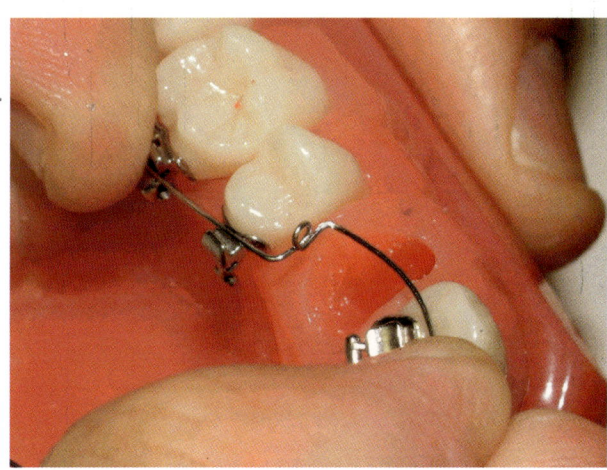

Fig. 14-10B Confección del primer arco 7B- Círculo realizado hacia oclusal a mitad del inset

2o ARCO: Alineación, nivelación y corrección de rotaciones (ANR)

Es el primer arco en los casos en que no esté indicada la distalización inicial de caninos ya sea porque el apiñamiento anterior es mínimo o porque se puede protruir el frente anterior. Si no se necesita distalizar el canino, es conveniente retrasar la extracción de premolares hasta después de la ANR, para mejorar tanto la estética como el anclaje. Se deberá proceder a la extracción antes de la retracción en masa de los 6 dientes anteriores (incisivos y caninos).

En esta etapa se debe completar:

- La alineación (fig. 14-18), que consiste en llevar los dientes a su posición correcta en la línea de arcada mediante movimientos vestíbulo-linguales. En el esquema de la figura 14-19 se puede observar que se consigue alinear las coronas pero no las raíces.

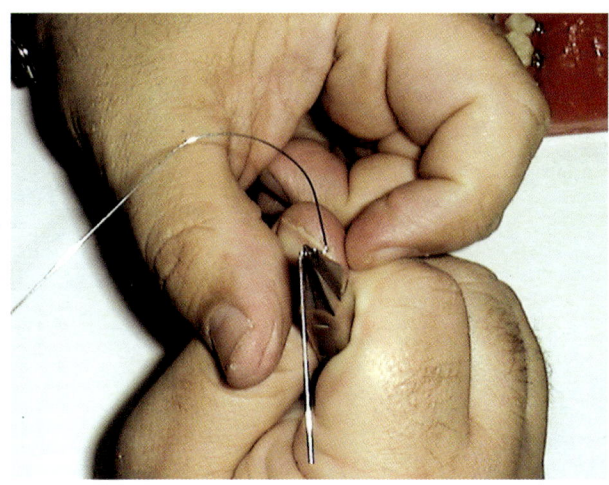

Fig. 14-11 Confección del primer arco 8- Se completa el inset con el doblez hacia distal

Casos con extracciones. Anclaje

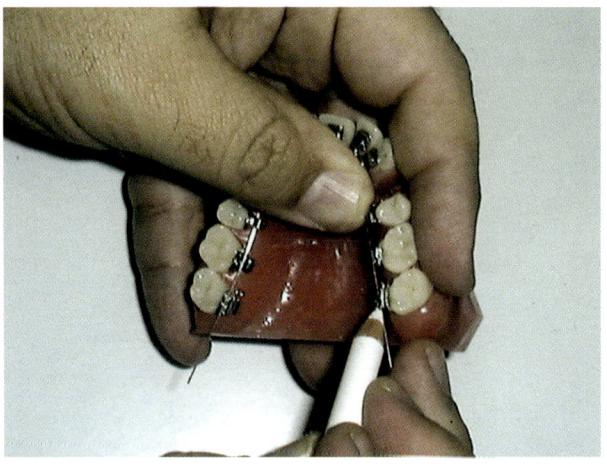

Fig. 14-12A Confección del primer arco 9A- Se marca con el lápiz a nivel del borde distal del tubo del segundo molar

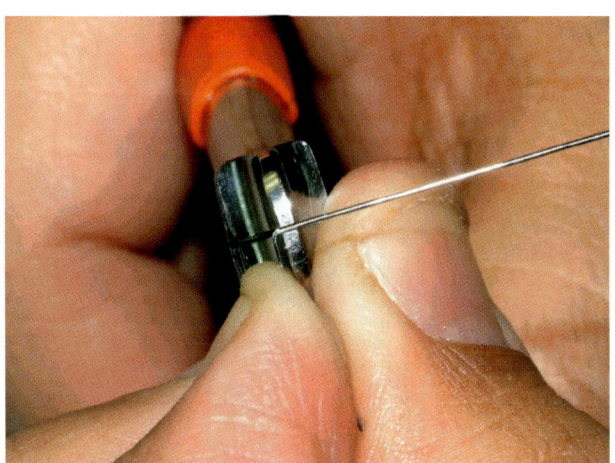

Fig. 14-12B Confección del primer arco 9B- Haciendo el doblez distal hacia vestibular sobre la marca realizada

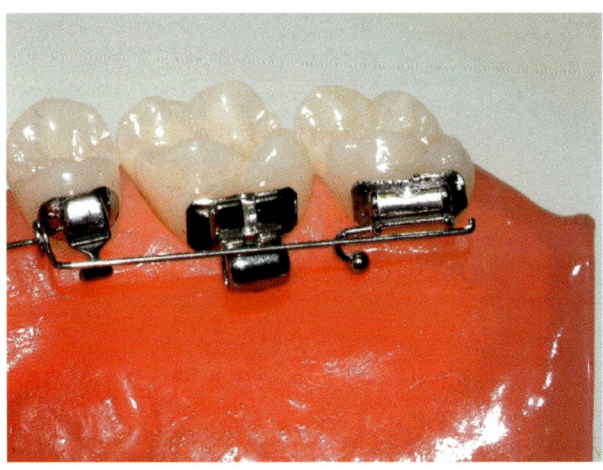

Fig. 14-12C Confección del primer arco 9C- Prueba del doblez distal

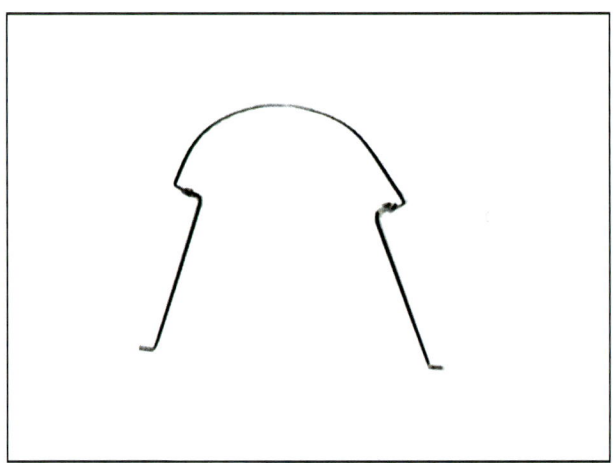

Fig. 14-13 Confección del primer arco 10- Arco realizado antes de las curvas de compensación

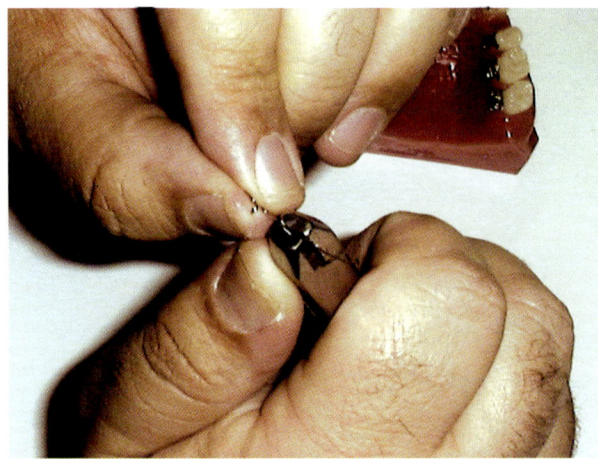

Fig. 14-14 Confección del primer arco 11- Realizando la curva de compensación sagital con el alicate de La Rosa

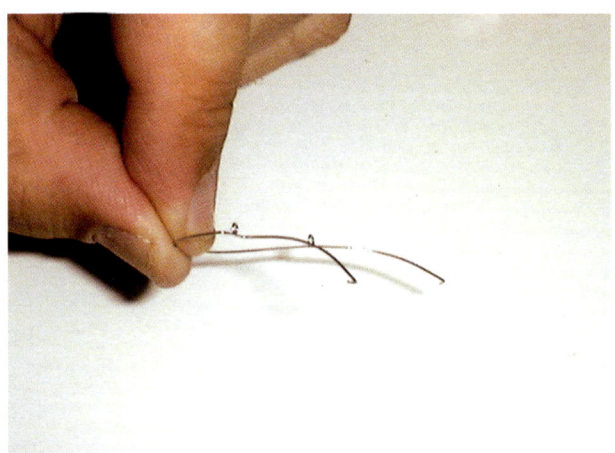

Fig. 14-15 Confección del primer arco 12- Curva sagital de compensación realizada

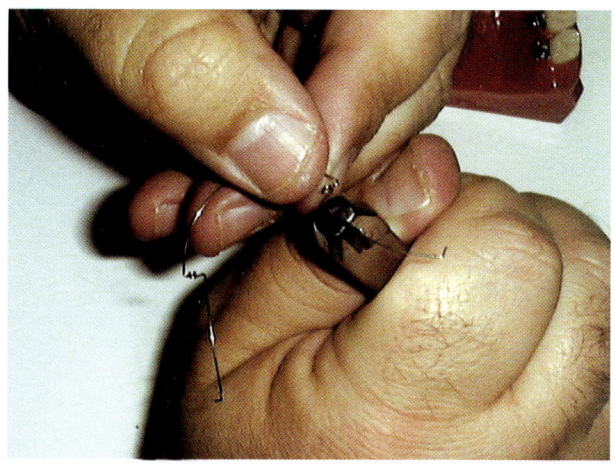

Fig. 14-16 Confección del primer arco 13- Realizando la curva de compensación horizontal con el alicate de La Rosa

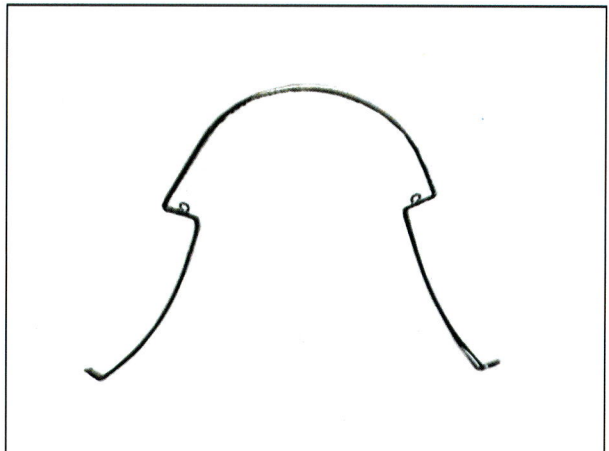

Fig. 14-17 Confección del primer arco 14- Curva horizontal de compensación realizada

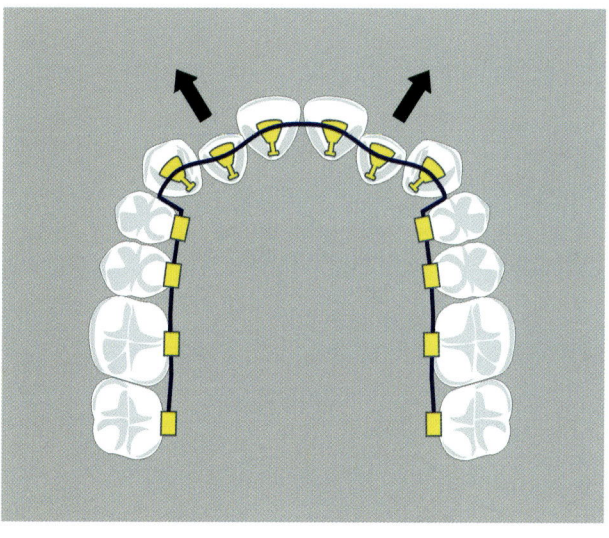

Fig. 14-18 Esquema oclusal de la alineación

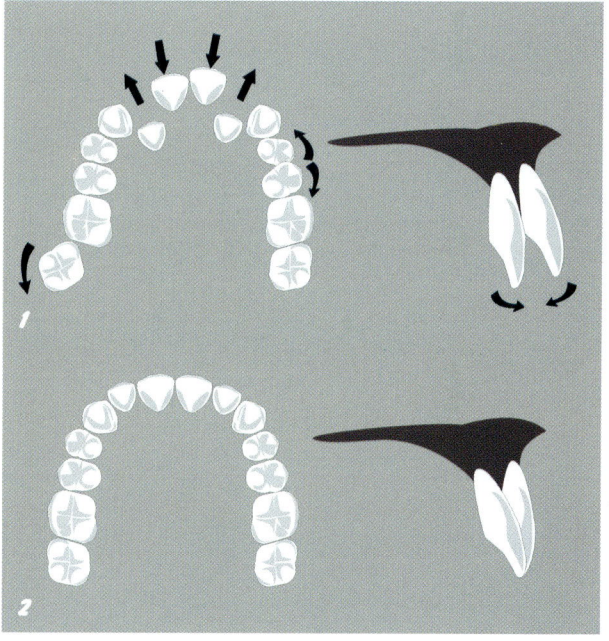

Fig. 14-19 Esquema oclusal y sagital de la alineación. Obsérvese como se alinean las coronas pero no las raíces

- La nivelación (fig. 14-20), que consiste en llevar los dientes a su posición correcta con el plano oclusal mediante movimientos de intrusión-extrusión.
- Corrección de rotaciones (fig. 14-21), que consiste en alinear los bordes incisales de los dientes anteriores y los surcos medios de los dientes posteriores, mediante movimientos de rotación sobre su eje longitudinal. En esta etapa son muy usadas la ligaduras de Scott (fig. 14-22 y capítulo 6).

Se utiliza la plantilla de arcos mushroom (arco de trabajo) (fig. 14-25) y no la forma christmas (arco de terminación) (fig. 14-26) para esta etapa.

Se utilizan arcos de .016" ó de .018" NiTi, .017" x .017" de Copper NiTi, de .016" TMA, de .0175" ó .0155" Respond o de .016" x .022" D-Rect dependiendo del grado de apiñamiento. También se tendrá en cuenta que en el maxilar inferior se deben indicar arcos más ligeros por la distancia inter-brackets más reducida. En paciente con alta sensibilidad o cuando se intuye una baja resistencia al dolor es preferible utilizar un arco trenzado antes de la distalización inicial de caninos.

Se encuentran disponibles arcos de forma Standard .0155" y .0175" Respond y de .016" x .022" D-Rect para los pacientes en que se quiera comenzar con un nivel de fuerza muy bajo. Se debe conformar el in-set distocanino (dejando espacio suficiente para la alineación) y las cur-

Casos con extracciones. Anclaje

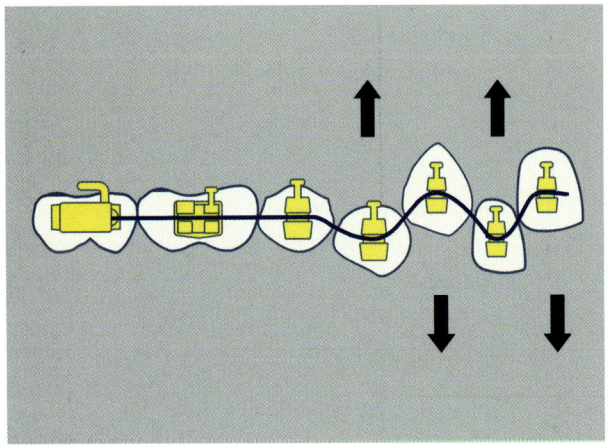

Fig. 14-20   Esquema de la nivelación

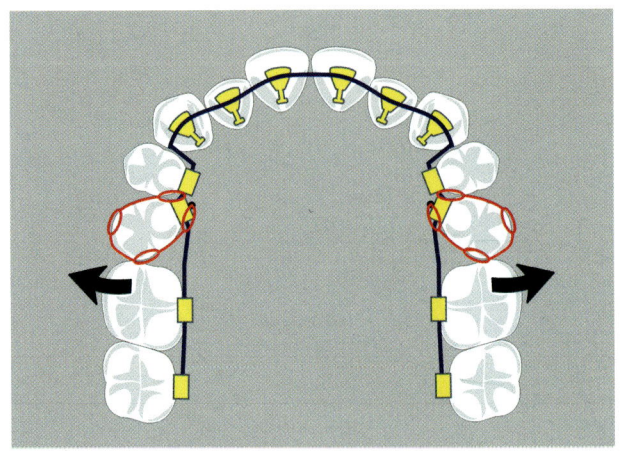

Fig. 14-21   Esquema de la corrección de rotaciones

Fig. 14-22   Esquema de la ligadura circunferencial de Scott

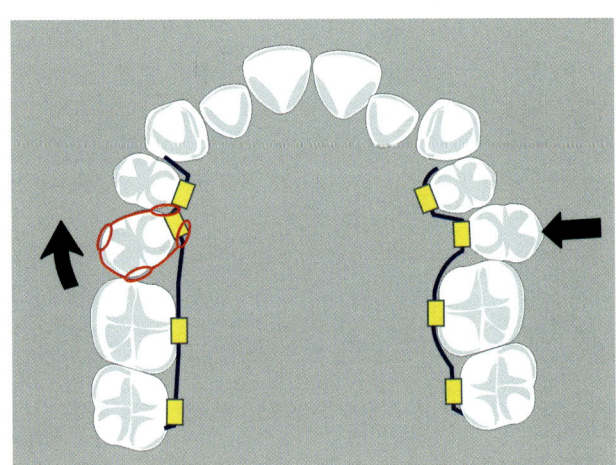

Fig. 14-23   Arcos seccionales de ANR de los sectores posteriores. En la derecha de la arcada (izquierda de la fotografía) esquema del arco de acero con ligadura circunferencial y en la izquierda de la arcada (derecha de la fotografía) arco de níquel-titanio con mayor deflexión

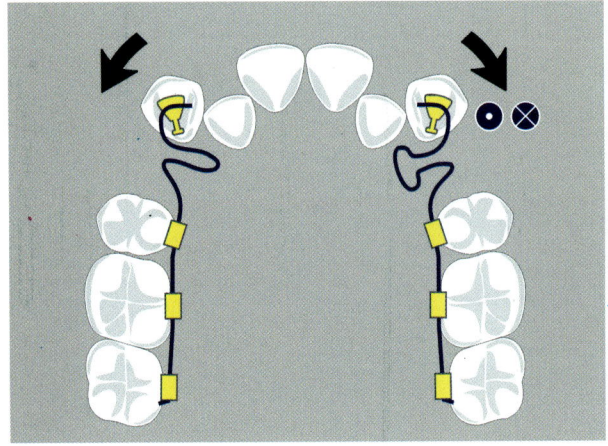

Fig. 14-24   Arco seccional con asa en "I" para distalización de caninos y arco seccional con asa en "T" para distalización y rotación de caninos

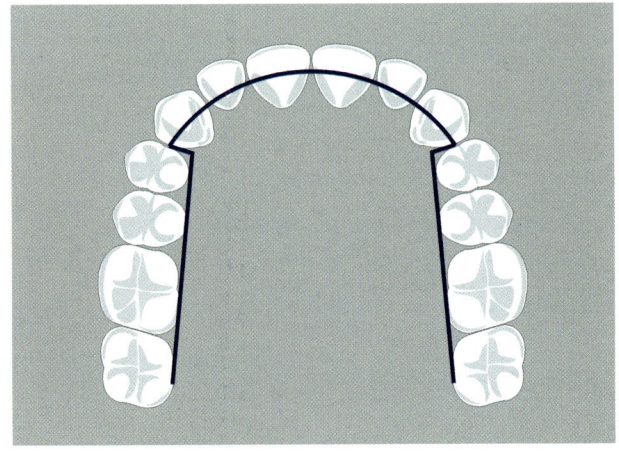

Fig. 14-25   Arco mushroom

Capítulo 14

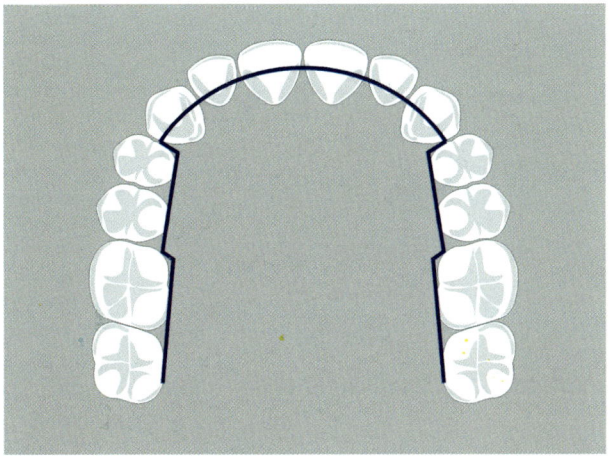

Fig. 14-26 Arco christmas

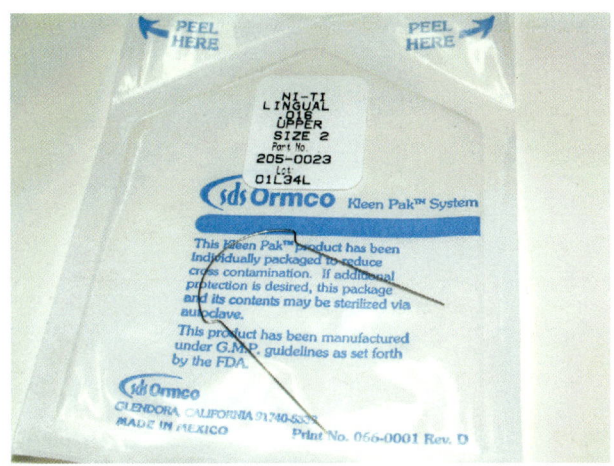

Fig. 14-27 Confección del segundo arco 1 – Arco de .016" de níquel-titanio. Están disponibles en 3 tamaños superiores y 3 tamaños inferiores. Se debe seleccionar el que ajuste mejor en la distancia inter insets

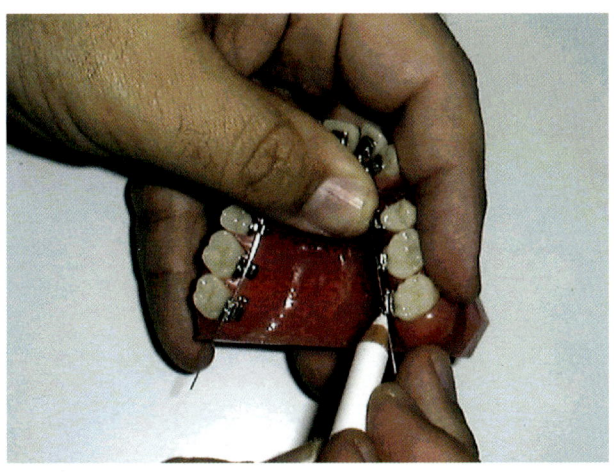

Fig. 14-28 Confección del segundo arco 2 – Prueba del arco y se marca con un lápiz el extremo distal del tubo del segundo molar

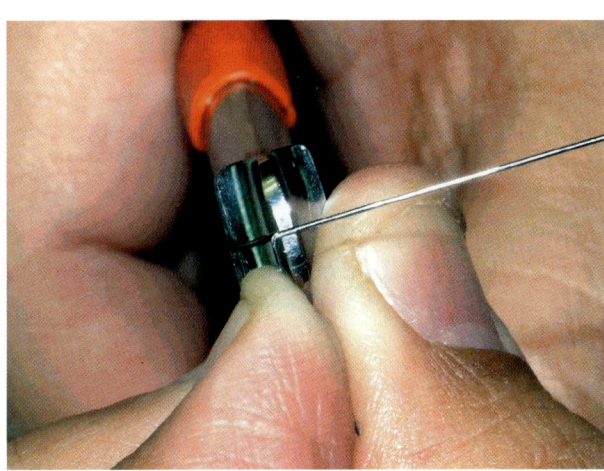

Fig. 14-29 Confección del segundo arco 3 – Se hace un doblez distal hacia vestibular a nivel de la marca del lápiz

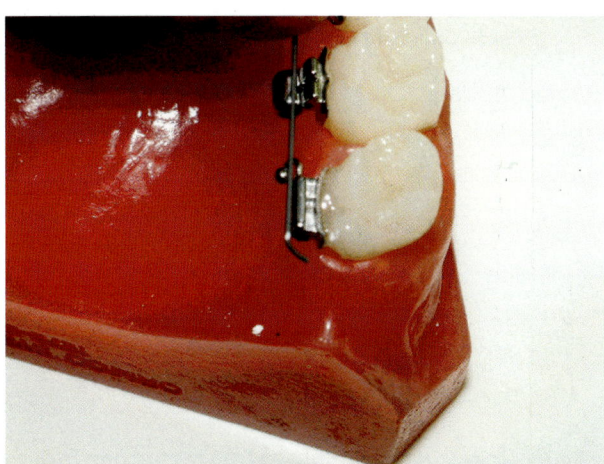

Fig. 14-30 Confección del segundo arco 4 – Se comprueba el ajuste del doblez distal

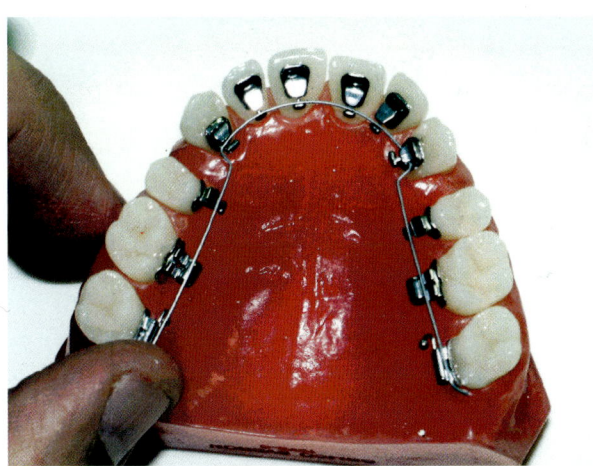

Fig. 14-31 Confección del segundo arco 5 – Se realiza el doblez distal del otro lado y se comprueba el ajuste del arco

Fig. 14-32 Etapa de establecimiento de torque. Una vez alineadas las coronas, se deben alinear las raíces

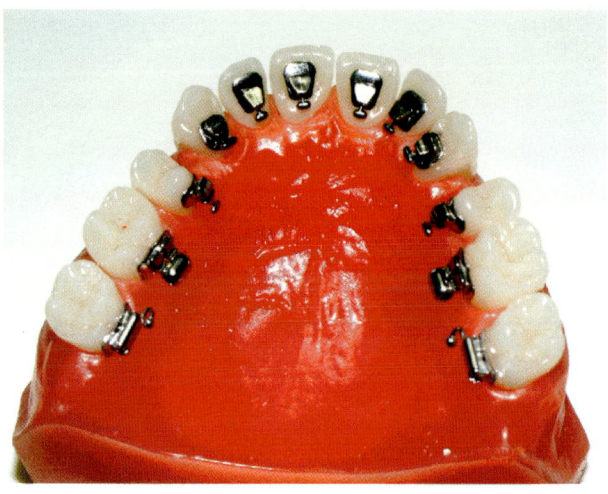

Fig. 14-33 Confección del tercer arco 1 – Tipodonto después de la distalización de caninos y etapa de ANR

vas sagital y horizontal de compensación. Si el apiñamiento es muy grave puede ser necesario realizar ligaduras a distancia o asas en el arco en las primeras fases de la ANR. Estos arcos no deben permanecer en boca más de 3 ó 4 semanas.

Los arcos de .016" de NiTi o de .017" x .017" son los más utilizados. Estos arcos están disponibles en 3 tamaños inter in-sets y con la misma longitud de in-set en todos los casos. En los casos en que ninguna de las tres medidas se ajuste a nuestro caso, si se deben realizar asas en el sector anterior o si la medida del in-set no es adecuada, se deberá utilizar un arco de .016" de TMA que está disponible en forma Standard (sin in-sets) y admite dobleces fácilmente.

Se realizan curvaturas de compensación sagital y horizontal y se incorpora el doblez distal.

Es imprescindible realizar ligaduras double-over-tie de canino a canino para completar la fase de ANR para asegurar que el arco es posicionado en el fondo del slot. Para la corrección de las rotaciones se debe hacer la ligadura circunferencial de rotación de Scott y que el cementado se realice con individualización de la prescripción (sobrecorrección de 10 a 15%).

La realización de este arco se explica en las figuras 14-27 a 14-31.

3er ARCO: Establecimiento de torque

El siguiente paso es muy importante. Sólo se puede realizar cuando se ha completado debidamente la fase de ANR y es imprescindible antes del cierre de espacios. Consiste en alinear las raíces (fig. 14-32).

Se utilizan arcos de .017" x .025" de Copper NiTi, de .0175" x .0175" TMA o de .017" x .025" TMA o de .016" x .022" de acero, dependiendo del caso.

Los arcos de .017" x .025" de Copper NiTi establecen muy bien el torque. Se debe realizar doblez distal para evitar la protrusión aunque es mucho más efectivo utilizar un gancho adaptado al arco a mesial del tubo molar y ligarlos.

Los arcos de .0175" x .0175" ó de .017" x .025" de TMA resultan muy efectivos porque se les puede incorporar curva sagital aumentando más el torque incisivo. Se les deben doblar los in-sets distocaninos y el doblez distal e incorporar la curva transversal de compensación.

Los arcos de '016" x '022" de acero se utilizan después de alguno de los arcos anteriores para completar el establecimiento del torque. Se dejará actuar 3 ó 4 semanas y luego se continuará utilizando el mismo arco para el cierre de espacios, si se usa mecánica de deslizamiento. Se deben incorporar curvas sagital y horizontal de compensación y doblar in-sets distocaninos y doblez distal.

Es fundamental hacer ligadura en "8" de canino a canino y de segundo premolar a segundo molar bilateral para evitar que se abran diastemas en cada sector. Normalmente utilizamos ligadura de ferulización en "8" de canino a canino y ligadura de ferulización en "trenza" para los sectores posteriores. Se utilizan ligaduras doble-over tie metálicas.

Antes de cerrar espacios es fundamental:
- nivelar totalmente la curva de Spee (establecer el contacto oclusal molar y premolar),
- nivelar totalmente la curva de Wilson (establecer el torque premolar y molar),
- establecer y sobrecorregir el torque incisivo,
- corregir el overbite,
- enderezar los molares.

La confección de este arco se puede observar en las figuras 14-33 a 14-44.

4o ARCO: Retracción en masa, cierre de espacios

En esta etapa se debe hacer el cierre de espacios. Para iniciar etapa es fundamental haber completado totalmente la etapa anterior, es decir que el torque se haya

Capítulo 14

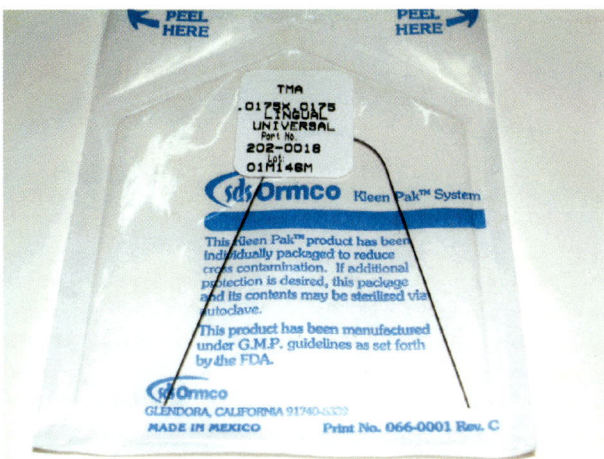

Fig. 14-34 Confección del tercer arco 2 – Arco de .0175" x .0175" de TMA. Están disponibles en un solo tamaño superior e inferior y en forma Standard (sin insets distocaninos)

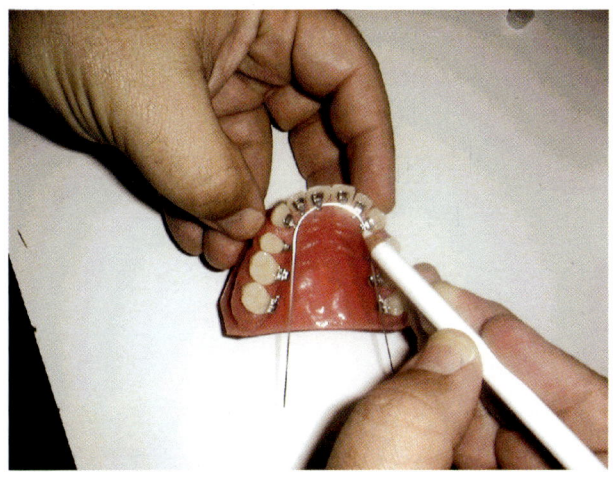

Fig. 14-35 Confección del tercer arco 3 – Prueba del arco y ajuste de la curvatura de la zona de canino a canino según la plantilla de arcos. Se marca a distal del bracket del canino con un lápiz

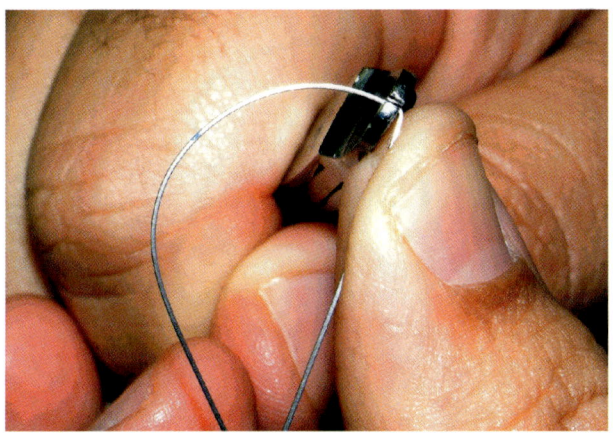

Fig. 14-36 Confección del tercer arco 4 – Utilizando un alicate de torque se inicia el inset distocanino con un doblez hacia lingual. Se utiliza el alicate de torque para evitar torsiones del arco

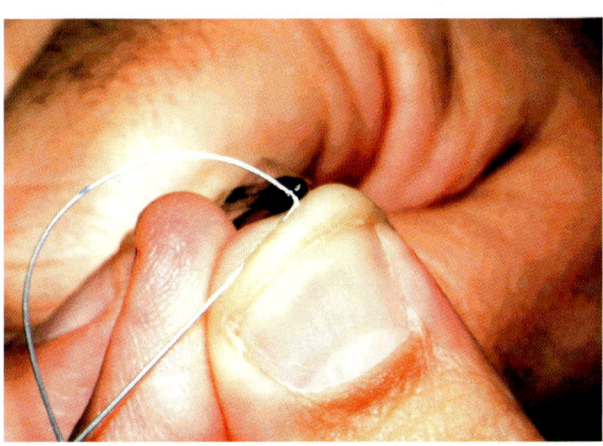

Fig. 14-37 Confección del tercer arco 5 – Se debe aumentar el doblez con el alicate de Jarabak

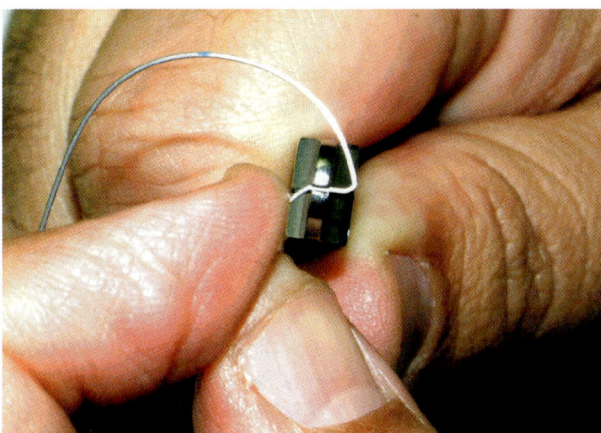

Fig. 14-38 Confección del tercer arco 6 – Utilizando el mismo alicate, se completa el inset distocanino con un doblez hacia distal. Se debe medir la longitud del inset con la plantilla. También se debe completar el doblez con el alicate de Jarabak

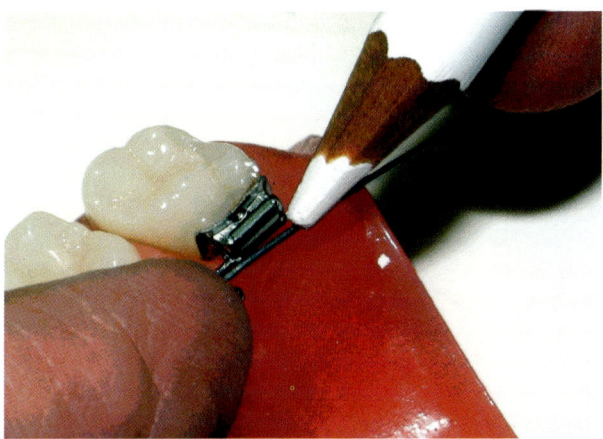

Fig. 14-39 Confección del tercer arco 7 – Se marca con un lápiz a nivel del extremo distal del tubo del segundo molar

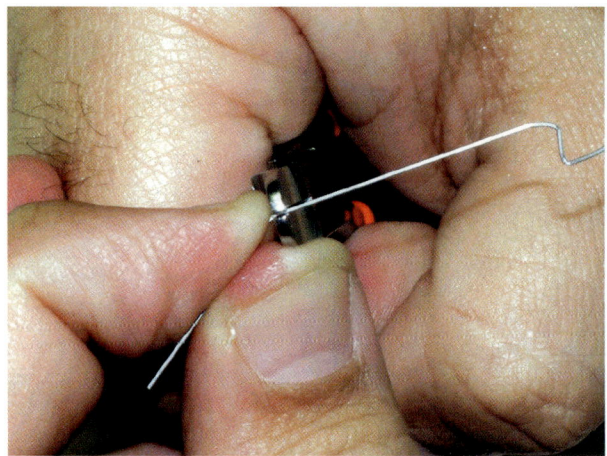

Fig. 14-40 Confección del tercer arco 8 – Se hace el doblez distal

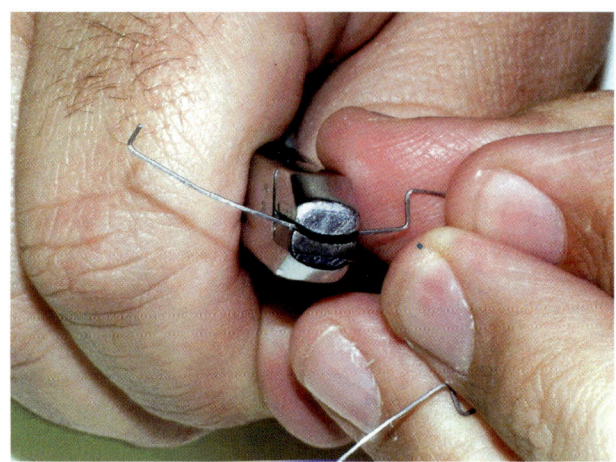

Fig. 14-41 Confección del tercer arco 9 – Con el alicate de La Rosa se hace la curva sagital de compensación

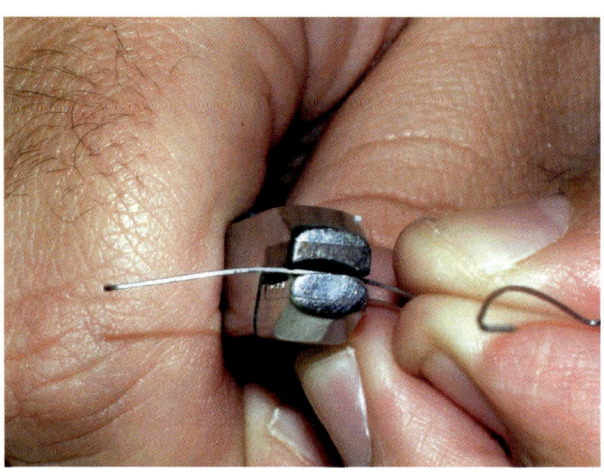

Fig. 14-42 Confección del tercer arco 10 – Curva de compensación sagital realizada

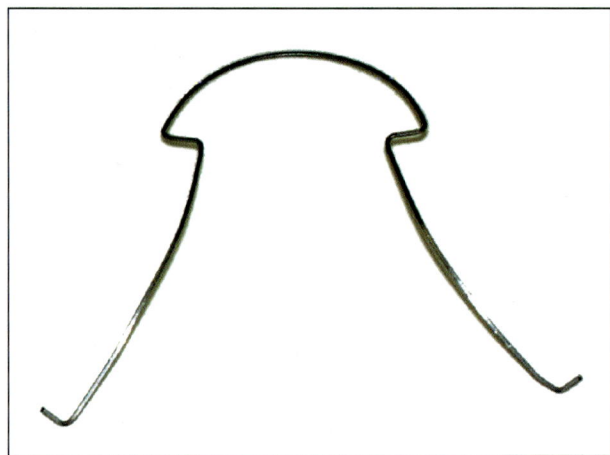

Fig. 14-43 Confección del tercer arco 11 – Con el alicate de La Rosa se hace la curva horizontal de compensación

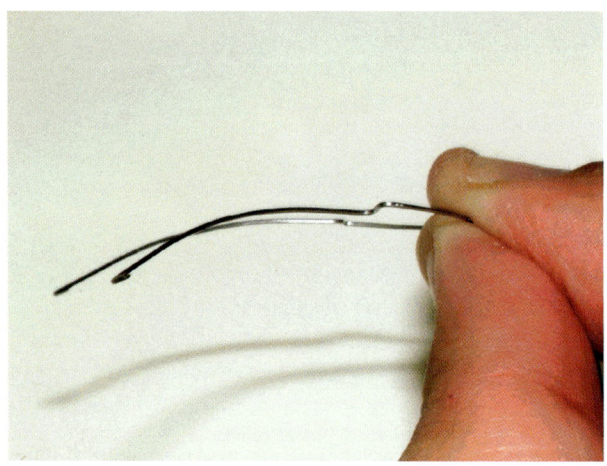

Fig. 14-44 Confección del tercer arco 12 – Curva de compensación horizontal realizada

corregido en todas las piezas, que se hayan nivelado correctamente ambas arcadas y que se haya establecido el contacto premolar y molar para no aumentar los efectos bowing.

Normalmente en técnica vestibular realizamos primero la distalización de caninos y luego la retrusión del frente por 2 motivos:

a. Porque la distalización de caninos es un movimiento mesio-distal y los efectos secundarios que se deben compensar son la inclinación y la rotación (figs. 14-45 y 14-46), mientras que la retrusión de incisivos es un movimiento vestíbulo-lingual y los efectos secundarios que se deben compensar son el torque y el overbite (fig. 14-47). La compensación por separado de estos efectos es más sencilla y efectiva.

b. Porque al distalizar primero los caninos y luego retruir

Capítulo 14

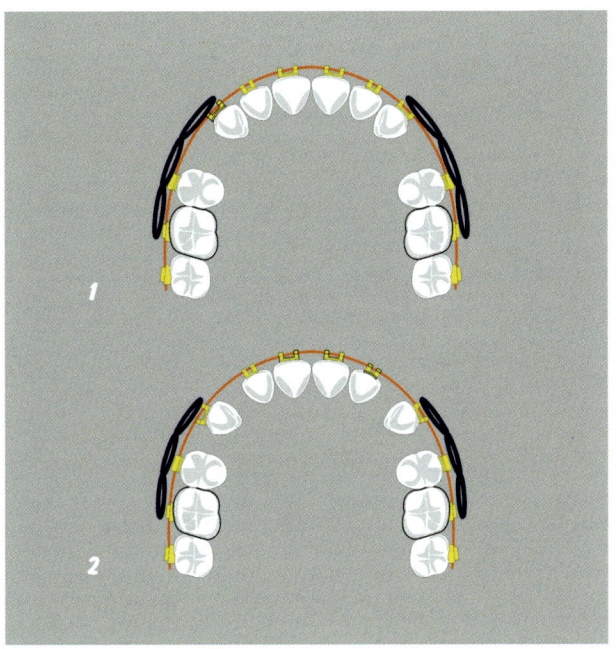

Fig. 14-45   Distalización del canino con brackets vestibulares. Obsérvese el efecto secundario de distorotación. Con brackets linguales el efecto secundario es de mesiorotación

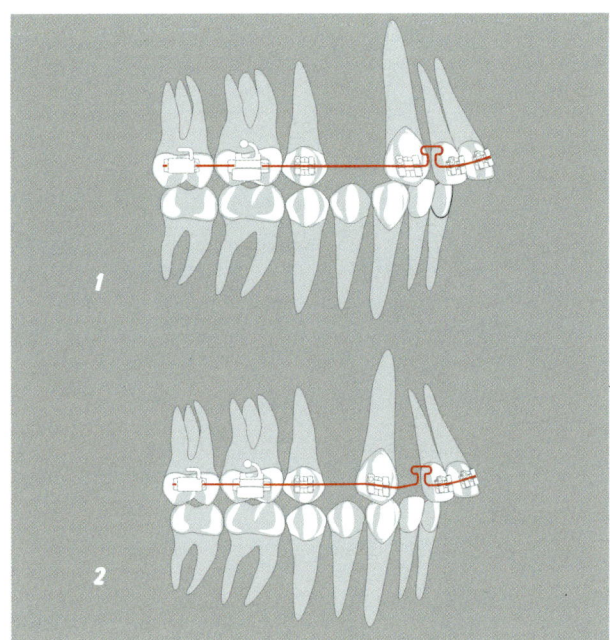

Fig. 14-46   Distalización de caninos con brackets vestibulares. Obsérvese el efecto secundario de distoinclinación. Con brackets linguales el efecto secundario es el mismo

el frente, el requerimiento de anclaje de los sectores posteriores es menor.

En técnica lingual se debe realizar la retracción en masa de incisivos y caninos conjuntamente también por 2 motivos:

a. Porque si se distaliza primero el canino se abre un diastema entre canino e incisivo lateral y en técnica lingual el cuidado de la estética durante el tratamiento es un objetivo muy importante.

b. Porque si se distaliza primero el canino, el in-set distocanino impide la retrusión del frente con mecánica de deslizamiento, debiéndose realizar asas antecaninas para la retrusión de incisivos.

Es fundamental no cerrar espacios con arcos ligeros para evitar el aumento de efecto bowing. Los arcos normalmente utilizados son: arcos de .016" x .022" de acero o de .017" x .025" de TMA. Los arcos de acero son los más indicados para mecánica de deslizamiento y los de TMA pueden ser utilizados para mecánica de asas.

El arco más utilizado es el de .016" x .022" de acero y mecánica de deslizamiento para obtener un buen control del efecto bowing sin aumentar demasiado la fricción. Si se requiere un control mucho mayor del efecto bowing se puede recurrir al arco de .017" x .025" de TMA y mecánica de asas. Los arcos de TMA no resultan efectivos para mecánica de deslizamiento porque generan demasiada fricción.

Se debe mantener la ligadura en «8» de 3 a 3, de 5 a 7 derecho y de 5 a 7 izquierdo para evitar la apertura de diastemas en cada sector.

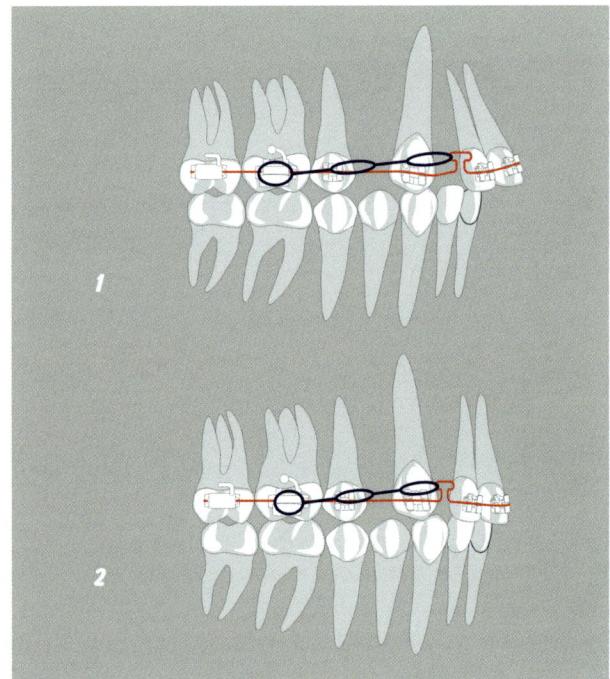

Fig. 14-47   Retrusión del grupo incisivo. Obsérvese el efecto secundario de pérdida de torque y de aumento de overbite. Con brackets linguales el efecto secundario es el mismo

Mecánica de deslizamiento

El arco más utilizado es el de .016" x .022" de acero y se encuentra disponible en forma Standard y en sólo un tamaño. Se debe conformar con la forma de arco de

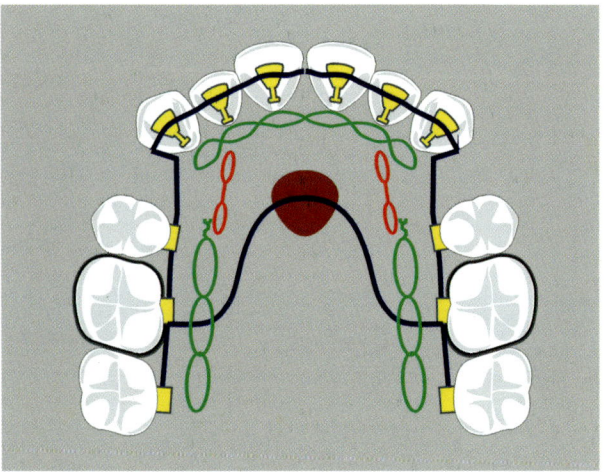

Fig. 14-48 Retrusión en masa de incisivos y caninos con técnica lingual. Para minimizar el efecto bowing transversal se puede utilizar botón de Nance y acercar los anclajes de la cadena elástica extendiéndola sólo desde canino a segundo premolar. Para esto se debe aumentar el anclaje del sector anterior y ambos sectores laterales con ligaduras en "8" de ferulización

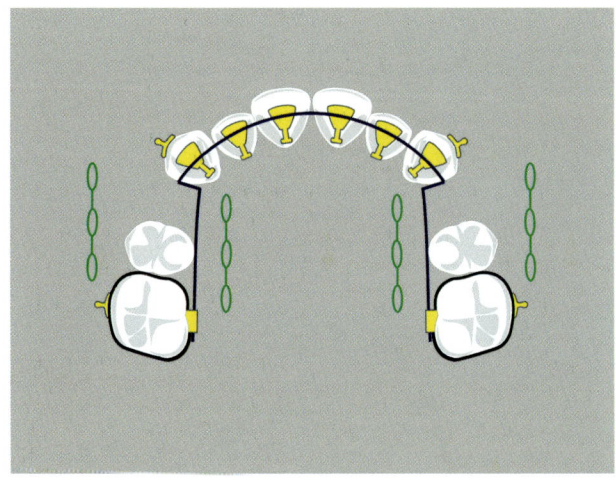

Fig. 14-49 Retrusión en masa de incisivos y caninos con técnica lingual. Para minimizar el efecto bowing transversal se pueden usar cadenas elásticas dobles (por vestibular y por lingual)

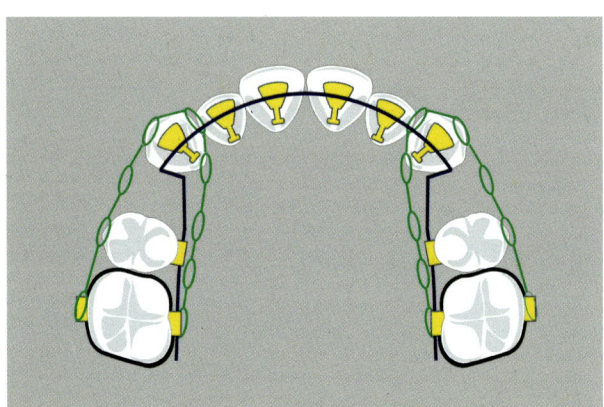

Fig. 14-50 Retrusión en masa de incisivos y caninos con técnica lingual. Para minimizar el efecto bowing transversal se puede usar la cadena elástica de Takemoto que pasa por mesial del canino y se ancla en el primer molar por lingual y por vestibular

trabajo (mushroom), es decir sólo con in-set distocanino, debiendo realizarse el in-set adyacente al bracket del canino para permitir el cierre completo del espacio. La forma de arco de terminación (christmas) con in-set entre premolares o entre premolares y molares, está contraindicada en la mecánica de deslizamiento. El arco debe tener curva de compensación sagital y horizontal y doblez distal para evitar lesiones de tejidos blandos a medida que el arco se desliza hacia distal. El cierre de espacios se realiza mediante una cadena elástica o hilo elástico desde el bracket del canino al bracket del 2do premolar.

La mecánica de deslizamiento es la más sencilla y la más confortable para el paciente ya que las asas pueden resultar molestas para la lengua, pero es la que menos control tiene sobre el torque de los incisivos y sobre el efecto bowing. Por este motivo es importante que los brackets de incisivos tengan una sobrecorrección de torque y los caninos una sobrecorrección de inclinación mesio-distal y rotación.

Se pueden distinguir las siguientes mecánicas de deslizamiento:

- Mecánica normal: ligadura en "8" de canino a canino y de segundo premolar a segundo molar bilateral. Cadena elástica desde canino a segundo premolar (fig. 14-48).

Para disminuir la fricción y mejorar la mecánica de deslizamiento, hay que evitar las ligaduras individuales en premolares y molares y únicamente utilizar una ligadura en "8" por encima del arco para ligarlo y ferulizar los dientes posteriores.

- Cadenas elásticas dobles por vestibular y por lingual (fig. 14-49).
- Cadena elástica de Takemoto (fig. 14-50).

Mecánica de baja fricción con tubo auxiliar

Es posible utilizar el tubo auxiliar para barra transpalatina de los tubos de 1er molar superior si no se requiere aumento de anclaje o soldar un tubo extra en el laboratorio (si se necesita aparato auxiliar de anclaje) para realizar una mecánica de baja fricción (Creekmore, Fillión) (fig.14-51).

Esta mecánica consiste en utilizar un doble arco:

- Un arco (forma mushroom) de canino a canino que se dirige directamente al tubo auxiliar del molar sin estar ligado a premolares. Este arco permite la retrusión del frente con mínima fricción.

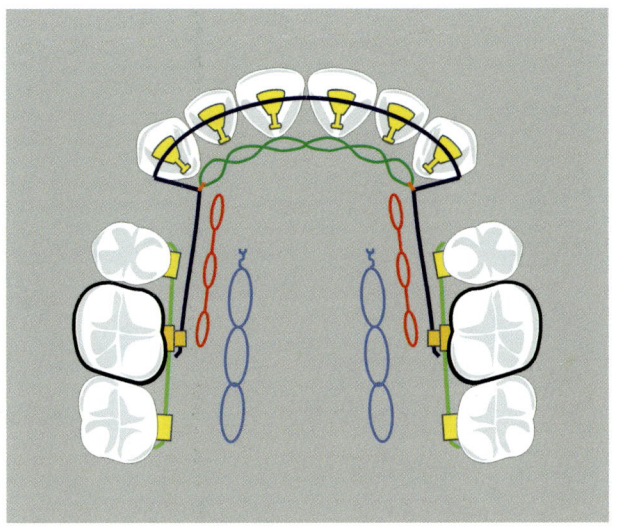

Fig. 14-51 Esquema de la mecánica de baja fricción. Se utilizan arcos seccionales desde los segundos premolares a los segundos molares y un arco mushroom que se liga a incisivos y caninos y pasa por un tubo accesorio molar

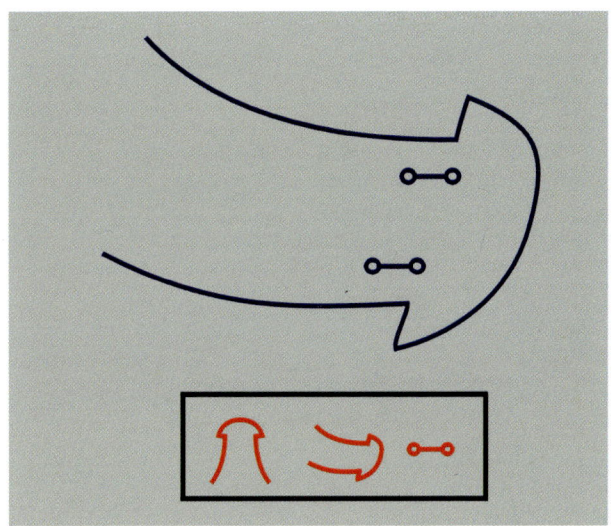

Fig. 14-52 Esquema de la mecánica de cierre de espacios por deslizamiento. Arco sin asas y con curvas de compensación sagital y horizontal y cadena elástica

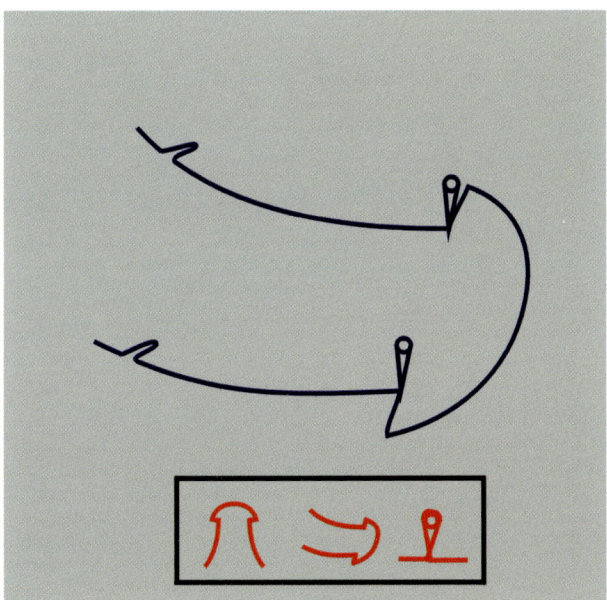

Fig. 14-53 Esquema de la mecánica de cierre de espacios con asas en "I" y con curvas de compensación sagital y horizontal. La activación de las asas se hace con omegas antemolares

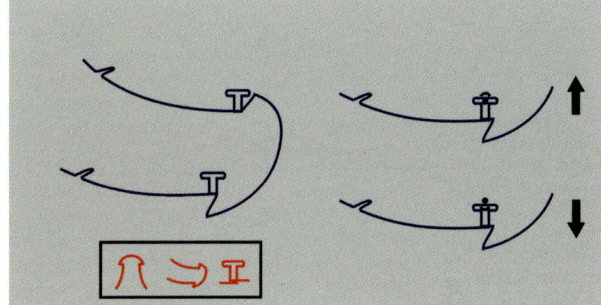

Fig. 14-54 Esquema de la mecánica de cierre de espacios con asas en "T" y con curvas de compensación sagital y horizontal. La activación de las asas se hace con omegas antemolares. También se esquematiza la activación del asa en "T" con alicate de 3 puntas para mayor o menor intrusión

- Arcos seccionales a cada lado desde el tubo intraoral del molar hasta premolares y 2do molar para el control de anclaje.

Mecánica de asas

Esta mecánica es la que debe ser utilizada cuando se requiere un mayor control vertical y de torque del sector anterior. El arco normalmente utilizado es .016" x .022" de acero o de .017" x .025" de TMA. Los arcos de TMA resultan muy efectivos en esta mecánica por su gran elasticidad.

La forma de arco utilizada es la de arco de trabajo (arco mushroom). Se deben incorporar curva sagital y horizontal de compensación y el asa de cierre se debe realizar a nivel del in-set disto-canino. Teniendo en cuenta un grado creciente de control vertical y de torque, se realizan: asas en «I» cerradas o asas en «T» cerradas. Esta última es la que mayor control vertical ejerce, ya que además puede ser activada con un alicate de 3 puntas o de media caña acodados en la rama horizontal para provocar más intrusión anterior.

En las figuras 14-52 (mecánica de deslizamiento), 14-53 (mecánica con asa en "I") y 14-54 (mecánica con asa en "T") se esquematizan los grados crecientes de control vertical y de torque.

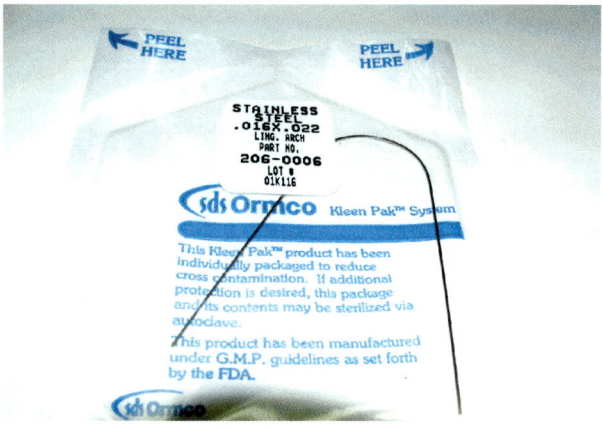

Fig. 14-55 Confección del cuarto arco para mecánica de cierre de espacios por mecánica de deslizamiento 1 - Arco de .016" x .022" de acero. Están disponibles en un solo tamaño superior e inferior y en forma Standard (sin insets distocaninos).
Los pasos para realizar este arco son los mismos que para el tercer arco.

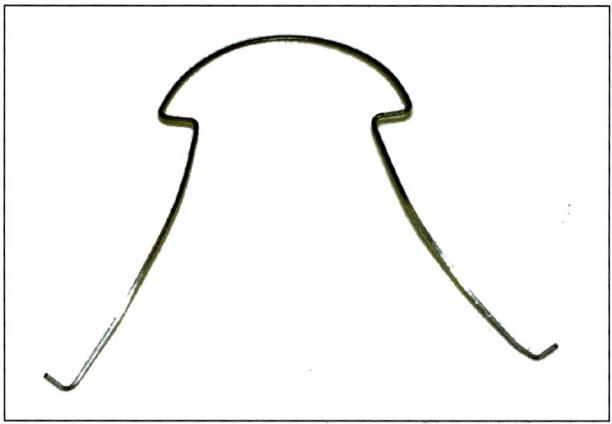

Fig. 14-56 Confección del cuarto arco para mecánica de cierre de espacios por mecánica de deslizamiento 2 – Arco terminado. Obsérvese la curvatura horizontal de compensación

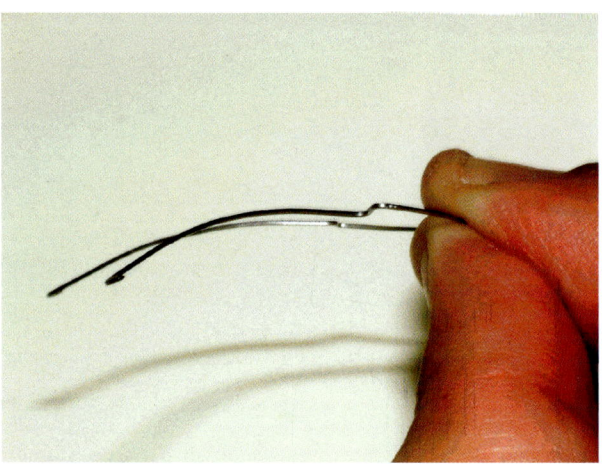

Fig. 14-57 Confección del cuarto arco para mecánica de cierre de espacios por mecánica de deslizamiento 3 – Arco terminado. Obsérvese la curvatura sagital de compensación

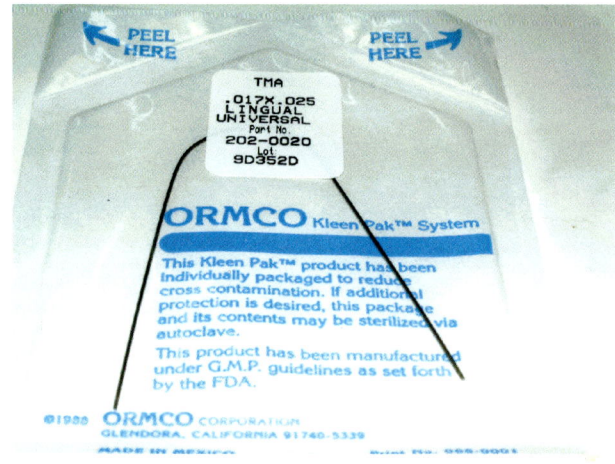

Fig. 14-58 Confección del cuarto arco para mecánica de cierre de espacios por mecánica de asas en "I" 1 – Arco de .017" x .025" de TMA. Están disponibles en un solo tamaño superior e inferior y en forma Standard (sin insets distocaninos)

En general las asas tienen mayor control sobre el efecto bowing vertical, sobre el torque incisivo y sobre el overbite, pero son más molestas para el paciente y más difíciles de conformar el arco y de activar.

La activación de las asas se realiza mediante la activación del omega antemolar. El omega no debe realizarse junto al tubo molar, sino a distal del bracket del 2do premolar para permitir su activación mediante ligaduras al tubo del primer molar. La activación mediante el sistema de "tirar y doblar" del extremo distal del arco a distal del tubo del 2do molar es prácticamente imposible en técnica lingual. También se realiza el doblez distal para evitar lesiones a los tejidos blandos a medida que el arco emerge a distal del tubo molar. En los arcos de TMA es más fácil sustituir el omega por un círculo o un hook soldado.

La ferulización del sector anterior y de los sectores laterales con ligadura en "8" también es imprescindible en esta etapa.

La confección paso a paso de los arcos para mecánica de deslizamiento y mecánica de asas se muestra en las fotografías 14-55 a 14-110.

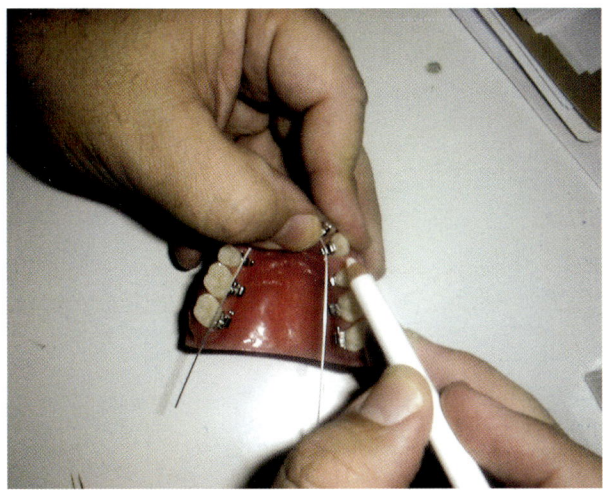

Fig. 14-59 Confección del cuarto arco para mecánica de cierre de espacios por mecánica de asas en "I" 2 – Se marca con un lápiz a distal del bracket del canino

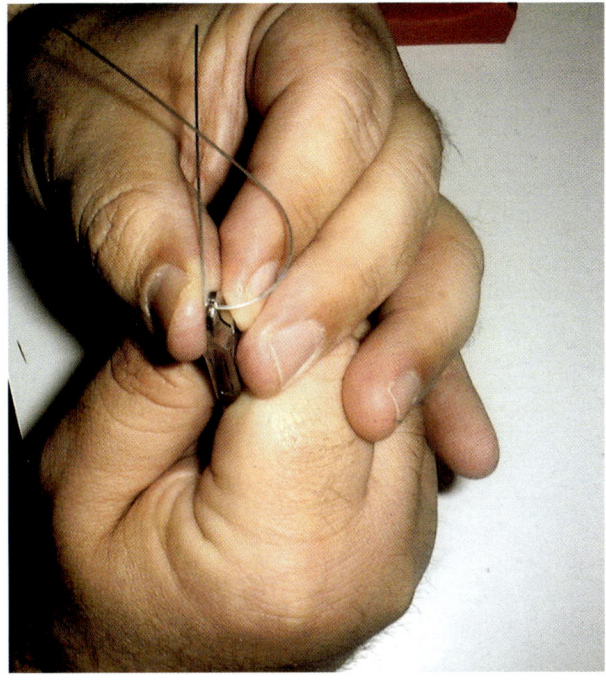

Fig. 14-60 Confección del cuarto arco para mecánica de cierre de espacios por mecánica de asas en "I" 3 – Con el alicate de torque se hace un doblez hacia lingual para conformar el inset distocanino

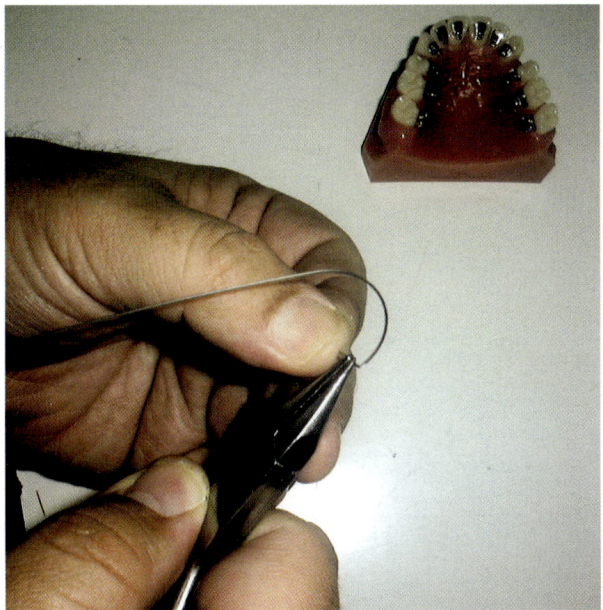

Fig. 14-61 Confección del cuarto arco para mecánica de cierre de espacios por mecánica de asas en "I" 4 – Con el alicate de Jarabak se hace un doblez de 90º hacia gingival para comenzar en el extremo interno del inset

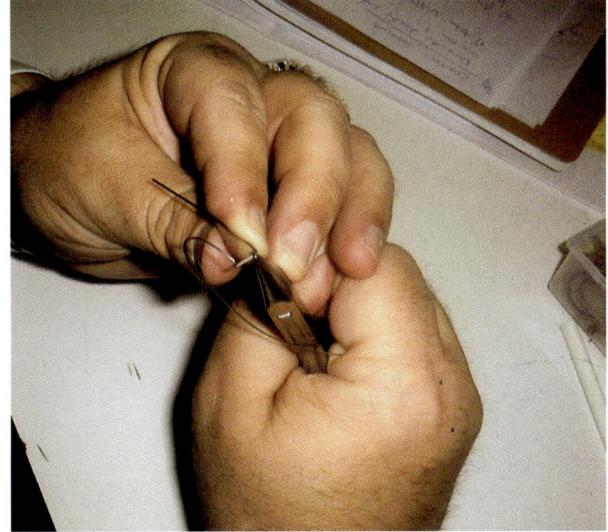

Fig. 14-62 Confección del cuarto arco para mecánica de cierre de espacios por mecánica de asas en "I" 5 – Con el alicate de Jarabak se conforma el asa en "I" hacia mesial para que sea un asa cerrada

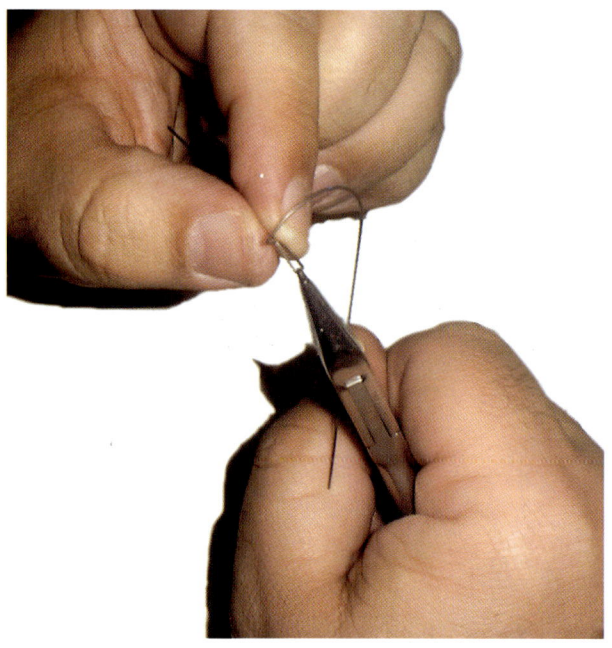

Fig. 14-63 Confección del cuarto arco para mecánica de cierre de espacios por mecánica de asas en "I" 6 – Con el alicate de Jarabak se conforma el asa en "I" hacia mesial para que sea un asa cerrada

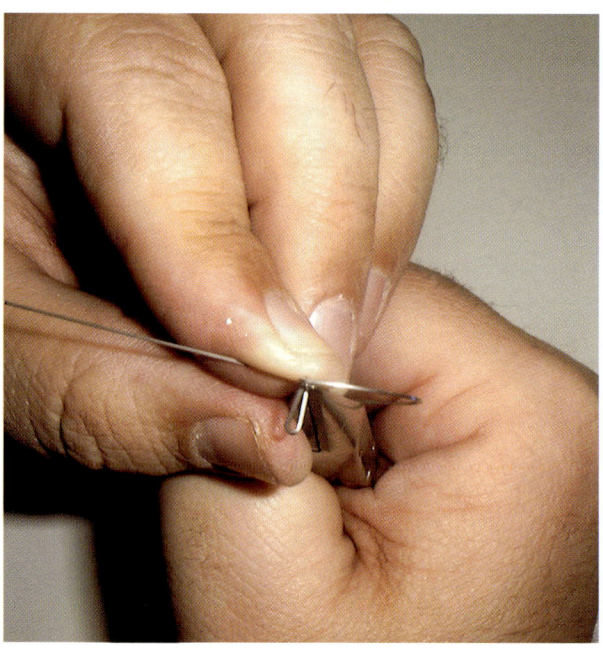

Fig. 14-64 Confección del cuarto arco para mecánica de cierre de espacios por mecánica de asas en "I" 7 – Con el alicate de Jarabak se conforma el asa en "I" hacia mesial para que sea un asa cerrada

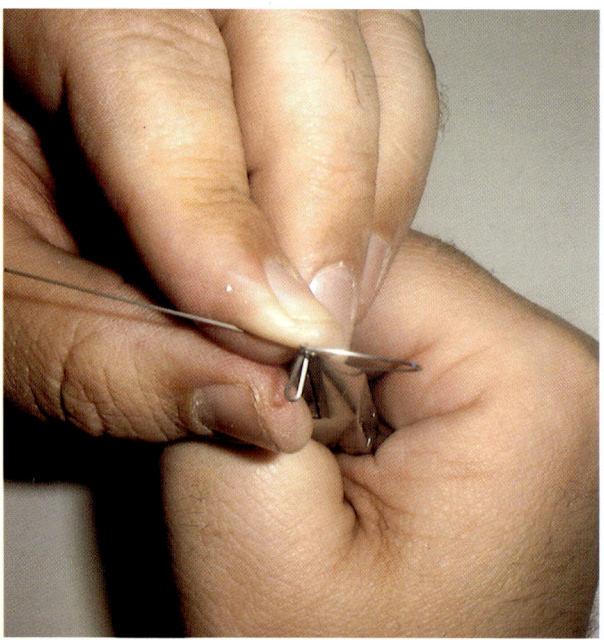

Fig. 14-65 Confección del cuarto arco para mecánica de cierre de espacios por mecánica de asas en "I" 8 – Al mismo nivel del arco se dobla hacia distal para terminar el asa y continuar el arco

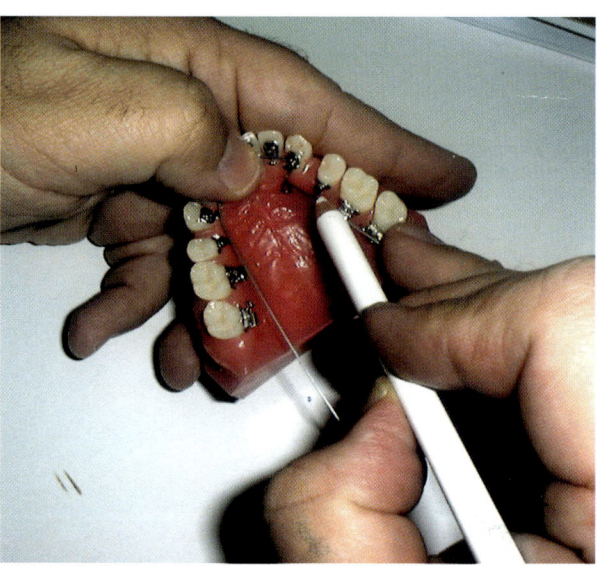

Fig. 14-66 Confección del cuarto arco para mecánica de cierre de espacios por mecánica de asas en "I" 9 – Con el lápiz se hace una marca a distal del bracket del segundo premolar

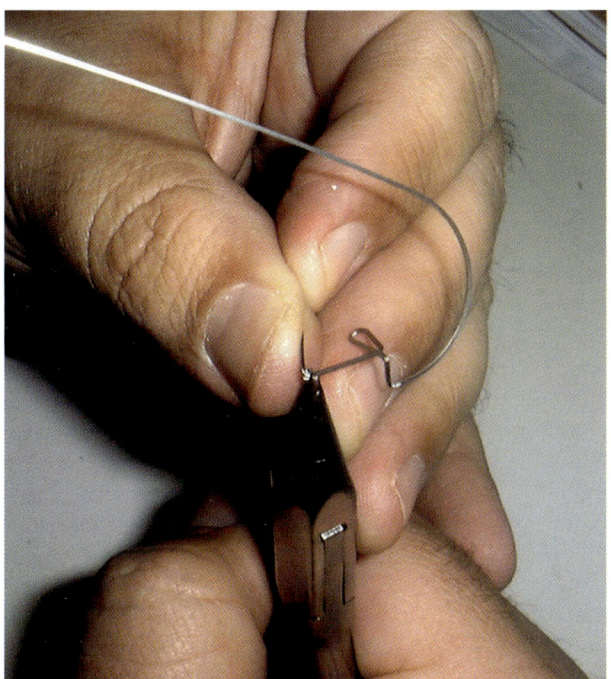

Fig. 14-67 Confección del cuarto arco para mecánica de cierre de espacios por mecánica de asas en "I" 10 – Con el alicate de Jarabak se realiza un círculo para que haga de omega al activar el arco. Con los arcos de TMA es más fácil conformar círculos que omegas

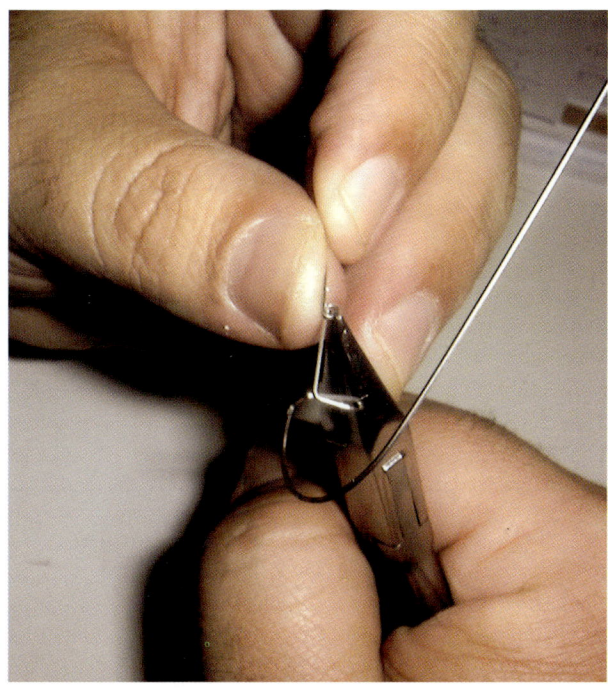

Fig. 14-68 Confección del cuarto arco para mecánica de cierre de espacios por mecánica de asas en "I" 11 – Con el alicate de Jarabak se realiza un círculo para que haga de omega al activar el arco. Con los arcos de TMA es más fácil conformar círculos que omegas

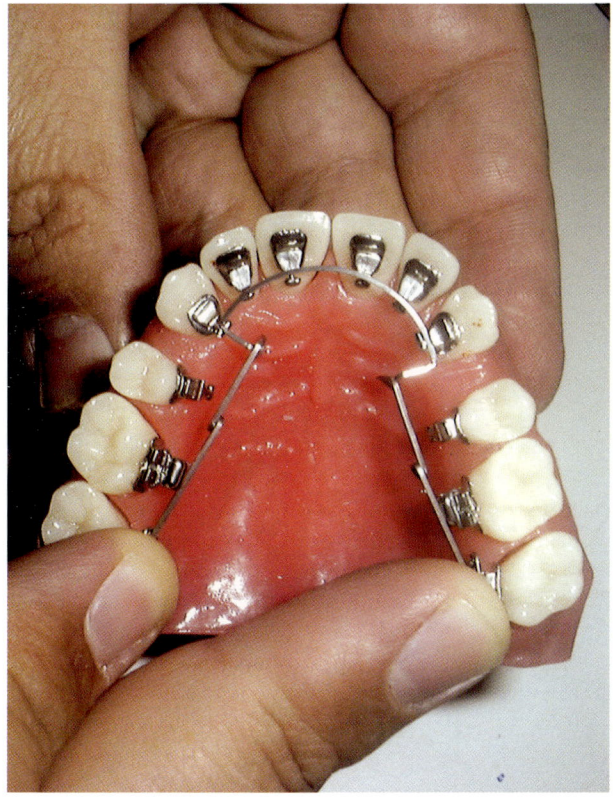

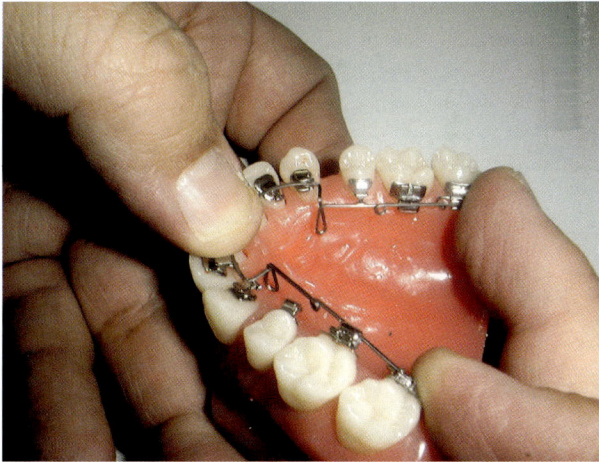

Fig. 14-70 Confección del cuarto arco para mecánica de cierre de espacios por mecánica de asas en "I" 13 – Vista lateral del arco

Fig. 14-69 Confección del cuarto arco para mecánica de cierre de espacios por mecánica de asas en "I" 12 – Vista oclusal del arco

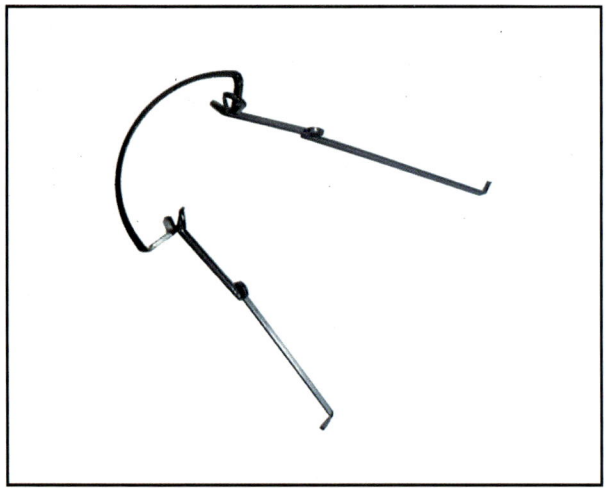

Fig. 14-71   Confección del cuarto arco para mecánica de cierre de espacios por mecánica de asas en "I" 14 – Arco antes de dar las curvas de compensación

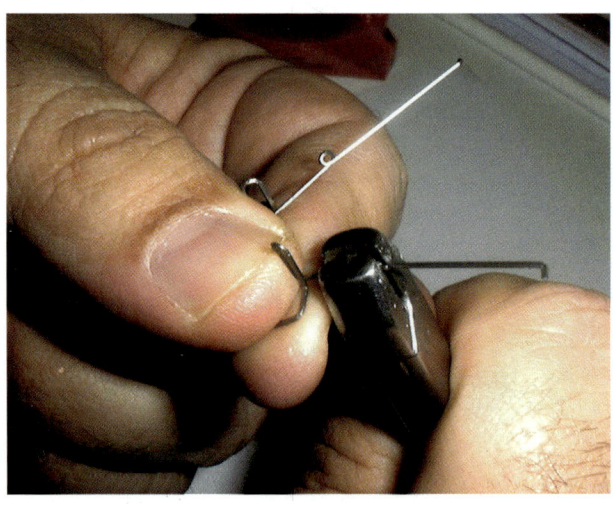

Fig. 14-72   Confección del cuarto arco para mecánica de cierre de espacios por mecánica de asas en "I" 15 – Dando la curva de compensación horizontal con el alicate de La Rosa

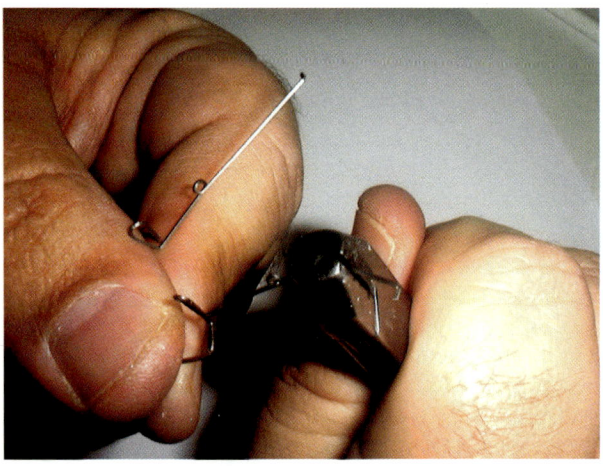

Fig. 14-73   Confección del cuarto arco para mecánica de cierre de espacios por mecánica de asas en "I" 16 – Dando la curva de compensación horizontal con el alicate de La Rosa

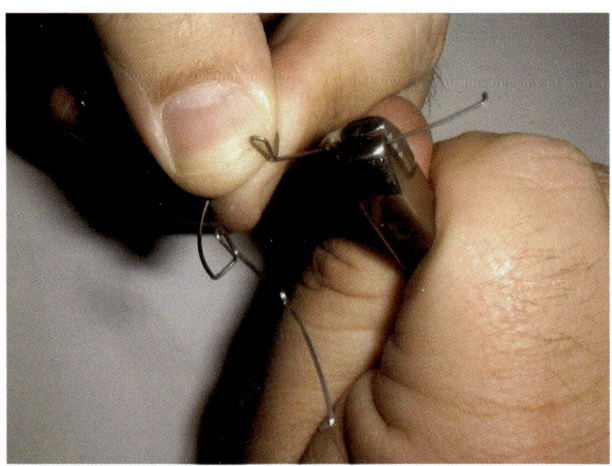

Fig. 14-74   Confección del cuarto arco para mecánica de cierre de espacios por mecánica de asas en "I" 17 – Dando la curva de compensación horizontal con el alicate de La Rosa

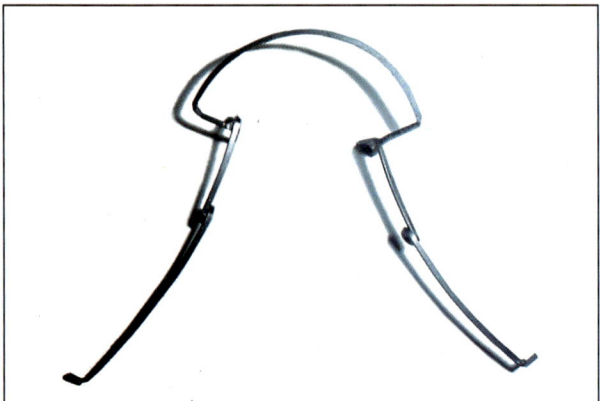

Fig. 14-75   Confección del cuarto arco para mecánica de cierre de espacios por mecánica de asas en "I" 18 – Arco con la curva de compensación horizontal

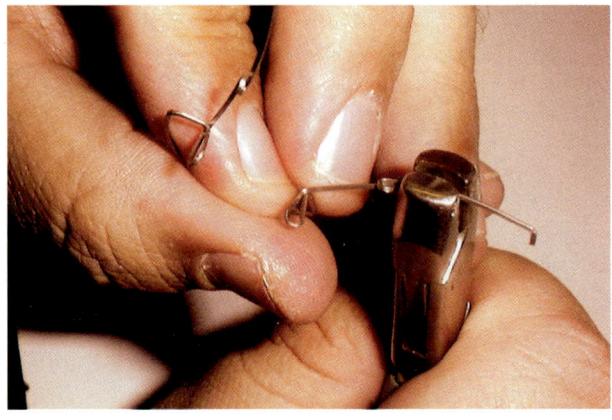

Fig. 14-76   Confección del cuarto arco para mecánica de cierre de espacios por mecánica de asas en "I" 19 – Dando la curva de compensación sagital con el alicate de La Rosa

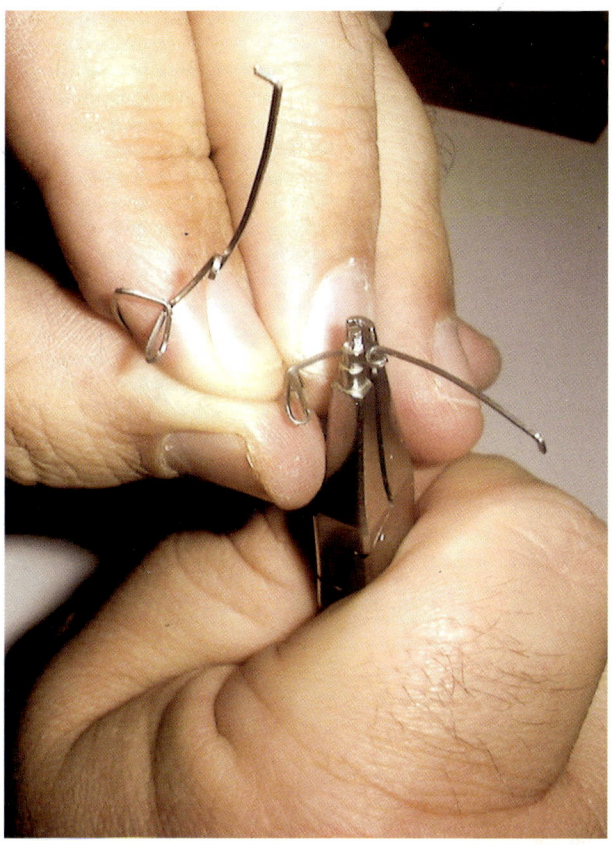

Fig. 14-77 Confección del cuarto arco para mecánica de cierre de espacios por mecánica de asas en "I" 20 – Dando la curva de compensación sagital con el alicate de Tweed omegas en el segmento de arco entre el asa en "I" y el omega

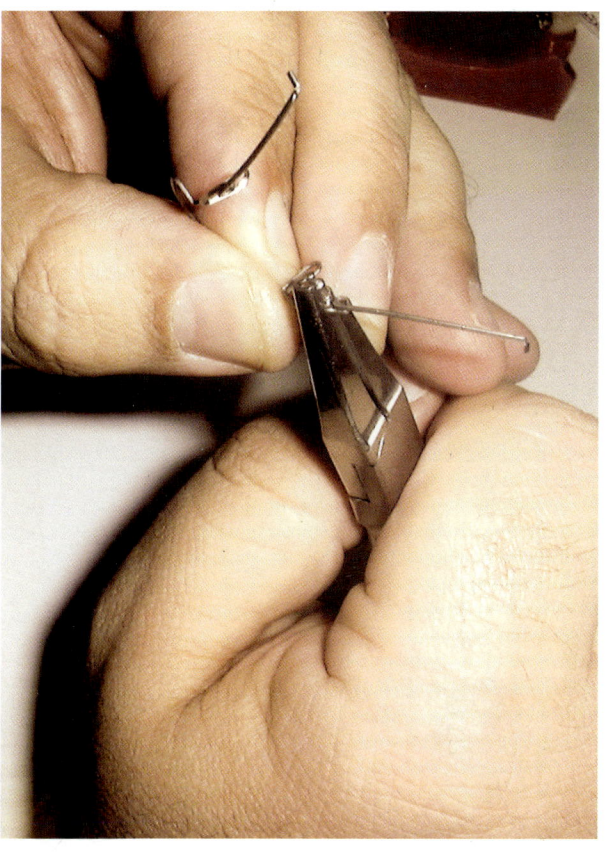

Fig. 14-78 Confección del cuarto arco para mecánica de cierre de espacios por mecánica de asas en "I" 21 – Dando la curva de compensación sagital con el alicate de Tweed omegas en el segmento de arco entre el asa en "I" y el omega

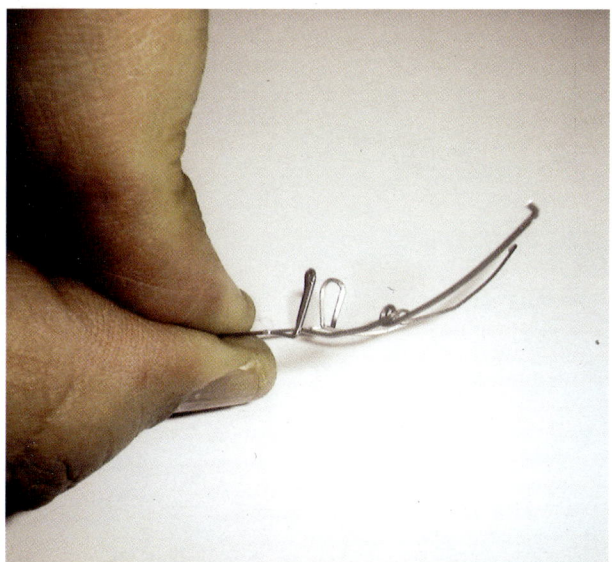

Fig. 14-79 Confección del cuarto arco para mecánica de cierre de espacios por mecánica de asas en "I" 22 – Arco con las curvas de compensación sagital y horizontal, vista lateral

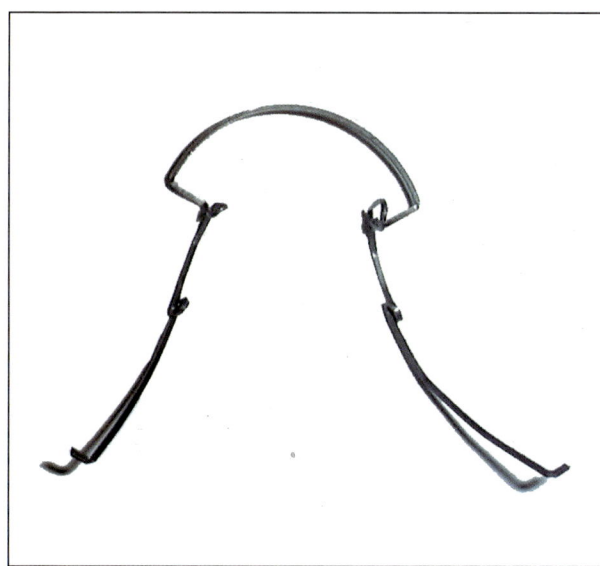

Fig. 14-80 Confección del cuarto arco para mecánica de cierre de espacios por mecánica de asas en "I" 23 – Arco con las curvas de compensación sagital y horizontal, vista oclusal

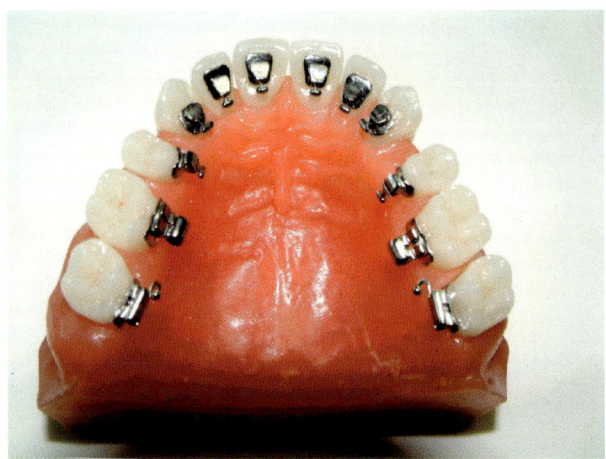

Fig. 14-81 Confección del cuarto arco para mecánica de cierre de espacios por mecánica de asas en "T" 1 - Tipodonto ORMCO para ajustar el cuarto arco

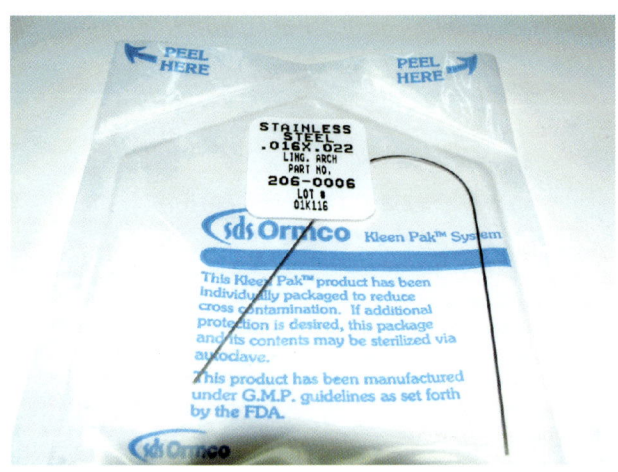

Fig. 14-82 Confección del cuarto arco para mecánica de cierre de espacios por mecánica de asas en "T" 2 - Arco de .016" x .022" de acero. Están disponibles en un solo tamaño superior e inferior y en forma Standard (sin insets distocaninos).

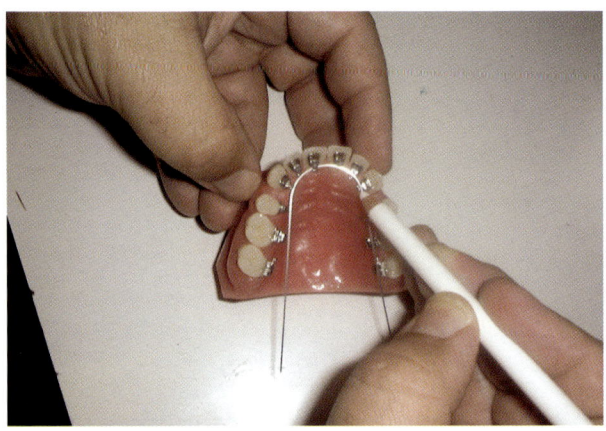

Fig. 14-83 Confección del cuarto arco para mecánica de cierre de espacios por mecánica de asas en "T" 3 – Se adapta la forma del arco a la plantilla en la zona anterior (de canino a canino) y se marca con un lápiz a distal del bracket del canino

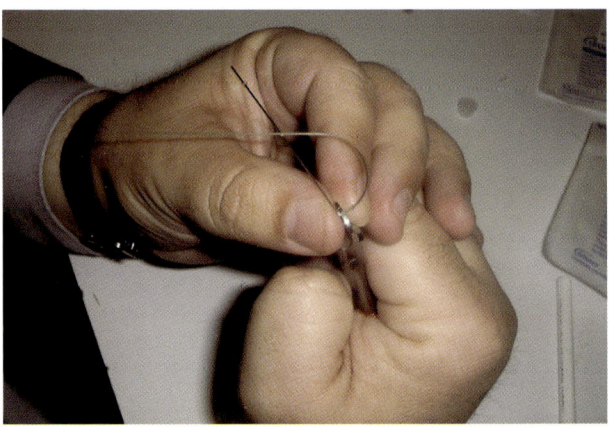

Fig. 14-84 Confección del cuarto arco para mecánica de cierre de espacios por mecánica de asas en "T" 4 – Con el alicate de torque se hace un doblez hacia lingual para iniciar el inset distocanino

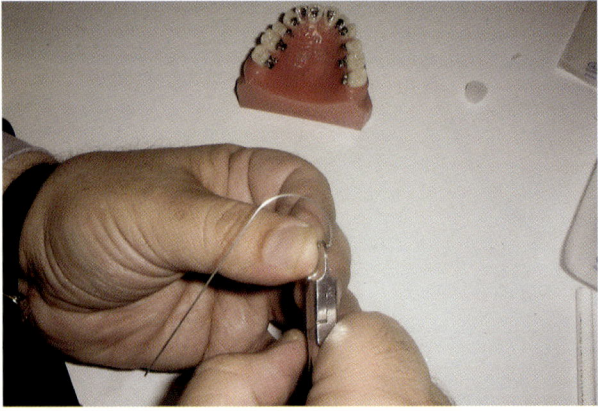

Fig. 14-85 Confección del cuarto arco para mecánica de cierre de espacios por mecánica de asas en "T" 5 – Con el alicate de Jarabak se hace un doblez hacia gingival para iniciar el asa en "T" en el extremo interno del inset distocanino

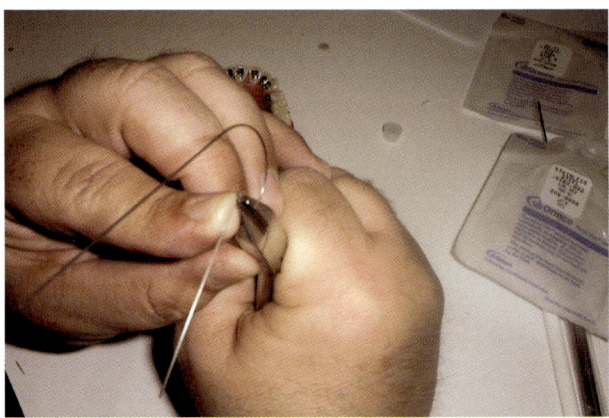

Fig. 14-86 Confección del cuarto arco para mecánica de cierre de espacios por mecánica de asas en "T" 6 – 2 ó 3 mm hacia gingival y con el alicate de Jarabak se hace un doblez de 90º hacia distal para que el asa en "T" quede cerrada

Capítulo 14

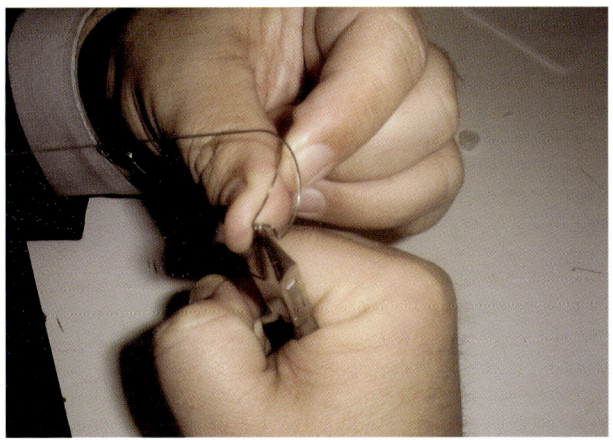

Fig. 14-87 Confección del cuarto arco para mecánica de cierre de espacios por mecánica de asas en "T" 7 – 1,5 mm hacia distal y con el alicate de Jarabak, se hace un doblez de 180º hacia gingival y mesial

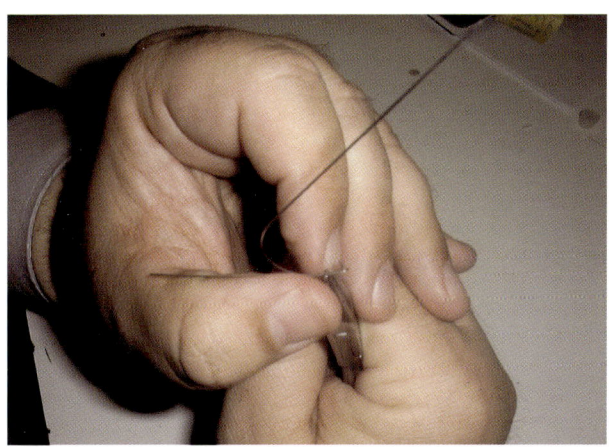

Fig. 14-88 Confección del cuarto arco para mecánica de cierre de espacios por mecánica de asas en "T" 8 – 5 ó 6 mm hacia mesial y con el alicate de Jarabak, se hace un doblez de 180º hacia oclusal y distal

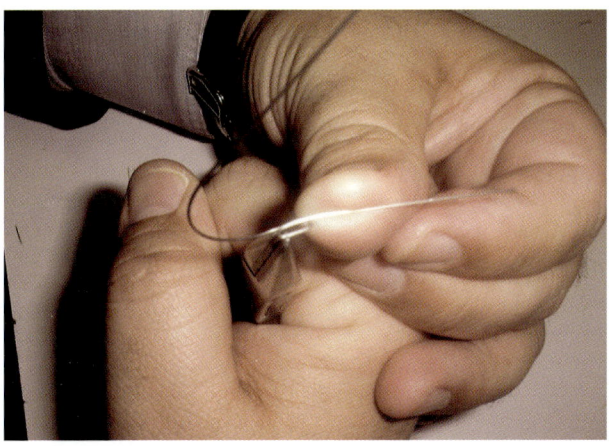

Fig. 14-89 Confección del cuarto arco para mecánica de cierre de espacios por mecánica de asas en "T" 9 – 1,5 mm hacia distal y con el alicate de Jarabak, se hace un doblez de 90º hacia oclusal

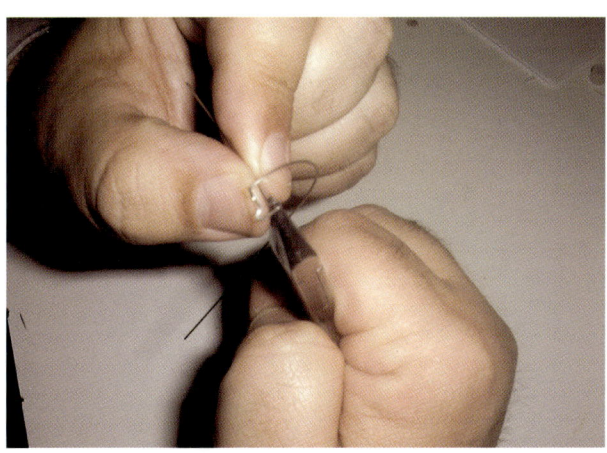

Fig. 14-90 Confección del cuarto arco para mecánica de cierre de espacios por mecánica de asas en "T" 10 – A la altura del arco y con el alicate de Jarabak se hace un doblez hacia distal completando el asa en "T" cerrada

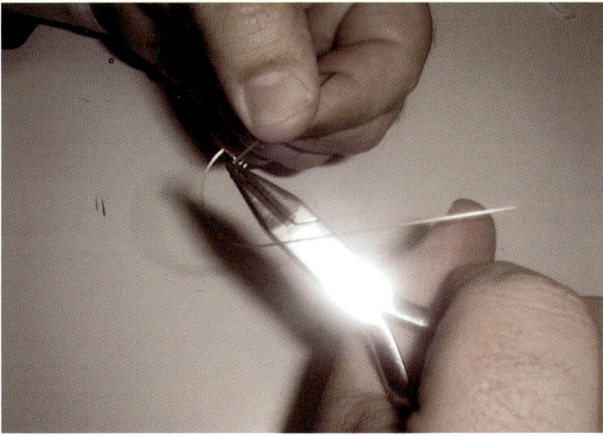

Fig. 14-91 Confección del cuarto arco para mecánica de cierre de espacios por mecánica de asas en "T" 11 – Se ajusta el asa en "T"

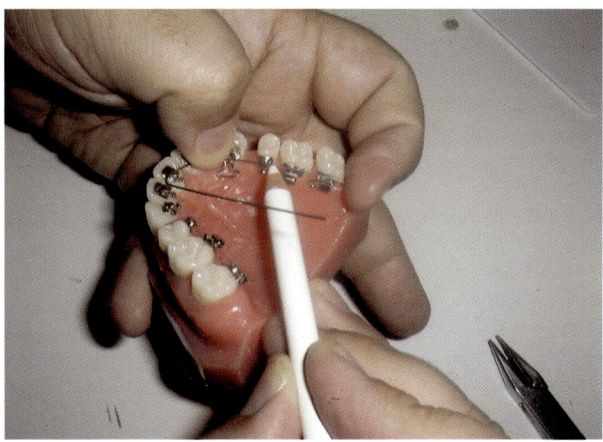

Fig. 14-92 Confección del cuarto arco para mecánica de cierre de espacios por mecánica de asas en "T" 12 – Se prueba el arco en el modelo y se hace una marca con el lápiz a distal del bracket del segundo premolar

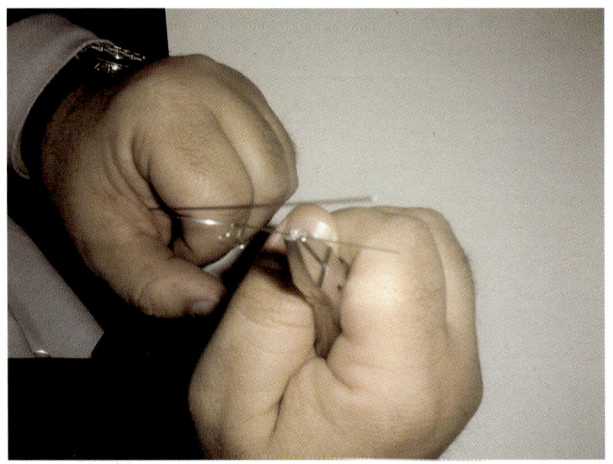

Fig. 14-93 Confección del cuarto arco para mecánica de cierre de espacios por mecánica de asas en "T" 13 – Confección del omega antemolar A – Se pinza con el alicate de Tweed omegas

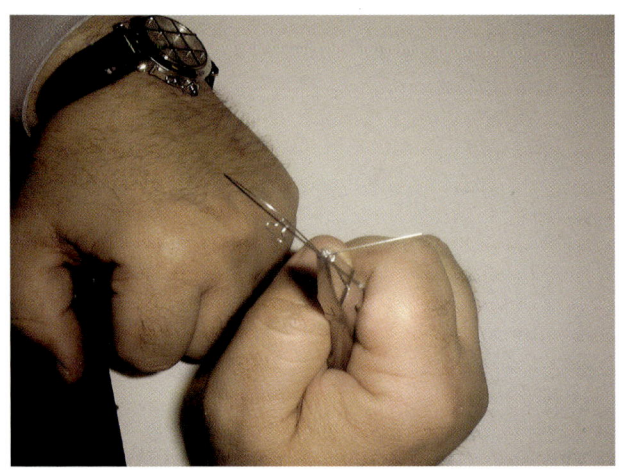

Fig. 14-94 Confección del cuarto arco para mecánica de cierre de espacios por mecánica de asas en "T" 14 – Confección del omega antemolar B – Se dobla la parte mesial del arco

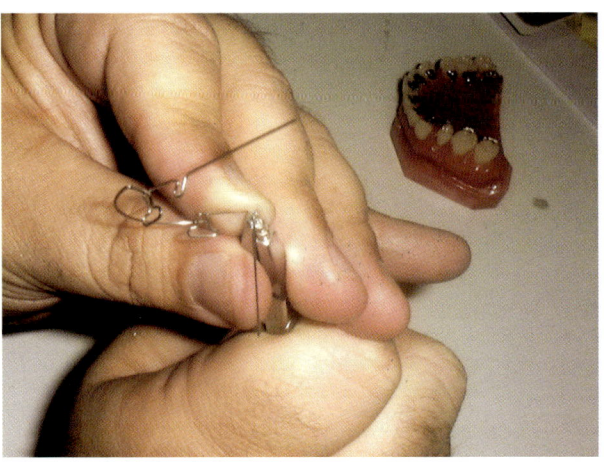

Fig. 14-95 Confección del cuarto arco para mecánica de cierre de espacios por mecánica de asas en "T" 15 – Confección del omega antemolar C – Se acentúa el doblez de la parte mesial del arco

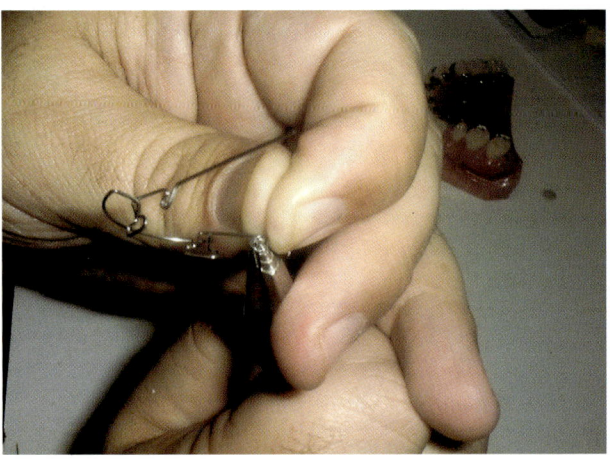

Fig. 14-96 Confección del cuarto arco para mecánica de cierre de espacios por mecánica de asas en "T" 16 – Confección del omega antemolar D – Se cambia el pinzado del arco con el alicate de Tweed omegas

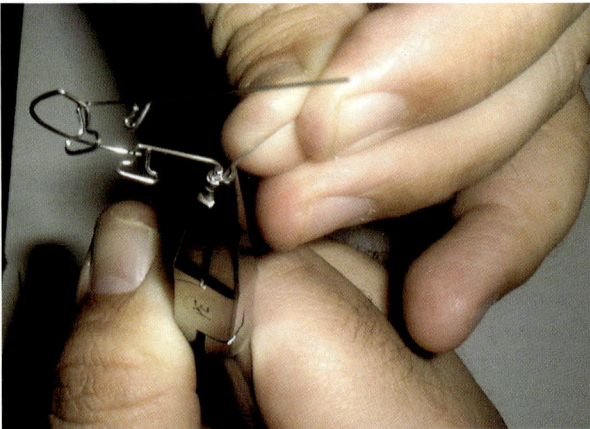

Fig. 14-97 Confección del cuarto arco para mecánica de cierre de espacios por mecánica de asas en "T" 17 – Confección del omega antemolar E – Se nivela la parte distal del arco

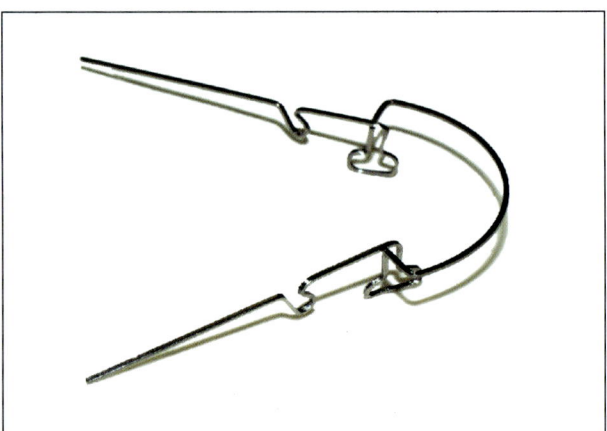

Fig. 14-98 Confección del cuarto arco para mecánica de cierre de espacios por mecánica de asas en "T" 18 – Arco con las asas en "T" cerradas disto-caninas y las omegas antemolares antes de formar las curvas de compensación

Capítulo 14

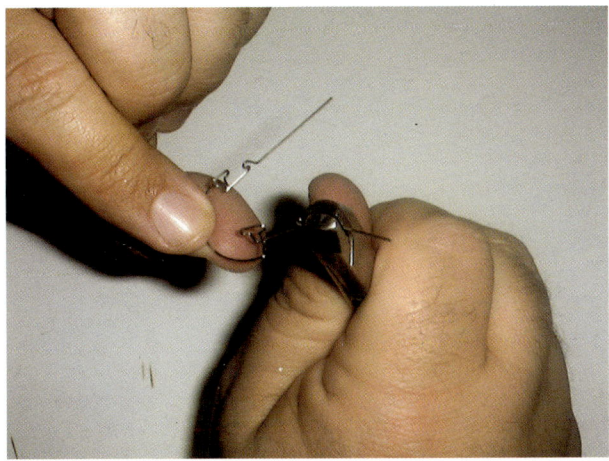

Fig. 14-99 Confección del cuarto arco para mecánica de cierre de espacios por mecánica de asas en "T" 19 – Se hace la curva horizontal de compensación con el alicate de La Rosa

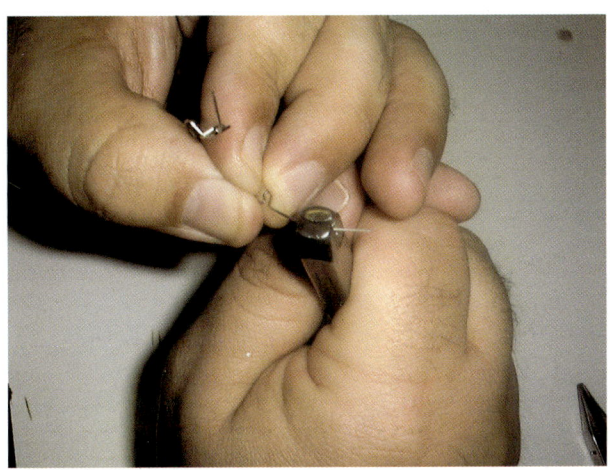

Fig. 14-100 Confección del cuarto arco para mecánica de cierre de espacios por mecánica de asas en "T" 20 – Se hace la curva sagital de compensación con el alicate de La Rosa

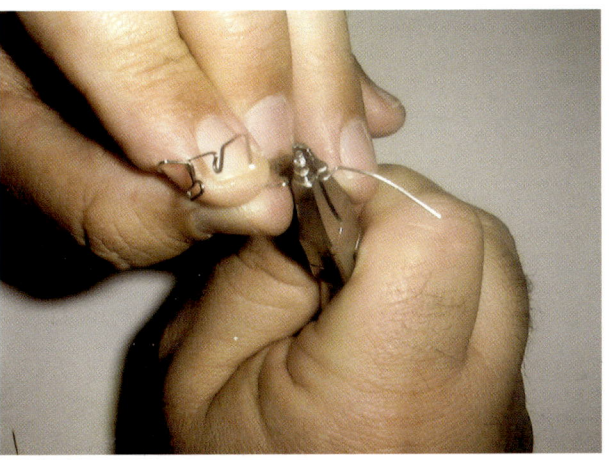

Fig. 14-101 Confección del cuarto arco para mecánica de cierre de espacios por mecánica de asas en "T" 21 – Se hace la curva sagital de compensación con el alicate de Tweed omegas en la parte del arco que queda entre la "T" y la omega

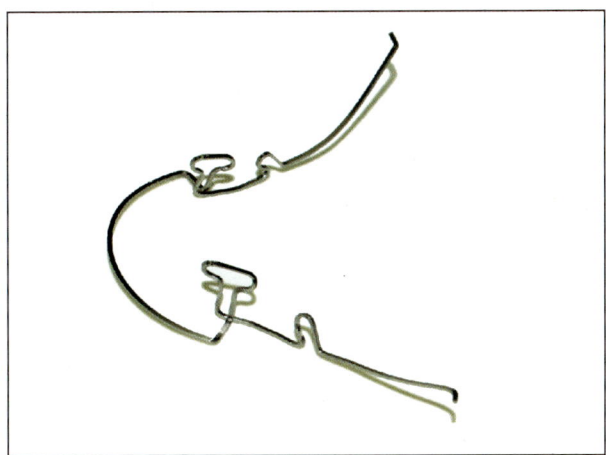

Fig. 14-102 Confección del cuarto arco para mecánica de cierre de espacios por mecánica de asas en "T" 22 – Arco con las curvas de compensación sagital y horizontal, vista lateral

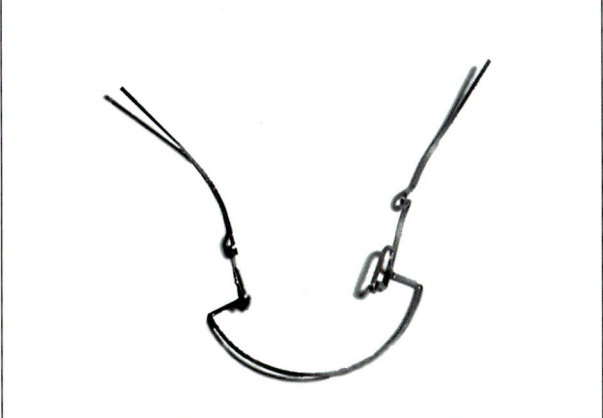

Fig. 14-103 Confección del cuarto arco para mecánica de cierre de espacios por mecánica de asas en "T" 23 – Arco con las curvas de compensación sagital y horizontal, vista oclusal

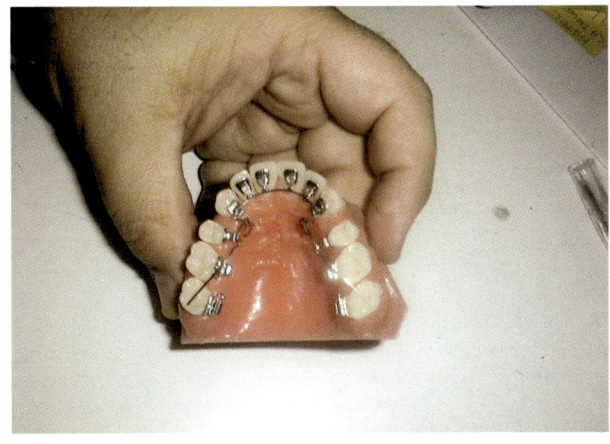

Fig. 14-104 Confección del cuarto arco para mecánica de cierre de espacios por mecánica de asas en "T" 24 - Arco con las curvas de compensación sagital y horizontal, probando en el modelo

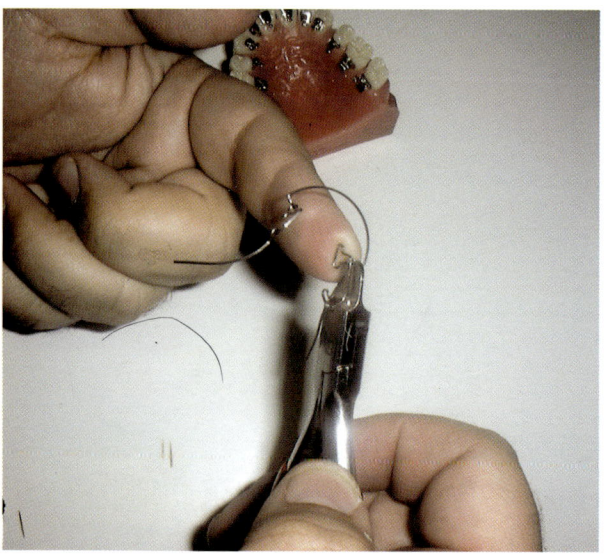

Fig. 14-105 Confección del cuarto arco para mecánica de cierre de espacios por mecánica de asas en "T" 25 – Separando el asa en "T" de la mucosa palatina A. Se sujeta el arco pinzando el inset con el alicate de torque y se separa el asa con el dedo. El asa quedará más separada de la mucosa palatina pero se habrá dado torque radículo-vestibular a la parte posterior del arco

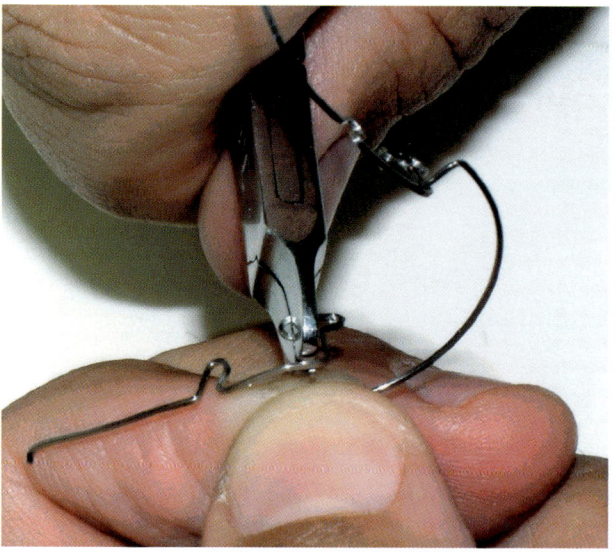

Fig. 14-106 Confección del cuarto arco para mecánica de cierre de espacios por mecánica de asas en "T" 26 – Separando el asa en "T" de la mucosa palatina B. Para compensar el torque positivo dando torque negativo a la parte posterior del arco se pinza el asa con el alicate de Jarabak

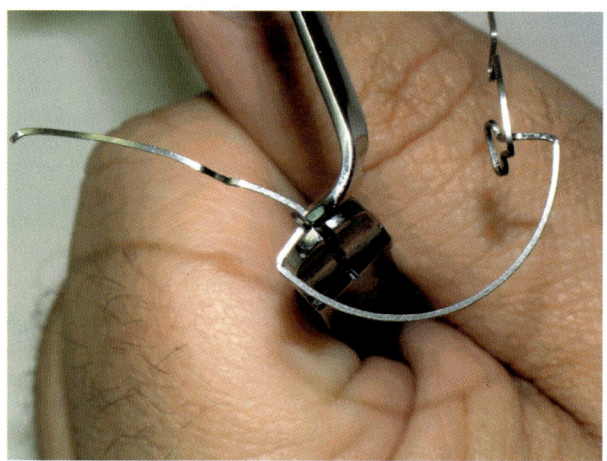

Fig. 14-107 Confección del cuarto arco para mecánica de cierre de espacios por mecánica de asas en "T" 27 – Separando el asa en "T" de la mucosa palatina C. Sujetando el asa con el alicate de Jarabak se da torque negativo a la parte posterior del arco con la llave de torque

Fig. 14-108 Confección del cuarto arco para mecánica de cierre de espacios por mecánica de asas en "T" 28 – Activación del asa en "T" para conseguir mayor extrusión del grupo incisivo A

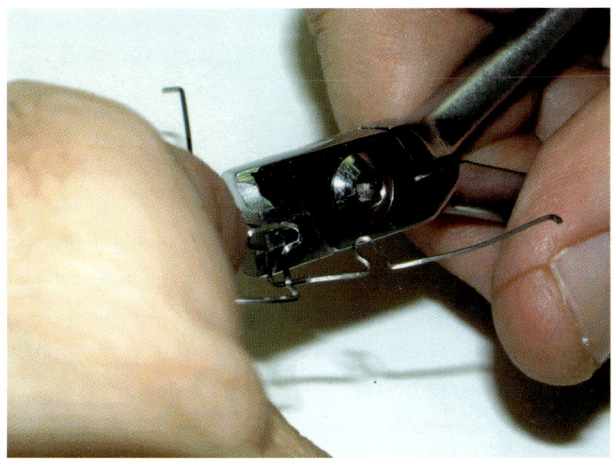

Fig. 14-109 Confección del cuarto arco para mecánica de cierre de espacios por mecánica de asas en "T" 29 – Activación del asa en "T" para conseguir mayor extrusión del grupo incisivo B

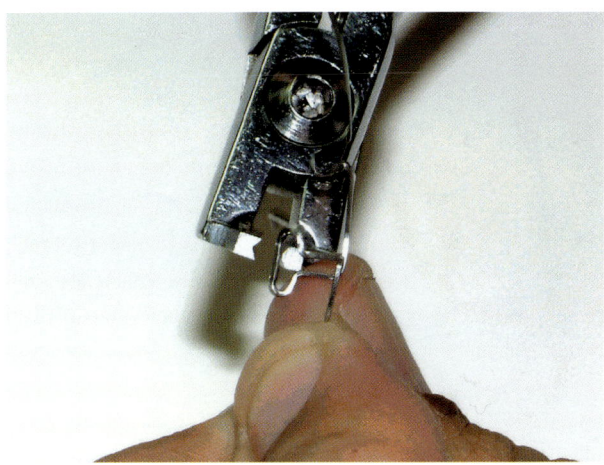

Fig. 14-110 Confección del cuarto arco para mecánica de cierre de espacios por mecánica de asas en "T" 30 – Activación del asa en "T" para conseguir mayor intrusión del grupo incisivo

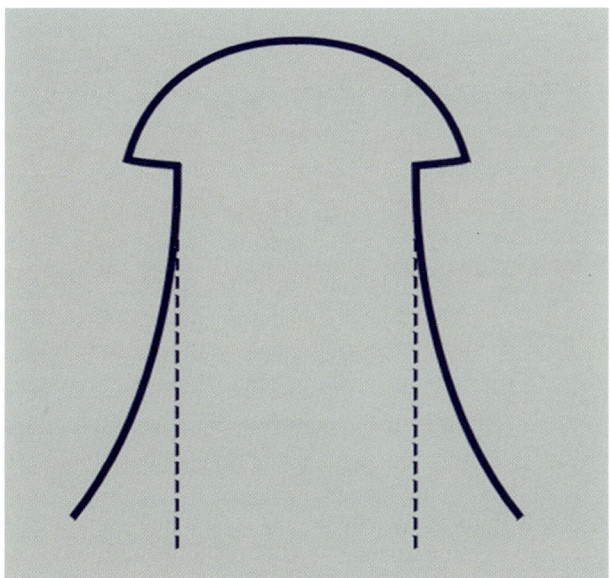

Fig. 14-111 La curva horizontal de compensación (toe-out) debe ser realizada de forma que el arco pasivo acaba en la mitad de la cara distal de los segundos molares

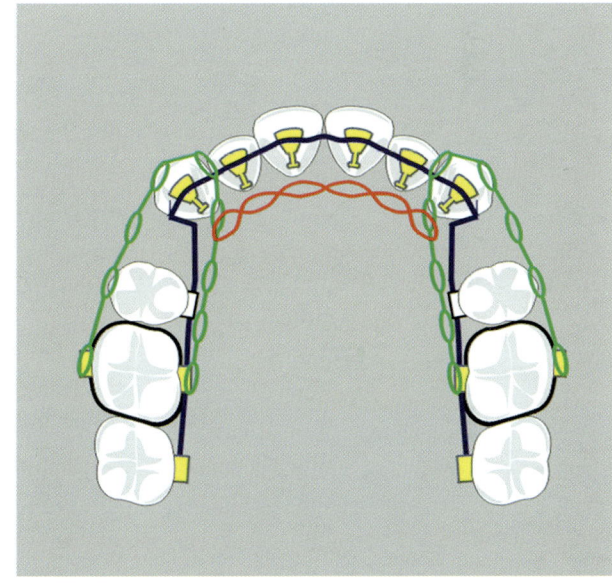

Fig. 14-112 La ligadura de Takemoto permite minimizar los efectos del bowing horizontal o transversal

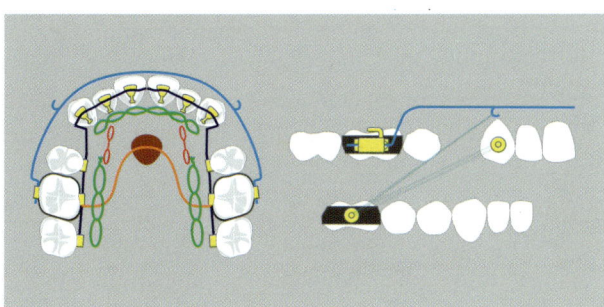

Fig. 14-113 Maxilar superior. Anclaje máximo I (ver texto)

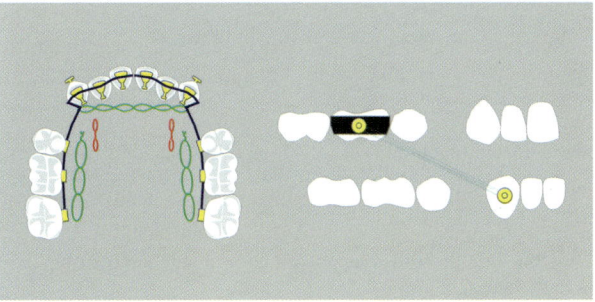

Fig. 14-114 Maxilar superior. Anclaje máximo II (ver texto)

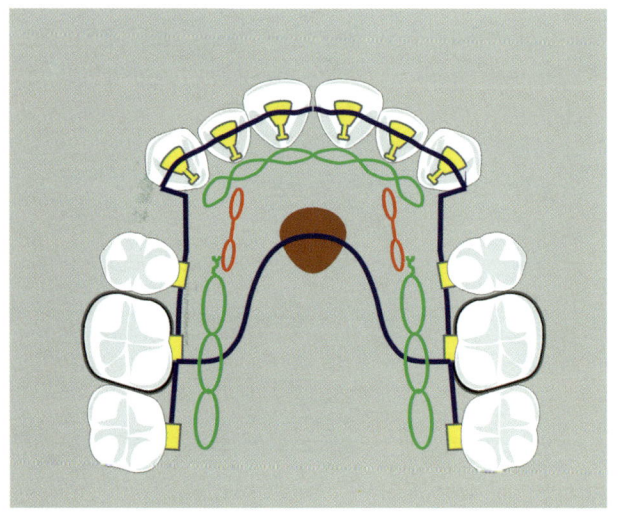

Fig. 14-115   Maxilar superior. Anclaje medio III (ver texto)

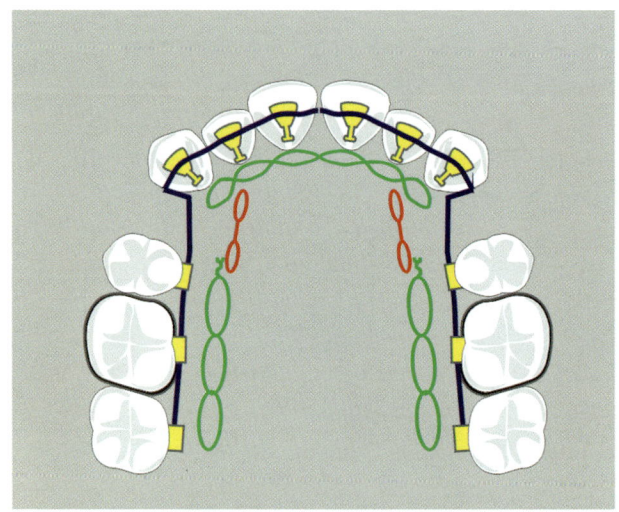

Fig. 14-116   Maxilar superior. Anclaje mínimo IV (ver texto)

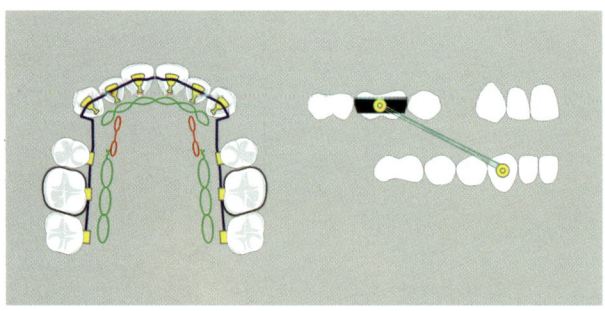

Fig. 14-117   Maxilar superior. Anclaje mínimo V (ver texto)

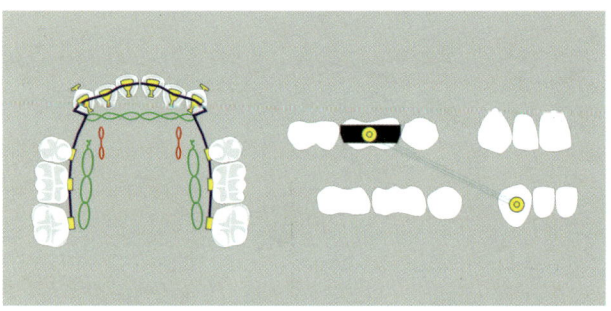

Fig. 14-118   Maxilar inferior. Anclaje máximo I (ver texto)

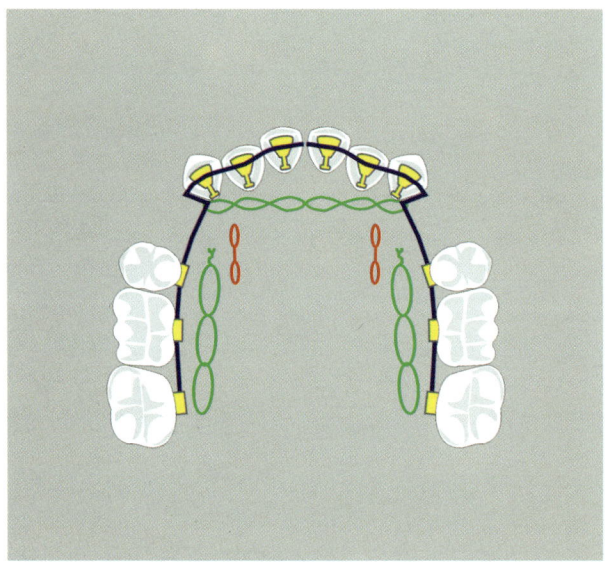

Fig. 14-119   Maxilar inferior. Anclaje medio II (ver texto)

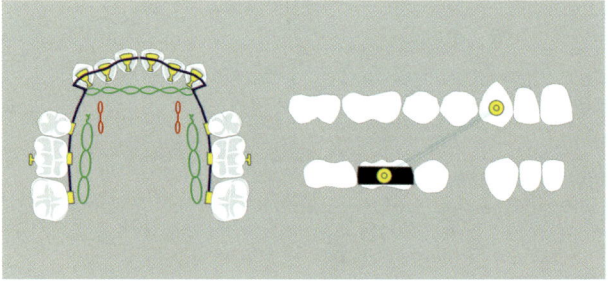

Fig. 14-120   Maxilar inferior. Anclaje mínimo III (ver texto)

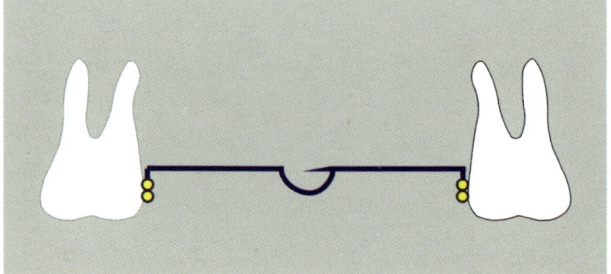

Fig. 14-121   Activación de la Barra Transpalatina de Goshgarian, vista frontal. Estabilización

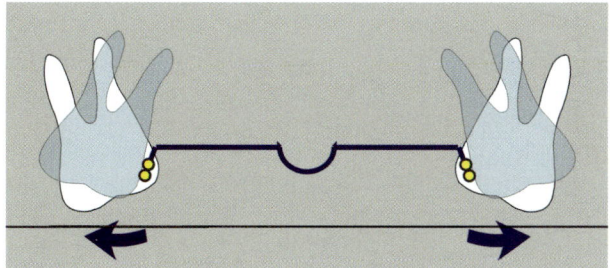

Fig. 14-122 Activación de la Barra Transpalatina de Goshgarian, vista frontal. Torque positivo

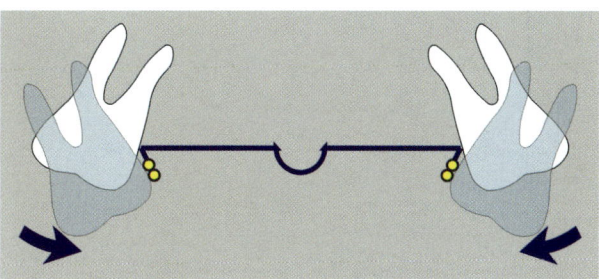

Fig. 14-123 Activación de la Barra Transpalatina de Goshgarian, vista frontal. Torque negativo

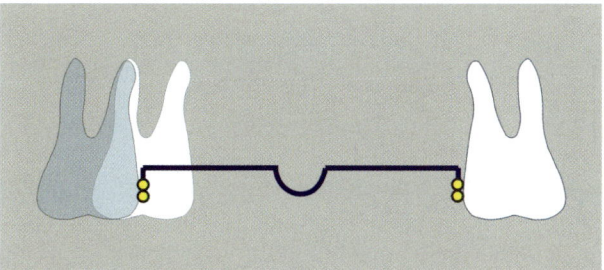

Fig. 14-124 Activación de la Barra Transpalatina de Goshgarian, vista frontal. Expansión

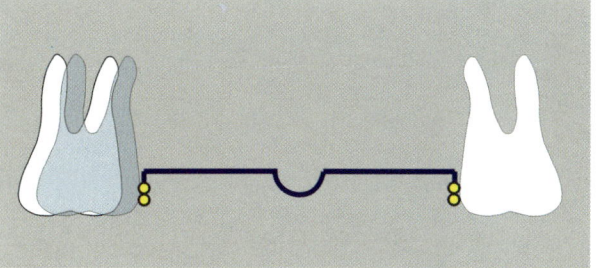

Fig. 14-125 Activación de la Barra Transpalatina de Goshgarian, vista frontal. Contracción

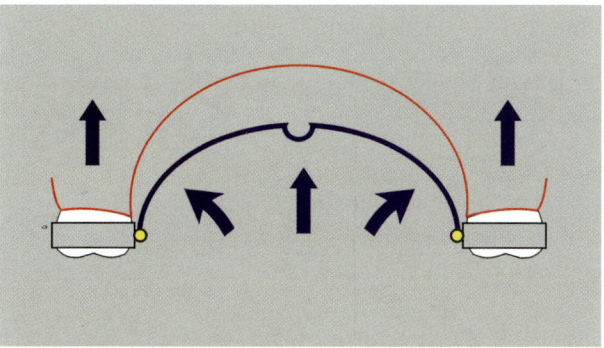

Fig. 14-126 Activación de la Barra Transpalatina de Goshgarian, vista oclusal. Intrusión o inhibición de extrusión con el empuje de la lengua sobre la barra separada de la bóveda palatina

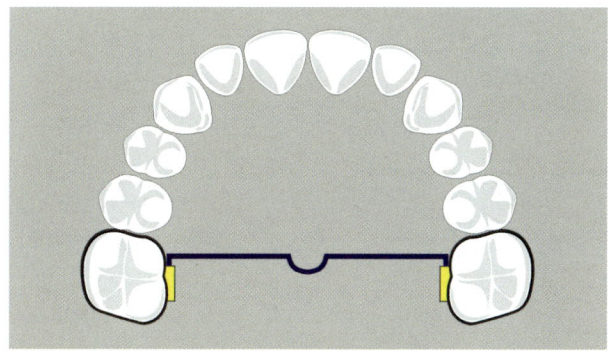

Fig. 14-127 Activación de la Barra Transpalatina de Goshgarian, vista oclusal. Estabilización

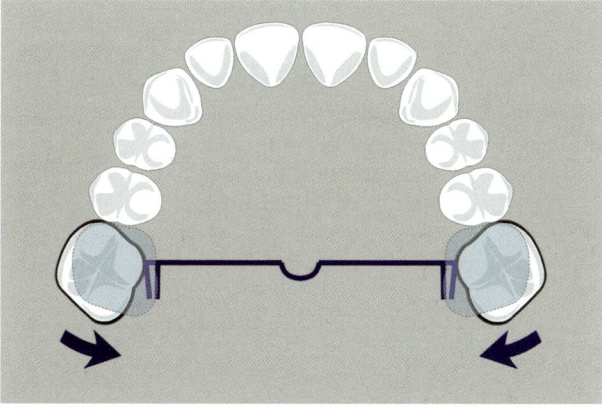

Fig. 14-128 Activación de la Barra Transpalatina de Goshgarian, vista oclusal. Distorotación

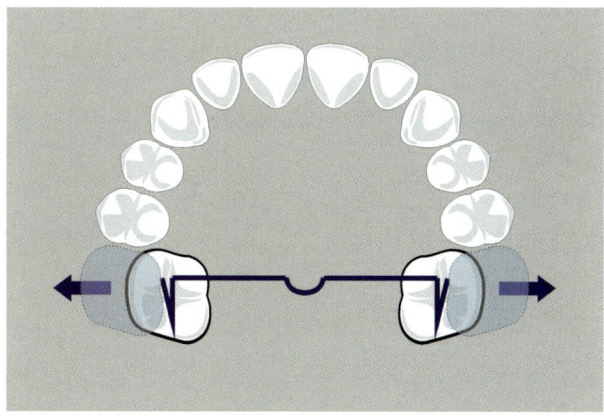

Fig. 14-129 Activación de la Barra Transpalatina de Goshgarian, vista oclusal. Expansión

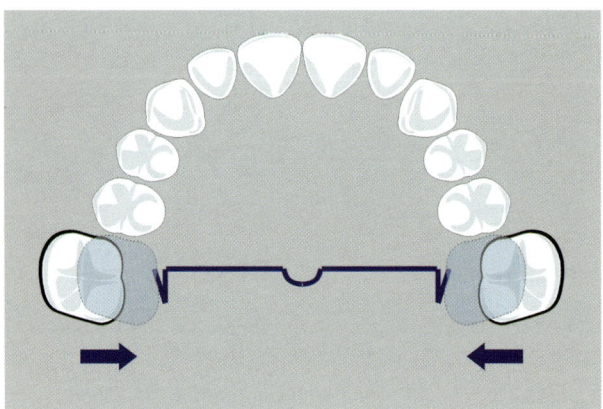

Fig. 14-130 Activación de la Barra Transpalatina de Goshgarian, vista oclusal. Contracción

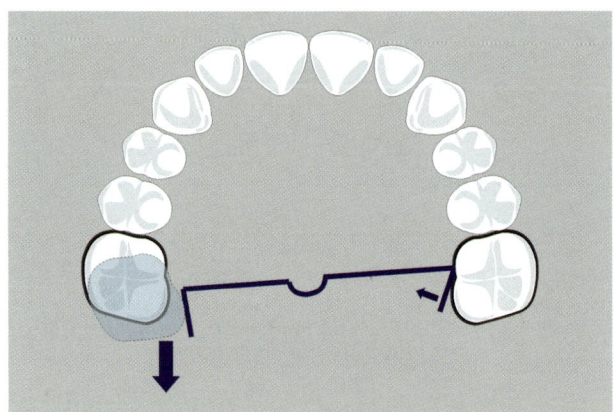

Fig. 14-131 Activación de la Barra Transpalatina de Goshgarian, vista oclusal. Distalización mínima unilateral activando toe-in del lado contrario

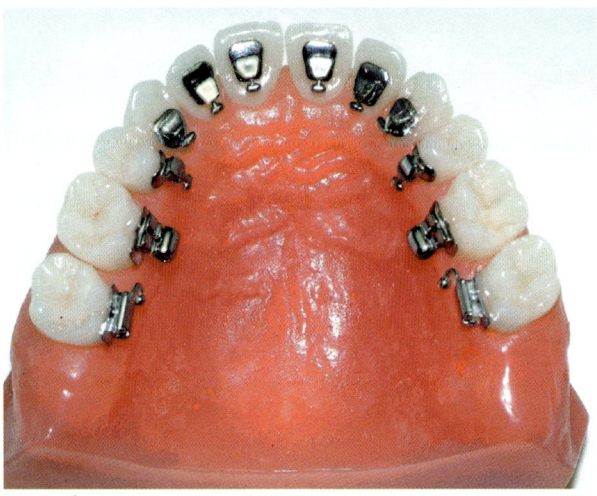

Fig. 14-132 Confección del quinto arco de terminación 1 – Tipodonto ORMCO en la posición para confección el arco de terminación

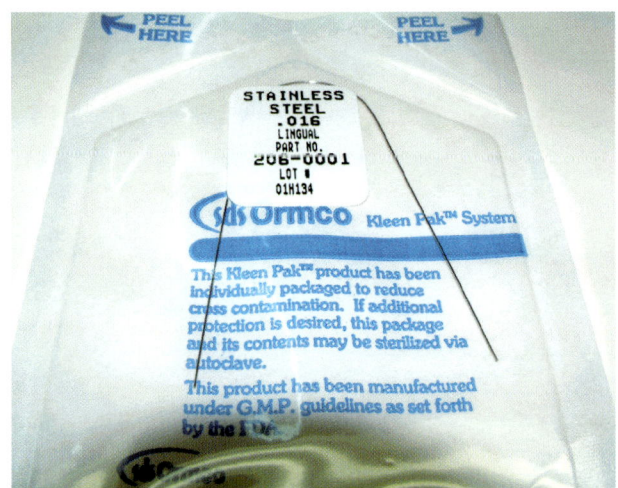

Fig. 14-133 Confección del quinto arco de terminación 2 – Arco de .016" de acero. Están disponibles en un solo tamaño superior e inferior y en forma Standard (sin insets distocaninos)

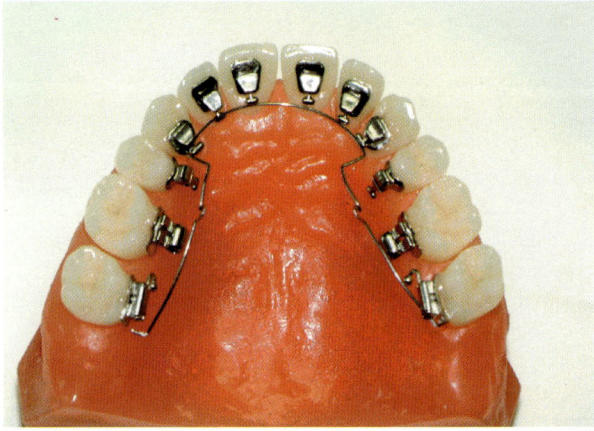

Fig. 14-134 Confección del quinto arco de terminación 3 – Se doblan los inset distocaninos y los omegas antemolares de las formas vistas anteriormente. Prueba del arco en el tipodonto. Los ajustes finales se estudian en el capítulo 20

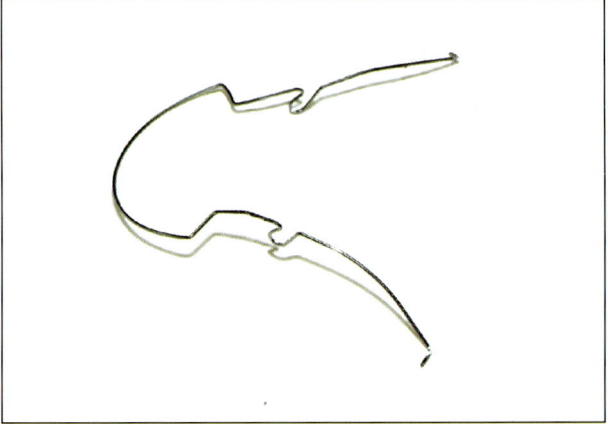

Fig. 14-135 Confección del quinto arco de terminación 4 – Arco terminado con las curvas de compensación sagital y horizontal

Problemas previsibles en esta etapa de cierre de espacios

Los posibles problemas que se pueden presentar en esta etapa son 2:
  a. Efectos secundarios del arco.
  b. Anclaje.

a. Efectos secundarios de los arcos

Los efectos secundarios del arco que se presentan son 3:
- Efecto Bowing Vertical y Transversal
- Efecto Sliding
- Efecto Rolling

Control del bowing vertical en ortodoncia lingual

Control mínimo (fig. 14-52)
- forma del arco con compensación de curva sagital leve,
- mecánica de deslizamiento con cadena elástica.

Control medio (fig. 14-53)
- forma del arco con compensación de curva sagital media,
- mecánicas de asas en "I" cerrada y omega mesial para activación.

Control máximo (fig. 14-54)
- forma del arco con compensación de curva sagital aumentada,
- mecánica de asas con asa en "T" cerrada,
- activación del brazo horizontal del asa en "T" con el alicate de 3 puntas ó de media caña acodado.

Control del bowing transversal en ortodoncia lingual
- forma del arco con compensación de curva horizontal (toe-out) (fig. 14-111),
- cierre de espacios con cadena elástica circular de Takemoto (fig. 14-112),
- cierre de espacios con cadena elástica por vestibular y por lingual,
- técnica de Takemoto: tubo vestibular y lingual en el primer molar, tubo vestibular en el segundo molar y arcos seccionales vestibulares de primer a segundo molar bilateral. También se puede hacer cementar directamente un arco seccional de primer a segundo molar a las caras vestibulares de dichas piezas sin brackets ni tubos,
- barra transpalatina.

Efecto Sliding

El efecto sliding (deslizamiento anterior del arco con la consecuente protrusión o aumento del torque del sector incisivo) queda compensado por el cierre distal y la mecánica de cierre de espacios. Todos los arcos de técnica lingual llevan doblez distal: doblez hacia vestibular a distal del tubo del segundo molar. Para confeccionarlo se debe posicionar el arco en boca y marcarlo con un lápiz marcador, doblarlo fuera de boca y luego poner el arco en posición cerrando el tubo de autocierre (hinge cap) a continuación. Para realizarlo en boca es indispensable disponer del alicate cinch-back de Kim.

El doblez distal se realiza incluso en los arcos que tienen asas omegas por la posible pérdida de la ligadura del omega y para evitar lesiones en la lengua.

Efecto Rolling

El efecto de deslizamiento del arco hacia uno de los lados no se presenta en esta etapa ya que está impedido por los in-set distocaninos.

b. Anclaje en ortodoncia lingual

Los requerimientos de anclaje en ortodoncia lingual son mayores que en técnica vestibular tanto hacia mesial como vertical debido a la retracción de los caninos e incisivos de forma conjunta y a la dirección de los vectores de fuerza.

Diferenciamos, para su estudio, dos tipos de anclaje:
- anclaje sagital o mesio distal
- anclaje vertical

Anclaje sagital o mesio-distal

A continuación se explican las 5 situaciones de anclaje de maxilar superior y las 3 situaciones del maxilar inferior.

Arcada superior

Maxilar superior. Anclaje Máximo I (fig. 14-113)
Ligadura en "8" 3-3/5-7/5-7
Cadena elástica 3-5/3-5
Botón de Nance
Elásticos de clase II
Arco Labial con elásticos de clase II

Maxilar superior. Anclaje Máximo II (fig. 14-114)
Ligadura en "8" 3-3/5-7/5-7
Cadena elástica 3-5/3-5
Botón de Nance
Elásticos de clase II

Maxilar superior. Anclaje Medio III (fig. 14-115)
Ligadura en "8" 3-3/5-7/5-7
Cadena elástica 3-5/3-5
Botón de Nance

Maxilar superior. Anclaje Mínimo IV (fig. 14-116)
Ligadura en "8" 3-3/5-7/5-7
Cadena elástica 3-5/3-5

Maxilar superior. Anclaje Mínimo V (fig. 14-117)
Ligadura en "8" 3-3/5-7/5-7
Cadena elástica 3-5/3-5
Elásticos de clase III

Maxilar inferior

Maxilar inferior. Anclaje Máximo I (fig. 14-118)
Ligadura en "8" 3-3/5-7/5-7
Cadena elástica 3-5/3-5
Elásticos de clase III

Maxilar inferior. Anclaje Medio II (fig. 14-119)
Ligadura en "8" 3-3/5-7/5-7
Cadena elástica 3-5/3-5

Maxilar inferior. Anclaje Mínimo III (fig. 14-120)
Ligadura en "8" 3-3/5-7/5-7
Cadena elástica 3-5/3-5
Elásticos de clase II

Anclaje vertical
- Mínimo anclaje: elásticos intermaxilares
- Anclaje normal: mecánica normal
- Anclaje medio: build-ups molares
- Máximo anclaje: barra transpalatina

La barra transpalatina de Goshgarian es un aparato muy utilizado en ortodoncia lingual. Su activación se esquematiza en las figuras 14-121 a 14-131.

5o ARCO: Terminación y Detallado

Se utilizarán arcos de .016" de acero o de TMA con forma de arco de terminación (arco christmas) para corregir los defectos de 1er o de 2do orden. También se deberán utilizar arcos de canto para la corrección del torque que se encuentre indicada. En esta etapa también deberán utilizarse elásticos intermaxilares para centrar la línea media y ajustar la intercuspidación. La terminación de casos se estudia en el capítulo 20.

La confección de este arco se puede observar en las figuras 14-132 a 14-135.

Casos clínicos

A continuación se ilustran dos casos de extracciones atípicas como demostración de la técnica.

El primer caso (figuras 14-136A a 14-147) sirve también para demostrar que muchos pacientes de ortodoncia lingual son pacientes que viajan y que las sociedades científicas sirven para identificar a los ortodoncistas formados en esta técnica.

Esta paciente inició su tratamiento en San Pablo (Brasil) con el Dr. José Carlos Gaspar y luego se trasladó a Barcelona y el tratamiento fue terminado por el autor.

Se trata de un caso con apiñamientos y biprotrusión, overjet aumentado y ausencia de los segundos molares superiores derecho e izquierdo, primer molar inferior izquierdo y segundo premolar inferior derecho. Fue tratada con extracciones de los dos primeros premolares superiores y mecánica de deslizamiento.

Caso # 2 (figs. 14-148A a 14-168D)

Paciente femenina de 38 años y 4 meses.
Caso con clase II molar, agenesia de los incisivos laterales superiores derecho e izquierdo, mesio-rotación severa del segundo premolar superior derecho, apiñamiento en el maxilar inferior, ausencia de terceros molares, desviación de la línea media, overjet aumentado.
Se trató con extracción de los primeros premolares inferiores derecho e izquierdo.
Brackets Kurz 7ª con prescripción individualizada con Slot Machine.

Maxilar superior
- .0175" Respond con ligadura circunferencial de Scott para corregir la rotación del segundo premolar superior derecho.
- .016" NiTi con ligadura circunferencial de Scott para corregir la rotación del segundo premolar superior derecho.
- .0175" x .0175" TMA
- .016" x .022" SS
- .016" SS

Maxilar inferior
- .016" NiTi
- .0175" x .0175" TMA
- .016" x .022" SS con mecánica de deslizamiento
- .016" SS

El tiempo total de tratamiento fue de 15 meses.

ESQUEMA DEL TRATAMIENTO CON EXTRACCIONES

1. Arco de retracción inicial de caninos: .016" SS con loop circular ante-segundo-premolar y doblez distal. Curvas de compensación sagital y horizontal.
   Puede ser necesario un arco previo de ANR inicial Respond .0155".
2. Arco de ANR : .016" NiTi o .017" x .017" Copper NiTi.
3. Arco de establecimiento del torque: .0175" x .0175" TMA con doblez distal y curvas de compensación sagital y horizontal. Ligadura en "8" de canino a canino, de premolar a molar derecho y de premolar a molar izquiedo.
4. Arco de cierre de espacios según mecánica:
   - mecánica de deslizamiento: arco de .016" x .022" SS con curvas de compensación sagital y horizontal.
   - Mecánica de asas: arco de .017" x .025" TMA con asa en "I" o en "T"
5. Arco de terminación de .016" SS con dobleces de primer orden.

Cuadro 14-01

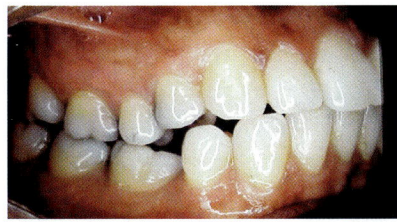 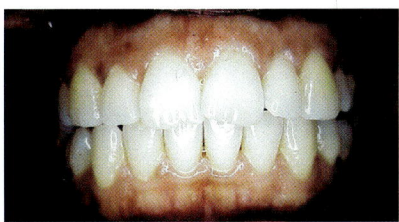 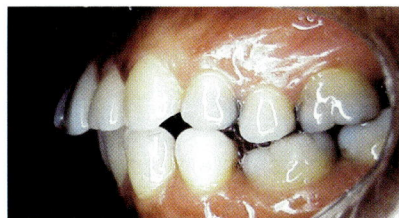

Fig. 14-136 A: Caso # 1 – Caso de Clase III con ausencia de segundos molares superiores derecho e izquierdo, primer molar inferior izquierdo y segundo premolar inferior derecho. Vista intraoral derecha; B: Caso # 1 – Caso de Clase III con ausencia de segundos molares superiores derecho e izquierdo, primer molar inferior izquierdo y segundo premolar inferior derecho. Vista intraoral central; C: Caso # 1 – Caso de Clase III con ausencia de segundos molares superiores derecho e izquierdo, primer molar inferior izquierdo y segundo premolar inferior derecho. Vista intraoral izquierda

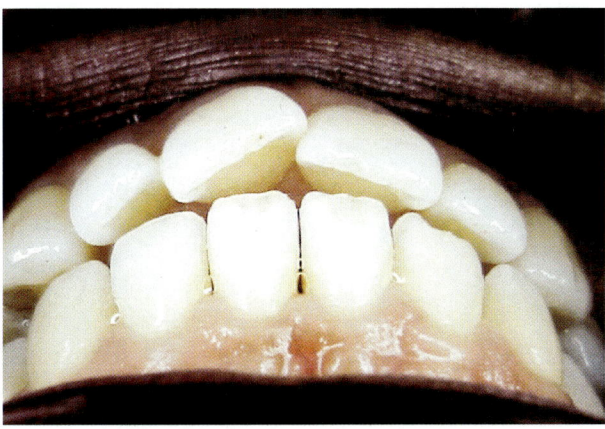

Fig. 14-137 Caso # 1 – Vista intraoral overjet

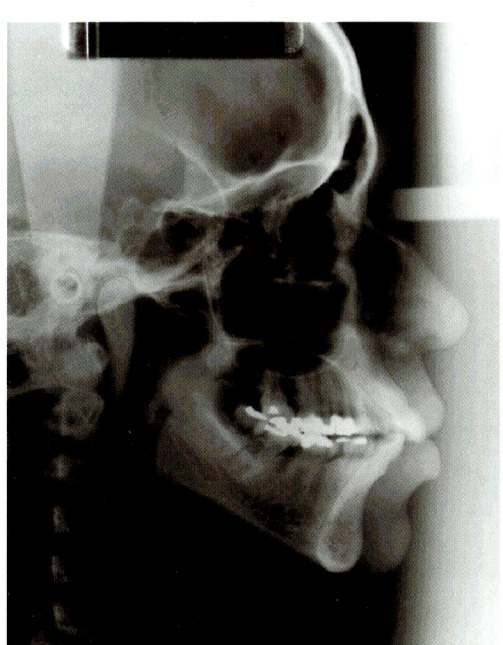

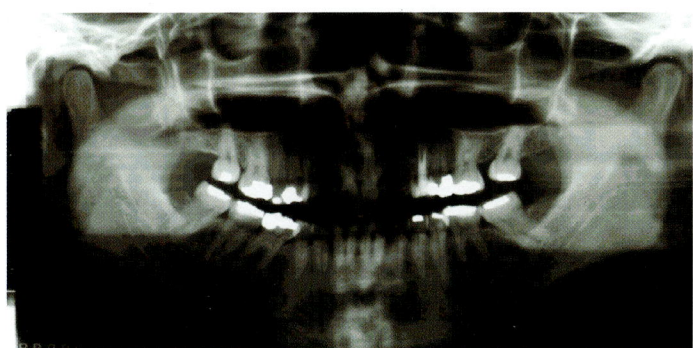

Fig. 14-138 Caso # 1 – Teleradiografía inicial

Fig. 14-139 Caso # 1 – Ortopantomografía

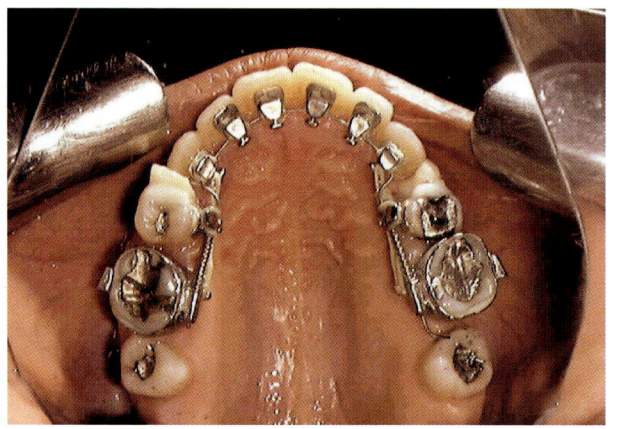

Fig. 14-140A Caso # 1 – Progreso tratamiento maxilar superior

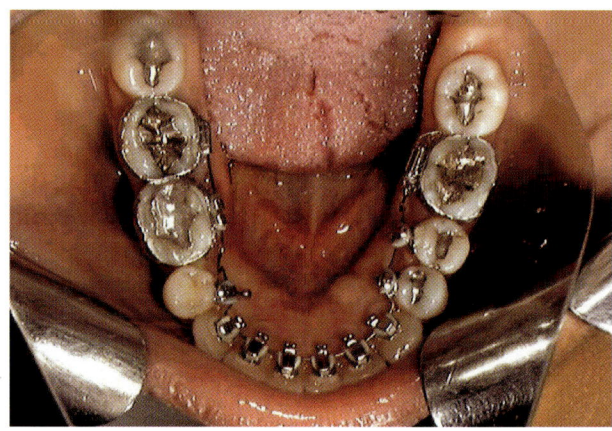

Fig. 14-140B Caso # 1 – Progreso tratamiento maxilar inferior

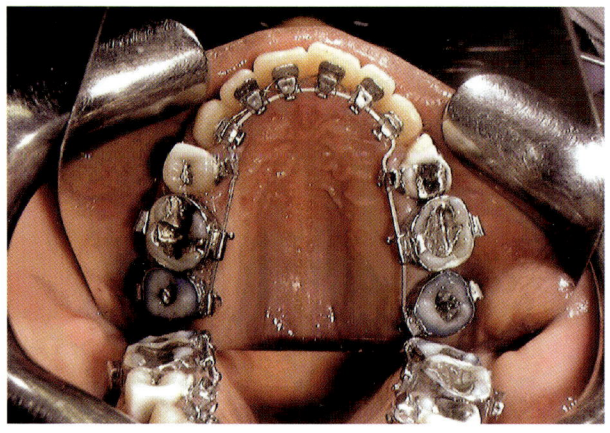

Fig. 14-141A Caso # 1 – Progreso tratamiento maxilar superior

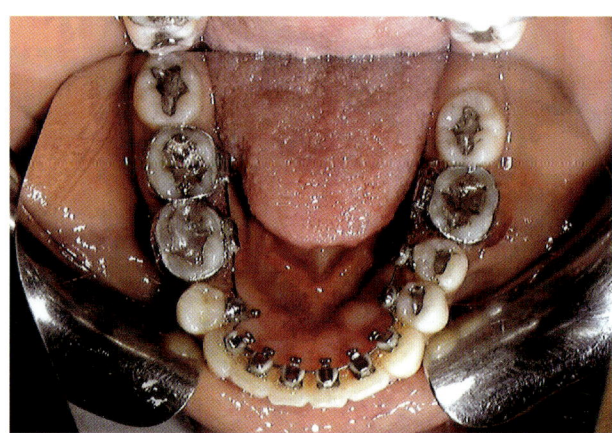

Fig. 14-141B Caso # 1 – Progreso tratamiento maxilar inferior

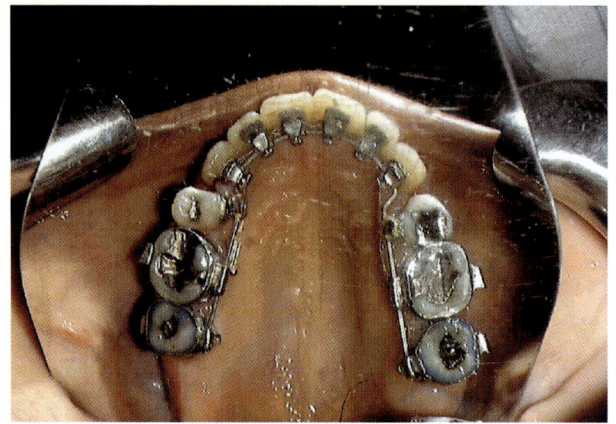

Fig. 14-142A Caso # 1 – Progreso tratamiento maxilar superior

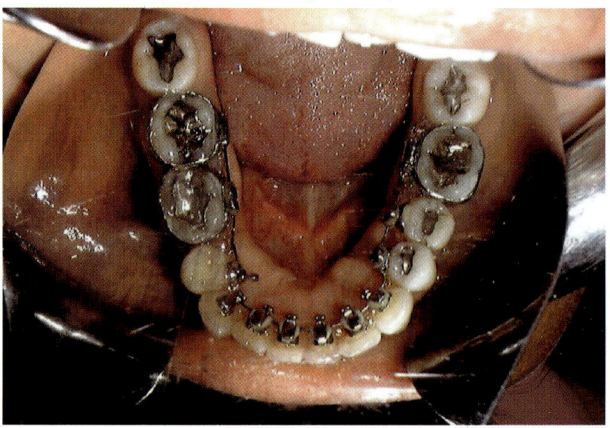

Fig. 14-142B Caso # 1 – Progreso tratamiento maxilar inferior

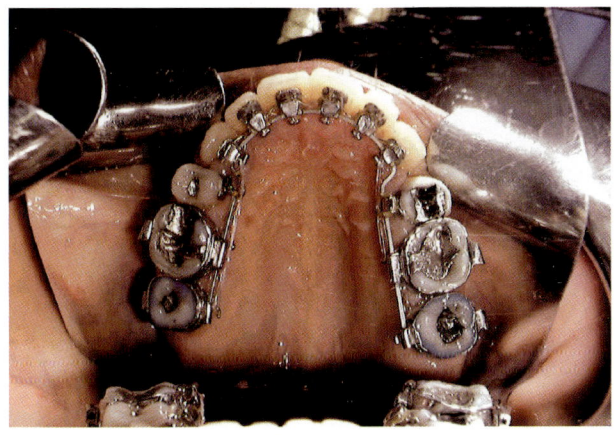

Fig. 14-143A Caso # 1 – Progreso tratamiento maxilar superior

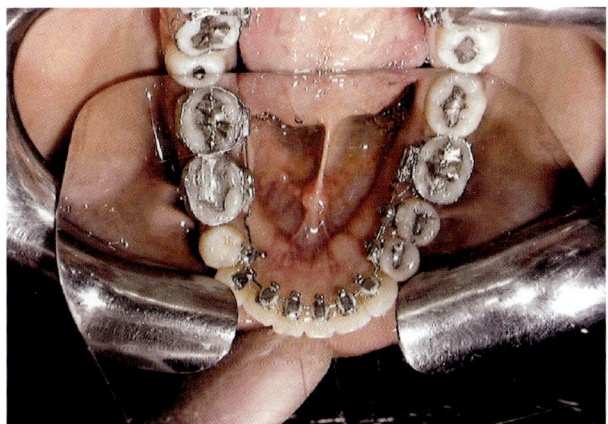

Fig. 14-143B Caso # 1 – Progreso tratamiento maxilar inferior

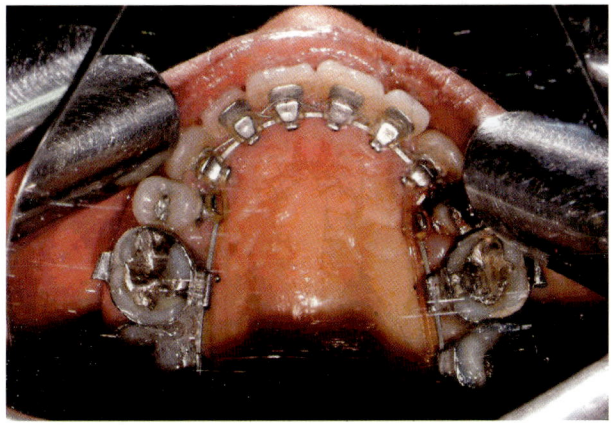

Fig. 14-144A Caso # 1 – Progreso tratamiento maxilar superior

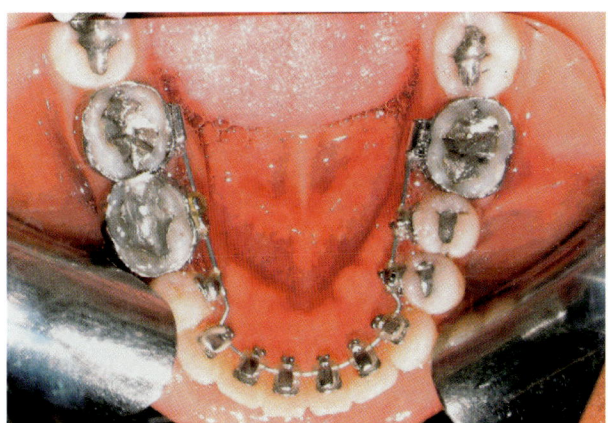

Fig. 14-144B Caso # 1 – Progreso tratamiento maxilar inferior

Casos con extracciones. Anclaje

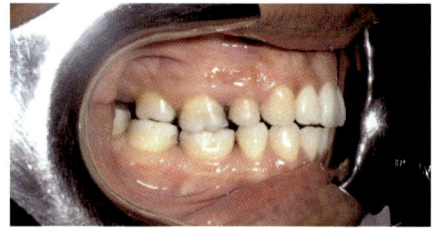 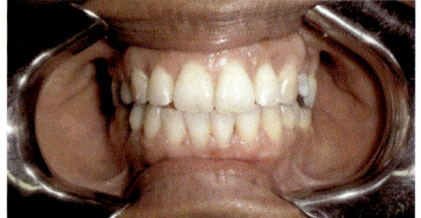 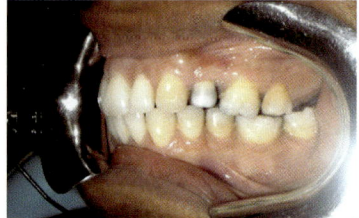

Fig. 14-145 A: Caso # 1 – Caso terminado. Vista intraoral izquieda; B: Caso # 1 – Caso terminado. Vista intraoral central; C: Caso # 1 – Caso terminado. Vista intraoral derecha

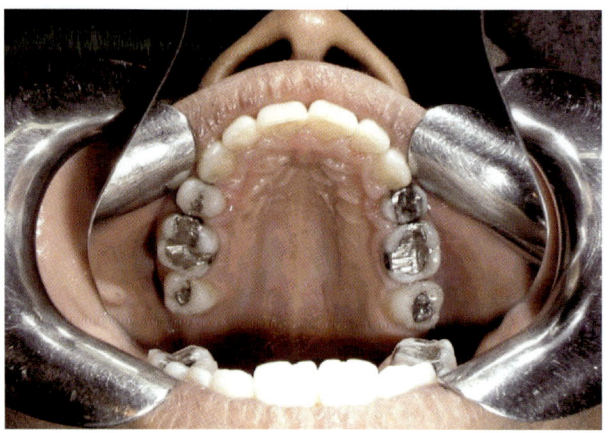

Fig. 14-145D Caso # 1 – Caso terminado. Vista oclusal superior

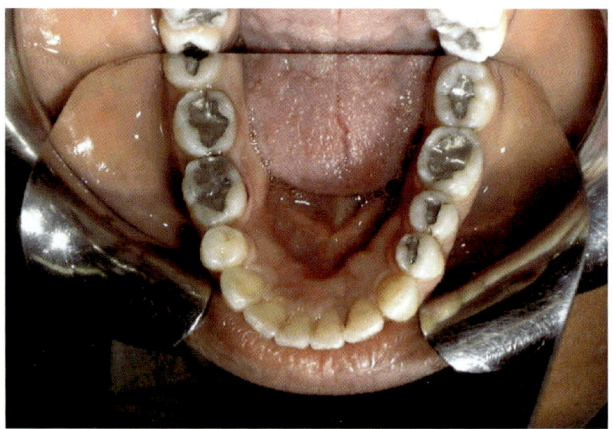

Fig. 14-145D Caso # 1 – Caso terminado. Vista oclusal superior

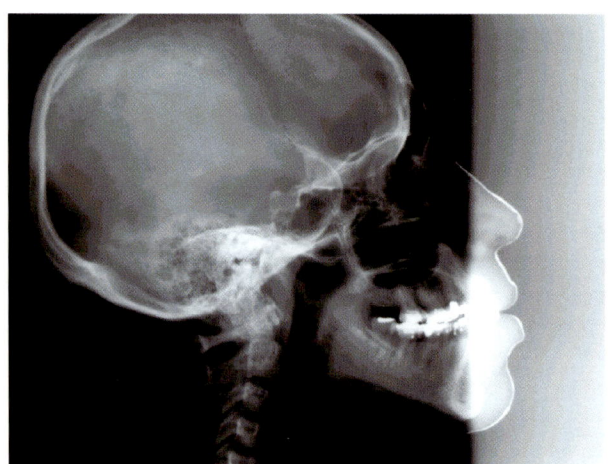

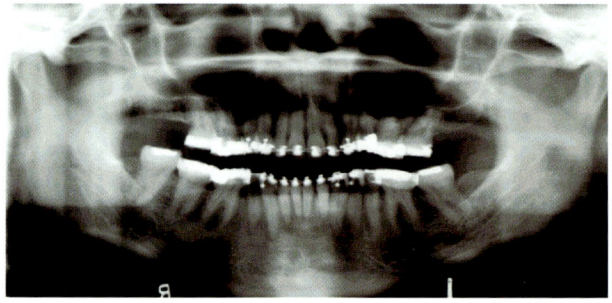

Fig. 14-146   Caso # 1 – Teleradiografía final

Fig. 14-147   Caso # 1 – Ortopantomografía final

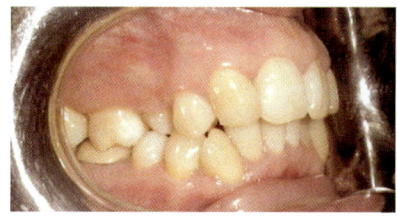 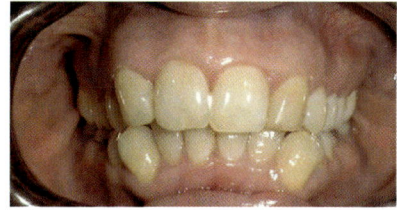 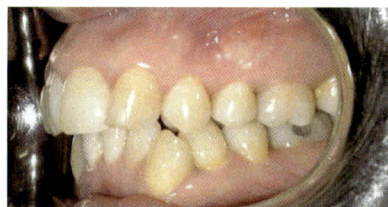

Fig. 14-148 A: Caso # 2 – Caso de Clase II con agenesia de los incisivos laterales superiores. Fotografías iniciales. Vista intraoral derecha; B: Caso # 2 – Caso de Clase II con agenesia de los incisivos laterales superiores. Fotografías iniciales. Vista intraoral central; C: Caso # 2 - Caso de Clase II con agenesia de los incisivos laterales superiores. Fotografías iniciales. Vista intraoral izquierda

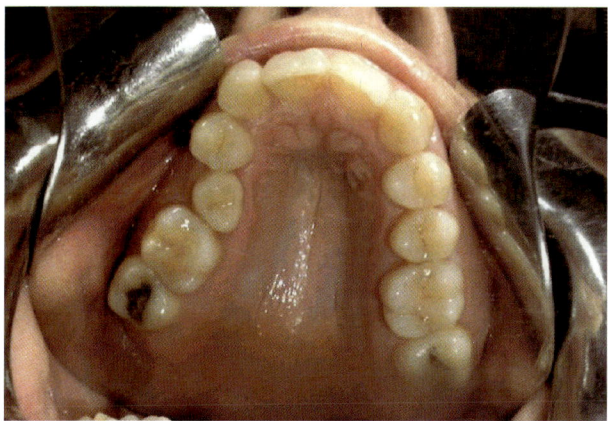

Fig. 14-148D Caso # 2 - Caso de Clase II con agenesia de los incisivos laterales superiores. Fotografías iniciales. Vista oclusal superior

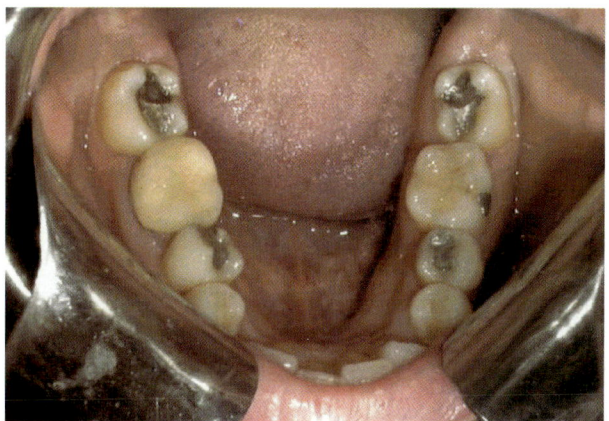

Fig. 14-148E Caso # 2 - Caso de Clase II con agenesia de los incisivos laterales superiores. Fotografías iniciales. Vista oclusal inferior

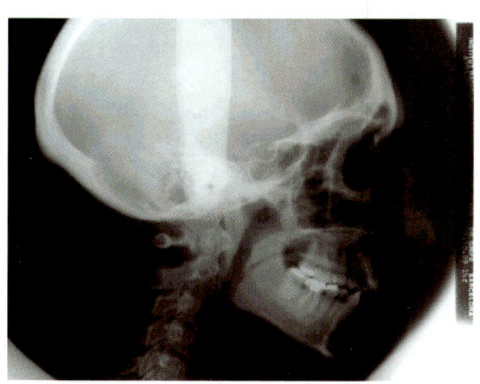

Fig. 14-149 Caso # 2 – Teleradiografía inicial

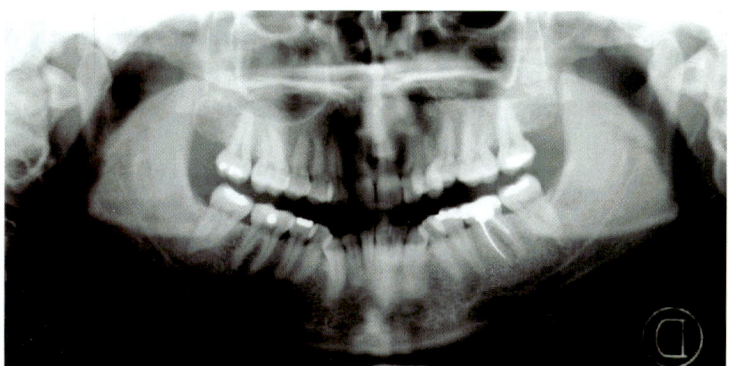

Fig. 14-150 Caso # 2 – Ortopantomografía inicial

Casos con extracciones. Anclaje

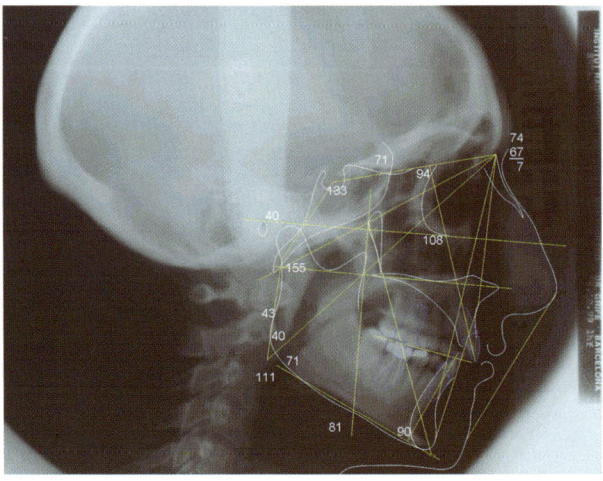

Fig. 14-151A Caso # 2 – Trazado cefalométrico inicial

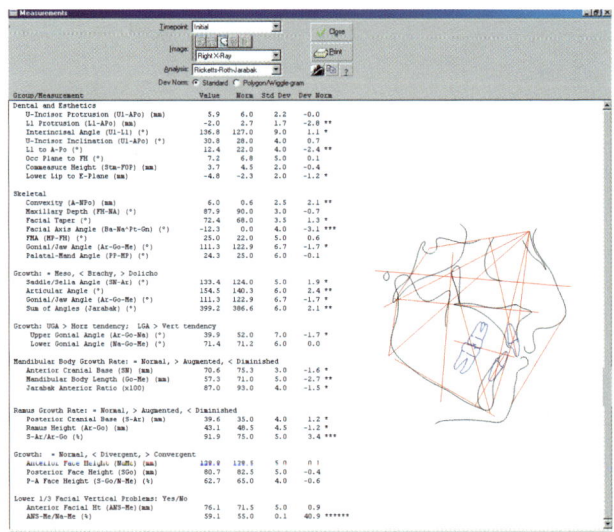

Fig. 14-151B Caso # 2 – Valores cefalométricos iniciales

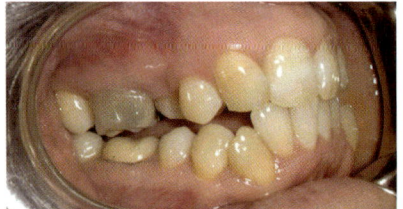 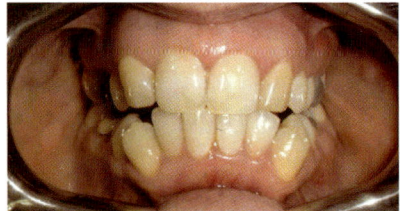 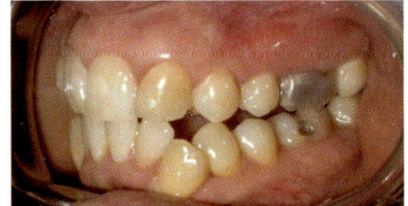

Fig. 14-152 A: Caso # 2 – Inicio de tratamiento en maxilar superior. Vista intraoral derecha; B: Caso # 2 - Inicio de tratamiento en maxilar superior. Vista intraoral central; C: Caso # 2 - Inicio de tratamiento en maxilar superior. Vista intraoral izquierda

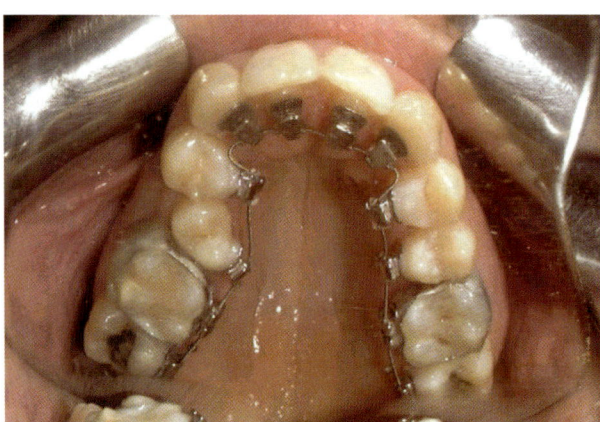

Fig. 14-153 Caso # 2 - Inicio de tratamiento en maxilar superior. Vista oclusal superior

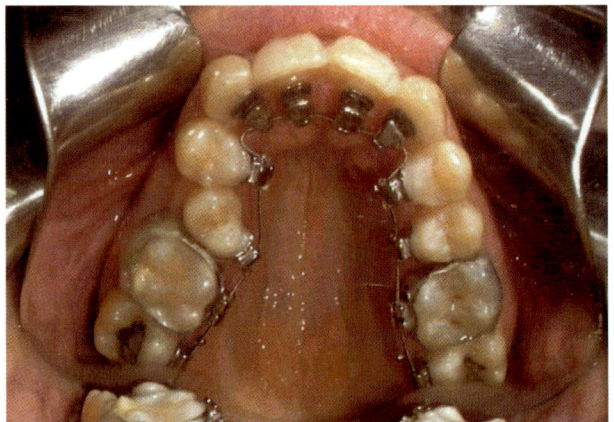

Fig. 14-154 Caso # 2 – Progreso en maxilar superior. Obsérvese la corrección progresiva de la rotación del segundo premolar superior derecho con ligadura circunferencial de Scott

Capítulo 14

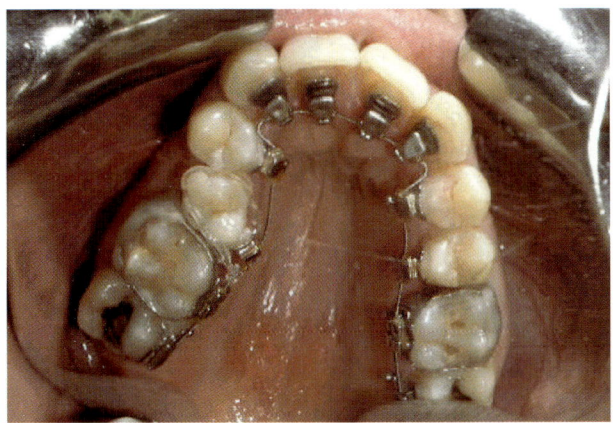

Fig. 14-155 Caso # 2 - Progreso en maxilar superior. Obsérvese la corrección progresiva de la rotación del segundo premolar superior derecho con ligadura circunferencial de Scott

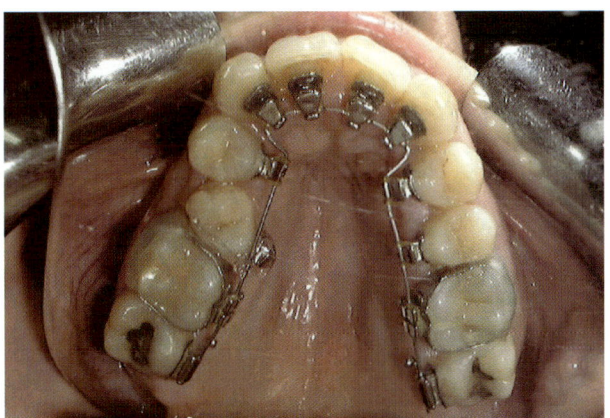

Fig. 14-156 Caso # 2 - Progreso en maxilar superior. Obsérvese la corrección progresiva de la rotación del segundo premolar superior derecho con ligadura circunferencial de Scott

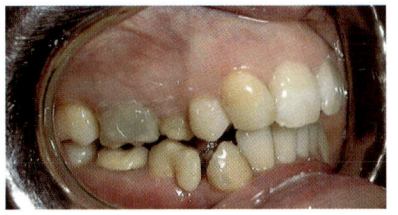 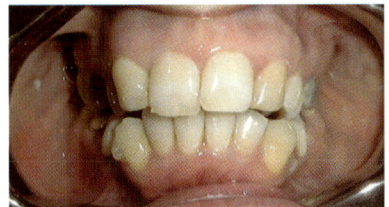 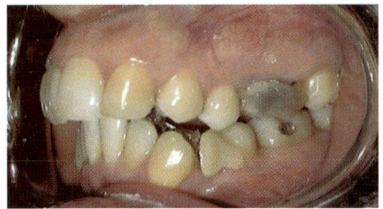

Fig. 14-157 A: Caso # 2 – Inicio del tratamiento en el maxilar inferior. Obsérvese las extracciones de los primeros premolares y los provisionales estéticos. Vista intraoral derecha; B: Caso # 2 - Inicio del tratamiento en el maxilar inferior. Obsérvese las extracciones de los primeros premolares y los provisionales estéticos. Vista intraoral central; C: Caso # 2 - Inicio del tratamiento en el maxilar inferior. Obsérvese las extracciones de los primeros premolares y los provisionales estéticos. Vista intraoral izquierda

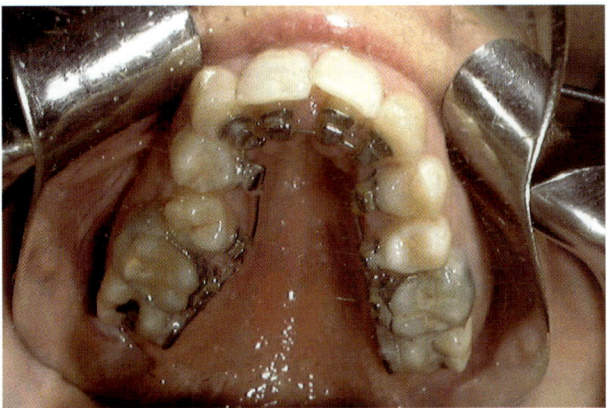

Fig. 14-158A Caso # 2 - Progreso en maxilar superior. Obsérvese la corrección progresiva de la rotación del segundo premolar superior derecho con ligadura circunferencial de Scott

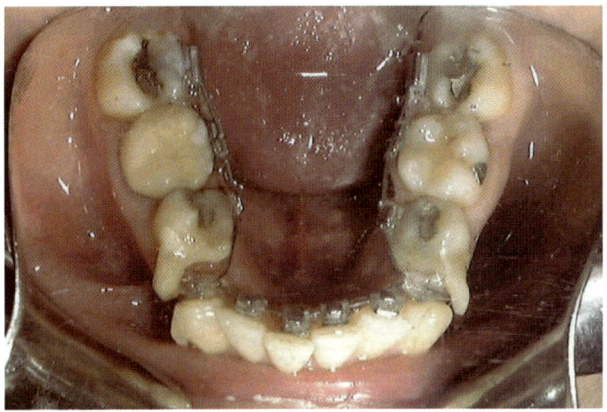

Fig. 14-158B Caso # 2 – Inicio del tratamiento en el maxilar inferior

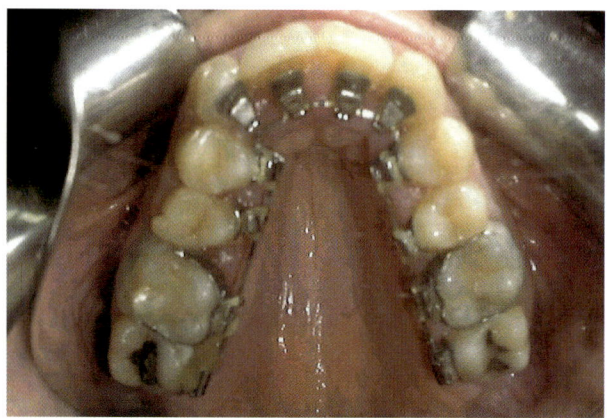

Fig. 14-159A Caso # 2 – Progreso en el tratamiento del maxilar superior

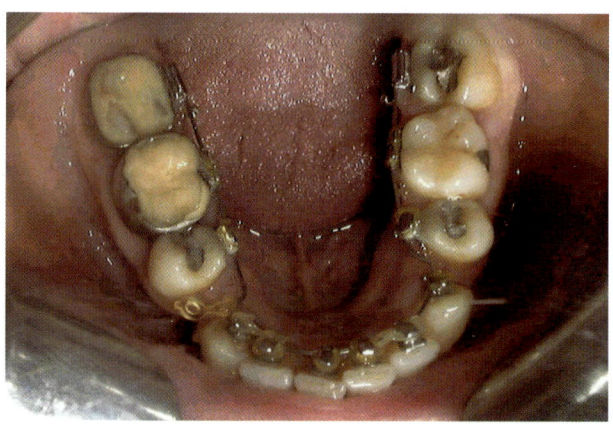

Fig. 14-159B Caso # 2 - Progreso en el tratamiento del maxilar inferior

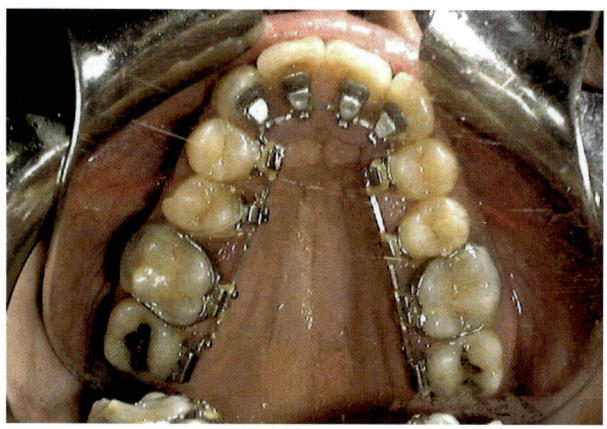

Fig. 14-160A Caso # 2 - Progreso en el tratamiento del maxilar superior

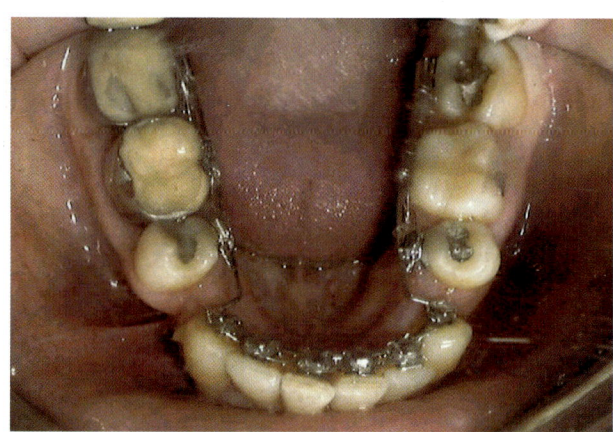

Fig. 14-160B Caso # 2 - Progreso en el tratamiento del maxilar inferior

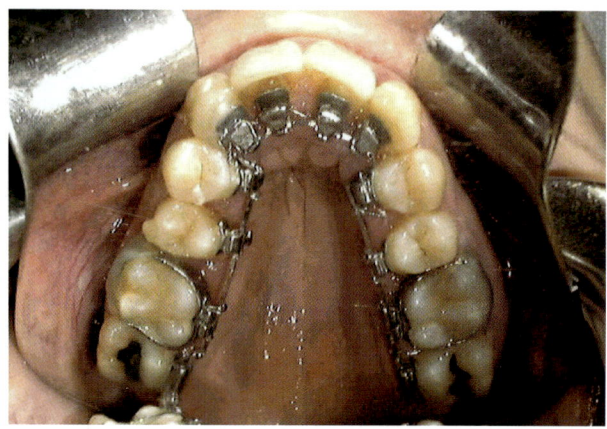

Fig. 14-161A Caso # 2 - Progreso en el tratamiento del maxilar superior

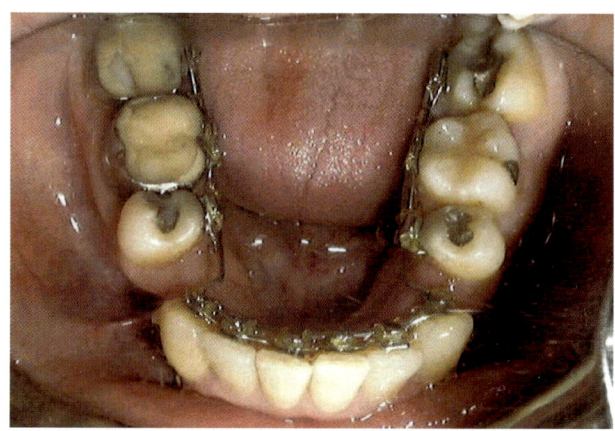

Fig. 14-161B Caso # 2 - Progreso en el tratamiento del maxilar inferior

Capítulo 14

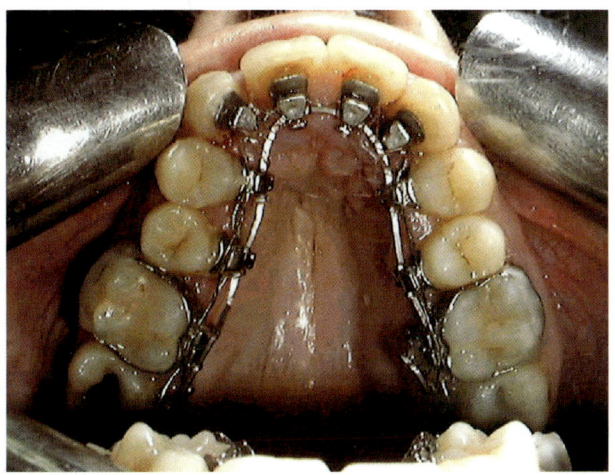

Fig. 14-162A Caso # 2 - Progreso en el tratamiento del maxilar superior

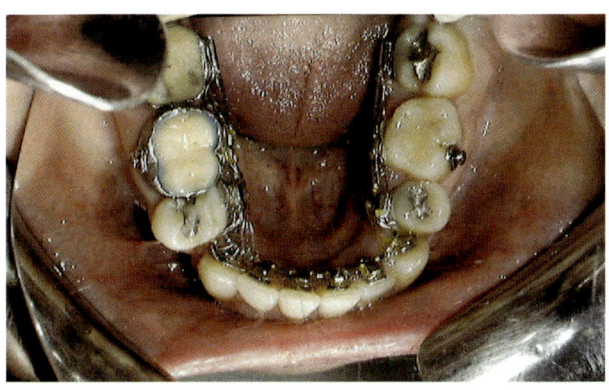

Fig. 14-162B Caso # 2 - Progreso en el tratamiento del maxilar inferior

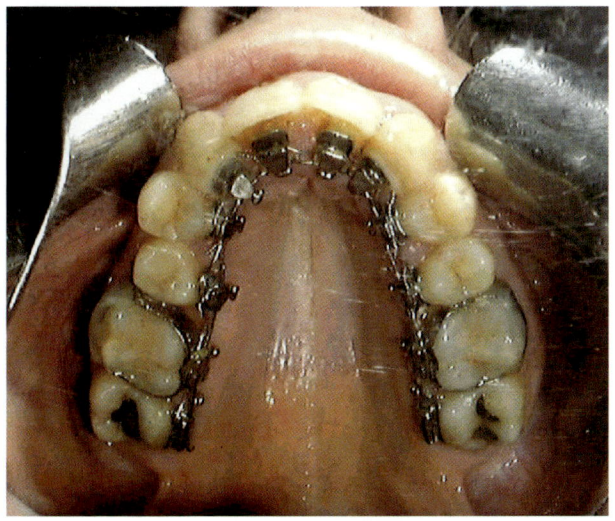

Fig. 14-163A Caso # 2 - Progreso en el tratamiento del maxilar superior

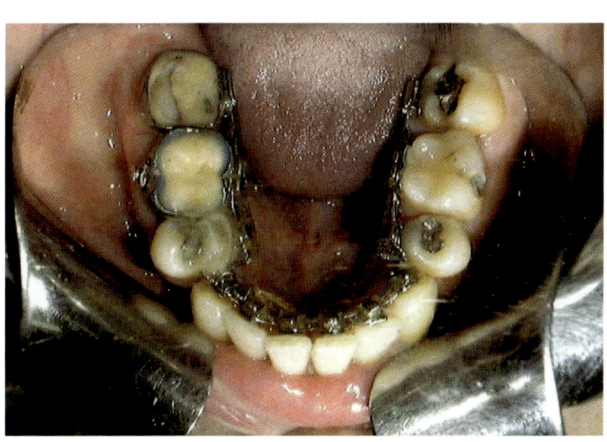

Fig. 14-163B Caso # 2 - Progreso en el tratamiento del maxilar inferior

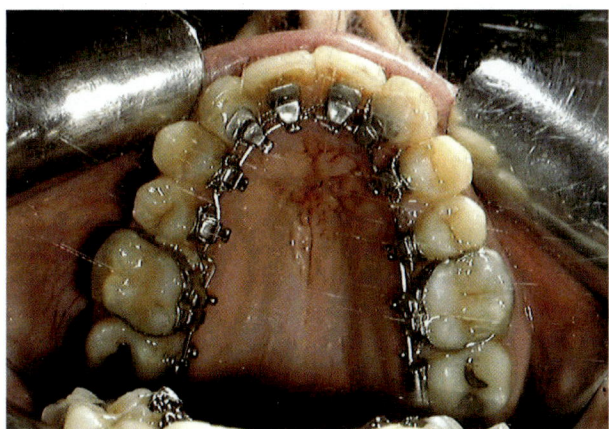

Fig. 14-164A Caso # 2 - Progreso en el tratamiento del maxilar superior

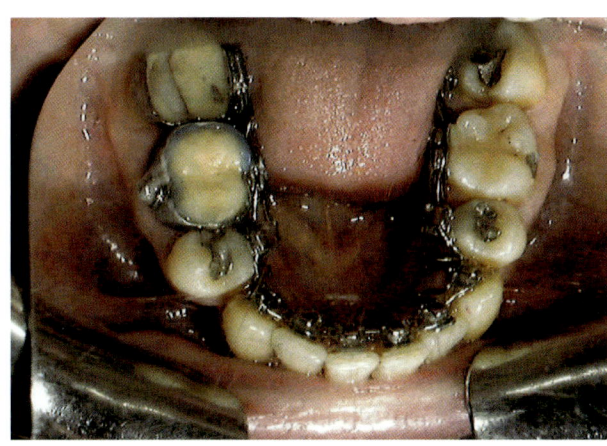

Fig. 14-164B Caso # 2 - Progreso en el tratamiento del maxilar inferior

261

Casos con extracciones. Anclaje

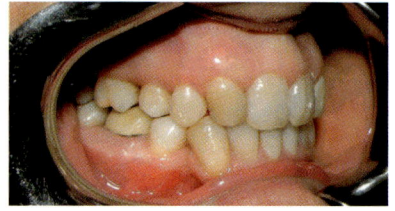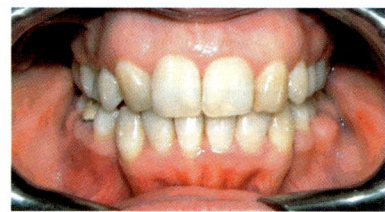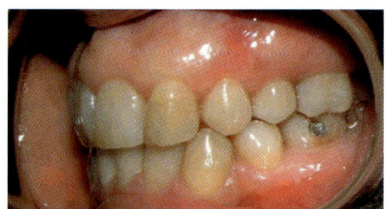

Fig. 14-165   A: Caso # 2 – Tratamiento terminado. Vista intraoral derecha; B: Caso # 2 - Tratamiento terminado. Vista intraoral central; C: Caso # 2 - Tratamiento terminado. Vista intraoral izquierda

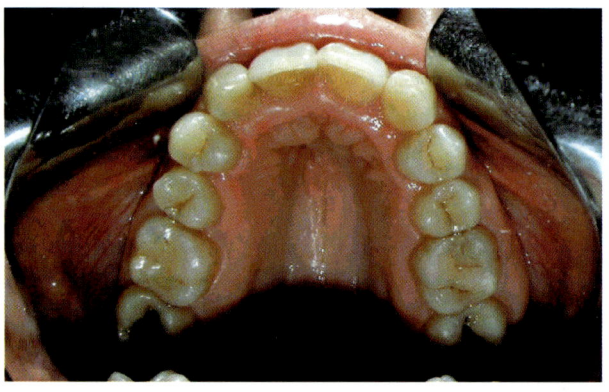

Fig. 14-165D Caso # 2 - Tratamiento terminado. Vista oclusal superior

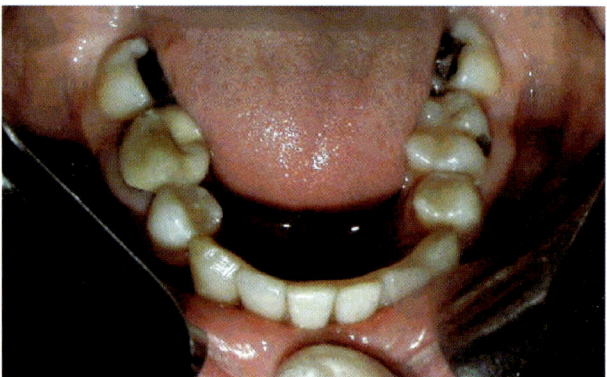

Fig. 14-165E Caso # 2 - Tratamiento terminado. Vista oclusal inferior

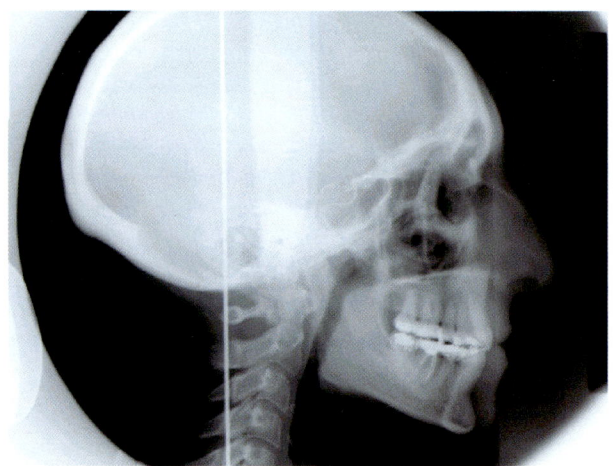

Fig. 14-166   Caso # 2 – Teleradiografía final

Capítulo 14

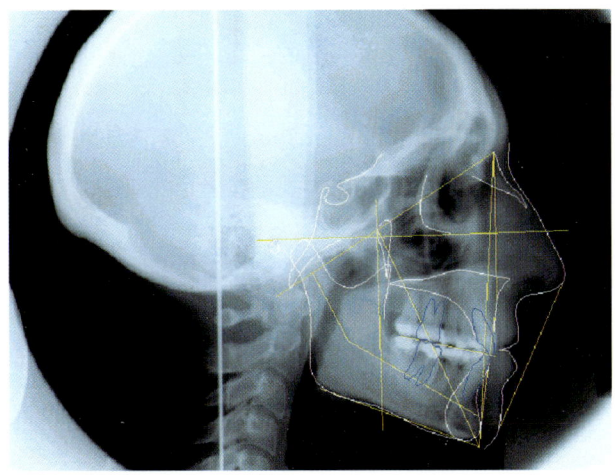

Fig. 14-167A Caso # 2 – Trazado cefalométrico final

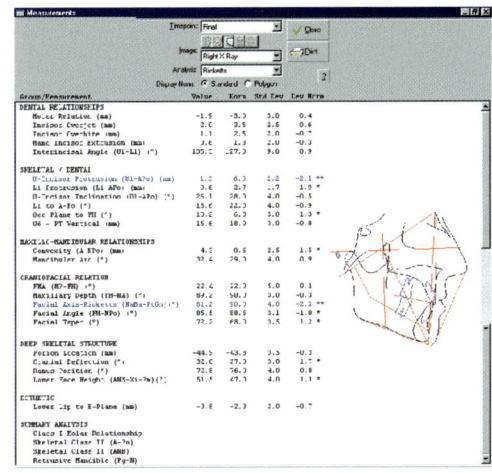

Fig. 14-167B Caso # 2 – Valores cefalométricos finales

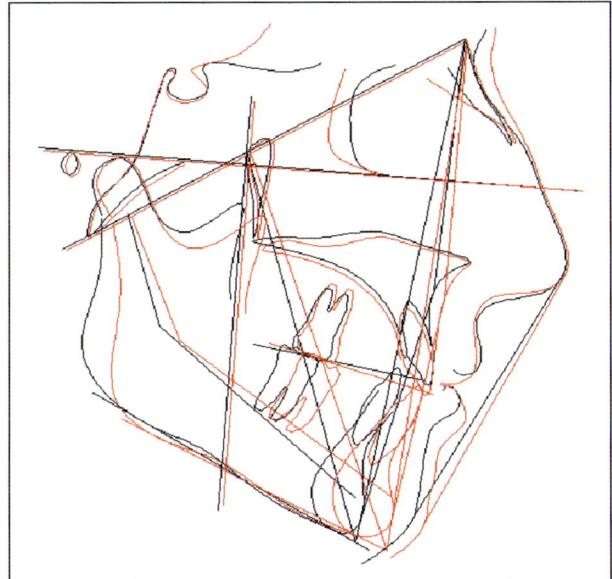

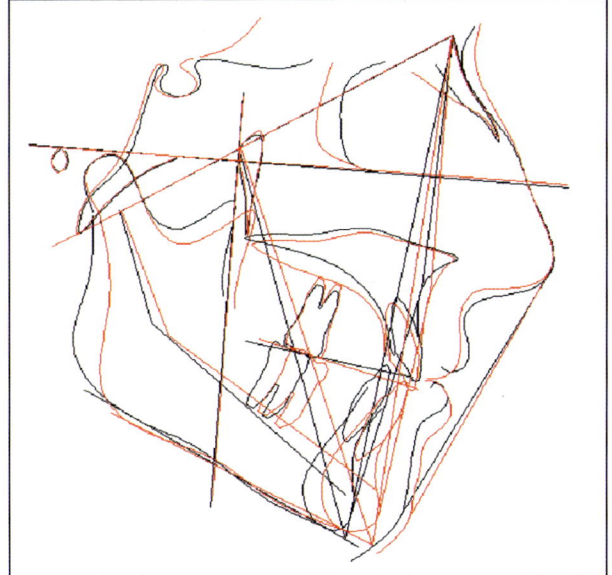

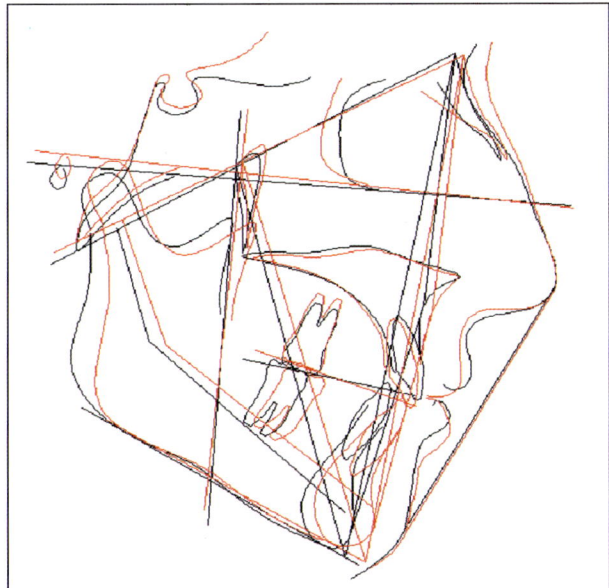

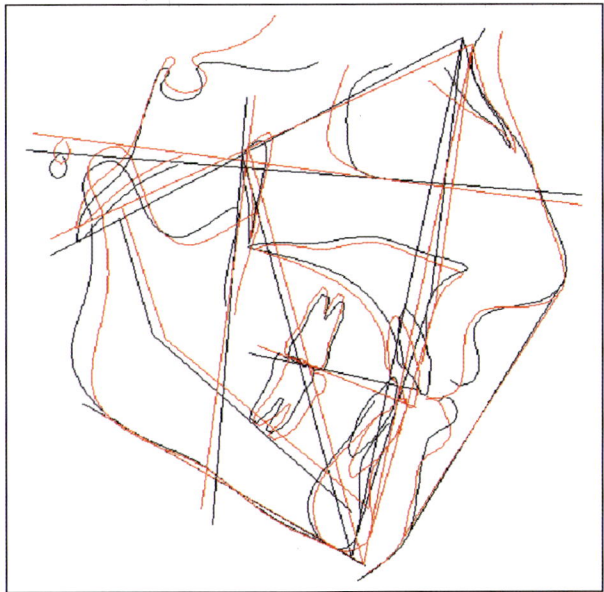

Fig. 14-168   A Caso # 2 – 1ª superposición; B: Caso # 2 - 2ª superposición; C: Caso # 2 - 3ª superposición; D: Caso # 2 - 4ª superposición

Casos sin extracciones. Protrusión

15

- Casos sin extracciones 267
  - Introducción 267
    - Casos con discrepancia dento-alveolar negativa leve 267
    - Casos con discrepancia dento-alveolar positiva 267
    - Discrepancia entre la arcada superior y la arcada inferior 267
- Protrusión 267
  - Introducción 267
  - Indicaciones 267
  - Limitaciones 267
  - Mecánica de la protrusión 267
    - Técnica de protrusión con omega distal 268
    - Técnica del arco con distancia inter in-sets aumentada 269
    - Secuencia biomecánica de arcos 270
- Casos clínicos 274

Casos sin extracciones

Introducción

Dentro de los tratamientos ortodóncicos sin extracciones se deben incluir 3 tipos de tratamientos diferentes:

Casos con discrepancia dento-alveolar negativa leve
Que se pueden corregir sin extracciones mediante alguna de las técnicas siguientes: protrusión, expansión/disyunción, distalización, o stripping. Estos son los tratamientos más indicados para técnica lingual porque los pacientes son adultos y los tratamientos más favorables son los realizados con movimientos dentales de menor amplitud. Además, la protrusión y expansión darán un aspecto más juvenil al paciente. En los pacientes adultos no son tan convenientes los tratamientos de intrusión, contracción o retrusión.

Casos con discrepancia dento-alveolar positiva
Que se deben resolver mediante reaproximación (cierre de diastemas, cierre de espacios de extracciones previas o agenesias) y, si fuera necesario, con reposición de material dentario mediante incrustaciones, coronas y/o prótesis fijas o implantes. Estos tratamientos no son los más estéticos con técnica lingual porque se ven los arcos a través de los diastemas y presentan el inconveniente de que a medida que se cierran los diastemas interincisivos se deben cambiar los arcos para modificar la distancia entre los in-sets disto-caninos.

Discrepancia entre la arcada superior y la arcada inferior
Que si es leve se puede compensar con inclinaciones del grupo incisivo. A medida que la discrepancia esquelética se va haciendo más grave, el "camuflaje" de esta discrepancia con movimientos exclusivamente ortodóncicos compromete cada vez más la función oclusal, la estética y la estabilidad. En pacientes que todavía están en crecimiento se pueden realizar tratamientos ortopédicos o funcionales, pero en técnica lingual la mayoría de los pacientes son adultos, y se debe recurrir a tratamientos combinados con cirugía ortognática o distracción ósea.

Protrusión

Introducción

La protrusión o movimiento vestibular "en masa" del grupo incisivo, es un método que permite obtener el doble de espacio que la protrusión, según Steiner, es decir que por cada milímetro de protrusión, se obtienen 2 mm de longitud de arcada (fig. 15-01). Según nuestros estudios geométricos, en las arcadas de forma cuadrada se obtienen 2 mm de longitud de arcada, pero en las arcadas ovoideas, 1,8 mm y en las arcadas triangulares,

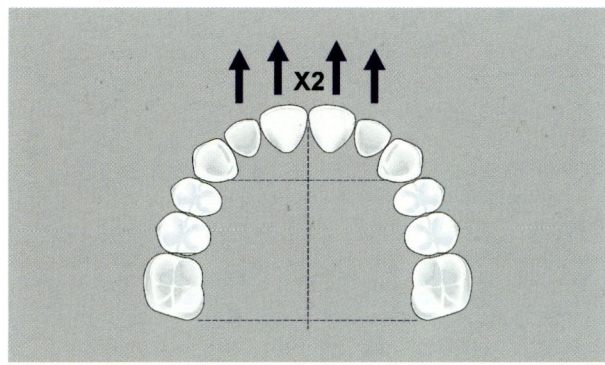

Fig. 15-01 Relación entre protrusión y longitud alveolar. Según Steiner, por cada milímetro de protrusión se obtienen 2 mm de longitud alveolar

1,6 mm de longitud de arcada por cada milímetro de protrusión.

La proinclinación o movimiento de aumento de torque obtiene 20% de aumento de espacio. Por cada 5 mm de proinclinación, se obtiene 1 mm de longitud de arcada, según Bennett y McLaughlin.

Es un movimiento que da más soporte a los labios favoreciendo la estética facial, ya que brinda un aspecto más juvenil.

Indicaciones

- Retrusión y/o retroinclinación del grupo incisivo.
- Ángulo interincisivo disminuido.
- Guía anterior pronunciada.
- Retroquelia.
- Perfil retruído.
- Ángulo naso-labial aumentado.
- Nariz prominente.
- Surco labio-mentoniano no pronunciado o inexistente.

Limitaciones

Se dividen en limitaciones estéticas, funcionales y anatómicas.
- Limitaciones estéticas
  - Perfil protrusivo.
- Limitaciones funcionales
  - Guía anterior sin desoclusión posterior.
- Limitaciones anatómicas
  - Recesión gingival vestibular.
  - Encía vestibular delgada.
  - Tabla vestibular delgada (raíces palpables).
  - Bolsas patológicas vestibulares.
  - Presencia de frenillos y bridas.

Se debe hacer el examen periodontal clínico y radiográfico antes de realizar los movimientos vestibulares.
El examen clínico debe incluir el sondaje de los surcos gingivales vestibulares (figs. 15-02A y B). No debe pro-

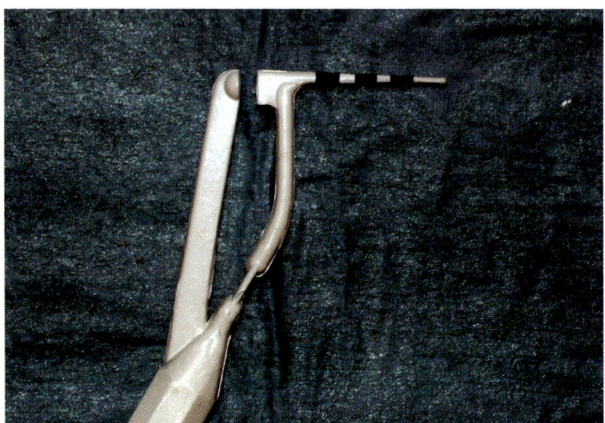

Fig. 15-02A Sonda periodontal utilizada por el autor: PDT Sensor Probe Type C. Obsérvese que presenta punta redondeada y articulación de seguridad para no provocar lesiones en el surco gingival y marcas milimetradas para facilitar la medición

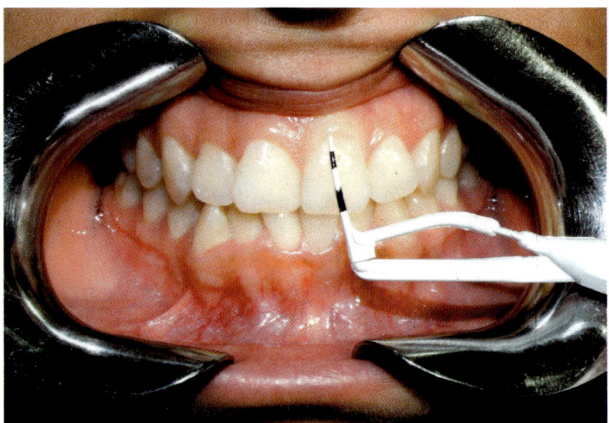

Fig. 15-02B Sondaje periodontal a nivel de incisivos

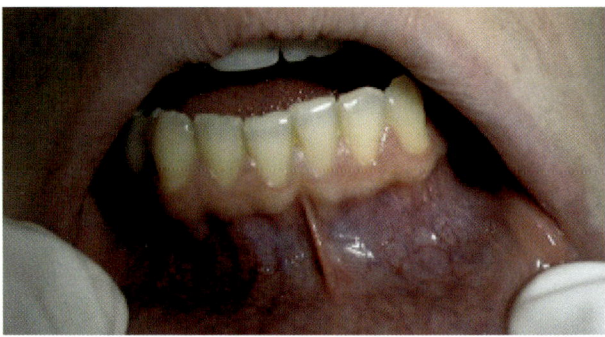

Fig. 15-03 Obsérvese el aspecto ondulado de la tabla vestibular y la inserción del frenillo labial inferior muy cercana al margen gingival

ducirse sangrado en el sondaje, signo inequívoco de inflamación. La protrusión está contraindicada en caso de recesión gingival vestibular o reabsorción de la tabla ósea vestibular y presencia de bolsas patológicas. Para el sondaje utilizo la sonda periodontal PDT Sensor Probe Type C que presenta punta redondeada y articulación de seguridad para no provocar lesiones en el surco gingival y marcas milimetradas para facilitar la medición. Las marcas son a 3,5mm – 5,5mm – 8,5mm y 11,5mm.

Por palpación se puede examinar el espesor de la tabla ósea. La protrusión está también limitada cuando la palpación revela un tacto ondulado (insinuación de la forma de la raíces por tabla ósea delgada) (fig. 15-03). También es importante observar la inserción de los frenillos y bridas, porque si se insertan cerca de margen gingival, puede ser causa de recesión (fig. 15-03).

El espesor de la tabla ósea vestibular se puede observar en la teleradiografía de perfil y se puede controlar, durante el tratamiento, con una mini-radiografía de perfil (figs. 15-04 A y B). Para la técnica de la mini-radiografía de perfil, se utiliza una radiografía oclusal y un alambre de 0,9 mm de diámetro en ángulo recto fijados a la radiografía y el cono del equipo de Rx con cinta adhesiva.

Mecánica de la protrusión

En técnica vestibular utilizamos frecuentemente los arcos utilitarios para la protrusión, pero éstos no pueden usarse en técnica lingual. Las mecánicas más frecuentemente utilizadas en técnica lingual para protrusión son:
- La técnica del omega distal.
- La técnica del arco con distancia inter in-sets aumentada.

Técnica del omega distal

La técnica del omega distal (fig. 15-05). Esta técnica consiste en conformar un omega de aproximadamente 2 mm de altura por 2 mm de ancho. Se utiliza un arco de .016" de níquel-titanio lingual (en el que se pueden conformar asas) o un arco de .016" de TMA si la distancia entre in-sets de los 3 tamaños de arcos de níquel-titanio no se ajusta a las necesidades del caso. Si el paciente no presenta apiñamientos o rotaciones importantes, se puede utilizar un arco de .0175" x .0175" de TMA con el que se puede obtener control del torque.

El asa omega se debe construir de aproximadamente 2 mm por 2 mm. El extremo distal del asa debe quedar 2 mm por distal del extremo mesial del tubo del primer molar cuando está pasiva. Al ligar el arco al molar, el asa se contrae por mesial del tubo y protruye el grupo anterior (figs. 15-06 A y B).

En caso de que el paciente no soporte la presión inicial, se puede ligar el omega al molar disminuyendo la acción del omega, por lo que conviene conformar el omega con una inclinación mesial que facilite el eventual ligado.

La confección y ajuste de este arco se puede ver en las figuras 15-07 a 15-21.

Si la mordida cruzada anterior presenta overbite aumentado, es decir, mordida profunda anterior, puede ser necesario cementar build-ups molares para elevar la oclusión, facilitando la corrección y se pueden indicar elásticos de clase III (ver Caso # 1).

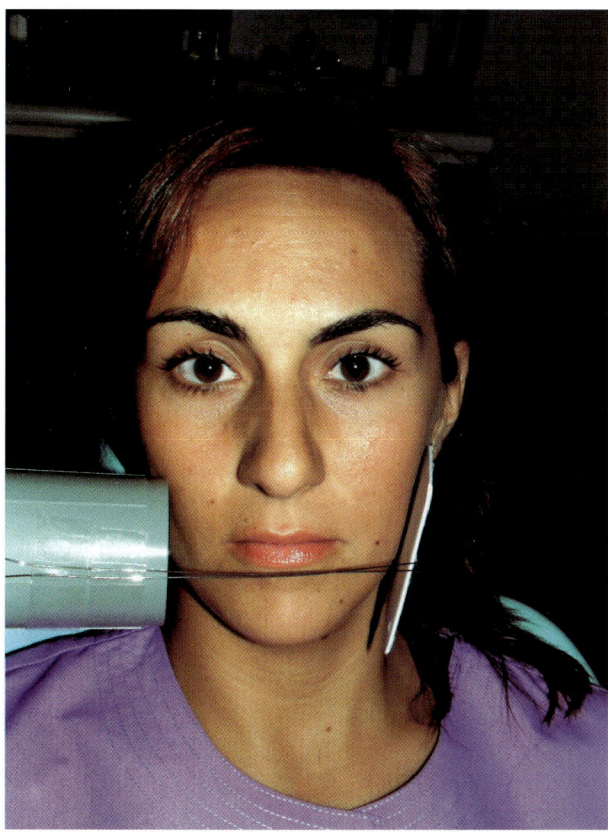

Fig. 15-04A Técnica de la mini-radiografía de perfil. Se utilizan una radiografía oclusal y un alambre de 0,9 mm de diámetro en ángulo recto fijados a la radiografía y el cono del equipo de Rx con cinta adhesiva

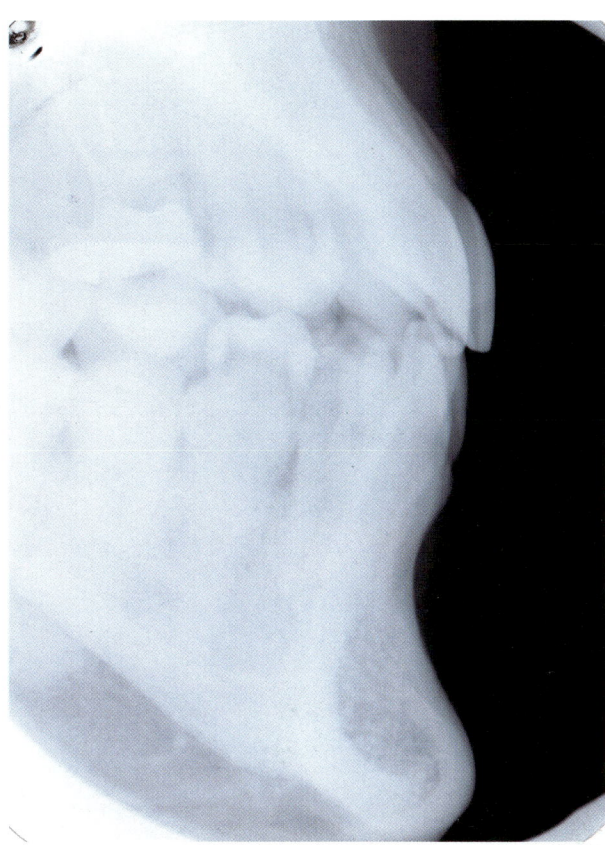

Fig. 15-04B Mini-radiografía de perfil para observar el espesor de las tablas óseas vestibulares a nivel de incisivos

Caso # 1 (figs. 15-22A a 15-29C): Paciente femenino de 23 años y 8 meses.

Caso con Clase III leve, con apiñamientos leves y mordida cruzada del incisivo central superior.

En el maxilar superior se utilizó:
- Arco de .016" NiTi con muelle comprimido (fig. 15-25A).
- Arco de .016" NiTi sin muelle comprimido (fig. 15-26).
- Arco de .0175" x .0175" TMA.
- Arco de .016" x .022" SS (fig. 15-27A).
- Arco de .016" SS.

En el maxilar inferior se utilizó:
- Arco de .016" NiTi (fig. 15-25B). Obsérvese los build-ups molares.
- Arco de .0175" x .0175" TMA.
- Arco de .016" x .022" SS (fig. 15-27B).
- Arco de .016" SS.

Para facilitar la corrección se utilizaron build-ups molares para elevar la dimensión vertical y se indicaron elásticos de clase III utilizando botones vestibulares de porcelana (figs. 15-28A, B y C). Simultáneamente con los elásticos de la Clase III se indicó el uso de un elástico vestibular de canino a canino inferior.

El tiempo de tratamiento fue de 13 meses.

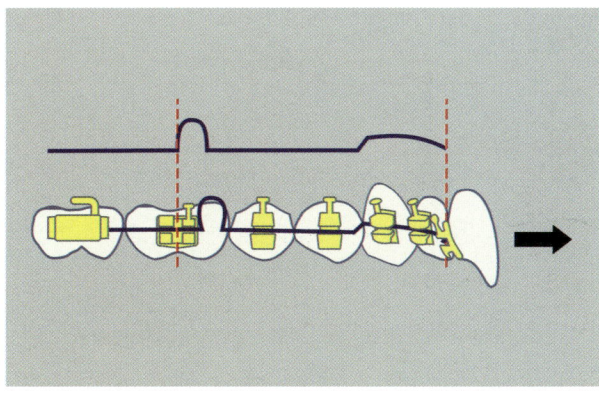

Fig. 15-05 Esquema de la técnica de protrusión con omega distal. El omega debe terminar 2 mm por distal del extremo mesial del tubo molar cuando está pasiva. Al ligar el arco se activa el omega protruyendo los incisivos

Técnica del arco con distancia inter in-sets aumentada

Cuando se presentan apiñamientos en la zona de canino a canino, y está indicada la corrección con protrusión, se puede utilizar la técnica del arco con distancia inter-insets aumentada (fig. 15-30 y 15-31).

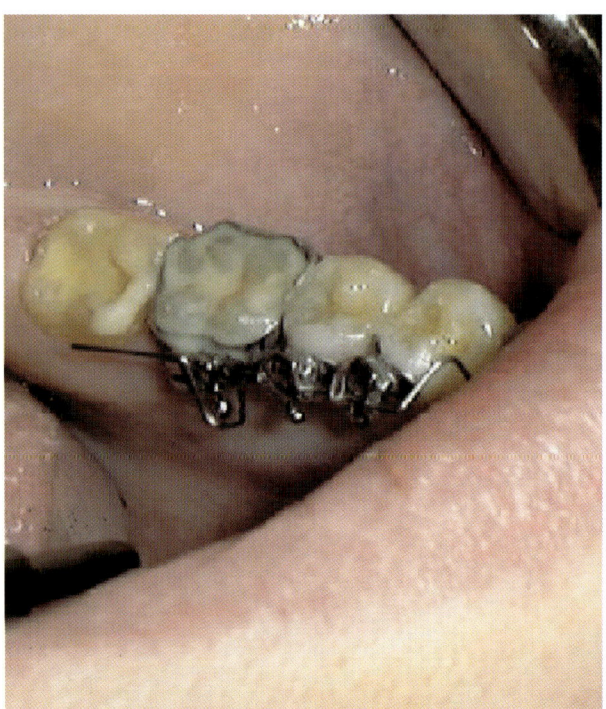

Fig. 15-06A Técnica de protrusión con omega distal. Se observa que el extremo distal de omega queda 2mm por detrás del extremo mesial del tubo molar cuando está pasivo

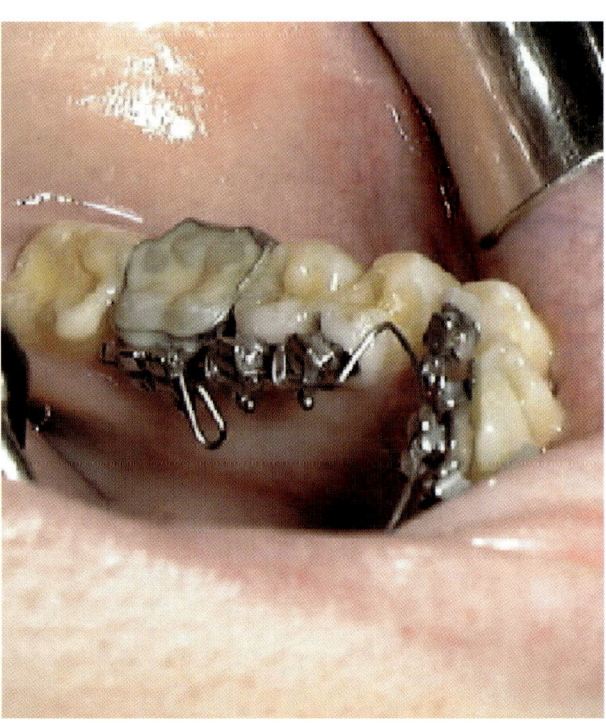

Fig. 15-06B Obsérvese el omega activado por mesial del tubo molar. El omega se debe construir con inclinación mesial para que se pueda ligar disminuyendo su acción, en caso de que el paciente no soporte la presión inicial

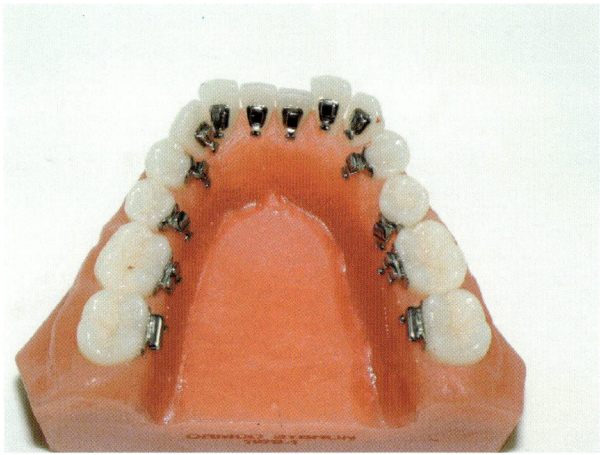

Fig. 15-07 Confección del arco de protrusión con omega distal 1: Tipodonto inferior para la realización del arco de protrusión

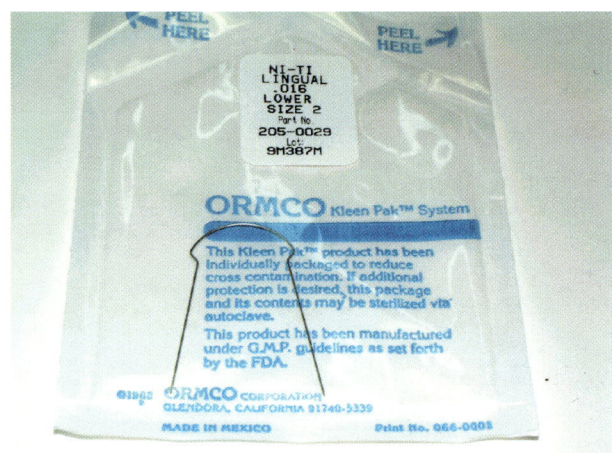

Fig. 15-08 Confección del arco de protrusión con omega distal 2: Arco de .016" NiTi para la confección del arco de protrusión

Secuencia biomecánica de arcos

1. Alineación, Nivelación, Rotaciones (ANR) con protrusión
- .016" NiTi con omega de protrusión
- .016" TMA con omega de protrusión ó
- .017" x .017" NiTi Copper con distancia inter insets distocaninos aumentada

2. Establecimiento del torque
- .0175" x .0175" TMA
- .017" x .017" NiTi Copper
  Ligadura en "8" de canino a canino
  Con cierre distal (omega o hook y doblez distal).
  El arco de TMA debe tener curvas de compensación sagital y horizontal.

3. Establecer forma de arcada, elásticos intermaxilares (clase II, clase III)
- .016" x .022" SS
  Ligadura en "8" de ferulización de canino a canino

Capítulo 15

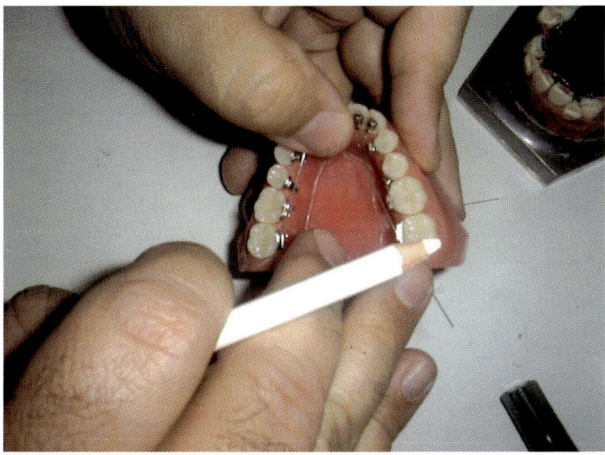

Fig. 15-09 Confección del arco de protrusión con omega distal 3: Probando el ajuste de los insets disto-caninos

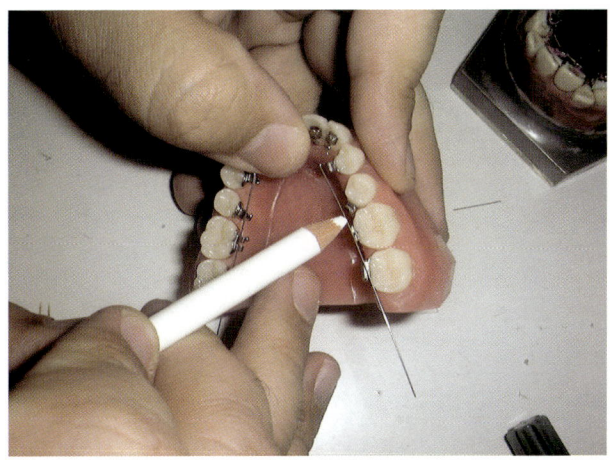

Fig. 15-10 Confección del arco de protrusión con omega distal 4: Se hace una marca en el arco a mesial del bracket molar para hacer el omega

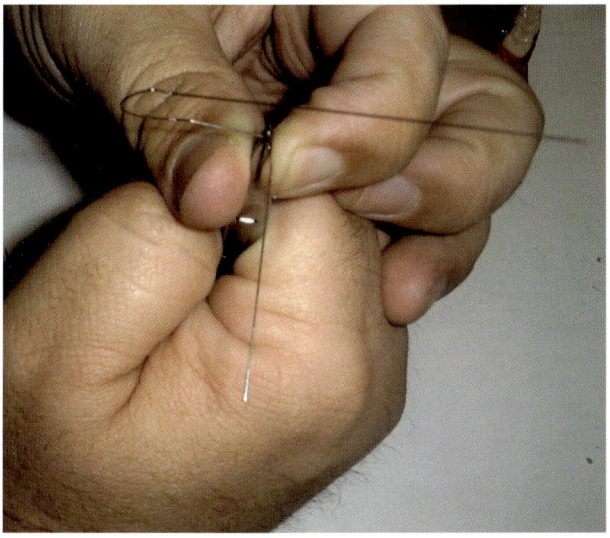

Fig. 15-11 Confección del arco de protrusión con omega distal 5: Doblez hacia gingival para iniciar el omega

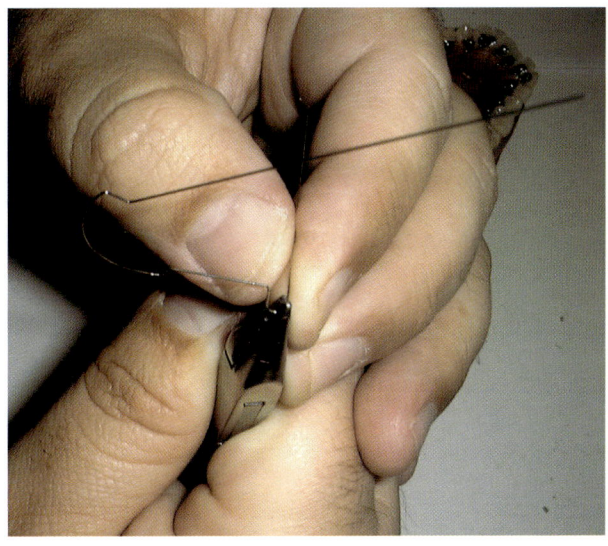

Fig. 15-12 Confección del arco de protrusión con omega distal 6: Conformando la curva del omega

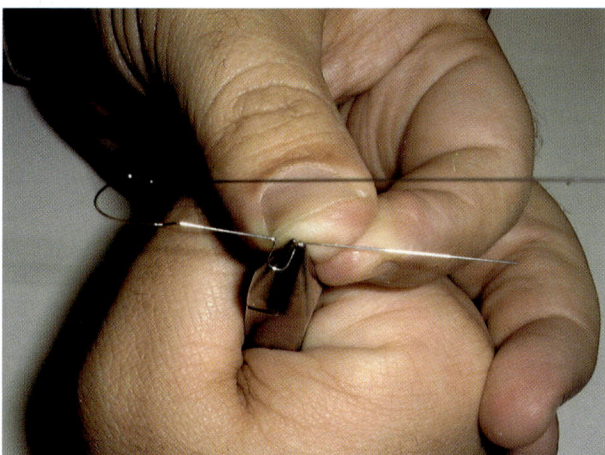

Fig. 15-13 Confección del arco de protrusión con omega distal 7: Terminación del omega hacia distal

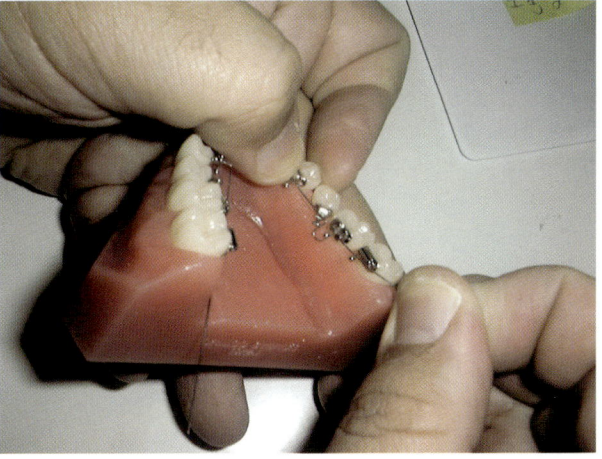

Fig. 15-14 Confección del arco de protrusión con omega distal 8: Probando que el omega termine 2 mm por distal del extremo mesial del bracket molar

Casos sin extracciones. Protrusión

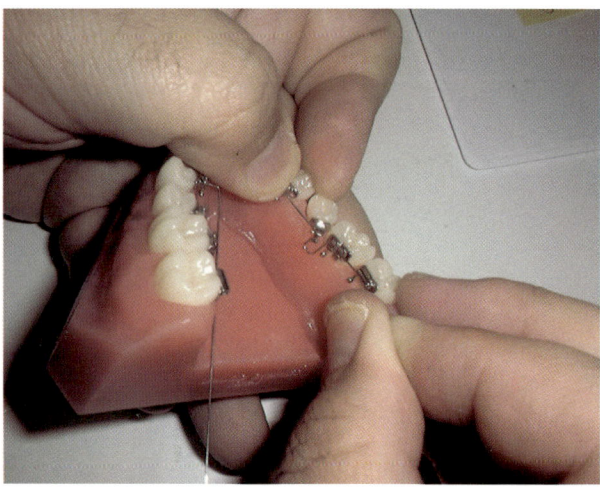

Fig. 15-15　Confección del arco de protrusión con omega distal 9: Ubicando el omega a mesial del bracket molar

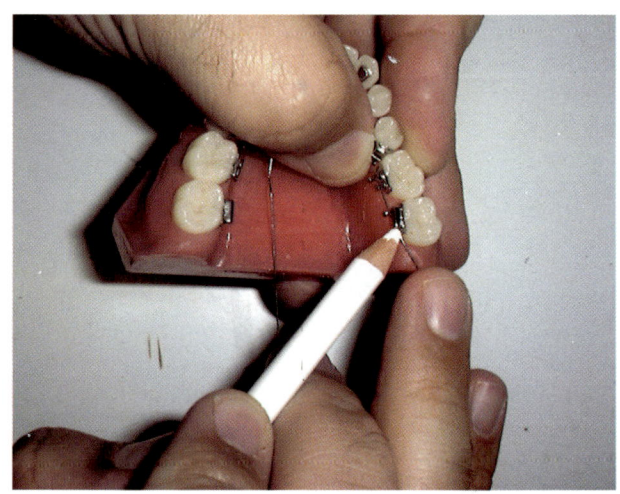

Fig. 15-16　Confección del arco de protrusión con omega distal 10: Con el omega a mesial del bracket molar, hacer una marca a distal del tubo del segundo molar

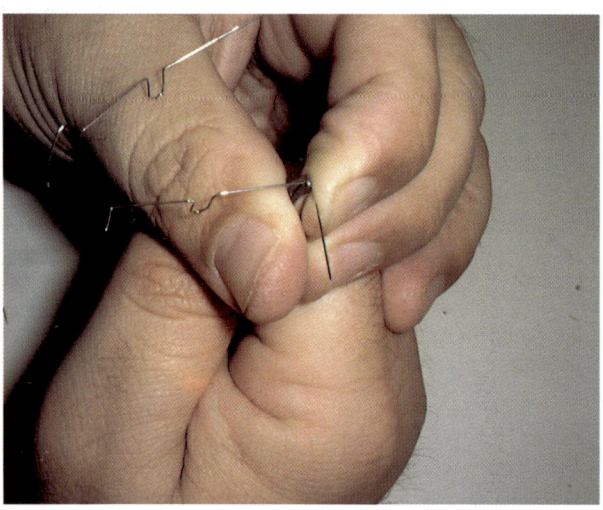

Fig. 15-17　Confección del arco de protrusión con omega distal 11: Hacer el doblez distal hacia vestibular y cortar a 1,5 mm

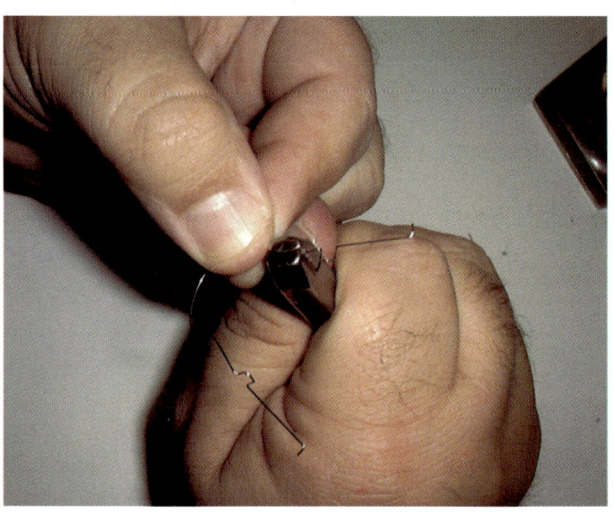

Fig. 15-18　Confección del arco de protrusión con omega distal 12: Conformando la curva de compensación horizontal con el alicate de la Rosa

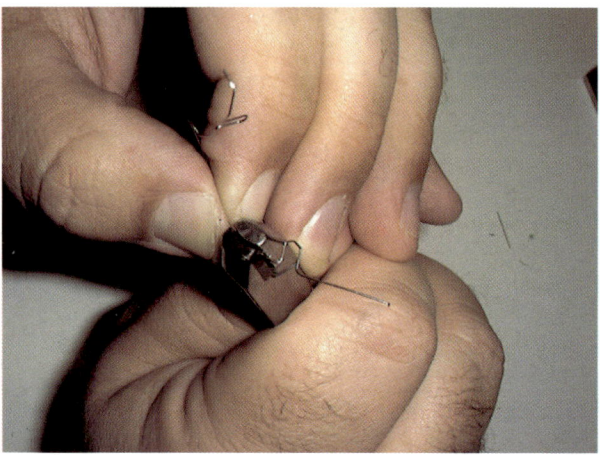

Fig. 15-19　Confección del arco de protrusión con omega distal 13: Conformando la curva de compensación sagital con el alicate de la Rosa

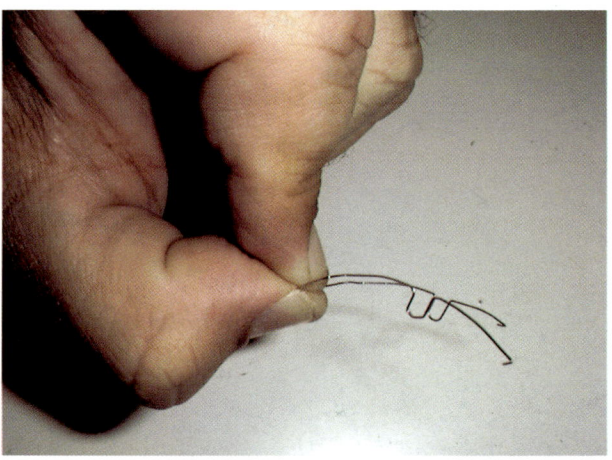

Fig. 15-20　Confección del arco de protrusión con omega distal 14: Arco terminado, vista lateral. Obsérvese la curva de compensación sagital

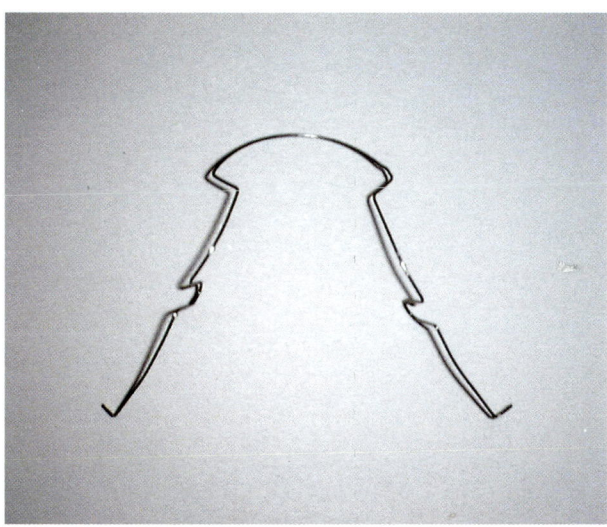

Fig. 15-21 Confección del arco de protrusión con omega distal 15: Arco terminado, vista oclusal. Obsérvese la curva de compensación horizontal (toe-out)

SECUENCIA BIOMECÁNICA DE ARCOS

1. Alineación, Nivelación, Rotaciones (ANR) con protrusión
   - .016" NiTi con omega de protrusión
   - .016" TMA con omega de protrusión o
   - .017" x .017" NiTi Copper con distancia inter insets distocaninos aumentada
2. Establecimiento del torque
   - .0175" x .0175" TMA
   - .017" x .017" NiTi Copper
   Ligadura en "8" de canino a canino
   Con cierre distal (omega o hook y doblez distal).
   El arco de TMA debe tener curvas de compensación sagital y horizontal.
3. Establecer forma de arcada, elásticos intermaxilares (clase II, clase III)
   - .016" x .022" SS
   Ligadura en "8" de ferulización de canino a canino
   Con cierre distal (omega o hook y doblez distal) y curvas de compensación sagital y horizontal.
4. Arco de terminación
   - .016" SS
   Con compensaciones de 1er y 2do' orden y con cierre distal (omega o hook y doblez distal) y curvas de compensación sagital y horizontal.

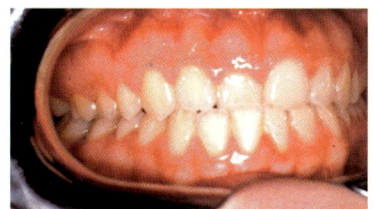 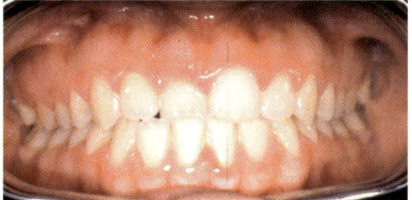 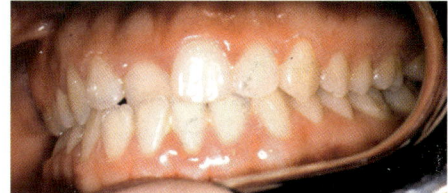

Fig. 15-22 A: Caso # 1 – Paciente que presenta Clase III con mordida cruzada del incisivo central superior derecho. Vista intraoral derecha; B: Caso # 1 – Paciente que presenta Clase III con mordida cruzada del incisivo central superior derecho. Vista intraoral central; C: Caso # 1 – Paciente que presenta Clase III con mordida cruzada del incisivo central superior derecho. Vista intraoral izquierda

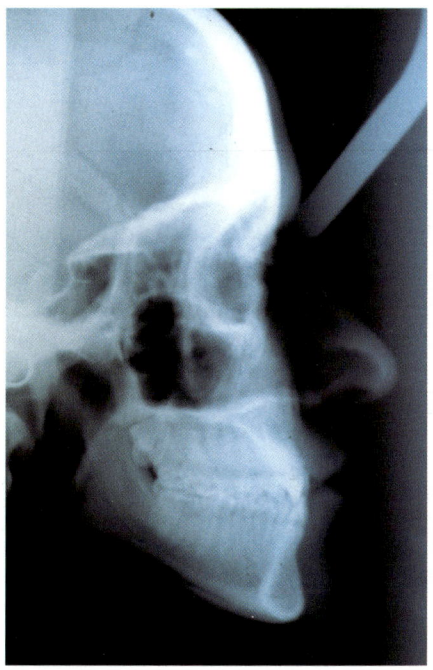

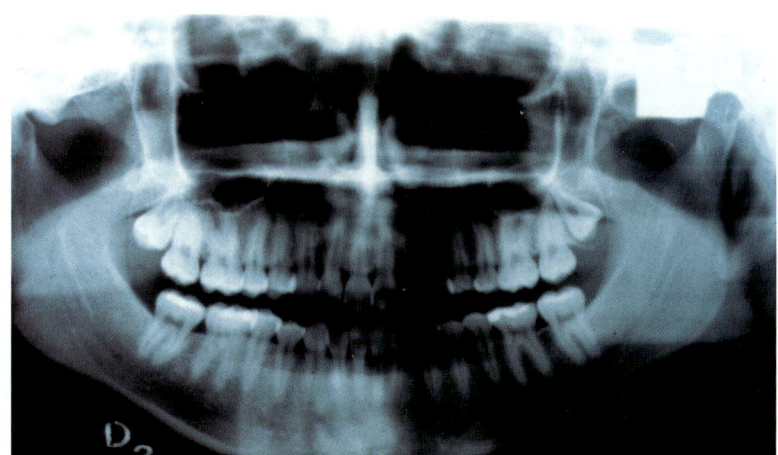

Fig. 15-23 Caso # 1 – Teleradiografía inicial

Fig. 15-24 Caso # 1 – Ortopantomografía inicial

Casos sin extracciones. Protrusión

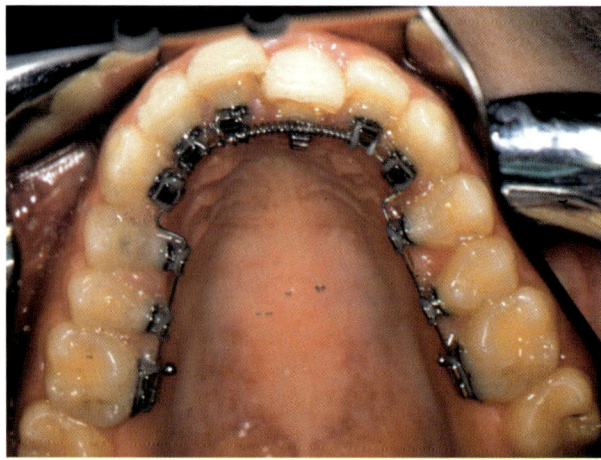

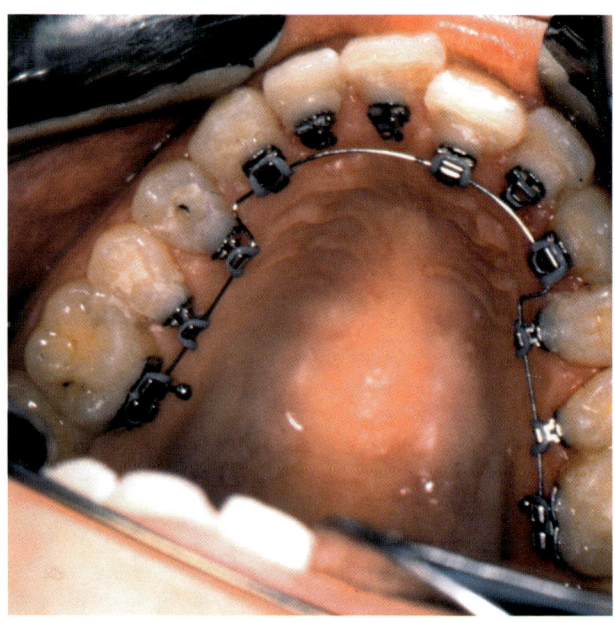

Fig. 15-25 A: Caso # 1 – Utilización de un coil-spring para conseguir el espacio para el incisivo central; B: Caso # 1 – Build-ups molares en el maxilar inferior para facilitar la correción de la mordida cruzada

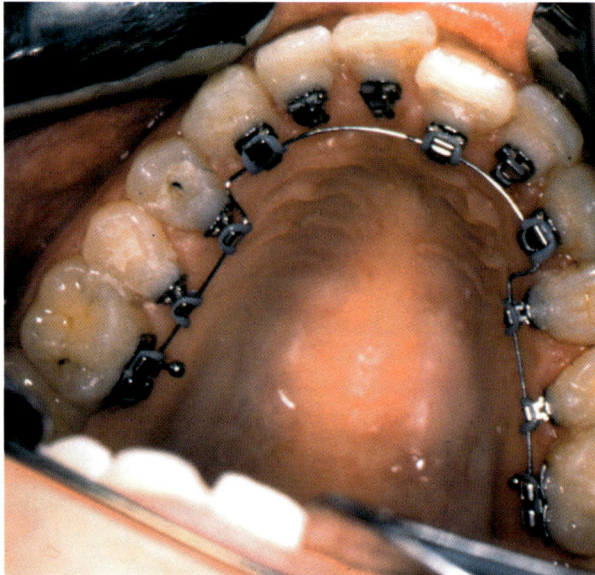

Fig. 15-26 Caso # 1 – Alineación en el maxilar superior. Al ligar el arco a todos los incisivos, se protruirá el incisivo central

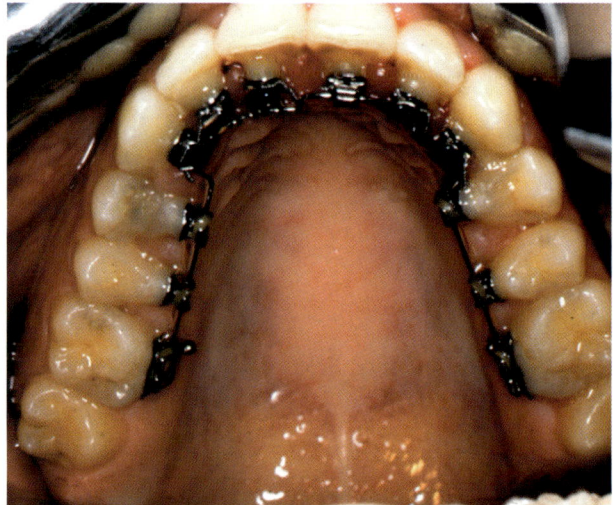

Fig. 15-27A Caso # 1 – Maxilar superior. Progreso de tratamiento

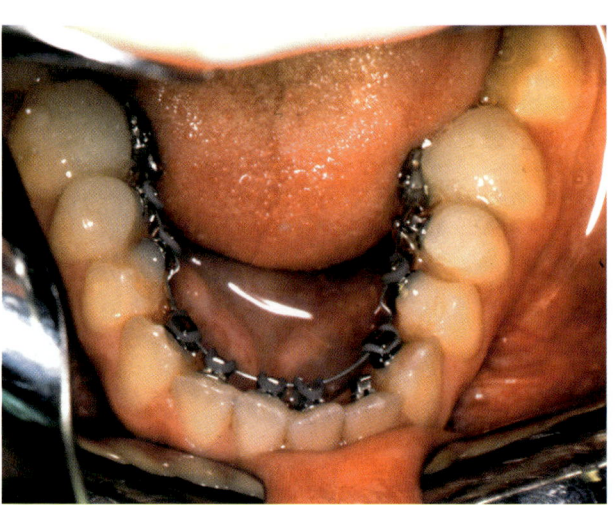

Fig. 15-27B Caso # 1 – Maxilar inferior. Progreso de tratamiento

Con cierre distal (omega o hook y doblez distal) y curvas de compensación sagital y horizontal.

4. Arco de terminación
- .016" SS

Con compensaciones de 1er y 2do orden y con cierre distal (omega o hook y doblez distal) y curvas de compensación sagital y horizontal.

Casos clínicos

Caso # 2 (figs. 15-32A a 15-43E)

Paciente masculino de 25 años y 5 meses.

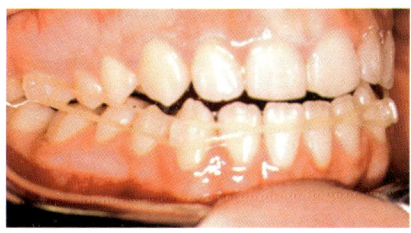 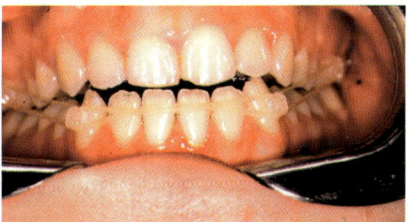 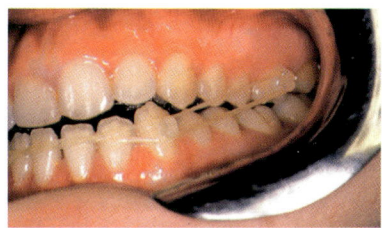

Fig. 15-28 A: Caso # 1 – Utilización del elástico de Clase III con botones vestibulares de porcelana en combinación con un elástico vestibular de canino a canino inferior. Vista intraoral, derecha; B: Caso # 1 – Utilización del elástico de Clase III con botones vestibulares de porcelana en combinación con un elástico vestibular de canino a canino inferior. Vista intraoral, central. C: Caso # 1 – Utilización del elástico de Clase III con botones vestibulares de porcelana en combinación con un elástico vestibular de canino a canino inferior. Vista intraoral, izquierda

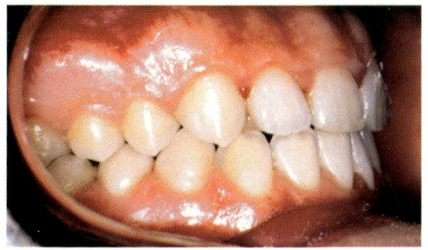 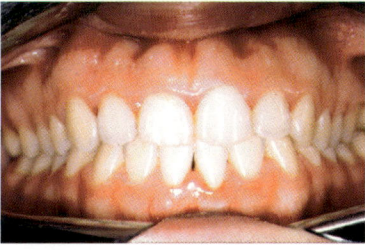 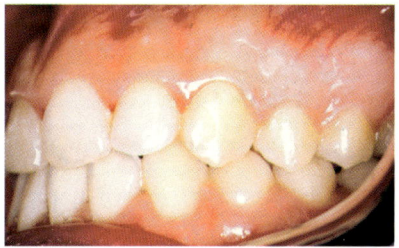

Fig. 15-29 A: Caso # 1 – Caso terminado, vista intraoral derecha; B: Caso # 1 – Caso terminado, vista intraoral central; C: Caso # 1 – Caso terminado, vista intraoral izquierda

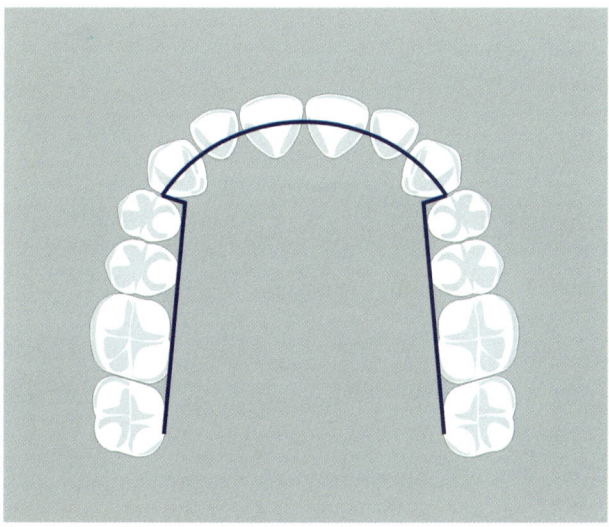

Fig. 15-30 Técnica de protrusión con arco de distancia inter-insets aumentada (arco mushroom)

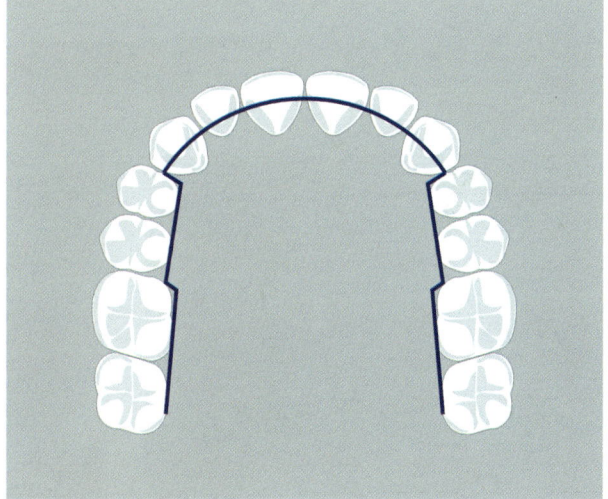

Fig. 15-31 Técnica de protrusión con arco de distancia inter-insets aumentada (arco christmas)

Caso con Clase I, con apiñamientos leves y ausencia del segundo premolar inferior izquierdo.
En el maxilar superior se utilizó:
- Arco de .016" NiTi (fig. 15-35).
- Arco de .017" x '017" Copper NiTi (fig. 15-36A).
- Arco de .0175" x .0175" TMA (fig. 15-37A).
- Arco de .016" x .022" SS (fig. 15-38A y 15-39A).
- Arco de .016" SS.

En el maxilar inferior se utilizó:
- Arco de .016" NiTi (fig. 15-36B).
- Arco de .0175" x .0175" TMA (figs. 15-37B y 15-38B).
- Arco de .016" x .022" SS(fig. 15-39B).
- Arco de .016" SS.

El tiempo total de tratamiento fue de 17 meses.
En las figuras 15-40A a 15-43E se puede ver el caso terminado con el implante del segundo premolar inferior antes y después de la corona de ese diente.

Caso # 3 (figs. 15-44A a 15-54)

Paciente femenino de 22 años y 3 meses.
Caso con Clase I, con apiñamientos leves.

Casos sin extracciones. Protrusión

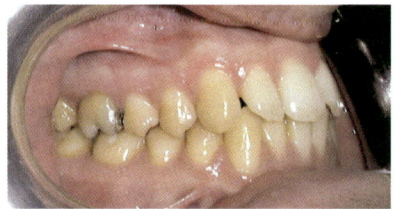 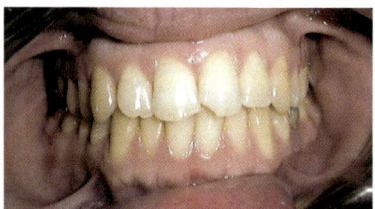 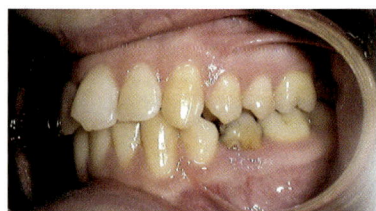

Fig. 15-32 A: Caso #2 – Caso de Clase I con apiñamientos y ausencia de segundo premolar inferior izquierdo. Fotografías iniciales. Vista intraoral derecha; B: Caso #2 – Caso de Clase I con apiñamientos y ausencia de segundo premolar inferior izquierdo. Fotografías iniciales. Vista intraoral central; C: Caso #2 – Caso de Clase I con apiñamientos y ausencia de segundo premolar inferior izquierdo. Fotografías iniciales. Vista intraoral izquierda

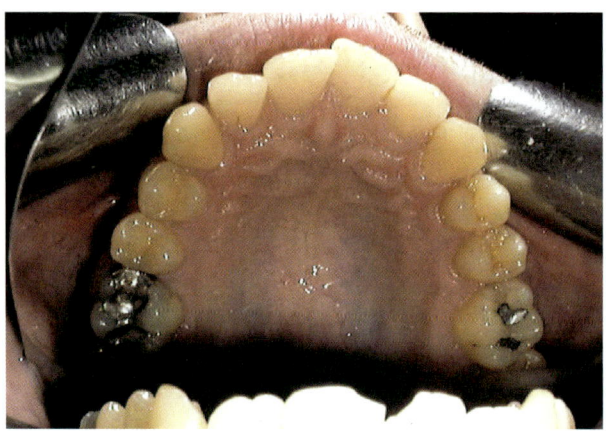

Fig. 15-32D Caso #2 – Caso de Clase I con apiñamientos y ausencia de segundo premolar inferior izquierdo. Fotografías iniciales. Vista oclusal superior

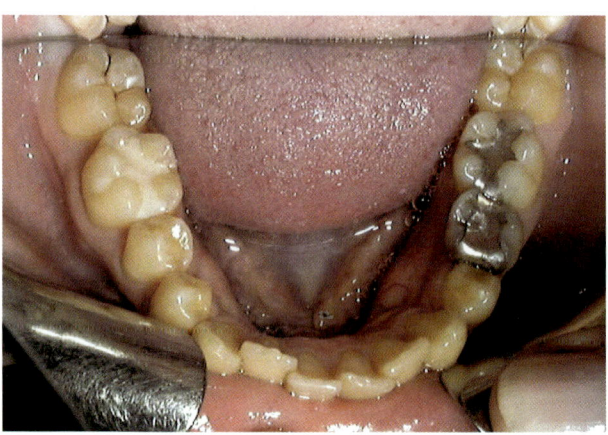

Fig. 15-32E Caso #2 – Caso de Clase I con apiñamientos y ausencia de segundo premolar inferior izquierdo. Fotografías iniciales. Vista oclusal inferior

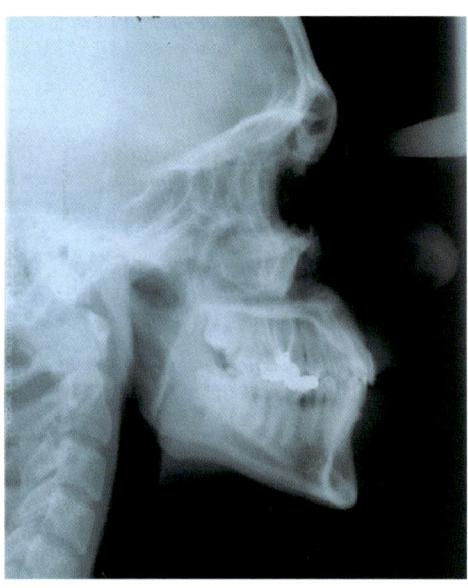

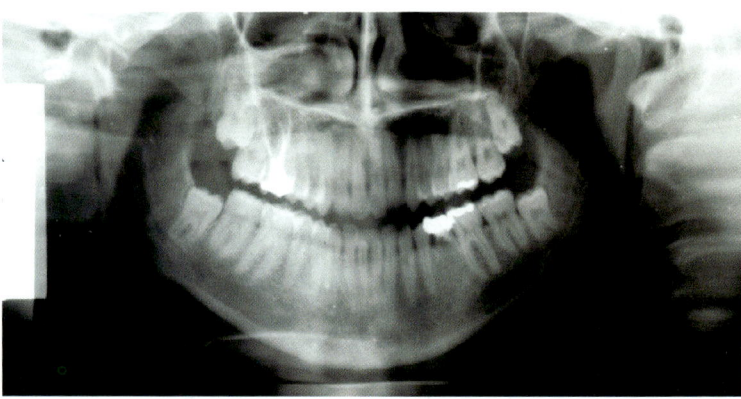

Fig. 15-33 Caso #2 – Teleradiografía inicial

Fig. 15-34 Caso #2 – Ortopantomografía

Tratado con brackets linguales Kurz 7ª en el maxilar superior y brackets de porcelana .018" Roth en el maxilar inferior.
En el maxilar superior se utilizó:
- Arco de .016" NiTi (fig. 15-47A).
- Arco de .017" x .017" Copper NiTi (fig. 15-48A).
- Arco de .0175" x .0175" TMA (fig. 15-49A).
- Arco de .016" x .022" SS.

- Arco de .016" SS con dobleces de terminación de primer orden (figs. 15-50A y 15-51).

En el maxilar inferior se utilizó:
- Arco de .016" NiTi estético (fig. 15-47B y 15-48B).
- Arco de .016" x .022" NiTi (fig. 49B).
- Arco de .017" x .025" SS (fig. 15-50B).

El tiempo total de tratamiento fue de 16 meses.

Capítulo 15

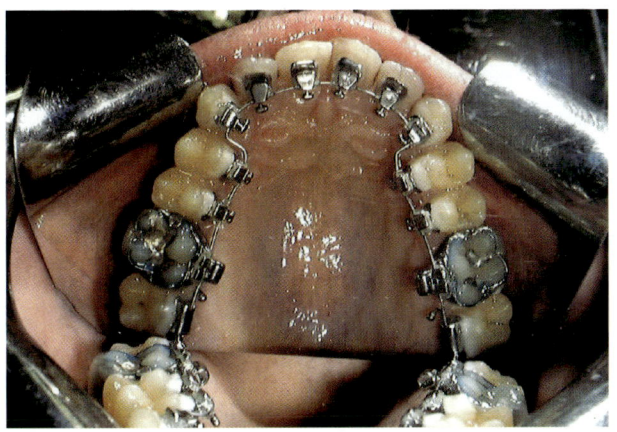

Fig. 15-35 Caso #2 – Tratamiento maxilar superior: arco de .016" NiTi

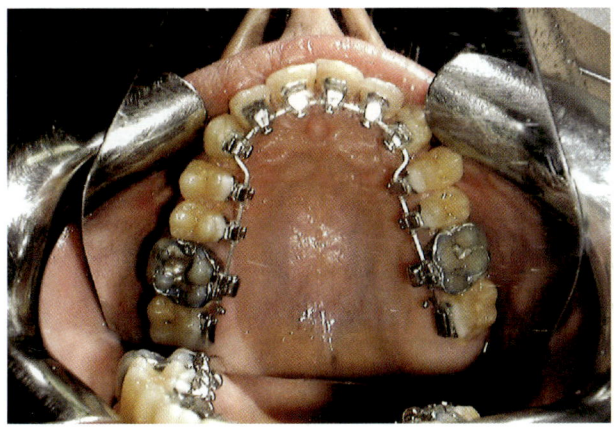

Fig. 15-36A Caso #2 – Tratamiento maxilar superior: arco de .017" x .017" Copper NiTi

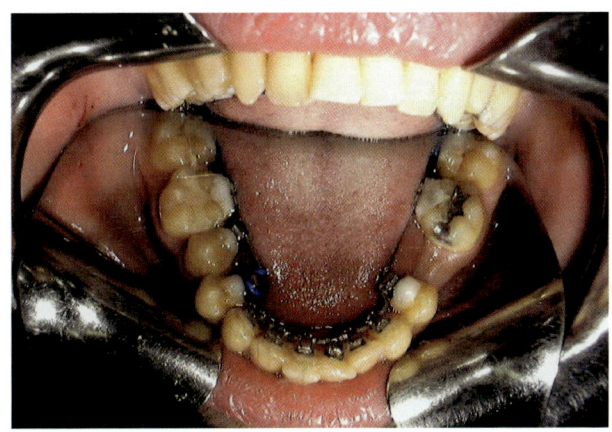

Fig. 15-36B Caso #2 – Tratamiento maxilar inferior: arco de .016" NiTi

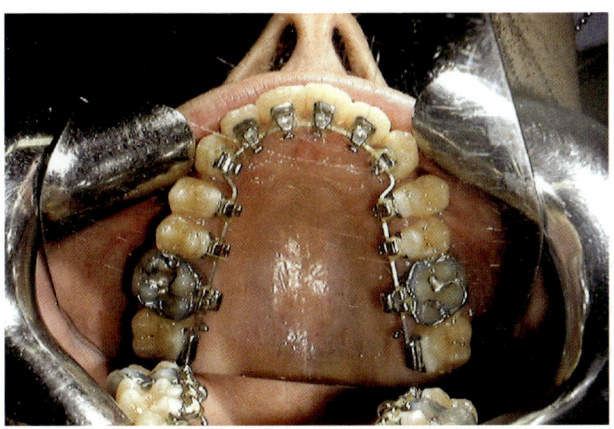

Fig. 15-37A Caso #2 – Tratamiento maxilar superior: arco de .0175" x .0175" TMA

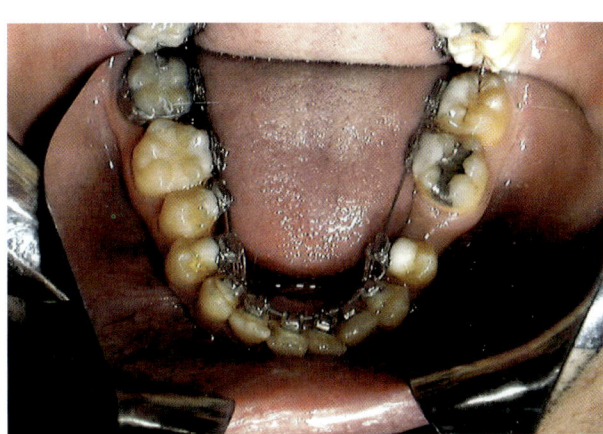

Fig. 15-37B Caso #2 – Tratamiento maxilar inferior: arco de .0175" x .0175" TMA

Casos sin extracciones. Protrusión

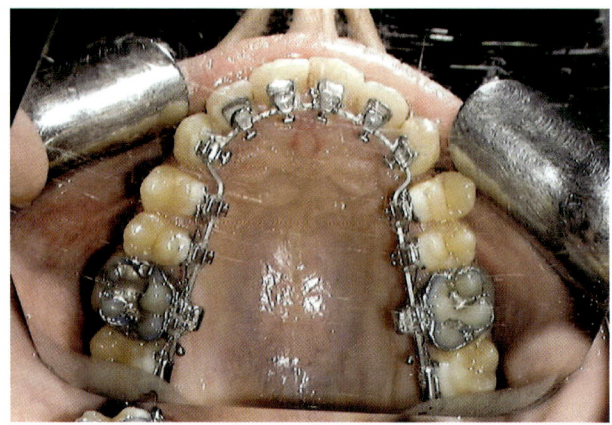

Fig. 15-38A Caso #2 – Tratamiento maxilar superior; arco de .016" x .022" SS

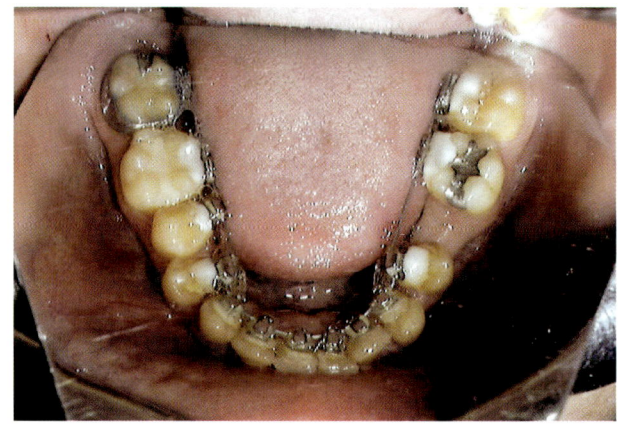

Fig. 15-38B Caso #2 – Tratamiento maxilar inferior: arco de .0175" x .0175" TMA

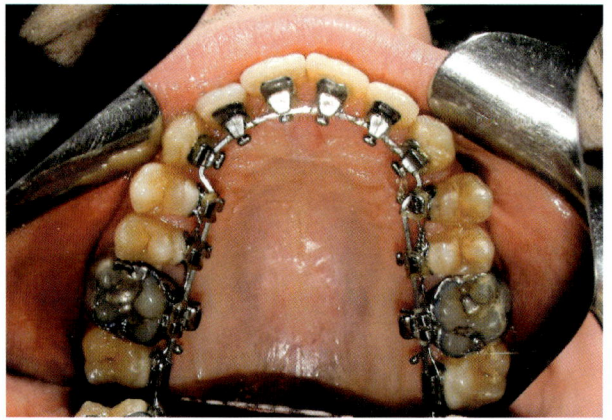

Fig. 15-39A Caso #2 – Tratamiento maxilar superior; arco de .016" x .022" SS

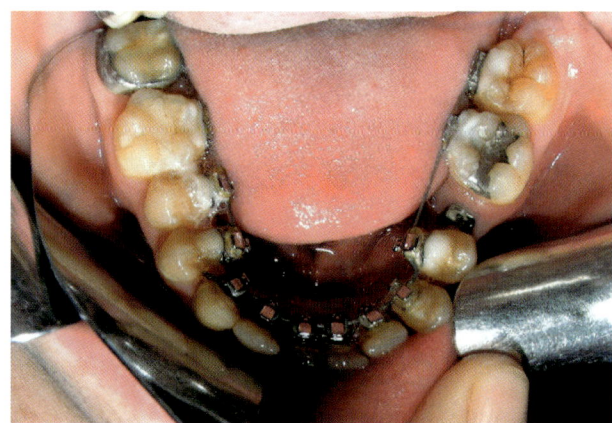

Fig. 15-39B Caso #2 – Tratamiento maxilar inferior; arco de .016" x .022" SS

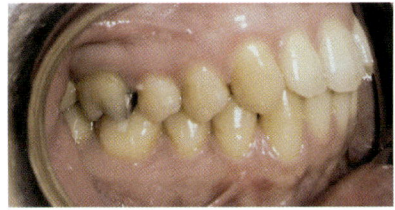 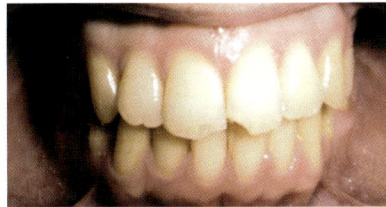 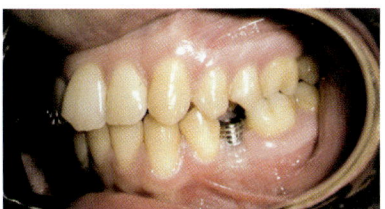

Fig. 15-40A   Caso #2 – Caso terminado con el implante del segundo premolar inferior izquierdo antes de la corona. Vista intraoral derecha; B: Caso #2 - Caso terminado con el implante del segundo premolar inferior izquierdo antes de la corona. Vista intraoral central; C: Caso #2 – Caso terminado con el implante del segundo premolar inferior izquierdo antes de la corona. Vista intraoral izquierda

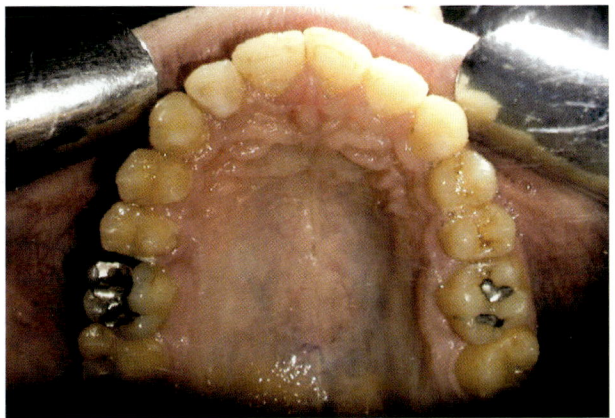

Fig. 15-40D   Caso #2 – Caso terminado con el implante del segundo premolar inferior izquierdo antes de la corona. Vista oclusal superior

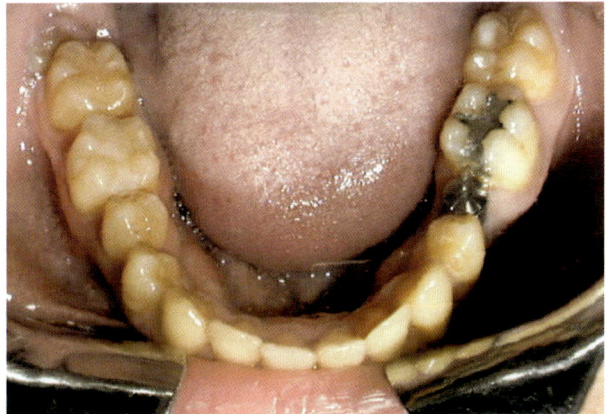

Fig. 15-40E   Caso #2 – Caso terminado con el implante del segundo premolar inferior izquierdo antes de la corona. Vista oclusal inferior

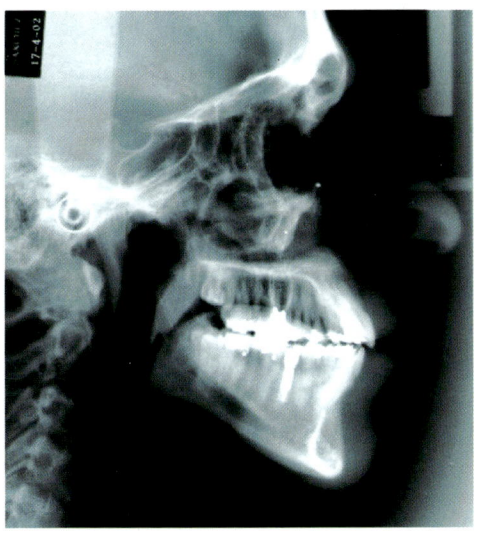 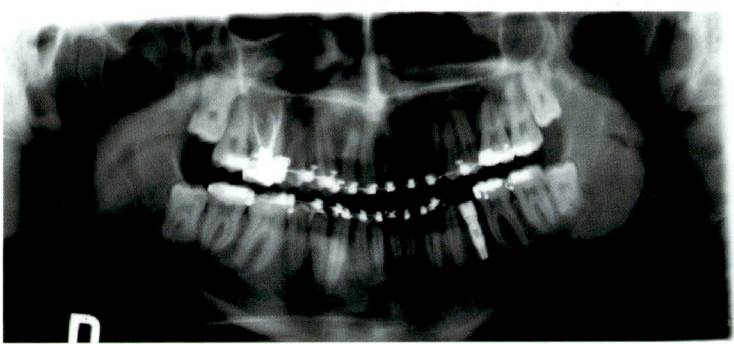

Fig. 15-41   Caso #2 – Teleradiografía final con implante

Fig. 15-42   Caso #2 – Ortopantomografía final con implante

Casos sin extracciones. Protrusión

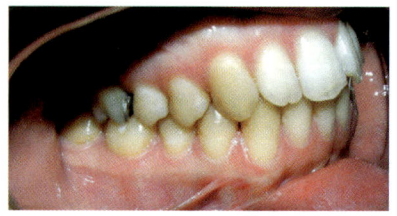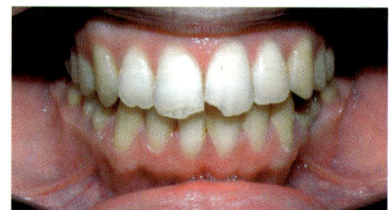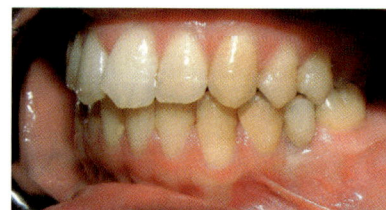

Fig. 15-43A Caso #2 – Caso terminado con la corona del segundo premolar inferior izquierdo. Vista intraoral derecha; B: Caso #2 – Caso terminado con la corona del segundo premolar inferior izquierdo. Vista intraoral central; C: Caso #2 – Caso terminado con la corona del segundo premolar inferior izquierdo. Vista intraoral izquierda

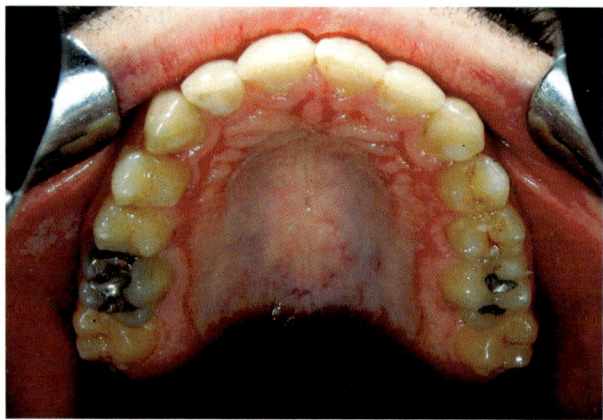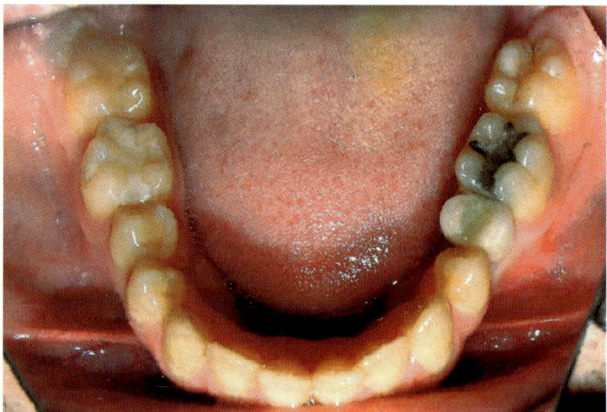

Fig. 15-43D Caso #2 – Caso terminado con la corona del segundo premolar inferior izquierdo. Vista oclusal superior

Fig. 15-43E Caso #2 – Caso terminado con la corona del segundo premolar inferior izquierdo. Vista oclusal inferior

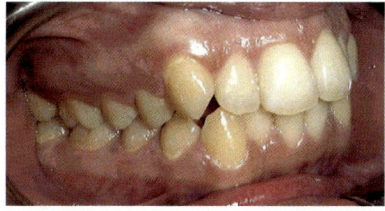 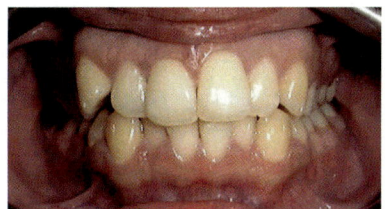 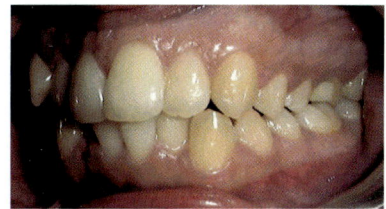

Fig. 15-44A Caso #3 – Caso de Clase I con apiñamientos. Vista intraoral derecha; B: Caso #3 – Caso de Clase I con apiñamientos. Vista intraoral central; C: Caso #3 – Caso de Clase I con apiñamientos. Vista intraoral izquierda

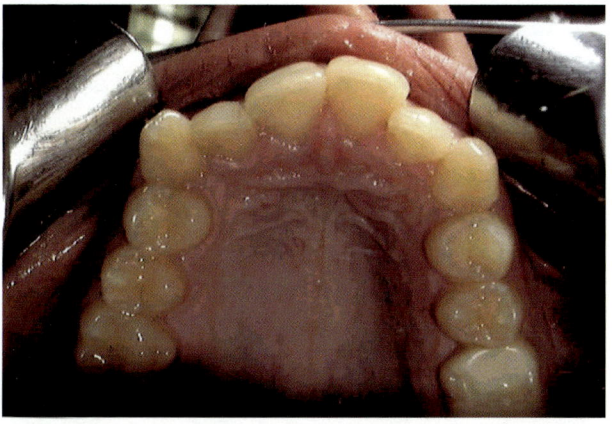

Fig. 15-44D Caso #3 – Caso de Clase I con apiñamientos. Vista oclusal superior

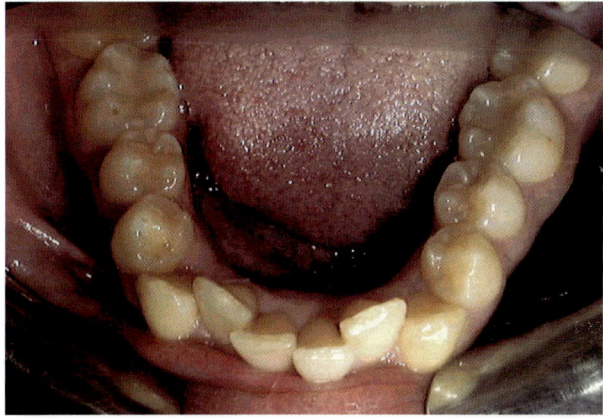

Fig. 15-44E Caso #3 – Caso de Clase I con apiñamientos. Vista oclusal inferior

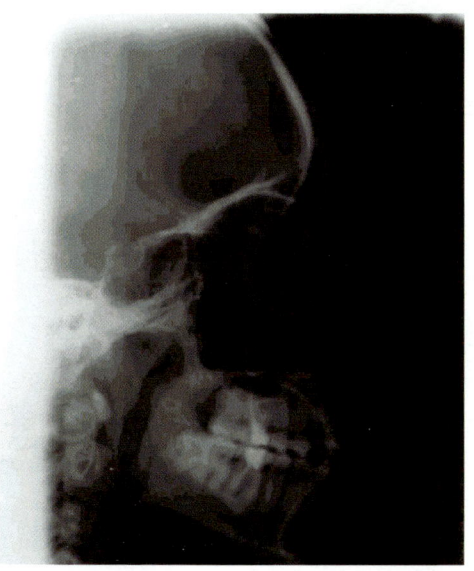 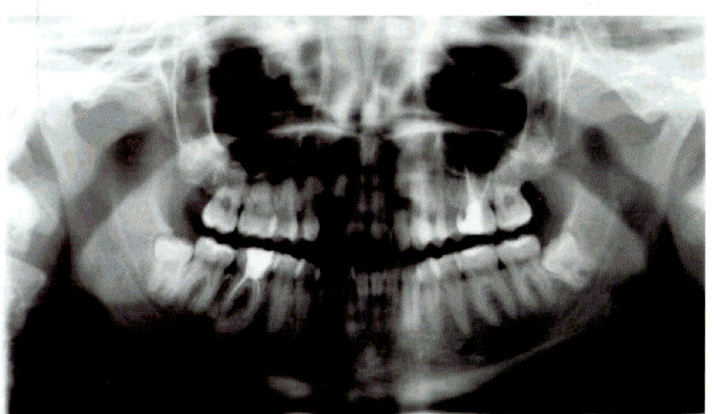

Fig. 15-45 Caso #3 – Teleradiografía inicial

Fig. 15-46 Caso #3 – Ortopantomografía inicial

Casos sin extracciones. Protrusión

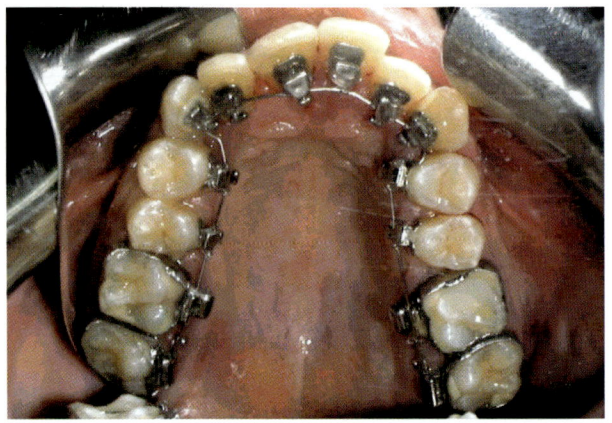

Fig. 15-47A Caso #3 – Tratamiento maxilar superior: arco de .016" NiTi

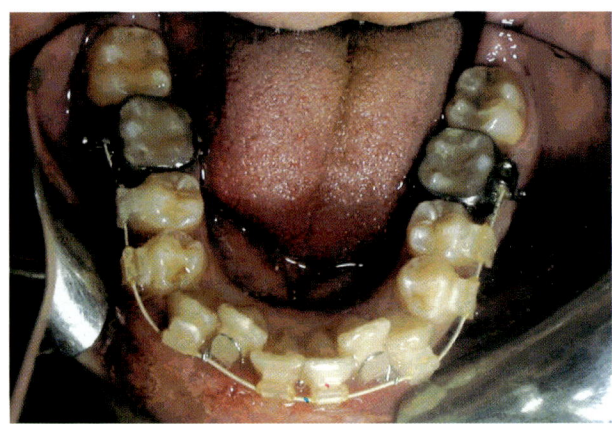

Fig. 15-47B Caso #3 – Tratamiento maxilar inferior: arco .016" NiTi estético

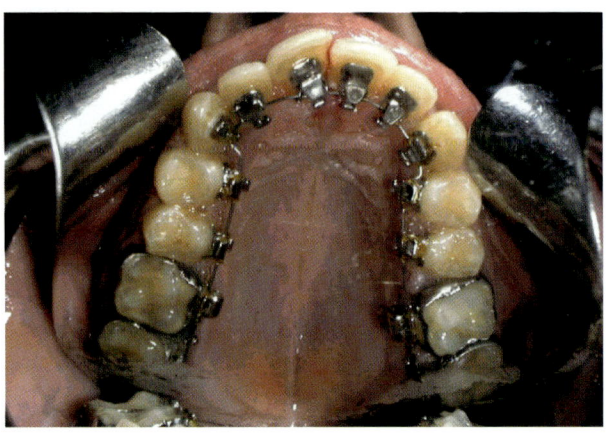

Fig. 15-48A Caso #3 – Tratamiento maxilar superior: arco .017" x .017" Copper NiTi

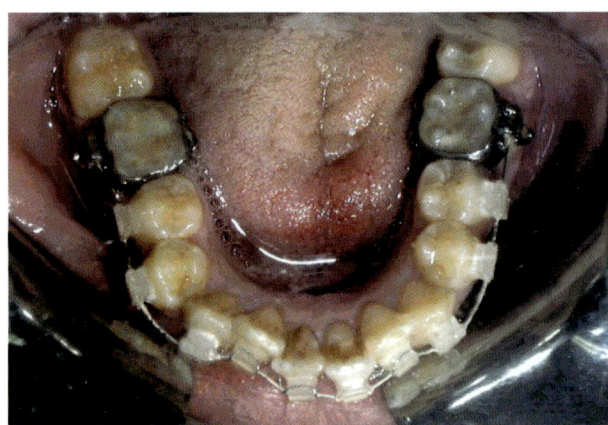

Fig. 15-48B Caso #3 – Tratamiento maxilar inferior: arco .016" NiTi estético

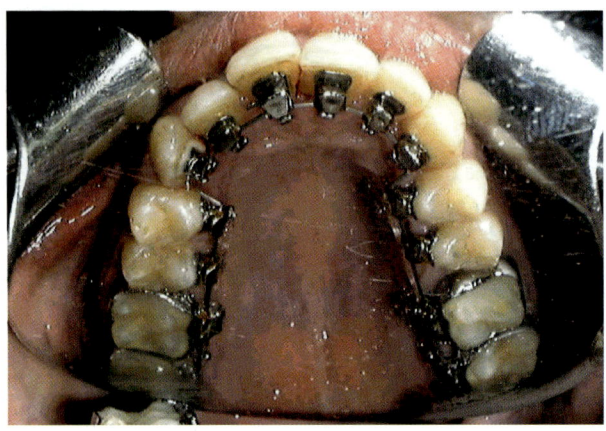

Fig. 15-49A Caso #3 – Tratamiento maxilar superior: arco .0175" x .0175" TMA

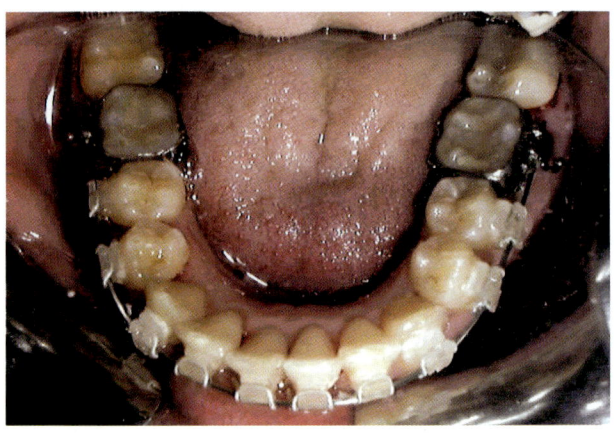

Fig. 15-49B Caso #3 – Tratamiento maxilar inferior: arco .016" x .022" NiTi

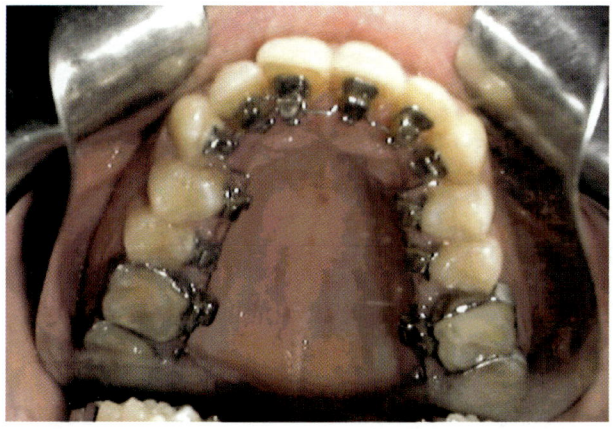

Fig. 15-50A Caso #3 – Tratamiento maxilar superior: terminación con arco .016" SS con dobleces de primer orden

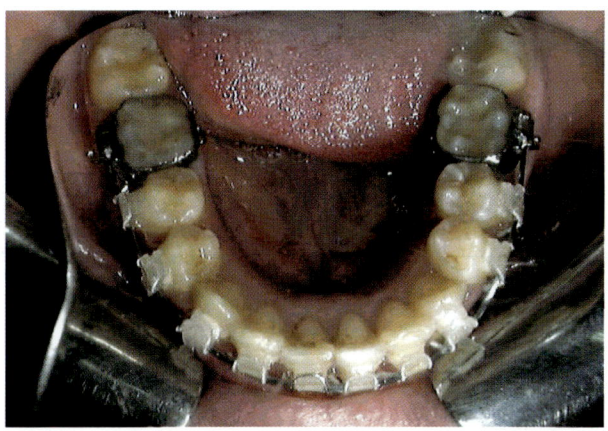

Fig. 15-50B Caso #3 – Tratamiento maxilar inferior: arco .017" x .025" SS

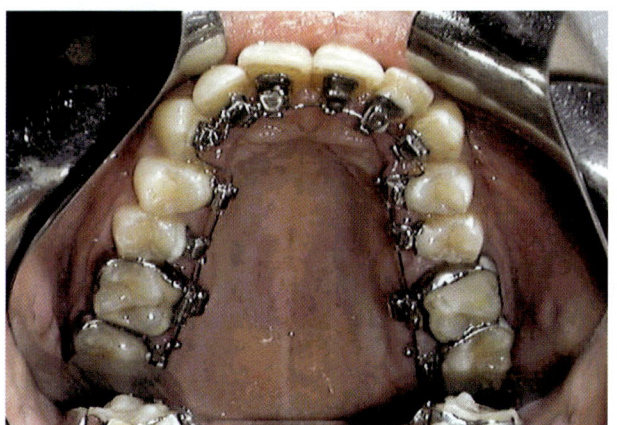

Fig. 15-51 Caso #3 – Tratamiento maxilar superior: terminación con arco .016" SS con dobleces de primer orden

Casos sin extracciones. Protrusión

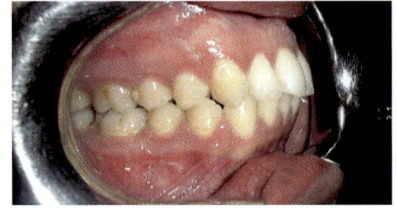 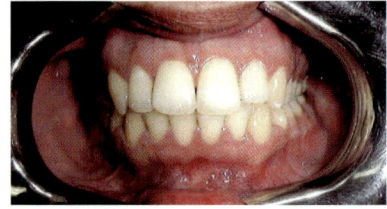 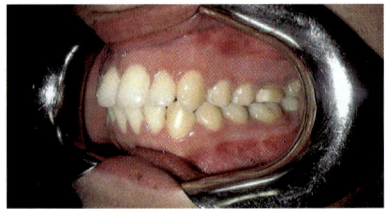

Fig. 15-52A Caso #3 – Caso terminado. Vista intraoral derecha; B: Caso #3 – Caso terminado. Vista intraoral central; C: Caso #3 – Caso terminado. Vista intraoral izquierda

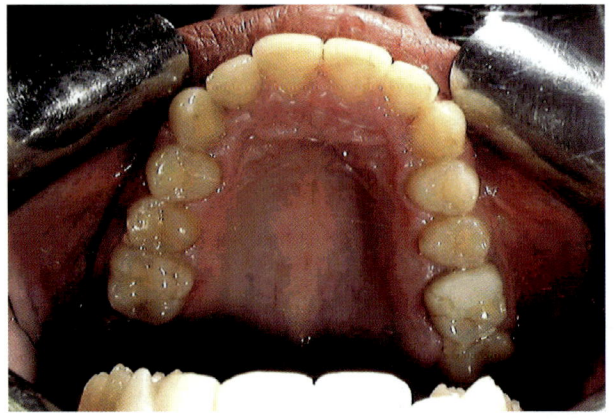

Fig. 15-52D Caso #3 – Caso terminado. Vista oclusal superior

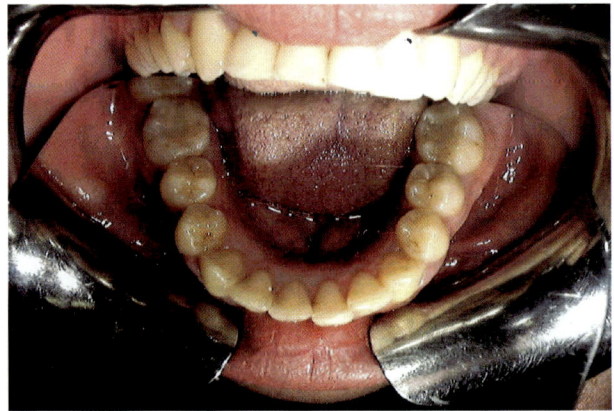

Fig. 15-52E Caso #3 – Caso terminado. Vista oclusal inferior

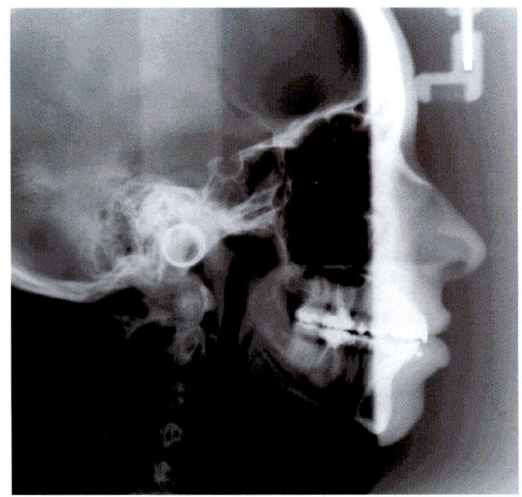

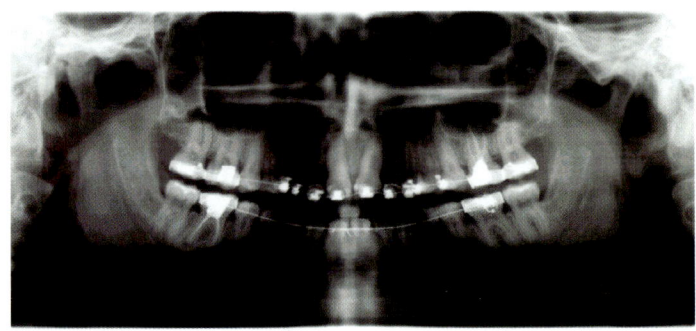

Fig. 15-53 Caso #3 – Teleradiografía final

Fig. 15-54 Caso #3 – Ortopantomografía final

Casos sin extracciones. Distalización

16

- Introducción 287
  - Terceros molares 287
  - Tipo facial 289
  - Inclinación de los primeros y segundos molares 289
- Distalización 289
  - Indicaciones 289
  - Contraindicaciones 289
- Péndulo 289
  - Construcción 289
  - Activación 290
  - Protocolo de tratamiento 293
  - Anclaje 295
  - Caso clínico 296
- Péndulo F 297
- Placas de Scuzzo 297

Introducción

La distalización de molares es uno de los métodos utilizados para minimizar las extracciones en los tratamientos de ortodoncia.

Por cada milímetro que se distaliza cada molar, se obtiene un milímetro de longitud de arcada (fig. 16-01), pero el refuerzo de anclaje es imprescindible para mantener el espacio ganado.

Hay que tener en cuenta tres factores muy importantes:
- Terceros molares.
- Tipo facial.
- Inclinación de los primeros y segundos molares.

Terceros molares

Resulta imprescindible tener en cuenta la posición de los terceros molares antes de decidir un tratamiento con distalización. Para ello se expone la siguiente clasificación creada por el Dr. Cervera:

Presión mesial normal. El tercer molar no tiene contacto con el segundo molar y tiene una dirección de posible erupción (fig. 16-02).

Presión mesial leve. El tercer molar tiene una dirección mesial pero no contacta con el segundo molar (fig. 16-03).

Presión mesial media. El tercer molar tiene una dirección mesial y contacta con el segundo molar (fig. 16-04).

Presión mesial acentuada. El tercer molar tiene una dirección mesial y contacta con el segundo molar, que además tiene una dirección mesial sin llegar a contactar con el primer molar (fig. 16-05).

Presión mesial grave. El tercer molar tiene una dirección mesial y contacta con el segundo molar, que además tiene una dirección mesial y contacta con el primer molar (fig. 16-06).

Presión mesial muy grave. El tercer molar tiene una dirección mesial y contacta con el segundo molar, que además tiene una dirección mesial y contacta con el primer molar. Además el primer molar tiene una dirección mesial bloqueando al segundo premolar (fig. 16-07).

El Dr. Ricketts determinó los siguientes sistemas para la predicción de la erupción de los terceros molares superiores e inferiores.

Predicción de la dirección de erupción de los terceros molares inferiores (fig. 16-08A)

Sobre la ortopantomografía se trazan los siguientes planos:
- Plano oclusal inferior: Se trazan dos líneas rectas desde las últimas cúspides erupcionadas en ambos lados hasta el punto de unión de los bordes incisales de los incisivos centrales derecho e izquierdo.

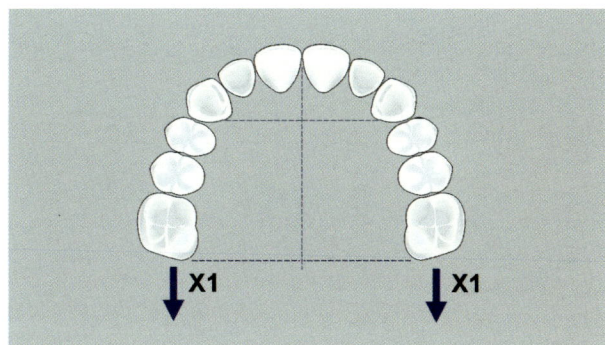

Fig. 16-01 Factor de conversión entre la distalización y la longitud alveolar. Por cada milímetro que se distaliza cada molar, se gana un milímetro de longitud alveolar

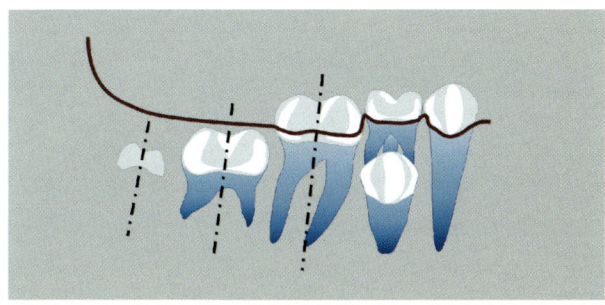

Fig. 16-02 Esquema de presión mesial normal. El tercer molar no tiene contacto con el segundo molar y tiene una dirección de posible erupción

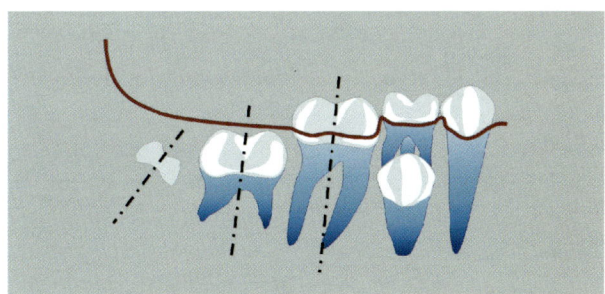

Fig. 16-03 Esquema de presión mesial leve. El tercer molar tiene una dirección mesial pero no contacta con el segundo molar

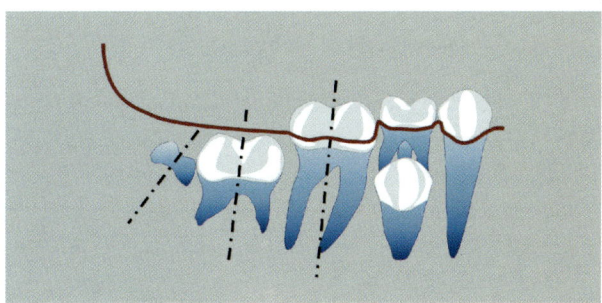

Fig. 16-04 Esquema de presión mesial media. El tercer molar tiene una dirección mesial y contacta con el segundo molar

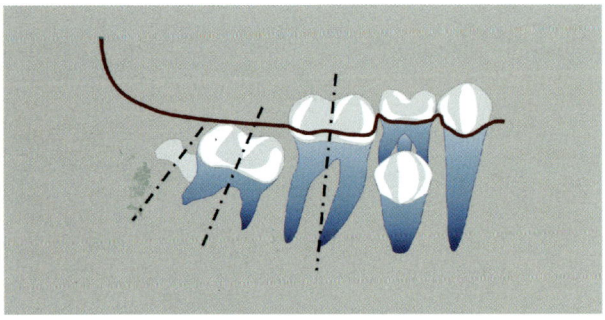

Fig. 16-05 Esquema de presión mesial acentuada. El tercer molar tiene una dirección mesial y contacta con el segundo molar, que además tiene una dirección mesial sin llegar a contactar con el primer molar

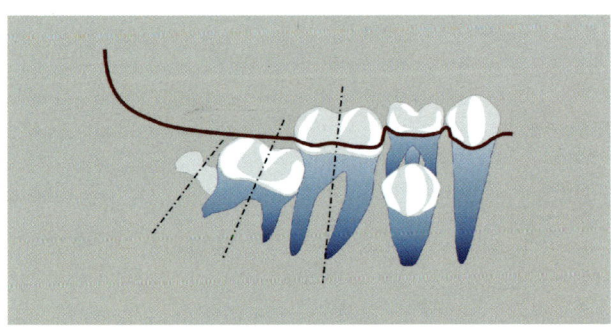

Fig. 16-06 Esquema de presión mesial grave. El tercer molar tiene una dirección mesial y contacta con el segundo molar, que además tiene una dirección mesial y contacta con el primer molar

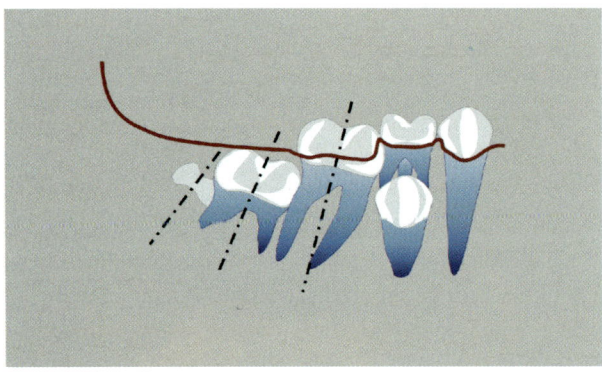

Fig. 16-07 Esquema de presión mesial muy grave. El tercer molar tiene una dirección mesial y contacta con el segundo molar, que además tiene una dirección mesial y contacta con el primer molar. Además el primer molar tiene una dirección mesial bloqueando al segundo premolar

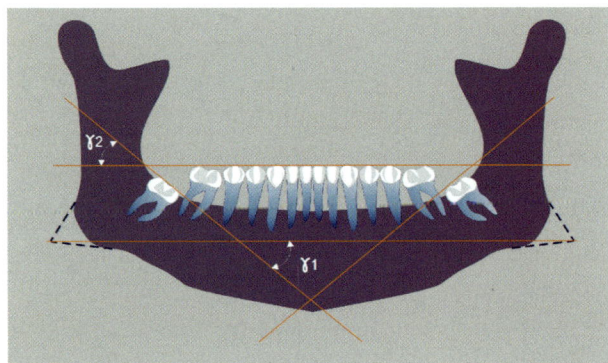

Fig. 16-08A Predicción de la dirección de erupción de los terceros molares inferiores (ver texto)

Fig. 16-08B Predicción del espacio de erupción de los terceros molares inferiores (ver texto)

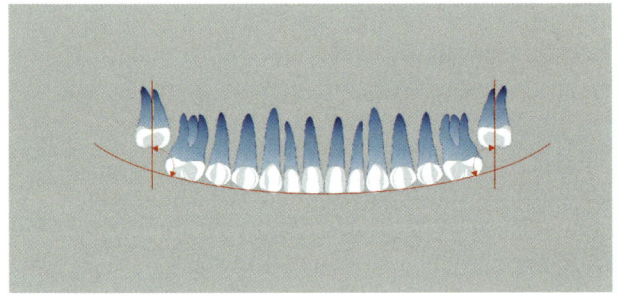

Fig. 16-08C Predicción de la dirección de erupción de los terceros molares superiores (ver texto)

- Plano bigonial: Se traza la línea recta de gonion anatómico derecho a gonion anatómico izquierdo.
- Planos oclusales de los terceros molares derecho e izquierdo: Se trazan los planos tangentes a las caras oclusales de cada uno de los terceros molares.

Ángulo gama 1: ángulo ínfero-mesial entre el plano oclusal del tercer molar y el plano bigonial.
Si este ángulo mide menos de 30° es posible la erupción del tercer molar.

Ángulo gama 2: ángulo ínfero-mesial entre el plano oclusal del tercer molar y el plano oclusal.
Si este ángulo mide menos de 30° es posible la erupción del tercer molar.

Predicción del espacio de erupción para los terceros molares inferiores (fig. 16-08B):
Se miden sobre la ortopantomografía las siguientes distancias:

- Se mide la distancia AB que es la distancia entre la intersección del borde anterior de la rama ascendente de la mandíbula y el plano oclusal, y la proyección del punto de contacto distal del segundo molar sobre el plano oclusal.
- Se mide la distancia CD desde el punto de contacto distal al punto de contacto mesial del germen del tercer molar.
- Se calcula la distancia AB'.
  AB' = AB + 1 mm por año hasta los 17 años (crecimiento del reborde alveolar por reabsorción del borde anterior de la rama ascendente) +/- la mesialización o distalización prevista de los molares.

Si la distancia CD es menor o igual que la distancia AB', el tercer molar tiene espacio de erupción. Cuanto mayor sea CD con respecto a AB', el tercer molar tiene menor espacio disponible.

Predicción de la dirección de erupción de los terceros molares superiores (fig. 16-08C)

Sobre la ortopantomografía se trazan los siguientes planos:

- plano oclusal superior: se trazan dos líneas desde las últimas cúspides erupcionadas hasta el punto de contacto entre los bordes incisales de los incisivos centrales superiores derecho e izquierdo,
- eje de los terceros molares superiores derecho e izquierdo: eje mayor corono-radicular de dichos dientes.

La predicción de erupción de los terceros molares es muy importante para decidir un tratamiento con distalización.

Si el tercer molar está ausente o incluido se puede decidir la distalización (previa extracción del cordal incluido), pero si el tercer molar es viable y quedará retenido después de la distalización, puede ser conveniente valorar la extracción de premolares.

Tipo facial

Ricketts determinó que por cada 3 milímetros de distalización molar, la mandíbula post-rota 1°. De esta forma la distalización molar está más indicada en pacientes mesofaciales y braquifaciales y contraindicada en dólicofaciales.

Inclinación de primeros y segundos molares

La distalización coronaria molar por distoversión (sin movimiento apical) es mucho más fácil que la distalización en masa molar (con movimiento apical). No es recomendable un desplazamiento apical mayor a 3 mm, especialmente en el paciente adulto.

Sin embargo algunos molares inferiores aumentan la dimensión vertical al enderezarlos y se debería realizar distoversión con intrusión.

Distalización

Indicaciones

- Paciente mesofacial o braquifacial.
- Ausencia o inclusión del tercer molar.
- Ausencia o extracción indicada del segundo molar.
- Ausencia de molares (anclaje con implantes).
- Corrección asimétrica de la clase molar.
- Retención del segundo premolar por mesioversión del primer molar.
- Mesioversión del primer molar.
- Mesiorotación del primer molar.

Contraindicaciones

- Paciente dólicofacial.
- Mordida abierta anterior.
- Que el tercer molar, siendo viable, quede incluido con la distalización molar.

Péndulo

Construcción

El Péndulo es un aparato diseñado por el Dr. James Hilgers para la distalización de molares. Luego de evaluar numerosos aparatos de distalización, el autor encuentra que el Péndulo es la mejor elección porque actúa con un mínimo de colaboración por parte del paciente y a la vez ofrece una gran versatilidad, permitiendo la distalización con corrección simultánea de rotación e inclinación, lo que se puede lograr con otros aparatos más rígidos.

Originariamente James Hilgers diseñó cuatro variantes del Péndulo:

- Péndulo
- Pendex (Péndulo con tornillo de expansión)
- T-Rex (Pendex con arco estabilizador)
- Tandem (Pendex con biela de Herbst)

El autor utiliza una variación del Pendex que consiste principalmente en tener 4 resortes en vez de 2, y en que estos resortes son removibles. La utilización de 4 resortes fue publicada primero por Echarri y luego por Wirtz y Kinzinger. La utilización de los resortes removibles ya había sido presentada por Scuzzo, Takemoto y colaboradores, aunque sin tubos metálicos como realiza el autor. En la fig. 16-09 se observa el modelo donde se construyen las bandas (fig. 16-10). Se pueden adaptar bandas con cajetines horizontales o bandas con brackets molares con tubo auxiliar.

Se adaptan los apoyos oclusales de premolares (fig. 16-11) y cuatro tubos de acero inoxidable cuya sección interna será de 0,7 mm ó de 0,9 mm dependiendo de la sección del alambre de TMA con que se realizarán los

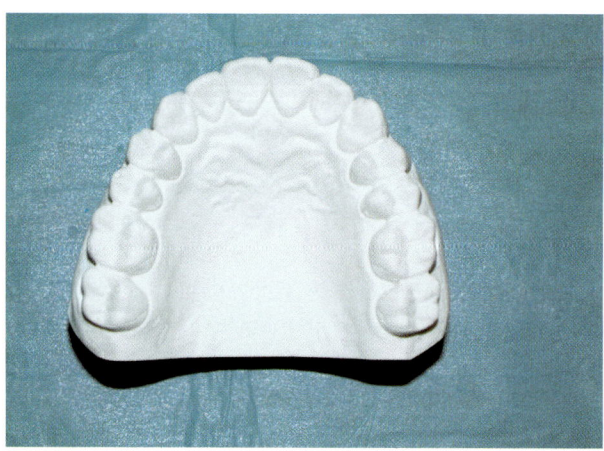

Fig. 16-09 Construcción del Péndulo modificado 1 – Modelo superior

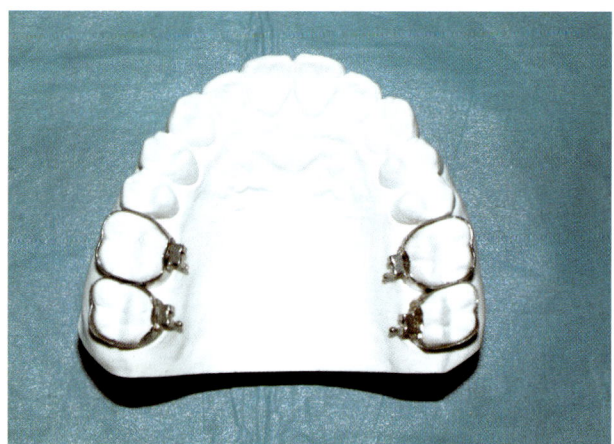

Fig. 16-10 Construcción del Péndulo modificado 2 - Modelo superior con bandas en primeros y segundos molares. Se sueldan tubos linguales con tubo auxiliar o simplemente cajetín horizontal lingual

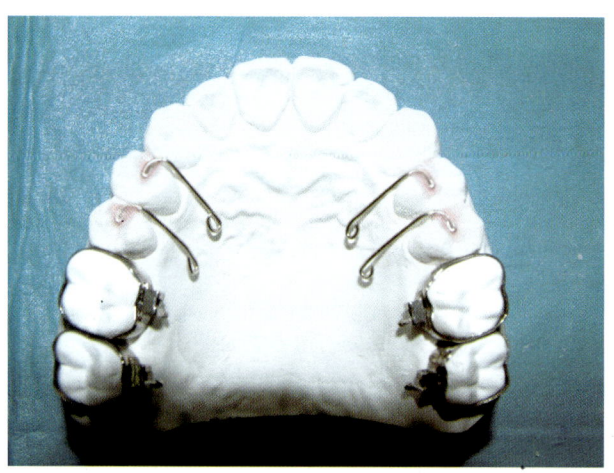

Fig. 16-11 Construcción del Péndulo modificado 3 - Modelo superior con los apoyos oclusales para premolares

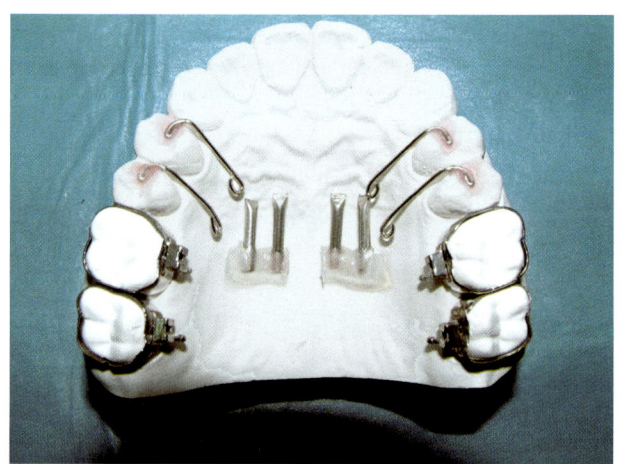

Fig. 16-12 Construcción del Péndulo modificado 4 - Se preparan 4 tubos de acero de sección interna de 0,7mm ó de 0,9 mm según la sección de alambre que se va a usar para los resortes del Péndulo. Estos tubos se fijan en la bóveda palatina y paralelos entre sí con una dirección ántero-posterior

resortes molares (fig. 16-12). Se ajusta el tornillo de expansión (fig. 16-13).

Seguidamente se realiza la parte palatina de resina con un corte central ántero-posterior (fig. 16-14).

Se adaptan los resortes de los primeros molares (fig. 16-15) con alambre de TMA. Una parte del resorte se introduce en los tubos palatinos. A continuación se realiza un asa en "U" y por último se dobla a 90° la parte del resorte que se introduce en el cajetín de la banda molar. De la misma forma se realizan los resortes de los segundos molares (fig. 16-16). En las figuras 16-17 y 16-18 se observan vistas posteriores y laterales de los tubos palatinos y los resortes molares.

Activación

Los resortes removibles tienen la ventaja de que se pueden activar de una forma mucho más precisa, pero puede ser necesario utilizar una ligadura elástica para asegurar el resorte al cajetín molar.

Los resortes molares pueden ser activados para:
- Distalización molar
- Rotación molar
- Posición transversal molar
- Posición vertical molar
- Inclinación molar

Para la distalización molar el resorte debe quedar de forma pasiva más distal que el cajetín molar pero siguiendo la línea de arcada (fig. 16-19). El resorte se activa cuando se introduce dentro del cajetín (fig. 16-20).

En la figura 16-21 se observa el resorte paralelo al cajetín; en la figura 16-22, el resorte está activado para mesiorotación molar y en la figura 16-23, para distorotación.

En la figura 16-24 se observa el resorte a nivel del cajetín; en la figura 16-25, el resorte está activado para contracción molar y en la figura 16-26, para expansión.

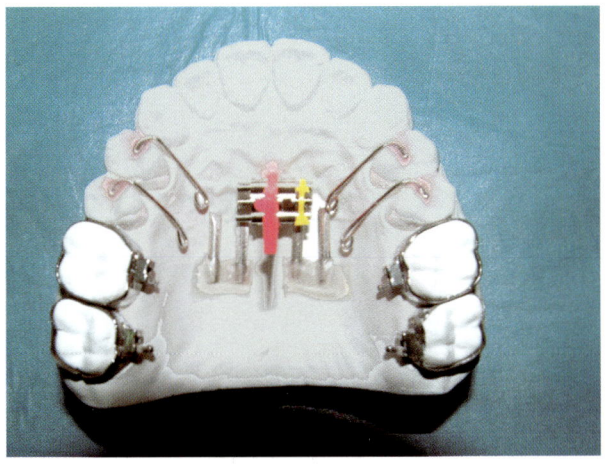

Fig. 16-13   Construcción del Péndulo modificado 5 - También se fija el tornillo en la parte central

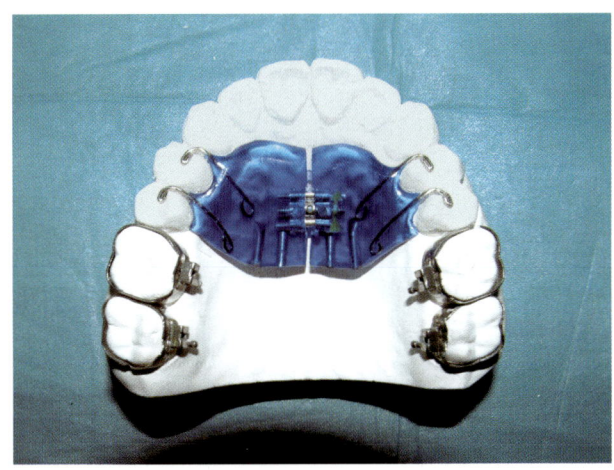

Fig. 16-14   Construcción del Péndulo modificado 6 - Se realiza la parte palatina del aparato con resina

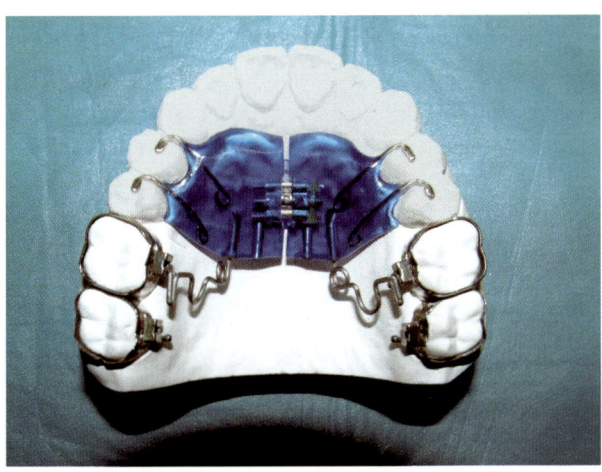

Fig. 16-15   Construcción del Péndulo modificado 7 - Los resortes para primeros premolares se realizan con alambre de TMA y son removibles porque se introducen en los tubos palatinos

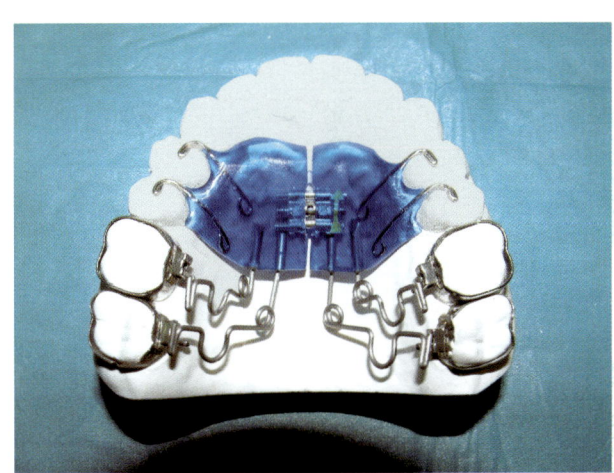

Fig. 16-16   Construcción del Péndulo modificado 8 - Los resortes para segundos molares se realizan con alambre de TMA y son removibles porque se introducen en los tubos palatinos

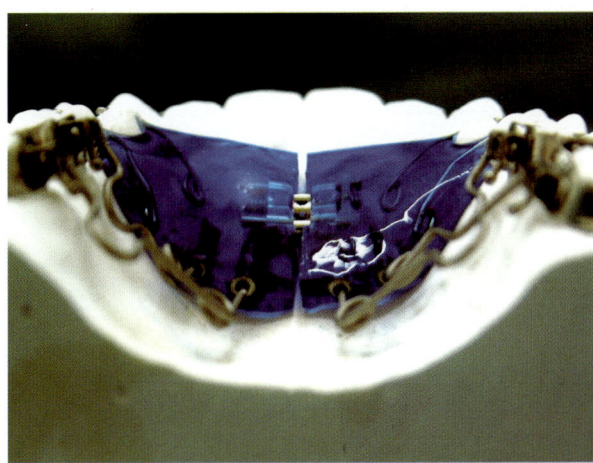

Fig. 16-17   Construcción del Péndulo modificado 9 - Vista posterior de los resortes introducidos en los tubos palatinos

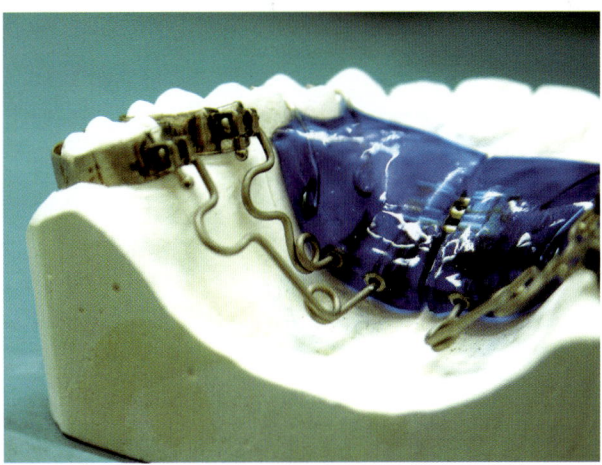

Fig. 16-18   Construcción del Péndulo modificado 10 - Vista póstero-lateral de los resortes introducidos en los tubos palatinos

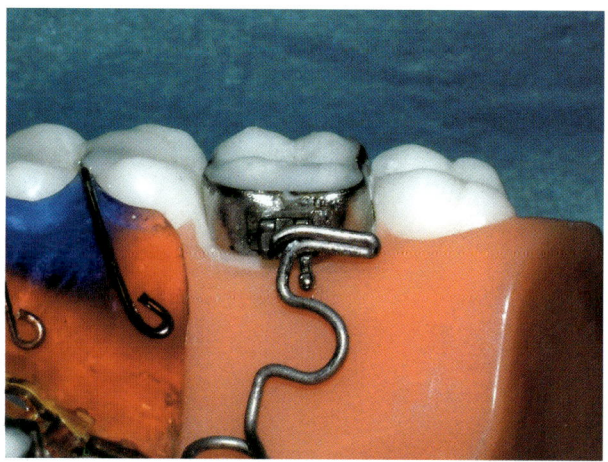

Fig. 16-19   Resorte activado para distalizar el primer molar pero en posición pasiva fuera del cajetín lingual

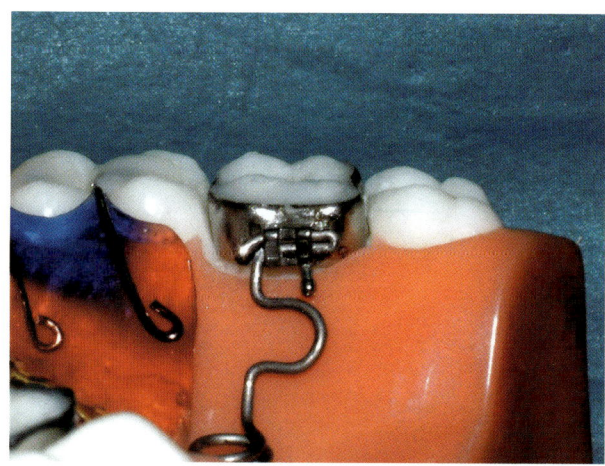

Fig. 16-20   Resorte activado y en posición activa dentro del cajetín lingual

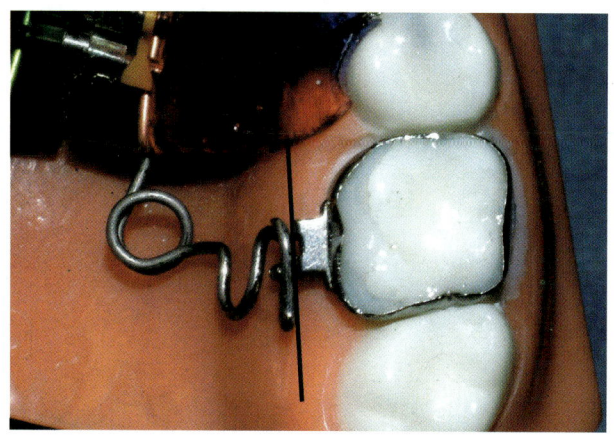

Fig. 16-21   Resorte paralelo al cajetín sin activación de rotación

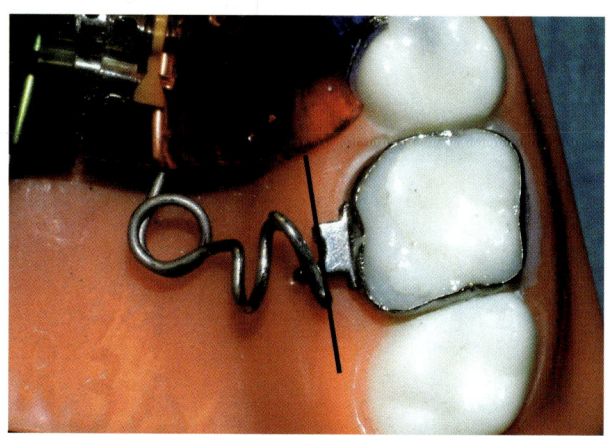

Fig. 16-22   Resorte activado para mesio-rotación molar

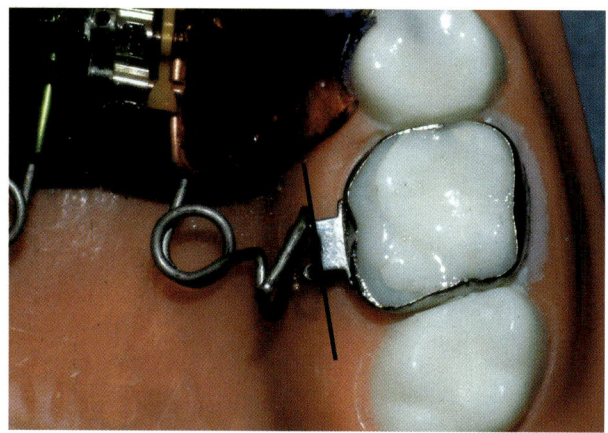

Fig. 16-23   Resorte activado para disto-rotación molar

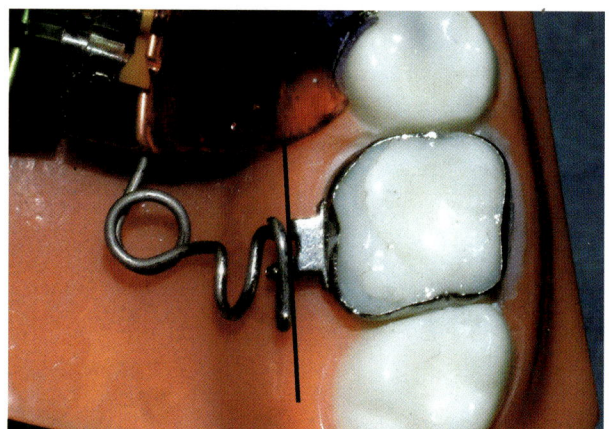

Fig. 16-24   Resorte sin activación transversal

En la figura 16-27 se observa el resorte a nivel del cajetín; en la figura 16-28, el resorte está activado para intrusión molar y en la figura 16-29, para extrusión.

En la figura 16-30 se observa el resorte paralelo al cajetín; en la figura 16-31, el resorte está activado para mesioversión molar y en la figura 16-32, para distoversión.

Capítulo 16

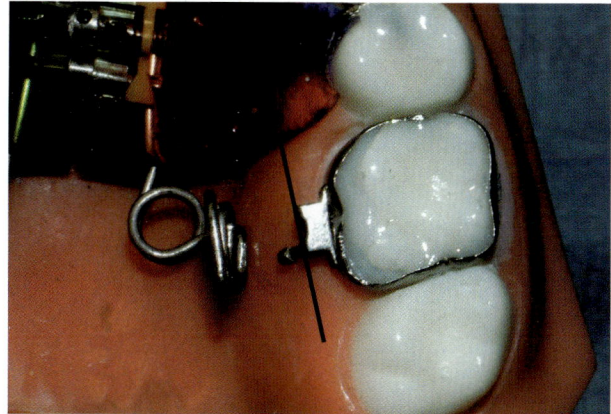

Fig. 16-25   Resorte activado para contracción molar

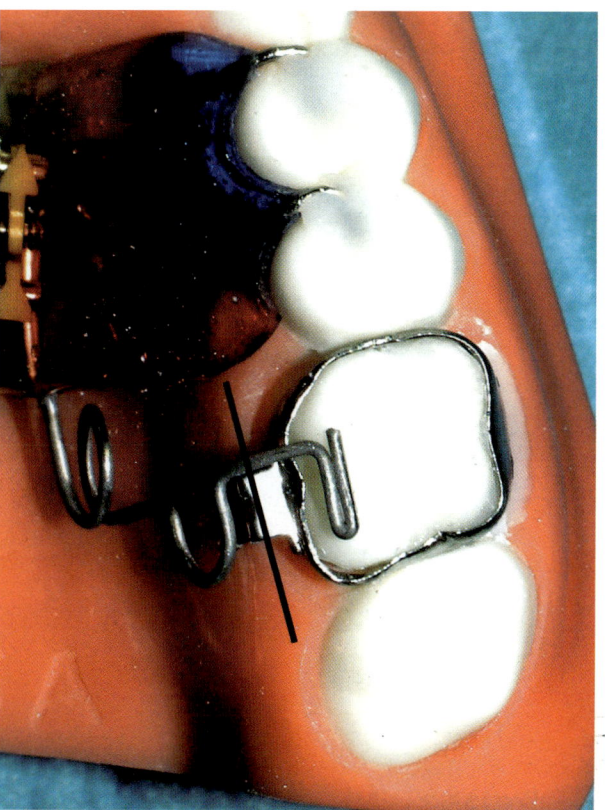

Fig. 16-26   Resorte activado para expansión molar

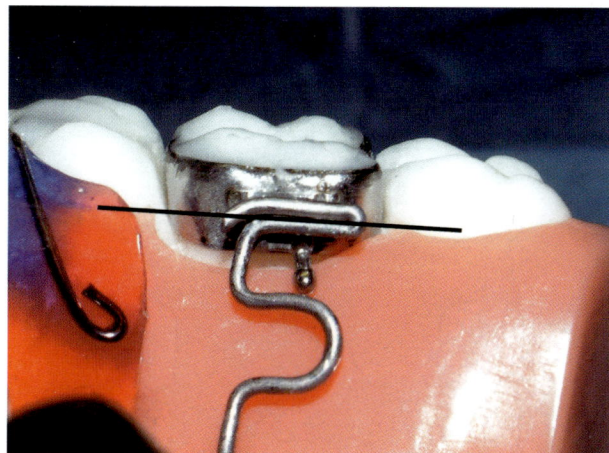

Fig. 16-27   Resorte a nivel del cajetín lingual sin activación vertical

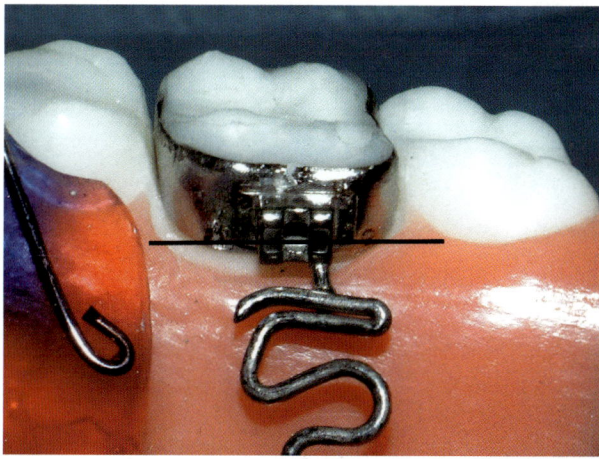

Fig. 16-28   Resorte activado para intrusión molar

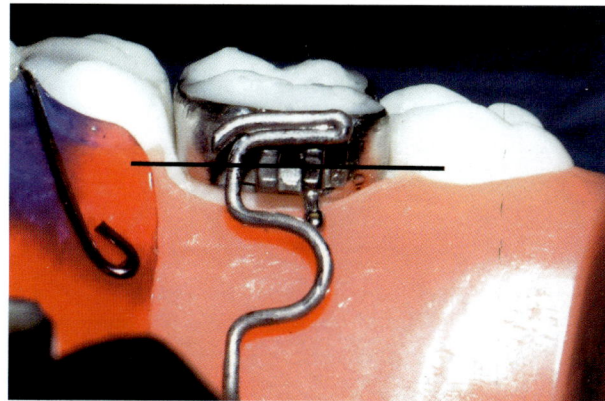

Fig. 16-29   Resorte activado para extrusión molar

Protocolo de tratamiento

La ventaja de utilizar 4 resortes permite:
- Mantener un mayor anclaje anterior ya que se distalizan primero los segundos molares y luego los primeros molares.
- Mantener un mejor control sobre los segundos molares durante la distalización de los mismos.
  1. Cementado del Péndulo:
     1a. Se cementan las bandas de la forma habitual.
     1b. Se gravan las caras oclusales de los premolares y se lavan y secan.
     1c. Se cementan los apoyos oclusales con Enlight (ORMCO) haciendo build-ups y se polimerizan.
     1d. Se ajustan los contactos oclusales de forma que los cuatro build-ups queden equilibrados. Se utili-

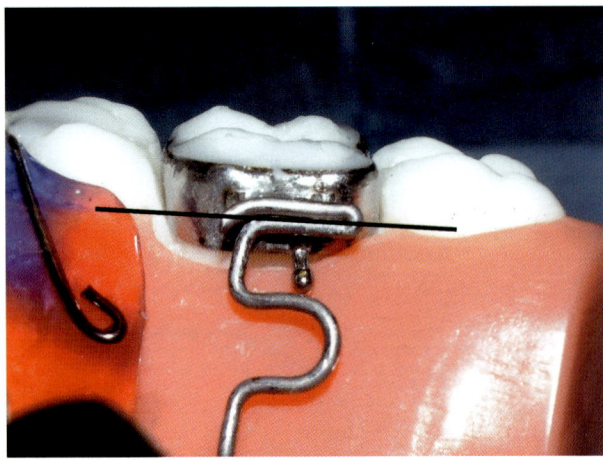

Fig. 16-30 Resorte en la misma dirección del cajetín lingual sin activación de inclinación

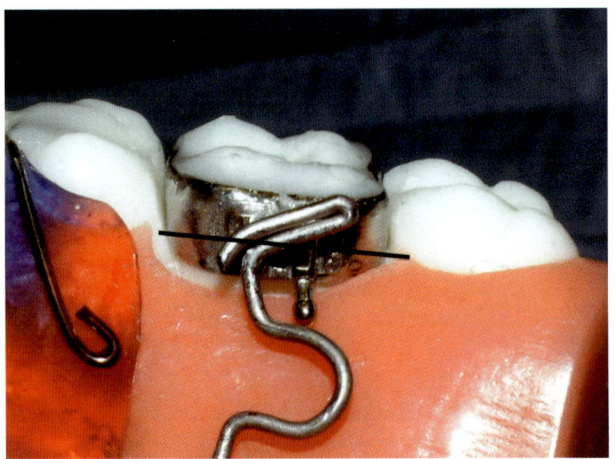

Fig. 16-31 Resorte activado para mesio-versión molar

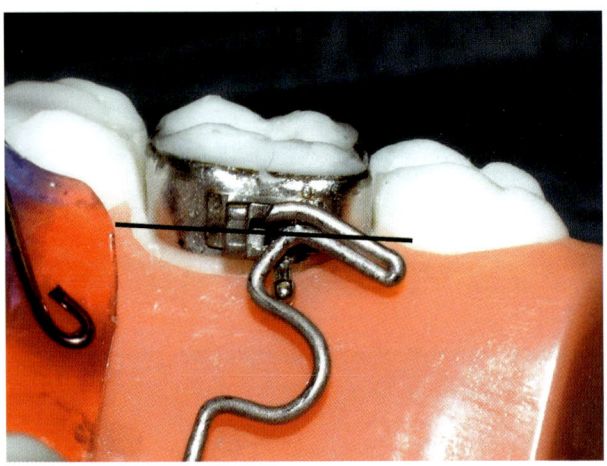

Fig. 16-32 Resorte activado para disto-versión molar

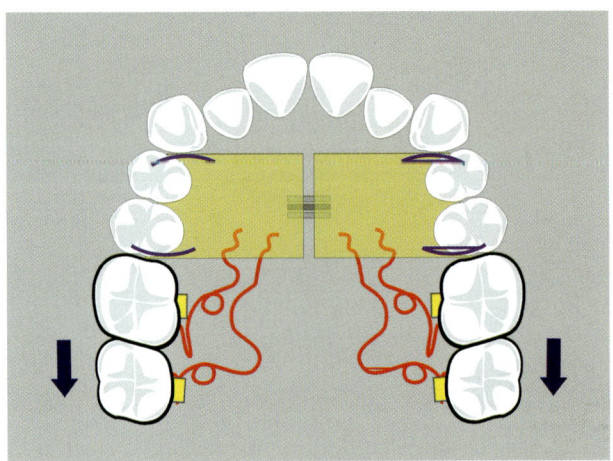

Fig. 16-33 Protocolo de tratamiento de ortodoncia lingual con distalización 1 - Distalización de segundos molares. Los resortes de los primeros molares permanecen pasivos

za papel de articular y una fresa de diamante con forma de pera.
2. Se activan los resortes de los segundos molares, y los resortes de los primeros molares permanecen inactivos o fuera de boca (fig. 16-33).
3. Una vez distalizados los segundos molares, se dejan los resortes de segundos molares pasivos como anclaje y se activan los resortes de los primeros molares (fig. 16-34).
4. Una vez distalizados los primeros molares, se toma una impresión para hacer el botón de Nance y la cubeta de transferencia de los brackets linguales. Se mantendrá el anclaje inmediato con un Bioplast de 2 mm (figs. 16-39 A y B).
5. Se instala el botón de Nance, ligadura en "8" de primer a segundo molar y se distaliza el segundo premolar con cadena elástica de primer molar a segundo premolar (fig. 16-35).
6. Se hace ligadura en "8" de segundo premolar a segundo molar y se distaliza el primer premolar con

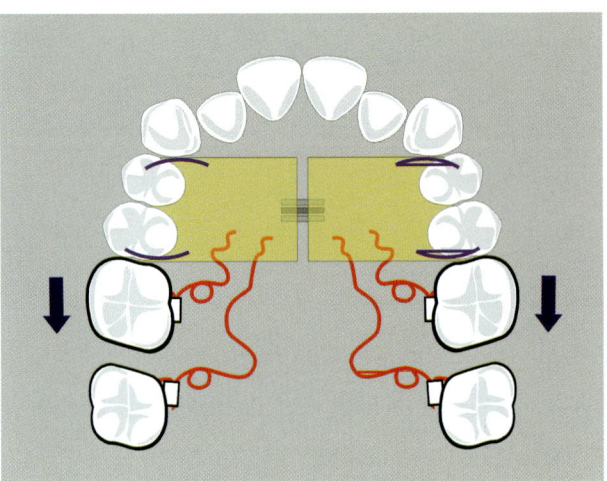

Fig. 16-34 Protocolo de tratamiento de ortodoncia lingual con distalización 2 - Una vez distalizados los segundos molares, se activan los resortes de los primeros molares

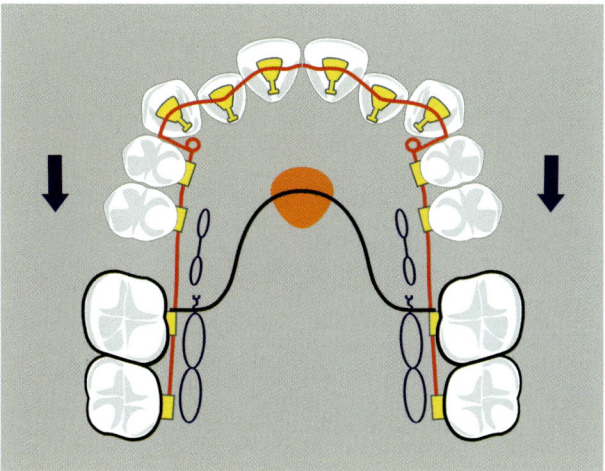

Fig. 16-35 Protocolo de tratamiento de ortodoncia lingual con distalización 3 - Una vez distalizados los primeros molares se retira el Péndulo, se adapta el botón de Nance y ligadura en "8" de primer a segundo molar. A continuación se distalizan los segundos premolares con cadena elástica. Se puede realizar con un arco continuo o con un arco seccional

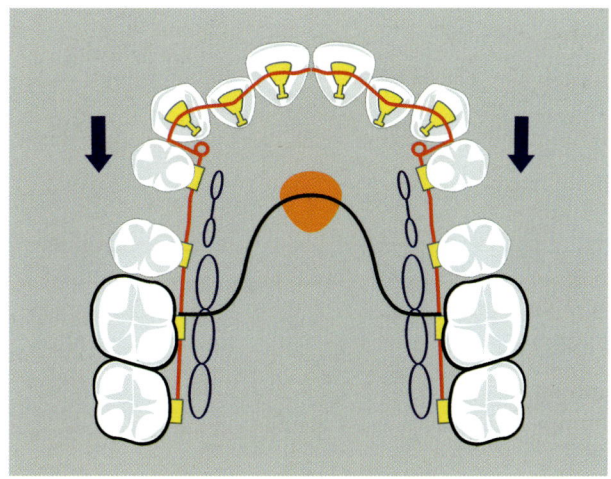

Fig. 16-36 Protocolo de tratamiento de ortodoncia lingual con distalización 4 - Una vez distalizados los segundos premolares, se hace una ligadura en "8" de segundo premolar a segundo molar y se distalizan los primeros premolares con cadena elástica

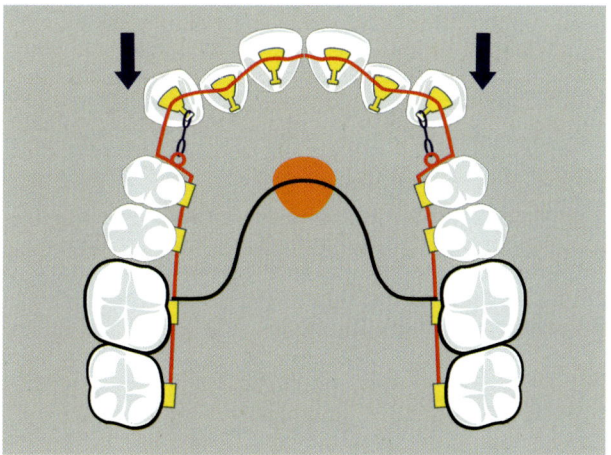

Fig. 16-37 Protocolo de tratamiento de ortodoncia lingual con distalización 5 - Una vez distalizados los primeros premolares se distalizan los caninos y luego se proceda a la alineación y nivelación del sector incisivos

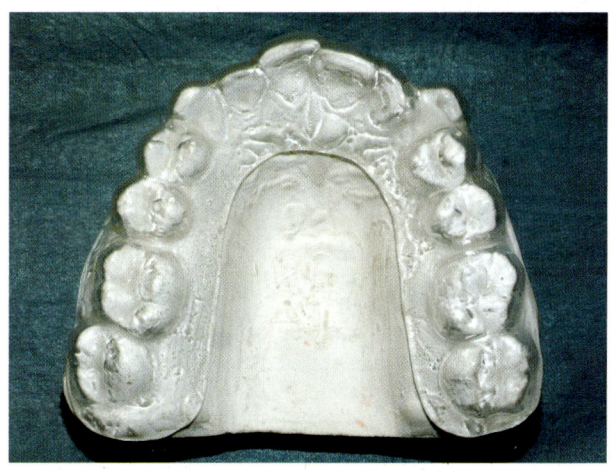

Fig. 16-38 Modelo superior con los molares distalizados para confección de la férula de anclaje inmediato

cadena elástica de segundo premolar a primer premolar (fig. 16-36).
7. Se distaliza el canino de la misma forma (fig. 16-37)
8. Se procede a la alineación y nivelación de los incisivos.

Anclaje

El anclaje sagital se divide en:
- Inmediato.
- Mediato.

El anclaje inmediato se utiliza desde que se retira el Péndulo hasta que se cemente el Botón de Nance. Sirve para evitar la recidiva de molares como para inmovilizar los premolares hasta que se realice la cubeta de transferencia con los brackets. Para ello se realiza de forma inmediata la impresión de una férula termoplástica con Bioplast de 2 mm (figs. 16-38, 16-39A y B).

El anclaje mediato consiste en evitar la mesialización molar durante la distalización de los demás dientes. Para ello utilizamos:
- Ligaduras en "8".
- Botón de Nance.
- Omegas en el arco de .016" de acero a nivel mesial del tubo molar.
- Si fuera necesario, también elásticos de clase II y arco vestibular (ver anclaje en el capítulo 14).
- Distalización de premolar por premolar.

El anclaje anterior (para evitar protrusión) se hace con:

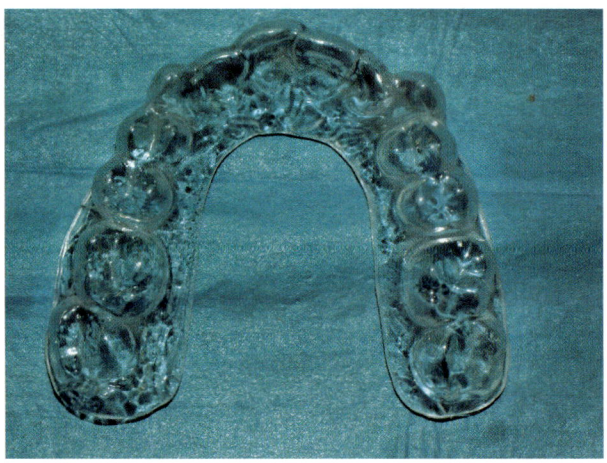

Fig. 16-39A Férula de anclaje inmediato, vista oclusal

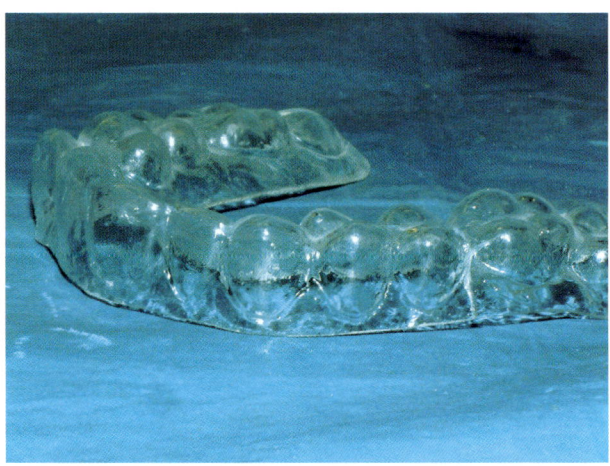

Fig. 16-39B Férula de anclaje inmediato, vista lateral

PROTOCOLO DE TRATAMIENTO SIN EXTRACCIONES Y CON DISTALIZACIÓN CON PÉNDULO

1. Cementado del Péndulo:
   1a- Se cementan las bandas de la forma habitual.
   1b- Se gravan las caras oclusales de los premolares y se lavan y secan.
   1c- Se cementan los apoyos oclusales con Enlight (ORMCO) haciendo build-ups y se polimerizan.
   1d- Se ajustan los contactos oclusales de forma que los cuatro build-ups queden equilibrados. Se utiliza papel de articular y una fresa de diamante con forma de pera.
2. Se activan los resortes de los segundos molares, y los resortes de los primeros molares permanecen inactivos o fuera de boca.
3. Una vez distalizados los segundos molares, se dejan los resortes de segundos molares pasivos como anclaje y se activan los resortes de los primeros molares.
4. Una vez distalizados los primeros molares, se toma una impresión para hacer el botón de Nance y la cubeta de transferencia de los brackets linguales de premolares. Se mantendrá el anclaje inmediato con un Bioplast de 2 mm.
5. Se cementan los brackets de premolares, se instala el botón de Nance, arco de .016" Stainless Steel con omega ante segundo molar, ligadura en "8" de primer a segundo molar y se distaliza el segundo premolar con cadena elástica de primer molar a segundo premolar.
6. Se hace ligadura en "8" de segundo premolar a segundo molar y se distaliza el primer premolar con cadena elástica de segundo premolar a primer premolar. Se toma impresión para la cubeta de transferencia de los brackets de caninos e incisivos. Se cementan los brackets anteriores.
7. Se cambia a arco mushroom de .016" Stainless Steel con omegas ante segundo molar y se distaliza el canino de la misma forma.
8. Se procede a la alineación y nivelación de los incisivos con el mismo arco o cambiando a un arco .016" NiTi ó .017" × .017" Copper NiTi.

Tabla 16-01

PROTOCOLO PARA TRATAMIENTO SIN EXTRACCIONES Y CON PLACA DE SCUZZO

1. Impresiones para placa de distalización de Scuzzo 1 y separador elástico entre primer y segundo molar.
2. Instalar la placa de distalización de Scuzzo 1 e indicar la activación de los tornillos (1/4 de vuelta al día).
3. Una vez distalizado el segundo molar, tomar impresiones para la placa de distalización de Scuzzo 2. Mantener la placa 1 inactiva como anclaje y separador elástico a mesial del primer molar.
4. Instalar la placa de distalización de Scuzzo 2. Seguir la misma pauta de activación.
5. Una vez distalizado el primer molar, tomar impresiones para cubeta de transferencia de los brackets, manteniendo la placa inactiva como retención. Cementar los brackets y actuar de la misma forma que después del Péndulo.

Tabla 16-02

- Evitar que la resina palatina contacte con los incisivos.
- Distalizar separadamente el segundo y el primer molar.
- No distalizar los premolares con muelles con apoyo en caninos.
- Utilizar los elásticos de clase II.
- Evitar la extrusión molar porque provoca post-rotación mandibular con aumento de overjet (falsa protrusión superior).

Para el anclaje vertical, si se evalúa que el molar se puede extruir, también se pueden utilizar build-ups en los molares.

Caso clínico

En las figuras 16-40 a 16-51 se puede observar un caso clínico de clase II en el que se han utilizado 4 resortes para distalizar molares por separado.
Los premolares han sido distalizados con arcos seccionales para mayor comodidad del paciente.

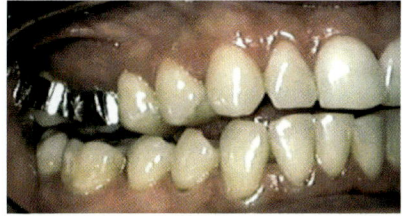 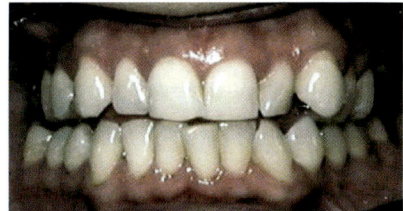 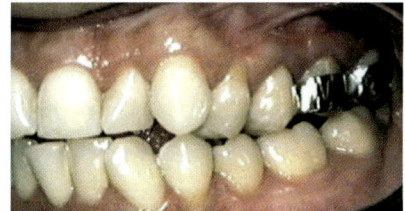

Fig. 16-40 A: Caso de clase II para tratamiento con distalización de molares. Vista lateral derecha con las bandas del Péndulo; B: Caso de clase II para tratamiento con distalización de molares. Vista frontal con las bandas del Péndulo; C: Caso de clase II para tratamiento con distalización de molares. Vista lateral izquierda con las bandas del Péndulo

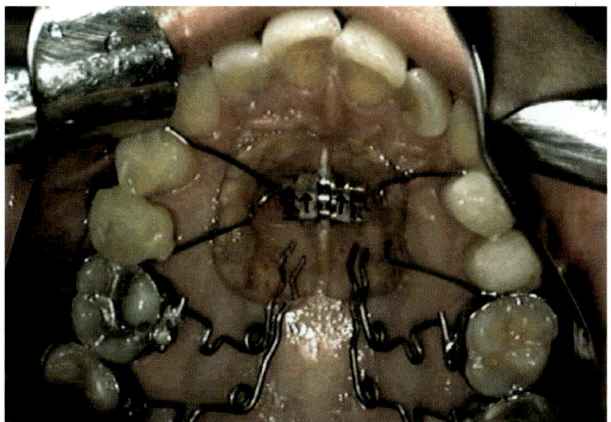

Fig. 16-41A Caso de clase II para tratamiento con distalización de molares. Vista oclusal superior con el Péndulo

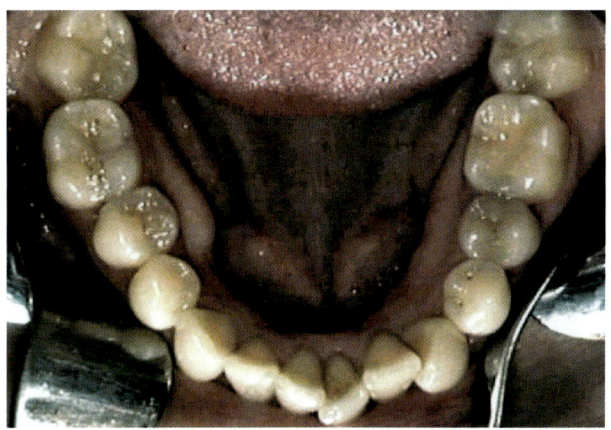

Fig. 16-41B Caso de clase II para tratamiento con distalización de molares. Vista oclusal inferior

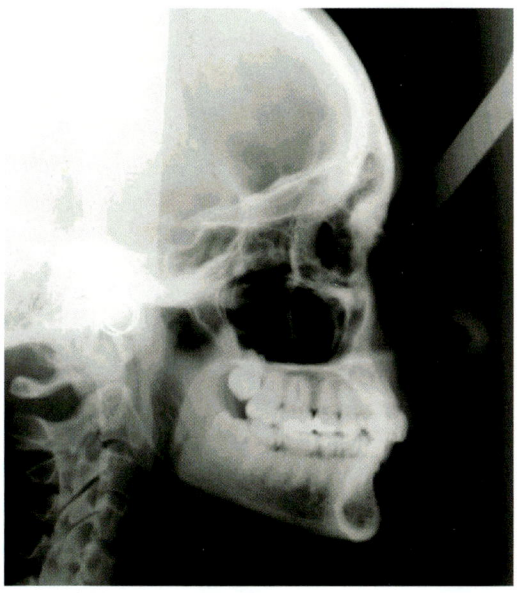

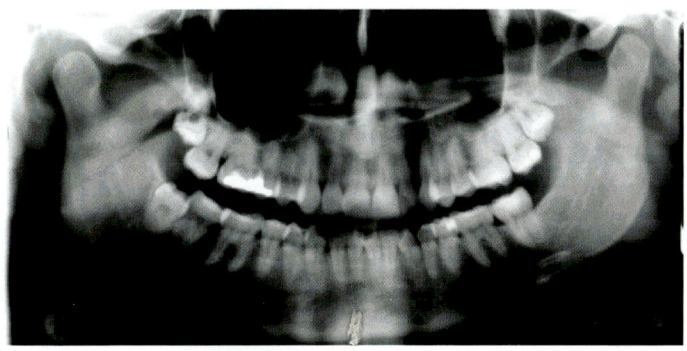

Fig. 16-42 Teleradiografía inicial

Fig. 16-43 Ortopantomografía inicial. Obsérvese la presencia de los terceros molares. Se indicó su extracción antes del inicio del tratamiento

Péndulo F

El Péndulo F, diseñado por el Lorenzo Fávero (fig. 16-52A y B), se utiliza en ortodoncia lingual pediátrica e incorpora un arco de TMA con retenciones en la resina palatina del Péndulo. Este arco permite alinear y nivelar los incisivos (con brackets linguales cementados) durante la distalización molar.

Placas de Scuzzo

Las placas de distalización de Scuzzo están basadas en las placas de Cettlin.

La placa de distalización de Scuzzo 1 presenta un resorte de TMA para distalizar el segundo molar y un tornillo de distalización (figs. 16-53A y B).

La placa de distalización de Scuzzo 2 presenta un

Casos sin extracciones. Distalización

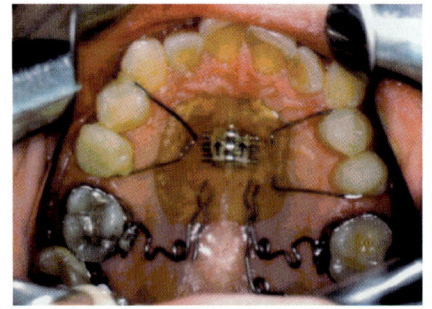

Fig. 16-44 Distalización de molares

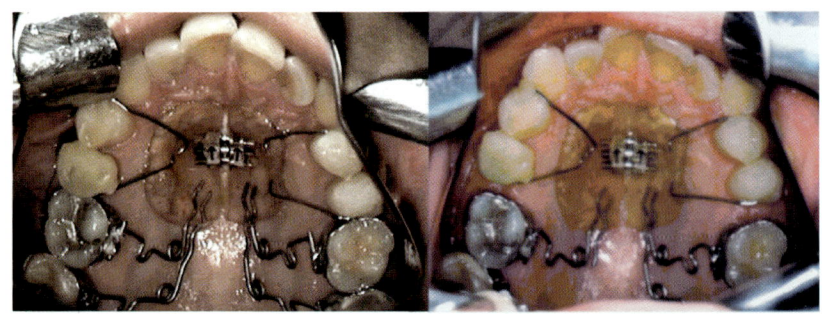

Fig. 16-45 Comparación antes y después de la distalización de molares

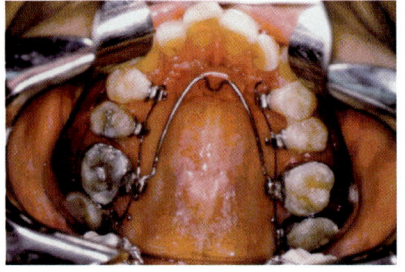

Fig. 16-46 Distalización de los premolares con arcos seccionales

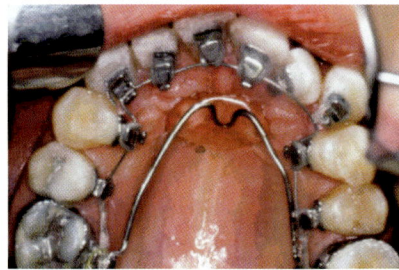

Fig. 16-47 Alineación de los incisivos

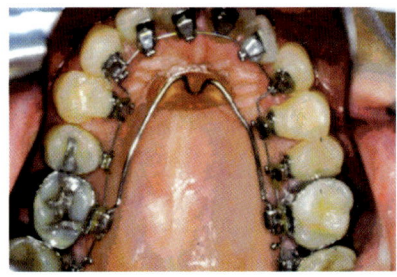

Fig. 16-48 Alineación de los incisivos

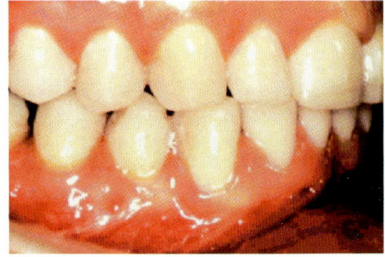

Fig. 16-49A Caso terminado. Vista lateral derecha

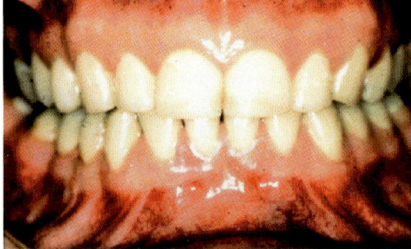

Fig. 16-49B Caso terminado. Vista frontal

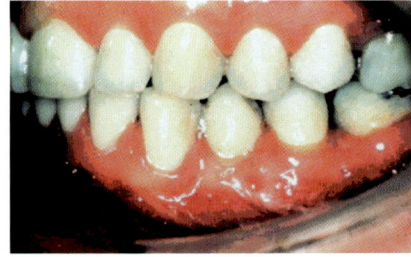

Fig. 16-49C Caso terminado. Vista lateral izquierda

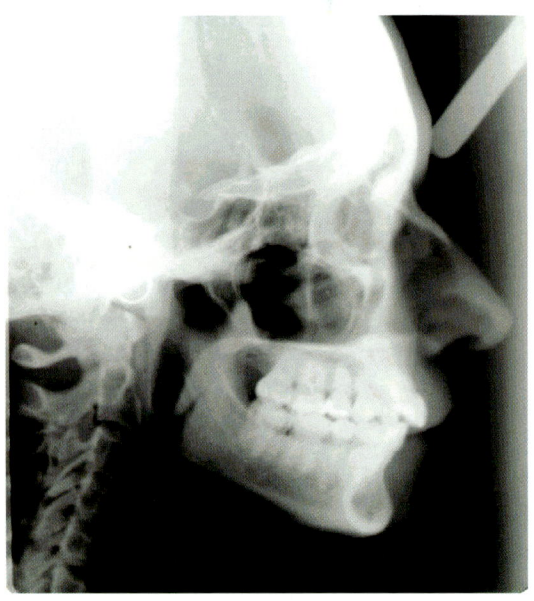

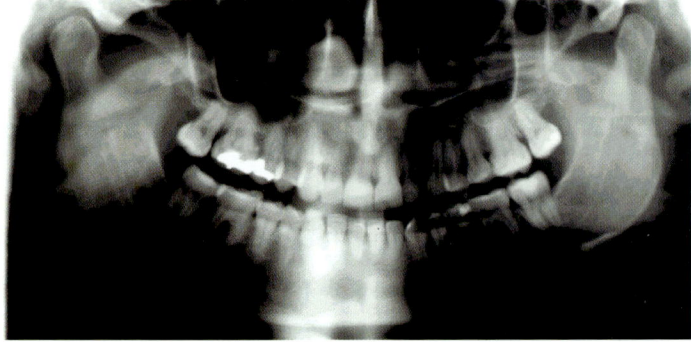

Fig. 16-50 Caso terminado. Teleradiografía de perfil

Fig. 16-51 Caso terminado. Ortopantomografía

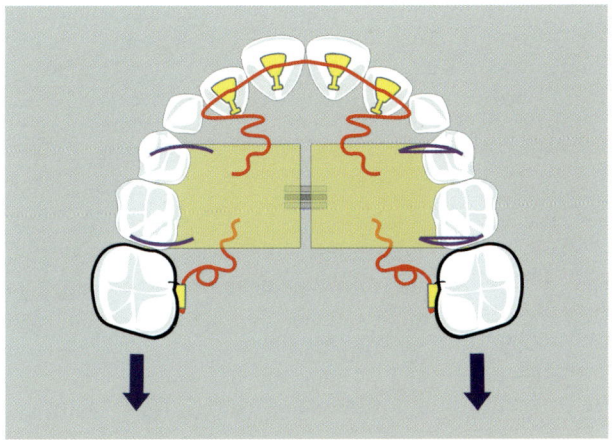

Fig. 16-52A Péndulo F (Dr. Fávero). Permite la distalización de molares y la alineación de incisivos (esquema)

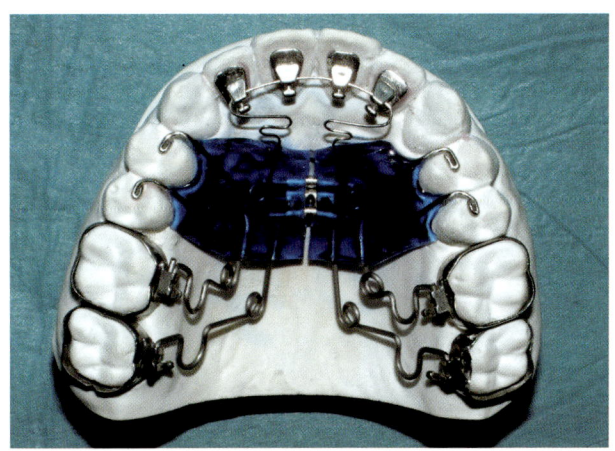

Fig. 16-52B Péndulo F (Dr. Fávero). Permite la distalización de molares y la alineación de incisivos

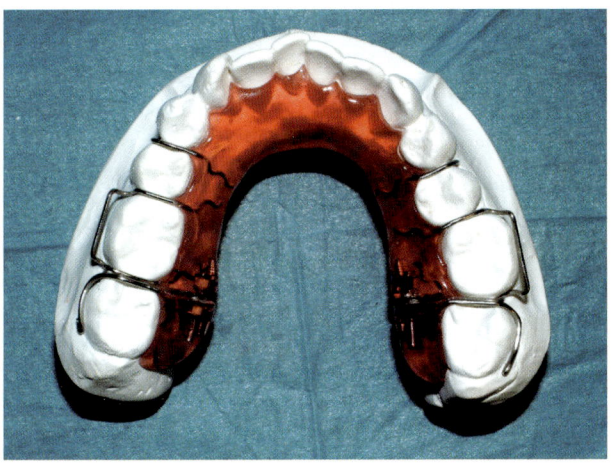

Fig. 16-53A Placa de distalización de Scuzzo 1. Vista oclusal

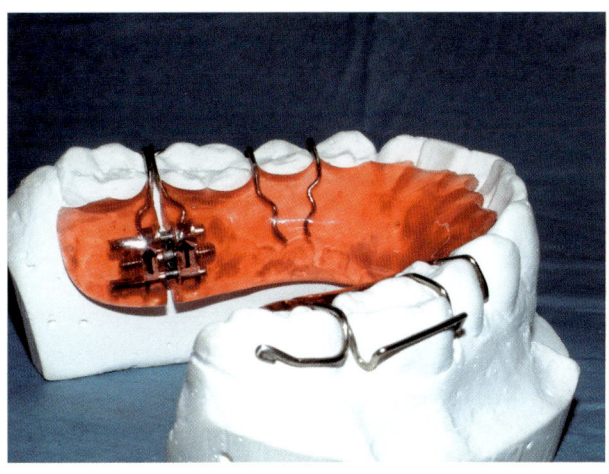

Fig. 16-53B Placa de distalización de Scuzzo 1. Vista lateral

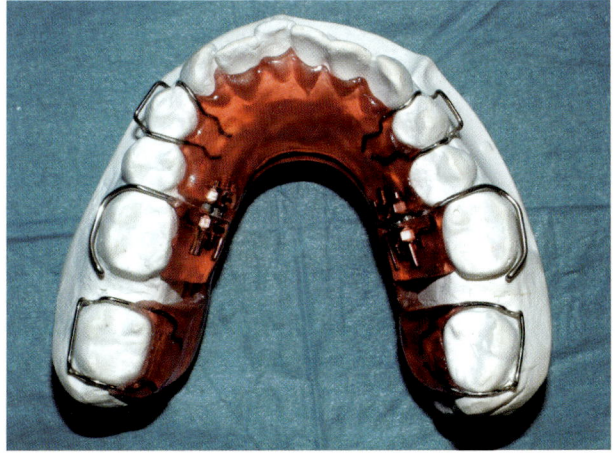

Fig. 16-54A Placa de distalización de Scuzzo 2. Vista oclusal

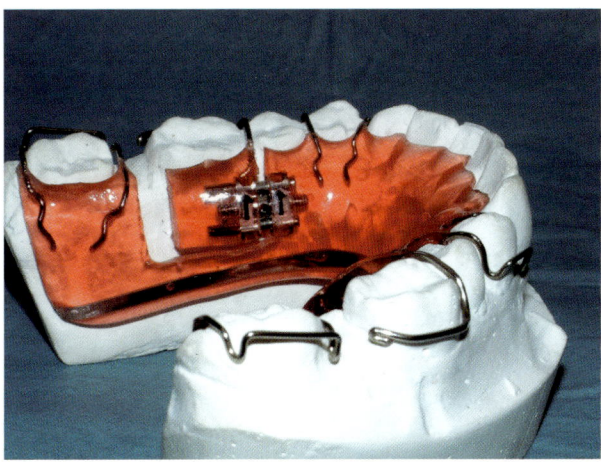

Fig. 16-54B Placa de distalización de Scuzzo 2. Vista lateral

retenedor Adams en el segundo molar ya distalizado, un resorte de TMA para distalizar los primeros molares (figs. 16-54 A y B). En las figuras se puede observar el corte de la resina y es necesario utilizar un refuerzo para evitar fracturas de la resina.

Se toma la impresión para realizar la placa de distalización de Scuzzo 1. Se deben poner separadores de goma entre primer y segundo molar para que el resorte quede colocado entre ambos molares.

Casos sin extracciones. Expansión. Disyunción   17

- Introducción y cálculo del espacio obtenido 303
- Examen previo a la expansión/disyunción 303
- Indicaciones y limitaciones 303
  - Indicaciones para expansión inferior 308
  - Indicaciones para expansión asimétrica superior 308
  - Indicaciones para expansión simétrica superior 308
  - Indicaciones para expansión rápida palatina o disyunción 308
  - Limitaciones a la disyunción 308
  - Limitaciones a la expansión 309
- Aparatología utilizada 309
  - Quad-hélix 309
  - Tornillos para expansión palatina rápida (EPR) o disyunción 310
- Secuencia biomecánica para casos de expansión 313
- Casos clínicos 313

Introducción y cálculo del espacio obtenido

Se entiende la expansión/disyunción no como un método para obtener espacio, sino como un método para corregir las discrepancias transversales entre las arcadas superior e inferior.

También se reconoce que la expansión es una solución a la demanda de los pacientes que quieren mejorar su estética a través de la llamada "Hollywood Smile" (Sonrisa de Hollywood), que es la sonrisa plena, sin "triángulos negros" en la comisura. Sin embargo, la mayoría de las veces, la obtención de esta sonrisa debe estar unida al compromiso del paciente a la retención permanente, ya que la expansión inferior no es estable y no se puede expandir la arcada superior fuera de los límites de la oclusión inferior.

De todas formas, la expansión permite ganar espacio, aunque su indicación debe estar relacionada a las relaciones transversales entre premolares y molares.

Siguiendo a Ricketts, el espacio obtenido con la expansión está de acuerdo con el siguiente esquema (fig. 17-01):

- El aumento de la distancia entre caninos de 1 mm, aumenta la longitud alveolar 1 mm.
- El aumento de la distancia entre los primeros premolares de 1 mm, aumenta la longitud alveolar 0,75 mm.
- El aumento de la distancia entre los segundos premolares de 1 mm, aumenta la longitud alveolar 0,50 mm.
- El aumento de la distancia entre los primeros molares de 1 mm, aumenta la longitud alveolar 0,25 mm.

Para el cálculo del espacio obtenido con el tratamiento ortodóncico utilizamos el cuadro de la figura 17-02.

Para calcular la expansión necesaria, se montan los modelos en articulador (figs. 17-03 y 17-04). Utilizo el articulador SAM 3 (Great Lakes, USA). Se marca la oclusión con papel de articular (fig. 17-05) y se mide la distancia desde el contacto de la cúspide vestibular superior sobre la cara oclusal de los dientes inferiores, hasta la cara vestibular de los mismos (fig. 17-06). Esta medición se debe hacer en caninos, premolares y molares y multiplicar cada distancia por el factor de conversión arriba explicado. Utilizamos el formulario de la figura 17-02. De esta forma podremos calcular el espacio que se ganará con la expansión.

Examen previo a la expansión/disyunción

Para decidir si se realizará un tratamiento con expansión, se practican los siguientes exámenes:

- **Observación y palpación vestibular:** Se observarán los rebordes alveolares para determinar el espesor de las encías y palparán los rebordes alveolares para determinar el espesor de la cortical. Una palpación "on-

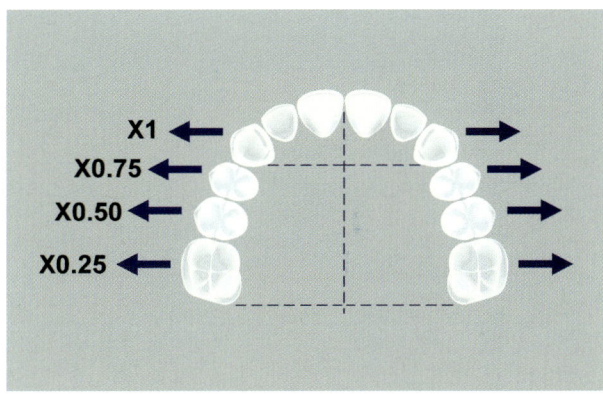

Fig. 17-01 Esquema del factor de conversión de Ricketts entre expansión y longitud de arcada obtenida

dulada" del reborde es un signo de corticales delgadas y proximidad de las raíces dentarias.

- **Sondaje periodontal vestibular:** Es muy importante realizar el sondaje vestibular previo para detectar la presencia de bolsas patológicas y la altura del hueso cortical. Para ello utilizo la sonda periodontal PDT Sensor Probe Type C que presenta punta redondeada y articulación de seguridad para no provocar lesiones en el surco gingival y marcas milimetradas para facilitar la medición (figs. 17-07 y 17-08). Las marcas son a 3,5mm – 5,5mm – 8,5mm y 11,5mm.
- **Examen con TAC (Tomografía axial):** Se realiza muy excepcionalmente pero resulta determinante para estudiar el espesor de las corticales vestibulares. El autor cree que será un examen rutinario en el futuro.
- **Radiografía oclusal:** Se realiza para estudiar el estado de la sutura medio-palatina (fig. 17-09). Si se observa una línea radio-lúcida entre las apófisis palatinas de los maxilares (sinfibrosis), es posible la disyunción; pero si la sutura es radio-opaca (sinostosis), la disyunción sólo es posible con asistencia quirúrgica.
- **Mini-radiografía carpal:** Se puede realizar con el aparato de rayos dental y una radiografía oclusal (fig. 17-10). Cuando la epífisis y diáfisis de cúbito y radio no presentan solución de continuidad, significa que el crecimiento está terminado y que no se puede realizar la disyunción sin asistencia quirúrgica (fig. 17-11).

Indicaciones y limitaciones

En el maxilar inferior es imposible la disyunción porque la sutura medio sinfisaria termina su crecimiento a los 6-7 meses de vida extrauterina, aunque podría realizarse osteodistracción.

La expansión inferior está limitada a un "enderezamiento" de molares, es decir la corrección del torque negativo de los mismos. Normalmente no hacemos expansión inferior para ganar espacio, pero se puede indicar en casos con torque

ANÁLISIS DISCREPANCIA TOTAL		
	Max. Sup.	Max. Inf.
Discrepancia dentoalveolar		
Expansión		
Caninos: x 1.00		
1er. premolar: x 0.75		
2do. premolar: x 0.50		
1er. molar: x 0.25		
Reposición punto A (*)		
Reposición punto B (*)		
Reposición 11: x 2		
Reposición 41: x 2		
Curva de Spee (x 0.20)		
Reposición molar superior		
16: x1		
26: x1		
Reposición molar superior		
36: x1		
46: x1		
SUBTOTALES		
Stripping (x1)		
EXTRACCIONES		
Cordales		
- Dirección		
- Espacio		
TOTALES		

(*) No se suman directamente pero se toman en cuenta para el reposicionamiento de incisivos

Fig. 17-02 Formulario para calcular el espacio obtenido con el tratamiento

negativo molar y curva de Wilson profunda. En caso de realizar expansión inferior, utilizo arcos linguales.

En la figura 17-12 se pueden observar los distintos tipos de relaciones transversales posteriores:
- Mordida normal.
- Mordida cruzada bilateral.
- Mordida cruzada unilateral.

En la figura 17-13 se puede observar un caso con torque negativo molar y curva de Wilson profunda que provocaría interferencias en el lado de balance durante el movimiento de lateralidad. Por este motivo en estos casos está indicada la expansión inferior ("enderezamiento" molar, corrección del torque negativo) para nivelar la curva de Wilson (fig. 17-14). Si una vez terminada la nivelación se produce mordida cruzada posterior, se deberá realizar la expansión rápida superior (fig. 17-14). La indicación para expansión del maxilar superior es la mordida cruzada posterior.

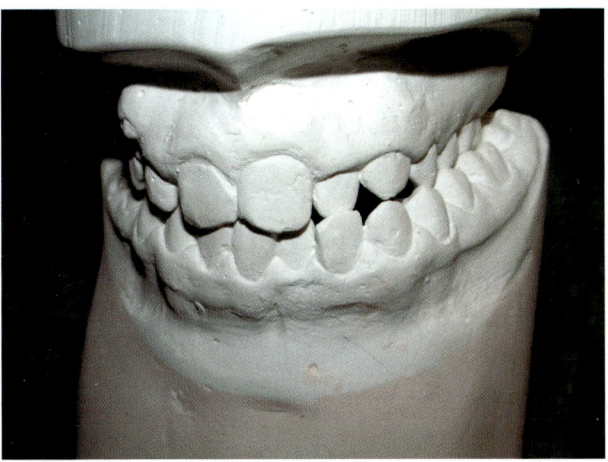

Fig. 17-03 Modelos montados en articulador para estudiar la necesidad de expansión (vista izquierda)

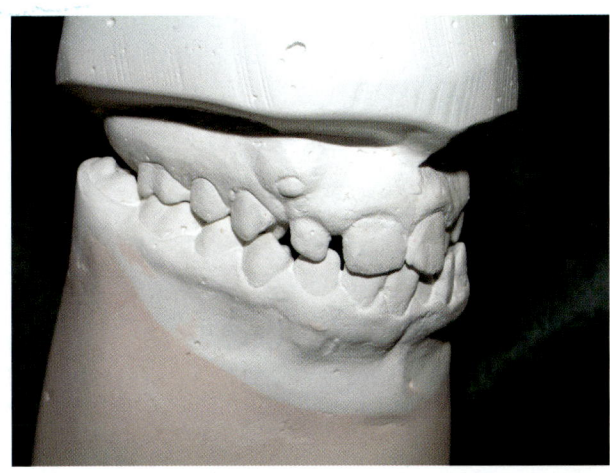

Fig. 17-04 Modelos montados en articulador para estudiar la necesidad de expansión (vista derecha).

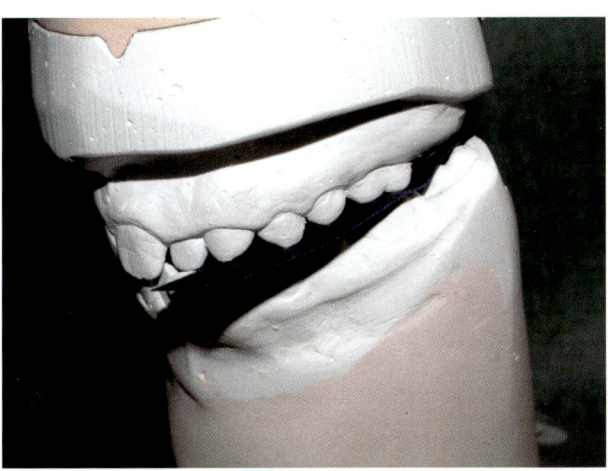

Fig. 17-05 Modelos montados en articulador y estudio de la oclusión con papel de articular

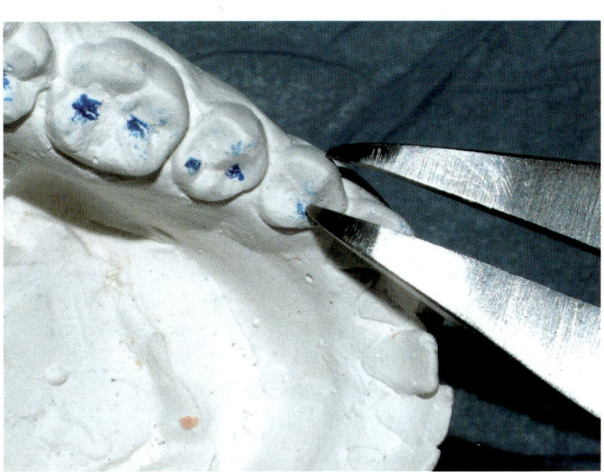

Fig. 17-06 Medición con pie de rey de la distancia entre el contacto de la cúspide superior sobre la cara oclusal inferior y la cara vestibular del mismo diente inferior

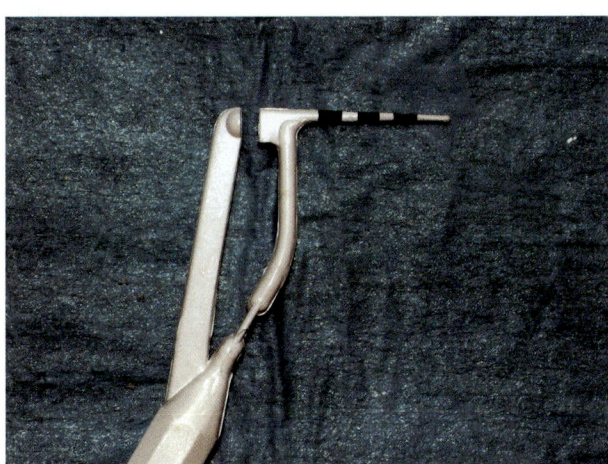

Fig. 17-07 Sonda periodontal utilizada por el autor: PDT Sensor Probe Type C. Obsérvese que presenta punta redondeada y articulación de seguridad para no provocar lesiones en el surco gingival y marcas milimetradas para facilitar la medición

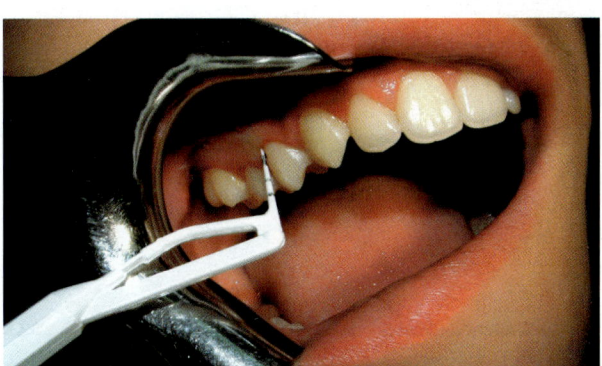

Fig. 17-08 Sondaje vestibular realizado con la sonda PDT

La primera consideración con respecto al aumento transversal de la arcada superior es estudiar el torque de los molares superiores. En las figuras 17-15 A y B se esquematizan las dos posibilidades:

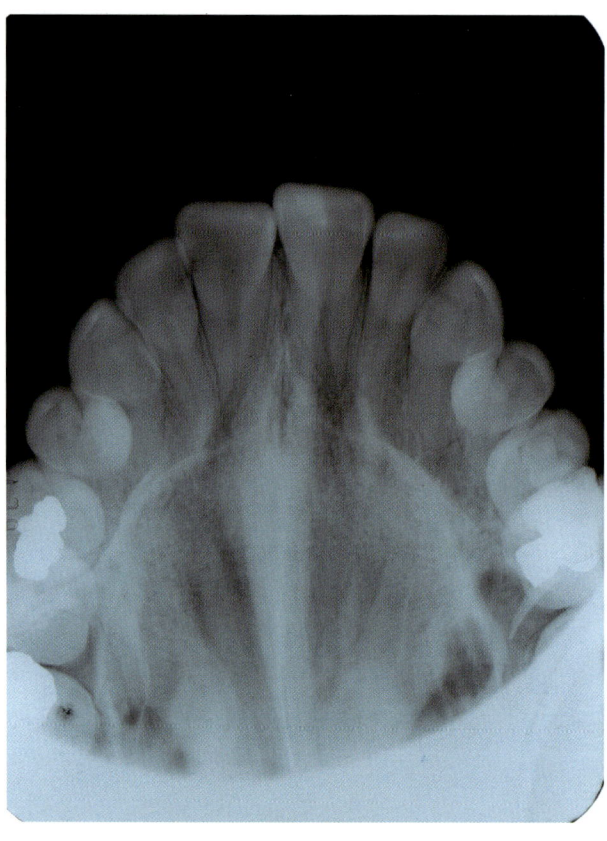

Fig. 17-09 Radiografía oclusal. Obsérvese la zona radio-opaca entre las apófisis palatinas de los maxilares superiores (sinostosis) que contraindican la disyunción sin asistencia quirúrgica

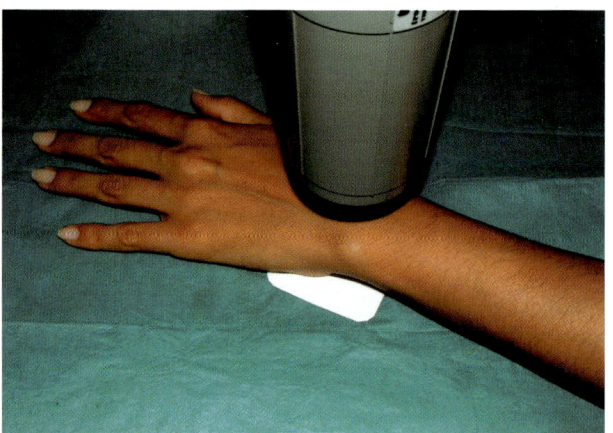

Fig. 17-10 Técnica para la toma de la mini-radiografía carpal utilizando el aparato de rayos dental y una radiografía oclusal

- Mordida cruzada bilateral posterior con torque negativo (fig. 17-15 A).
- Mordida cruzada bilateral posterior con torque positivo (fig. 17-15 B).

En el primer caso, mordida cruzada posterior con torque molar negativo, está indicado realizar expansión porque se aumenta el torque (fig. 17-16); mientras que con torque molar inicial positivo, es preferible la expansión rápida o disyunción que mantiene mejor el torque molar durante el aumento transversal (fig. 17-17).

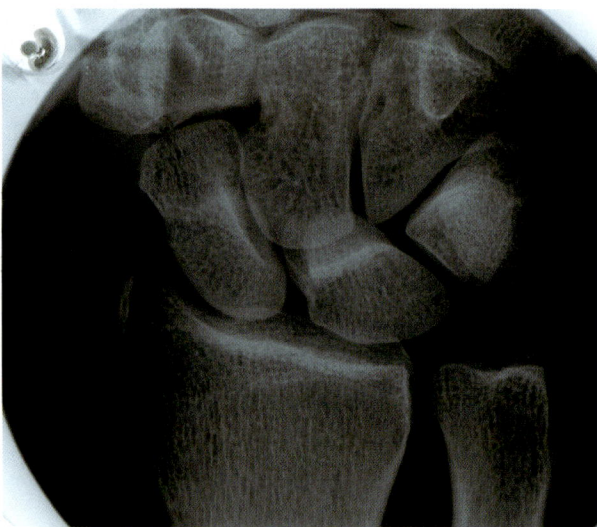

Fig. 17-11 Mini-radiografía carpal. Obsérvese que no hay solución de continuidad entre las diáfisis y epífisis de cúbito y radio indicando la finalización del crecimiento

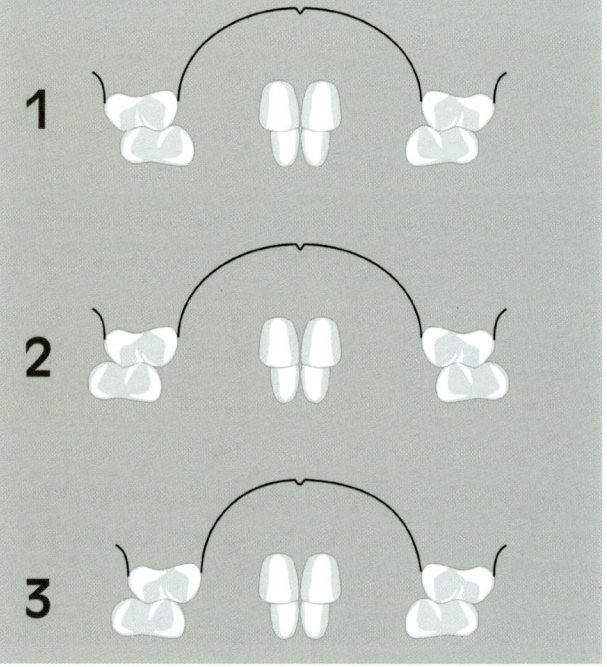

Fig. 17-12 Esquema de las posibles relaciones transversales posteriores. En 1, la oclusión normal. En 2, mordida cruzada bilateral. En 3, mordida cruzada unilateral

Capítulo 17

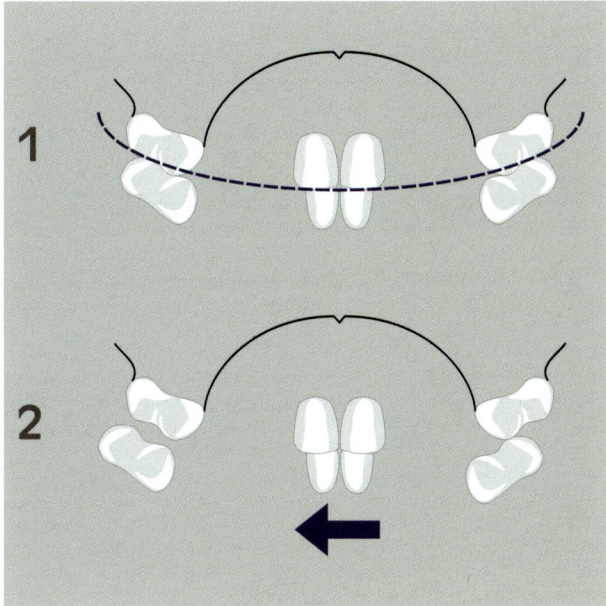

Fig. 17-13 En 1 obsérvese el torque negativo de los molares inferiores y la curva de Wilson demasiado profunda. En 2 obsérvese que en el movimiento de lateralidad se producen interferencias de balance

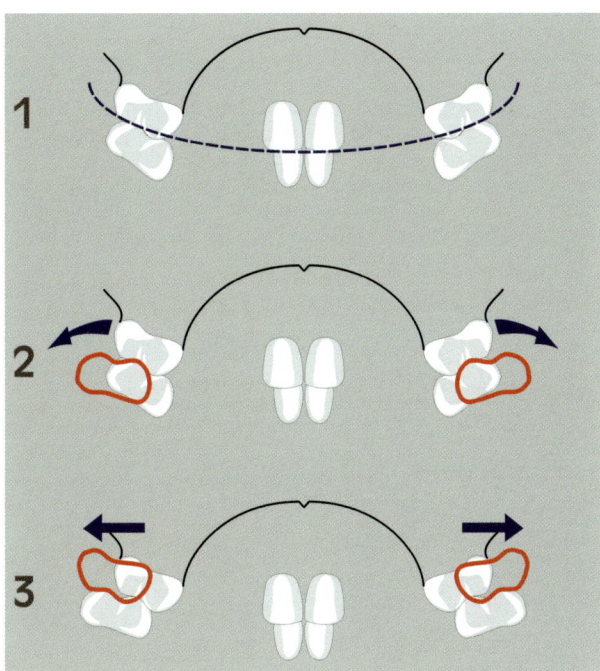

Fig. 17-14 En los casos con curva de Wilson profundas se indica la expansión inferior para nivelar la curva y la expansión superior para compensar la oclusión

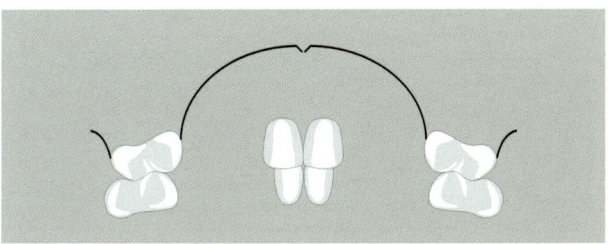

Fig. 17-15A Mordida cruzada bilateral posterior con torque negativo

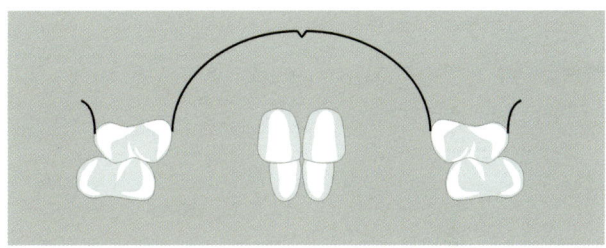

Fig. 17-15B Mordida cruzada bilateral posterior con torque positivo

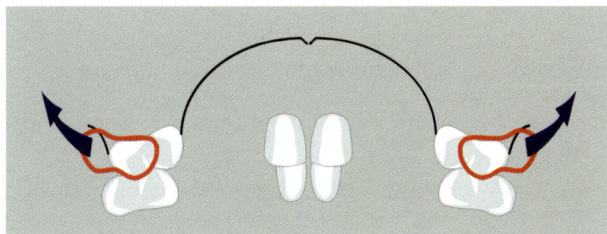

Fig. 17-16 En los casos con mordida cruzada bilateral posterior con torque negativo, se debe indicar expansión

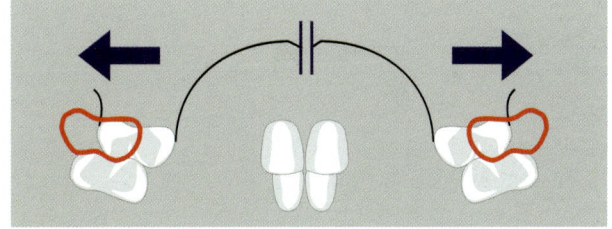

Fig. 17-17 En los casos con mordida cruzada bilateral posterior con torque positivo, se debe indicar disyunción

Otra consideración importante es la diferenciación entre mordida cruzada unilateral anatómica y mordida cruzada unilateral funcional (figs. 17-18A y B).
Además de las mediciones de simetría en los modelos, el diagnóstico diferencial se debe realizar desprogramando al paciente y montando los modelos en articulador en posición de relación céntrica (RC). La mayoría de las mordidas cruzadas unilaterales posteriores son funcionales, provocadas por una falta de desarrollo transversal leve y simétrica del maxilar superior y un deslizamiento lateral de la mandíbula.
La mordida cruzada unilateral posterior anatómica puede estar provocada por:

• Asimetrías del maxilar superior (normalmente asocia-

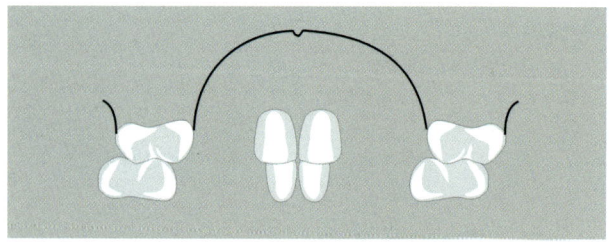

Fig. 17-18A Mordida cruzada posterior unilateral anatómica

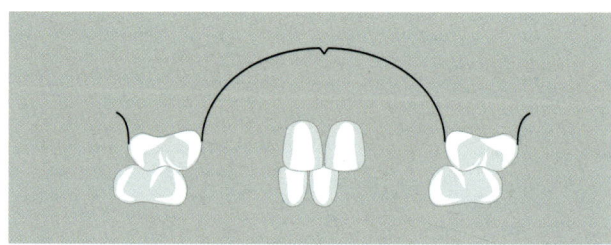

Fig. 17-18B Mordida cruzada posterior unilateral funcional

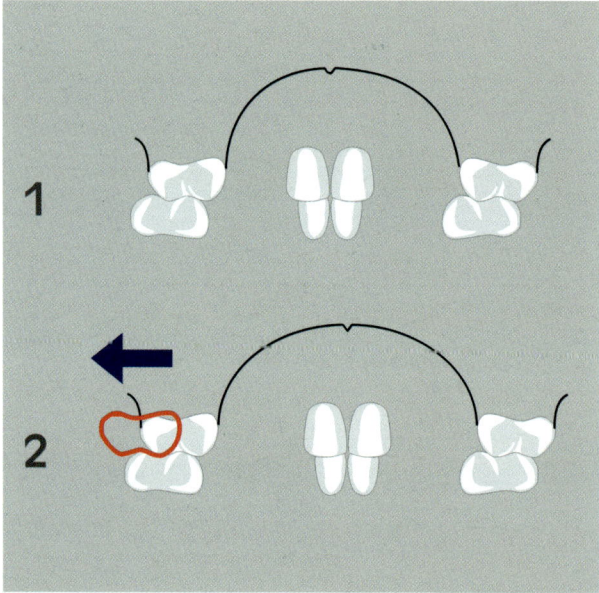

Fig. 17-19 La corrección de la mordida cruzada unilateral anatómica debe ser realizada por expansión asimétrica

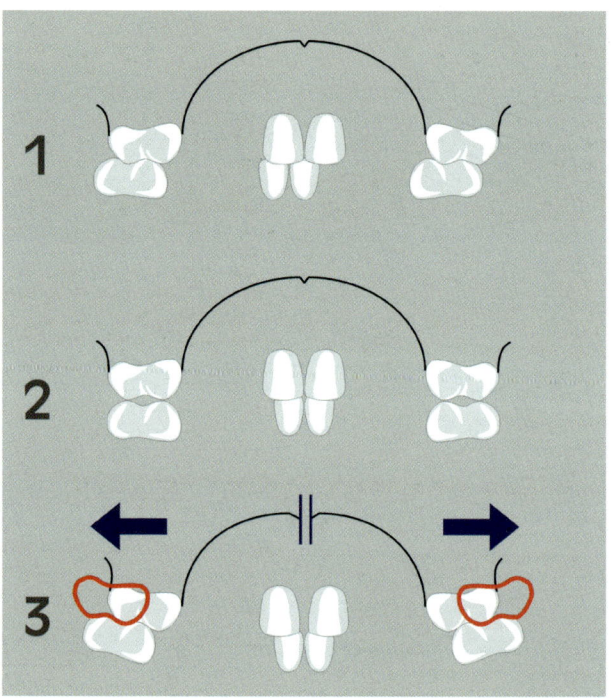

Fig. 17-20 Las mordidas cruzadas unilaterales funcionales quedan borde a borde en RC y deben ser corregidas con expansión simétrica y reposición mandibular a RC

das a asimetrías faciales).
- Asimetrías del maxilar inferior (de cóndilo, rama o cuerpo mandibular).
- Trastornos de la articulación témporo-mandibular (ATM).

Una vez descartada la patología de ATM, este tipo de mordida se corrige con expansión asimétrica (fig. 17-19) o con cirugía ortognática dependiendo de la gravedad.
La mordida cruzada unilateral posterior funcional se corrige con expansión simétrica y reposición mandibular a RC (fig. 17-20).

Resumiendo:

Indicaciones para expansión inferior

- Nivelar la curva de Wilson para evitar interferencias de balance durante el movimiento de lateralidad.

Indicaciones para expansión asimétrica superior

- Mordida cruzada unilateral posterior anatómica con torque molar negativo.

Indicaciones para expansión simétrica superior

- Mordida cruzada unilateral posterior funcional con torque molar negativo.
- Mordida cruzada bilateral posterior con torque molar negativo.

Indicaciones para expansión rápida palatina o disyunción

- Mordida cruzada posterior uni o bilateral con torque molar normal o positivo.

Limitaciones a la disyunción

- Crecimiento terminado.

Normalmente realizamos disyunción hasta los 17 años en niñas y 18 años en niños sin problemas. Entre los 17 y los 22 años, se puede realizar disyunción si todavía el

Capítulo 17

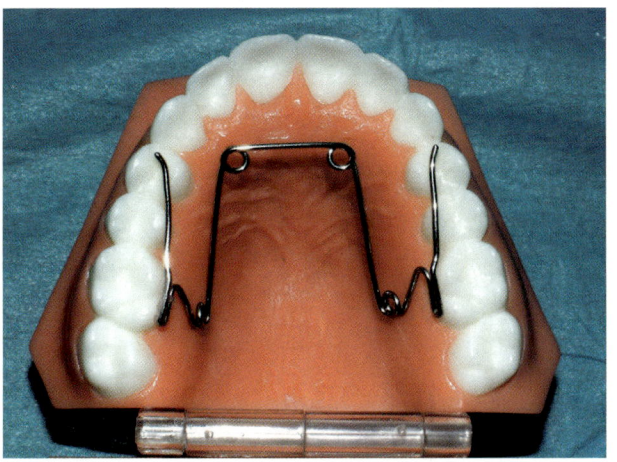

Fig. 17-21 Pre-activación del Quad-hélix

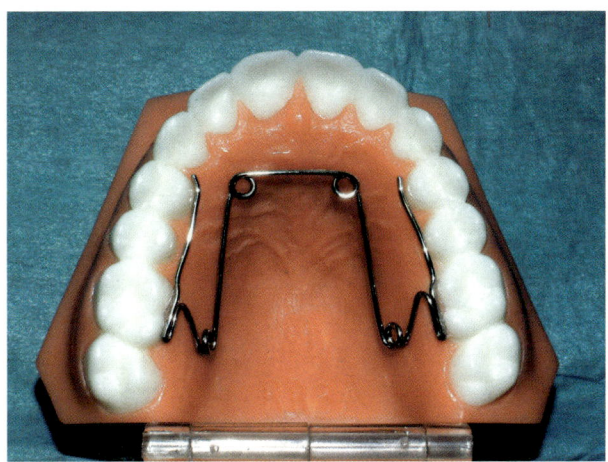

Fig. 17-22 Quad-hélix en posición (activado)

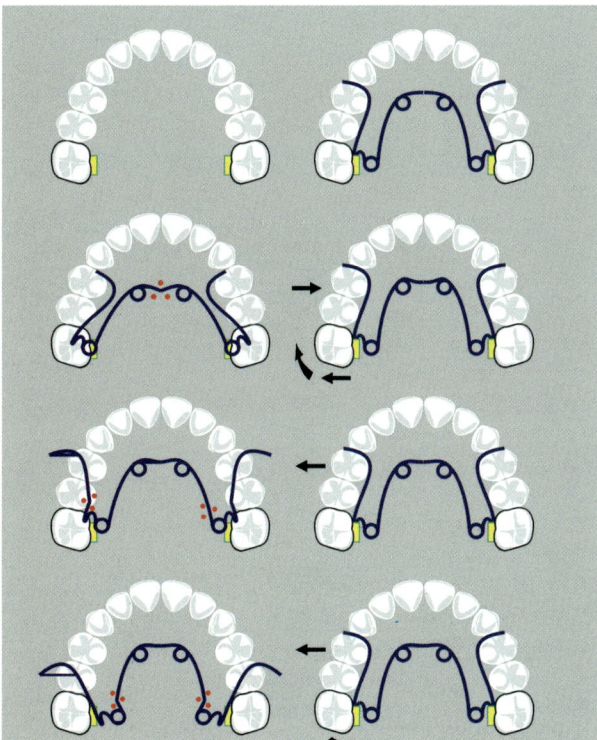

Fig. 17-23 1. Arcada superior y Quad-hélix
2. Activación nº 1 con alicate 3 puntas en la parte central del Quad-hélix produciendo expansión molar, mesiorotación molar y desactivación de los brazos premolares.
3. Activación nº 2 con alicate 3 puntas a mesial del molar produciendo expansión de los brazos premolares.
4. Activación nº 3 con alicate 3 puntas antes de las hélices distales produciendo expansión de los brazos premolares y distorotación molar.

paciente no terminó el crecimiento. Para comprobarlo realizamos radiografías oclusales para comprobar el estado de la sutura medio palatina (fig. 17-09) y mini radiografías carpales (fig. 17-11). A partir de los 22 años siempre se tiene que realizar disyunción con asistencia quirúrgica.

Limitaciones a la expansión

- No se realiza expansión inferior sin molares que presenten torque negativo.
- No se realiza expansión superior si el paciente presenta:
  - Encía vestibular delgada.
  - Cortical vestibular delgada.
  - Presencia de bolsas patológicas.
  - Presencia de furcas.
  - Recesión gingival vestibular.

Aparatología utilizada

Quad-hélix

En el maxilar superior, utilizamos Quad-hélix (QH) o aparatos de Crozat como paso previo a la ortodoncia lingual, y como retención - barras transpalatinas de Goshgarian o botones de Nance.

En las figuras 17-21 y 17-22 se puede observar el Quad-hélix preactivado y en posición. Este aparato debe cementarse preactivado.

En la figura 17-23 se esquematiza la activación del Quad-hélix:

1. Arcada superior y Quad-hélix.
2. Activación nº 1, con alicate de 3 puntas en la parte central del Quad-hélix produciendo expansión molar, mesiorotación molar y desactivación de los brazos premolares.
3. Activación nº 2, con alicate de 3 puntas a mesial del molar produciendo expansión de los brazos premolares.
4. Activación nº 3, con alicate de 3 puntas antes de las hélices distales produciendo expansión de los brazos premolares y distorotación molar.

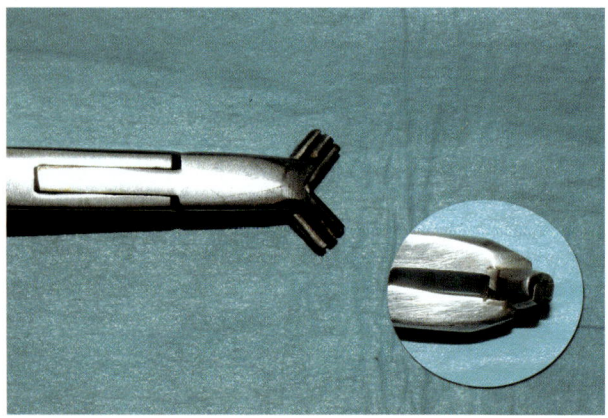

Fig. 17-24 Alicate de 3 puntas acodado bilateral para activación intraoral

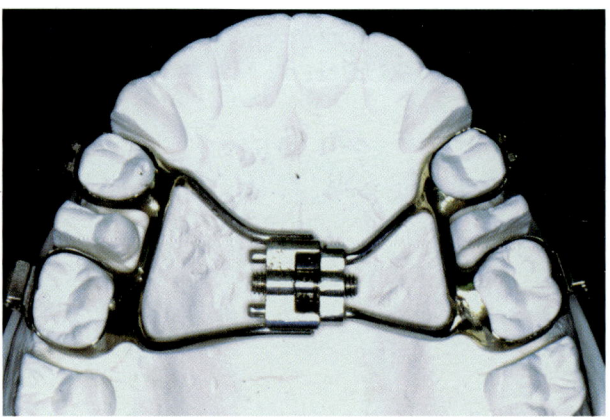

Fig. 17-25 Disyuntor tipo Hyrax

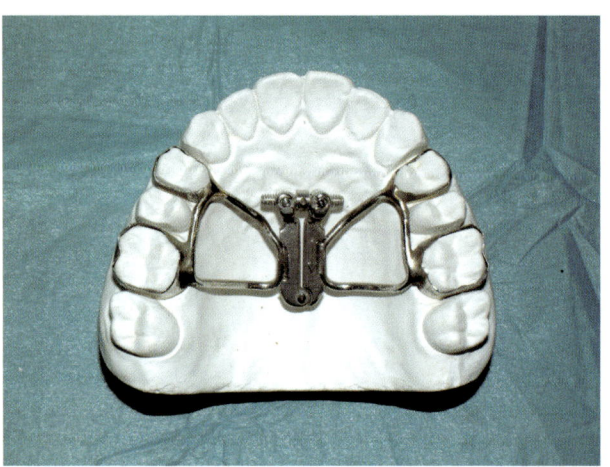

Fig. 17-26 Disyuntor tipo Hyrax en abanico

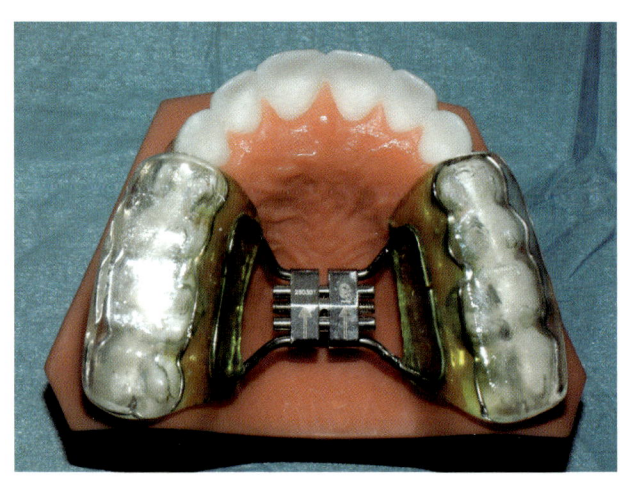

Fig. 17-27 Disyuntor de McNamara

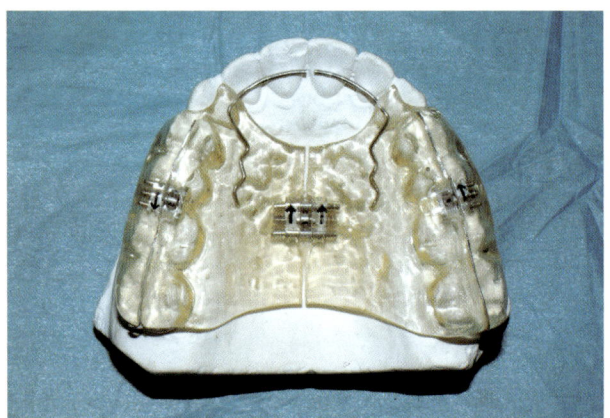

Fig. 17-28 Disyuntor tipo Alpern

El Quad-hélix se puede usar soldado a bandas o removible con cajetines en las bandas. El autor utiliza Quad-hélix removible pero ligado al cajetín molar.

El Quad-hélix removible es más fácil de activarse, pero si se prefiere la activación intraoral se debe utilizar un alicate de 3 puntas acodado bilateral (fig. 17-24).

El procedimiento clínico es el siguiente:

- Cementar bandas molares con brackets gemelos linguales y tubo auxiliar y ligar el Quad-hélix a estos tubos auxiliares.
- Completar la corrección de la mordida cruzada posterior.
- Retirar el Quad-hélix y tomar impresiones para la cubeta de transferencia de los brackets linguales y para barra transpalatina de contención.
- Volver a instalar el Quad-hélix dejándolo pasivo hasta la próxima visita de cementado.

Tornillos para expansión palatina rápida (EPR) o disyunción

Los aparatos utilizados para EPR o disyunción son los mismos. Depende del grado de activación si se conseguirá expansión rápida (con mejor control sobre el torque molar y menor post-rotación mandibular) o disyunción. Uno de los aparatos más utilizados es el Hyrax (fig. 17-

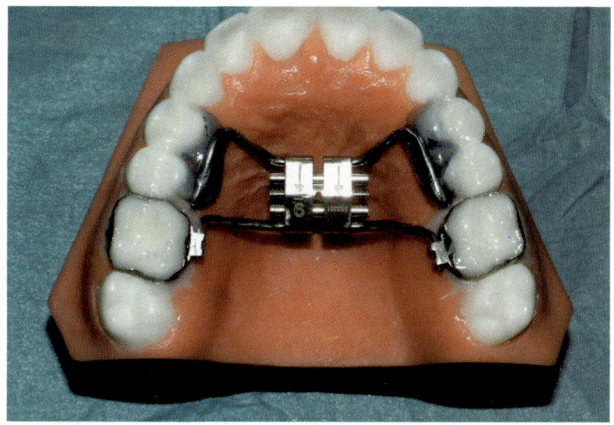

Fig. 17-29 Disyuntor de adhesión directa para técnica vestibular

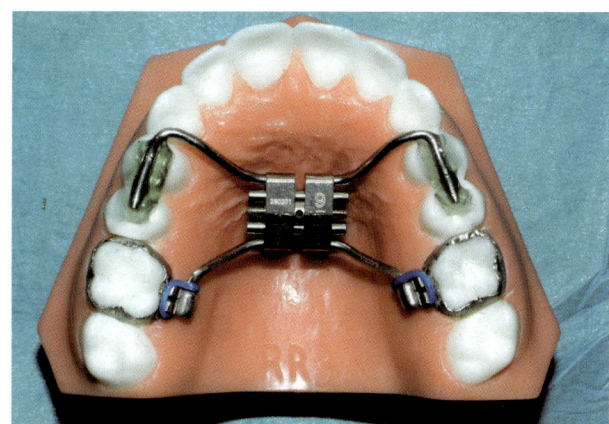

Fig. 17-30 Disyuntor de adhesión directa para técnica lingual

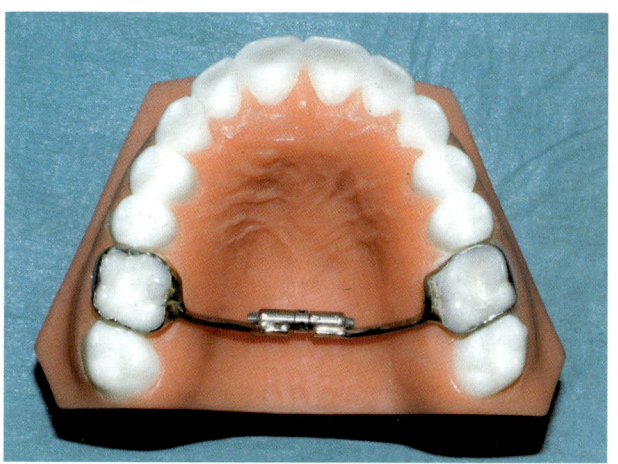

Fig. 17-31 Tornillo Compact RPE

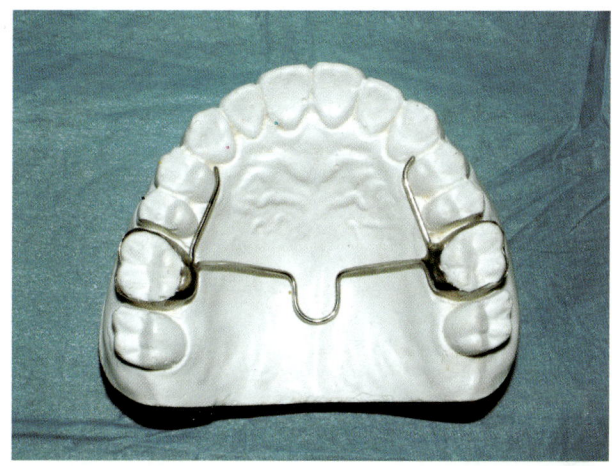

Fig. 17-32 Barra Transpalatina de Goshgarian con brazos anteriores

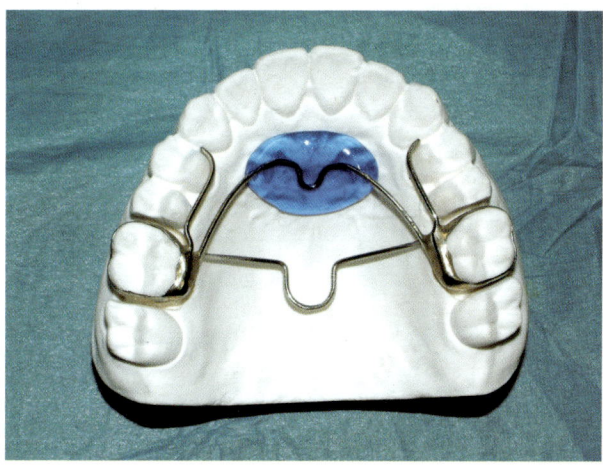

Fig. 17-33 Barra Transpalatina de Goshgarian con brazos anteriores y botón de Nance

25) que está compuesto por 4 bandas (primeros molares y primeros premolares) y un tornillo soldado a las 4 bandas con alambres de unión entre bandas premolares y molares. El mayor inconveniente de este aparato es que los 2 premolares y los 2 molares deben estar paralelos para poder conseguir el cementado del aparato.

En la figura 17-26 se observa un disyuntor tipo Hyrax (soldado a 4 bandas) pero con tornillo en abanico. Este tipo de tornillos soldados como el caso en la fotografía realiza mayor aumento transversal anterior que posterior estando especialmente indicado en maxilares triangulares. Si se suelda el tornillo al revés, se provoca mayor aumento de la zona molar.

El disyuntor de McNamara (fig. 17-27) con un tornillo palatino unido a férulas de resina es muy utilizado en niños durante el recambio dentario para conseguir más anclaje.

El disyuntor de Alpern (fig. 17-28) tiene todavía más apoyo sobre toda la mucosa palatina y unos tornillos oclusales para facilitar el descementado.

El autor ha diseñado y utiliza disyuntores de adhesión directa. En la figura 17-29 se puede observar el disyuntor de adhesión directa utilizado en técnica vestibular (DADV). Consta de 2 bandas molares con cajetines palatinos. Los mismos brazos del tornillo son adaptados

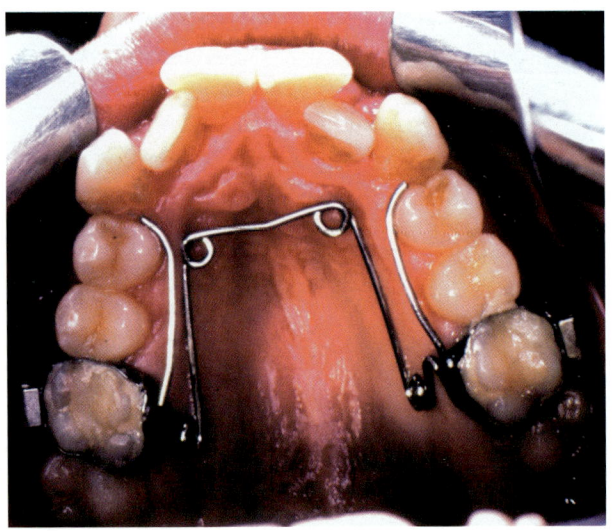

Fig. 17-34 A Caso AB - Antes de la expansión con Quad-hélix

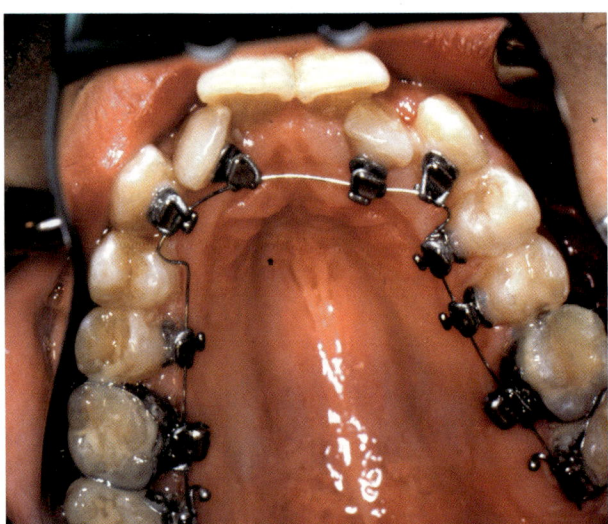

Fig. 17-34 B Caso AB - Después de la expansión con Quad-hélix. Cementado de los brackets linguales

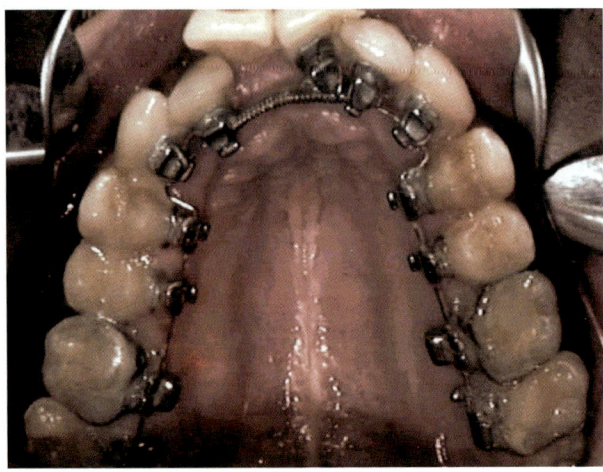

Fig. 17-35 Caso AB - Brackets linguales y expansión con coil-spring

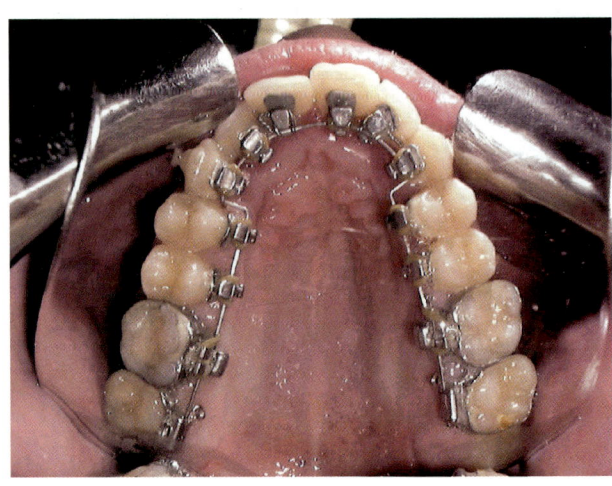

Fig. 17-36 Caso AB - Expansión completada y etapa de ANR

a los cajetines y a las caras palatinas de los premolares. Sus ventajas son la facilidad de cementado y que una vez retirado se puede utilizar una barra de Goshgarian adaptada a los mismos cajetines, sin necesidad de cambiar las bandas.

En la figura 17-30 se observa el disyuntor de adhesión directa para técnica lingual (DADL) adaptado a los tubos auxiliares de los brackets linguales molares y a las caras oclusales de los primeros premolares, dejando libres las caras linguales de los premolares para los brackets linguales. En la figura 17-31 se observa el disyuntor realizado con el tornillo Compact RPE (ORMCO) que con la misma fuerza de los tornillos convencionales, minimiza su tamaño haciéndolo mucho más confortable para el paciente.

Los resultados obtenidos con expansores con bandas o de adhesión directa son aproximadamente iguales según los estudios de Reed, Ghosh y Nanda, por lo que prefiero utilizar los disyuntores de adhesión directa.

Se cementan las bandas de las piezas 16 y 26 con brackets gemelos linguales y tubo auxiliar para barra transpalatina. El tornillo Hyrax es conformado para que se pueda introducir en el tubo auxiliar por los brazos posteriores y adaptado a la cara oclusal de los primeros premolares. También se realiza el cementado indirecto de los brackets de primeros y segundos premolares. Se graba la cara oclusal de los primeros premolares, y se cementa con composite el brazo anterior del tornillo previamente introducido en el tubo auxiliar. El cemento actúa como build-ups elevando la oclusión. Arcos pasivos son ligados a los molares y los premolares para ferulizarlos. Se pueden ligar con elásticos de separación para mejorar el confort del paciente (fig. 17-39).

Expansión Palatina Rápida (EPR)

Al día siguiente al cementado, se debe activar el tornillo ¼ de vuelta. Continuar con activaciones 3 veces a la semana hasta completar la corrección, aumentando 1 mm de sobrecorrección a cada lado.

Disyunción

Al día siguiente al cementado, se comienza la activación. La primera semana se activa a razón de 2/4 de vuelta por día y a partir de la segunda semana, a razón de ¼ de vuelta por día hasta completar la corrección, aumentando 1 mm de sobrecorrección a cada lado.

Disyunción con asistencia quirúrgica

Se cementa el disyuntor y se envía el paciente al cirujano ortognático. El cirujano realizará la disyunción de forma ambulatoria y al día siguiente se puede comenzar la disyunción con el mismo ritmo de activación de la disyunción normal. El acto quirúrgico se realiza con el disyuntor cementado para que el cirujano pueda comprobar si realmente completó la separación de la sutura medio-palatina y para poder comenzar la activación al día siguiente.

Contención inmediata y mediata

Una vez completada la disyunción más sobrecorrección, se mantiene el aparato inactivo un mes en boca. Se procede a cementar el resto de los brackets para alineación y nivelación y a cambiar el disyuntor por el aparato de contención.

Si sólo se necesita anclaje transversal, utilizamos para técnica vestibular la barra de Goshgarian modificada con brazos anteriores (fig. 17-32), pero en técnica lingual se utiliza la barra de Goshgarian normal ya que la contención de premolares es realizada por el arco lingual con los brackets. El procedimiento consiste en:

- Descementar el DADL pero no las bandas molares.
- Tomar impresiones manteniendo las bandas en boca.
- Volver a cementar el DADL como contención durante la etapa de laboratorio.
- Adaptar la barra de Goshgarian indirectamente sobre el modelo y hacer la cubeta de transferencia de los brackets linguales.
- En la siguiente visita, retirar nuevamente el DADL, cementar los brackets y adaptar y ligar la barra transpalatina.

En la figura 17-33 se puede observar la barra transpalatina de Goshgarian con brazos anteriores y botón de Nance. En casos de extracciones se pueden mantener los premolares para mayor anclaje de la disyunción y una vez completada, se utiliza el aparato para mantener anclaje transversal y sagital, procediendo al cementado de todos los brackets, la extracción de los premolares y el cementado de los pónticos estéticos.

Expansión con coil-springs

La expansión local realizada con coil-spring resulta muy efectiva pero muchas veces los coil-springs son mal tolerados por los pacientes por las lesiones linguales y la retención de alimentos.

Secuencia biomecánica para casos de expansión

0. Aparato de expansión

QH o DADL

1. Alineación, nivelación, corrección de rotaciones

- .016" NiTi,
- .017" x .017" Copper NiTi.

2. Establecimiento del torque

- .0175" x .0175" TMA,
- doblez distal, ligadura en "8" de canino a canino.

3. Forma de arcada, elásticos de clase II o III

- .016" x .022" SS,
- omega antemolar.

4. Terminación

- .016" SS,
- omega antemolar, dobleces de terminación de 1er y 2do orden.

Casos clínicos

Caso AB (figs. 17-34 a 17-36)

Caso de expansión con Quad-hélix. Luego de la expansión, se realiza el cementado lingual. Se termina la expansión anterior con un coil-spring y se completa el cementado de los incisivos centrales para terminar la alineación.

Caso CD (figs. 17-37 a 17-44)

Caso con apiñamientos y mordida cruzada posterior derecha. Se realiza la disyunción con el Disyuntor de Adhesión Directa Lingual (DADL), brackets linguales y arcos seccionales. Se completa la disyunción en un mes y se realiza tratamiento convencional con stripping progresivo de canino a canino superior (ver capítulo de stripping).

Caso EF (figs. 17-45 a 17-48)

Caso tratado con disyunción con asistencia quirúrgica. El disyuntor de adhesión directa vestibular (DADV) se sustituye a las 4 semanas por un disyuntor en abanico para lograr mayor disyunción anterior que posterior.

Caso GH (figs 17-49 a 17-59)

El paciente presenta mordida cruzada del canino superior derecho y una prótesis parcial removible para repo-

Casos sin extracciones. Expansión. Disyunción

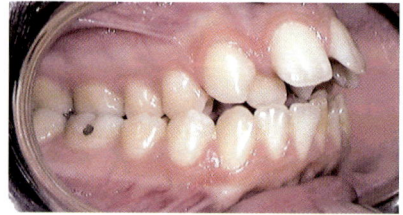 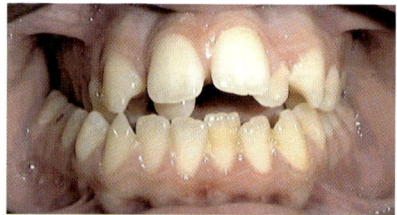 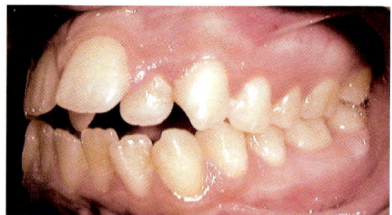

Fig. 17-37   A, B y C: Caso CD - Caso con apiñamientos y mordida cruzada posterior derecha (vistas intraorales).

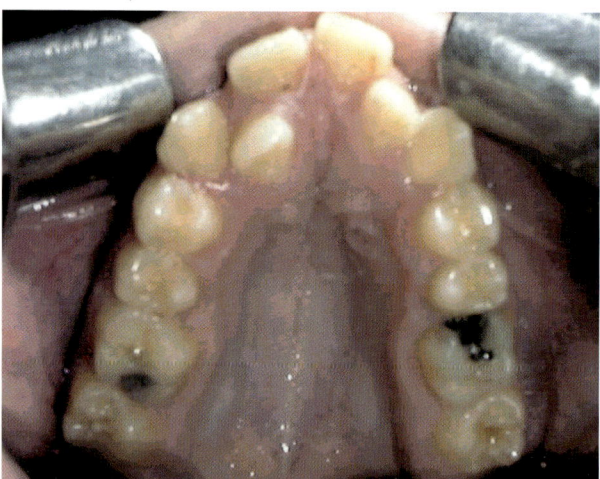 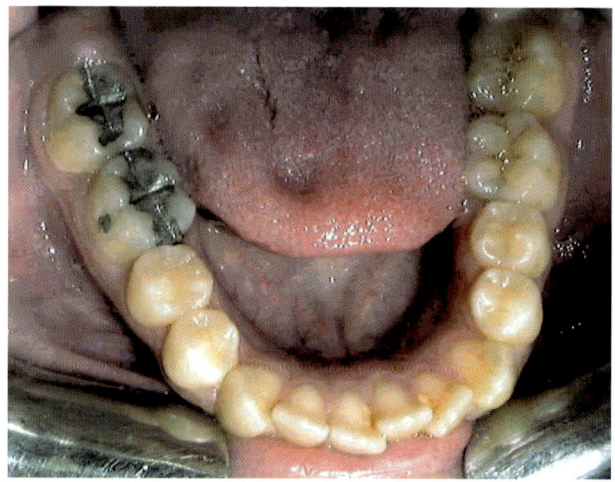

Fig. 17-38   A y B: Caso CD - Caso con apiñamientos y mordida cruzada posterior derecha (vistas oclusales)

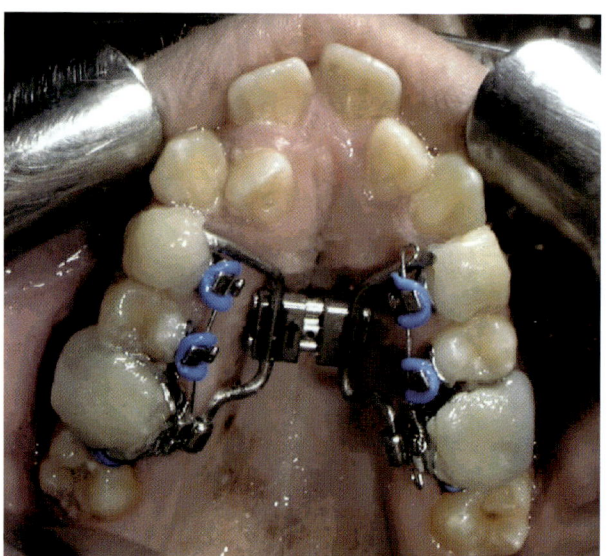

Fig. 17-39   Caso CD - Inicio de la disyunción con disyuntor de adhesión directa y brackets linguales

sición del primer premolar y el primer molar superiores derechos. El paciente sólo requería la corrección de la posición del canino.

Se cementaron provisionales para que el paciente no tuviera que utilizar la prótesis durante el tratamiento ortodóncico.

Se utilizó un arco de .0175" x .0175" de TMA con asas verticales y la desoclusión provocada por los brackets linguales facilitó la corrección.

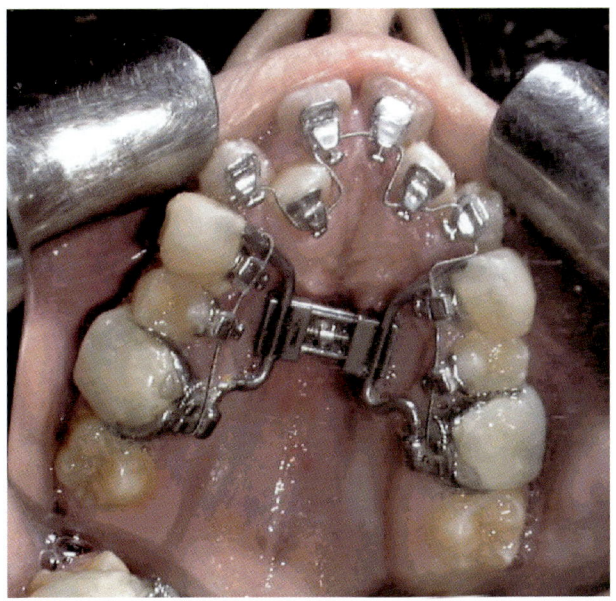

Fig. 17-40 Caso CD - Disyunción con disyuntor de adhesión directa y brackets linguales, etapa intermedia (vista oclusal)

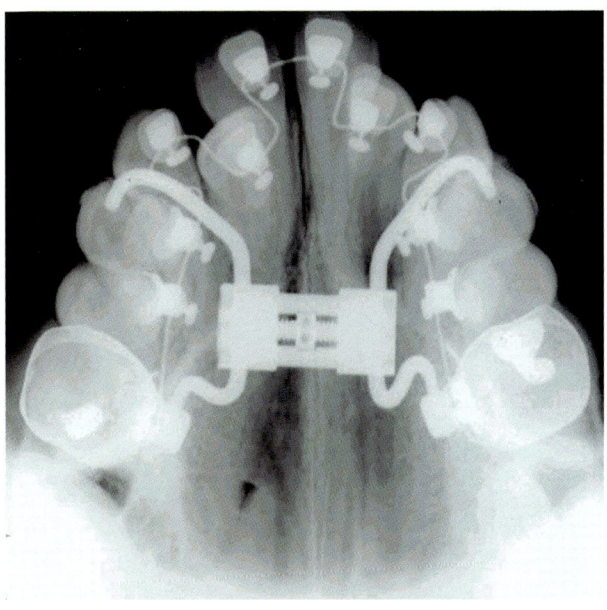

Fig. 17-41 Caso CD - Disyunción con disyuntor de adhesión directa y brackets linguales, etapa intermedia (radiografía oclusal)

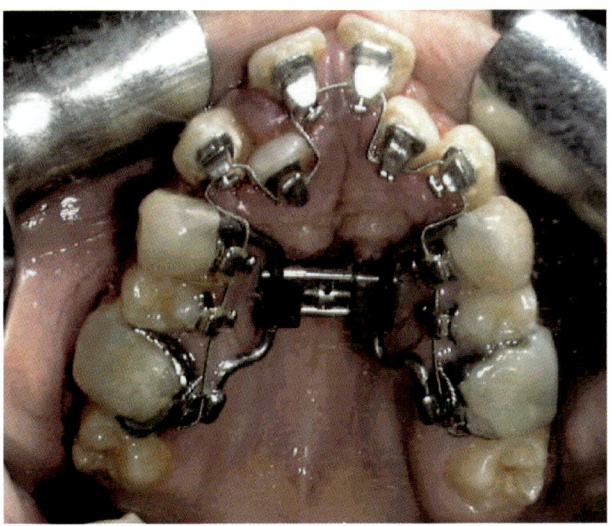

Fig. 17-42 Caso CD - Disyunción con disyuntor de adhesión directa y brackets linguales, etapa final (vista oclusal)

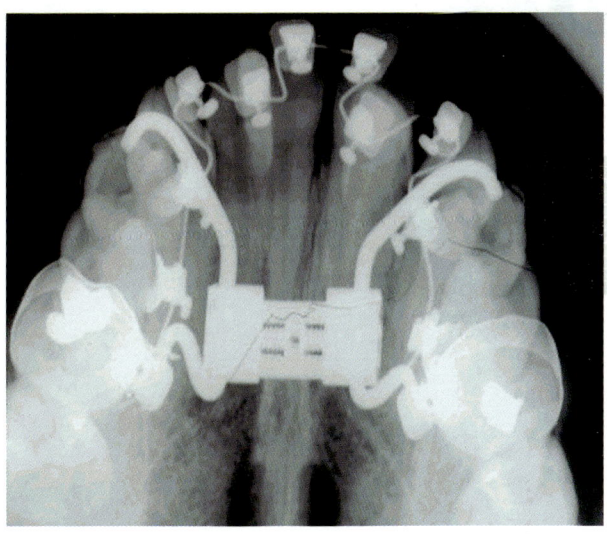

Fig. 17-43 Caso CD - Disyunción con disyuntor de adhesión directa y brackets linguales, etapa final (radiografía oclusal)

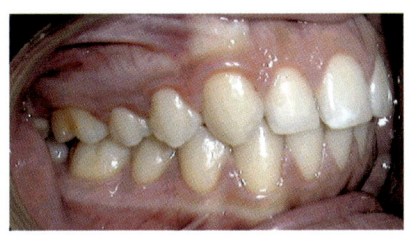
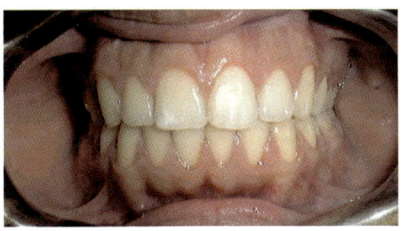
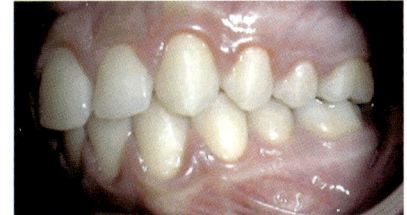

Fig. 17-44 A, B y C: Caso CD - Caso terminado, vistas intraorales

Casos sin extracciones. Expansión. Disyunción

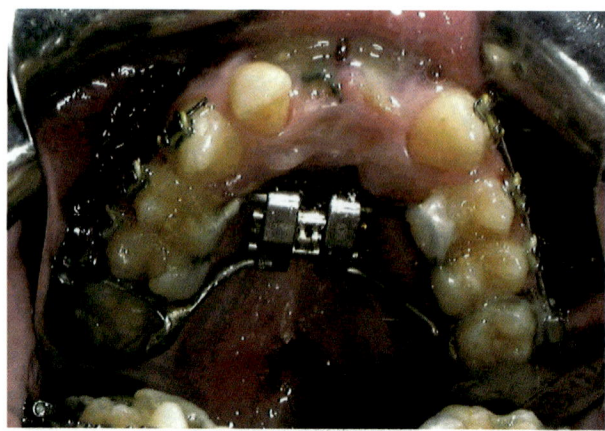

Fig. 17-45 Caso EF - El maxilar superior tratado con disyunción con asistencia quirúrgica. Obsérvese los puntos de sutura a nivel de la papila incisiva y fondo de surco vestibular

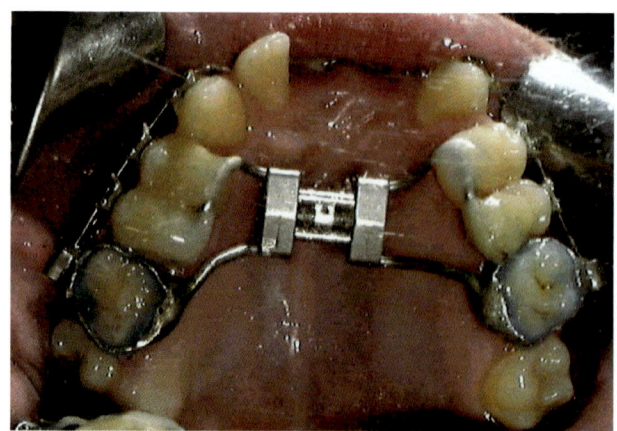

Fig. 17-46 Caso EF - La disyunción realizada con disyuntor de adhesión directa y brackets vestibulares

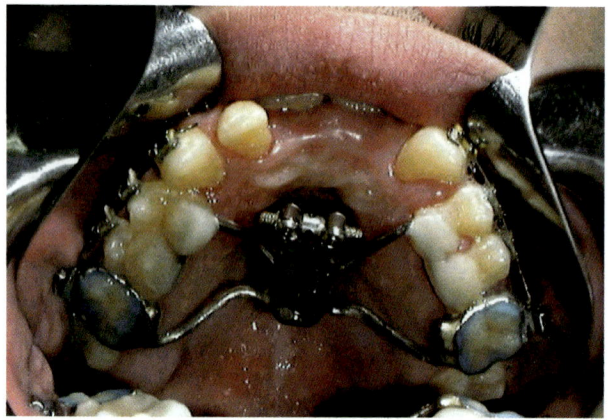

Fig. 17-47 Caso EF - Se indicó continuar con disyuntor asimétrico de adhesión directa debido a la forma triangular del maxilar superior

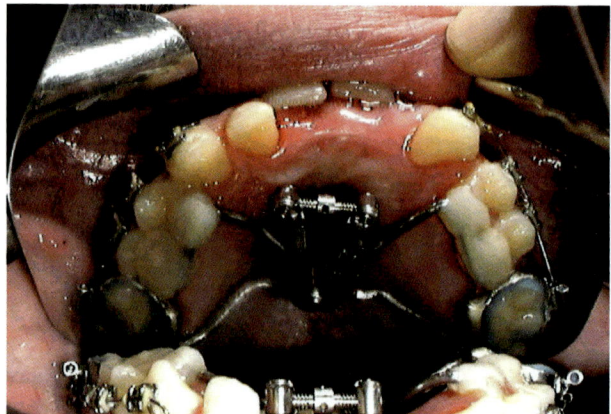

Fig. 17-48 Caso EF - Disyunción completada con el disyuntor asimétrico

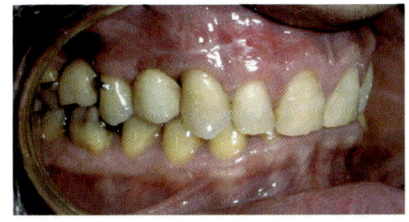 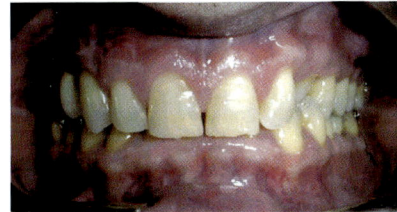 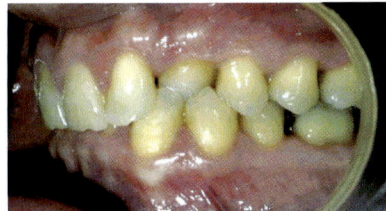

Fig. 17-49   A, B y C: Caso GH - Caso con mordida cruzada del canino superior e izquierdo (vistas intraorales)

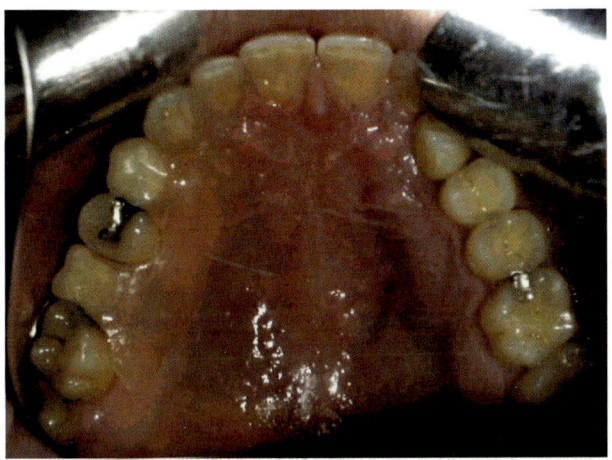 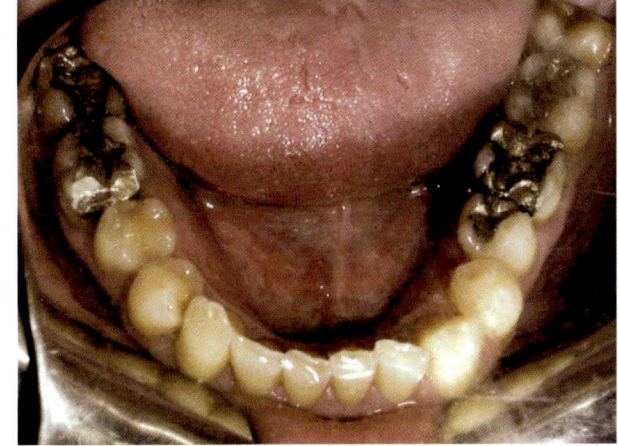

Fig. 17-50   A y B: Caso GH - Caso con mordida cruzada del canino superior e izquierdo (vistas oclusales)

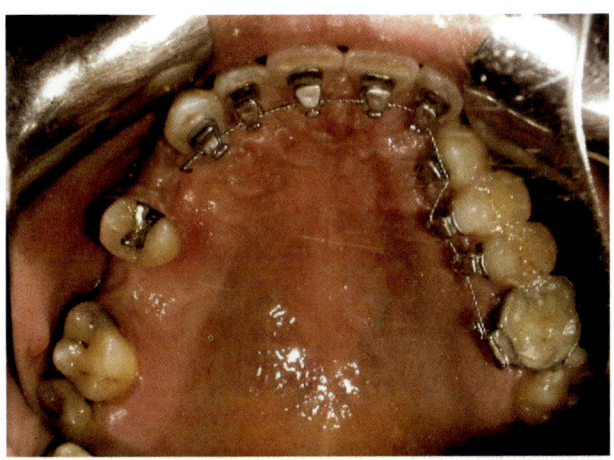 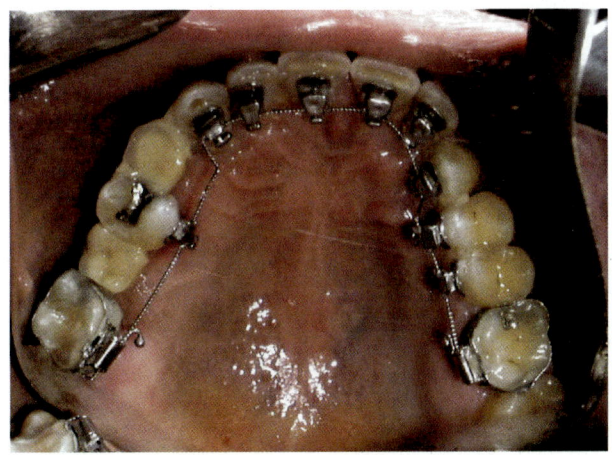

Fig. 17-51   Caso GH - Cementado superior

Fig. 17-52   Caso GH - Cementado de póntico superior

Casos sin extracciones. Expansión. Disyunción

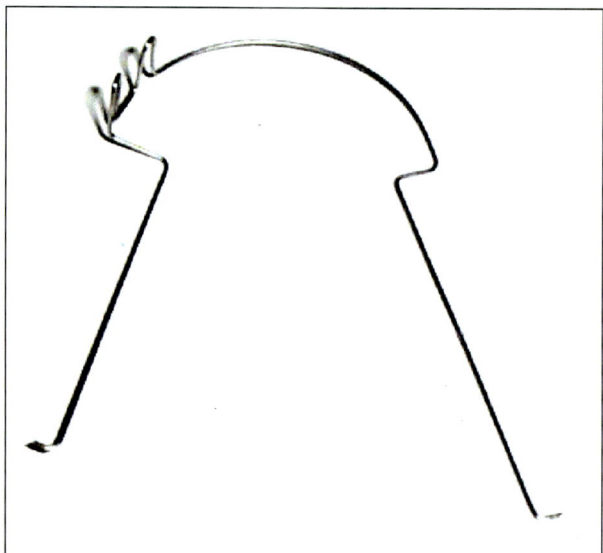

Fig. 17-53 A Caso GH - Arco de .0175" x .0175" de TMA con asas verticales en "I" de expansión para el canino superior izquierdo (vista superior)

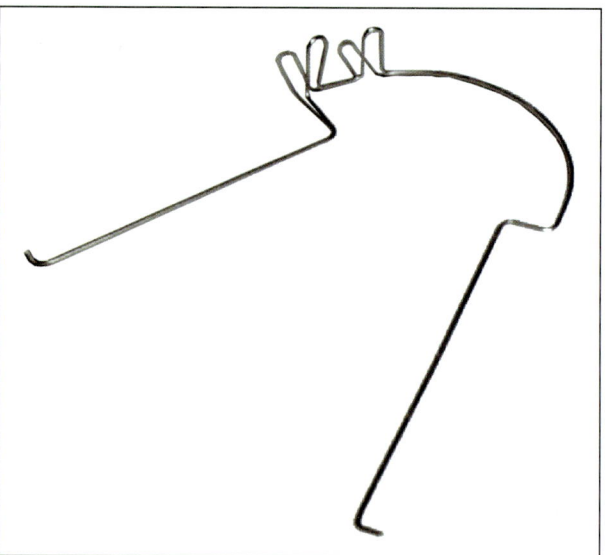

Fig. 17-53 B Caso GH - Arco de .0175" x .0175" de TMA con asas verticales en "I" de expansión para el canino superior izquierdo (vista lateral)

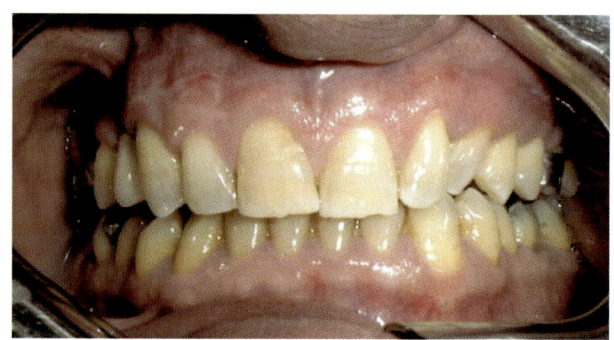
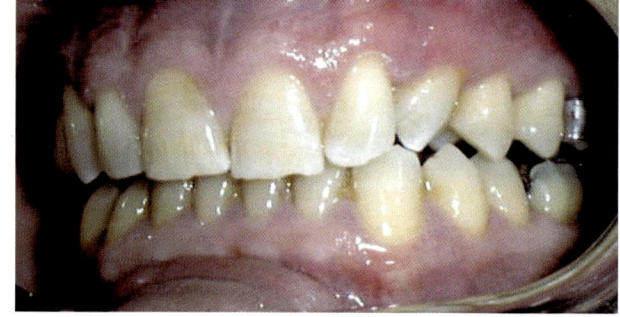

Fig. 17-54 A y B: Caso GH - Desoclusión posterior provocada por brackets linguales

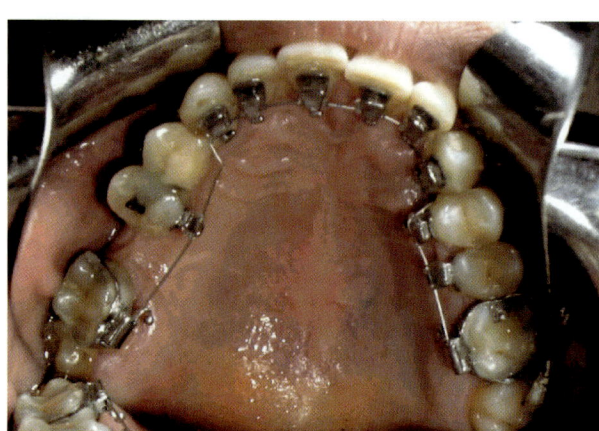

Fig. 17-55 Caso GH - Arco de .0175" x .0175" de TMA con asas verticales en "I" de expansión para el canino superior izquierdo en boca

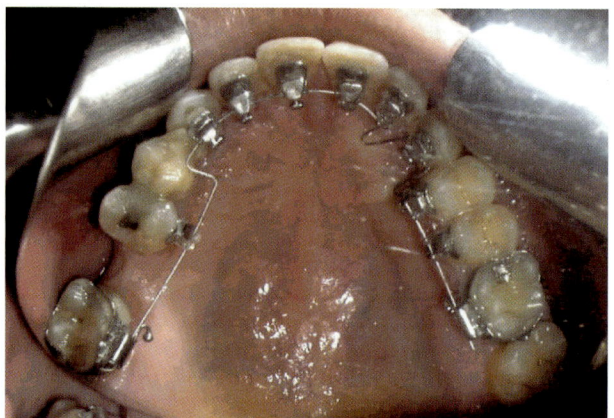

Fig. 17-56 – Caso GH – Arco con asas en "I" activadas

Capítulo 17

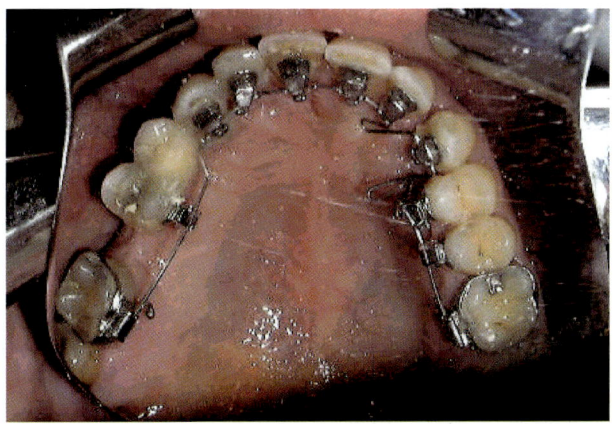

Fig. 17-57   Caso GH - Posición del canino corregida

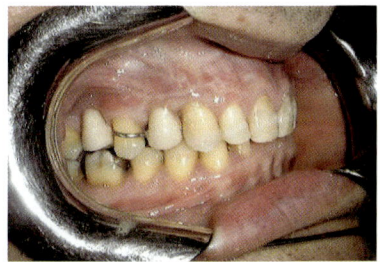 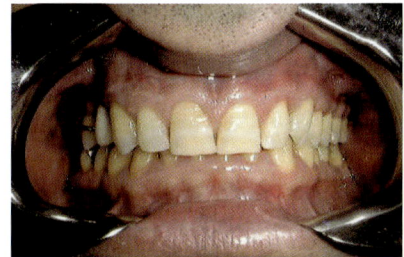 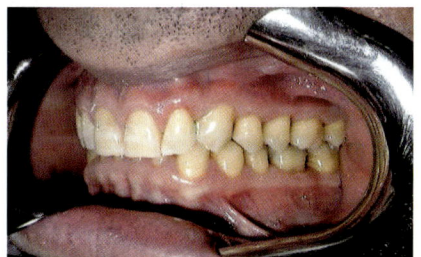

Fig. 17-58   A, B y C: Caso GH - Fotografías intraorales finales

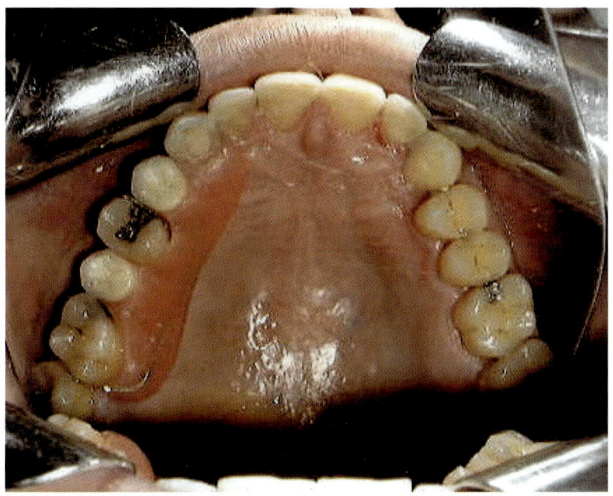 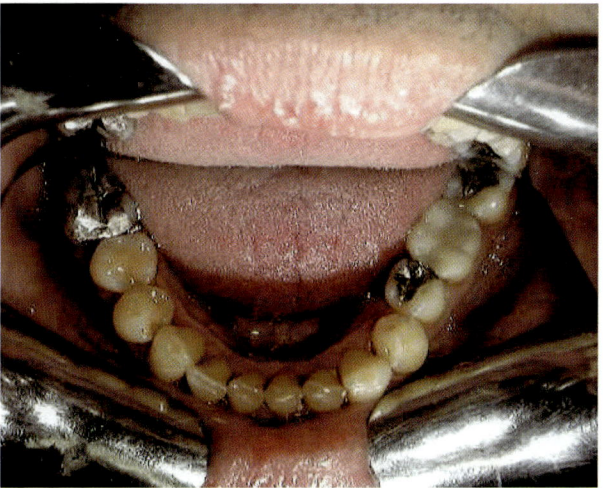

Fig.17-59   A y B: Caso GH - Fotografías oclusales finales

Casos sin extracciones. Stripping

18

- Introducción 323
- Importancia de la forma dentaria en el tratamiento ortodóncico 323
- Ventajas del stripping: 324
  - El stripping minimiza las indicaciones de extracciones y sus consecuencias 324
  - Menor pérdida de tejidos dentarios 324
  - Menor amplitud de movimientos dentarios 324
  - Menor tiempo de tratamiento 324
  - Mayor estabilidad 324
  - Mejor estética 324
- Desventajas del stripping 325
  - Efectos sobre el periodonto 325
  - Efectos sobre los dientes 325
    Espesor del esmalte 325
    ¿Cuánto esmalte se puede desgastar? 325
- Instrumentos para stripping 326
  - Tiras abrasivas manuales de stripping 327
  - Fresas para stripping 327
  - Discos para stripping 327
  - Sistema Intensiv para stripping 327
- Stripping indicaciones 328
  - Discrepancias dento-alveolares negativas leves 328
  - Discrepancias de Bolton 329
  - Forma dentaria triangular. Triángulos negros interproximales 330
  - Macrodoncia 330
  - Coronas y obturaciones sobredimensionadas 330
  - Asimetrías dentales bilaterales 330
  - Paciente adulto (pulpa retraída) 330
  - Bajo índice de caries 330
  - Buena higiene. Bajo índice de placa bacteriana 330
  - Rotaciones múltiples por estabilidad 330
  - Paciente que acepte stripping (advertencia previa) 330
- Stripping contraindicaciones 330
- Técnica del stripping progresivo 331
- Procedimiento clínico del stripping 331
  - Consideraciones especiales 332
- Sequencia bio-mecánica de arcos en técnica lingual con stripping 333
- Casos clínicos 334

Introducción

El stripping es una técnica para compensar la discrepancia dento-alveolar negativa, facilitando la alineación y nivelación de los dientes; para compensar las discrepancias de Bolton y las asimetrías bilaterales, facilitando la intercuspidación; para convertir el punto de contacto interdentario en un área de contacto, aumentando la estabilidad y para acercar el punto de contacto a la cresta ósea interdentaria, para evitar la "ausencia" de papilas gingivales en las troneras gingivales.

La relación entre stripping y discrepancia dento-alveolar es de 1:1, es decir que por cada milímetro de stripping realizado, se gana 1 mm de espacio (fig. 18-01).

Ballard describió esta técnica por primera vez en 1944 y tanto Sheridan en técnica vestibular como Fillión en técnica lingual, entre otros numerosos autores, han realizado grandes aportes al desarrollo de la técnica de stripping, actualmente muy utilizada.

Los estudios de Begg y Murphy sobre las oclusiones de aborígenes que presentaban desgastes interproximales (perdiendo hasta 14-15 mm de material dentario durante toda su vida) como consecuencia de dietas no refinadas y ausencia de apiñamientos parecen confirmar la necesidad del stripping para aumentar la estabilidad.

Peck y Peck encontraron relación entre el tamaño dentario (distancias mesio-distales y vestíbulo linguales de los incisivos inferiores) y el grado de apiñamiento (índice PI) y Betteridge también encontró relación entre el tamaño dentario y el grado de apiñamiento (índice BI).

Importancia de la forma dentaria en el tratamiento ortodóncico

Siguiendo a Bennett y McLaughlin, se diferencian tres formas principales de dientes. La forma rectangular, forma triangular y forma de barril (fig. 18-02).

La forma rectangular permite un punto de contacto amplio y estable, sin espacios visibles; la forma triangular permite un punto de contacto reducido y muy oclusal o incisal, con "triángulos negros gingivales". La forma de barril provoca un punto de contacto reducido y medio con separaciones aparentes a nivel incisal.

Estos espacios gingivales (dientes triangulares) o incisales (dientes con la forma de barril) pueden no ser evidentes al inicio del tratamiento por los apiñamientos o rotaciones presentes. En el caso de las figuras 18-03A hasta 18-03E se puede observar apiñamiento de dientes con forma triangular (18-03A y B). Observando la radiografía de la figura 18-03C se puede ver que la distancia desde la cresta del septum interdentario hasta el punto del contacto es mayor que 5mm. Con estos dos datos se puede

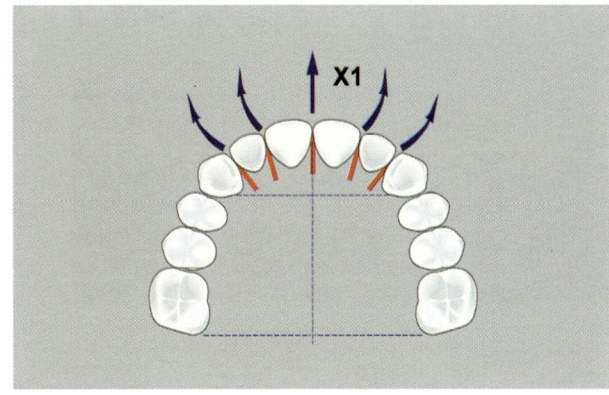

Fig. 18-01   Relación entre stripping y discrepancia dentoalveolar

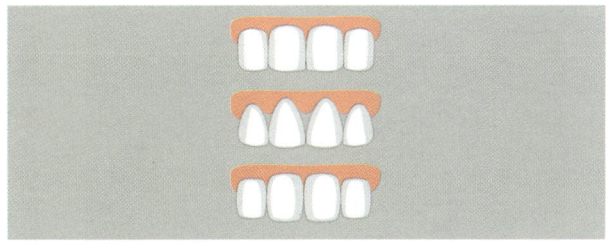

Fig. 18-02   Formas dentales según Bennett y McLaughlin: rectangular, triangular y barril

predecir que cuando se complete la alineación dentaria el paciente presentará "triángulos negros gingivales" (fig. 18-03D y E). Es muy importante advertir al paciente de este hecho antes de comenzar el tratamiento e incluir en el plan de tratamiento una solución: si la discrepancia dentoalveolar es negativa, se realizará stripping y reaproximación; mientras si que la discrepancia es positiva, se deberán realizar reconstrucciones estéticas.

Las mismas consideraciones son válidas para los dientes con forma de barril y las separaciones incisales (fig. 18-04). En los dientes con la forma de barril se pueden hacer stripping y reaproximación (fig. 18-05), o reconstrucciones incisales.

Siguiendo Andrews, sabemos que los dientes más inclinados mesiodistalmente ocupan más espacio en la arcada que los dientes en posición más vertical. Pero, Bennett y McLaughlin puntualizan que esto es más cierto en los dientes rectangulares que en los demás dientes (fig. 18-06). Por lo tanto, el mayor enderezamiento de un diente como solución a una discrepancia negativa leve, sólo es utilizable con los dientes rectangulares.

Según Steiner, la protrusión de los incisivos permite conseguir el doble de espacio, es decir, que por cada milímetro de protrusión, se reduce la discrepancia en 2mm. Según Bennett y Mc Laughlin, el aumento de torque sin protrusión también permite obtener 1mm por cada 5mm de aumento de torque radículo-palatino (fig. 18-07).

Casos sin extracciones. Stripping

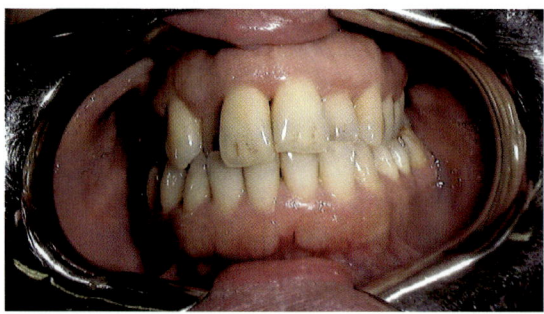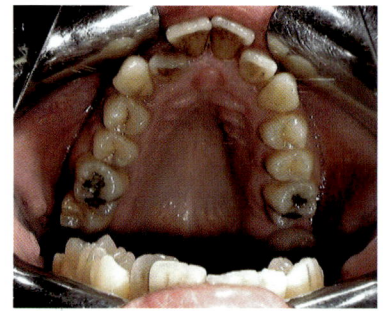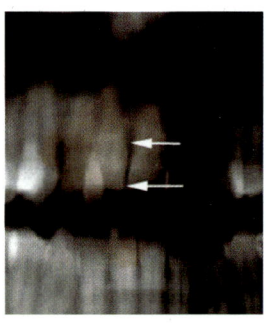

Fig. 18-03 A: Caso con apiñamientos y dientes con forma triangular, vista intraoral central; B: Caso con apiñamientos y dientes con forma triangular, vista oclusaL; C: Caso con apiñamientos y dientes con forma triangular (vista parcial de ortopantomografía para observar la distancia entre la cresta del septum interdentario y el punto de contacto); C: Caso con apiñamientos y dientes con forma triangular (vista parcial de ortopantomografía para observar la distancia entre la cresta del septum

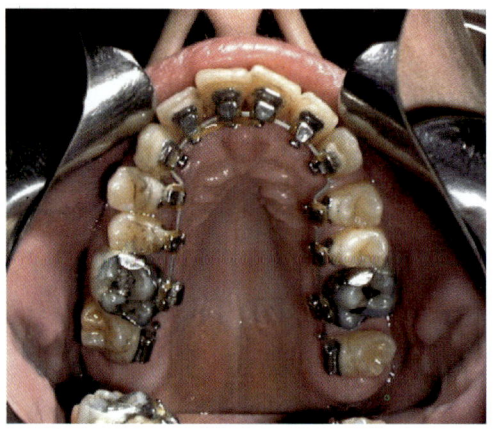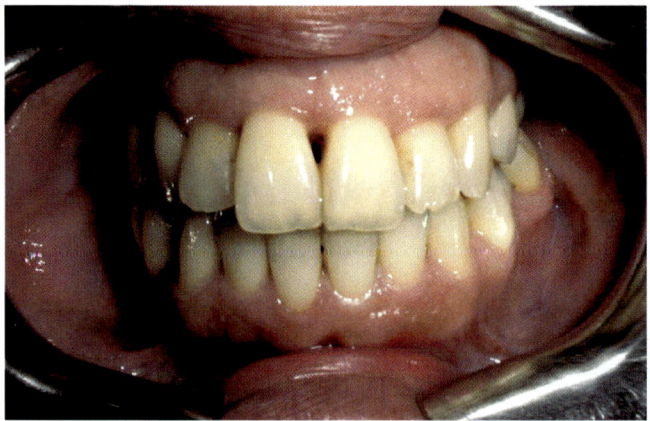

Fig. 18-03 D: El mismo caso después de la alineación con técnica lingual, vista oclusal superior; E: El mismo caso después de la alineación con técnica lingual, vista intraoral central. Obsérvese el "triángulo negro gingival" entre 11 y 21

Ventajas del stripping

El stripping minimiza las indicaciones de extracciones y sus consecuencias

Las consecuencias de la extracción en la terapia ortodóncica son:
a. Dificultades del cierre del espacio de extracción por el control de los efectos secundarios del arco.
b. Dificultades para la paralelización de las raíces de los dientes próximos a los espacios de extracción.
c. Necesidad de mayor refuerzo de anclaje en los casos con exodoncias que en stripping, si bien el anclaje en la técnica de stripping es fundamental.
d. Posibilidad de reapertura del espacio (recidiva), especialmente en los pacientes adultos.

Menor pérdida de tejidos dentarios

Se pierde menos volumen total dentario con stripping que con exodoncias. Normalmente, al realizar una extracción, se debe eliminar mayor cantidad de volumen dentario que es realmente necesario, debiéndose cerrar a continuación el diastema remanente. En los casos tratados con stripping se extrae solamente la cantidad de tejido necesaria para la alineación.

Menor amplitud de movimientos dentarios

Con el stripping progresivo, los movimientos dentarios son de menor amplitud que en los casos de exodoncias.

Menor tiempo de tratamiento

Los tratamientos de stripping son más cortos y por lo tanto reducen el riesgo de reabsorción radicular, aunque la frecuencia de las visitas durante el proceso de stripping progresivo es mayor.

Mayor estabilidad

Los puntos de contacto transformados en facetas son más estables para controlar rotaciones. También se elimina el riesgo de recidiva por reapertura del espacio de extracción. Al reducir el tamaño de los incisivos inferiores, se reduce el riesgo de apiñamiento tardío a este nivel.

Mejor estética

Se evitan los "triángulos negros gingivales" y se pueden compensar las asimetrías dentarias a la vez que se mejora la forma dentaria realizando un stripping con "tallado artístico".

Desventajas del stripping

Efectos sobre el periodonto

Aún practicando el stripping sobre dientes ya alineados, al cerrar el diastema creado se reduce el espesor del septum inter-dentario, pero el estado periodontal mejora, según asegura Didier Fillión basándose en estudios de: Betteridge, que estudió 17 casos tratados con stripping. De los 17 casos, 14 mejoraron el índice de inflamación gingival.
Boese, que ha comparado radiografías de 40 pacientes tratados. Las radiografías fueron tomadas de 4 a 9 años post-tratamiento. No encontró una diferencia significativa en la altura de la cresta alveolar.
Crain y Sheridan, que en 151 superficies interproximales tratadas no encuentran diferencias significativas del índice gingival entre 3 y 5 años después de terminado el tratamiento.
En todos los estudios se realizaron reducciones de esmalte no mayores a 0,5 mm por cara proximal.

Efectos sobre los dientes

a. Espesor del esmalte

Los estudios de Hudson, Gillings y Buonocore, y Shillingburg y Grace sobre los espesores de esmalte permiten llegar a las siguientes conclusiones:

- Se deben tener en cuenta los espesores mínimos de esmalte encontrados y no los valores promedio para determinar la cantidad de esmalte que se debe desgastar, ya que no se puede predecir cuáles son los dientes que presentan espesor mínimo.
- No hay relación entre el tamaño dentario y el espesor de la capa de esmalte por lo que no se deben desgastar más los dientes macrodónticos que los microdónticos, aunque por estética es mejor realizar stripping sobre los dientes que presentan macrodoncia.
- El espesor de esmalte es ligeramente mayor a nivel del punto de contacto y menor a medida que se acerca al límite amelo-cementario.
- El espesor de esmalte es ligeramente menor en las caras distales que en las caras mesiales. En los caninos superiores y los segundos premolares inferiores estas diferencias son mayores. La excepción son los incisivos laterales superiores, cuyos espesores distales son ligeramente mayores que los mesiales.

Se debe destacar que:

- Para estos estudios se seleccionaron dientes que no presentaban un grado de abrasión marcada. Con la edad, los puntos de contacto se transforman poco a poco en facetas por el desgaste que se va produciendo.
- La capa de esmalte de los incisivos no sobrepasa 1 milímetro, pero en la cara distal de los caninos es levemente mayor que 1 milímetro, y en los incisivos latera-

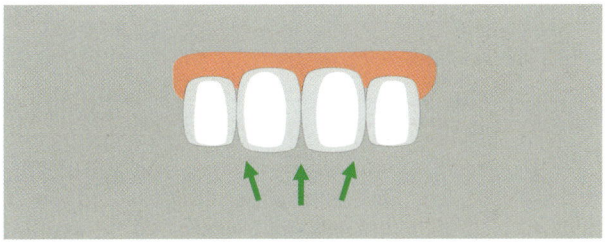

Fig. 18-04 Dientes con forma de barril y espacios aparentes incisales (según Bennett y McLaughlin)

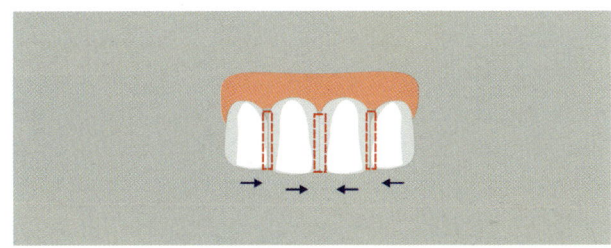

Fig. 18-05 Stripping y reaproximación como solución a los espacios incisales aparentes (según Bennett y McLaughlin)

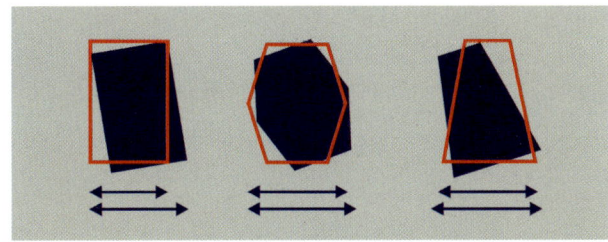

Fig. 18-06 Esquema para demostrar que sólo la forma rectangular tiene una influencia importante en el espacio ocupado en la arcada por un diente en relación con su inclinación (según Bennett y McLaughlin)

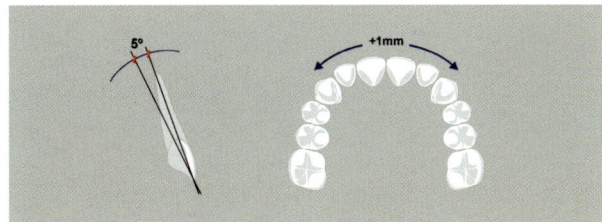

Fig. 18-07 El aumento de torque sin protrusión de 5º permite obtener 1mm de espacio (según Bennett y McLaughlin)

les superiores e incisivos inferiores, la capa de esmalte es menor.
- Como todos los autores coinciden en que la capa de esmalte no está en relación con el tamaño del diente, no se puede prever el espesor de esmalte que tendrá un diente.

b. ¿Cuánto esmalte se puede desgastar?

Es importante saber cuánto esmalte se puede desgastar para conocer el límite entre los tratamientos con o sin extracciones.

Boese recomienda que se puede desgastar la mitad del espesor de la capa de esmalte.

Barrer afirma que se pueden desgastar 8 mm entre los 4 incisivos inferiores, que correspondería a un desgaste de 0,5 mm por cara proximal de cada incisivo inferior.

Paskow dice que el desgaste que se puede realizar es de 0,25 mm a 0,37 mm.

Hudson propone 0,20 mm para los incisivos centrales, 0,25 mm para los laterales y 0,30 mm para los caninos inferiores, haciendo un total de 3 mm para todo el grupo anterior.

Tuverson afirma que se puede desgastar 0,3 mm por cara proximal de incisivo inferior y 0,4 mm para los caninos, permitiendo eliminar 4 mm en el grupo anterior.

Alexander se limita a 0,25 mm para todos los dientes y Sheridan defiende un desgaste de 0,8 mm por cada cara de los dientes posteriores y 0,25 mm en los dientes anteriores, ganando un total de 8,9 mm.

Destacamos:
- Ciertos autores explican que la reducción de esmalte depende de la forma dentaria: los dientes triangulares permiten una reducción más importante. Teniendo en cuenta que los estudios revelan que no hay relación entre la forma dentaria y el espesor de esmalte, el único elemento de decisión deberían ser los espesores mínimos de esmalte encontrados. Pero también es verdad que en la forma triangular, con un mínimo desgaste de esmalte se gana más espacio en la arcada.
- La idea de desgastar la mitad de la capa del esmalte parece ser aceptable para asegurar la protección del diente.
- Siguiendo a Fillión se podrían obtener 10,2 mm de espacio en la arcada superior y 8,6 mm en la arcada inferior, haciendo el desgaste desde la cara mesial de primer molar derecho hasta la misma cara del molar izquierdo.
- Comenzando el desgaste en el segundo molar se puede ganar 1 mm más (0,6 mm de la cara distal del primer molar y 0,6 mm de la cara mesial del segundo molar), y distalizando inicialmente 1 mm los segundos molares se puede ganar otro milímetro: En total se ganarían 4 milímetros más por arcada. Es difícil no perder absolutamente nada de anclaje y aprovechar todo el espacio ganado por el stripping. Combinando la técnica de distalización y stripping se compensa la pérdida de anclaje.

En el momento de planificar el stripping, se deberá tener en cuenta el grado de abrasión fisiológica que presente el paciente (puntos o facetas de contacto) y si ya se le han realizado tratamientos previos ortodóncicos con stripping, así como la presencia de coronas u obturaciones sobredimensionadas.

También se deberá realizar el stripping teniendo en cuenta que:
- En el grupo anterior (incisivos y caninos), se deben compensar las asimetrías bilaterales y centrar las líneas medias.
- En el grupo posterior (premolares y molares), se debe lograr que las cúspides queden enfrentadas para la intercuspidación. El índice de Bolton resulta muy útil para determinar la zona mejor para realizar stripping.
- Se debe hacer el desgaste de manera que el vértice de la papila interdental y el punto de contacto queden en la misma línea perpendicular al plano oclusal (vertical) porque, de lo contrario, los dientes dan el aspecto de no encontrarse debidamente inclinados.
- Se debe hacer el desgaste de forma que el punto de contacto interproximal quede a una distancia de 4,5-5 mm del borde superior de la cresta ósea para asegurar que no se observarán "triángulos negros gingivales" por la presencia de la papila dental. La altura de la cresta ósea se determina mediante sondaje y examen radiográfico.

El desgaste aconsejado por Didier Fillión es el siguiente:

Arcada Superior	Mesial	Distal	Total
Incisivo central	0,3	0,3	0,6
Incisivo lateral	0,3	0,3	0,6
Canino	0,3	0,6	0,9
1er premolar	0,6	0,6	1,2
2do premolar	0,6	0,6	1,2
1er molar	0,6		
Total de la arcada superior		10,2 mm	
Arcada Inferior	Mesial	Distal	Total
Incisivo central	0,2	0,2	0,4
Incisivo lateral	0,2	0,2	0,4
Canino	0,2	0,3	0,5
1er premolar	0,6	0,6	1,2
2do premolar	0,6	0,6	1,2
1er molar	0,6		
Total de la arcada inferior		8,6 mm	

Importante: Se puede obtener más espacio haciendo stripping también entre 1er y 2do molar (0,6 mm en la cara distal del 1er molar y 0,6 mm en la cara mesial del 2do molar) aumentando así 2,4 mm de espacio en cada arcada, quedando un total de 12,6 mm para la arcada superior y 11 mm para la arcada inferior.

Para compensar la posible pérdida de anclaje y para obtener más espacio se pueden comenzar distalizando 1 mm los segundos molares.

Instrumentos para stripping

Básicamente podrían diferenciarse los siguientes tipos de instrumentos:
- Tiras abrasivas manuales de stripping.
- Fresas para stripping.
- Discos para stripping.
- Sistema Intensiv para stripping.

Tiras abrasivas manuales de stripping

Las tiras de pulir (fig. 18-08) se montan sobre arcos rectos para la zona anterior o en "T" para la zona posterior. Si bien inicialmente eran el único instrumento utilizado en stripping, actualmente sólo se utilizan para el pulido final. Se encuentran disponibles tiras abrasivas por una o por las 2 caras y de diferente grado de abrasión.
- Velocidad del procedimiento: Lenta
- Posibilidad de Ledging (dejar bordes cortantes): No
- Posibilidad de cortar tejidos (lesiones): Si (Se deben usar protectores)
- Cantidad de reducción de esmalte: Poca
- Oportunidad del stripping: Se debe retirar o separar el arco
- Contorneado del Esmalte: Bueno

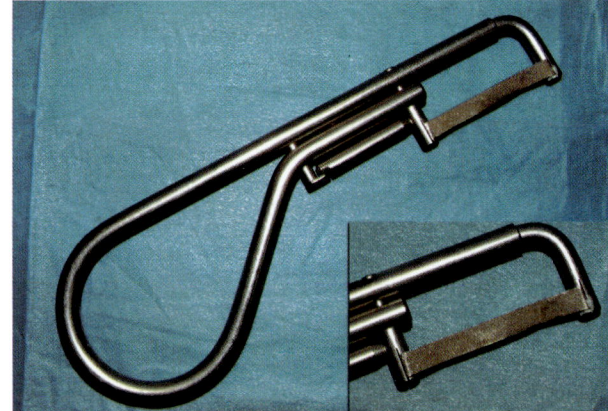

Fig. 18-08   Sierras manuales de stripping

Fresas para stripping

Las fresas más utilizadas son las 699L de carburo de tungsteno (fig. 18-09), fresas finas de diamante (fig. 18-09) o las fresas del Sistema ARS (Air Rotor Stripping) del Dr. Sheridan, llamadas SAFE TIPPED que son de diamante y con punta inerte (Raintree Essix) (fig. 18-10).
- Velocidad del procedimiento: Rápida
- Posibilidad de Ledging (dejar bordes cortantes): No
- Posibilidad de cortar tejidos (lesiones): Si (usar protectores)
- Cantidad de reducción de esmalte: Cantidad indicada
- Oportunidad del stripping: Se debe retirar o separar el arco
- Contorneado del Esmalte: Bueno

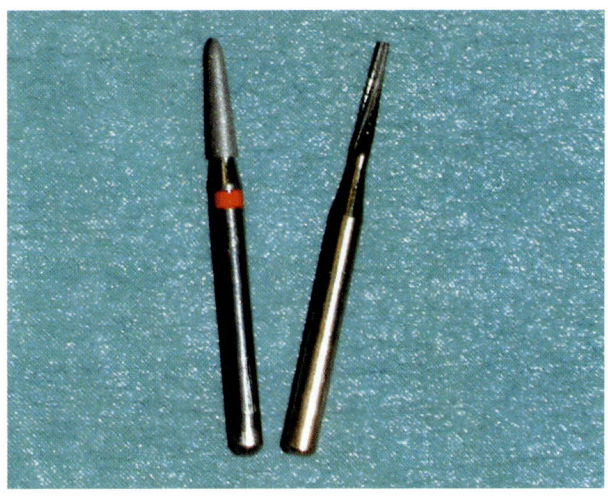

Fig. 18-09   Fresa 699L de carburo de tungsteno y fresa fina de diamante

Discos para stripping

Evidentemente es el sistema que más abrasión produce pero debe ser utilizado con protectores para evitar posibles lesiones. No se utiliza en mi práctica.
- Velocidad del procedimiento: Muy rápida
- Posibilidad de Ledging (dejar bordes cortantes): Si
- Posibilidad de cortar tejidos (lesiones): Si (usar protectores de encía y de Disco)
- Cantidad de reducción de esmalte: Mucha
- Oportunidad del stripping: Se debe retirar o separar el arco
- Contorneado del Esmalte: No

Sistema Intensiv para stripping

Este sistema fue desarrollado en la Universidad de Zurich por el Prof. Dr. H. Van Waes y el Dr. Th. Matter.
El Ortho-Strips System Set de Intensiv (fig. 18-11) es un conjunto de 5 limas de diamante por las dos caras de 90μm, 60μm, 40μm, 25μm y 15μm. Este diamante de fabricación exclusiva se puede usar para desgastar esmalte en el procedimiento de stripping sin ningún tipo

Fig. 18-10   Fresas Safe Tipped del Sistema ARS del Dr. Sheridan

de riesgo para los tejidos blandos (ya que desgastan esmalte sin cortar los tejidos blandos: encía, labios o lengua). La flexibilidad de las limas (hasta 45°) permite contornear las superficies dentarias. A mayor deflexión la lima se rompe como sistema de seguridad.

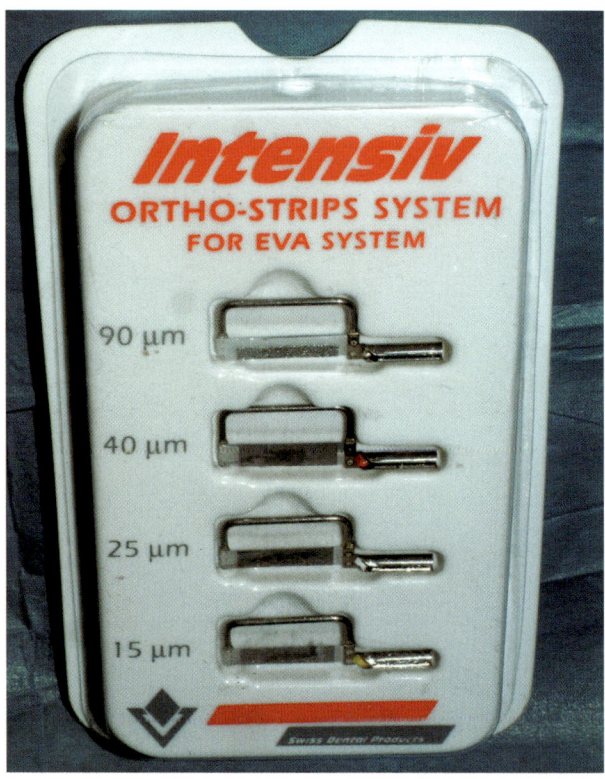

Fig. 18-11   Ortho Strips System Set de Intensiv

Se utilizan con la cabeza Kavo Eva 61 LRG (fig. 18-12A, B y C) que realiza un sistema de oscilación de 0,8 mm de recorrido, con el contra-ángulo azul de Kavo a una velocidad máxima de 10.000 a 20.000 rpm. La rosca de la cabeza del contra-ángulo permite colocar la sierra en cualquier posición mediante un giro de 360°.

El Ortho Strip System está compuesto de 5 limas:
- La lima de 90μm (sin color) sólo presenta superficie cortante en el borde y sirve para separar el punto de contacto. El autor no suele utilizar esta lima, ya que realiza el stripping previa separación.
- La lima de 60μm está señalizada con el color marrón.
- La lima de 40μm está señalizada con el color amarillo.
- La lima de 25μm está señalizada con el color blanco.
- La lima de 15μm está señalizada con el color rojo.

El autor utiliza las limas de 60μm, 25μm y 15μm para stripping de todas las piezas menos incisivos laterales superiores e incisivos inferiores. Para estas piezas utiliza las limas de 40μm, 25μm y 15μm o sólo de 25μm y 15μm.
- Velocidad del procedimiento: Rápida
- Posibilidad de Ledging (dejar bordes cortantes): No
- Posibilidad de cortar tejidos (lesiones): No
- Cantidad de reducción de esmalte: Cantidad indicada
- Oportunidad del stripping: Se debe retirar o apartar el arco
- Contorneado del Esmalte: Bueno

El sistema Intensiv se completa con el Proxo Planer Set que consta de una pinza especial capaz de sujetar sierras similares a las utilizadas para el contra-ángulo y que permite un acabado manual del stripping.

El autor utiliza también los sistemas Proxoshape (fig. 18-13) y Roothshape (fig. 18-14) Set para el acabado del stripping. Son conjuntos de limas de oscilación, por una o dos caras y con diferentes grados de abrasión.

Stripping Indicaciones

Discrepancias dento-alveolares negativas leves

Como se demuestra a través de la cantidad de esmalte que se puede reducir, se pueden tratar mediante stripping tanto casos con discrepancias leves como casos con discrepancias medias y acentuadas. Sin embargo

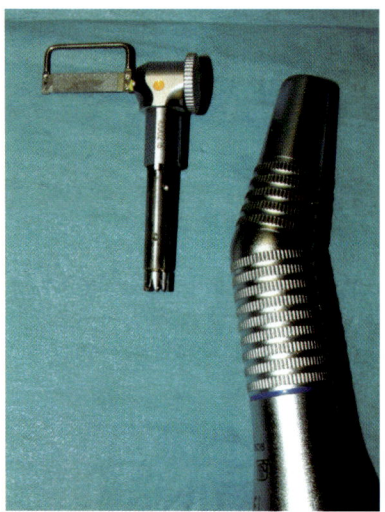 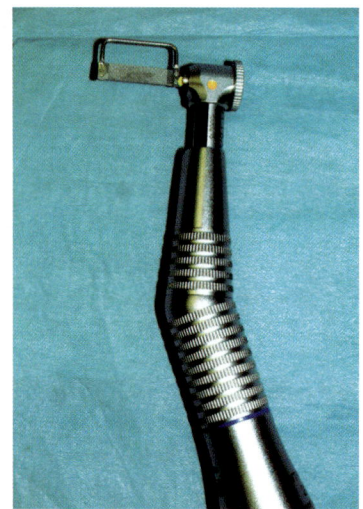 

Fig. 18-12   A: Cabeza Kavo Eva 61LRG y contra ángulo azul, desmontados; B: Cabeza Kavo Eva 61LRG y contra ángulo azul, montados; C: Cabeza Kavo Eva 61LRG y contra ángulo azul, montados, aumentado

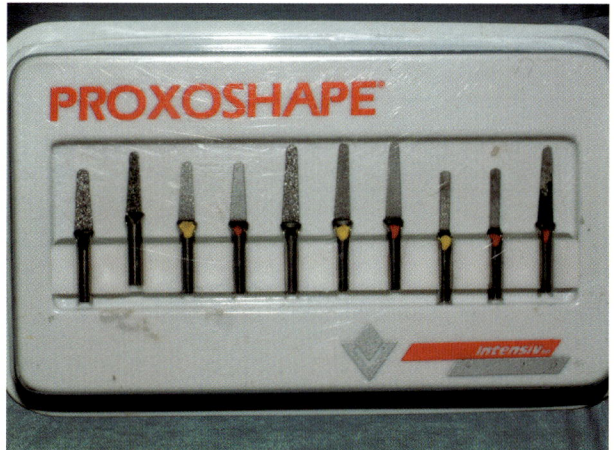

Fig. 18-13   Sistema Proxoshape de Intensiv

es conveniente empezar por casos con discrepancias leves y continuar con casos más difíciles a medida que se profundice en el conocimiento de la técnica.

Discrepancias de Bolton

El índice de Bolton (discrepancia de tamaño entre la arcada superior e inferior) de 12 piezas y de 6 piezas nos indica cuál zona es la más indicada para realizar el stripping. Por ejemplo un exceso de Bolton "12" de maxilar superior de 3 mm con un exceso de Bolton "6" de maxilar superior de 3 mm indica que la zona donde se debe realizar el stripping es de canino a canino superior. Bolton determinó que la relación entre el tamaño de los dientes superiores de primer molar a primer molar y los mismos dientes inferiores es de 91,3 +/- 1,91 (fig. 18-15) y que la misma relación de canino a canino, es 77,2 +/- 1,65 (fig. 18-16).

Forma dentaria triangular. Triángulos negros interproximales

La forma dentaria no influye en el espesor de la capa de esmalte pero en la forma triangular un mínimo de desgaste representa obtener más espacio en la arcada.
Por otra parte, si la corona es de forma triangular, la distancia entre la cresta ósea y el punto de contacto es relativamente larga. Estos casos muestran una mayor tendencia a la ausencia de papila interproximal. Tarnow y colaboradores demostraron que si la distancia desde el punto de contacto hasta el extremo de la cresta ósea interdental es de 5mm o menos, la papila está presente en el 100% de los casos. Si la distancia es de 6 mm, la papila se encuentra en el 56% de los casos y si es de 7 mm o más la papila sólo está presente en un 27% o menos. Desde el extremo de la cresta ósea hasta el extremo de la papila siempre hay 4,5 mm (Tarnow *et al.*) (fig. 18-17 y 18-18).
No siempre los "triángulos negros gingivales" se deben a una distancia aumentada entre el punto de contacto y la

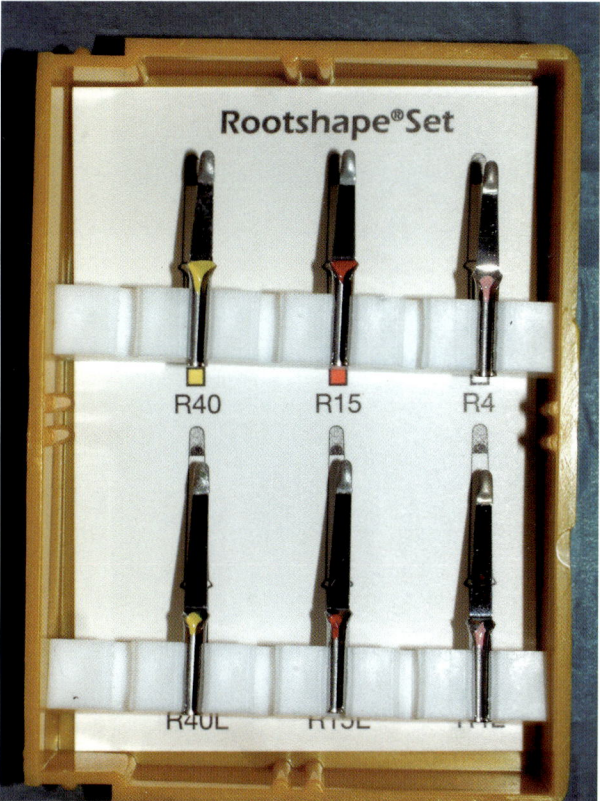

Fig. 18-14   Sistema Rootshape de Intensiv

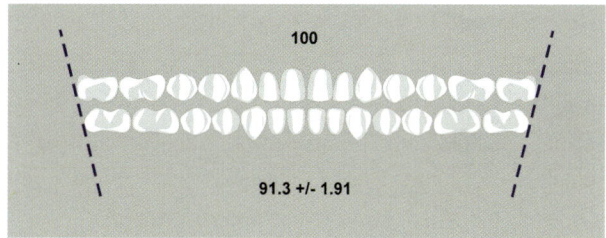

Fig. 18-15   Índice de Bolton de molar a molar (12 piezas)

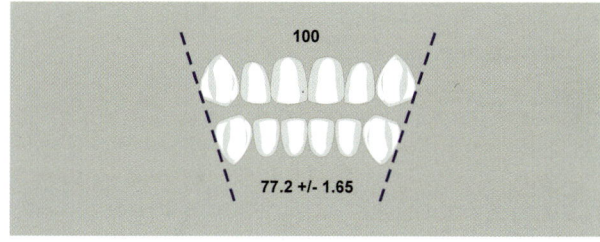

Fig. 18-16   Índice de Bolton de canino a canino (6 piezas)

cresta ósea. En la figura 18-19, siguiendo a Bennett y McLaughlin, se demuestra como se puede presentar un "triángulo negro gingival" como consecuencia de un mal posicionamiento del bracket en cuanto a la inclinación. En este caso se debe corregir la posición de bracket y no hacer el stripping.

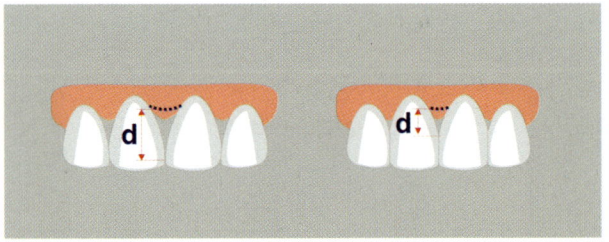

Fig. 18-17 Según Tarnow, la distancia desde la cresta del septum interdentario debe ser de 5 mm para asegurar la presencia de la papila interdentaria. Cuanto más alejado está el punto de contacto, menos probabilidades de que esté presente la papila interdentaria (según Bennett y McLaughlin)

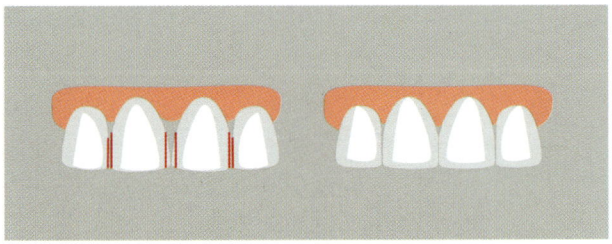

Fig. 18-18 Para acercar el punto de contacto a la cresta del septum interdentario, se puede hacer stripping y reaproximación (según Bennett y McLaughlin)

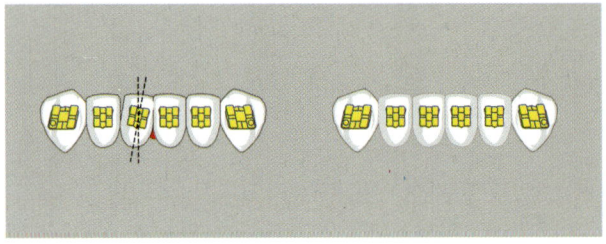

Fig. 18-19 Influencia de una mala posición del bracket en inclinación en la presencia de "triangulos negros gingivales" (según Bennett y McLaughlin)

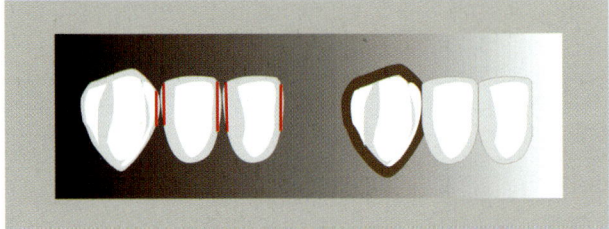

Fig. 18-20 Stripping inferior para aumentar la superficie del punto de contacto y aumentar la estabilidad (según Bennett y McLaughlin)

Macrodoncia

El tamaño dentario no influye en el espesor de la capa de esmalte pero estéticamente es más aconsejable el stripping en piezas macrodónticas que en microdónticas.

Coronas u obturaciones sobredimensionadas

En este caso sólo se trata de devolver la forma y el tamaño normal del diente, por lo tanto está indicado recontornear las coronas u obturaciones sobredimensionadas.

Asimetrías dentales bilaterales

Dependiendo del tamaño de los dientes y del espacio disponible se encuentra indicado muy frecuentemente el stripping o las carillas y coronas para compensar asimetrías dentales, especialmente en el frente superior.

Paciente adulto (pulpa retraída)

Los adultos presentan mayor retracción pulpar por lo que se puede realizar stripping con menor riesgo de sensibilidad dentaria que en pacientes jóvenes.

Bajo índice de caries

Es necesario realizar stripping sólo en pacientes con bajo índice de caries, para no aumentar la susceptibilidad.

Buena higiene. Bajo índice de placa bacteriana

Es conveniente realizar stripping sólo en pacientes con buena higiene, para no aumentar el riesgo de caries.

Rotaciones múltiples por estabilidad

En pacientes que presentan múltiples rotaciones, el stripping puede proporcionar una mayor faceta de contacto interproximal que hace más estable la posición dentaria frente a la recidiva (fig. 18-20).

Paciente que acepte stripping (advertencia previa)

El paciente debe estar advertido del tratamiento que se le va a realizar y debe dar su consentimiento por escrito para el mismo.

Stripping Contraindicaciones

- Paciente que no acepta stripping.
- Alto índice de caries.
- Higiene pobre. Alto índice de placa bacteriana.
- Forma dentaria rectangular.

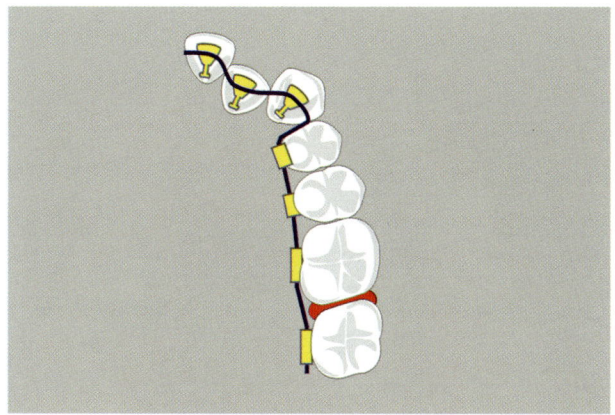 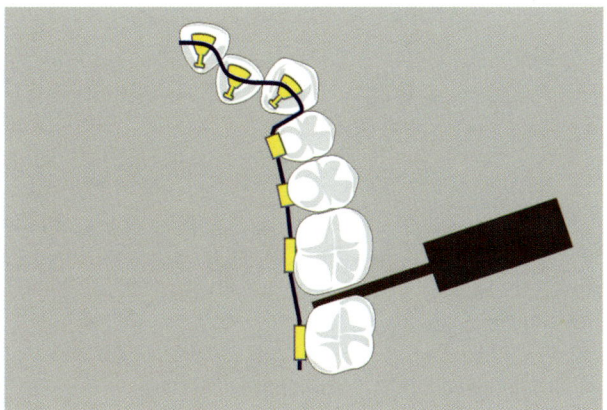

| Fig. 18-21 Técnica de stripping progresivo 1: Cementado de brackets, arco Respond .0155" y elástico separador entre primer y segundo molar para distalizar el segundo molar 1 mm | Fig. 18-22 Técnica de stripping progresivo 2: Stripping en la cara distal del primer molar y cara mesial del segundo molar |

- Paciente joven (cámara pulpar grande).
- Paciente con hipersensibilidad.

Técnica del stripping progresivo

La técnica de stripping progresivo puede ser:
- Técnica de stripping progresivo total (en todos los dientes).
- Técnica de stripping posterior (de molares y premolares).
- Técnica de stripping anterior (de caninos e incisivos).

Dependiendo de las características del caso, se realizará stripping en las diferentes zonas.

La técnica de stripping progresivo se hace:
- Antes de alinear para evitar la protrusión consecuente (el arco se liga pasivo).
- Comenzando desde distal hacia mesial.
- Si está indicado, se realiza simultáneamente en ambas hemiarcadas. Si está indicado en ambos maxilares, también se realiza en forma simultánea para controlar la intercuspidación.
- Se debe separar el punto de contacto para desgastar únicamente el área del punto de contacto.
- Sin anestesia.
- Con irrigación.
- Con fresas apropiadas.
- Sin protección, si se usan limas Intensiv, y de lo contrario, con protección.
- Puliendo para evitar dejar superficies rugosas.
- Aplicando flúor luego del desgaste (Duraphat).
- Manteniendo el control de anclaje.
- La alineación, nivelación y control de rotación se realizan sobre el diente que se va a distalizar, luego del stripping por distal de ese diente.
- Teniendo en cuenta las consideraciones que se enumeran a continuación.

Procedimiento clínico del stripping progresivo

1. Cementado indirecto de los brackets y tubos linguales (no es conveniente el uso de bandas con la técnica de stripping) y arco Respond .0155", ligado sin activar. No comenzar el stripping antes del cementado porque reduciría la precisión de la posición de los brackets. Elástico separador entre el primero y segundo molar para distalizar 1 mm el segundo molar (fig. 18-21).

   Normalmente es suficiente esperar 24 a 48 horas para conseguir la separación, pero debido a la organización de la clínica solemos esperar una a dos semanas.

2. Se realiza el stripping de la cara mesial del segundo molar y de la cara distal del primer molar (fig. 18-22). Si no se usan fresas Intensiv, utilizar un alambre de latón como protección gingival. El Indicator wire de latón deprime los tejidos gingivales y los protege, así como sirve de guía o apoyo a la fresa de stripping.

3. Utilizar arcos seccionales de canino a segundo molar o arco continuo de .016" de acero, sin ligar los dientes en que el arco no entre pasivo. Se debe hacer con la forma de arco lingual de la plantilla individual e incorporar omegas ante-segundo molar para evitar su mesialización aumentando el anclaje. Se puede aumentar el anclaje con arcos labiales o botones de Nance.

   Utilizar elástico separador entre segundo premolar y primer molar para distalizar el primer molar (figs. 18-23 A y B). En ocasiones es necesario utilizar dos elásticos separados simultáneos en este espacio para completar la distalización.

4. Una vez distalizado el primer molar, se realiza el stripping en la cara mesial del primer molar y en la cara distal del segundo premolar (figs. 18-24 A y B).

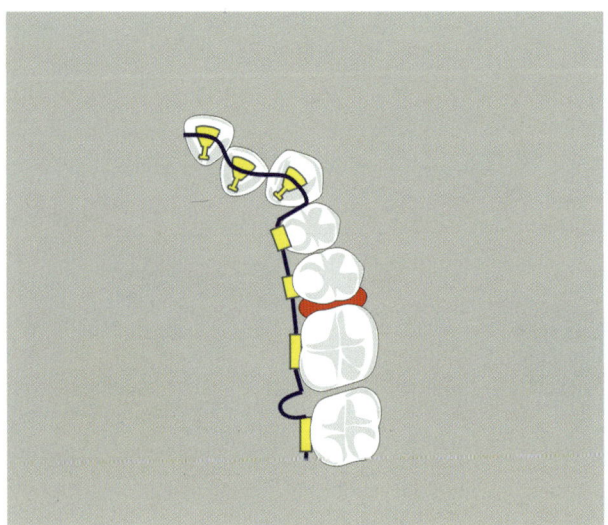

Fig. 18-23 A Técnica de stripping progresivo 3A: Arco de .016" SS con omega a mesial del tubo del segundo molar para evitar su mesialización. Ligado del arco sin activarlo. Elástico separador entre segundo premolar y primer molar para distalizar el primer molar

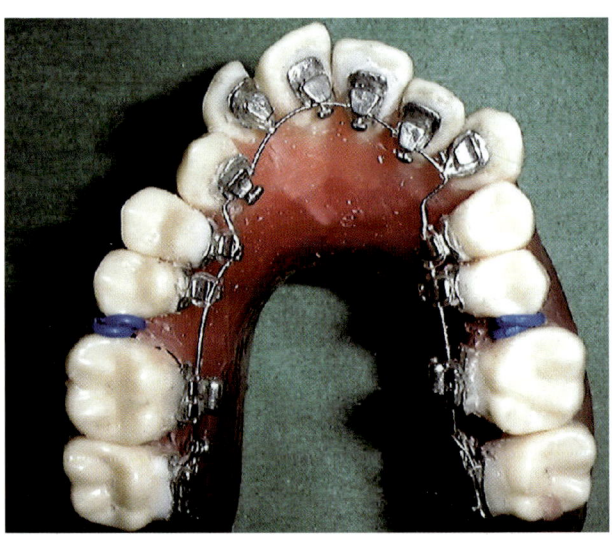

Fig. 18-23 B Técnica de stripping progresivo 3B: Arco de .016" SS con omega a mesial del tubo del segundo molar para evitar su mesialización. Ligado del arco sin activarlo. Elástico separador entre segundo premolar y primer molar para distalizar el primer molar. En tipodonto

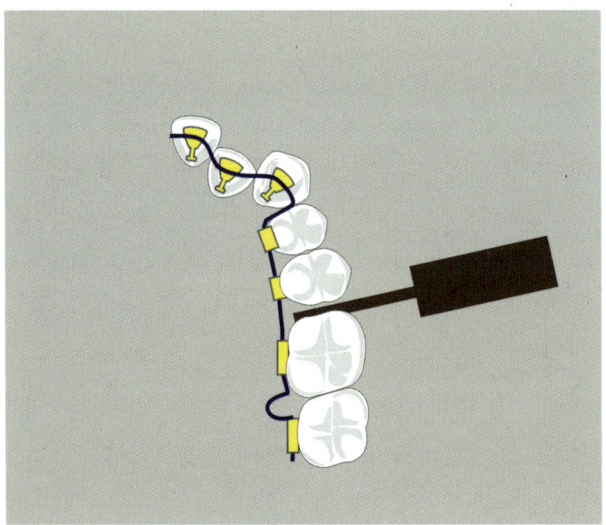

Fig. 18-24 A Técnica de stripping progresivo 4A: Stripping en la cara distal del segundo premolar y en la cara mesial del primer molar

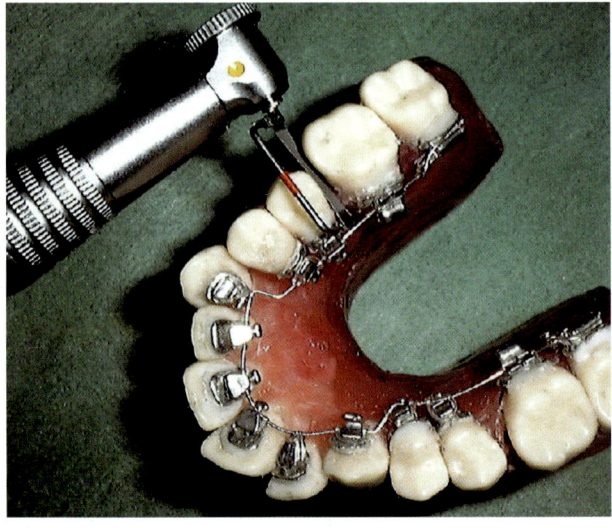

Fig. 18-24 B Técnica de stripping progresivo 4B: Stripping en la cara distal del segundo premolar y en la cara mesial del primer molar. En tipodonto

5. Hacer ligadura en "8" de ferulización entre el primer molar y el segundo molar. Proceder a corregir las rotaciones del segundo premolar (si las hubiera) utilizando cadenetas de rotación (si fuera necesario). Distalizar el segundo premolar con cadena elástica de segundo premolar a primer molar (fig. 18-25).
6. Realizar stripping en la cara distal del segundo premolar y la cara mesial del primer molar (fig. 18-26).
7. Distalizar el primer premolar con cadena elástica desde este diente hasta el segundo premolar y mantener anclaje con ligadura en "8" de segundo premolar a segundo molar (fig. 18-27).
8. Proceder de la misma forma con el canino y los incisivos.

Si se realiza sólo stripping posterior, se termina en el canino y si se realiza stripping anterior, se comienza con elástico separador entre canino y primer premolar.
En la zona anterior se procederá de la misma forma pero se deberá observar la estética del frente anterior, la simetría y la conservación de la línea media.

Consideraciones especiales

a. No hacer stripping antes del cementado. Porque se pueden mover los dientes mientras se está realizando la cubeta de transferencia de brackets y ésta puede no ajustar provocando un deficiente posicionamien-

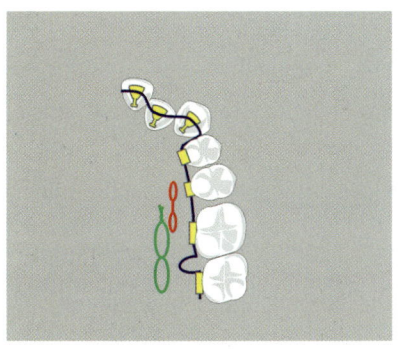

Fig. 18-25 Técnica de stripping progresivo 5: Ligadura en "8" de primer molar a segundo molar y cadena elástica de segundo premolar a primer molar

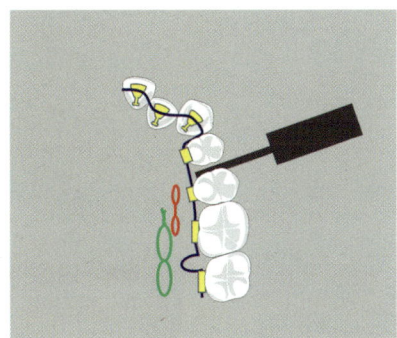

Fig. 18-26 Técnica de stripping progresivo 6: Stripping en la cara distal del primer premolar y en la cara mesial del segundo premolar

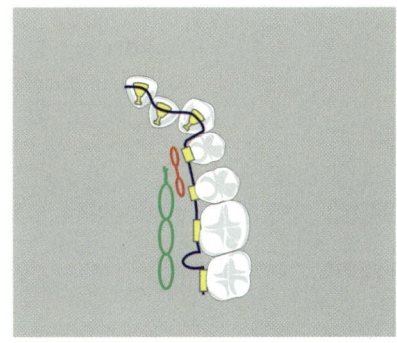

Fig. 18-27 Técnica de stripping progresivo 7: Ligadura en "8" de segundo molar a segundo premolar y cadena elástica de primer premolar a segundo premolar

to de los brackets y porque se puede perder anclaje y por tanto el espacio obtenido.

b. No hacer stripping en los dientes rotados. Porque el stripping se debe realizar exactamente en zona de contacto interproximal, la cual es difícil de localizar con los dientes rotados (no se debe desgastar toda la cara proximal en sentido vestíbulo-lingual o en sentido ocluso-gingival).

c. Separar los dientes antes de hacer stripping. Las fresas son más gruesas que la capa de esmalte que se debe desgastar. Separando los dientes antes del stripping se evitan desgastes excesivos o lesiones de zonas de esmalte que no se desean desgastar. Por otra parte el contorneado es mucho más fácil si se separan los dientes.

d. Hacer el stripping bajo irrigación y sin anestesia

e. Desgastar más los molares y premolares que los incisivos. Porque la capa de esmalte de molares y premolares es más gruesa y por estética.

f. Si no se utiliza el sistema Intensiv, utilizar protectores de encía. Para evitar lesiones del margen gingival.

g. Medir la distancia desde la cresta ósea con una sonda periodontal antes de hacer el desgaste. Se debe dejar el punto de contacto a 5 mm de la cresta ósea para asegurar la presencia de papila interdental

h. La técnica de stripping progresivo asegura una pérdida mínima de anclaje. El stripping debe ser realizado pieza por pieza en vez de varias piezas en el mismo acto operatorio para minimizar la pérdida de anclaje.

i. Asegurar la coincidencia de cúspides en la oclusión mientras se realiza el stripping en los dientes posteriores. Se debe controlar la oclusión para asegurar que coincidan las cúspides entre ambas arcadas y conseguir una oclusión correcta.

j. Asegurar la simetría bilateral y la línea media mientras se realiza el stripping en los dientes anteriores.

k. Al realizar el stripping se deben alinear el vértice de la papila interdental y el punto de contacto en una misma vertical perpendicular al plano oclusal.

Secuencia biomecánica de arcos en técnica lingual con stripping

0. Arco previo para stripping

- Arco de .016" SS

Con omega y doblez distal. Realizar la secuencia de stripping progresivo.

1. Alineación, Nivelación, Rotaciones (ANR)

- .0155"/.0175" Respond
- .016"/.018" NiTi
- .016" TMA
- .016" x .022" D-Rect
- .017" x .017" NiTi Copper

2. Establecimiento del Torque

- .0175" x .0175" TMA
- .017" x .017" NiTi Copper
- .016" x .022" D-Rect

Con cierre distal (omega o hook y doblez distal).

3. Establecer forma de arcada, elásticos intermaxilares (clase II, clase III)

- .016" x .022" SS

Con cierre distal (omega o hook y doblez distal) y curvas de compensación sagital y horizontal.

4. Arco de terminación

- .016" SS

Con compensaciones de 1er y 2do orden y con cierre distal (omega o hook y doblez distal) y curvas de compensación sagital y horizontal.

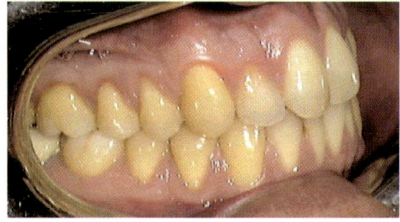
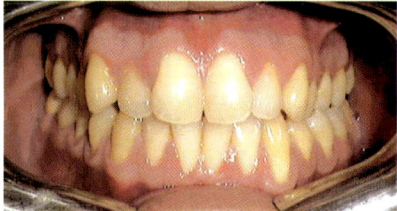
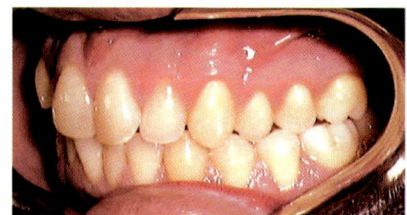
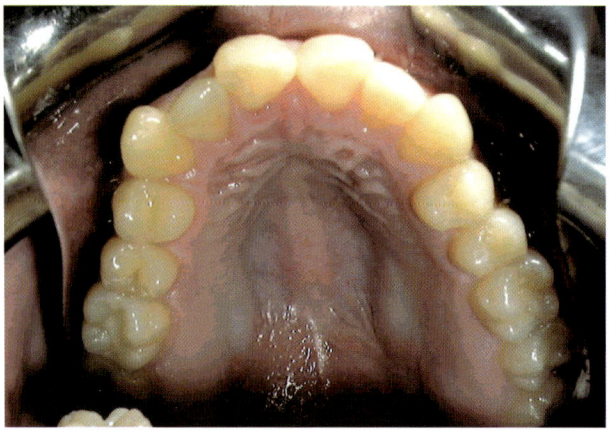
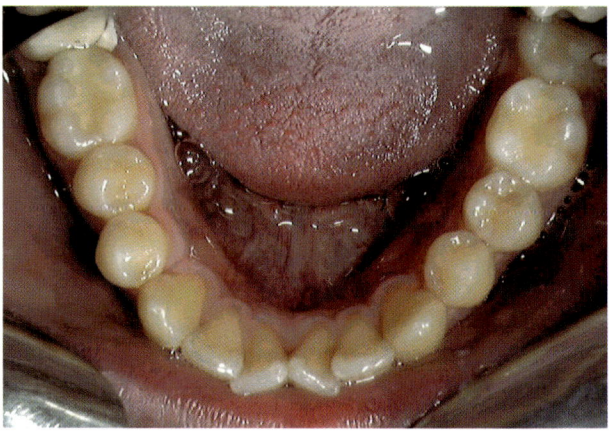

Fig. 18-28 A: Paciente AB - Fotografía inicial intraoral derecha; B: Paciente AB - Fotografía inicial intraoral central; C: Paciente AB - Fotografía inicial intraoral izquierda; D: Paciente AB - Fotografía inicial oclusal superior; E: Paciente AB - Fotografía inicial oclusal inferior

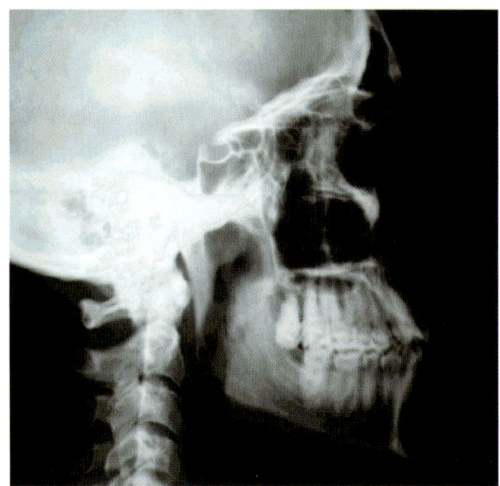
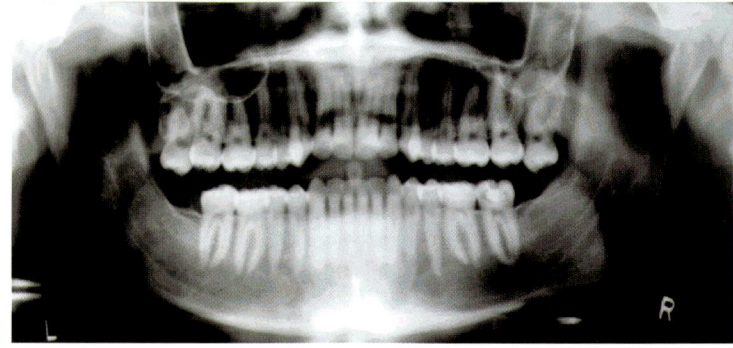

Fig. 18-29 Paciente AB - Teleradiografía de perfil inicial

Fig. 18-30 Paciente AB - Ortopantomografía inicial

Caso clínico

Paciente masculino de 27 años y 6 meses (figs. 18-28 a 18-40). Caso de clase I molar con apiñamientos y rotaciones de incisivos. Ausencia de los terceros molares inferiores. Clase I esquelética según Ricketts, pero clase III esquelética según Steiner.

El plan de tratamiento fue: tratamiento ortodóncico con stripping y extracción de los terceros molares superiores.

Secuencia de Tratamiento

Brackets Kurz 7th con prescripción individual utilizando la Slot Machine.

Arcos superiores e inferiores:
- .016" SS y técnica de stripping progresivo.
- .016" NiTi
- .0175" x .0175" TMA
- .016" x .022" SS con omegas antemolares
- .016" SS con omegas antemolares

Retención

Maxilar superior: Round retainer gnatológico.
Maxilar inferior: Retención fija con fiberthread.
13 Meses de Tratamiento.

LA TÉCNICA DE STRIPPING PROGRESIVO SE HACE:

- Antes de alinear para evitar la protrusión consecuente (el arco se liga pasivo).
- comenzando desde distal hacia mesial.
- Si está indicado, se realiza simultáneamente en ambas hemiarcadas. Si está indicado en ambos maxilares, también se realiza en forma simultánea para controlar la intercuspidación.
- Se debe separar el punto de contacto para desgastar únicamente el área del punto de contacto.
- Sin anestesia.
- Con irrigación.
- Con fresas apropiadas.
- Sin protección si se usa limas Intensiv, y de lo contrario, con protección.
- Puliendo para evitar dejar superficies rugosas.
- Aplicando fluor luego del desgaste (Duraphat).
- Manteniendo el control de anclaje.
- La alineación, nivelación y control de rotación se realiza sobre el diente que se va a distalizar, luego del stripping por distal de ese diente.

Cuadro 18-01.

SECUENCIA BIO-MECÁNICA DE ARCOS EN TÉCNICA LINGUAL CON STRIPPING (ARCOS PRINCIPALES)

0. Arco previo para stripping.
   - Arco de .0155" Respond durante la distalización del segundo molar.
   - Arco de .016" SS
   Con omega y doblez distal. Realizar la secuencia de stripping progresivo.
1. Alineación, Nivelación, Rotaciones (ANR)
   - .016" NiTi
   - .017" x .017" NiTi Copper.
2. Establecimiento del Torque
   - .0175" x .0175" TMA
   Con cierre distal (omega o hook y doblez distal).
3. Establecer forma de arcada, elásticos intermaxilares (clase II, clase III)
   - .016" x .022" SS
   Con cierre distal (omega o hook y doblez distal) y curvas de compensación sagital y horizontal.
4. Arco de terminación
   - .016"SS
   Con compensaciones de 1er. y 2do. orden y con cierre distal (omega o hook y doblez distal) y curvas de compensación sagital y horizontal.

Cuadro 18-02.

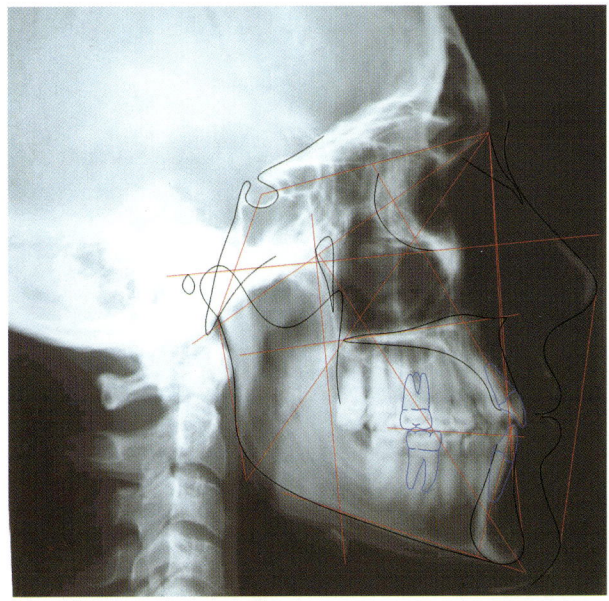

Fig. 18-31   Paciente AB - Trazado cefalométrico inicial

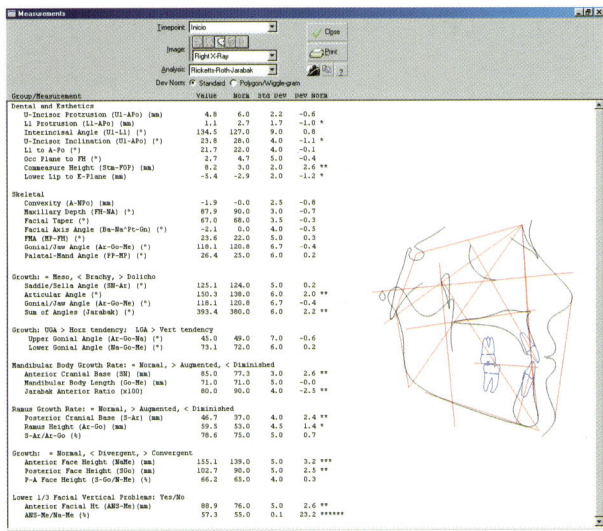

Fig. 18-32   Paciente AB - Valores cefalométricos iniciales

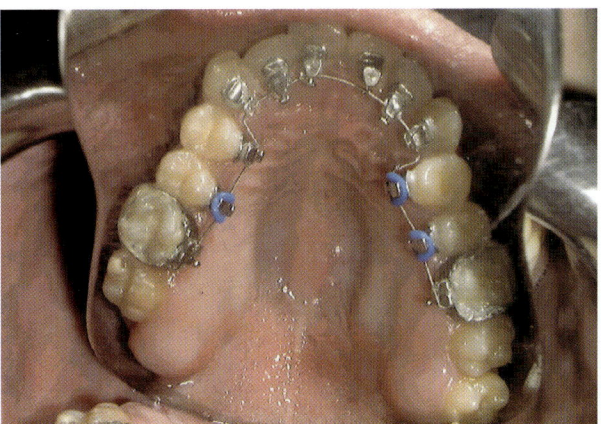

Fig. 18-33   Paciente AB - Progreso maxilar superior

Casos sin extracciones. Stripping

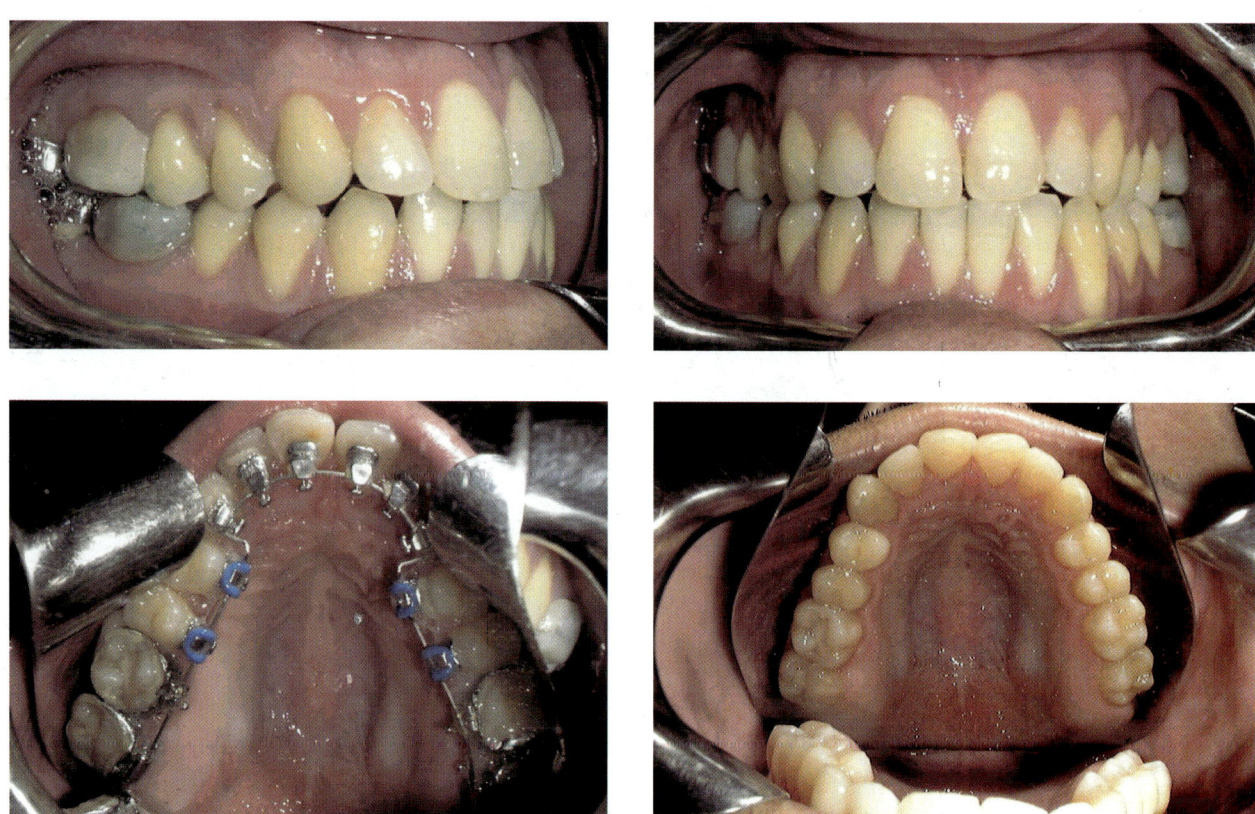

Fig. 18-34   A: Paciente AB - Progreso intraoral derecho; B: Paciente AB - Progreso intraoral central; C: Paciente AB - Progreso oclusal superior; D: Paciente AB - Progreso oclusal inferior

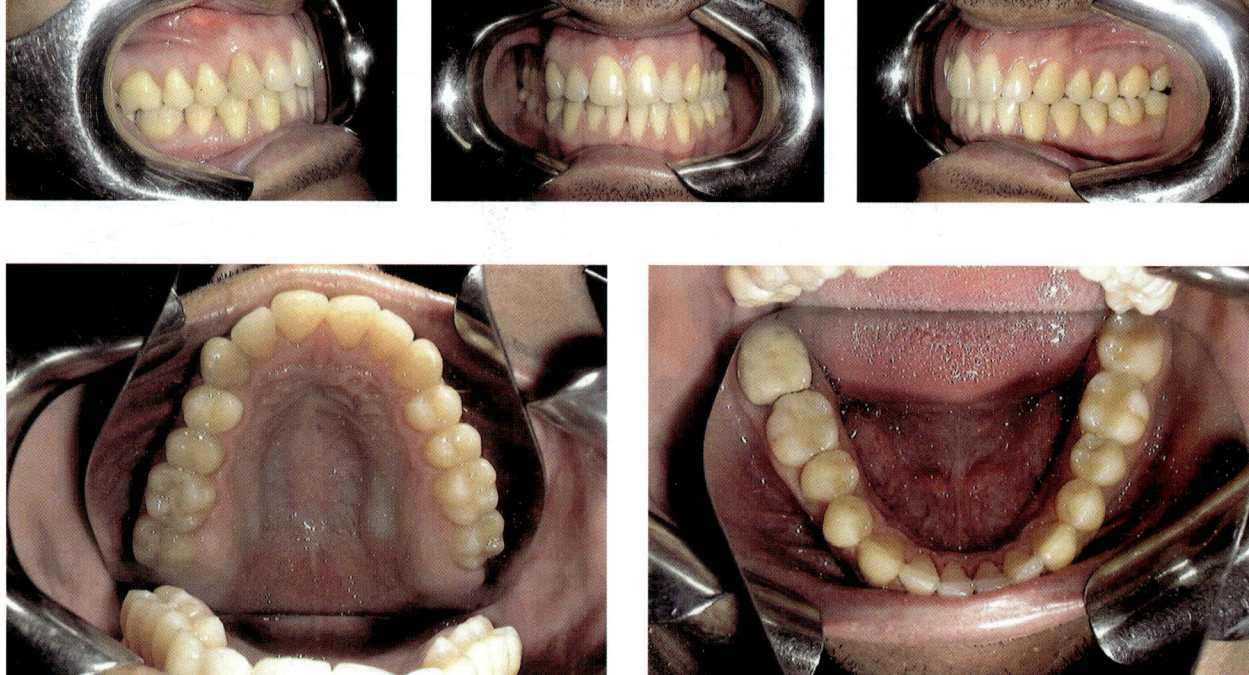

Fig. 18-35   A: Paciente AB - Fotografía final, intraoral derecha; B: Paciente AB - Fotografía final, intraoral central; C: Paciente AB - Fotografía final, intraoral izquierda; D: Paciente AB - Fotografía final, oclusal superior; E: Paciente AB - Fotografía final, oclusal inferior

Capítulo 18

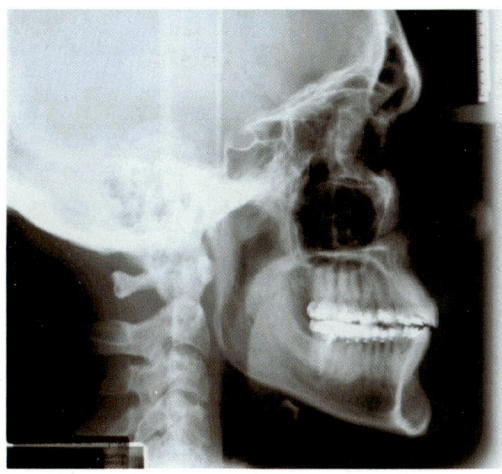
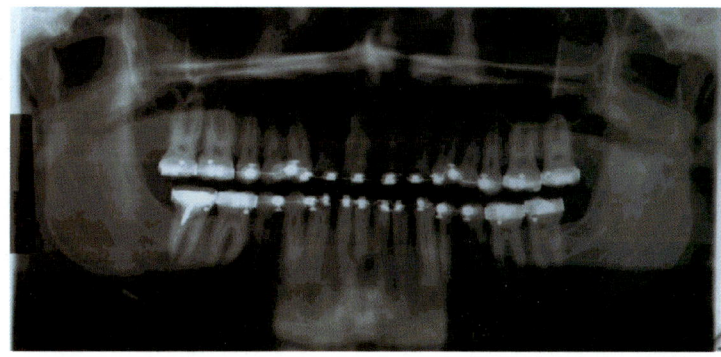

Fig. 18-36   Paciente AB - Teleradiografía de perfil final

Fig. 18-37   Paciente AB - Ortopantomografía final

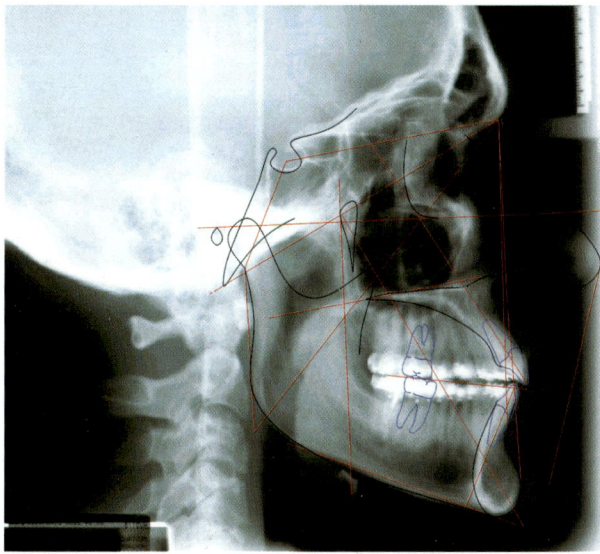
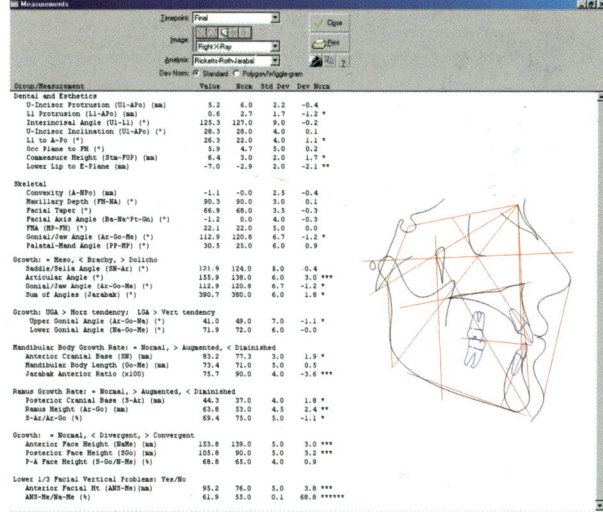

Fig. 18-38   Paciente AB - Trazado cefalométrico final

Fig. 18-39   Paciente AB - Valores cefalométricos finales

Casos sin extracciones. Stripping

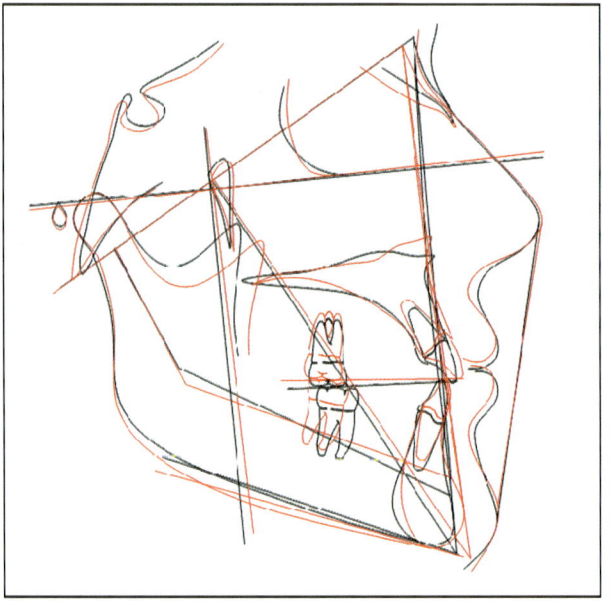
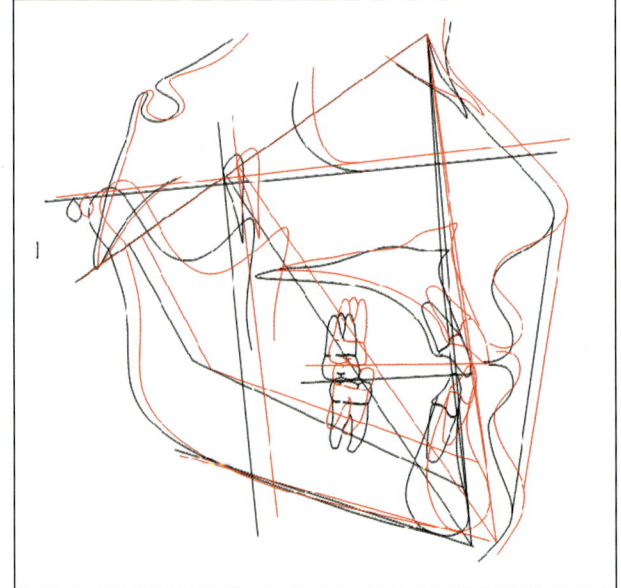
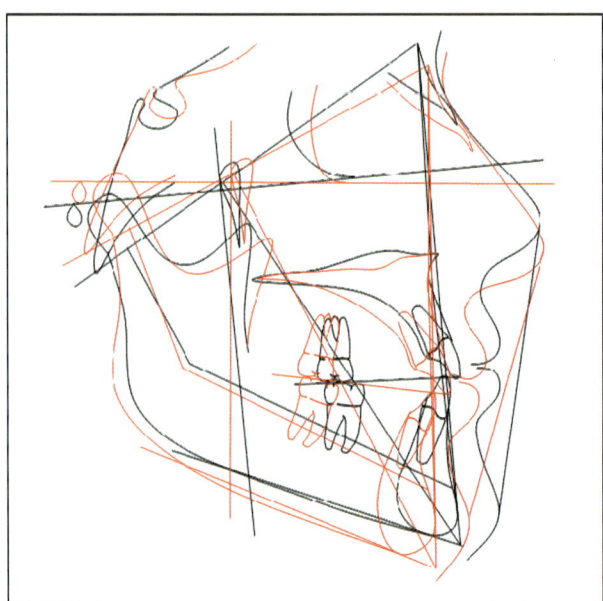
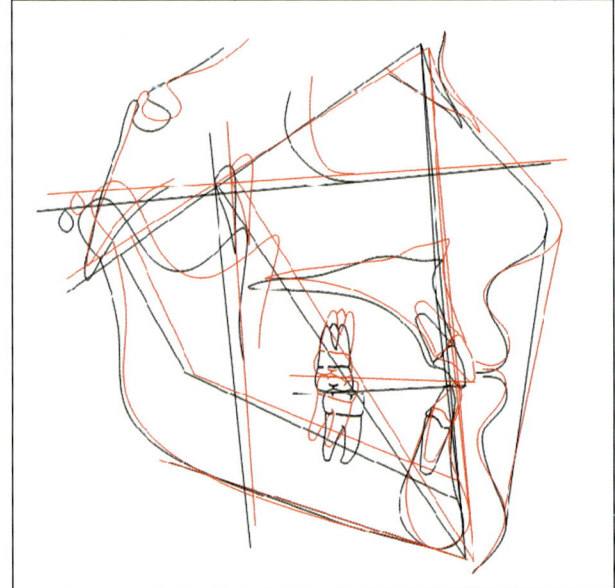

Fig. 18-40 A: Paciente AB - Superposición 1, Basion-Nasion en CC; B: Paciente AB - Superposición 2, Basion-Nasion en Na; C: Paciente AB - Superposición 3, Plano palatino en Espina nasal anterior; D: Paciente AB – Superposición 4, Plano mandibular en Gnation

Tratamientos de los problemas verticales: Rotaciones mandibulares. Relación con el overjet. Mordida profunda y mordida abierta

19

- Rotaciones mandibulares. Relación con el overjet 341
  - Introducción 341
  - Aumento de overjet 341
    1. La posición inicial adelantada de la mandíbula. 341
    2. El efecto bowing 341
    3. Efecto sliding 341
    4. La posición de los brackets de los incisivos superiores y la relación interincisiva 342
    5. La rotación mandibular terapéutica 343
        5a. Reducción de la convexidad 343
        5b. Distalización molar 343
        5c. Intrusión de incisivos 343
        5d. Extracciones 343
        5e. Expansión 344
        5f. Protrusión de incisivos 344
        5g. Stripping 344
        5h. Crecimiento 345
    6. La extrusión molar 345
  - La rotación mandibular y el torque incisivo inferior 345
  - Conclusiones 345
- Corrección de la mordida profunda anterior 346
  - Introducción 346
  - Secuencia bio-mecánica para la corrección de la mordida profunda anterior 347
- Corrección de la mordida abierta anterior 349
  - Introducción 349
  - Secuencia bio-mecánica para la corrección de la mordida abierta anterior 350

Rotaciones mandibulares. Relación con el overjet

Introducción

En técnica de ortodoncia lingual es muy importante control vertical y sagital. De acuerdo con la experiencia del autor, resulta fácil la corrección de las mordidas profundas utilizando brackets linguales, pero se produce un aumento de overjet secundario a la post-rotación mandibular, que puede estar indicado o no dependiendo del caso. Además la desoclusión molar provocada por la oclusión de los incisivos inferiores contra los planos de mordida de los brackets superiores, un vector de fuerza más vertical de los elásticos intermaxilares, la descomposición de la fuerza de los incisivos inferiores contra los brackets superiores en una fuerza de intrusión y otra de protrusión de los incisivos superiores, entre otros factores, hacen que esta técnica influya de una forma importante en el overjet.

Aumento de overjet

El overjet puede aumentar durante el tratamiento debido a:
1. La posición inicial adelantada de la mandíbula.
2. El efecto bowing.
3. El efecto sliding.
4. La posición de los brackets de los incisivos superiores y la relación interincisiva.
5. La rotación mandibular terapéutica.
6. La extrusión molar.

1. La posición inicial adelantada de la mandíbula

Es frecuente que la posición de oclusión máxima (OM) se encuentre en una posición adelantada con respecto a la relación céntrica (RC). En estos casos la mandíbula se encuentra desplazada por una interferencia dental, como por ejemplo los casos que presentan mordida cruzada de uno o más incisivos superiores. En estos casos, una vez terminada la fase de ANR, la mandíbula puede retroceder a la posición de RC aumentando el overjet.

De esta forma, resulta imprescindible la "desprogramación" del paciente con férulas de relación mandibular y el correcto diagnóstico en RC.

Para comprobar la RC se utiliza el calibre de Long o Leaf Gauge (fig. 19-01).

2. El efecto bowing

Como ha quedado explicado en capítulos anteriores, el efecto bowing se produce en dos planos: vertical y transversal.

2a. El efecto bowing vertical

El efecto bowing vertical produce en otros efectos (ver capítulo 5) la extrusión y mesioversión de molares que

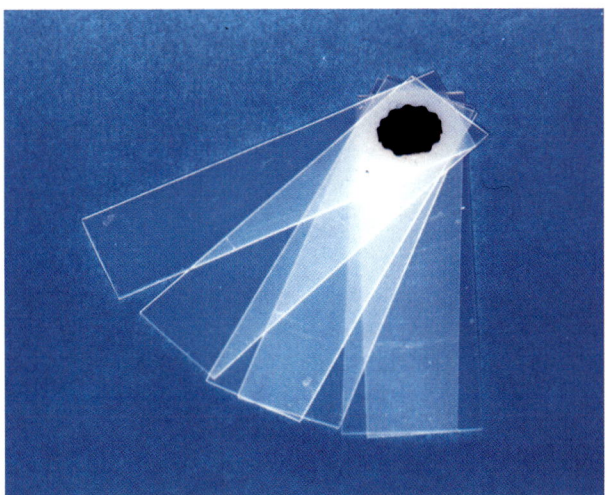

Fig. 19-01   Leaf-Gauge o laminillas de Long

provocan una post-rotación mandibular y un aumento secundario del overjet.

Para el control del efecto bowing vertical (ver capítulo 5) es importante tener en cuenta:
  a. Incorporar una curva de compensación vertical en los arcos.
  b. Aumentar el anclaje vertical molar cuando sea necesario.
  c. Usar arcos pesados y fuerzas ligeras para el cierre de espacios.
  d. Minimizar el uso de elásticos intermaxilares.

2b. El efecto bowing transversal

El efecto bowing transversal lingual (ver capítulo 5) provoca: mesiorotación de caninos, expansión de premolares y contracción y distorotación de molares. Estos movimientos pueden provocar interferencias oclusales capaces de post-rotar la mandíbula, aumentando el overjet.

Para controlar el efecto bowing transversal lingual, debemos:
  a. Incorporar curva transversal de compensación toe-out a los arcos.
  b. Aumentar el anclaje transversal molar cuando sea necesario.
  c. Usar arcos pesados y fuerzas ligeras para cerrar espacios.

3. El efecto sliding

El efecto sliding (ver capítulo 5) provoca, entre otras consecuencias, la protrusión y aumento de torque de los incisivos. Estos movimientos en los incisivos superiores, evidentemente aumentan el overjet.

Para controlar el efecto sliding es importante realizar:
  a. Doblez distal en todos los arcos.
  b. Omegas o hooks antemolares ligados al tubo molar siempre que la mecánica lo permita.

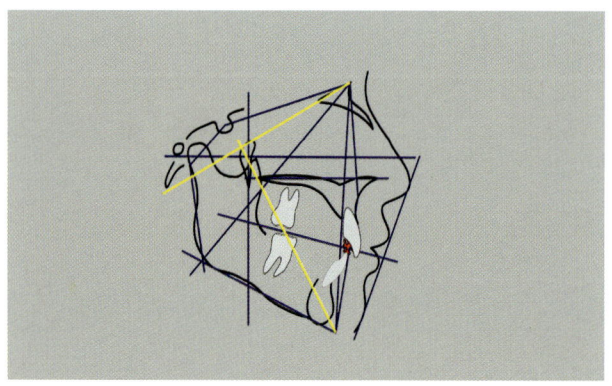

Fig. 19-02 Desoclusión molar y post-rotación mandibular por los brackets linguales

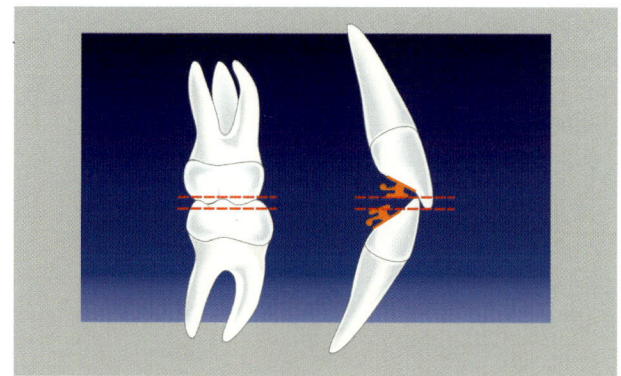

Fig. 19-03 Distancia entre el plano de mordida de los brackets superiores y el borde incisal de los incisivos superiores comparada con la altura cuspídea

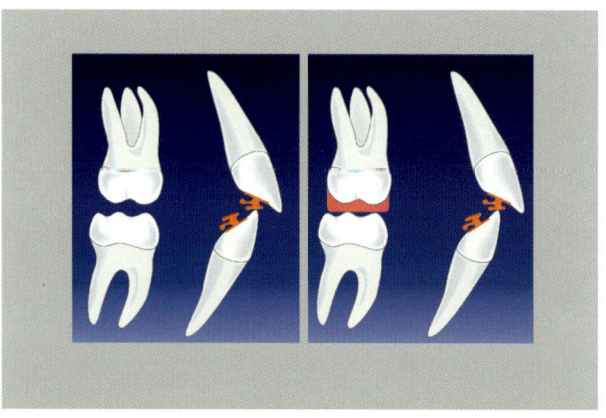

Fig. 19-04 En un caso de ovejet normal, overbite aumentado puede usarse un build-up molar (ver texto)

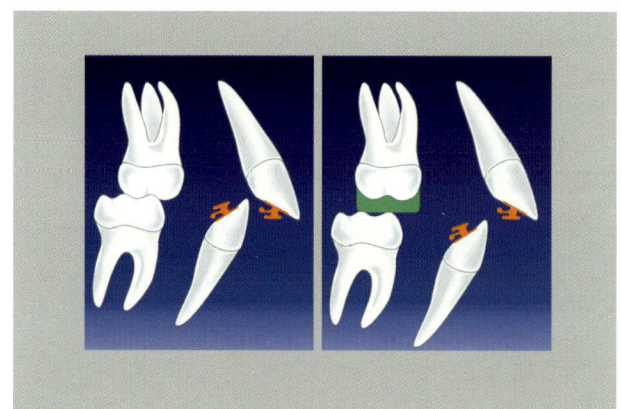

Fig. 19-05 En un caso de overjet y overbite aumentado, se usarán build-ups posteriores para evitar la interferencia de los brackets superiores entre los incisivos

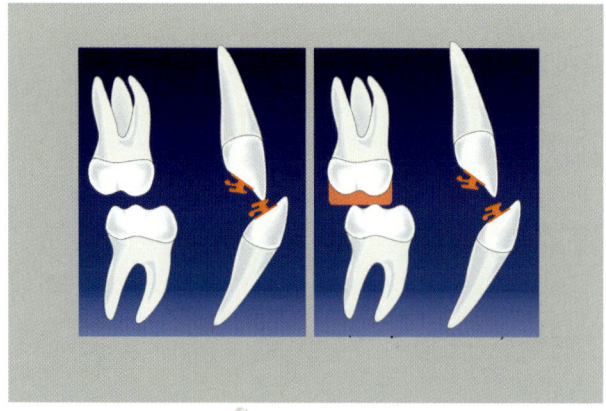

Fig. 19-06 En un caso de overbite aumentado y mordida cruzada anterior, se usarán build-ups posteriores para facilitar la corrección

4. La posición de los brackets de los incisivos superiores y la relación interincisiva

Los brackets de incisivos y caninos superiores deben estar posicionados aproximadamente a 2 mm del borde incisal como mínimo para poder alcanzar la oclusión molar al final del tratamiento (fig. 19-02 y 19-03).

Si las cúspides de molares y premolares son más altas, los brackets de incisivos deberán cementarse proporcionalmente más gingivales. Esto se tendrá en cuenta al posicionar los brackets en el modelo en la etapa de laboratorio.

La desoclusión molar inicial dependerá de la distancia desde los planos de mordida de los brackets superiores hasta el borde incisal de los mismos y del overbite inicial cuando el overjet es normal al inicio del tratamiento. Dependerá de cada caso si se refuerza el anclaje vertical molar para evitar su extrusión o no (fig. 19-04).

Con overbite y overjet aumentados en el inicio del tratamiento se deberá corregir el overbite antes del overjet o utilizar build-ups molares durante la retrusión del frente superior para evitar la interferencia de los brackets superiores entre los incisivos superiores e inferiores (fig. 19-05).

Con overbite aumentado y mordida cruzada anterior, se usarán build-ups molares para aumentar la dimensión vertical y facilitar la corrección (fig. 19-06).

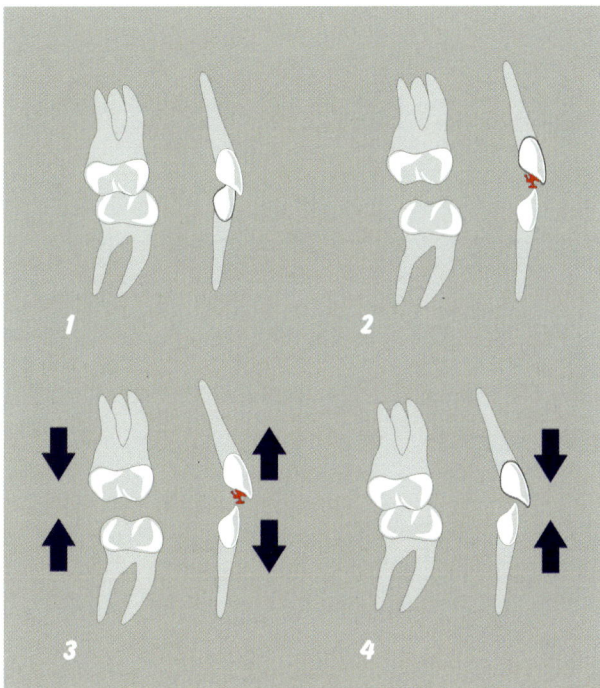

Fig. 19-07   En 1 se esquematiza un caso de mordida profunda anterior. En 2 los brackets linguales superiores provocan la desoclusión posterior. En 3 se esquematizan las posibles correcciones: intrusión de incisivos o extrusión de molares. En 4 se esquematiza la posible recidiva si no se consigue un contacto efectivo entre los incisivos superiores e inferiores

En estos 2 últimos casos se deberá controlar la extrusión (anclaje vertical) de las piezas posteriores que no tengan build-ups. Es conveniente utilizar los build-ups una vez que estén cementados ambos maxilares y todos los dientes ligados, para evitar extrusiones no deseadas.

La desoclusión molar favorece la extrusión de los mismos y de la extrusión posterior final depende la post-rotación mandibular y el consecuente incremento de overjet (fig. 19-07).

Por otra parte Craven Kurz ha señalado que la fuerza de oclusión de los incisivos inferiores sobre los brackets superiores se descompone en dos fuerzas: una de intrusión y otra de protrusión de los incisivos superiores. Evidentemente esta protrusión o aumento de torque aumenta el overjet.

5. La rotación mandibular terapéutica

La rotación mandibular terapéutica fue descrita por Ricketts teniendo en cuenta los siguientes factores:

   5a. Reducción de la convexidad.
   5b. Distalización molar.
   5c. Intrusión de incisivos.
   5d. Extracciones.
   5e. Expansión.
   5f. Protrusión de incisivos.
   5g. Stripping.
   5h. Crecimiento.

5a. Reducción de la convexidad

Cada 5 mm de retrusión del punto A, la mandíbula post-rota 1° (fig. 19-08).

En el tratamiento de adultos no se realizan retrusiones ortopédicas del punto A, pero tanto la retrusión de los incisivos superiores, como su aumento de torque pueden modificar la posición del punto A.

5b. Distalización molar

Cada 3 mm de distalización de molares, la mandíbula post-rota 1° (fig. 19-09).

El autor utiliza el Péndulo de Hilgers en el maxilar superior (ver capítulo 16) modificado con 4 resortes removibles que permiten un mejor control de la extrusión durante la distalización, especialmente del segundo molar ya que en vez de estar libre, tiene su resorte propio.

5c. Intrusión de incisivos

La disminución de overbite de 4 mm provoca una post-rotación mandibular de 1° (fig. 19-10).

5d. Extracciones

La extracción de premolares en un maxilar (superior o inferior) provoca una ante-rotación de 1° y la extracción de premolares en ambos maxilares, provoca una ante-rotación de 2° (figs. 19-11, 19-12 y 19-13).

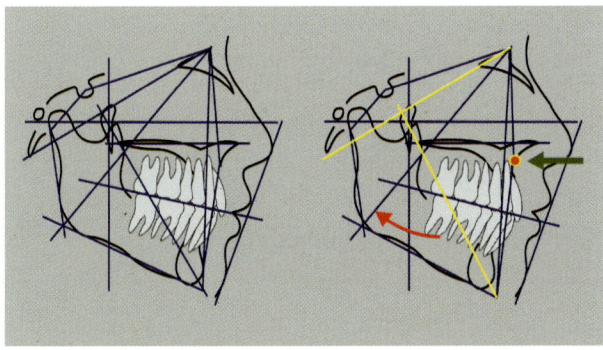

Fig. 19-08   Cada 5 mm de reducción de la convexidad, la mandíbula post-rota 1º

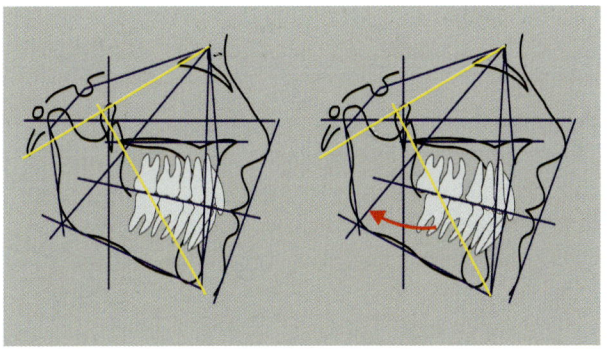

Fig. 19-09   Cada 3 mm de distalización de molares, la mandíbula post-rota 1º

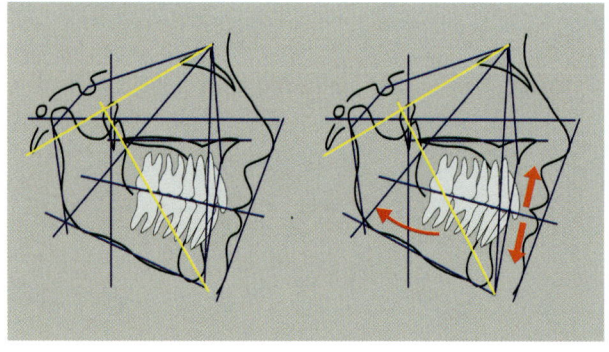

Fig. 19-10 La disminución de overbite de 4 mm provoca una post-rotación mandibular de 1º

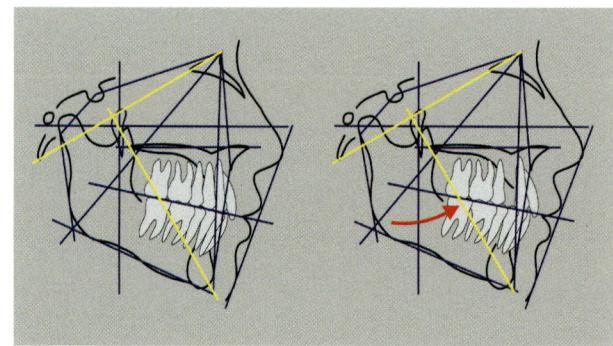

Fig. 19-11 La extracción de premolares superiores provoca una ante-rotación mandibular de 1º

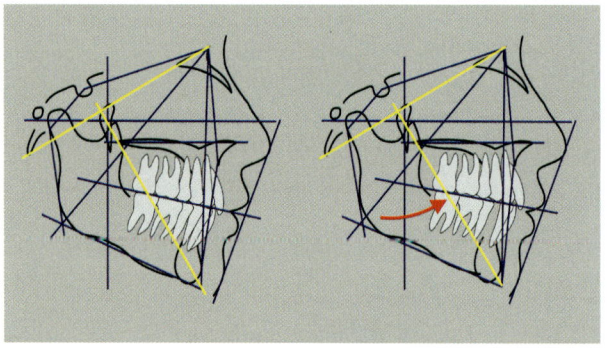

Fig. 19-12 La extracción de premolares inferiores provoca una ante-rotación mandibular de 1º

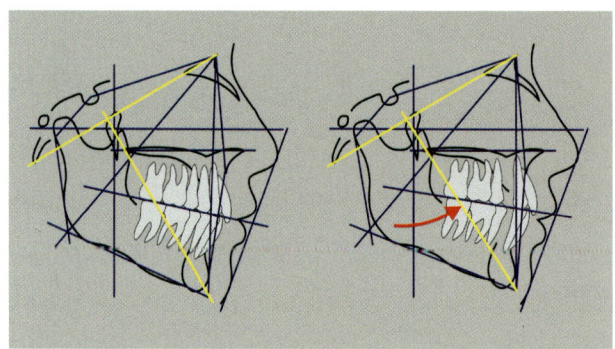

Fig. 19-13 La extracción de premolares superiores e inferiores provoca una ante-rotación mandibular de 2º

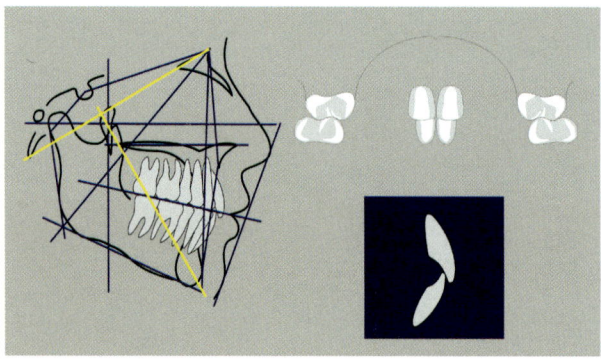

Fig. 19-14 Relación entre la expansión y la rotación mandibular, estado inicial.

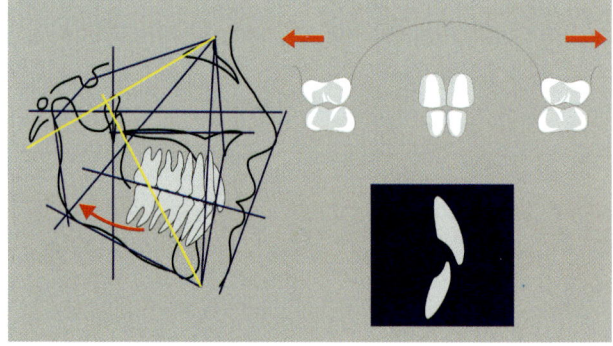

Fig. 19-15 Durante la expansión, en la fase de contacto de cúspide-cúspide, la mandíbula post-rota 2º aproximadamente

5e. Expansion

Durante la expansión, el paciente experimenta una post-rotación mandibular de 1,5º a 2º (figs. 19-14 y 19-15). Esto se produce durante la fase de corrección de la mordida cruzada posterior, en el momento de contacto de cúspide-cúspide entre molares superiores e inferiores. Cuando se completa la corrección de la mordida cruzada posterior la mandíbula ante-rota 1º desde la posición de cúspide-cúspide a la posición de cúspide-fosa (fig. 19-16).

Encontramos una post-rotación total de 1º con la expansión rápida (fig. 19-17) y de 2º con la expansión lenta (fig. 19-18).

5f. Protrusión de los incisivos

La protrusión no provoca rotaciones mandibulares (19-19).

5g. Stripping

El stripping no provoca rotaciones mandibulares (fig. 19-20).

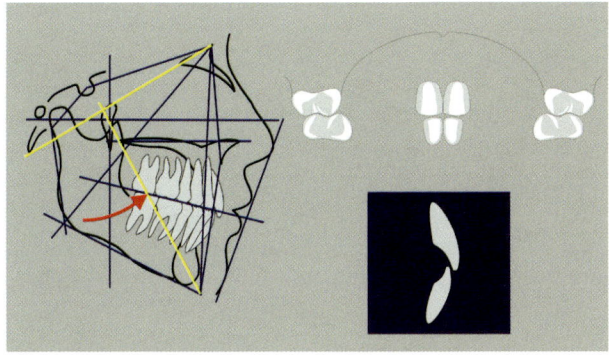

Fig. 19-16 Durante la expansión, desde la fase de contacto de cúspide-cúspide a la fase de contacto cúspide-fosa, la mandíbula ante-rota 1º aproximadamente

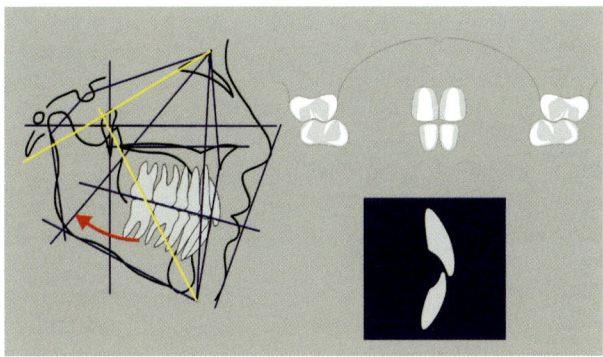

Fig. 19-17 La expansión rápida provoca una post-rotación final de 1º

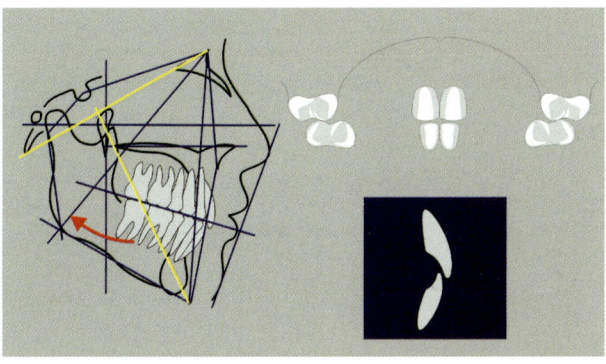

Fig. 19-18 1. La expansión lenta provoca una post-rotación final de 2º

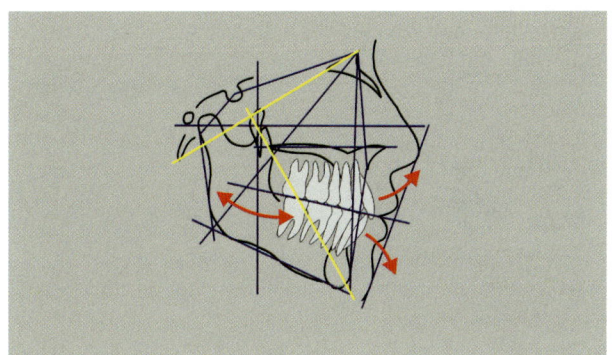

Fig. 19-19 La protusión iniciativa no provoca rotación mandibular

5h. Crecimiento

El crecimiento provoca rotaciones mandibulares. El paciente mesofacial crece sin rotación; el paciente dólicofacial crece con post-rotación y el braquifacial, con ante-rotación.

La mayoría de nuestros pacientes de ortodoncia lingual son adultos, por lo que este factor no será tenido en cuenta.

6. La extrusión molar

Para determinar cuanto aumentará el overjet al final del tratamiento con los brackets linguales, se puede utilizar el calibre de Long o Leaf-Gauge (fig. 19-01) (Great-Lakes) directamente en el paciente. Se van interponiendo laminillas del Leaf-Gauge entre los molares derechos o izquierdos hasta conseguir un overbite de 2 mm. Si la corrección de overbite se realiza totalmente a expensas de extrusión molar, el overjet que se observe en este momento es aproximadamente igual al que se observará al final del tratamiento. Si realizamos también intrusión incisiva, la extrusión molar será menor y entonces tanto la post-rotación mandibular como el incremento de overjet serán menores.

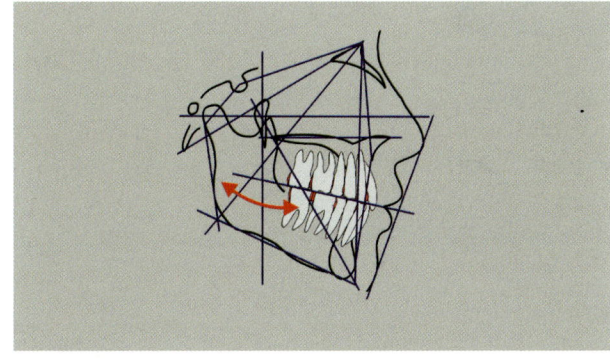

Fig. 19-20 El stripping no provoca rotación mandibular

La rotación mandibular y el torque incisivo inferior

Para una misma posición de los incisivos inferiores, la post-rotación mandibular aumenta el torque de los incisivos inferiores y la ante-rotación mandibular lo disminuye.

Conclusiones

La rotación mandibular influye sobre el overjet y también sobre el torque de los incisivos inferiores.

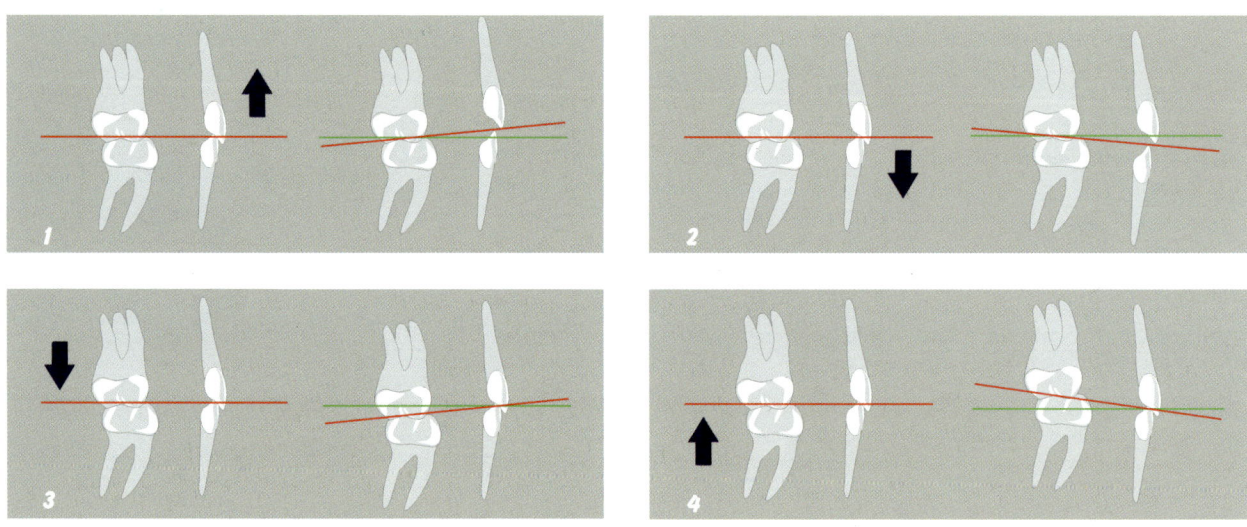

Fig. 19-21 A, B, C Y D: Tanto la intrusión de incisivos superiores como la extrusión de molares superiores provoca ante-rotación del plano oclusal. Tanto la intrusión de incisivos inferiores como la extrusión de molares inferiores provoca post-rotación del plano oclusal

No está establecido cuánto aumenta el overjet al rotar la mandíbula, pero se han identificado algunos factores influyentes:
- Si la mandíbula está rotando alrededor del eje de bisagra y si se encuentra en RC.
- El ángulo goníaco.
- Altura de la rama mandibular.
- Longitud del cuerpo mandibular.
- Torque inicial de los incisivos inferiores.

Es muy importante pronosticar cuánto aumentará el overjet al final del tratamiento y tener en cuenta especialmente:
- Si la mandíbula se encuentra desplazada de la RC al inicio del tratamiento.
- Controlar el efecto sliding durante todo el tratamiento.
- Controlar el efecto bowing (vertical y transversal) durante todo el tratamiento.
- Controlar el anclaje vertical molar durante todo el tratamiento.
- Tener en cuenta la rotación mandibular terapéutica al realizar el plan de tratamiento.

Corrección de la mordida profunda anterior

Introducción

La mordida profunda anterior puede ser corregida mediante (fig. 19-07):
- Intrusión de los incisivos superiores e inferiores.
- Intrusión sólo de los incisivos superiores.
- Intrusión sólo de los incisivos inferiores.
- Extrusión de los molares superiores e inferiores.
- Extrusión sólo de los molares superiores.
- Extrusión sólo de los molares inferiores.

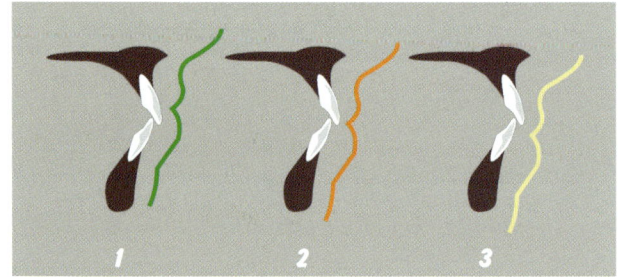

Fig. 19-22 Diferentes posibles relaciones entre la comisura labial y los incisivos superiores

Los brackets linguales contribuyen a la corrección de la mordida profunda anterior porque su efecto "férula" favorece la relajación de los músculos masticatorios.
Si la mordida profunda es corregida a expensas de extrusión molar, se aumenta la dimensión vertical, pero la post-rotación mandibular es menor si también se realiza intrusión de los incisivos. La extrusión molar, especialmente en adultos, es poco estable, pero el autor realiza la contención de estos casos obteniendo un contacto efectivo entre los incisivos superiores e inferiores al final del tratamiento, lo que favorece la estabilidad post-tratamiento. Si el cíngulo de los incisivos superiores es insuficiente para un contacto interincisivo efectivo, el autor realiza la reconstrucción de los cíngulos con carillas linguales de porcelana (fig. 19-07).
Tanto la intrusión de incisivos superiores como la extrusión de molares superiores provocan ante-rotación del plano oclusal. Tanto la intrusión de incisivos inferiores como la extrusión de molares inferiores provocan post-rotación del plano oclusal. Por este motivo se tendrá en cuenta la rotación inicial del plano oclusal para realizar el plan de tratamiento (fig. 19-21).

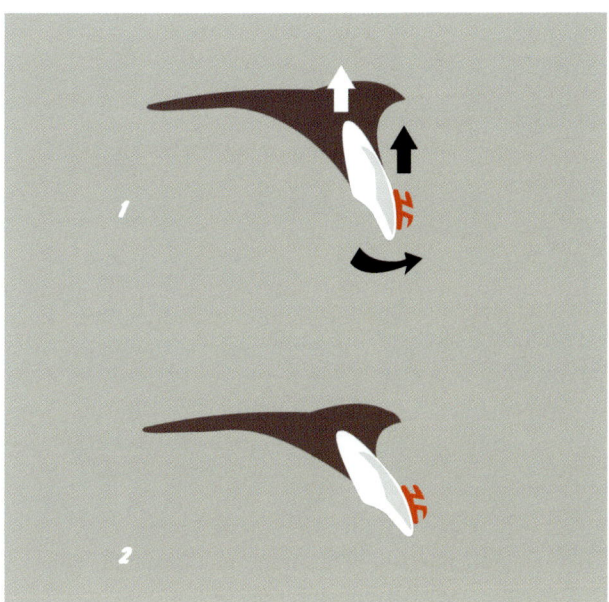

Fig. 19-23 La intrusión con brackets vestibulares provoca mayor aumento de torque por la relación entre el punto de aplicación de la fuerza y el centro de resistencia del diente

Fig. 19-24 La intrusión con brackets linguales provoca menor aumento de torque por la relación entre el punto de aplicación de la fuerza y el centro de resistencia del diente

Los movimientos verticales de los incisivos modifican la línea gingival y el nivel del hueso alveolar, por lo que un correcto diagnóstico gingival y periodontal resulta imprescindible.

La intrusión de incisivos modifica también la exposición dental y gingival durante la conversación, reposo y sonrisa, por lo que la estética también será tenida en cuenta (fig. 19-22).

Resumiendo, en el plan de tratamiento se tendrá en cuenta:
- La dimensión vertical.
- La rotación del plano oclusal.
- El estado gingival y periodontal.
- La exposición dental y gingival.

La dimensión vertical

La dimensión vertical facial (tipo facial) será modificada durante el tratamiento según:
- El tipo de facial.
- Si el paciente presenta crecimiento remanente, según el tipo de crecimiento.
- La rotación mandibular terapéutica.
- La rotación por extrusión molar.

La rotación del plano oclusal

Tal y como estableció Ross, los pacientes dólicofaciales presentan mayor post-rotación del plano oclusal y los pacientes braquifaciales, mayor ante-rotación. Una mayor post-rotación del plano oclusal puede provocar interferencias posteriores durante el movimiento de protrusión mandibular (Tieleman) por lo que el examen funcional también es muy importante.

El estado gingival y periodontal

Con un periodonto sano, el nivel de hueso desciende con la intrusión y aumenta con la extrusión, pero una intrusión controlada también puede aumentar el nivel óseo.

También desde el punto de vista estético, el nivel gingival juega un papel muy importante, por lo que es fundamental su nivelación (Kokich).

La exposición dental y gingival

Es muy importante también estudiar la relación labio-dental antes de decidir la intrusión de los incisivos.

Tendremos en cuenta:
- La distancia de la comisura labial al plano oclusal (fig. 19-22).
- La distancia del labio superior en reposo hasta el borde incisal de los incisivos superiores.
- La edad del paciente (la exposición incisiva debería ser 5 mm a los 20 años, reduciéndose 1 mm cada 10 años).
- El comportamiento del labio desde la posición de reposo hasta la posición de "sonrisa", porque si el labio se desplaza más que la altura de la corona clínica de los incisivos, siempre tendrá sonrisa gingival. Se debe demostrar este hecho al paciente antes de comenzar el tratamiento.
- La altura del paciente, porque si el paciente es más alto de la norma, la exposición gingival es mayor ante interlocutores más bajos.

Secuencia bio-mecánica para la corrección de la mordida profunda anterior

Los brackets linguales favorecen:
- La extrusión molar por la desoclusión posterior.

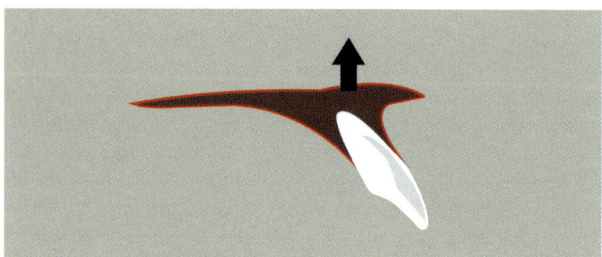

Fig. 19-25 Para conseguir la intrusión se deben mantener las raíces dentro de la esponjosa ósea

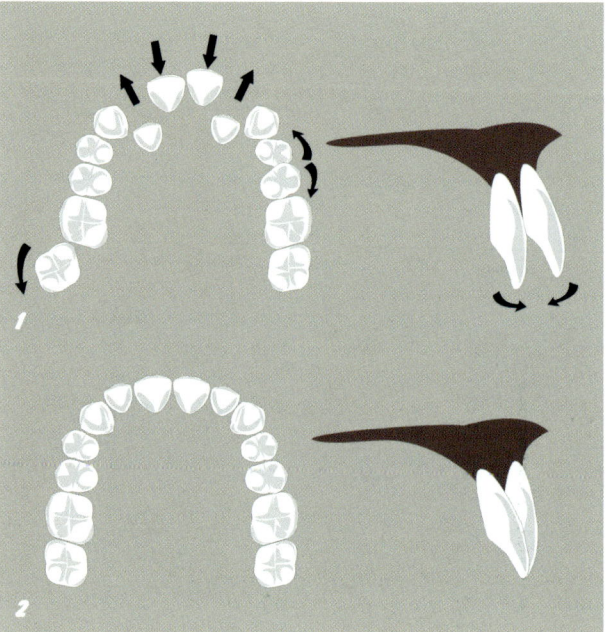

Fig. 19-26 Etapa de ANR. Se consigue alineación de las coronas pero no de las raíces

- La intrusión incisiva porque la dirección de las fuerzas de intrusión es más cercana al centro de rotación de los incisivos.

La intrusión con brackets vestibulares produce más aumento de torque incisivo que la intrusión con brackets linguales (figs. 19-23 y 19-24). El control de torque durante la intrusión es fundamental para mantener las raíces dentro de la capa esponjosa del hueso alveolar (fig. 19-25).

Es fundamental comenzar completando las etapas de alineación, nivelación y corrección de rotaciones (ANR) (fig. 19-24) y establecer el torque (fig. 19-27) antes de comenzar los movimientos verticales (fig. 19-28 y 19-25) para asegurarse de mantener las raíces dentro de la esponjosa ósea. Para ello utilizaremos los arcos habituales de .016" de NiTi ó .017" x .017" de Copper NiTi para la ANR y arcos de .0175" x .0175" de TMA para establecer el torque.

Para la extrusión de molares, se indica el uso de elásticos intermaxilares verticales molares. Si el paciente puede colocarlos, es preferible indicar el uso de elásticos por lingual. Si no fuera posible, se deberán cementar botones plásticos o cerámicos en vestibular y utilizar los elásticos por vestibular. Los elásticos utilizados son de fuerza media-fuerte (100g) y de 3/16" de diámetro (Conejo de la casa ORMCO).

Para extrusión molar superior e inferior, se usarán arcos de fuerza similar en ambos maxilares, pero para conseguir mayor extrusión en uno de los maxilares, se deberán usar arcos de diferente fuerza:

- Para mayor extrusión inferior, usamos barra transpalatina superior y arco superior de .016" x .022" de Stainless Steel y arco inferior de .0175" x .075", conjuntamente con los elásticos intermaxilares.
- Para mayor extrusión superior se usará arco inferior de .016" x .022" de Stainless Steel y arco superior de .0175" x .075", conjuntamente con los elásticos intermaxilares.

Se deberá valorar la necesidad de hacer un escalón vertical en el arco de terminación para evitar la recidiva del movimiento conseguido.

Para la intrusión incisiva, encontramos que la técnica más efectiva es la técnica de arcos dobles.

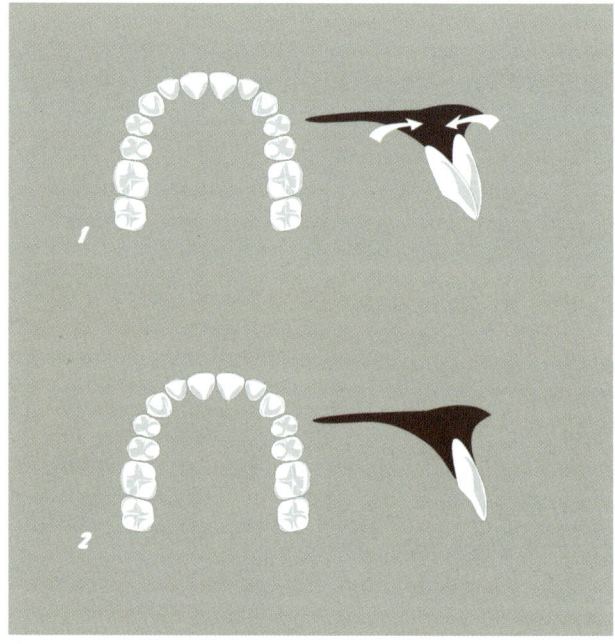

Fig. 19-27 Etapa de establecimiento del torque. Se consiguen alinear las raíces

La técnica de arcos dobles para mordida profunda anterior consiste en los siguientes pasos:

1. Arco de .016" de NiTi o de .017" x .017" de Copper NiTi para ANR (fig. 19-26).
2. Arco de .0175" x .0175" de TMA para establecer el torque (fig. 19-25).
3. Arcos dobles para intrusión incisiva (fig. 19-29 y 19-30):
   3.a Ligadura en "8" de ferulización de incisivo lateral a canino bilateralmente (fig. 19-30).

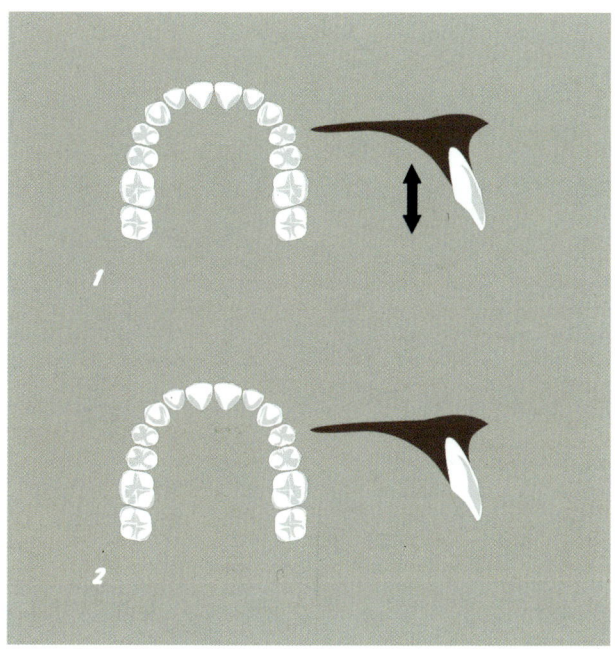

Fig. 19-28 Después de establecer el torque se pueden hacer los movimientos de intrusión o extrusión y no antes para evitar interferencias de la cortical ósea

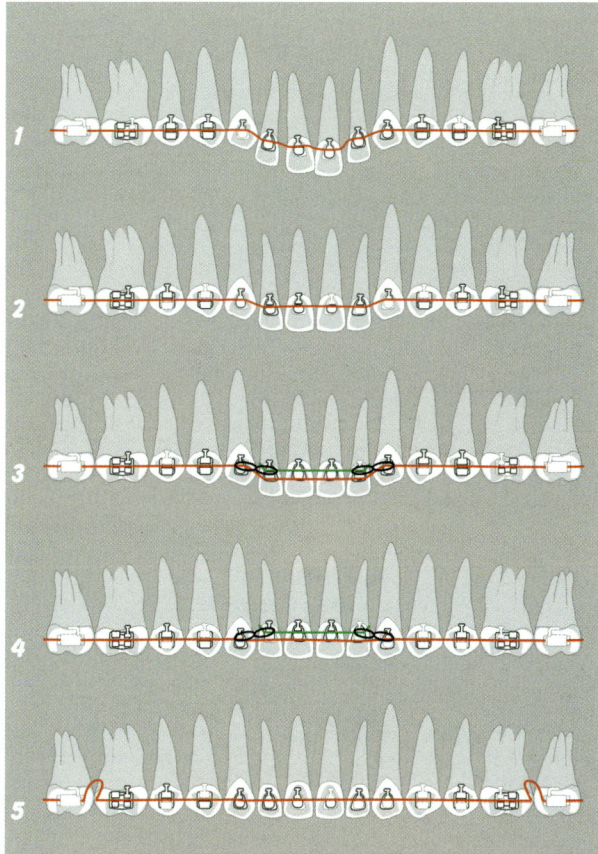

Fig. 19-29 Esquema del tratamiento de las mordidas profundas. En 1, la etapa de ANR. En 2, la etapa de establecimiento del torque. En 3, la etapa de intrusión con arcos dobles. Obsérvese en verde el arco seccional anterior, en negro la ligadura de ferulización y en rojo el arco Copper NiTi por los slots de los brackets de los dientes posteriores y por oclusal de los brackets anteriores. En 4, la corrección conseguida y en 5, el arco de terminación con los brackets de incisivos recementados más oclusalmente. También podría realizarse un escalón oclusal entre el canino y el incisivo lateral para evitar el re-cementado

3.b Arco seccional de .016" x .022" de acero desde el incisivo lateral derecho hasta el izquierdo. Este arco sigue la forma de la arcada y tiene doblez distal a ambos lados, a ras de los brackets (19-31).

3.c Arco de .017" x .017" de Copper NiTi que está ligado a los slots de molares, premolares y caninos, pero pasa por oclusal de los brackets de incisivos para realizar la intrusión (fig 19-32 y 19-33).

4. Arco de .016" x .022" de acero con escalón vertical entre incisivo lateral y canino para mantener la intrusión conseguida. Si no se realiza este escalón en el arco, se deberían re-cementar los brackets de los incisivos en una posición más incisal.

La técnica se puede utilizar en cualquiera de los maxilares o en ambos, en casos con o sin extracciones y también se puede utilizar en técnica vestibular.

Los brackets linguales resultan tan efectivos en el tratamiento de la mordida profunda anterior, que el autor utiliza build-ups en los incisivos superiores en el tratamiento de esta maloclusión con brackets vestibulares para lograr el mismo efecto que el plano de mordida.

Corrección de la mordida abierta anterior

Introducción

En un principio se pensó que la mordida abierta anterior resultaba más favorable para técnica lingual porque no interferirían los brackets linguales con la oclusión. La práctica clínica demostró que los brackets linguales son muy efectivos en la mordida profunda anterior, pero también presentan algunas ventajas en el tratamiento de la mordida abierta anterior; sin dejar de reconocer que este tratamiento es más complicado que el anterior.

Ventajas de los brackets linguales en el tratamiento de la mordida abierta anterior:

- Los brackets linguales pueden ser utilizados como referencia para la reeducación de la interposición lingual, ya sea postural o durante la deglución.
- Si el paciente utiliza elásticos verticales desde los brackets linguales superiores hasta los brackets inferiores (se necesita un paciente hábil y motivado), los elásticos actúan como una rejilla lingual.

Tratamiento de los problemas verticales: Rotaciones mandibulares. Relación con el overjet. Mordida profunda y mordida abierta

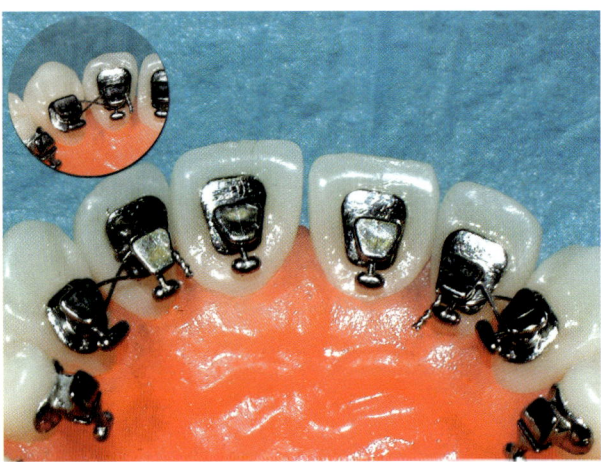

Fig. 19-30   Fotografía de arcos dobles en tipodonto 1: con ligadura en "8" entre incisivos laterales y caninos

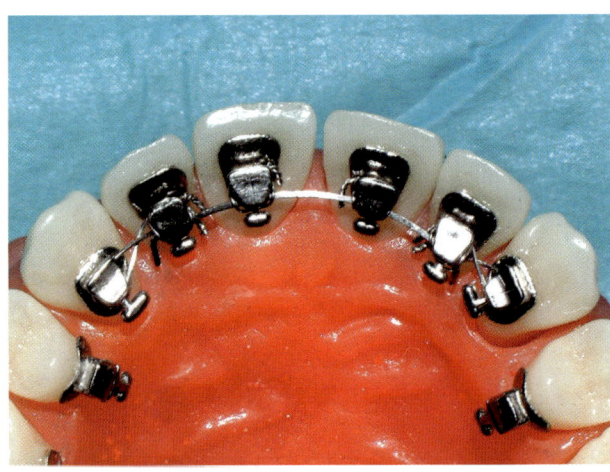

Fig. 19-31   Fotografía de arcos dobles en tipodonto 2: arco seccional de incisivo lateral a incisivo lateral

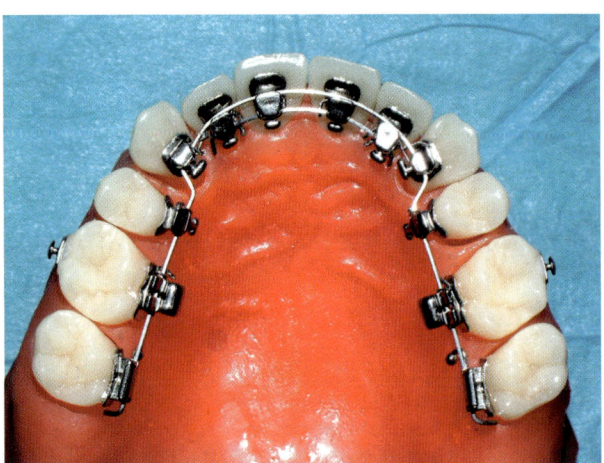

Fig. 19-32   Fotografía de arcos dobles en tipodonto 3: Arco de Copper NiTi por los slots en dientes posteriores y por oclusal de incisivos

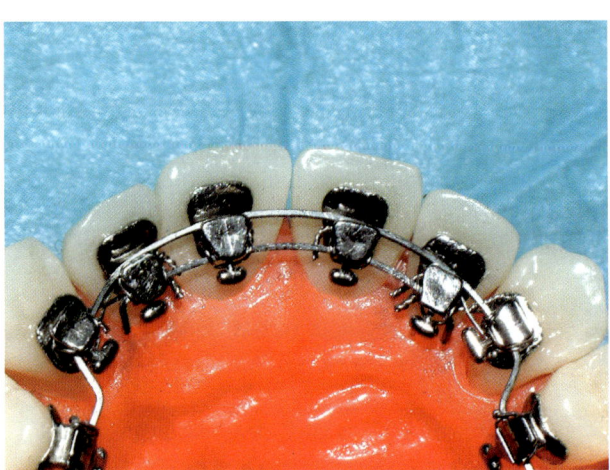

Fig. 19-33   Fotografía de arcos dobles en tipodonto 4: Arco de Copper NiTi por los slots en dientes posteriores y por oclusal de incisivos (aumentado)

Secuencia bio-mecánica para la corrección de la mordida abierta anterior

Diferenciamos tres tipos principales de mordida abierta anterior:
- La mordida abierta esquelética.
- La mordida abierta por bi-protrusión.
- La mordida abierta por interferencia.

En cualquiera de los 3 casos se debe prestar especial atención a la reeducación de la interposición lingual tanto para completar la corrección como para asegurar la estabilidad.

La mordida abierta esquelética

Se caracteriza por un ángulo inter maxilar aumentado (fig. 19-34).

Normalmente requiere un tratamiento combinado con cirugía ortognática en los pacientes adultos, pero si es leve, puede ser tratada con la técnica de arcos dobles.

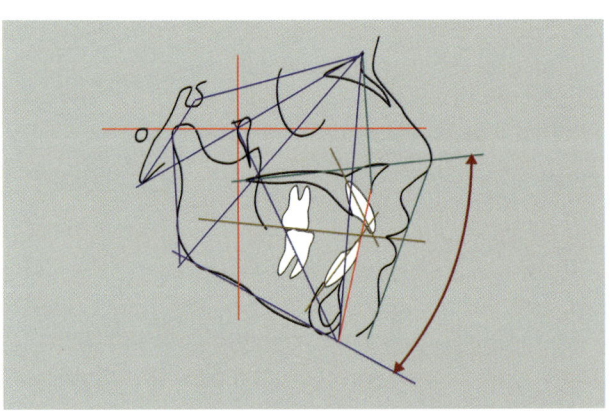

Fig. 19-34   Mordida abierta anterior esquelética

La técnica de arcos dobles para mordida abierta anterior consiste en los siguientes pasos (fig. 19-35):

1. Arco de .016" de NiTi o de .017" x .017" de Copper NiTi para ANR.

Capítulo 19

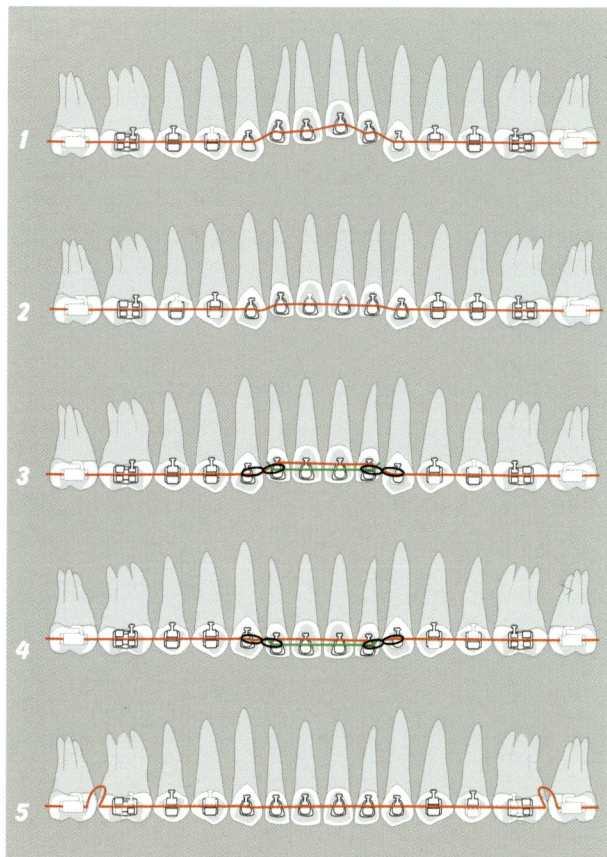

Fig. 19-35   Esquema del tratamiento de las mordidas abiertas. En 1, la etapa de ANR. En 2, la etapa de establecimiento del torque. En 3, la etapa de extrusión con arcos dobles. Obsérvese en verde el arco seccional anterior, en negro la ligadura de ferulización y en rojo el arco Copper NiTi por los slots de los brackets de los dientes posteriores y por gingival de los brackets anteriores. En 4, la corrección conseguida y en 5, el arco de terminación con los brackets de incisivos recementados más gingivalmente. También podría realizarse un escalón gingival entre el canino y el incisivo lateral para evitar el re-cementado

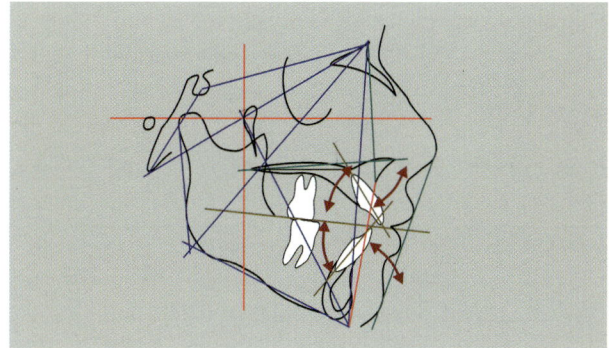

Fig. 19-36   Mordida abierta anterior por bi-protrusión

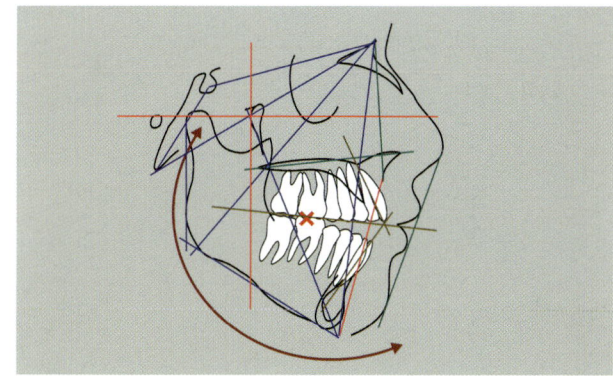

Fig. 19-37   Mordida abierta anterior por interferencia posterior

2. Arco de .0175" x .0175" de TMA para establecer el torque
3. Arcos dobles para extrusión incisiva:
   3.a Arco seccional de .016" x .022" de acero desde el incisivo lateral derecho hasta el izquierdo. Este arco sigue la forma de la arcada y tiene doblez distal a ambos lados, a ras de los brackets.
   3.b Ligadura en "8" de ferulización de incisivo lateral a canino bilateralmente.
   3.c Arco de .017" x .017" de Copper NiTi que está ligado a los slots de molares, premolares y caninos, pero pasa por gingival de los brackets de incisivos para realizar la intrusión.
4. Arco de .016" x .022" de acero con escalón vertical entre incisivo lateral y canino para mantener la extrusión conseguida. Si no se realiza este escalón en el arco, se deberían re-cementar los brackets de los incisivos en una posición más gingival.

La mordida abierta por bi-protrusión

La característica más importante de estos casos es la disminución del ángulo interincisivo por la bi-protrusión (fig. 19-36). Es un cuadro muy frecuente en adultos y presenta las siguientes características:

- Bi-protrusión o protrusión en uno de los maxilares.
- Normalmente presenta un ángulo inter maxilar normal o inclusive disminuido por la pérdida de dimensión vertical.
- Puede presentarse con mordida abierta anterior o con mordida profunda anterior.
- Aparición de diastemas en la zona incisiva.
- Pérdida de soporte óseo y periodontal en la zona incisiva.
- Hábitos de protrusión lingual.

La evolución de este cuadro suele comenzar con la pérdida de piezas posteriores, o pérdida de altura por migración, desgaste o caries. La pérdida de dimensión vertical provoca la protrusión lingual y la consecuente protrusión incisiva. La estabilidad de estos casos suele depender de que se pueda rehabilitar al paciente en los sectores posteriores para dar espacio posterior a la lengua, la reeducación lingual hacia una posición más posterior y la estabilidad periodontal de la zona anterior, pero es aconsejable la ferulización de incisivos y caninos.

Se utiliza la mecánica normal de retrusión anterior estudiada en el capítulo 14.

La mordida abierta por interferencia

Las interferencias molares, tal como describió Roth, pueden provocar una post-rotación mandibular y mordida abierta anterior (fig. 19-37). Una de las características más significativas de estos casos es que al ocluir manualmente los modelos, éstos tienen un "juego" que permite dos oclusiones con overbites diferentes.

El tratamiento de estas maloclusiones consiste en la identificación de la interferencia y su tratamiento por movimiento ortodóncico o por desgaste selectivo, dependiendo del caso.

Terminación de casos   20

- Introducción 355
- Los objetivos de tratamiento 355
- Terminación de casos 356
  - 1. Ajustes de 1er. y 2do. orden 356
  - 2. Ajustes de 3er. orden 357
  - 3. Ajuste de las relaciones intermaxilares 359
     3 a. Planos sagital y frontal: línea media y overjet 361
     3 b. Planos vertical y transversal: overbite e intercuspidación 363
- Descementado 363
- Retención 364
- Aparatos de Retención 364
  - Para el maxilar superior: 364
    Round-retainer gnatológico 365
    Optical-retainer 367
    Carillas linguales de porcelana 367
    Férulas oclusales 370
  - Para el maxilar inferior: 370
    Retenedor Kurz 370
    Spring retainer 370
    Fibra óptica 371
    Retención fija con alambres 373

Introducción

Una vez terminados, los casos pueden ser:
- Buenos, porque inicialmente tenían un problema y se corrigió con el tratamiento.
- Malos, porque tenían inicialmente un problema que se mantuvo al final del tratamiento.
- Muy malos, porque inicialmente no tenían un problema que se creó con el tratamiento.

Un problema muy frecuente es no diagnosticar correctamente una asimetría al inicio del tratamiento, porque entonces seguramente se mantendrá al final del tratamiento.

La terminación de casos empieza el primer día de tratamiento y requiere suficiente tiempo a la vez que un alto grado de auto-crítica.

Del perfeccionamiento del cementado depende en gran parte el grado de dificultad de la terminación del caso, pero tal y como dijo Zachrisson, "si alguien dice que termina casos sin ningún doblez, probablemente enseña casos insuficientemente acabados".

En la etapa de finalización se debe comprobar que se cumplen todos los objetivos del tratamiento antes del descementado de brackets.

Es imprescindible comprobar la coincidencia entre la posición de relación céntrica y la posición de máxima intercuspidación (figs. 20-01 A, B y C), así como la oclusión en la fases excursivas (figs. 20-02 A y B y 20-03 A y B). Se deberá comprobar la guía anterior y las guías caninas. De la misma forma sería aconsejable tomar las radiografías finales (teleradiografía de perfil de cráneo y ortopantomografía) antes de retirar los brackets para poder comprobar el paralelismo de raíces y el ángulo interincisivo.

Los objetivos de tratamiento

1. La posición de máxima intercuspidación se debe realizar en la posición de relación céntrica, entendida como la posición más superior y anterior de los cóndilos en la cavidad glenoidea y con el disco interpuesto (fig. 20-01 A, B y C).
2. Desoclusión posterior inmediata en el movimiento de protrusión (guía anterior) (fig. 20-02 A y B).
3. Protección canina en los movimientos de lateralidad (fig. 20-03 A y B)). También son aceptables la función de grupo anterior o posterior.
4. Desoclusión de 2 mm en reposo.
5. Fuerzas axiales a todos los dientes e intercuspidación de todos los dientes.
6. Movimientos friccionantes libres.
7. Contactos interdentales comprimidos.
8. Estética.

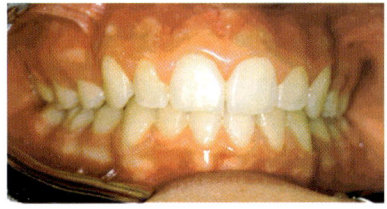
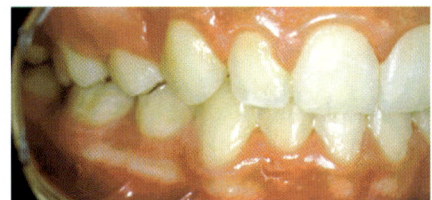
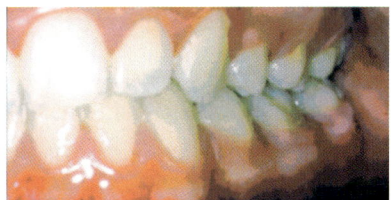

Fig. 20-01A Posición de máxima intercuspidación en relación céntrica, vista central; B: Posición de máxima intercuspidación en relación céntrica, vista lateral derecha; C: Posición de máxima intercuspidación en relación céntrica, vista lateral izquierda

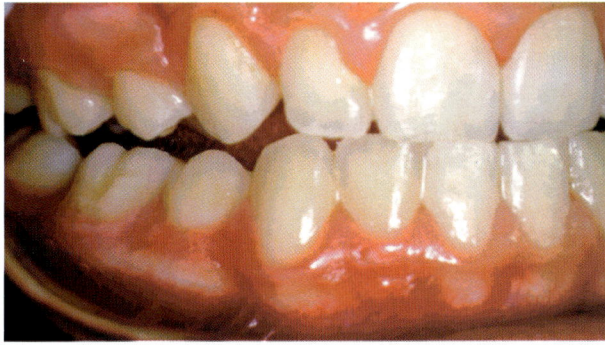

Fig. 20-02A Movimiento de protrusión con guía anterior, vista derecha

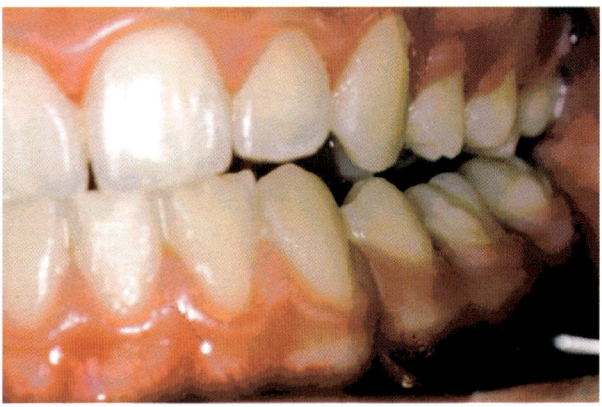

Fig. 20-02B Movimiento de protrusión con guía anterior, vista izquierda

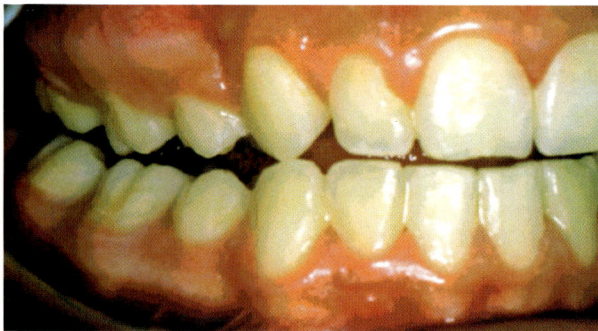

Fig. 20-03A Movimiento de lateralidad con guía canina, vista derecha

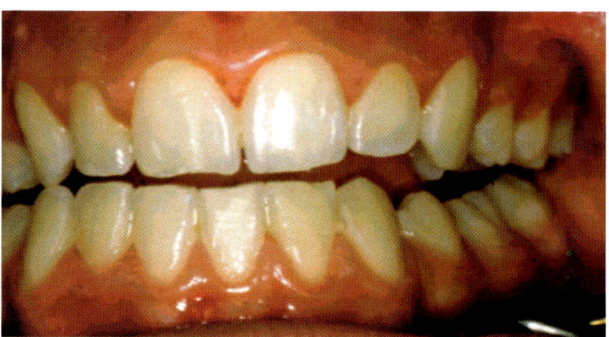

Fig. 20-03B Movimiento de lateralidad con guía canina, vista izquierda

9. Confort y estabilidad de todos los componentes del sistema estomatognático.
10. Satisfacción de la demanda y conformidad con la auto-imagen.

Terminación de casos

Se divide la terminación de casos en 3 etapas:
1. Ajustes de 1er y 2do orden.
2. Ajustes de 3er orden.
3. Ajuste de las relaciones intermaxilares:
    3 a. Planos sagital y frontal: línea media y overjet.
    3 b. Planos vertical y transversal: overbite e intercuspidación.

1. Ajustes de 1er y 2do orden

Una vez que se han cerrado los espacios en los casos de extracciones o que se han establecido el torque y la forma de arcada en los casos de no extracciones, se debe proceder al detallado final comenzando por el 1er orden (alineación, nivelación y rotaciones) y 2do orden (inclinación).
En técnica vestibular de arco recto se suele utilizar uno de los 3 siguientes métodos:
1. *Recementado de brackets.* Se analiza la posición de los dientes y se recementan los brackets de los dientes a los que se quiera mejorar su posición. El bracket debe ser recementado en sentido opuesto al movimiento deseado. Por ejemplo: si está indicado extruir una pieza, el bracket debe ser recementado en una posición más gingival. Dependiendo de la cantidad de movimiento indicado, se podrá utilizar el mismo arco o se deberá recurrir a un arco más elástico.
2. *Dobleces en el alambre.* Se analiza la posición de los dientes y se realizan dobleces en el arco, a nivel de los dientes a los que se quiere mejorar su posición. El doblez se debe realizar en el mismo sentido del movimiento deseado. Por ejemplo: si está indicado extruir una pieza se deberá hacer un doblez a mesial y distal del diente que desplace esa sección de arco hacia oclusal. Dependiendo de la cantidad de movimiento se deberá recurrir a la formación de asas para aumentar la elasticidad del alambre.
3. *Descementar los brackets y hacer un posicionador* con el cual se corrigen las posiciones dentarias indicadas en los modelos set-up montados en articulador.

Para técnica lingual el método más sencillo es realizar dobleces en el arco, ya que el recementado es complicado y la utilización de posicionadores por adultos requiere una gran colaboración.
Si se desea utilizar el método de re-cementar brackets en técnica lingual, lo mejor sería no utilizar CLASS System sino un método como Slot Machine que permite modificar cualquiera de los parámetros iniciales del bracket en una cantidad exacta.
El método utilizado es el siguiente:

a. Análisis estático y dinámico de la oclusión realizando una lista de los movimientos necesarios para cumplir con todos los objetivos de tratamiento incluyendo movimientos de alineación (movimientos hacia vestibular o lingual), movimientos de nivelación (movimientos de extrusión o intrusión), movimientos de rotación y movimientos de inclinación.
b. Se conforma un arco de .016" de acero a la zona anterior de la arcada de acuerdo con la plantilla individualizada de arcos (los pasos para realizar este 5to arco se pueden ver paso a paso en el capítulo 14).
c. Se realizan los dobleces de 1er y 2do orden necesarios de canino a canino utilizando los alicates para hacer dobleces de ½, ¾ ó 1 mm que se observan en las figuras del capítulo 8. Estos alicates permiten hacer dobleces exactos sin deformar el arco y con un solo "pinzado" del arco como se observa en las figuras 20-04 A y B.
d. Conformar los insets distocaninos.
e. Realizar los dobleces de 1er y 2do orden indicados a nivel de premolares y molares, teniendo en cuenta los posibles insets molares si el arco tuviera forma christmas.

Capítulo 20

Fig. 20-04A Pinzado del arco con el alicate para hacer dobleces. Primer paso en el que se hace un doblez de la medida del alicate: ½, ¾ ó 1 mm

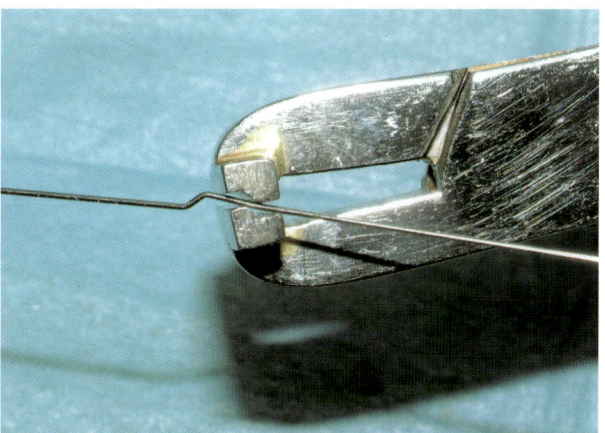

Fig. 20-04B Pinzado del arco con el alicate para hacer dobleces. Segundo paso en el que se hace el segundo doblez de la medida del alicate: ½, ¾ ó 1 mm, completando el inset

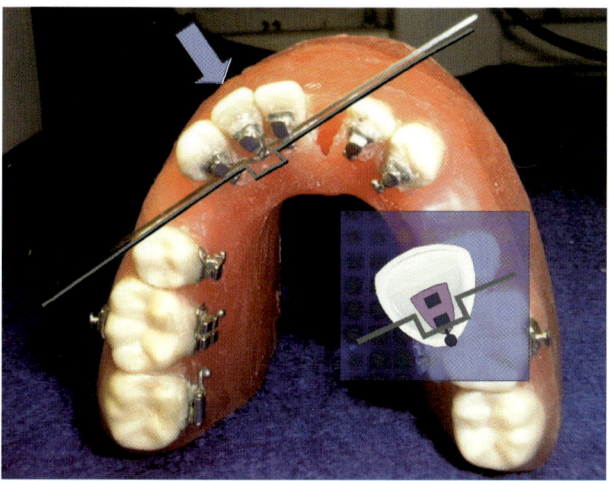

Fig. 20-05A Doblez de primer orden (in-set) para alineación con linguo-versión

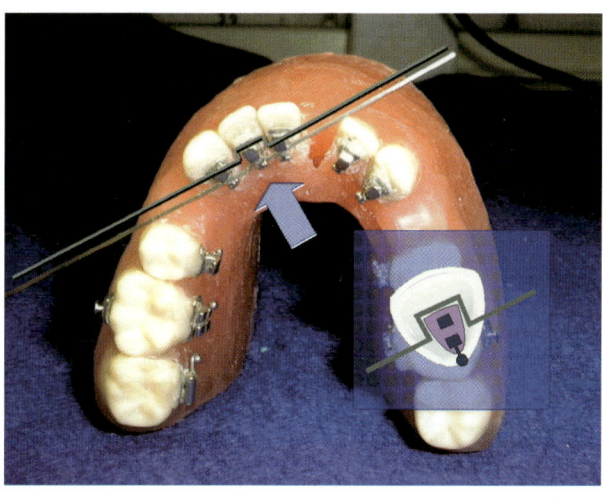

Fig. 20-05B Doblez de primer orden (off-set) para alineación con vestíbulo-versión

f. Conformar omegas antemolares y dobleces distales para evitar la apertura de diastemas en esta fase.

El ligado de este arco se debe realizar con doble-over-tie metálica en la zona anterior y con ligadura metálica en la zona posterior, ajustando el arco lo máximo posible al fondo del slot de todos los brackets.

Los ajustes de primer y segundo orden se realizan con dobleces a mesial y distal de cada diente tal como se muestra en las figuras 20-05 a 20-07.

2. Ajustes de 3er orden

Esta etapa se puede iniciar con el arco de .016" x .022" de acero o volver a utilizar un arco de esa medida después del 5to arco, si fuera necesario.

Para la activación de torque resulta muy útil la llave de torque diseñada por el Dr. Creekmore, la que también

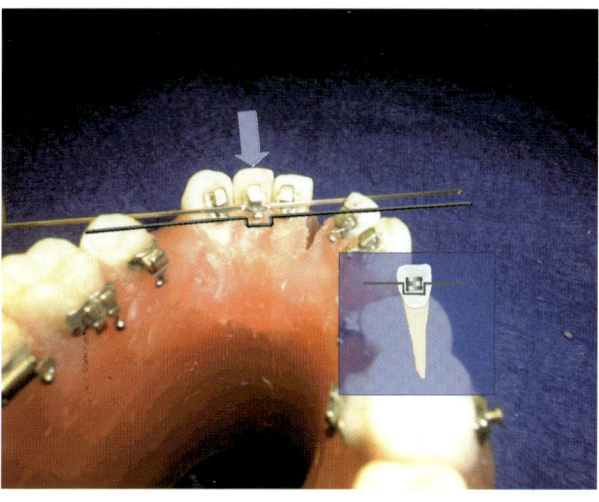

Fig. 20-05C Doblez de primer orden para nivelación con intrusión

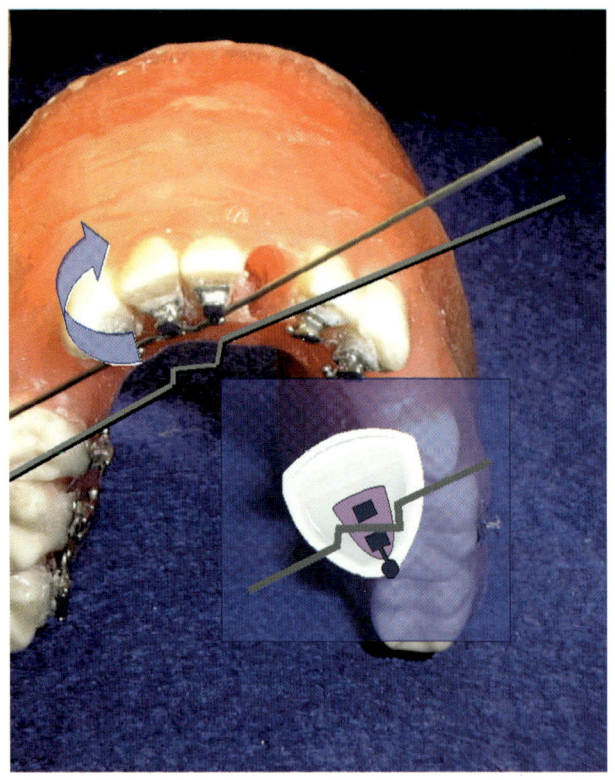

Fig. 20-06A   Doblez de primer orden para mesio-rotación

Fig. 20-06B   Doblez de primer orden para disto-versión

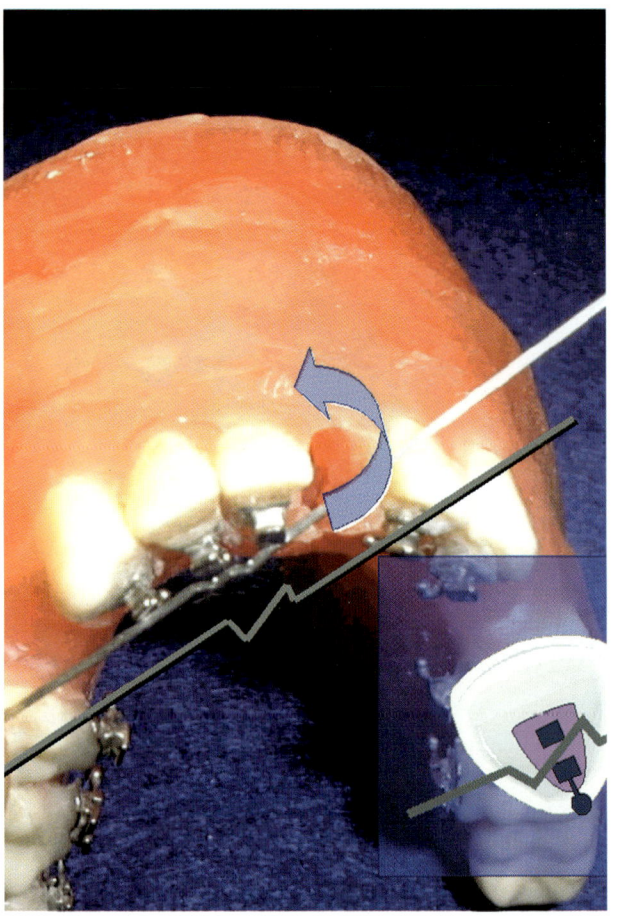

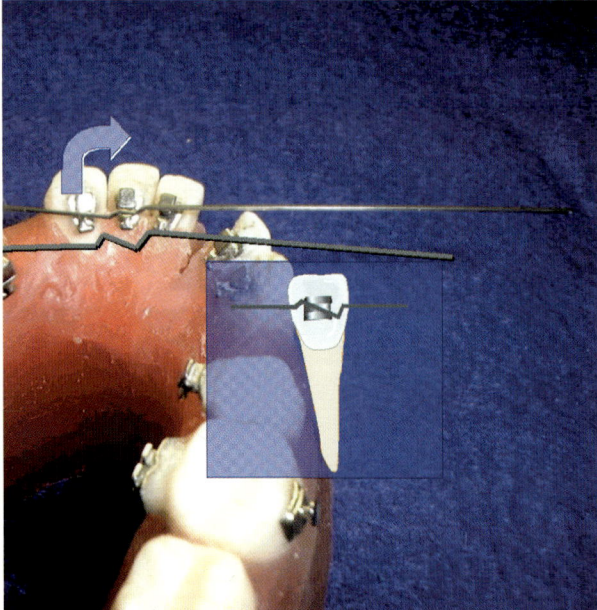

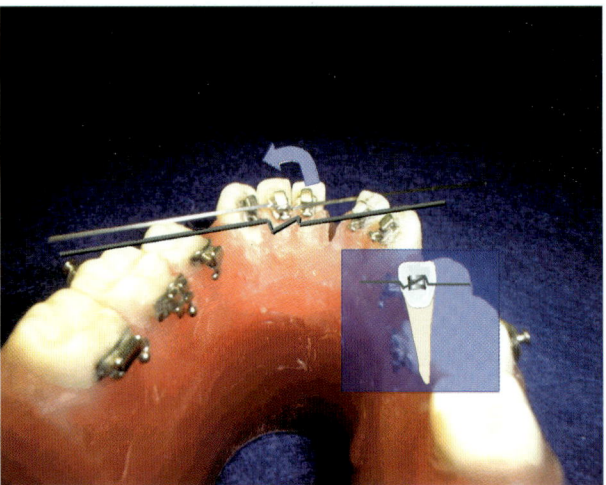

Fig. 20-07A   Doblez de segundo orden para mesio-versión

Fig. 20-07B   Doblez de segundo orden para disto-versión

resulta muy útil para insertar los arcos en los brackets durante todo el tratamiento (fig. 20-08).

En la zona anterior (de canino a canino), sin embargo, la llave diseñada por el autor (fig. 20-09) permite un mejor acceso (fig. 20-10).

Se debe tener en cuenta que cuando se activa el torque se forma un ángulo entre las dos llaves de torque (fig. 20-11) o entre los dos alicates (fig. 20-12). Este ángulo no representa el torque efectivo realizado sobre el diente, ya que los arcos de acero recuperan elásticamente aproxi-

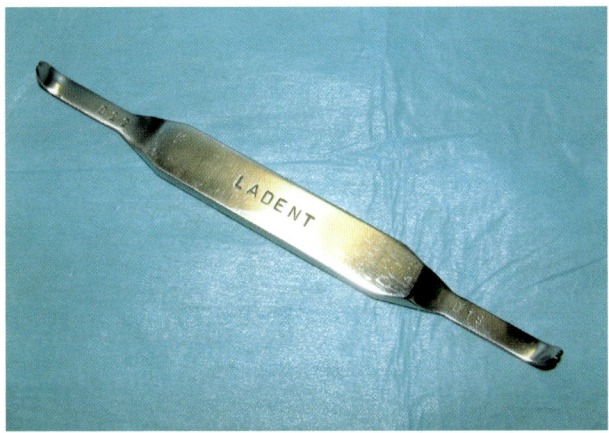

Fig. 20-08   Llave de torque para técnica lingual diseñada por el Dr. Creekmore

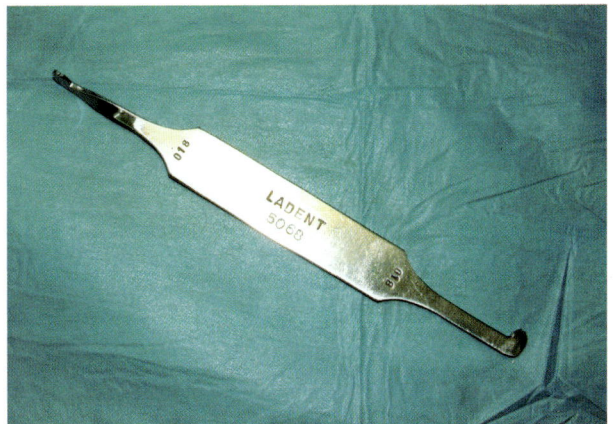

Fig. 20-09   Llave de torque para técnica lingual diseñada por el Dr. Echarri

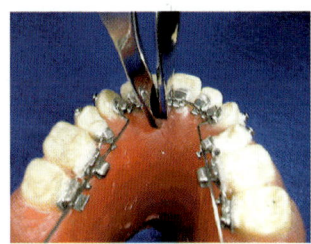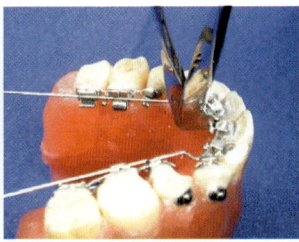

Fig. 20-10   Activando torque con dos llaves de torque linguales Echarri en la zona anterior

madamente un 50% de la activación (fig. 20-12). Por ejemplo, si activamos torque en un alambre de acero formando un ángulo entre los alicates de 20°, el alambre intenta recuperar elásticamente su forma inicial quedando con un ángulo de torque efectivo de aproximadamente 10°.

Por otra parte también se debe tener en cuenta el "juego de torque" del arco dentro del slot. Un arco de .016" x .022" en un slot de .018" x .025" tiene un "juego" de 11,8° hacia cada lado. Por este motivo, para conseguir un torque efectivo de, por ejemplo 4°, es necesario incorporar al arco un torque de 16° (fig. 20-13).

Además se debe tener en consideración la "minimización de la fuerza" descrita por Creekmore. A medida que el arco va recuperando su forma inicial, la deflexión del mismo es menor. La fuerza que ejerce el arco sobre los dientes es directamente proporcional a la deflexión elástica a que es sometido y con una deformación mínima, la fuerza que ejerce también es mínima y a veces incapaz de vencer la resistencia del diente al movimiento. Debemos considerar una sobrecorrección de 10 a 15% descrita por Roth y Swain, entre otros (fig. 20-14).

En resumidas cuentas para aumentar, por ejemplo, 4° el torque de un diente, se debe realizar una activación de aproximadamente 4,5° para compensar la minimización de fuerza (10-15% mayor). Si se está utilizando un arco de .016" x .022" en un slot de .018" x .025", tendría un "juego de torque de 11,8° y el doblez efectivo en el arco debería ser de 16°. Para conseguir el doblez efectivo de 16° deberíamos hacer un doblez que representara el doble en el ángulo de los alicates o llaves de torque aproximadamente y por lo tanto sería de unos 32°.

A continuación se exponen las reglas que deben ser tenidas en cuenta al activar el torque:

a. Es conveniente desligar los dientes vecinos al punto del arco donde se activa el torque para brindar más confort al paciente y para evitar descementado de brackets.
b. El torque se debe activar en 2 zonas del arco (al principio y al final de los dientes que se quieran activar). Esta activación es conocida como torque y contratorque.
c. Para movimientos dentarios "en masa" hacia vestibular se debe disminuir el torque y para movimientos hacia lingual o palatino, se debe aumentar el torque.
d. Para aumentar la guía incisiva, se debe disminuir el torque incisivo y viceversa.
e. Para aumentar la guía canina, se debe disminuir el torque canino y viceversa.
f. El torque premolar y molar se ajustan según los contactos cuspídeos.

De acuerdo con los estudios de Stamm, Wiechmann y col., existe una estrecha relación entre el torque con los brackets linguales y la nivelación. Cada 10° de aumento de torque en un arco sobre un bracket lingual, se provoca una intrusión de 1,2 mm a nivel de los dientes anteriores y de 2 mm en los dientes posteriores.

3. Ajuste de las relaciones intermaxilares

La corrección de las relaciones intermaxilares se divide en 2 fases.

3 a.   Planos sagital y frontal: línea media y overjet.

Terminación de casos

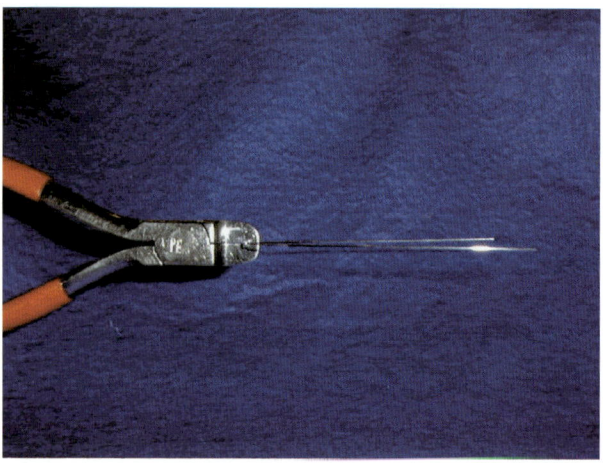

Fig. 20-11A Cuando se coge un arco con un alicate de torque y el arco queda en el mismo plano del alicate, significa que el arco no presenta torque en ese punto

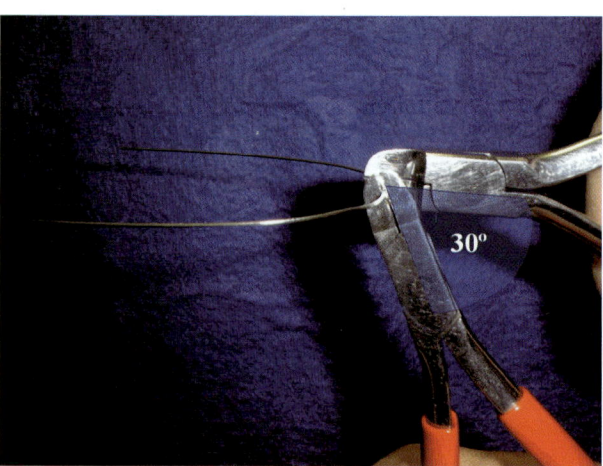

Fig. 20-11B Con dos alicates de torque se puede dar torque en un punto del arco formando un ángulo entre los dos alicates

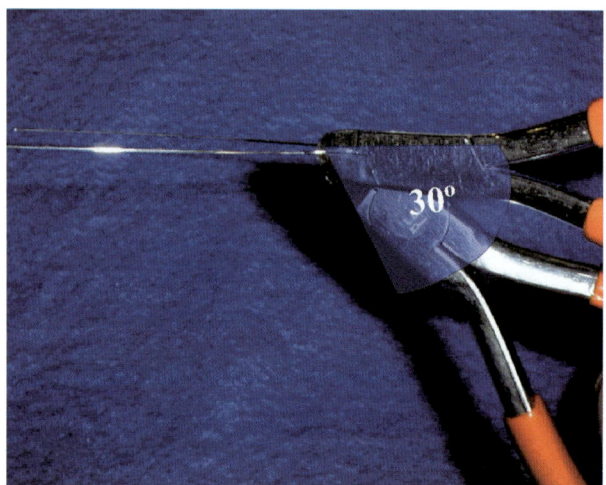

Fig. 20-11C Luego de imprimir el torque un arco de acero recupera aproximadamente un 50% de forma elástica, por lo que el doblez efectivo es aproximadamente la mitad del ángulo que se hizo entre los alicates

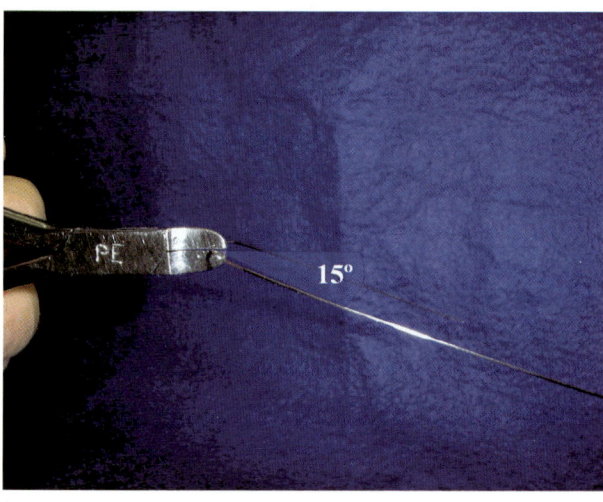

Fig. 20-11D Doblez efectivo. Observar el ángulo formado entre el plano del arco y el plano del alicate

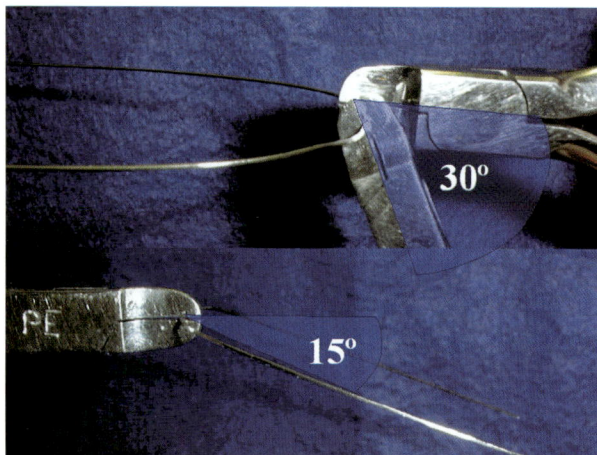

Fig. 20-11E Comparación del ángulo realizado entre los alicates durante el doblez y el doblez efectivo

3 b. Planos vertical y transversal: overbite e intercuspidación.

Se utiliza una técnica desarrollada por el autor, llamada "Sección selectiva del arco". En una primera fase se corrigen las pequeñas anomalías que se observan en los planos sagital y frontal y que afectan a la línea media y el overjet. Se trata de discrepancias de un máximo de 1,5 mm en overjet o línea media y se deben corregir con elásticos intermaxilares.

Los elásticos intermaxilares que usamos son de fuerza media (3 ½ onzas) y de 3 medidas:

- Tipo A – 1/8" (Ardilla de ORMCO)
- Tipo B – 3/16" (Conejo de ORMCO)
- Tipo C – ¼" (Zorro de ORMCO)

Los elásticos deben ser usados todo el día por el paciente menos para comer y para el cepillado. Si el paciente es

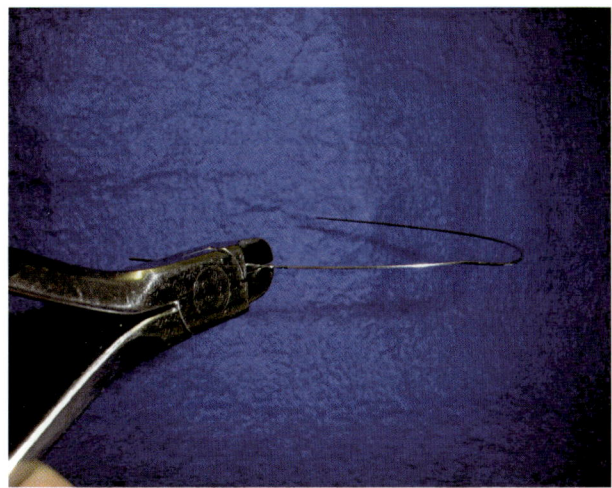

Fig. 20-12A Una vez que se forma el torque y el contratorque, se podrá observar que el arco sigue el plano del alicate antes de la zona de torque porque en esa zona no presenta torque

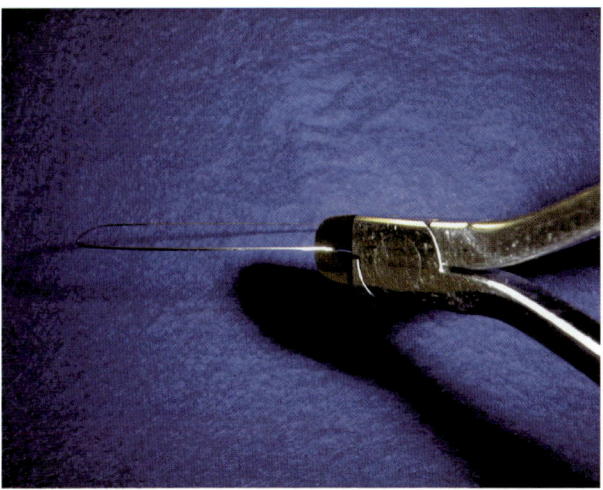

Fig. 20-12B Una vez que se forma el torque y el contratorque, se podrá observar que el arco sigue el plano del alicate después de la zona de torque porque en esa zona no presenta torque

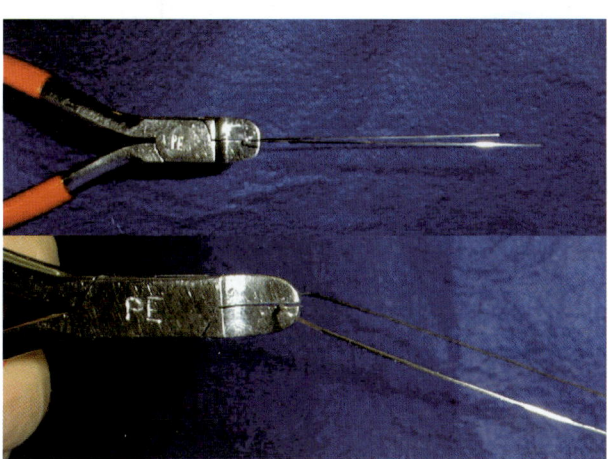

Fig. 20-12C Una vez que se forma el torque y el contratorque, se podrá observar que el arco no sigue el plano del alicate en la zona de torque porque en esa zona presenta torque

Fig. 20-13 Activación de torque en un alambre rectangular y recuperación elástica del arco

capaz de utilizarlos con los brackets linguales, no será necesario el cementado de botones vestibulares estéticos.

Los planos sagital y frontal se deben corregir antes de seccionar los arcos para realizar un movimiento conjunto de toda la arcada y para impedir que se abran diastemas. Para realizar correcciones verticales se secciona selectivamente el arco para disminuir el anclaje vertical de esas piezas. Si está indicada la extrusión de dos piezas vecinas, se secciona el arco a mesial y distal de ambas piezas, haciendo dobleces de los segmentos del arco a ras de los brackets. Además se debe realizar ligadura en "8" de ferulización entre los 3 segmentos constituidos. De esta forma se mantiene el anclaje mesio-distal, pero se disminuye el anclaje vertical permitiendo un pequeño movimiento que aumenta la intercuspidación.

En las figuras 20-15 a 20-21 se esquematizan las diferentes situaciones de terminación de casos.

1. Plano sagital y frontal, antes de seccionar el arco
Caso a. Centrar la línea media con overjet normal. Elástico frontal oblicuo tipo C (ver figura 20-15).
Caso b. Centrar la línea media con overjet aumentado. Elástico frontal oblicuo tipo C y elástico de clase II tipo B (ver figura 20-16)

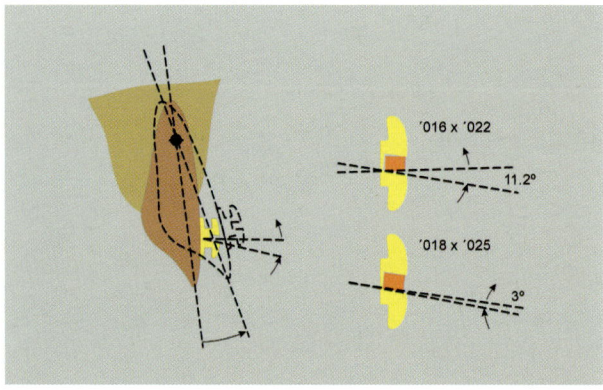

Fig. 20-14 Juego de torque del arco dentro del slot en técnica vestibular. El juego es el mismo en técnica lingual

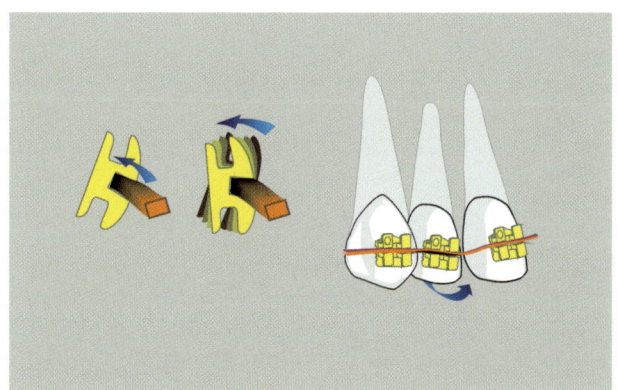

Fig. 20-15 Acción de un arco de sección rectangular con torque activado sobre un diente. Por la minimización de la fuerza se pierda aproximadamente un 10% en que la fuerza ya no es efectiva

Fig. 20-16 Sistema para hacer botones vestibulares con composite

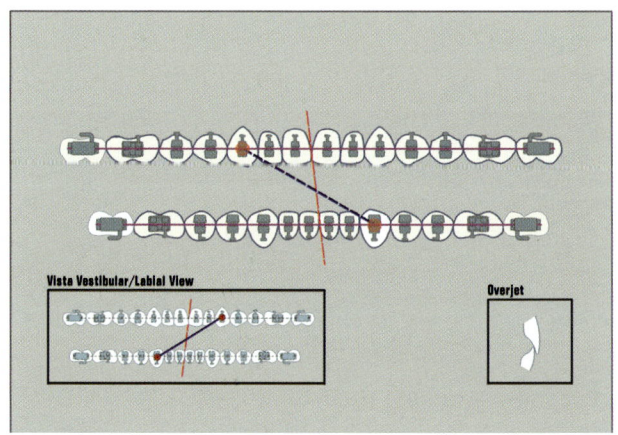

Fig. 20-17 Terminación de casos. Esquema 1 (ver texto)

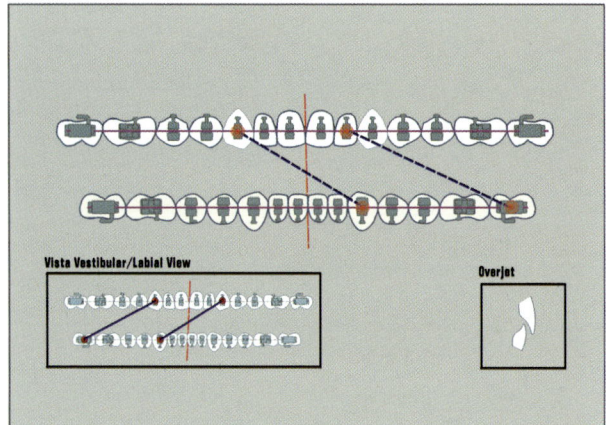

Fig. 20-18 Terminación de casos. Esquema 2 (ver texto)

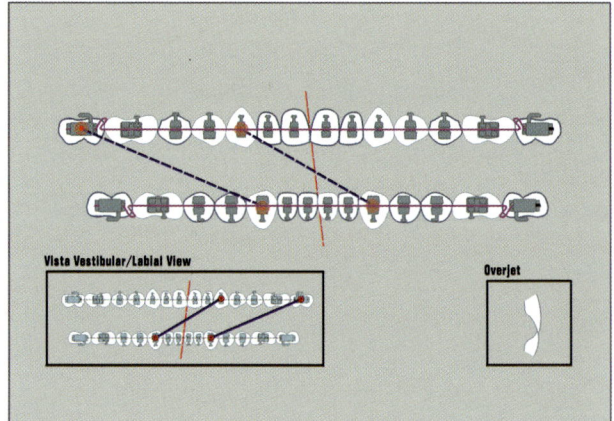

Fig. 20-19 Terminación de casos. Esquema 3 (ver texto)

Caso c. Centrar la línea media con overjet disminuido. Elástico frontal oblicuo tipo C y elástico de clase III tipo B (ver figura 20-17)

Caso d. La línea media es correcta pero el overjet está aumentado. Dos elásticos de clase II tipo B (ver figura 20-18).

Caso e. La línea media es correcta pero el overjet está disminuido. Dos elásticos de clase III tipo B (ver figura 20-19).

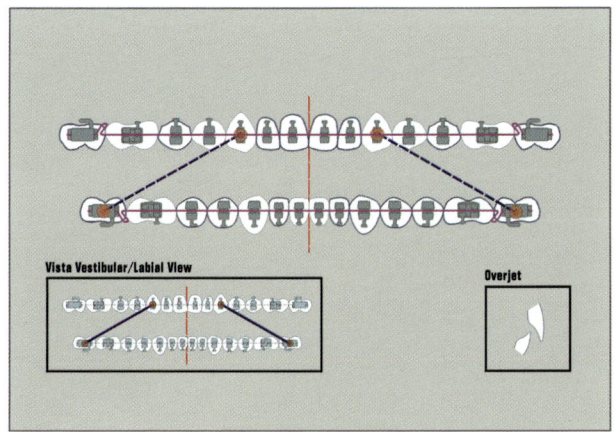

Fig. 20-20   Terminación de casos. Esquema 4 (ver texto)

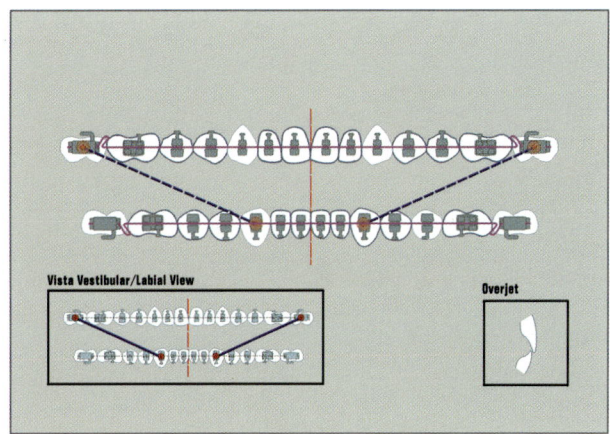

Fig. 20-21   Terminación de casos. Esquema 5 (ver texto)

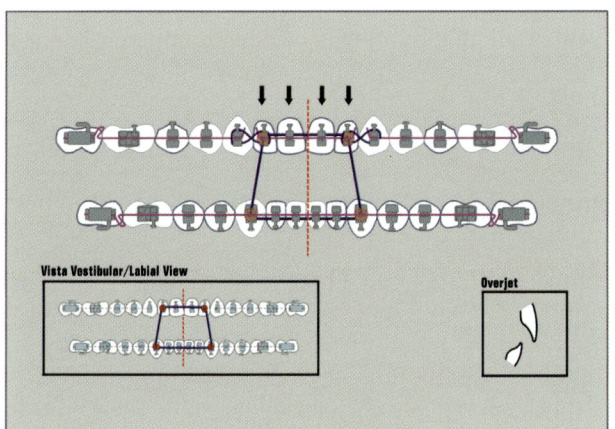

Fig. 20-22   Terminación de casos. Esquema 6 (ver texto)

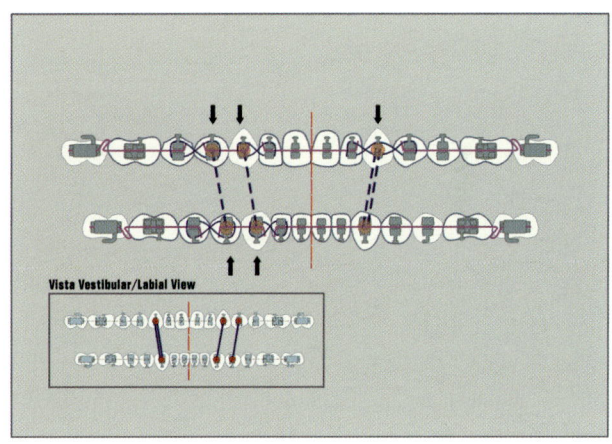

Fig. 20-23   Terminación de casos. Esquema 7 (ver texto)

2. Planos vertical y transversal.
Sección selectiva del arco

Caso f. El overbite está disminuido y se deben extruir sólo los incisivos superiores (ver figura 20-20).
Seccionar el arco entre 12 y 13 y entre 22 y 23, haciendo dobleces en los 4 extremos de arco formados. De esta forma quedan 3 sectores de arcada ferulizados independientemente entre sí: un sector de 13 a 17, otro sector de 12 a 22, y otro sector de 23 a 27. Se debe hacer ligadura en "8" de ferulización entre 12 y 13 y entre 22 y 23. En técnica vestibular se secciona el arco y se dobla tal y como se ha explicado. En técnica lingual la corta distancia inter-brackets obliga a seccionar el arco y doblar los sectores posteriores del mismo, pero el sector anterior del arco debe ser sustituido por una sección nueva de arco.
Se indican elásticos tipo C con forma de trapecio entre las piezas 12-22-33-43 o elásticos A de 12 a 43 y de 22 a 33.

Caso g. Se indica la extrusión de 14-15-43-44 y de 23 (ver figura 20-21).
Lado derecho. Seccionar el arco entre 14 y 13 y entre 25 y 26, doblar los 4 extremos de arcos y ferulizar en "8" de 13 a 14 y de 15 a 16. Proceder de igual forma en el maxilar inferior. Indicar elásticos tipo A de 14 a 43 y de 15 a 44. Se conseguirá la extrusión de las 4 piezas.
Lado izquierdo. Seccionar el arco a mesial y distal de 23. Hacer dobleces en el arco a distal de 22 y a mesial de 24. Ligadura en "8" de 24 a 22 y elástico tipo A de 23 a 33. Se conseguirá la extrusión del 23 porque en la arcada inferior no está seccionado el arco.

Siempre se debe seccionar el arco para disminuir el anclaje vertical de la pieza que se quiere extruir (intercuspidar) pero se la debe ferulizar para mantener el anclaje mesio-distal evitando que se abran diastemas.

Descementado

Una vez completada esta fase se procederá a descementar los brackets, estando indicado el uso del alicate para descementar brackets de Kurz (figs. 20-22 y 20-23).
El procedimiento a realizar es el siguiente:

- Descementado de los brackets con el alicate de Kurz sin desligar el arco. Los últimos brackets que se

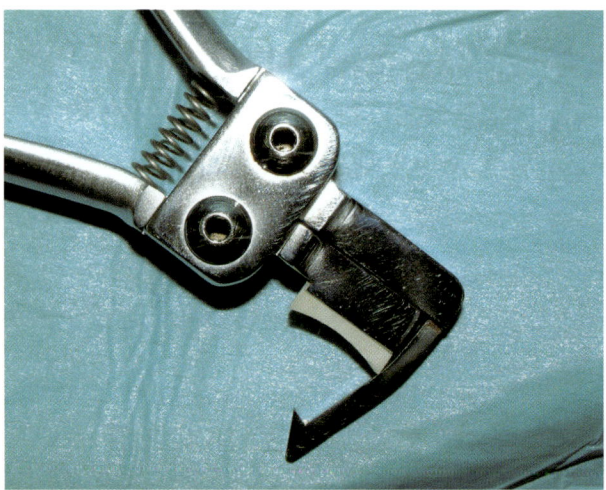

Fig. 20-24 Alicate de Kurz para descementar brackets linguales

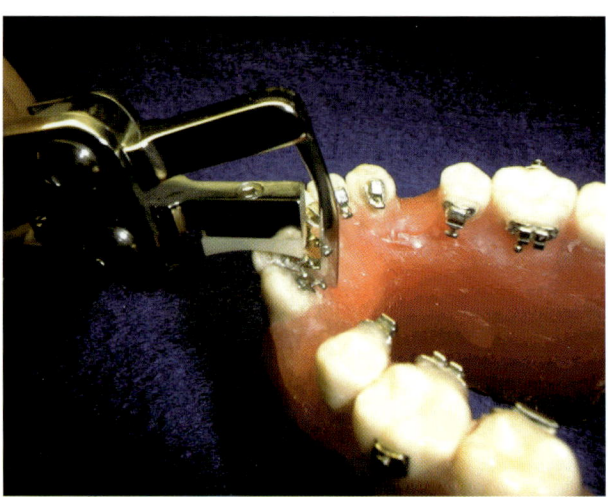

Fig. 20-25 Descementando un bracket lingual con el alicate de Kurz

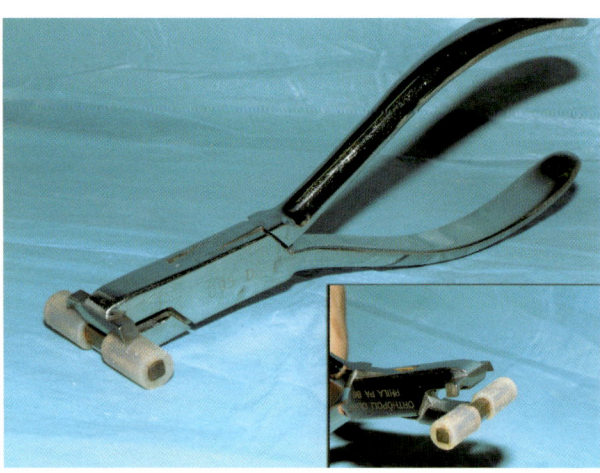

Fig. 20-26 Alicate acodado bilateral para descementar bandas

descementan son los últimos molares para que soporten el arco y para evitar posibles aspiraciones de brackets.
- Remoción del cemento remanente.
- Detartraje y profilaxis.
- Ajuste oclusal por desgaste selectivo.
- Impresiones para la colocación inmediata de aparatos de contención.

Para remover el cemento remanente utilizamos el sistema de Reliance:
- Remover el grueso de adhesivo con la fresa Reliance Renew System Bur # 118S.
- Remover el adhesivo residual suavemente con las puntas de goma Reliance: Renew System Points # 383
- Limpiar con la pasta Reliance First & Final que es una pasta de profilaxis sin fluor, sin sabor, sin aditivos.

La 118S es una fresa de carburo de tungsteno con 18 hojas especialmente diseñada para remover el cemento sin dañar el esmalte.

Retención

Los diferentes resultados de los estudios publicados en referencia a recidiva, están relacionados a algunos de los siguientes factores:
1. Diferentes metodologías de trabajo.
2. Diferentes tipos de maloclusión.
3. Diferentes técnicas de tratamiento.
4. Diferentes tipos de aparatología de retención.
5. Muestras reducidas.

Pero la mayoría de los autores coincide en que la retención permanente activa es el único camino para evitar la recidiva, aunque para ello se debe contar con la colaboración del paciente. El autor piensa que la retención debe mantenerse como mínimo hasta que:
- Se ha completado el crecimiento.
- Se ha completado el desarrollo buco-dental con los cordales en oclusión o extraídos.
- Se han controlado los hábitos y disfunciones.
- Se ha controlado el estado periodontal.

Aparatos de retención

El Dr. Wyatt publicó que "Los arcos de aparatología de retención que atraviesan el plano oclusal pueden producir interferencias que causan bruxismo y desplazamiento del disco". El autor ha encontrado que el uso de aparatos de contención con retenedores o arcos vestibulares que atraviesan la oclusión, puede provocar desajustes de intercuspidación en las zonas de pasaje de los alambres (Fig. 20-27A y B) a pesar de que los casos hayan sido correctamente terminados.

Capítulo 20

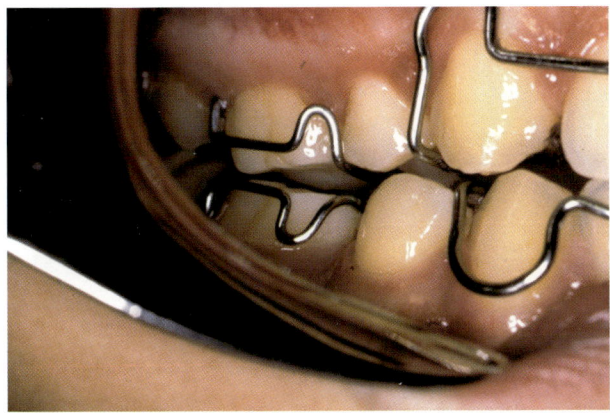

Fig. 20-27A Caso terminado con correcta intercuspidación y retenido con placas Hawley

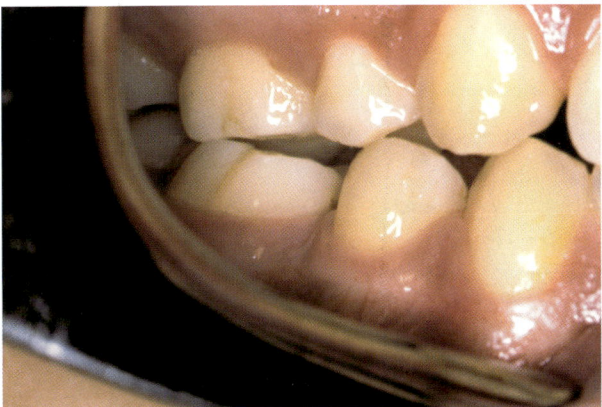

Fig. 20-27B El mismo caso donde se pierde la intercuspidación en las zonas donde pasan alambres de retenedores o arcos cruzando el plano oclusal

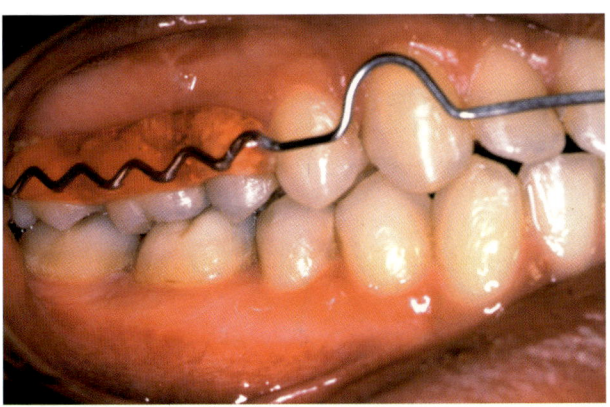

Fig. 20-27C Retención con Round-retainer gnatológico manteniendo la intercuspidación

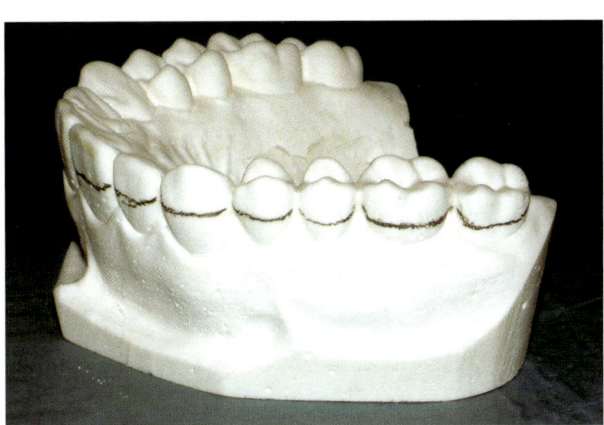

Fig. 20-28 Confección del Round-retainer gnatológico 1 – Se marca el ecuador de las coronas de premolares y molares

Los aparatos de retención indicados son:
- Para el maxilar superior:
    - Round-retainer gnatológico.
    - Optical-retainer.
    - Carillas linguales de porcelana.
    - Férulas oclusales.

- Para el maxilar inferior:
    - Retenedor Kurz.
    - Spring retainer.
    - Fibra óptica.
    - Retención fija con alambres.

Round-retainer gnatológico

El Round-retainer gnatológico (RRG) es un retenedor muy efectivo en el maxilar superior. Sólo estaría contraindicado cuando los segundos molares están erupcionando, porque es muy difícil adaptar el arco posterior en esta área.
El RRG es una modificación del round-retainer original para facilitar la activación del arco vestibular, mejorar la intercuspidación y aumentar la retención de la parte palatina.

Las modificaciones del round-retainer realizadas por el autor son:
- Arco vestibular especial.
- Escudos vestibulares.
- Retenedores de bola.

El arco vestibular redondo original fue sustituido por un arco cinta en la región incisiva y redondo en la región posterior (LANCER) y de esta forma es más efectivo en la retención de incisivos porque mantiene un contacto más íntimo con estas piezas, conservando la facilidad de activación del arco redondo.
Los retenedores posteriores quedan separados del arco vestibular por un escudo de resina. De esta manera, cada retenedor posterior puede ser activado independientemente entre ellos y con el arco vestibular (fig. 20-27C). El escudo vestibular tiene otra función. Se debe dibujar la línea del ecuador de todos los dientes posteriores (fig. 20-28). Después de esto, se debe hacer un bloqueo de cera de las áreas expulsivas de estos dientes y se deben proteger los tejidos gingivales con una fina capa de cera (fig. 20-29). El asa en "U" del retenedor posterior se cu-

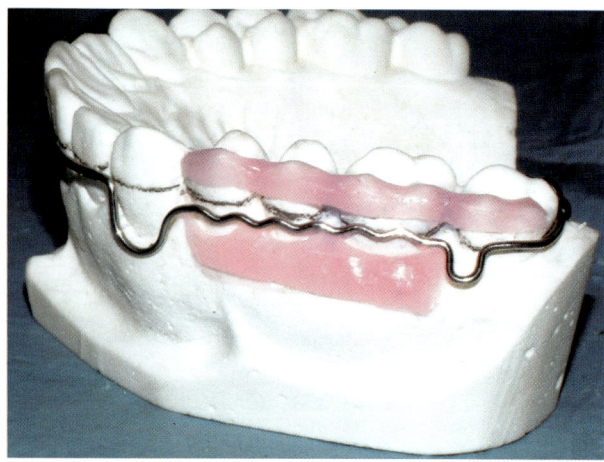

Fig. 20-29 Confección del Round-retainer gnatológico 2 – Se bloquea con cera la zona expulsiva de los premolares y molares y se alivia con una fina capa de cera los tejidos gingivales. A diferencia del Round-retainer original se conforman el arco vestibular y los retenedores posteriores por separado. Los retenedores posteriores llevan un asa en "U" para facilitar la activación

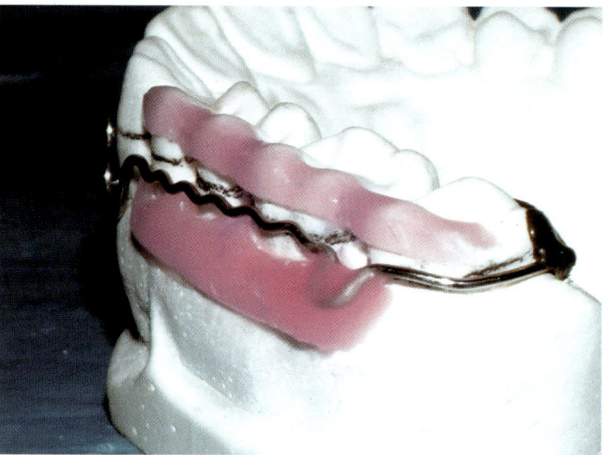

Fig. 20-30 Confección del Round-retainer gnatológico 3 – Se cubre el asa en "U" de los retenedores posteriores con una fina capa de cera

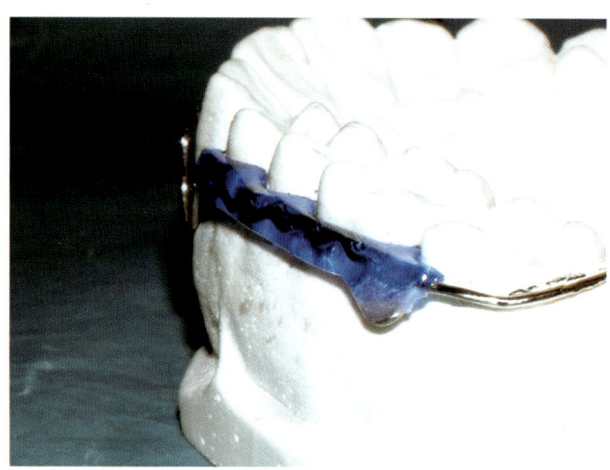

Fig. 20-31 Confección del Round-retainer gnatológico 4 – Escudo de resina realizado en la zona retentiva de premolares y molares. El asa en "U" quedará entre el escudo de resina y el diente para que se pueda activar y no dentro del escudo de resina

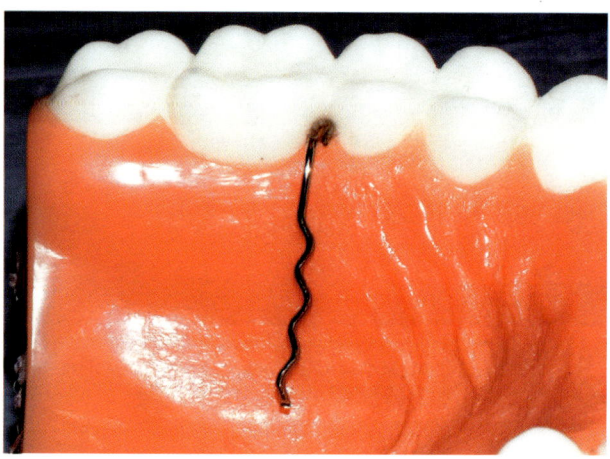

Fig. 20-32 Confección del Round-retainer gnatológico 5 – Retenedor gota en la parte interna de premolares

bre con cera antes de hacer el escudo de resina que permite su activación (fig. 20-30). El escudo de resina se confecciona en la zona libre de cera, debiendo incluir las retenciones del arco vestibular y del retenedor posterior (Fig. 20-31). El bucle del retenedor posterior debe permanecer libre de resina, entre los dientes y el escudo, para poder ser activado en caso de ser necesario. Entonces, el escudo divide al arco vestibular continuo del round-retainer original, permitiendo la activación independiente de las tres partes, a la vez que proporciona una fuerza de extrusión sobre las piezas posteriores, que optimiza la intercuspidación (fig. 20-32). En los casos de pacientes dólicofaciales, los escudos vestibulares deben ser prolongados hasta el área expulsiva de premolares y molares para tener un mejor control vertical impidiendo su extrusión.

La parte palatina del aparato tiene poca retención, por lo que se han agregado dos retenedores bola que aumentan la retención palatina sin cruzar el plano oclusal (Fig. 20-32).

La resina palatina debe terminar en el cuello de los dientes pero se puede prolongar sobre la superficie lingual de los incisivos superiores para conseguir una mejor guía anterior removible para eliminar las interferencias excéntricas, mientras el laboratorio está confeccionando la carilla lingual, en los casos en que esté indicada.

Las funciones del round-retainer gnatológico (figs. 20-33 y 20-34) son las siguientes:

- Retención transversal de todos los dientes.
- Retención sagital de todos los dientes.
- Componente de extrusión para ajustar una mejor intercuspidación.

Capítulo 20

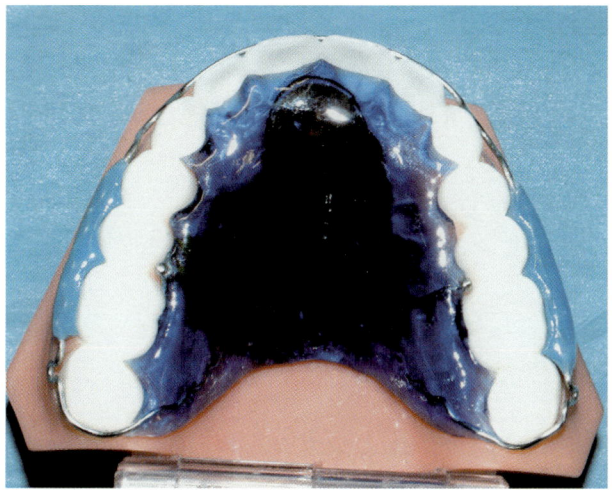

Fig. 20-33 Confección del Round-retainer gnatológico 6 – Round-retainer gnatológico terminado (vista oclusal)

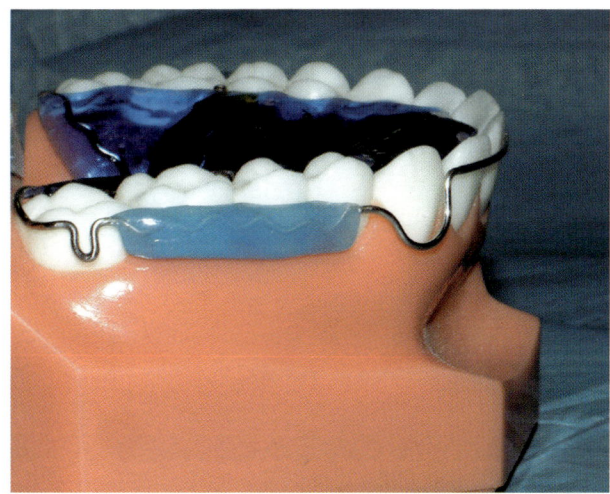

Fig. 20-34A Confección del Round-retainer gnatológico 7 – Round-retainer gnatológico terminado (vista lateral)

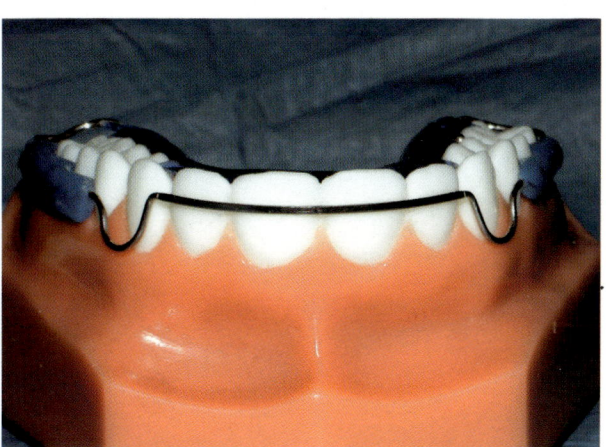

Fig. 20-34B Confección del Round-retainer gnatológico 8 – Round-retainer gnatológico terminado (vista frontal)

- No atraviesa el plano oclusal por lo que no crea interferencias.
- Dispone de reposición de la guía anterior, si fuera necesario.
- Activación independiente de los arcos vestibulares y de los dos retenedores posteriores.

El RRG también se puede realizar con los arcos QCM (ORMCO) (figs. 20-35 a 20-37). Se trata de un arco estético y plano que da mayor retención por su forma y adaptabilidad y que es muy aceptado por los pacientes por su estética. Se adapta con calor (se recomienda el uso de un secador de pelo para adaptarlo presionando sobre el modelo). En sucesivas visitas se debe volver a adaptar.

Optical retainer

En los casos con agenesias o ausencia de dientes anteriores, se usa el optical retainer a la espera de la realización de la prótesis definitiva (figs. 20-38 y 20-39). Es un retenedor similar a un puente tipo Maryland de resina con el que se reponen los dientes ausentes y se feruliza de canino a canino. Se puede usar combinado con un RRG.

Carillas linguales de porcelana

La retención de las mordidas profundas es uno de los problemas que ha preocupado a los ortodoncistas desde hace mucho tiempo.

La mayoría de los incisivos superiores de los pacientes con mordida profunda presentan la cara lingual plana, sin cíngulo. Esta forma no es el resultado de la abrasión provocada por la sobremordida, ya que los incisivos superiores presentan esta anatomía desde antes de contactar con el incisivo antagonista. El síndrome de mordida profunda presenta generalmente los siguientes signos: overbite aumentado, overjet disminuido, incisivos superiores sin cíngulo y con cara lingual plana, altura disminuida de premolares y molares, sobrecarga de la ATM y crecimiento braquifacial.

El autor indica las carillas linguales de porcelana como retención permanente, en los casos de mordidas profundas, y cuando no se puede obtener un contacto interincisivo estable al final del tratamiento (figs. 20-39 A, B y C).

Cuando se ha terminado el caso, se indica un round-retainer con la resina palatina extendida como retención removible de la mordida profunda mientras el laboratorio confecciona las carillas.

Frecuentemente no es necesario preparar la superficie lingual de los incisivos superiores para las carillas linguales porque hay espacio suficiente entre los dientes superio-

Terminación de casos

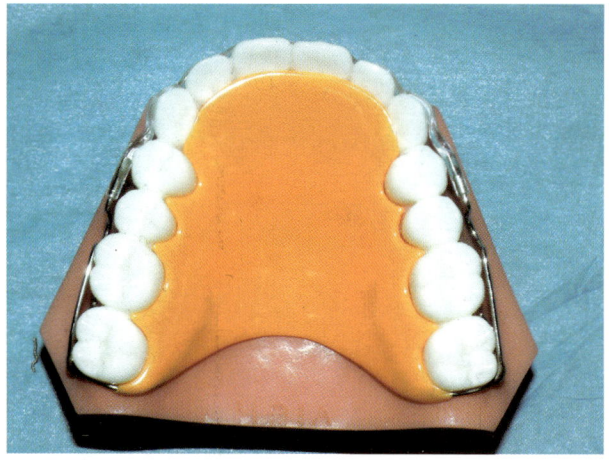

Fig. 20-35　QCM Retainer. Vista oclusal

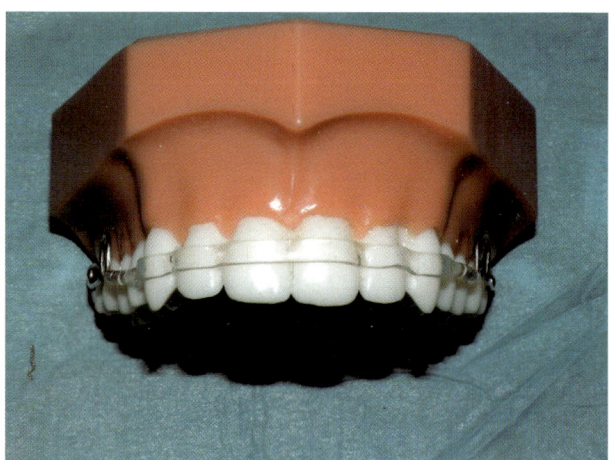

Fig. 20-36　QCM Retainer. Vista frontal

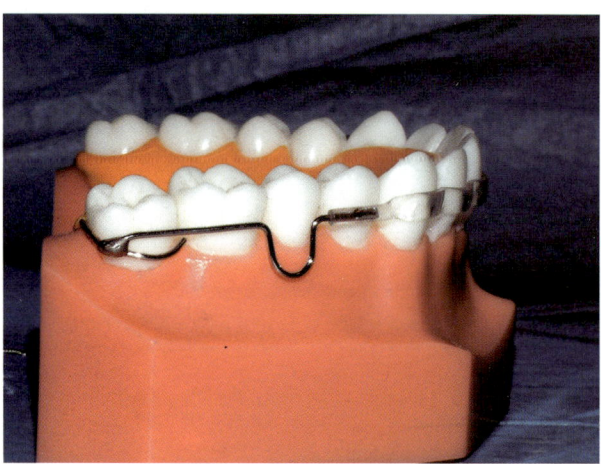

Fig. 20-37　QCM Retainer. Vista lateral

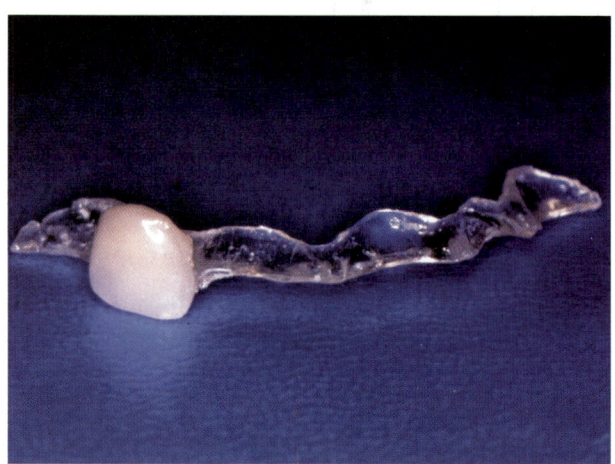

Fig. 20-38A　Optical Retainer reponiendo el incisivo lateral superior derecho

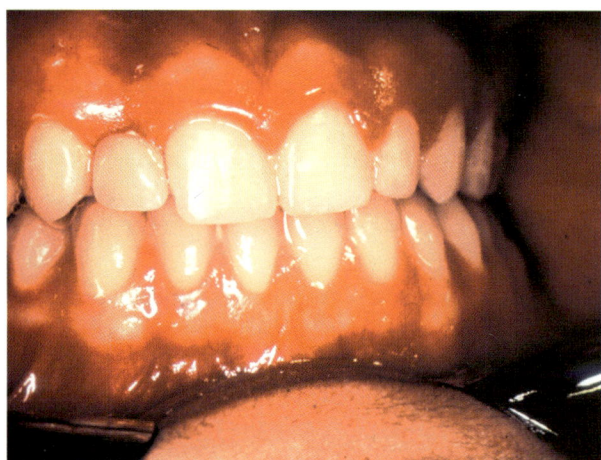

Fig. 20-38B　Optical Retainer en boca

res e inferiores y la superficie es suficientemente lisa, pero en algunos casos es necesario tallar las crestas marginales.

Es necesario tomar impresiones de silicona y registros completos para el articulador para que el laboratorio pueda realizar las carillas linguales.

Estas carillas proporcionan un cíngulo donde ajustar los bordes incisales de los incisivos inferiores, proporcionando una oclusión muy estable. Estas carillas deben estar realizadas con una forma que cumple con las necesidades fisiológicas de oclusión máxima y guía anterior. Existen artículos publicados por Kubein y por el autor, donde se explican las referencias que se deben tener en cuenta para el diseño de la forma de las superficies linguales.

El autor usa un trazado cefalométrico sobrepuesto con un trazado axiográfico. Después de dibujar el plano de Frankfort, se debe trazar el plano orbital-eje-de bisagra (Slaviceck). Esta es una línea que empieza en el punto orbital y tiene un ángulo de 6,5° con el plano de Frankfort. Sobre esta línea y equidistante a los márgenes anterior y posterior del cuello del cóndilo, está el punto eje-de-bisagra.

Capítulo 20

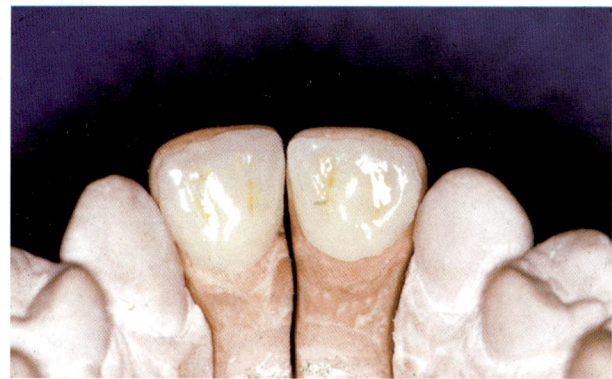

Fig. 20-39A Carillas de Porcelana. Vista oclusal

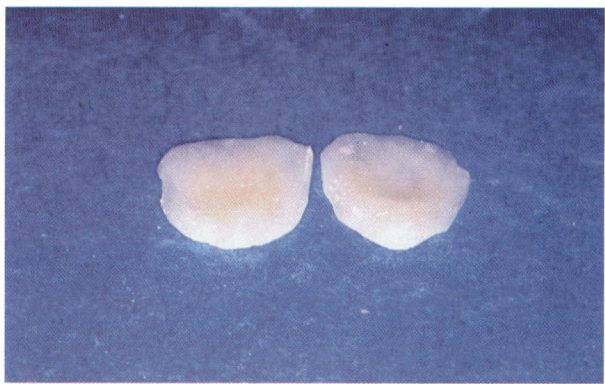

Fig. 20-39B Carillas de Porcelana

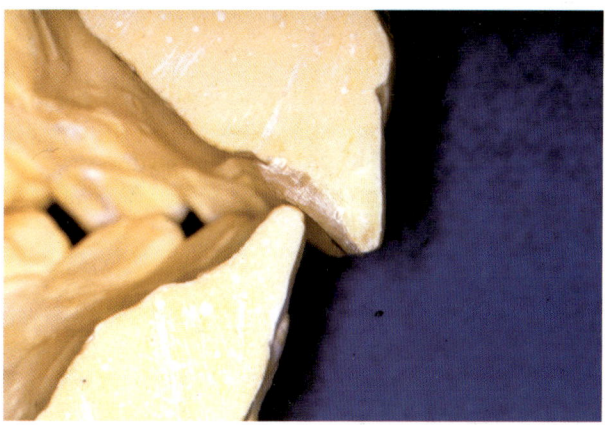

Fig. 20-39C Carillas de Porcelana. Vista lateral

El incisivo inferior soporta mejor las fuerzas axiales, por lo que la mejor angulación buco-lingual para estos dientes es de 90° entre el eje del incisivo inferior (B1-BR) y una línea desde el punto eje-de-bisagra hasta B1. La última línea representa el radio de la circunferencia descrita para el eje del incisivo inferior durante el movimiento apertura-cierre. Para conseguir fuerzas axiales, el eje del incisivo inferior debe ser tangente a esta circunferencia o, en otras palabras, perpendicular al radio.

La forma de la superficie lingual de los incisivos superiores se puede dividir en dos áreas: una para la oclusión máxima y la otra para la guía anterior, hacia atrás y adelante respectivamente del contacto con el borde incisal inferior.

La prolongación del plano del área de la oclusión máxima de la superficie lingual del incisivo superior debe cruzar el punto eje-de-bisagra.

El área de la guía anterior debe provocar la desoclusión de los dientes posteriores durante el movimiento de protrusión de la mandíbula. Para lograrlo, la angulación de esta área debe ser de 5° más que la angulación de la guía condilar.

Para sobreponer el trazado axiográfico sobre el trazado cefalométrico, el plano orbital-eje-de-bisagra y el punto eje-de-bisagra deben coincidir.

El ángulo entre el plano del área anterior de la superficie lingual del incisivo superior y el plano orbital-eje-de-bisagra (guía anterior) debe ser 5° mayor que el ángulo entre la trayectoria condílea y el plano orbital-eje-de-bisagra (guía condilar).

Una diferencia menor entre estos ángulos no proporcionará una desoclusión inmediata posterior durante la protrusión, sobrecargando la ATM y una diferencia mayor sobrecargará el tejido periodontal de los incisivos.

Para precisar la posición de los incisivos superiores e inferiores yo uso el trazado cefalométrico y el articulador SAM con el analizador de guía anterior superior y el analizador de guía anterior inferior, ambos de WHIP-MIX. La aparatología superior se puede usar directamente, pero la inferior necesita un adaptador.

Técnicas de cementado

Las carillas deben ser probadas y preparadas para ser cementadas con un micro-arenado con óxido de aluminio de 50 micrones durante 30 segundos y una aplicación de Porcelain Primer según instrucciones del fabricante.

Para cementar las carillas de porcelana es necesario utilizar un cemento de polimerización dual.

Procedimiento de cementado para las carillas linguales de porcelana

1. Terminar el caso de acuerdo con nuestros criterios de oclusión.
2. Limpiar y pulir todas las superficies linguales con pastas profilácticas libres de fluor y aceite.
3. Aislar el campo con rollos de algodón, separadores y aspiración. Es aconsejable el uso del aparato NOLA y la SAL-TROPINA para reducir el flujo salival.
4. Arenar las superficies linguales 3 segundos con óxido de aluminio 50μ y gravar 30 segundos con ácido ortofosfórico.
5. Lavar cada diente como mínimo 10 segundos.
6. Secar con aire caliente seco y aislar de nuevo cambiando los rollos de algodón. El autor usa aire caliente libre de aceite y vapor de agua.

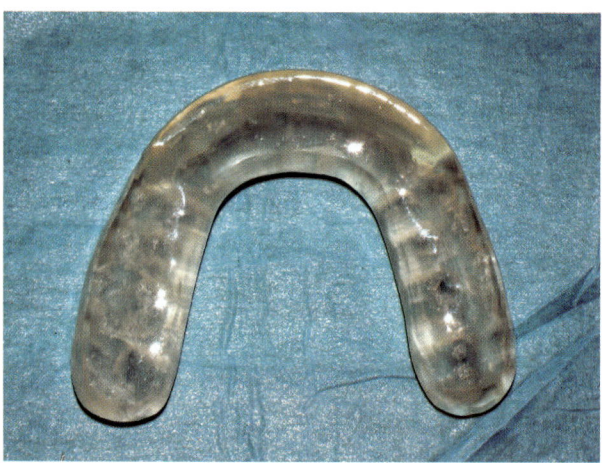
Fig. 20-40A Férula de ATM. Vista oclusal

Fig. 20-40B Férula de ATM. Vista frontal

7a. Aplicar una fina capa de resina líquida en las superficies linguales.
7b. Curar con luz halógena durante 20 segundos.
8. Mezclar las pastas A y B en el block y aplicarlas al diente o a la carilla.
9a. Ajustar la carilla en la posición adecuada y eliminar la pasta.
9b. Polimerizar cada diente con luz halógena durante 20 segundos.
10. Asegurarse de que no hay pasta sobrante en el área gingival o entre los dientes (verificar con seda dental). Si es necesario, eliminar el exceso con una fresa de fisuras.
11. Verificar la oclusión con papel de articular.
12. Corregir la oclusión con una fresa, si es necesario.
13. Corregir la guía anterior con una fresa, si es necesario.
14. Asegurarse de que sea posible el paso de la seda dental.
15. Ajustar el round-retainer gnatológico.

Las carillas linguales proporcionan una retención permanente a estos casos, pero es muy importante ajustar perfectamente la oclusión para poder evitar el descementado o fractura de las mismas.

Conclusiones

1. Las carillas linguales de porcelana representan una retención permanente muy confortable y muy aceptada por los pacientes. No dependen de la cooperación del paciente.
2. Están indicadas en los casos de mordida profunda con incisivos superiores sin cíngulo.
3. Su elevado coste hace que se deban incluir en el presupuesto inicial.
4. Se deben hacer en el articulador con una guía anterior precisa.
5. Necesitan una técnica de cementado muy precisa.
6. No tenemos recidiva con esta aparatología en casos de mordida profunda tratada con o sin exodoncias.

Férulas de ATM

En pacientes a los que se hayan realizado tratamientos ortodóncicos con movimientos dentales importantes o que presenten algún síntoma cráneo-mandibular al final del tratamiento, utilizamos férulas de ATM como aparato de retención (figs. 20-40 A y B). Estas férulas presentan el máximo de contactos en relación céntrica, guía anterior y guía canina.

Retenedor Kurz

El retenedor Kurz (figs. 20-41A y B), diseñado por Craven Kurz, tiene dos partes: una parte lingual de resina que se adapta a todos los dientes y termina con retenedores circunferenciales que pasan por distal del último molar erupcionado acabando en un gancho. La parte vestibular del aparato es también de resina y se adapta a la cara vestibular de todos los dientes acabando también con un gancho en distal.
El paciente debe usar la parte lingual durante el día y por la noche usa también la parte vestibular uniendo ambas partes con un elástico de 1/8" de gancho a gancho.
Este retenedor tampoco cruza el plano de oclusión por lo que también resulta muy útil para el maxilar inferior.

El Spring retainer

El Spring retainer es retenedor muy utilizado en el maxilar inferior. También sirve para corregir casos con recidivas leves a nivel de incisivos inferiores. Se pueden observar vistas oclusal, vestibular y lateral de este retenedor en las figuras 20-42, 20-43 y 20-44.
Consta de:
- Escudo vestibular de resina.
- Escudo lingual de resina.
- Alambres de unión entre ambos escudos que cruzan el plano de oclusión por distal de los caninos y respetando la oclusión.

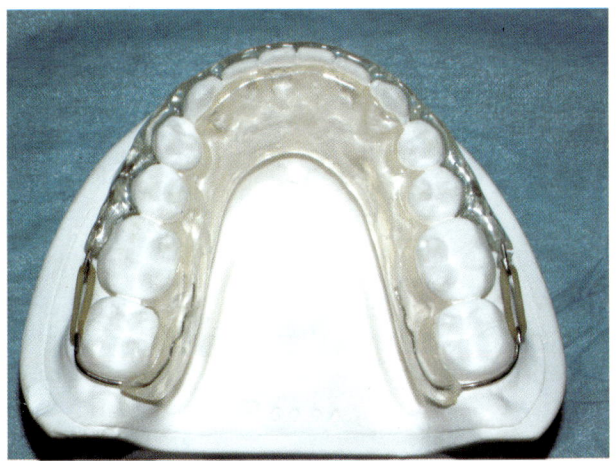

Fig. 20-41A   Retenedor Kurz. Vista oclusal

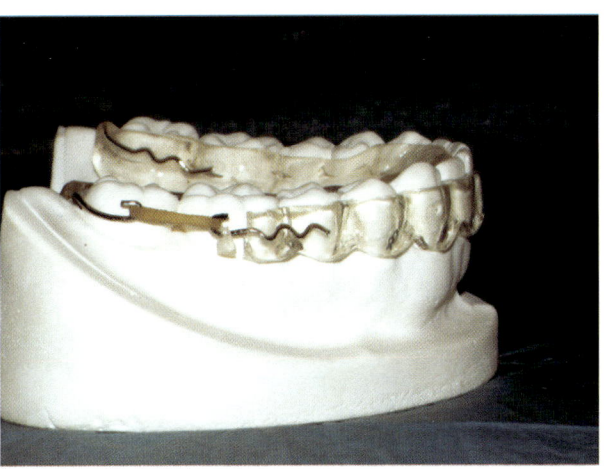

Fig. 20-41A   Retenedor Kurz. Vista lateral

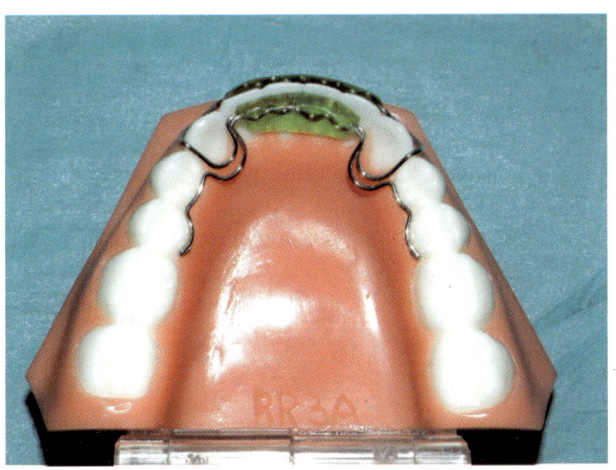

Fig. 20-42   Spring Retainer. Vista oclusal

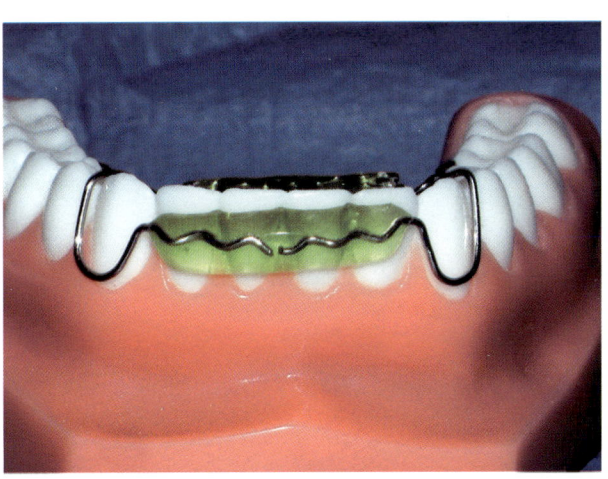

Fig. 20-43   Spring Retainer. Vista frontal

- Alambres distales de estabilización.

En casos de vestibulización, lingualización o rotación de algún incisivo se puede usar un resorte elástico que es muy efectivo.

Los resortes elásticos se construyen:

- Se perfora el escudo de resina vestibular o lingual en el punto donde se quiere ejercer la presión sobre el incisivo utilizando una fresa muy fina (fig. 20-45A).
- Se coge una ligadura elástica y se pasa por ella un alambre de ligaduras para poder pasar la ligadura elástica por el agujero del escudo de resina (fig. 20-45B).
- Se pasa media ligadura elástica quedando una mitad libre por dentro del aparato y la otra mitad por fuera (fig. 20-45C).
- La ligadura metálica se adapta a la parte externa del aparato y se recubre con resina (fig. 20-45D).
- En la figura 20-45E se observa el aparato terminado y esta ligadura elástica actúa como un resorte elástico. Se debe aliviar el escudo opuesto a ese nivel para facilitar el movimiento.

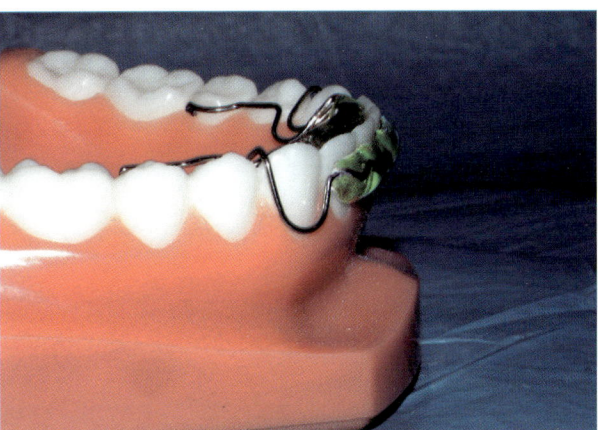

Fig. 20-44   Spring Retainer. Vista lateral

Retención con fibra óptica o fibra de vidrio

Muchas compañías ofrecen fibras ópticas o de vidrio como medio de retención fija rígida y su resultado es

Terminación de casos

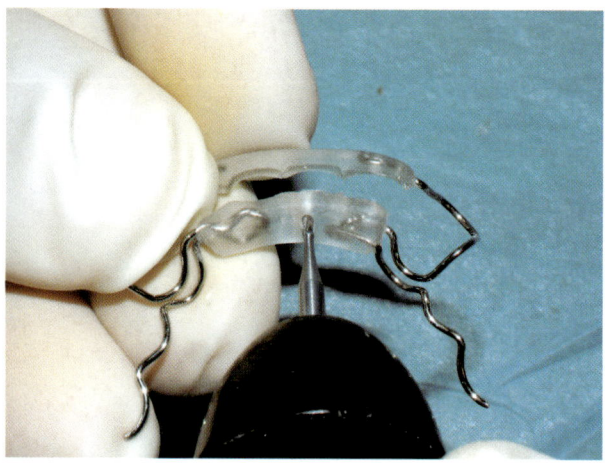

Fig. 20-45A Construcción del resorte elástico del Spring Retainer 1: Perforación del escudo de resina con una fresa fina

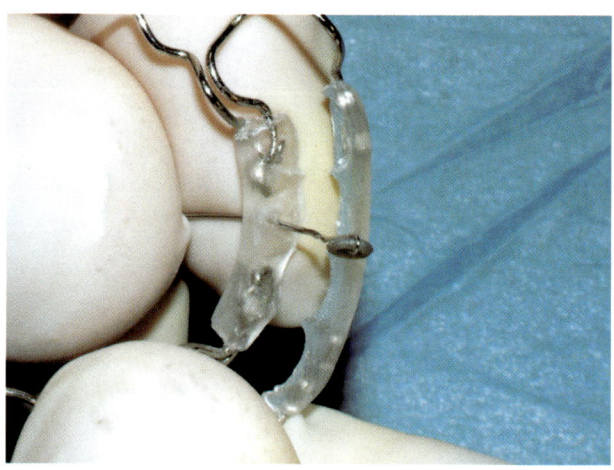

Fig. 20-45B Construcción del resorte elástico del Spring Retainer 2: Pasar una ligadura elástica por la perforación ayudado con un alambre de ligadura

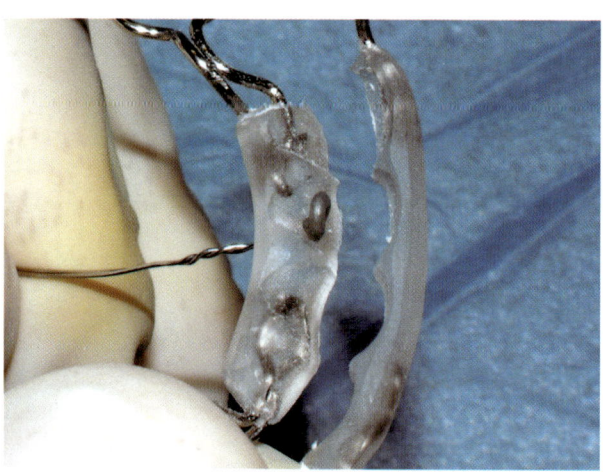

Fig. 20-45C Construcción del resorte elástico del Spring Retainer 3: Ligadura pasada

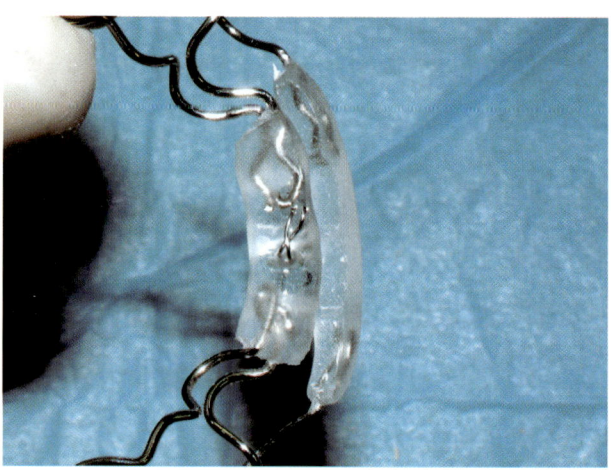

Fig. 20-45D Construcción del resorte elástico del Spring Retainer 4: Adaptación del alambre de ligadura al escudo y recubrimiento con resina

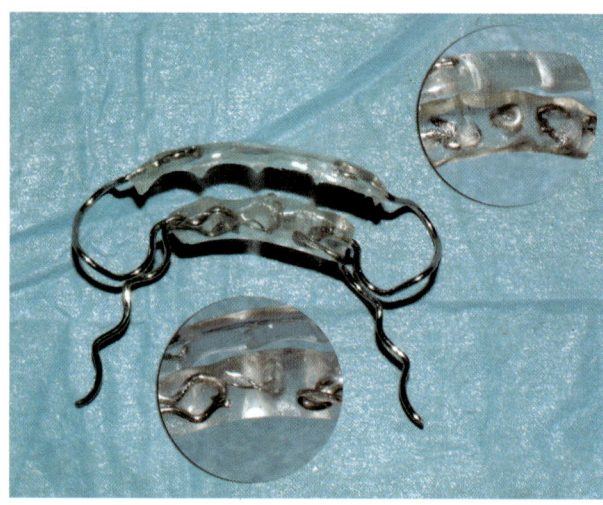

Fig. 20-45E Construcción del resorte elástico del Spring Retainer 5: Aparato terminado

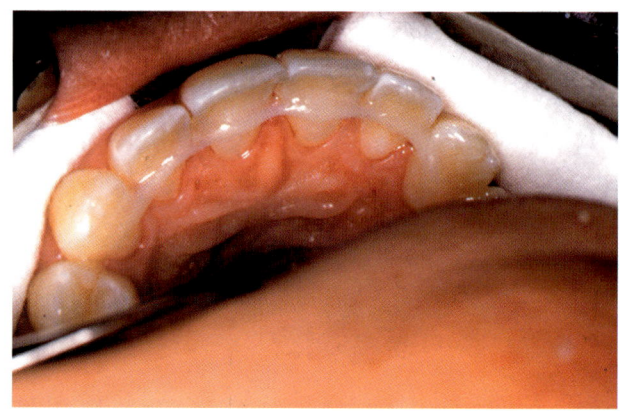

Fig. 20-46 Retenedor fijo de fibra óptica

excelente. La fibra óptica desarrollada por Jerry Orchin y presentada en el *Journal of Clinical Orthodontics* (Lingual

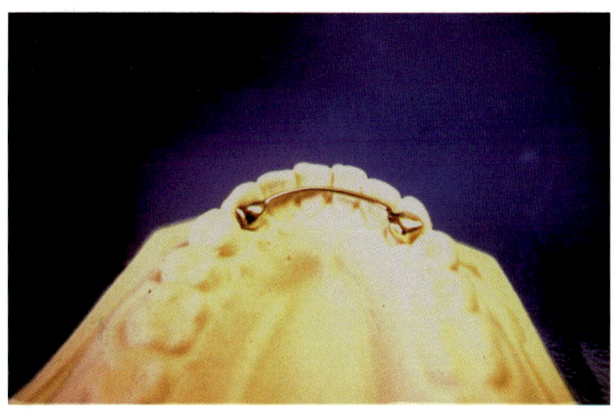

Fig. 20-47 Retenedor fijo rígido

Bonded Retainer Kit) resulta de gran utilidad. El autor ha publicado un artículo en la *Revista Portuguesa de Ortodoncia* sobre la utilización de esta fibra (20-46). También se puede utilizar de canino a canino superior.

Retención fija con alambres

Es una de las retenciones más utilizadas en los dientes anteriores inferiores. Puede ser rígida o flexible.

En cuanto a las retenciones rígidas, se pueden realizar a medida en el laboratorio (fig. 20-47) o también se encuentran disponibles prefabricadas. ORMCO dispone de retenedores linguales fijos de diferentes medidas dispuestos en kits o retenedores ajustables en los que uno de los pads es fijo y el otro se puede deslizar en el arco para ajustarlo a la distancia intercanina.

Reliance ofrece también un sistema de retención flexible compuesto por:

Bond-a-Braid Alambre trenzado en cinta, no elástico, diseñado por Hilgers.

Ortho Flextch Cadena de oro de 14kt desarrollada por Musich.

LCR (Light Cure Retainer). Es una pasta para cementar retenedores o para hacer build-ups.

También se pueden utilizar de canino a canino superior.

Tratamientos multidisciplinarios: Periodoncia, ATM, Cirugía y Prótesis

21

- Introducción 377
- Ortodoncia Lingual y periodoncia 377
  - Gingivitis 377
  - Bolsa periodontal 377
  - Recesión gingival 378
- Ortodoncia Lingual y ATM 379
  - Señales de alarma de disfunción antes o durante el tratamiento 380
  - Procedimientos clínicos para el manejo de los pacientes
    con disfunción cráneo-mandibular bajo el tratamiento ortodóncico 380
    - Ortodoncia Lingual y Prótesis 381
    - Ortodoncia lingual seccional pre-protésica 381
    - Casos clínicos 382
    - Claves para éxito de la ortodoncia lingual segmentaria pre-protésica 387
- Ortodoncia Lingual y Cirugía ortognática 387
  - Etapa clínica I 387
  - Etapa de laboratorio I 387
  - Etapa clínica II 387
  - Etapa de laboratorio II 387
  - Etapa clínica III 387
- Ortodoncia Lingual y caninos incluidos 390
  - Caninos incluidos en vestibular 390
  - Caninos incluidos en palatino 391

Introducción

La mayoría de los pacientes tratados con ortodoncia lingual son adultos que pueden necesitar tratamientos multidisciplinarios porque:
- Los pacientes adultos muchas veces presentan ausencia de dientes o prótesis fijas y/o removibles adaptadas a la maloclusión presente y deben ser sustituidas por prótesis adaptadas a la oclusión final.
- Los pacientes adultos están muchas veces afectados por enfermedad periodontal.
- Los pacientes adultos están muchas veces afectados por disfunción cráneo-mandibular.
- Las discrepancias esqueléticas no pueden tratarse si no es con compensación o con cirugía ortognática o osteodistracción.

La extensión del tema de este capítulo es tan amplia que el autor se centrará en la relación de la ortodoncia lingual con estas especialidades y no en la relación, en general, de la ortodoncia con otras disciplinas. La importancia que el autor da a los tratamientos interdisciplinarios queda de manifiesto en muchos de sus artículos o en su libro "Diagnóstico en Ortodoncia. Estudio Multidisciplinario". En este mismo libro, el autor presenta el esquema de la secuencia de tratamiento interdisciplinario (esquema 21-01).

Ortodoncia Lingual y periodoncia

En el tratamiento de ortodoncia lingual puede presentarse inflamación gingival, la cual lleva a cambios morfológicos de la anatomía de los tejidos periodontales. Se pueden diferenciar factores predisponentes generales y locales y factores asociados a la aparatología ortodóncica lingual.

Se debe tener en cuenta que:
- Los aparatos ortodóncicos y espacialmente los brackets linguales contribuyen a la formación de placa bacteriana.
- El paciente entrenado en las técnicas de cepillado y técnicas de higiene específicas para técnica lingual (ver capítulo 22) es capaz de remover la placa bacteriana o, al menos, minimizarla.
- El movimiento ortodóncico genera inflamación por la propia biomecánica del movimiento dentario, especialmente durante el cierre de espacios.
- La respuesta del tejido periodontal depende de las características del mismo, pudiendo diferenciarse tejidos periodontales fibrosos y edematosos.
- Las asas, cadenas elásticas, muelles, los aparatos auxiliares, etc. pueden provocar inflamación por irritación mecánica directa o indirectamente por la retención de alimentos.
- Se deben identificar los factores predisponentes generales y locales.
- Los cuadros patológicos más frecuentes son: gingivitis hipertróficas, bolsas periodontales y recesión gingival.
- Es muy importante conocer los protocolos de prevención y tratamiento inmediato de estos cuadros clínicos.

Gingivitis

La gingivitis es la inflamación reversible de la encía. Entre los factores etiológicos se pueden distinguir:
- Factores generales o sistémicos.
- Factores locales.

Factores generales o sistémicos:
- Embarazo.
- Discrasias sanguíneas.
- Leucemia.
- Diabetes.
- Osteoporosis.
- Stress.
- Estados hormonales: embarazo, menopausia, etc.
- Edad avanzada.
- Estados carenciales. Déficit de vitamina C, anemia, bulimia, dietas continuadas, etc.
- Fumadores.
- Respiración bucal.
- Ingesta de dilantoínas.
- Ingesta de ansiolíticos (que producen disminución del flujo salival).
- Etc.

Factores locales
Son factores irritantes o que favorecen la formación de placa bacteriana:

ESQUEMA GENERAL DEL TRATAMIENTO MULTIDISCIPLINARIO

1. SALUD GENERAL FÍSICA Y PSÍQUICA
2. VÍAS AÉREAS SUPERIORES VIABLES, DEGLUCIÓN, FONOVOCALIZACIÓN
3. OCLUSIÓN
4. OPERATORIA DENTAL
5. PERIODONCIA I
6. IMPLANTES I
7. ORTODONCIA I
8. CIRUGÍA ORTOGNÁTICA
9. ORTODONCIA II
10. LOGOPEDIA II
11. OCLUSIÓN II
12. PERIODONCIA II
13. IMPLANTES II
14. PRÓTESIS
15. CIRUGÍA ESTÉTICA

Esquema 21-01 Esquema del tratamiento interdisciplinario. Secuencia de tratamiento

- Enfermedad periodontal previa.
- Coronas clínicas cortas, por la proximidad de los brackets a los tejidos gingivales.
- Obturaciones desbordantes.
- Cementos de ortodoncia subgingivales (flash-paste).
- Bandas de ortodoncia subgingivales.
- Apiñamientos dentales.
- Corrección de rotaciones.
- Cierre de espacios.
- Aparatos auxiliares de ortodoncia.
- Asas de los arcos.

Gingivitis hiperplásica

La gingivitis hiperplásica es un agrandamiento o sobrecrecimiento crónico de la papila interdentaria, de la encía marginal o de ambas.

Es de crecimiento lento e indoloro, a menos que se complique con inflamación aguda o trauma.

Los tejidos gingivales pueden ser de tipo:

- **Edematoso:** con predominio de células inflamatorias y líquido, son de color rojo, blandas, con superficie lisa, brillante y que sangran con facilidad.
- **Fibroso:** con predominio de fibras, abundantes fibroblastos, son firmes, resilientes y rosadas.

Los tejidos edematosos suelen evolucionar hacia la hipertrofia gingival y los fibrosos, hacia la recesión gingival.

Los factores etiológicos característicos de la gingivitis hiperplásica pueden ser:

- Higiene bucal deficiente.
- Apiñamientos dentales.
- Respiración bucal.
- Hábito de presionar la lengua contra la encía.
- Aparatos de ortodoncia linguales o palatinos (botón de Nance, arco lingual) o brackets linguales.
- Márgenes desbordantes de restauraciones.

Gingivitis hiperplásica durante el tratamiento de Ortodoncia Lingual

Se debe tener en cuenta que los aparatos y brackets linguales contribuyen a la inflamación gingival por los siguientes mecanismos:

1. **Hay una respuesta inflamatoria resultante de la acumulación de placa bacteriana,** cuya eliminación se ve dificultada por los brackets linguales.
2. **Por la inflamación tisular inherente a la biomecánica del movimiento dentario.** Sin inflamación no tendrían lugar los mecanismos de reabsorción y aposición ósea del movimiento ortodóncico.

Medidas preventivas para evitar la gingivitis hiperplásica, antes y durante el tratamiento de Ortodoncia Lingual

Antes del tratamiento

- Diagnóstico periodontal y control de la inflamación.
- Profilaxis.
- Entrenamiento del paciente en una técnica de cepillado correcta.
- Indicación de colutorios.

Durante el tratamiento

- Controlar la técnica de cepillado que realiza el paciente.
- Control de la placa bacteriana:
  - En cada cambio de arco indicar profilaxis.
  - Indicar uso de irrigadores bucales después del cepillado incorporando clorhexidina 2%.
  - Indicación de aplicación directa de clorhexidina.
- Control de la evolución del estado gingival y periodontal:
  - Realizar sondajes periodontales de control.
  - Radiografías periapicales de zonas que presenten inflamación.
- Control de los factores irritativos locales como ganchos de brackets, asas, cadenas elásticas, muelles, etc.
- Si es necesario, indicar gingivectomía de las piezas afectadas.
- Detener la activación de la aparatología ortodóncica durante los estados inflamatorios gingivales agudos, hasta su control.

Bolsa periodontal

La bolsa periodontal es la profundización patológica del surco gingival en más de 2 mm, y el avance progresivo de la bolsa conduce a destrucción de los tejidos periodontales de soporte.

El sondaje se debe realizar con la sonda (ver capítulo Protrusión). Si se presenta sangrado al sondaje, es un signo inequívoco de inflamación.

Las bolsas periodontales pueden ser:

- **Bolsa supragingival o falsa:** la profundidad de la bolsa aumenta por aumento del volumen de la encía, sin destrucción de los tejidos periodontales.
- **Bolsa infragingival o verdadera:** producida por la migración apical de la adherencia epitelial y su separación de la superficie dental.

Las bolsas periodontales son originadas por factores irritantes locales (placa bacteriana). Parece que el aumento de la profundidad de sondaje está relacionado con la placa, encontrándose este parámetro aumentado en los sitios donde es más difícil mantener una buena higiene, como son los espacios interproximales.

Se recomienda realizar sondajes periodontales durante el tratamiento para evaluar el estado de los tejidos y de esta manera prevenir las periodontitis, que es una lesión irreversible.

Recesión gingival

Se define como recesión gingival patológica localizada cuando la parte más coronal de la encía libre está situada apicalmente con respecto a la línea amelo-cementaria.

Estudios en humanos demuestran que la expansión ortodóncica del arco dental puede producir una retracción gingival, que depende de cuanto sean desplazados los dientes hacia vestibular ya que esta tabla vestibular puede ser delgada y si el movimiento es grande, puede ser reabsorbida y producirse dehiscencias óseas. La recesión gingival parece ser mayor en presencia de placa bacteriana.

Hay 3 causas principales de la recesión gingival:
1. **Técnica de cepillado:** Son lesiones crónicas provocadas por una técnica de cepillado vigorosa o realizada con un cepillo duro. Se recomienda entrenar al paciente en una técnica de cepillado correcta antes de comenzar el tratamiento.
2. **Inflamación gingival por placa:** La acumulación de placa bacteriana provoca inflamación gingival y destrucción gingival y, como consecuencia, recesión gingival.
3. **Insuficiente lámina dura:** La recesión se produce con frecuencia en los dientes que presentan una lámina alveolar excesivamente fina o carecen de ella.

La recesión gingival se presenta con frecuencia en dientes que se encuentran en mordida cruzada, con apiñamientos, o con erupción ectópica.

Antes del tratamiento ortodóncico con Ortodoncia Lingual:

1. Debemos identificar los pacientes que presentan factores predisponentes generales:
   a. Bajo tratamiento con medicación del tipo de hidantoinas, ciclosporinas, etc.
   b. Respiración bucal.
   c. Estado carencial o de enfermedad grave como discracias sanguíneas, anemias, diabetes, etc.
   d. Embarazo.
   e. Medicación que disminuye la salivación.
2. Debemos identificar los pacientes que presentan factores predisponentes locales:
   a. Tipos de encía.
   b. Mala higiene bucal.
   c. Obturaciones desbordantes.
   d. Prótesis removibles.
   e. Dientes con apiñamientos o rotaciones.
   f. Dientes con erupción ectópica.
   g. Encía delgada.
   h. Corticales óseas delgadas.
3. Es también muy importante:
   a. Siempre se debe tratar la inflamación antes de comenzar el tratamiento ortodóncico.
   b. Si los tejidos gingivales vestibulares son delgados, se los debe reforzar mediante injertos o colgajos antes de realizar movimientos dentales hacia vestibular.
   c. Se debe eliminar el sarro y la placa bacteriana especialmente antes de movimientos de intrusión.
   d. Se debe entrenar al paciente para un correcto cepillado, uso de los irrigadores bucales e indicar el uso de colutorios.

Durante el tratamiento de Ortodoncia Lingual:

Es muy importante:
1. Evitar el arenado directo sobre los tejidos gingivales o la aplicación de ácido ortofosfórico directa sobre los tejidos blandos.
2. Evitar los márgenes subgingivales de las bandas.
3. Controlar el flash-paste.
4. Controlar la inflamación gingival.
5. Controlar la higiene dental y motivar al paciente estimulando su colaboración.
6. Indicación de colutorios.
7. Eliminar las hipertrofias gingivales que impidan el movimiento dentario.
8. En cada cambio de arco, eliminar la placa dental mediante la aplicación de bicarbonato si fuera necesario.

Algunos de los colutorios más utilizados:

Ortho Kin
- Digluconato de clorhexidina   0,06 g
- Acetato de zinc   0,34 g
- Excipiente c.s.p.   100 ml
- Laboratorios Kin
  - Prevención y tratamiento de gingivitis.
  - Mantenimiento en tratamiento de ortodoncia.
  - Tratamiento para la eliminación del mal aliento (halitosis).

Cariax gingival
- Digluconato de clorhexidina   0,12 g
- Fluoruro sódico   0,05 g
- Sacarina sódica   0,06 g
- Excipiente c.s.p.   100 ml
- Laboratorios Kin
  - Previene y controla la inflamación y el sangrado de las encías.
  - Alcohol 0%.

Gingi Kin
- Triclosan   0,2 g
- Lactato de zinc   0,38 g
- Provitamina B5   0,5 g
- Xilitol   1,0 g
- Excipiente c.s.p.   100 ml
- Laboratorios Kin
  - Mantenimiento diario de las encías.

El uso continuado de dentífricos y colutorios con clorhexidina puede provocar coloración de los dientes por lo que se debe alternar con otros colutorios.

Ortodoncia Lingual y ATM

Dada la importancia y extensión de este tema, se exponen los principios básicos del tratamiento de pacientes que presentan disfunciones cráneo-mandibulares, aunque resulta imposible la exposición completa de este tema.

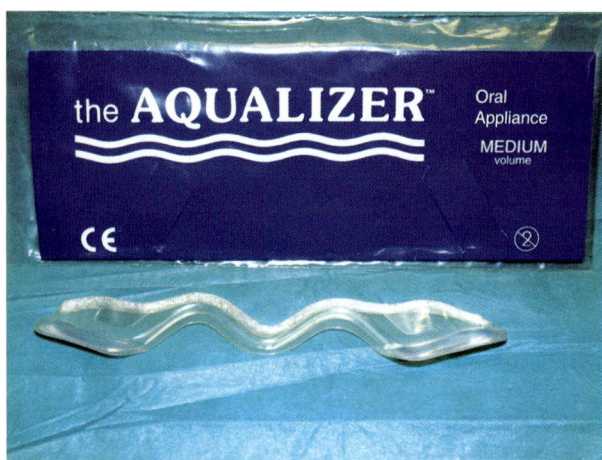

Fig. 21-01 Aqualizer (Jumar Corporation). Actúa como una férula blanda o resiliente

Las disfunciones cráneo-mandibulares son frecuentes en los pacientes ortodóncicos adultos. Los brackets linguales de Kurz, a través del plano de mordida de los brackets de incisivos superiores, favorecen el tratamiento de las articulaciones témporo-mandibulares, actuando como un férula de desoclusión posterior: eliminan interferencias, aumentan la dimensión vertical y reponen el cóndilo a RC.

La mayoría de los pacientes suelen referir un alivio de tensión en la musculatura masticatoria inmediatamente después del cementado de los brackets superiores, sin embargo en algunos casos no ocurre así:

- cuando la desoclusión molar es mayor de 2,5 a 3 mm,
- cuando el contacto anterior se realiza sobre un solo plano de mordida por los apiñamientos y rotaciones.

En estos casos se recomienda la utilización de un Aqualizer (Jumar Corporation, USA) (fig. 21-01) o build-ups molares.

Señales de alarma de disfunción antes o durante el tratamiento ortodóncico

Durante el tratamiento de ortodoncia pueden aparecer algunos síntomas y signos de disfunción, a los que se debe prestar atención.

1. Dolor muscular o articular.
2. Limitación de movimiento mandibular.
3. Movimiento mandibular irregular.
4. Aparición de chasquidos (clicking) o crepitación (cricking) de la ATM.
5. Excesivas interferencias dentarias, por ejemplo las interferencias producidas durante la corrección de la mordida cruzada de un incisivo.
6. Interferencias cuspídeas con brackets o tubos que puedan promover hiperactividad muscular y/o sobrecarga articular.
7. Colapso vertical en casos de extracción (pérdida excesiva de dimensión vertical).
8. Torque muy negativo de incisivos superiores o inapropiado control del overbite, especialmente durante la retrusión en casos de clase II, que imposibiliten la guía anterior.
9. Abuso de los elásticos intermaxilares.
10. Interferencias molares que creen fulcrums con distracción o intrusión condilar.

En estos casos se debe actuar inmediatamente para la corrección de estos signos, siendo de fundamental importancia reducir o resolver el dolor.

Procedimientos clínicos para el manejo de los pacientes con disfunción cráneo mandibular bajo el tratamiento ortodóncico

Procedimientos previos a la ortodoncia

1. Considerar el uso de férulas para la relajación muscular.
2. Considerar la premedicación con relajantes musculares (benzodiazepinas para bruxismo céntrico y amitriptilina para bruxismo excéntrico).
3. Entrenar al paciente para los ejercicios de relajación e indicar dieta blanda.
4. Explicación detallada al paciente de su problema.

Procedimientos durante el tratamiento de ortodoncia

1. Permitir al paciente cerrar la boca y descansar los músculos aproximadamente cada 10 minutos durante los procedimientos clínicos largos como el cementado.
2. Impedir la apertura bucal amplia, protruída y prolongada. Intentar realizar las maniobras clínicas con un 60 a 75% de apertura.
3. Crioterapia sobre la articulación (hielo) (el calor se utiliza sobre los músculos).
4. Explicación detallada al paciente de su problema.
5. En el postoperatorio inmediato a un procedimiento clínico prolongado se puede:
   a. Administrar antiinflamatorios no-esteroides para controlar el disconfort secundario a la hiperextensión de la mandíbula. Esta medicación se indicará hasta 3 a 5 días después de la intervención o incluso más si persisten las molestias.
   b. Crioterapia sobre la articulación y estiramiento muscular.
   c. Dieta blanda.
   d. Indicación de uso de una férula blanda o Aqualizer.
   e. Iniciar ejercicios de apertura y cierre al tercer o cuarto día para restablecer la apertura.
6. No sobrecargar la articulación con la mecánica: evitar el uso de arcos extraorales y elásticos intermaxilares.

Procedimientos posteriores al tratamiento de ortodoncia

1. Control de la posible sobreerupción de los terceros molares sin antagonista.
2. Utilizar aparatos de retención que no creen interferencias con los arcos o retenedores de los aparatos de retención.
3. Control periódico de los aparatos de retención.
4. Realizar desgastes selectivos:
   4a. Después de retirar los aparatos fijos.
   4b. A la semana.
   4c. A los tres meses.
   4d. Al año.
5. Disponer de una organización clínica que permita el adecuado seguimiento de pacientes durante el periodo de retención.
6. Completa información al paciente de la importancia en este periodo.

Ortodoncia Lingual y prótesis

Ortodoncia lingual seccional pre-protésica

Los odontólogos frecuentemente tienen que realizar prótesis sin que la oclusión o los pilares se encuentren en las mejores condiciones para ello. A menudo renuncian a optimizar estas condiciones para no obligar a sus pacientes a usar bandas y brackets por estética pobre o debido al prolongado tiempo de tratamiento ortodóncico.

El siguiente es una aproximación a los casos pre-protéticos, desde el punto de vista de la ortodoncia lingual preprotésica.

La ortodoncia pre-protética tiene muchas ventajas:

1. Los tratamientos son bastante cortos.
2. Los tratamientos son muy sencillos de llevar a cabo.
3. La retención es permanente con la prótesis fija.
4. Es una buena fuente de pacientes referidos por dentistas.

La ortodoncia pre-protética también tiene algunas desventajas:

1. Los pacientes se sienten molestos de mostrar los aparatos (estética).
2. El elevado coste del tratamiento.
3. Las dificultades de habla con la aparatología lingual.

La ortodoncia pre-protética lingual seccional tiene las siguientes ventajas:

1. Los brackets linguales son "invisibles".
2. El coste de un tratamiento seccional es inferior comparado con un tratamiento completo.
3. El tratamiento seccional es más confortable que un tratamiento completo.
4. Comparado con los tratamientos linguales completos, las dificultades de habla se reducen cuando se realizan tratamientos linguales seccionales.
5. El tratamiento seccional es más corto y más sencillo que el tratamiento completo.
6. Significa una muy buena forma de aprender la técnica de cementado indirecto lingual, las ligaduras especiales, etc., principalmente para ortodoncistas que empiezan a trabajar con tratamientos linguales.
7. A los odontólogos no les gusta referir los pacientes a un ortodoncista porque el tratamiento es muy largo y no podrán terminar sus prótesis como mínimo hasta al cabo de un año. El tratamiento seccional lo hace más corto, ya que sólo necesita entre dos o tres meses.

Los casos más frecuentes referidos por los odontólogos son:

1. Eliminación de macro-interferencias de Relación Céntrica a Oclusión Céntrica.
2. Establecer la guía anterior.
3. Establecer la guía canina.
4. Paralelización de pilares.
5. Cierre o distribución de espacios.
6. Mover un pilar para obtener una mejor situación periodontal.
7. Intrusión de un molar sin un antagonista.
8. Mordida cruzada lingual posterior.
9. Mordida cruzada bucal posterior.
10. Forzar la erupción de un diente fracturado subgingivalmente para obtener un alargamiento coronario.
11. Recuperar la dimensión vertical disminuida, con colapso de mordida y biprotrusión con diastemas.

Indudablemente, el diagnóstico y planificación se deben hacer con un equipo compuesto por: ortodoncista, periodoncista y especialista en prótesis. El tratamiento periodontal debería ser el primero, especialmente para eliminar los factores de infección e inflamación. La regeneración de hueso, si fuera necesaria, sería posterior al tratamiento ortodóncico. Por último la prótesis definitiva proporcionará una posición estable de los dientes.

El diagnóstico y planificación requieren las tres siguientes prescripciones:

1. Radiografías periapicales del cuadrante (mejor que ortopantomografía) para obtener más información acerca de la morfología de las raíces y el estado periodontal.
2. Modelos montados en articulador para analizar la función oclusal.
3. Las radiografías laterales pueden ser necesarias para determinar la dimensión vertical y el equilibrio de perfil.

En algunos casos, desde el punto de vista ortodóncico, las prótesis fijas ofrecen ventajas a los implantes, debido a las siguientes razones:

1. La prótesis fija ofrece una retención permanente, seguidamente al tratamiento ortodóncico.

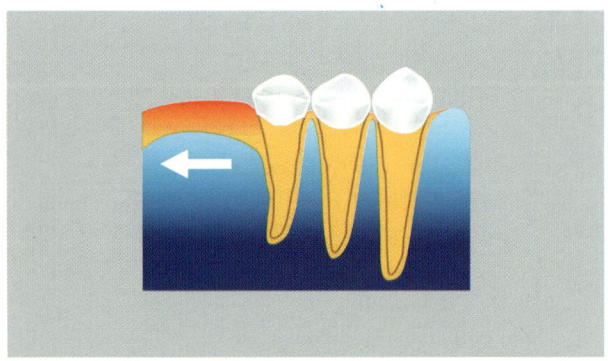

Fig. 21-02   Movimiento de un diente hacia una zona edéntula de menor altura de reborde alveolar

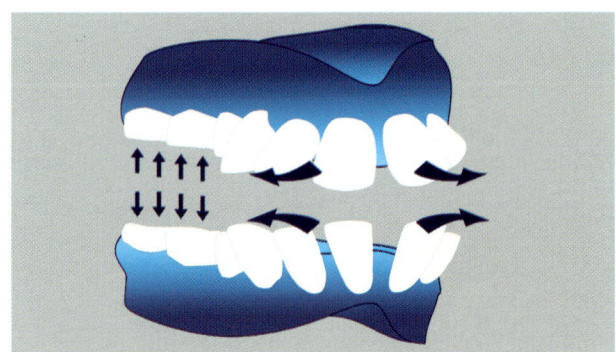

Fig. 21-03   Colapso posterior (por pérdida de dimensión vertical) con biprotrusión incisiva y diastemas interincisivos

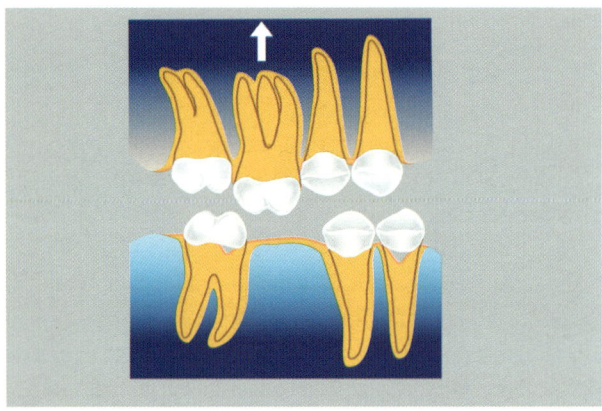

Fig. 21-04   Intrusión de un molar extruído por falta de antagonista

2. La futura preparación de los pilares nos permite tallar las cúspides de estos dientes para hacer más fácil su movimiento, sin interferencias oclusales.
3. La futura prótesis permite compensar una posición no-excelente de los pilares.

Pero los implantes se deben tener en consideración cuando se necesita un muy buen anclaje, como se demuestra en los artículos del Dr. Kokich.

Las siguientes condiciones negativas para el tratamiento lingual se deben observar en la selección de los pacientes:

1. El torque negativo de los dientes es desfavorable para la técnica lingual, debido a las dificultades en la colocación de los brackets.
2. La macroglosia también es desfavorable, especialmente cuando la lengua presenta bordes festoneados, porque puede indicar una baja tolerancia a los brackets linguales.
3. También es desfavorable una altura reducida de las caras linguales de los dientes. Por ejemplo, los premolares inferiores necesitan frecuentemente la reconstrucción de la cúspide lingual para poder colocar los brackets linguales.

4. Finalmente, es muy importante determinar la altura del hueso en las áreas edéntulas cuando se indica un movimiento dentario dentro de ella, para evitar la pérdida de soporte periodontal (fig. 21-02).

Por otro lado, el tratamiento lingual parcial no está indicado en los siguientes casos, para los que es mejor hacer un tratamiento completo:

1. Recuperar una dimensión vertical perdida con colapso de mordida y biprotrusión con diastemas (fig. 21-03).
2. Intrusión de un molar extruído por la pérdida del antagonista porque el anclaje es insuficiente sólo con un tratamiento parcial (fig. 21-04).

Está indicado utilizar la técnica de cementado indirecto y la colocación mecánica de los brackets en el laboratorio para un correcto posicionamiento de los mismos.

Los ejemplos siguientes pueden ser utilizados no sólo como una guía para casos similares, sino también para demostrar los principios mecánicos.

CASOS 1 y 2 (figs. 21-05 a 21-14)

Los dos casos siguientes son bastante sencillos. Un molar puede ser corregido con una barra omega transpalatal como el aparato de Goshgarian. Para poder mover sólo un molar, se debe aumentar el anclaje en el otro lado usando brackets en los premolares y un arco seccional. El mismo procedimiento es efectivo con una mordida cruzada bucal de un molar, pero cambiando la activación.

Análisis de la fuerza

Para expandir o contraer un molar se necesitan entre 135-205 gramos, y el anclaje de un molar más dos premolares está entre 235-355 gramos.

CASO 3 (figs. 21-15 a 21-19)

El siguiente caso presenta ausencia del primer molar y mesio-versión del segundo molar. El plan de tratamien-

Capítulo 21

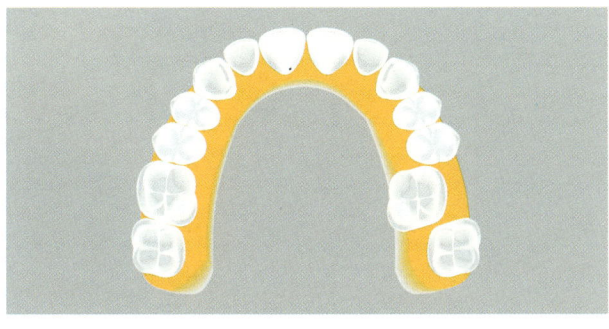

Fig. 21-05   Caso # 1 – fig. 1 - Mordida cruzada lingual de un molar

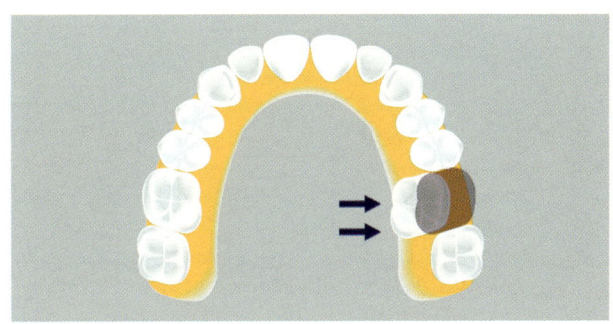

Fig. 21-06   Caso # 1 – fig. 2 - Plan de tratamiento: expansión unilateral del molar

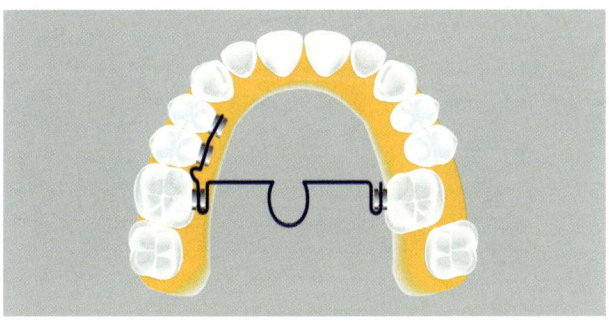

Fig. 21-07   Caso # 1 – fig. 3 – Barra de Goshgarian, brackets linguales y arco seccional contralateral

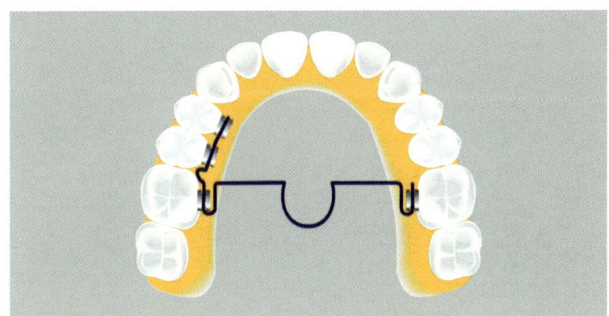

Fig. 21-08   Caso # 1 – fig. 4 – Corrección del caso

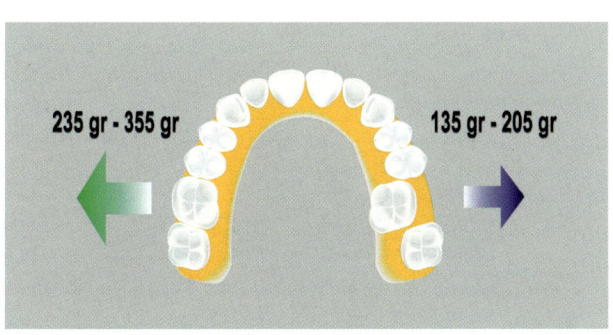

Fig. 21-09   Caso # 1 – fig. 5 – Esquema de fuerzas actuantes

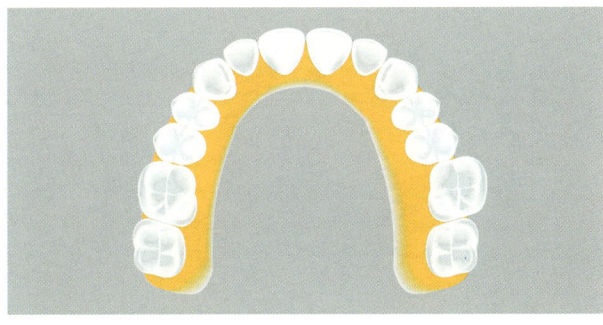

Fig. 21-10   Caso # 2 – fig. 1 - Mordida cruzada vestibular de un molar

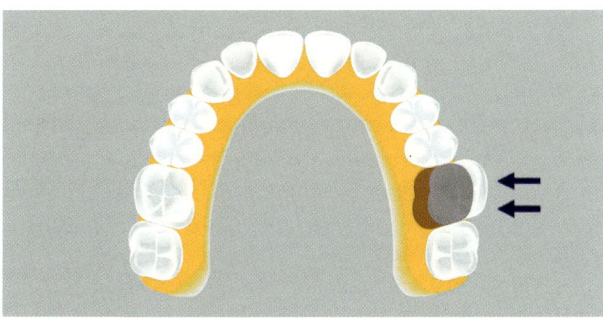

Fig. 21-11   Caso # 2 – fig. 2 - Plan de tratamiento: contracción unilateral del molar

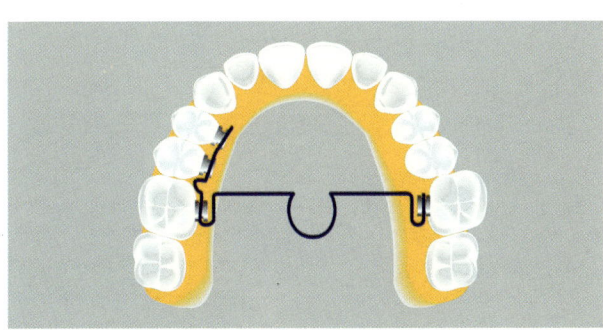

Fig. 21-12   Caso # 2 – fig. 3 – Barra de Goshgarian, brackets linguales y arco seccional contralateral

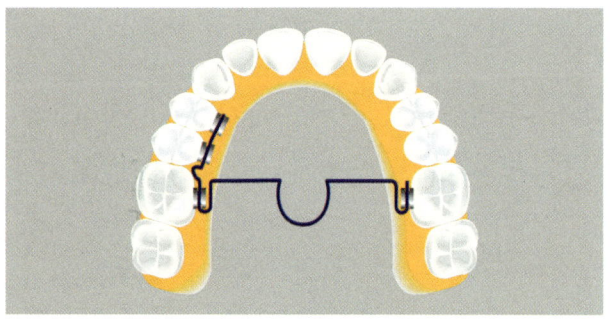

Fig. 21-13   Caso # 2 – fig. 4 – Corrección del caso

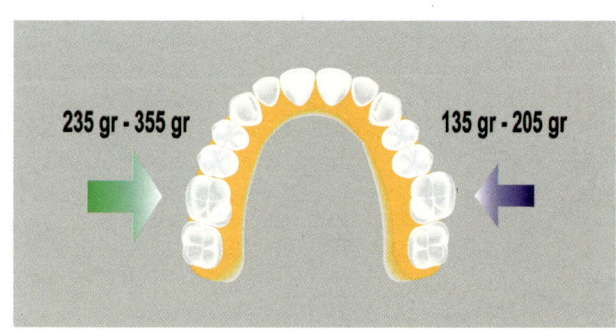

Fig. 21-14   Caso # 2 – fig. 5 – Esquema de fuerzas actuantes

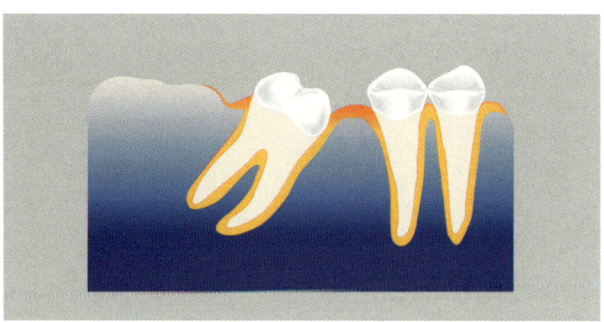

Fig. 21-15   Caso # 3 – fig. 1 – Caso con mesioversión de un segundo molar por ausencia del primer molar

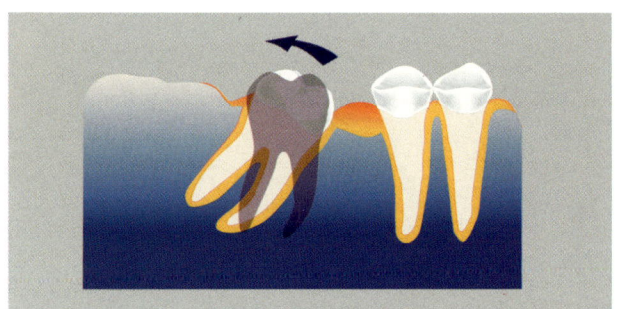

Fig. 21-16   Caso # 3 – fig. 2 – Plan de tratamiento: enderezar el molar, distalizándolo y abiendo el espacio para una prótesis fija

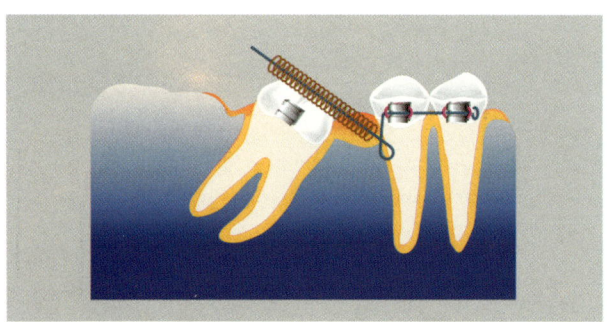

Fig. 21-17   Caso # 3 – fig. 3 – 1er. arco de .016" x ".016" con escalón gingival y muelle de distalización

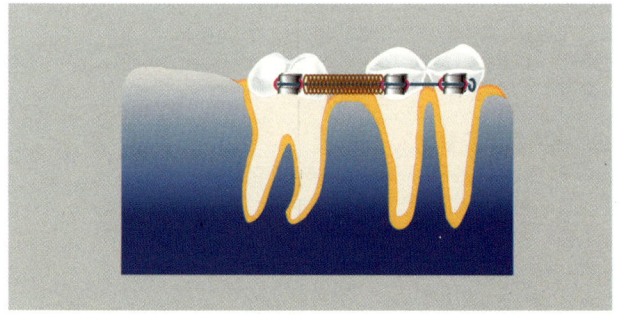

Fig. 21-18   Caso # 3 – fig. 4 – 2do. Arco de .016" x .022" Arco recto de .016" x .022" y muelle de distalización

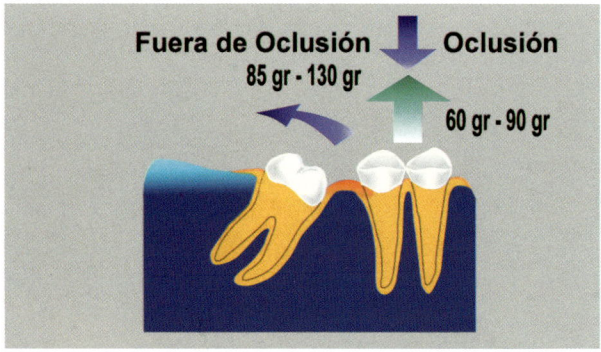

Fig. 21-19   Caso # 3 – fig. 5 – Análisis de fuerzas

to es enderezar el molar distalizándolo y posteriormente realizar una prótesis fija.

Se realiza cementado indirecto al primer y segundo premolar y también al segundo molar para poder ligarlo. El primer arco es de .016" x .016" de acero con un muelle de níquel-titanio. Se debe realizar un escalón gingival en el arco (como se muestra en las figuras) para poder ligarlo.

El segundo arco es recto, sin escalones y se continua con los muelles. Es un arco de .016" x .022" de acero y tiene que ser compensado para evitar los efectos secundarios. En este caso, el muelle tiene una tendencia a dar una

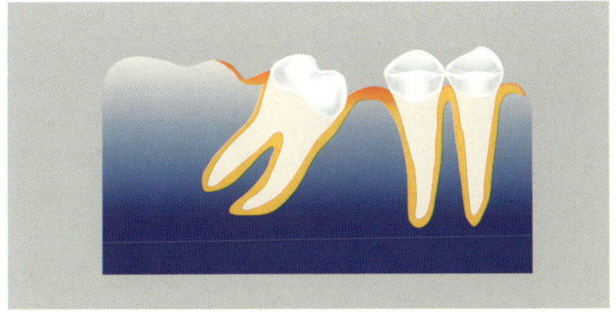

Fig. 21-20   Caso # 4 – fig. 1 – Caso con mesioversión de un segundo molar por ausencia del primer molar

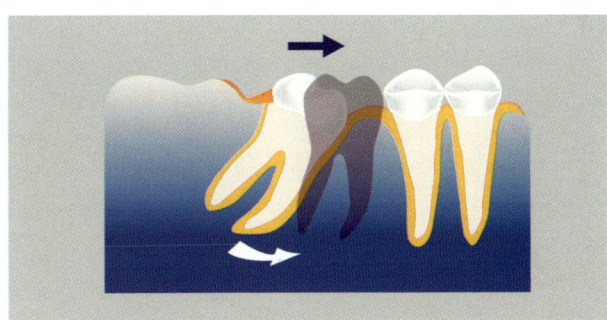

Fig. 21-21   Caso # 4 – fig. 2 – Plan de tratamiento: cerrar el espacio mesializándolo

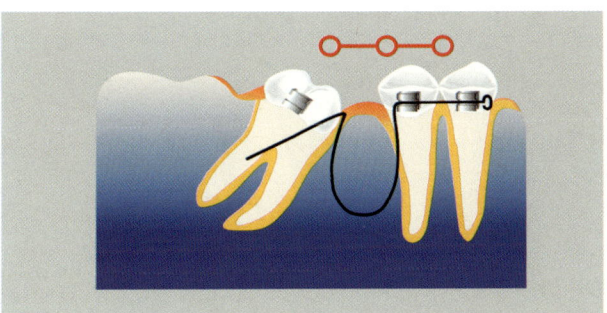

Fig. 21-22   Caso # 4 – fig. 3 – Arco seccional con un omega loop y con tip back aumentado. El espacio se cierra con cadena elástica

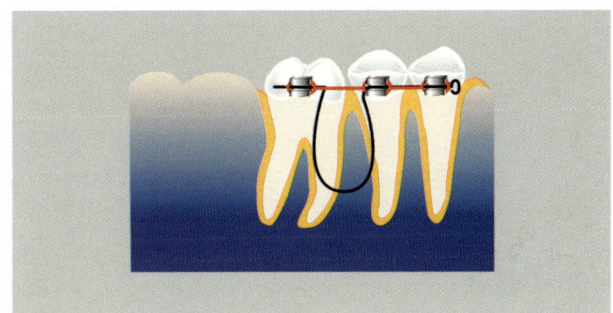

Fig. 21-23   Caso # 4 – fig. 4 – Acción del arco y cadena elástica

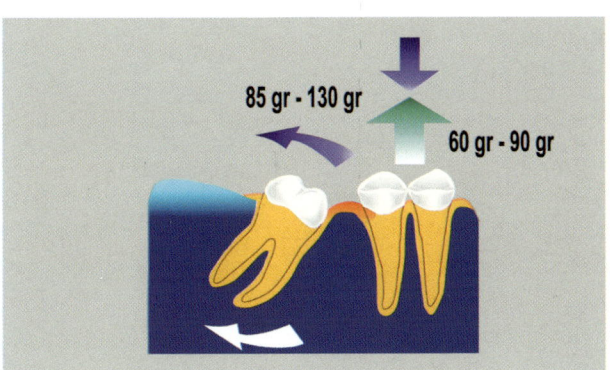

Fig. 21-24   Caso # 4 – fig. 5 – Análisis de fuerzas

inclinación distal al molar. Esto es deseable debido a la mesio-versión inicial. Entonces se debe incorporar un ángulo bajo de tip-back en el arco (aproximadamente 5°). El muelle también tiene una tendencia a mesio-rotar el molar debido a la posición relativa entre el punto de aplicación del momento de fuerza y el centro de rotación, colocado en el centro de la corona. Para compensar este movimiento indeseable, es necesario incorporar unos 15° de toe-in. Se pueden hacer tallados de las cúspides del molar, aliviando la oclusión para hacer el movimiento más fácil. Esto se puede hacer porque el molar será un pilar del puente. Una vez se ha completado el movimiento y antes de descementar los brackets, es conveniente tomar una impresión de alginato. Con este modelo, el laboratorio prepara una preforma de Bioplast para realizar un puente provisional inmediato de contención hasta el tallado del puente, evitando la recidiva.

Análisis de la fuerza

Para enderezar un molar inferior se necesitan 85-130 gramos y se requiere extruir dos bicúspides con 60-90 gramos. Es mejor hacer desgastar las cúspides del molar, para poder sacarlo de la oclusión disminuyendo el anclaje del molar.

CASO 4 (figs. 21-10 a 21-24)

Es siguiente caso es opuesto al anterior, aunque el punto de inicio sea el mismo. En este caso, el plan de tratamiento es enderezar el molar y cerrar el espacio. Se realiza cementado indirecto en el primer y segundo premolar y el segundo molar. El arco es de .016" x .016" de acero. Para cerrar el espacio, se usa una cadena elástica.
Los efectos secundarios de la cadena elástica son mesio-versión y disto-rotación del molar. Para compensar la mesio-versión y enderezar el molar, se debe incorporar al arco un ángulo alto de tip-back, pero para minimizar

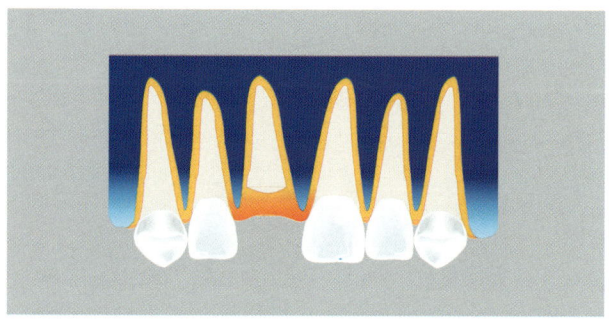

Fig. 21-25   Caso # 5 – fig. 1 – Caso que presenta fractura subgingival de la raíz de un incisivo central superior

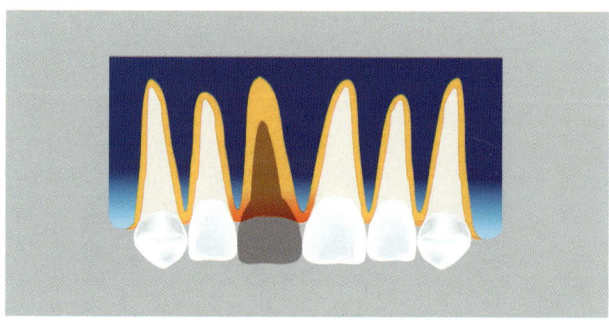

Fig. 21-26   Caso # 5 – fig. 2 – Plan de tratamiento: extrusión forzada de la raíz para la posterior reconstrucción protésica

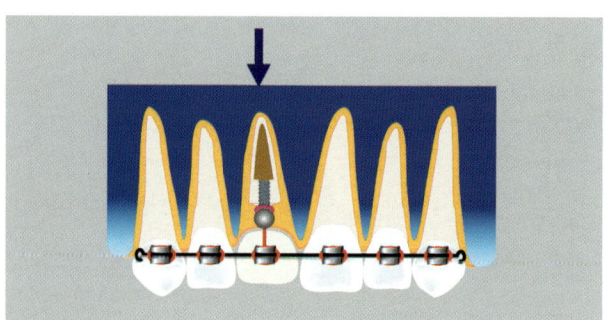

Fig. 21-27   Caso # 5 – fig. 3 – Brackets linguales de canino a canino, endodoncia y perno muñón en el incisivo para realizar la tracción hasta el arco seccional

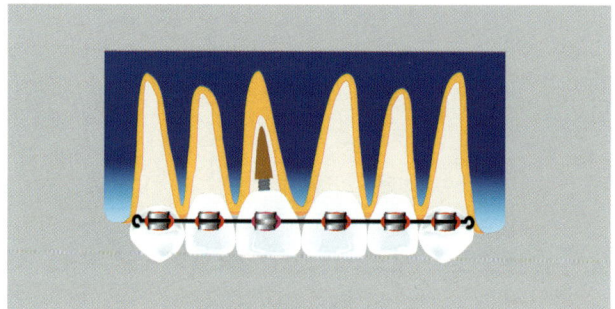

Fig. 21-28   Caso # 5 – fig. 4 – Acción de los arcos realizada

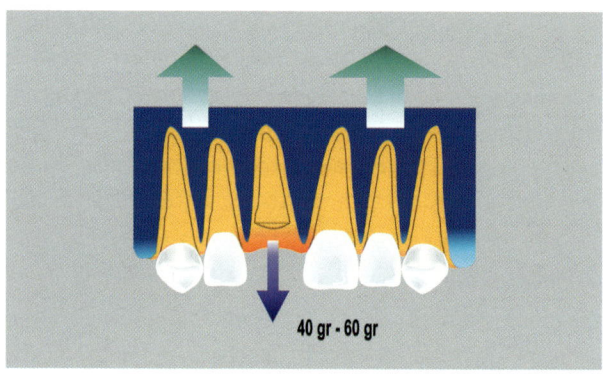

Fig. 21-29   Caso # 5 – fig. 5 – Análisis de fuerzas

Análisis de la fuerza
Lo mismo que en el caso 3.

CASO 5 (figs. 21-25 a 21-29)

También se puede usar un tratamiento lingual parcial para extruir una raíz fracturada. El primer paso sería la preparación de la raíz. Se debe practicar la descubierta de la raíz con una técnica periodontal de colgajo de reposición apical. A continuación se debe hacer un tratamiento endodóncico, y finalmente, se debe cementar un perno muñón con una retención donde se liga la cadena elástica.

Se debe tener en cuenta la posición de los dientes cuando se colocan los brackets en el modelo para la técnica de cementado indirecto, especialmente si es necesario alinear, nivelar y/o rotarlos. En este caso se puede empezar con un arco de níquel-titanio, TMA o coaxial de .016", dependiendo de la severidad del apiñamiento.

Podría ser necesario un muelle para abrir el espacio antes de comenzar la extrusión de la raíz. Sería posible ligarlo, se necesita un arco fuerte como un .016" x .022" de acero.

Una buena solución puede ser incluir un bracket en una corona provisional de resina que mantenga el espacio y ofrezca una buena estética para el paciente. El bracket

la fuerza se usa un gran bucle vertical como se muestra en la figura. Para poder compensar la disto-rotación, se incorpora un ángulo de toe-out de 10°. Se cambia la cadena elástica cada 2 semanas y la corrección se completa en aproximadamente 3 meses. Al no estar indicado un puente fijo, no se puede desgastar las cúspides molares, pero es posible usar build-ups en el bicúspide para poder sacar el molar de la oclusión. Se debe usar fibra óptica o arco de alambre, para la retención. Es mejor cementar una fibra óptica labial y lingual si la estética lo permite.

se puede usar para ligar la cadena elástica, como se muestra en la figura. Además, la corona se debe hacer sin la necesidad de una retención especial. Es mejor esperar 2-3 meses antes de hacer la corona definitiva para poder estudiar el comportamiento de los tejidos gingivales.

Análisis de la fuerza

Para extruir un incisivo superior, se necesitan 40-60 gramos. Seis dientes superiores ofrecen suficiente anclaje.

Claves para el éxito de la ortodoncia lingual segmentaria preprotésica

Finalmente, hay 8 llaves para el éxito en los tratamientos pre-protéticos linguales parciales:

1. La anomalía sólo debe afectar un diente o un grupo mínimo de dientes. Si no, se debe hacer un tratamiento completo.
2. No se puede intruir un molar con un tratamiento seccional debido a la deficiencia de anclaje.
3. No mover los dientes dentro de un área con altura reducida de reborde alveolar para prevenir la pérdida de soporte periodontal.
4. Se indica realizar siempre la técnica de cementado indirecto.
5. Para abrir un espacio con un muelle, se debe incorporar un ángulo bajo de tip-back y un toe-in regular al arco lingual.
6. Cuando se cierran espacios con una cadena elástica, se debe incorporar un ángulo alto de tip-back y un toe-out regular al arco lingual.
7. Es completamente necesaria la retención inmediata con un puente provisional de fibra óptica.
8. Las características más importantes de los tratamientos seccionales linguales son: un tiempo de tratamiento corto (no más de 3 meses), buena estética, gran confort y coste reducido para tener un pronóstico excelente del soporte periodontal y durabilidad de la prótesis.

Ortodoncia Lingual y cirugía ortognática

El protocolo que realizamos para el tratamiento combinado de ortodoncia lingual y cirugía ortognática no difiere prácticamente de los tratamientos combinados realizados con ortodoncia vestibular. Este protocolo está extensamente explicado en el libro "Diagnóstico en Ortodoncia. Estudio multidisciplinario" del mismo autor.

Etapa clínica I

Toma de registros, diagnóstico y plan de tratamiento. Los registros imprescindibles son:

- Historia clínica.
- Impresiones y registros para montaje en articulador.
- Estudio fotográfico completo.
- Teleradiografía de perfil.
- Ortopantomografía.

Se realiza el STO (Surgical Treatment Objective), objetivo visual de tratamiento quirúrgico y se realiza la consulta con el cirujano ortognático para decidir la intervención quirúrgica que se va a realizar.

Etapa de laboratorio I

Se realizan modelos set-up y se montan en articulador. Se realiza la corrección quirúrgica de los modelos de acuerdo con el plan de tratamiento, y se realiza la corrección ortodóncica.

En esta situación se realiza una férula de resina que nos servirá para probar en boca (por separado en el maxilar superior y en el inferior) cuando se han cumplido los objetivos de la ortodoncia prequirúrgica (férulas diagnósticas).

Etapa clínica II

Se realiza el cementado y la secuencia de arcos indicada según el plan de tratamiento y se prueban las férulas diagnósticas hasta que tengan un ajuste aceptable (nunca es totalmente exacto). En este momento, se toman nuevas impresiones con los brackets (protegerlos con cera utility para evitar descementados) y se comprueba que la oclusión ajuste para poder pasar consultar con el cirujano en el momento de la intervención.

Etapa de laboratorio II

Se montan los nuevos modelos en articulador. Se realiza la cirugía de modelos de acuerdo con el plan de tratamiento. Utilizamos el Instrumento Quirúrgico del Articulador SAM. Se realizan una o dos férulas quirúrgicas según se trate de un caso de cirugía de uno o dos maxilares.

Etapa clínica III

Se comprueba el ajuste de las férulas. La fijación postquirúrgica debe ser con miniplacas, pero la fijación intermaxilar se puede realizar de las siguientes formas:

- Cambiando los brackets a vestibular (algunos cirujanos no aceptan realizar intervenciones con brackets linguales).
- Utilizando un arco lingual rígido de .016" x .022" de acero y botones vestibulares.
- Utilizando un arco cinta vestibular con pernos soldados y ligado al arco rígido lingual con ligaduras metáli-

Tratamientos multidisciplinarios: Periodoncia, ATM, Cirugía y Prótesis

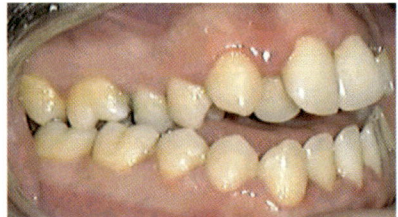 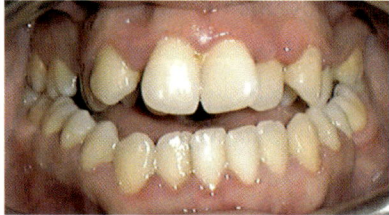 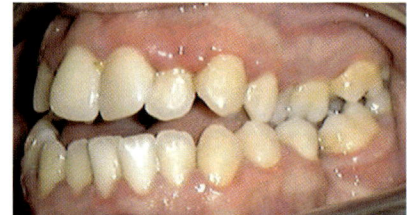

Fig. 21-30 A: Caso # 6 – Paciente de 21 años con clase III, mordida abierta anterior y mordida cruzada anterior y posterior. Estado inicial. Vista intraoral derecha; B: Caso # 6 – Estado inicial. Vista intraoral central; C: Caso # 6 – Estado inicial. Vista intraoral izquierda

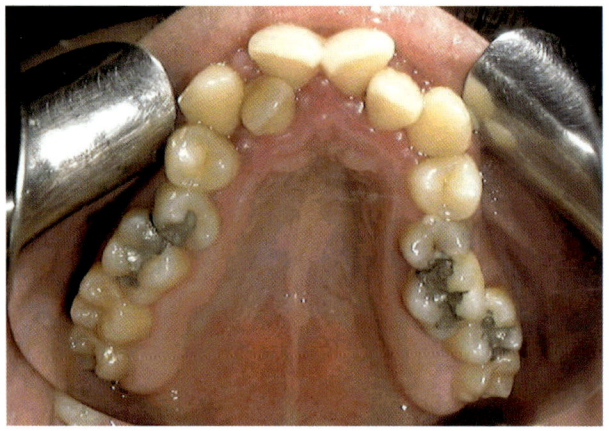

Fig. 21-30D Caso # 6 – Estado inicial. Vista oclusal superior

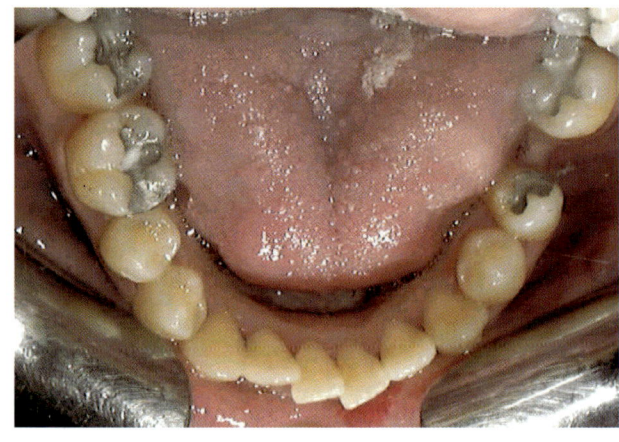

Fig. 21-30E Caso # 6 – Estado inicial. Vista oclusal inferior

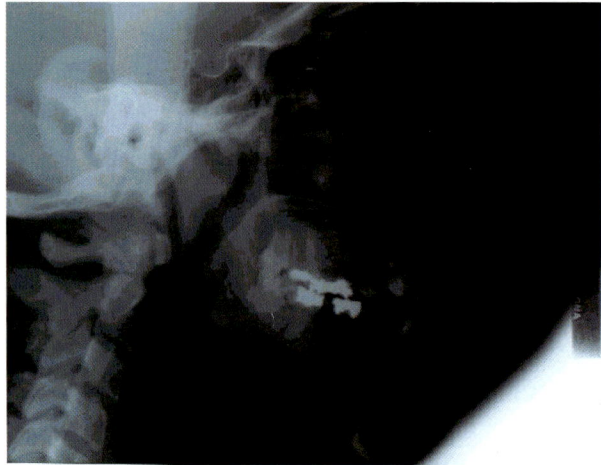

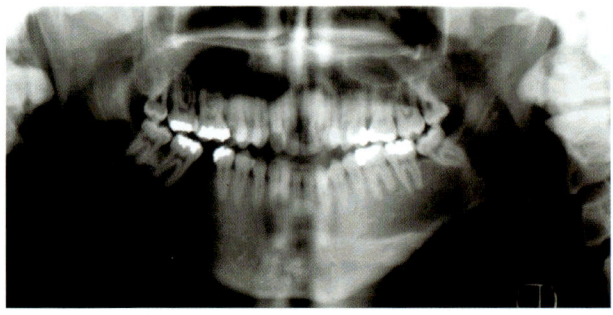

Fig. 21-31 Caso # 6 – Estado inicial. Teleradiografía de perfil

Fig. 21-32 Caso # 6 – Estado inicial. Ortopantomografía

cas interdentales y cementado en 6 dientes directamente sobre la cara vestibular de los dientes.
En este momento el paciente es enviado para que se realice el tratamiento quirúrgico.
Cuatro o cinco semanas después de la intervención se puede realizar el tratamiento ortodóncico de terminación y detalles.
En las figuras 21-30 a 21-54 se presenta un caso para demostrar la técnica.
Paciente masculino de 21 años y 1 mes y el tratamiento duró 19 meses.
El paciente presentaba una clase III con:

- Apiñamientos y rotaciones.
- Mordida cruzada posterior.
- Mordida abierta anterior.
- Desviación de la línea media.
- Ausencia del primer molar inferior izquierdo.
- Desviación de la línea media.
- Clase I esquelética.
- Ángulo intermaxilar aumentado.
- Mordida abierta esquelética.

El plan de tratamiento fue:

- Tratamiento ortodóncico sin extracciones.
- Disyunción palatina.

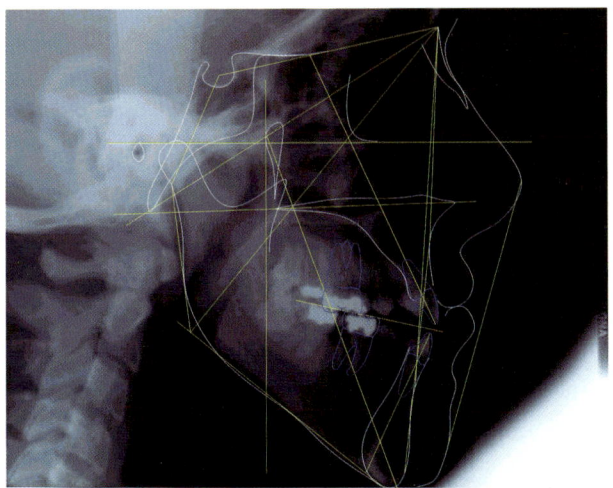

Fig. 21-33   Caso # 6 – Estado inicial. Trazado cefalométrico

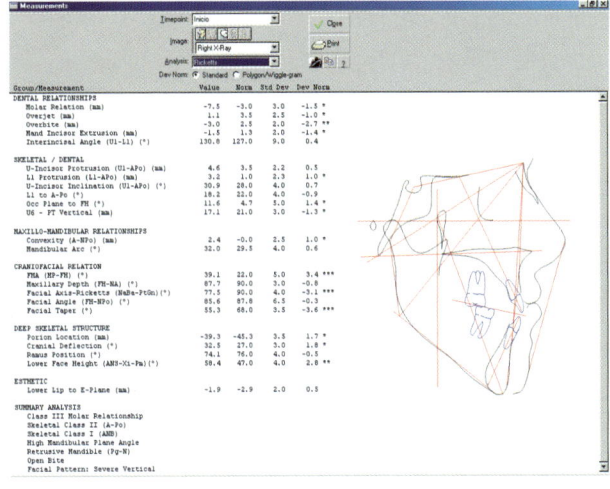

Fig. 21-34   Caso # 6 – Estado inicial. Valores cefalométricos

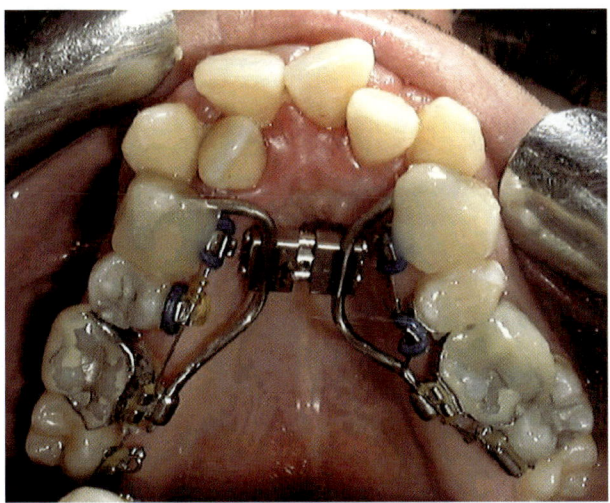

Fig. 21-35   Caso # 6 – Cementado del disyuntor de adhesión directa

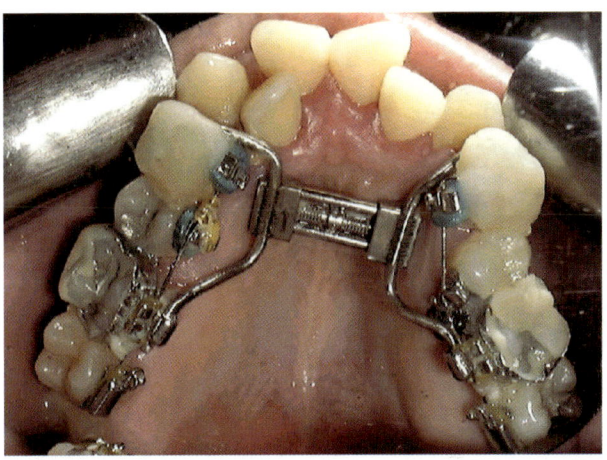

Fig. 21-36   Caso # 6 – Acción del disyuntor

- Stripping de canino a canino superior.
- Tratamiento quirúrgico con Lefort I superior e inferior Obwegesser Dalpont.

La secuencia biomecánica fue:

- Brackets Kurz 7ª con prescripción individualizada.

Arco superior:

- Disyuntor de adhesión directa y retención con barra transpalatina.
- .0175" Respond.
- .016" TMA y stripping de canino a canino superior
- .017" x .017" Copper NiTi
- .016" x .022" SS con omegas antemolares.
- .016" SS con omegas antemolares.

Arco inferior:

- .016" NiTi.
- .0175" x .0175" TMA.
- .016" x .022" SS con omegas antemolares.
- .016" SS con omegas antemolares.

Cirugía de:

- Lefort I superior
- Obwegesser Dalpont inferior

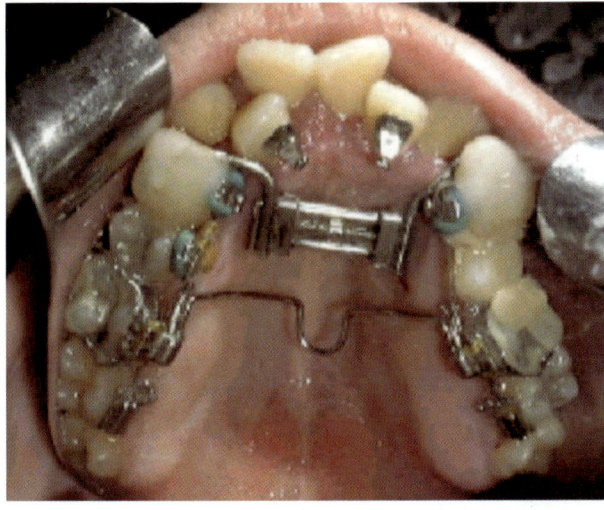

Fig. 21-37   Caso # 6 – Para mayor disyunción anterior, se seccionan los brazos posteriores del disyuntor y se utiliza una barra transpalatina posterior

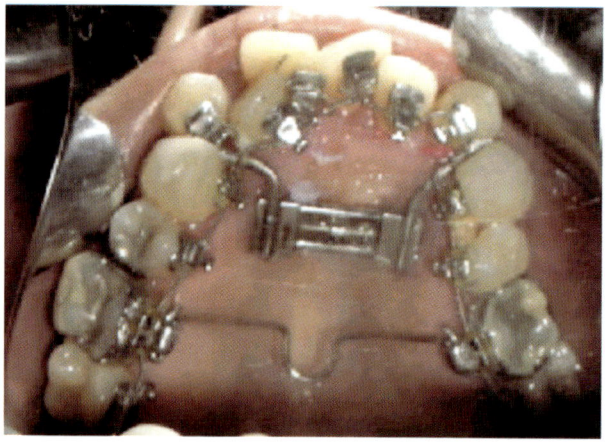

Fig. 21-38   Caso # 6 – Acción del disyuntor anterior

Fig. 21-39   Caso # 6 – Acción del disyuntor anterior. Radiografía oclusal

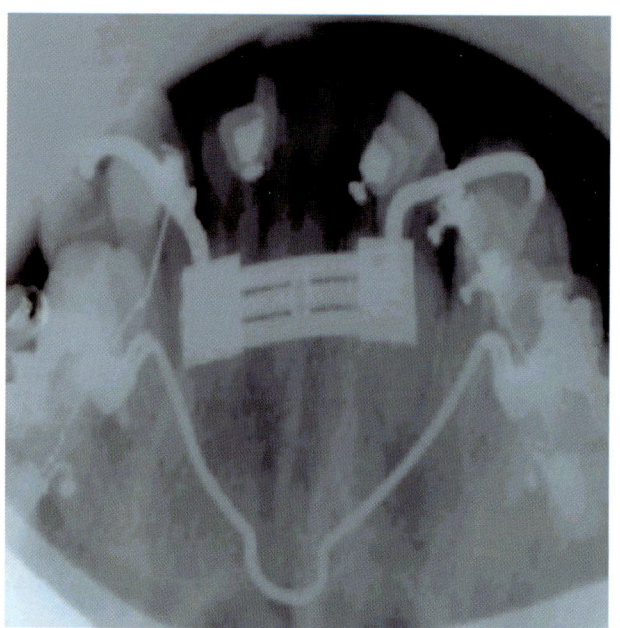

Ortodoncia Lingual y caninos incluidos

Caninos incluidos en vestibular

En el caso de las figuras 21-55A hasta 21-60C se observa el tratamiento de un paciente que presenta el canino superior derecho incluido en vestibular. Para realizar un tratamiento completamente estético se realizó el colgajo muco-perióstico, se cementó un botón en el canino y se traccionó del canino con una ligadura sub-perióstica (fig. 21-57A y B). También se utilizó un provisional estético. En el maxilar inferior el paciente presentaba los dos caninos incluidos y se trató con extracciones de los dos primeros premolares. Es muy importante traccionar de los caninos después de completar la fase ANR de los demás dientes y ligar un arco pesado para minimizar el efecto bowing, aumentado por el canino incluido.

Fig. 21-40   Caso # 6 – Progreso del tratamiento

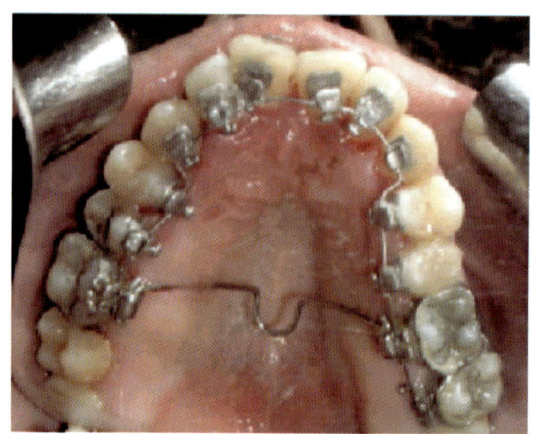

Fig. 21-41A   Caso # 6 – Progreso del tratamiento

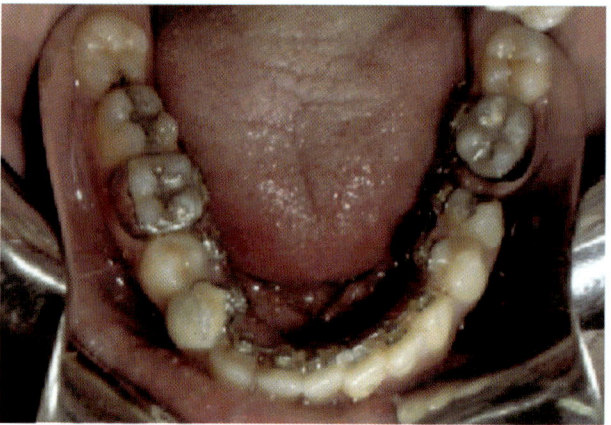

Fig. 21-41B   Caso # 6 – Progreso del tratamiento

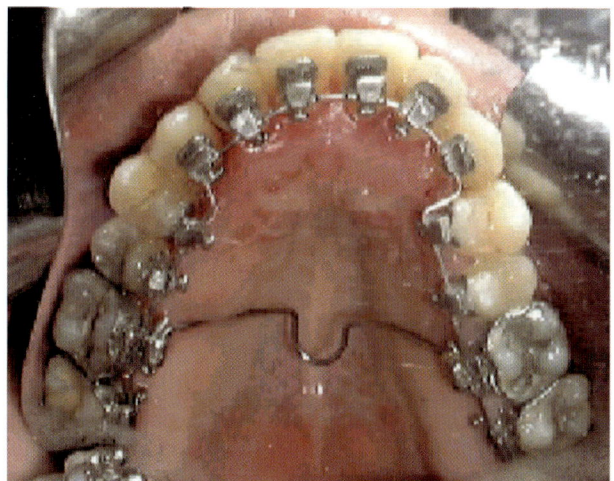

Fig. 21-42A   Caso # 6 – Progreso del tratamiento

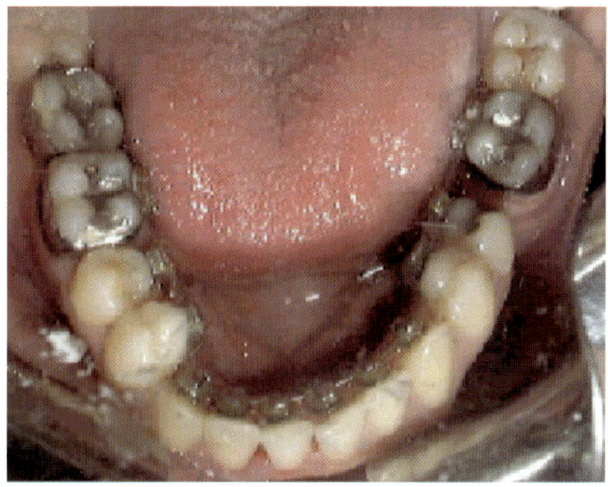

Fig. 21-42B   Caso # 6 – Progreso del tratamiento

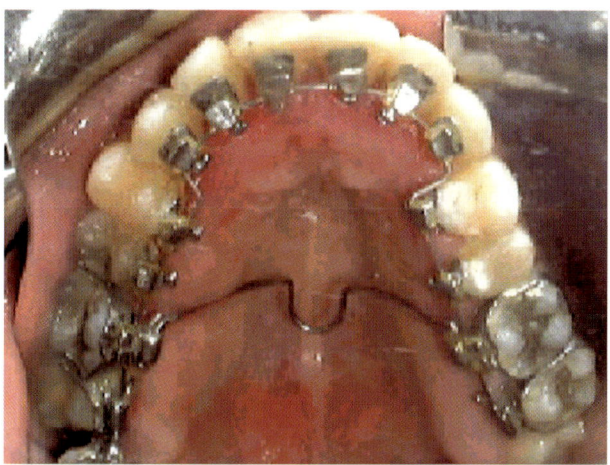

Fig. 21-43A   Caso # 6 – Progreso del tratamiento

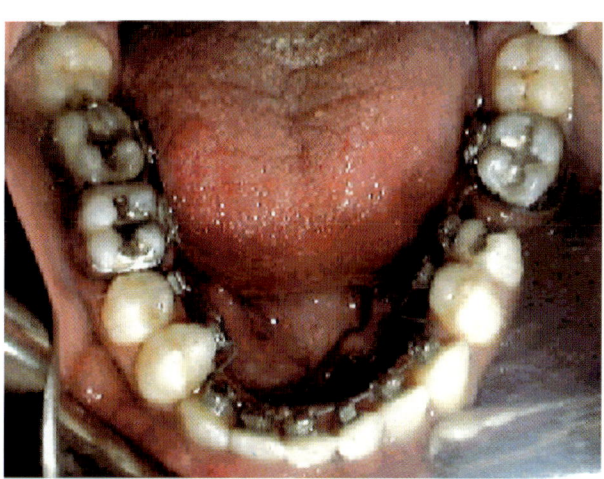

Fig. 21-43B   Caso # 6 – Progreso del tratamiento

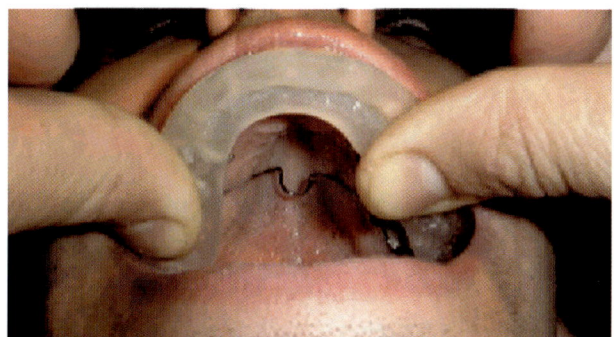

Fig. 21-44A   Caso # 6 – Previo a la intervención quirúrgica, prueba de la férula diagnóstica en el maxilar superior

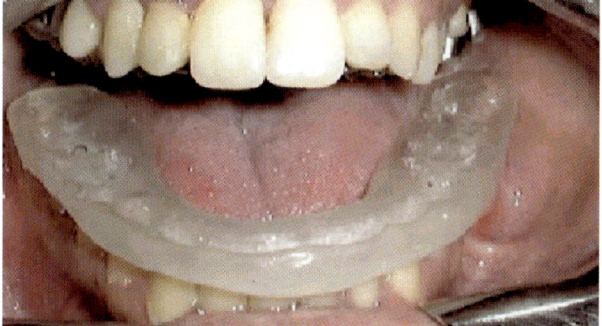

Fig. 21-44B   Caso # 6 – Previo a la intervención quirúrgica, prueba de la férula diagnóstica en el maxilar inferior

Caninos incluidos en palatino

En el caso de las figuras 21-6A hasta 21-65C se ilustra el tratamiento de un paciente con los dos caninos superiores incluidos en palatino. El paciente fue tratado con extracciones de los dos primeros molares superiores, se realizó el abordaje quirúrgico a los dos caninos y se utilizaron provisionales estéticos. Se pueden traccionar los caninos desde arcos pesados o desde botones o hooks cementados a los provisionales para minimizar el efecto bowing.

Tratamientos multidisciplinarios: Periodoncia, ATM, Cirugía y Prótesis

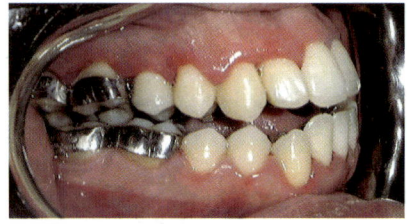 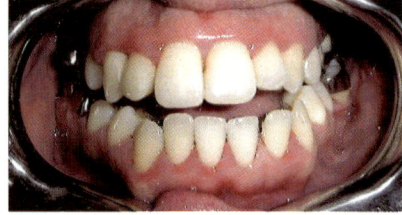 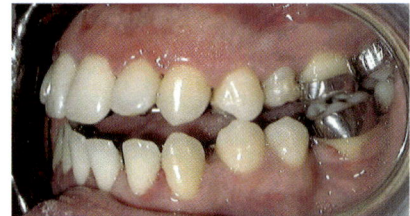

Fig. 21-45 A: Caso # 6 – Previo a la intervención quirúrgica, vista intraoral derecha; B: Caso # 6 – Previo a la intervención quirúrgica, vista intraoral central; C: Caso # 6 – Previo a la intervención quirúrgica, vista intraoral izquierda

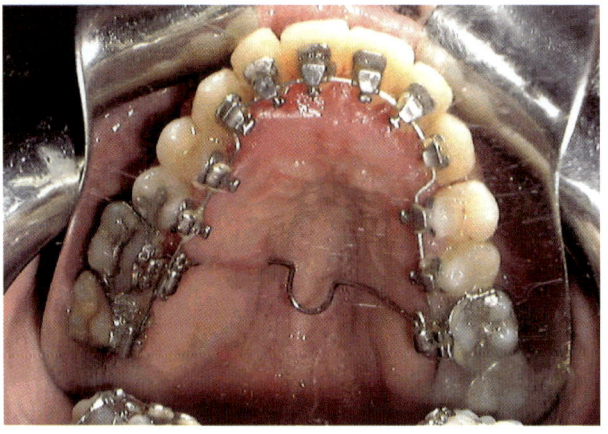 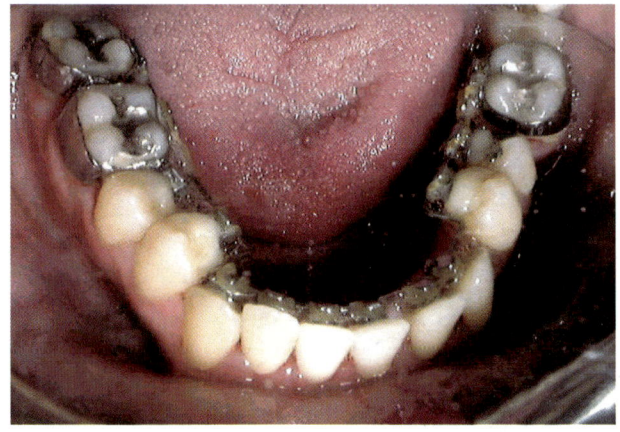

Fig. 21-45D Caso # 6 – Previo a la intervención quirúrgica, vista oclusal superior

Fig. 21-45E Caso # 6 – Previo a la intervención quirúrgica, vista oclusal inferior

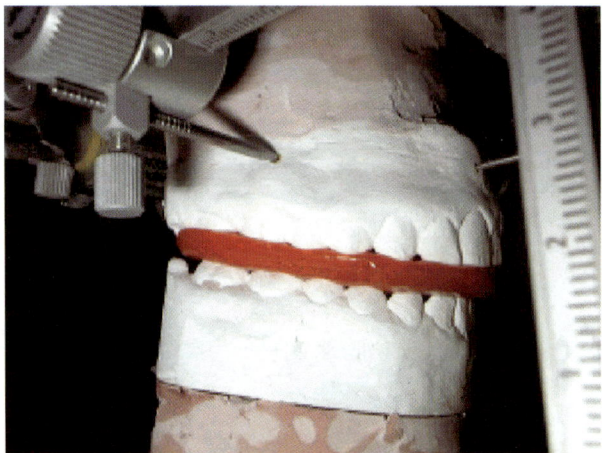 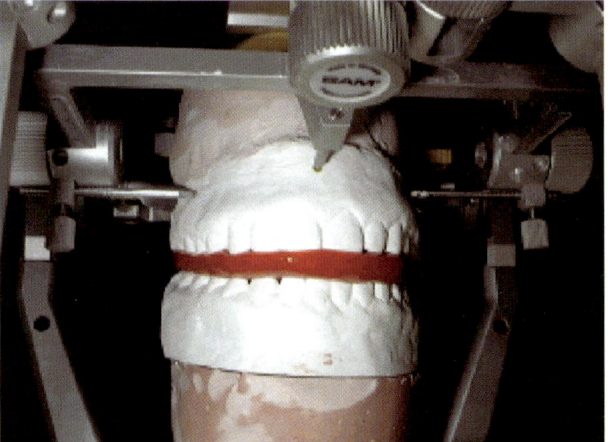

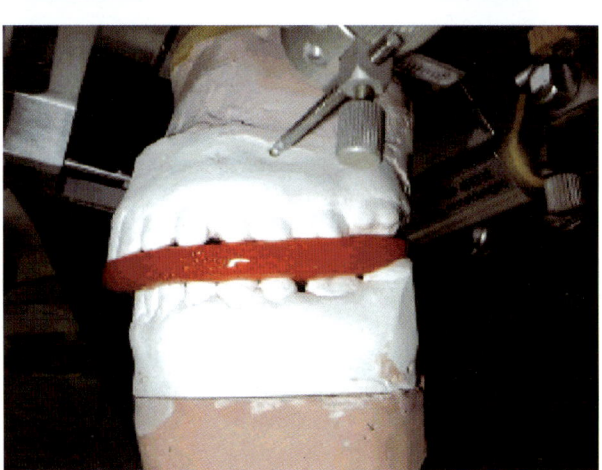

Fig. 21-46 A: Caso # 6 – Realización de la férula quirúrgica intermedia con la cirugía del maxilar superior. Vista derecha; B: Caso # 6 – Realización de la férula quirúrgica intermedia con la cirugía del maxilar superior. Vista central; C: Caso # 6 – Realización de la férula quirúrgica intermedia con la cirugía del maxilar superior. Vista izquierda

Capítulo 21

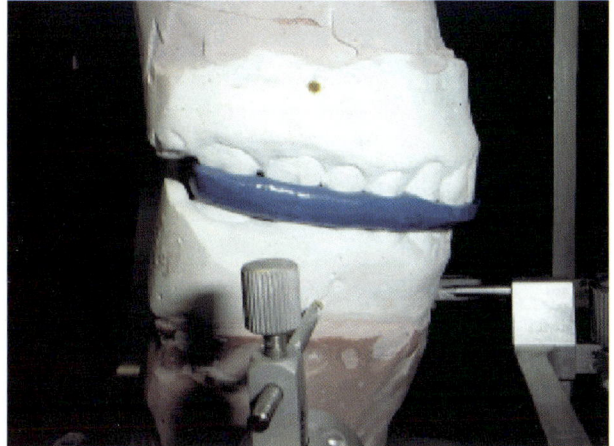

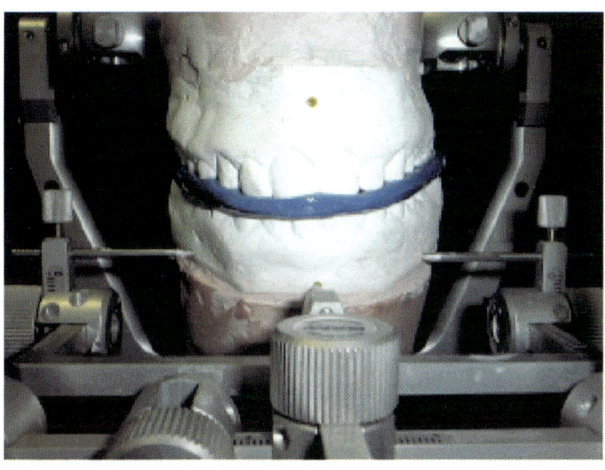

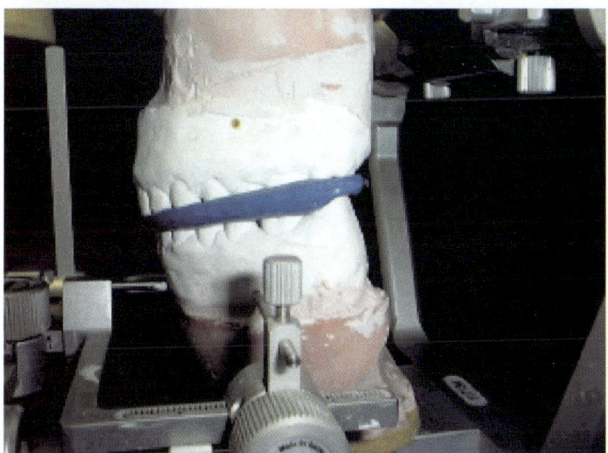

Fig. 21-47 A: Caso # 6 – Realización de la férula quirúrgica definitiva con la cirugía del maxilar inferior. Vista derecha; B: Caso # 6 – Realización de la férula quirúrgica definitiva con la cirugía del maxilar inferior. Vista central; C: Caso # 6 – Realización de la férula quirúrgica definitiva con la cirugía del maxilar inferior. Vista izquierda

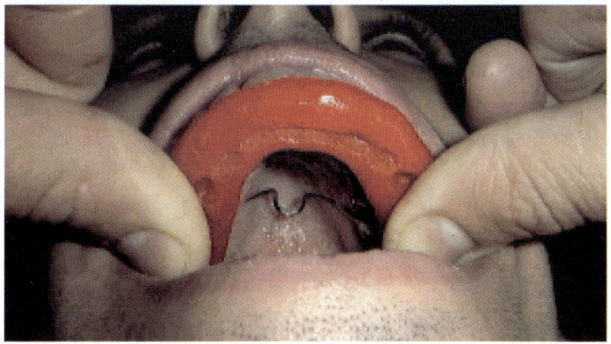

Fig. 21-48A Caso # 6 – Prueba de la férula quirúrgica intermedia en el maxilar superior

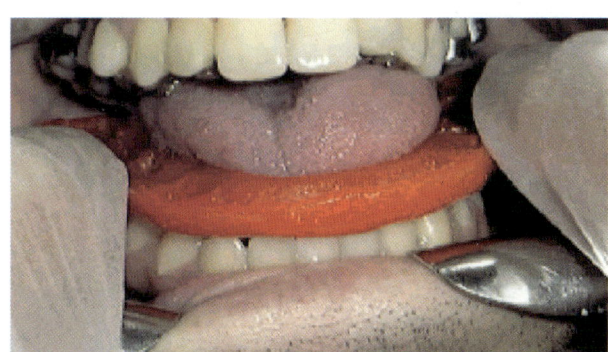

Fig. 21-48B Caso # 6 – Prueba de la férula quirúrgica intermedia en el maxilar inferior

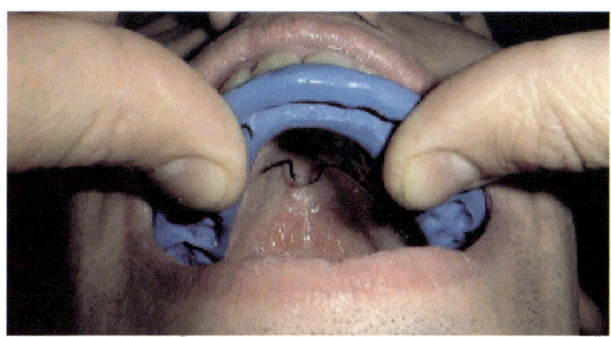

Fig. 21-49A Caso # 6 – Prueba de la férula quirúrgica definitiva en el maxilar superior

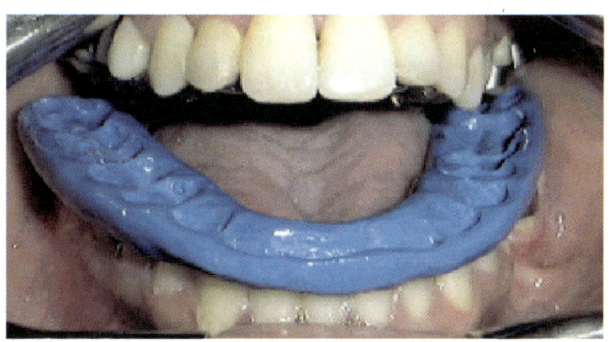

Fig. 21-49B Caso # 6 – Prueba de la férula quirúrgica definitiva en el maxilar inferior

Tratamientos multidisciplinarios: Periodoncia, ATM, Cirugía y Prótesis

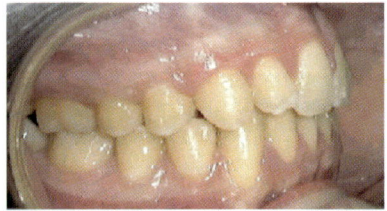
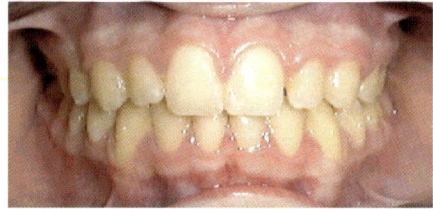
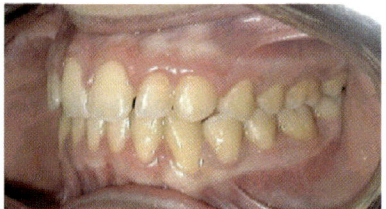

Fig. 21-50   A: Caso # 6 – Caso terminado. Vista intraoral derecha; B: Caso # 6 – Caso terminado. Vista intraoral central; C: Caso # 6 – Caso terminado. Vista intraoral izquierda

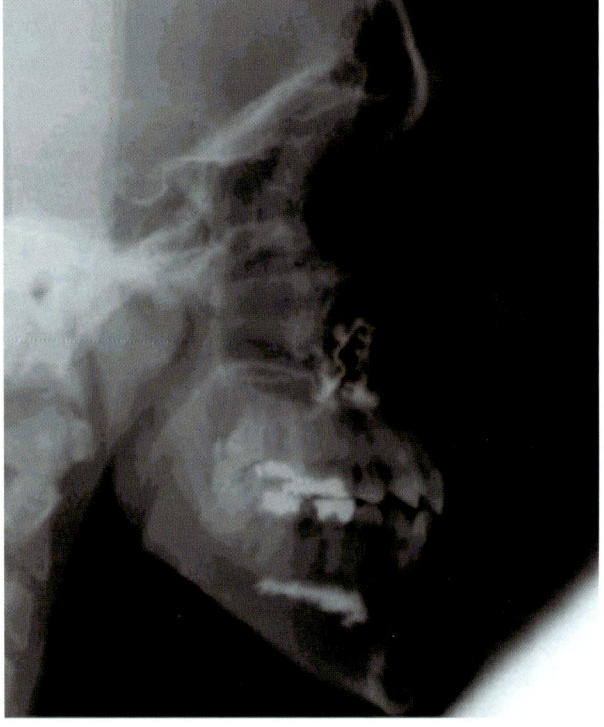

Fig. 21-51   Caso # 6 – Caso terminado. Teleradiografía de perfil

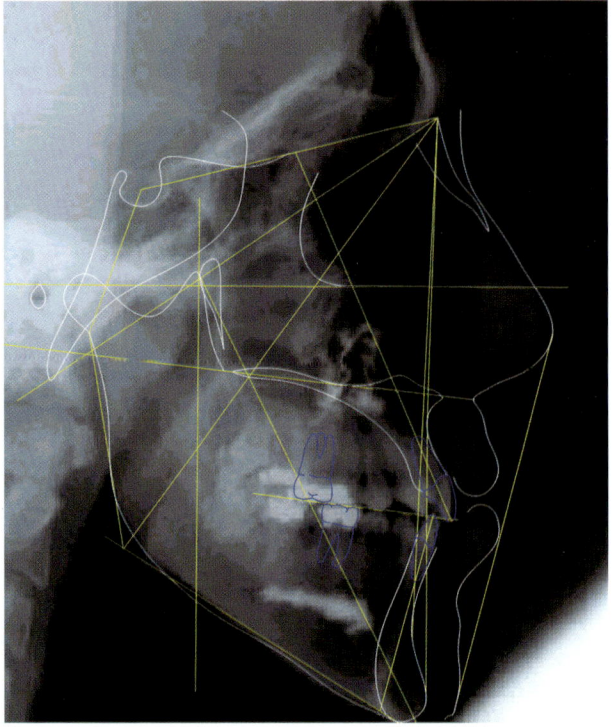

Fig. 21-52   Caso # 6 – Caso terminado. Trazado cefalométrico

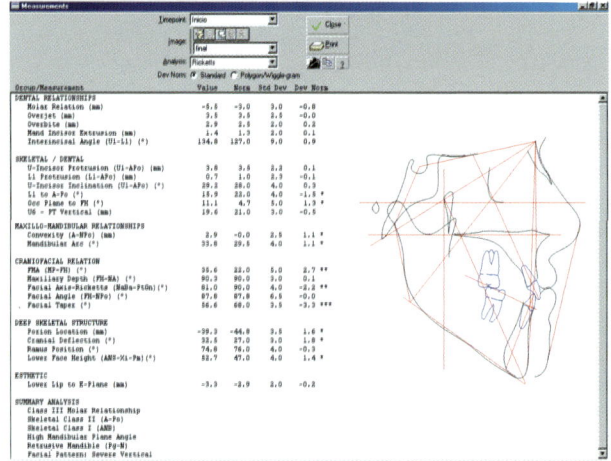

Fig. 21-53   Caso # 6 – Caso terminado. Valores cefalométricos

Capítulo 21

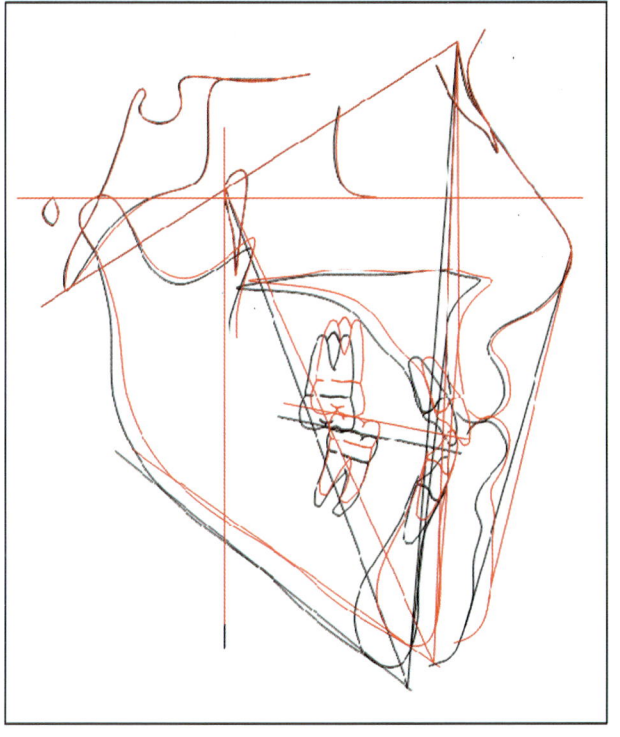

Fig. 21-54A Caso # 6 – Superposición 1

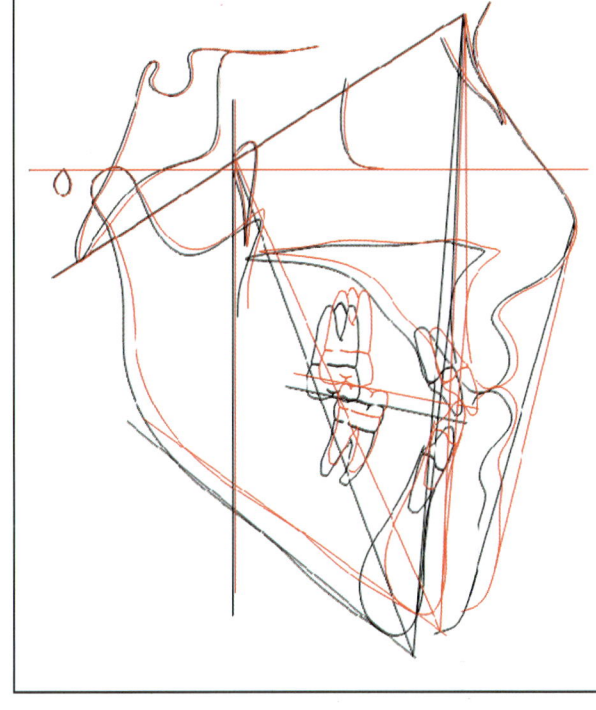

Fig. 21-54B Caso # 6 – Superposición 2

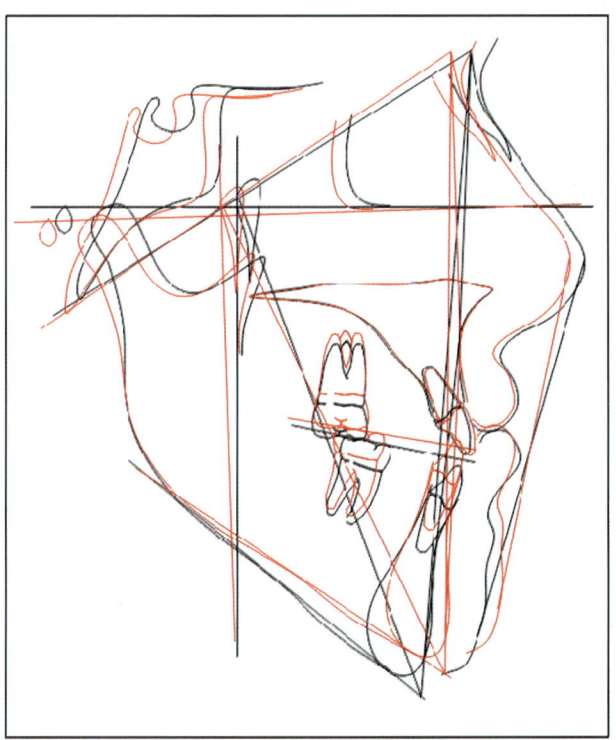

Fig. 21-54C Caso # 6 – Superposición 3

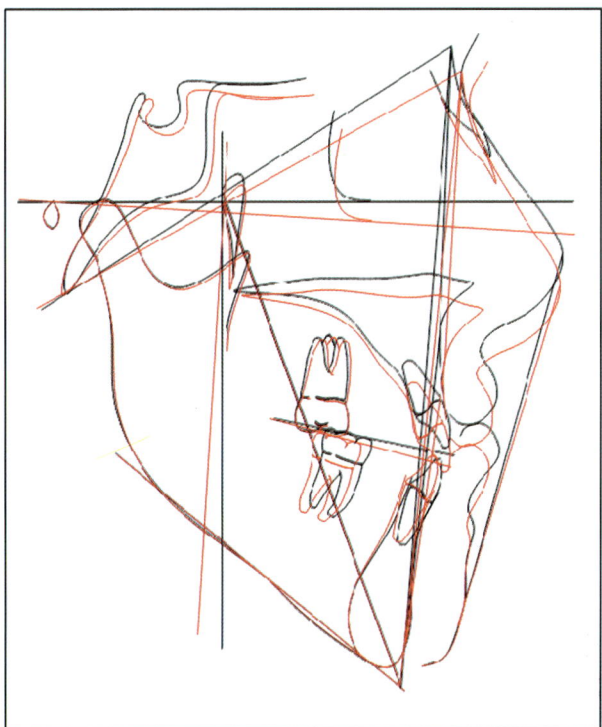

Fig. 21-54D Caso # 6 – Superposición 4

Tratamientos multidisciplinarios: Periodoncia, ATM, Cirugía y Prótesis

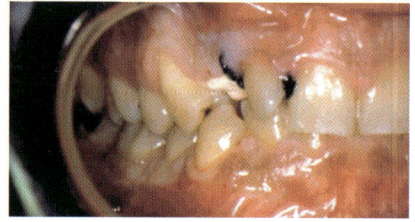 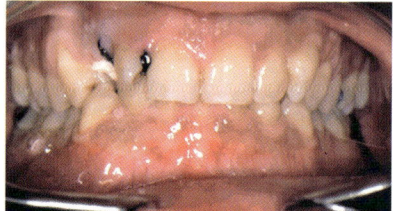 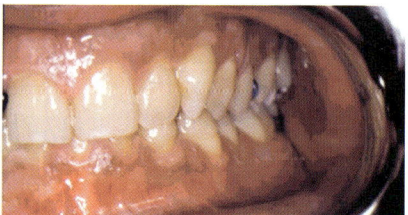

Fig. 21-55   A: Caso # 7 – Paciente con canino superior derecho y los dos caninos inferiores incluidos, vista intraoral derecha; B: Caso # 7 – Paciente con canino superior derecho y los dos caninos inferiores incluidos, vista intraoral central; C: Caso # 7 – Paciente con canino superior derecho y los dos caninos inferiores incluidos, vista intraoral izquierda

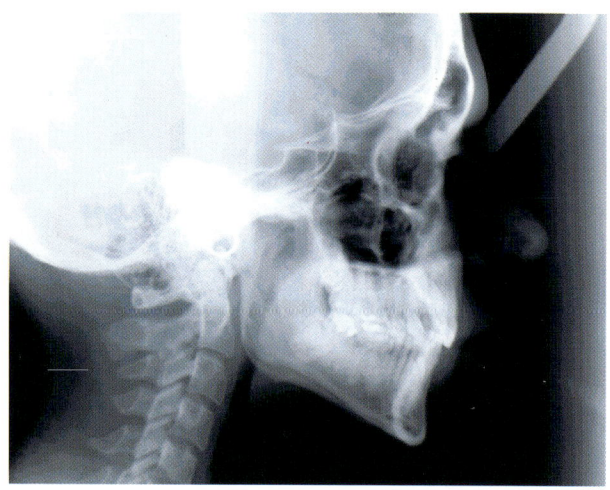

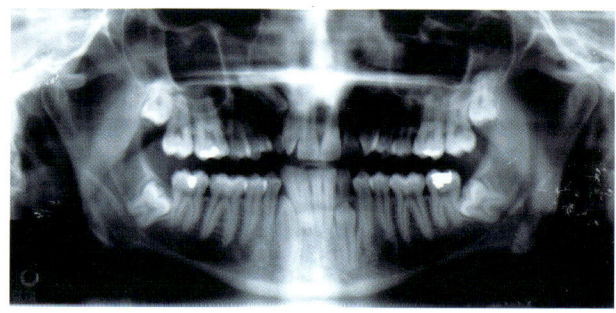

Fig. 21-56A   Caso # 7 – Teleradiografía inicial

Fig. 21-56B   Caso # 7 – Ortopantomografía inicial

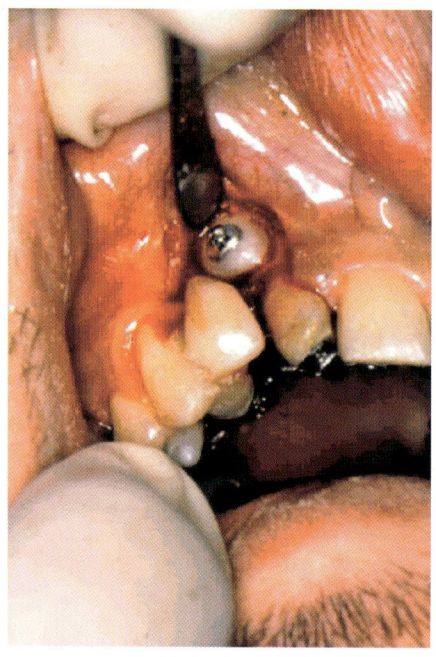

Fig. 21-57A   Caso # 7 – Colgajo muco-perióstico y boton cementado

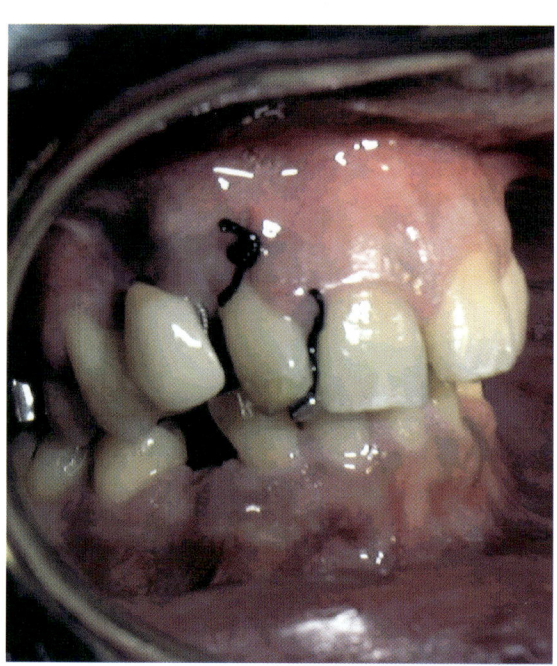

Fig. 21-57B   Caso # 7 – Sutura después del colgajo

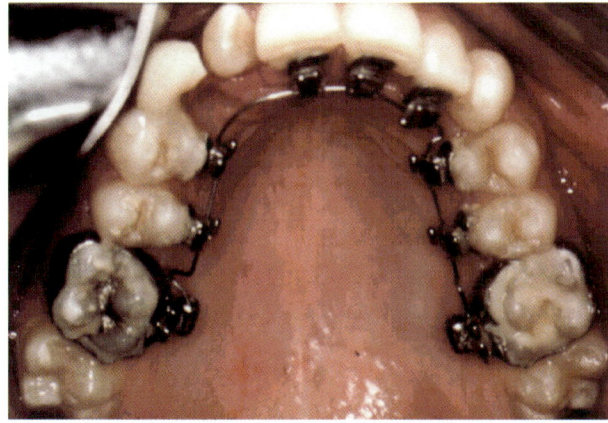

Fig. 21-58A Caso # 7 – Tratamiento en el maxilar superior

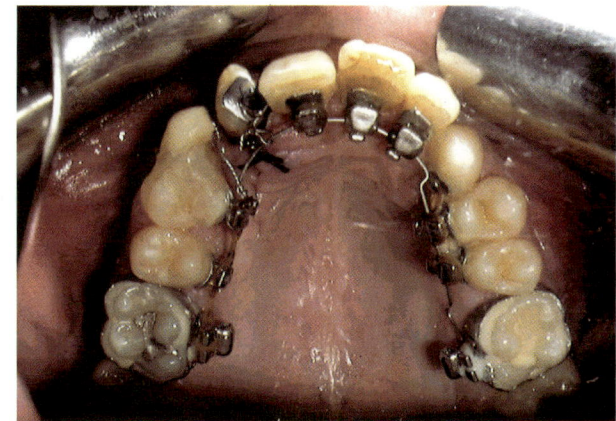

Fig. 21-58B Caso # 7 – Tratamiento en el maxilar superior (progreso)

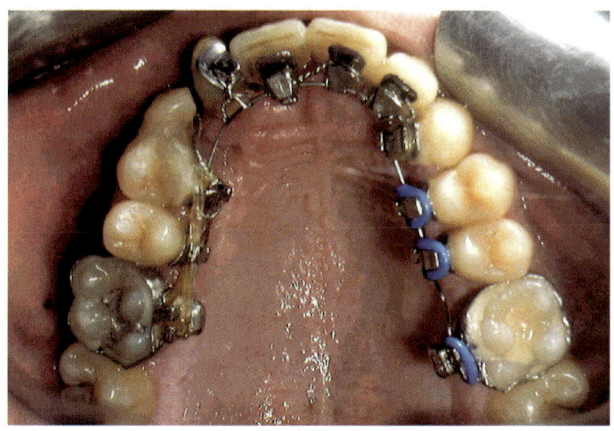

Fig. 21-58C Caso # 7 – Tratamiento en el maxilar superior (progreso)

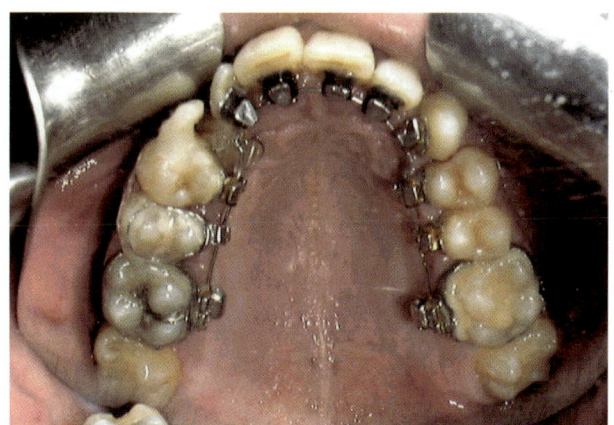

Fig. 21-58D Caso # 7 – Tratamiento en el maxilar superior (progreso)

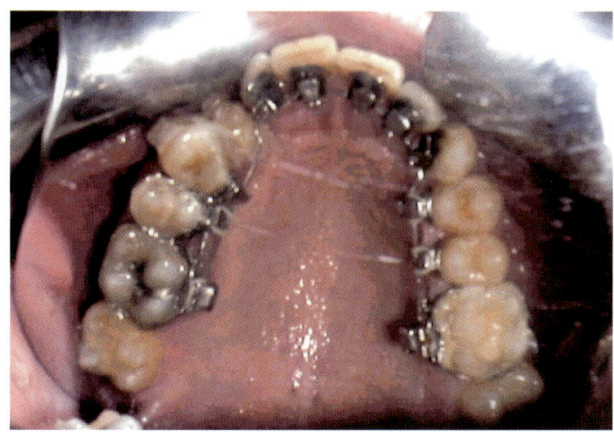

Fig. 21-58E Caso # 7 – Tratamiento en el maxilar superior (progreso)

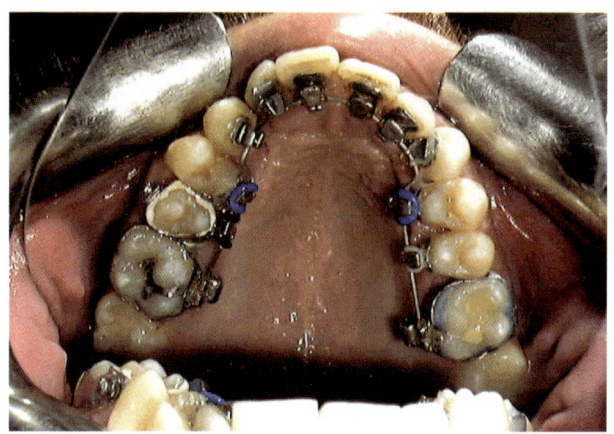

Fig. 21-58F Caso # 7 – Tratamiento en el maxilar superior (progreso)

Tratamientos multidisciplinarios: Periodoncia, ATM, Cirugía y Prótesis

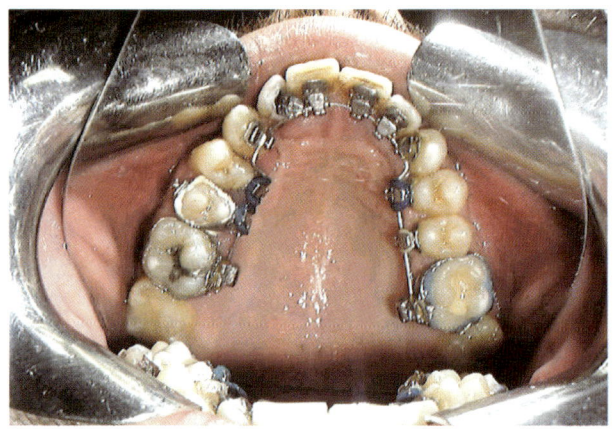

Fig. 21-58G   Caso # 7 – Tratamiento en el maxilar superior (progreso)

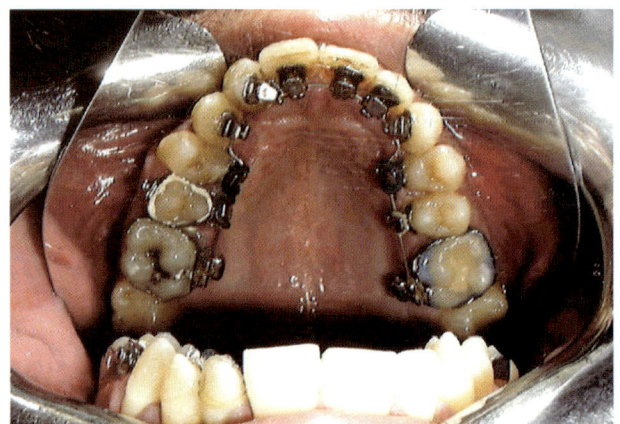

Fig. 21-58H   Caso # 7 – Tratamiento en el maxilar superior (progreso)

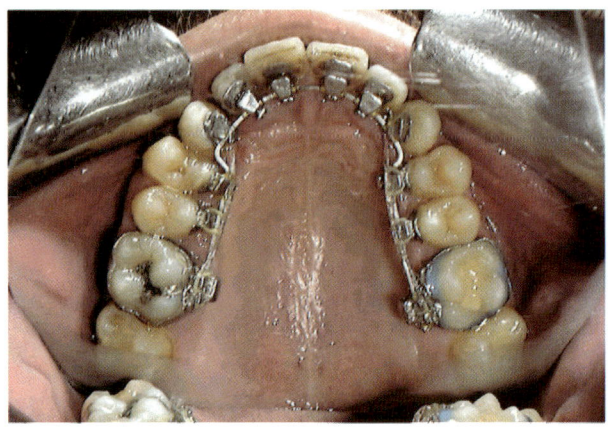

Fig. 21-58I   Caso # 7 – Tratamiento en el maxilar superior (progreso)

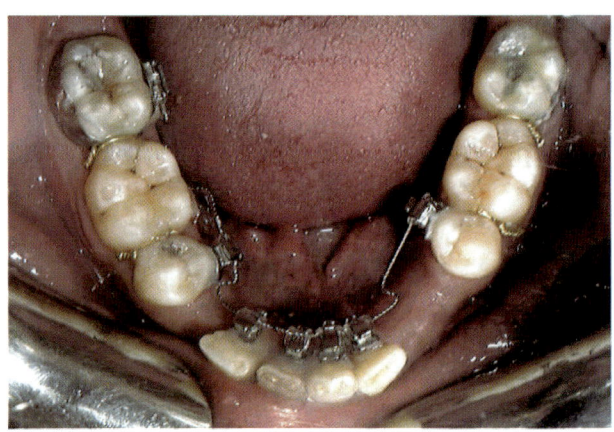

Fig. 21-59A   Caso # 7 – Tratamiento en el maxilar inferior

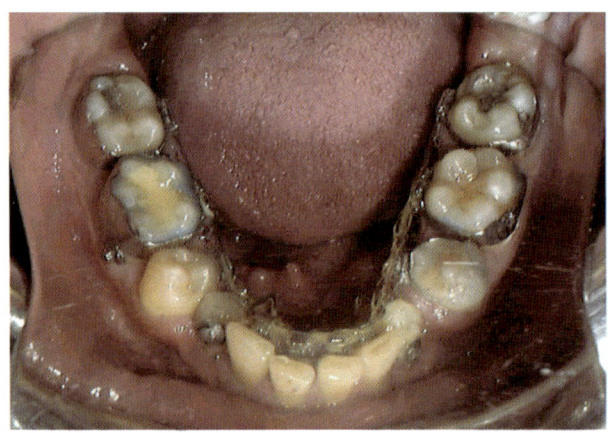

Fig. 21-59B   Caso # 7 – Tratamiento en el maxilar inferior (progreso)

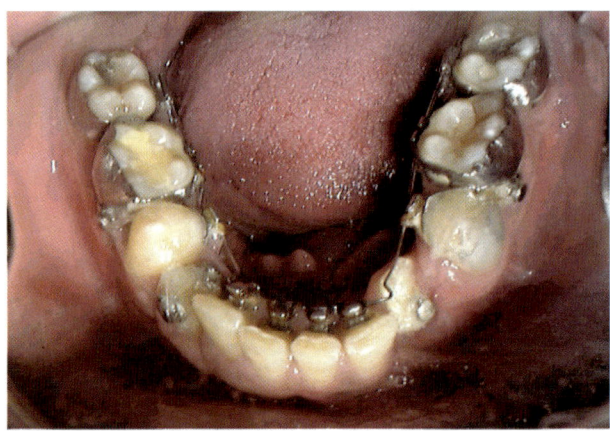

Fig. 21-59C   Caso # 7 – Tratamiento en el maxilar inferior (progreso)

Capítulo 21

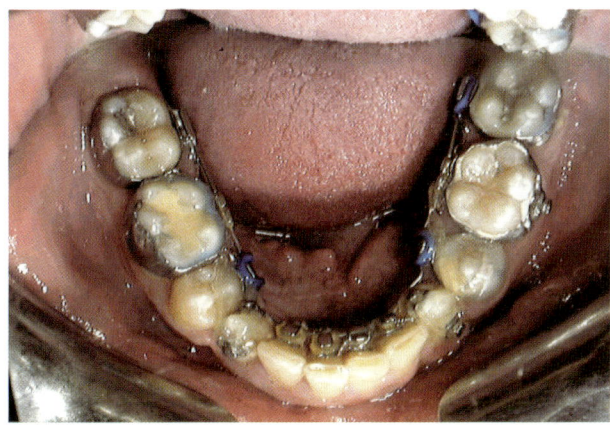

Fig. 21-59D Caso # 7 – Tratamiento en el maxilar inferior (progreso)

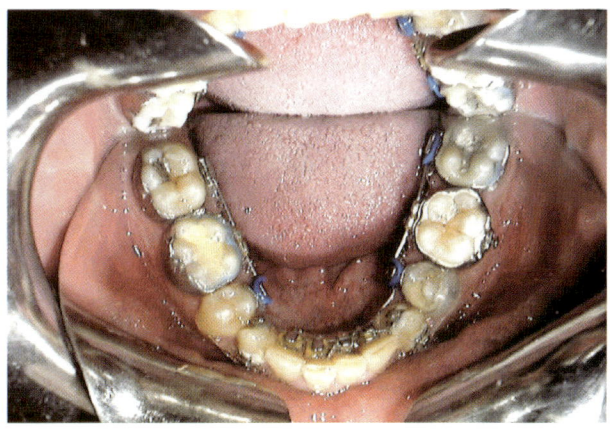

Fig. 21-59E Caso # 7 – Tratamiento en el maxilar inferior (progreso)

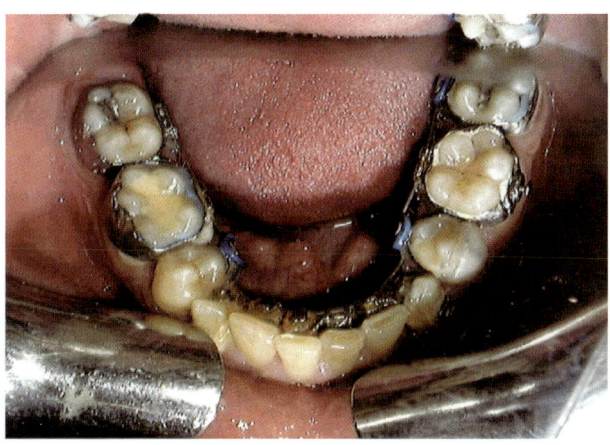

Fig. 21-59F Caso # 7 – Tratamiento en el maxilar inferior (progreso)

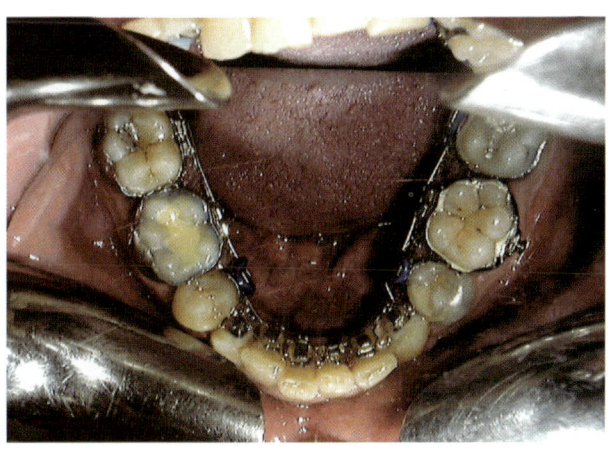

Fig. 21-59G Caso # 7 – Tratamiento en el maxilar inferior (progreso)

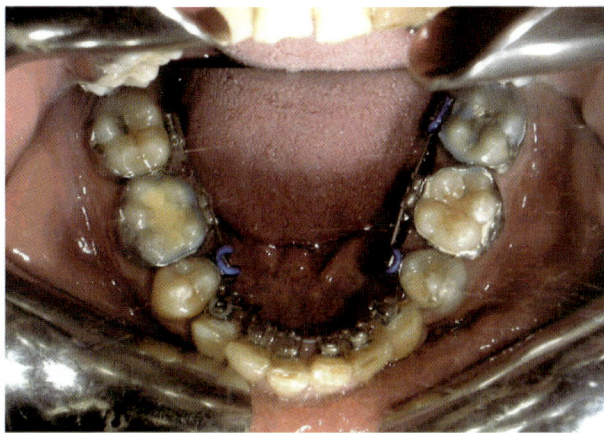

Fig. 21-59H Caso # 7 – Tratamiento en el maxilar inferior (progreso)

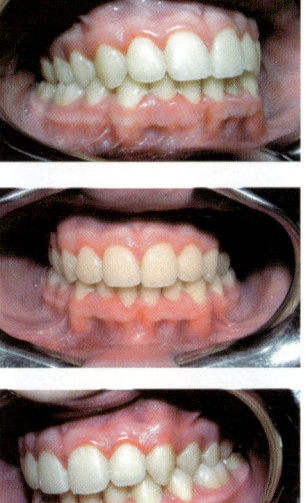

Fig. 21-60A Caso # 7 – Tratamiento terminado, vista intraoral derecha; B: Caso # 7 – Tratamiento terminado, vista intraoral central; C: Caso # 7 – Tratamiento terminado, vista intraoral izquierda

399

Tratamientos multidisciplinarios: Periodoncia, ATM, Cirugía y Prótesis

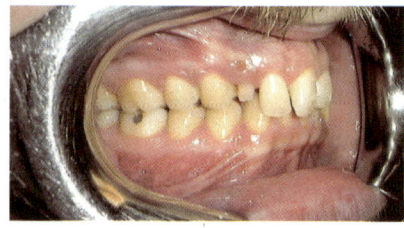
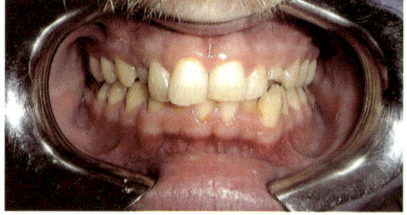
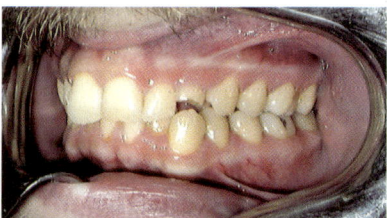

Fig. 21-61 A: Caso # 8 – Paciente con los dos caninos superiores incluidos en palatino. Vista intraoral derecha; B: Caso # 8 – Paciente con los dos caninos superiores incluidos en palatino. Vista intraoral central; C: Caso # 8 – Paciente con los dos caninos superiores incluidos en palatino. Vista intraoral izquierda

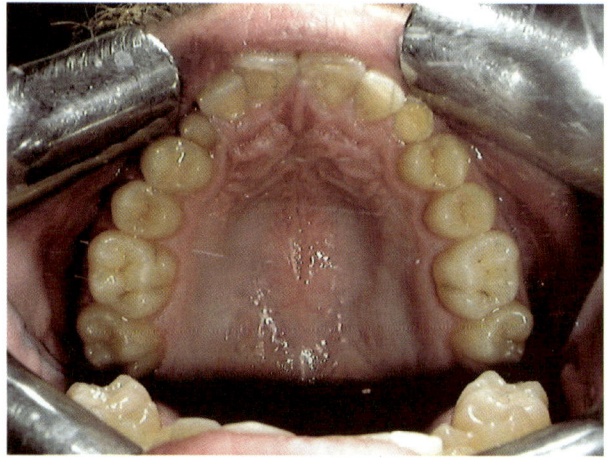

Fig. 21-61D Caso # 8 – Paciente con los dos caninos superiores incluidos en palatino. Vista oclusal superior

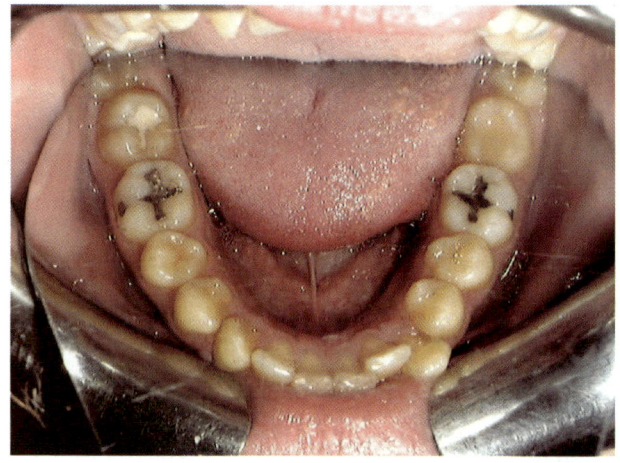

Fig. 21-61E Caso # 8 – Paciente con los dos caninos superiores incluidos en palatino. Vista oclusal inferior

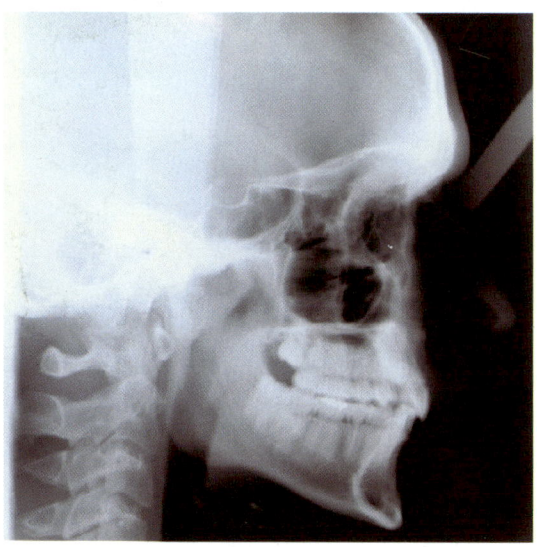

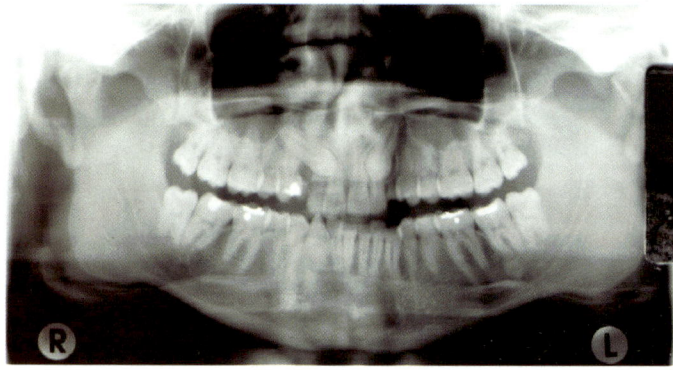

Fig. 21-62 Caso # 8 – Teleradiografía inicial

Fig. 21-63 Caso # 8 – Ortopantomografía inicial

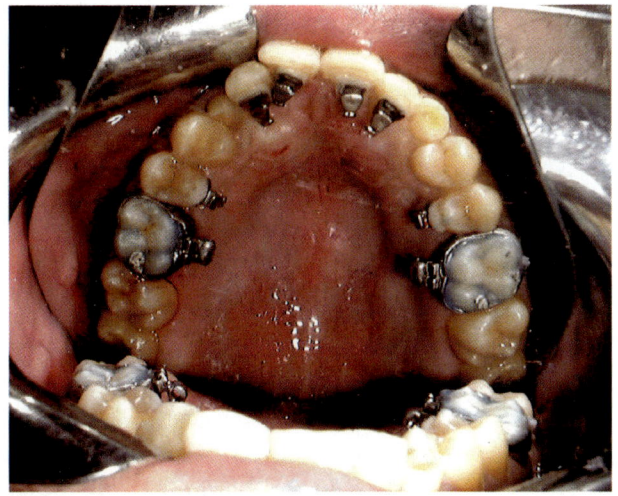

Fig. 21-64A   Caso # 8 – Tratamiento en el maxilar superior

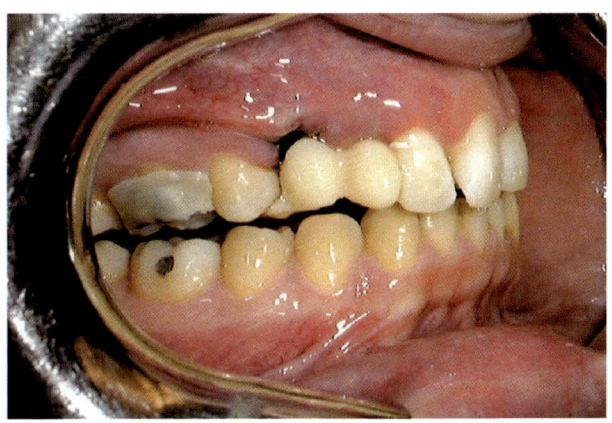

Fig. 21-64B   Caso # 8 – Tratamiento en el maxilar superior (progreso). Obsérvese los provisionales estéticos

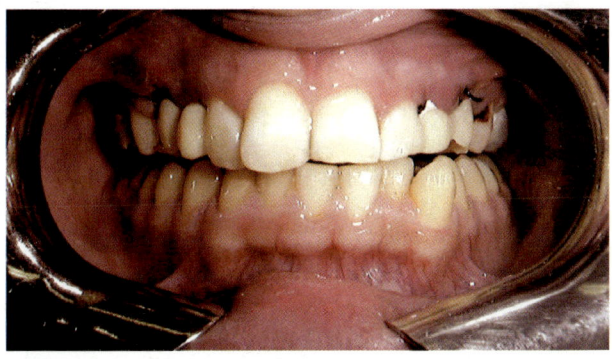

Fig. 21-64C   Caso # 8 – Tratamiento en el maxilar superior (progreso). Obsérvese los provisionales estéticos

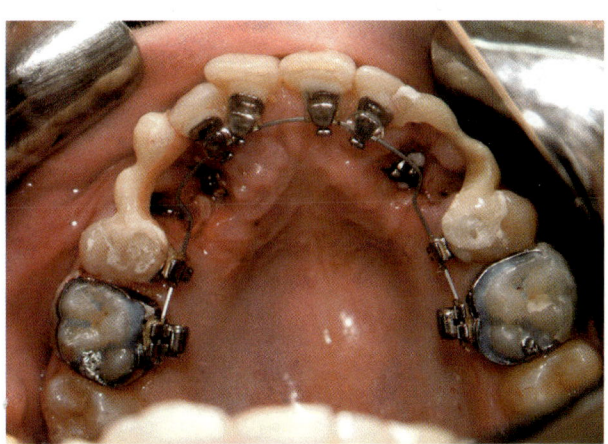

Fig. 21-64D   Caso # 8 – Tratamiento en el maxilar superior (progreso)

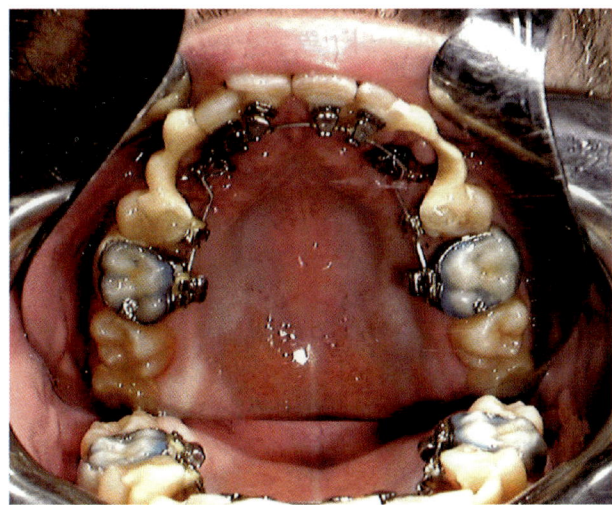

Fig. 21-64E   Caso # 8 – Tratamiento en el maxilar superior (progreso)

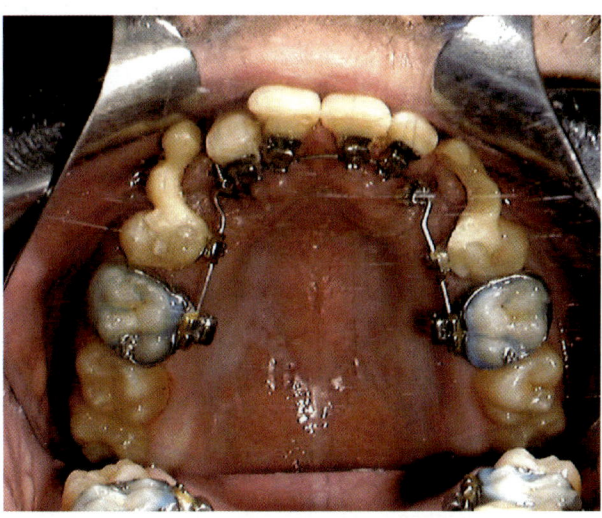

Fig. 21-64F   Caso # 8 – Tratamiento en el maxilar superior (progreso)

Tratamientos multidisciplinarios: Periodoncia, ATM, Cirugía y Prótesis

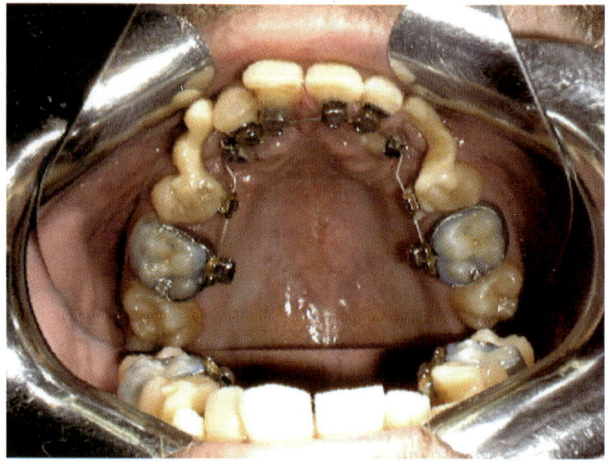

Fig. 21-64G   Caso # 8 – Tratamiento en el maxilar superior (progreso)

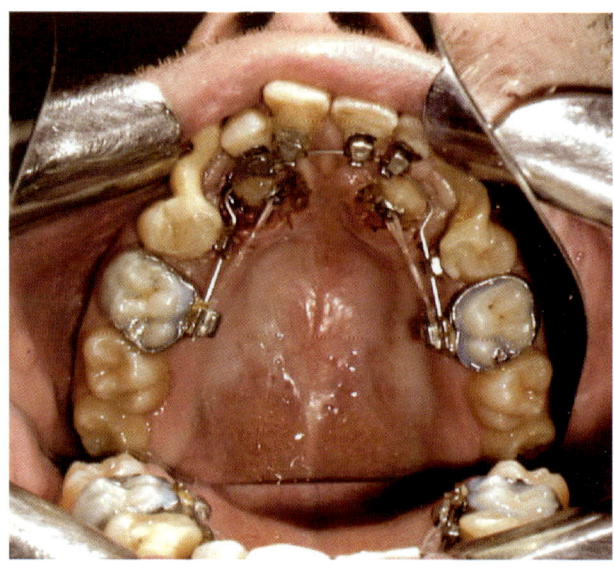

Fig. 21-64H   Caso # 8 – Tratamiento en el maxilar superior (progreso)

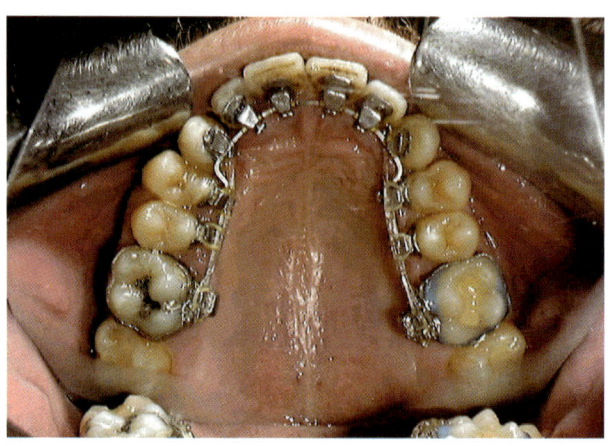

Fig. 21-64I   Caso # 8 – Tratamiento en el maxilar superior (progreso)

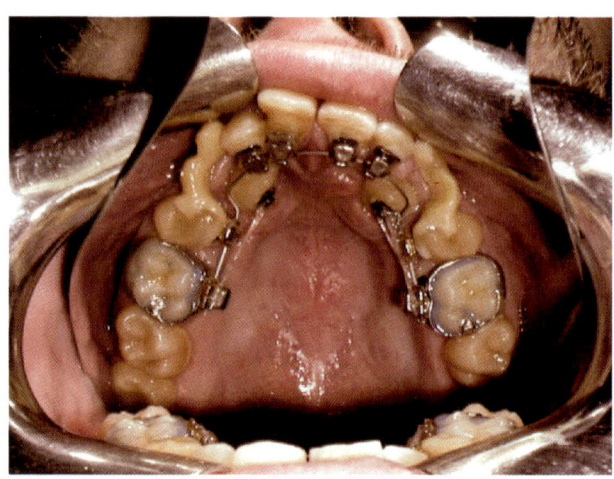

Fig. 21-64J   Caso # 8 – Tratamiento en el maxilar superior (progreso)

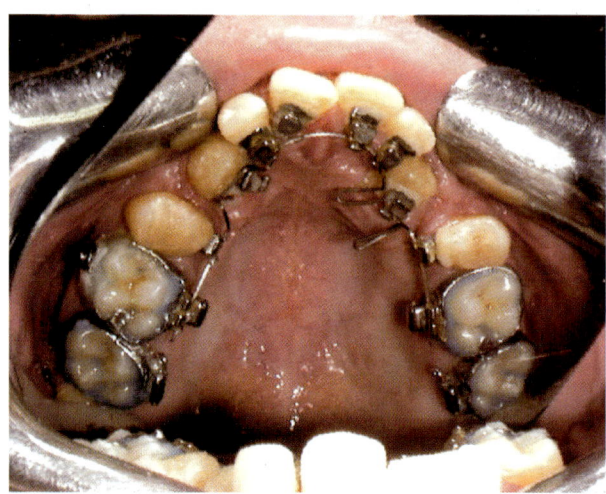

Fig. 21-64K   Caso # 8 – Tratamiento en el maxilar superior (progreso)

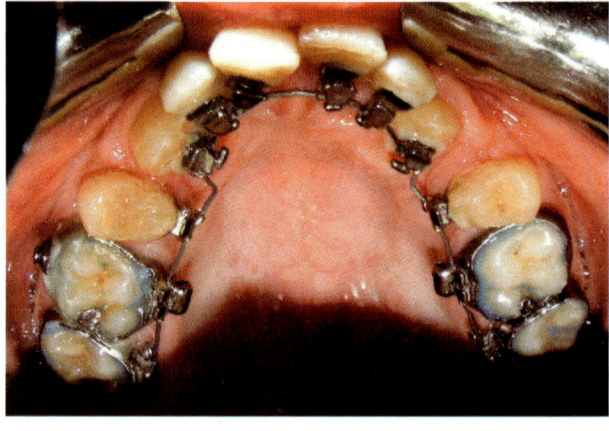

Fig. 21-64L   Caso # 8 – Tratamiento en el maxilar superior (progreso)

Capítulo 21

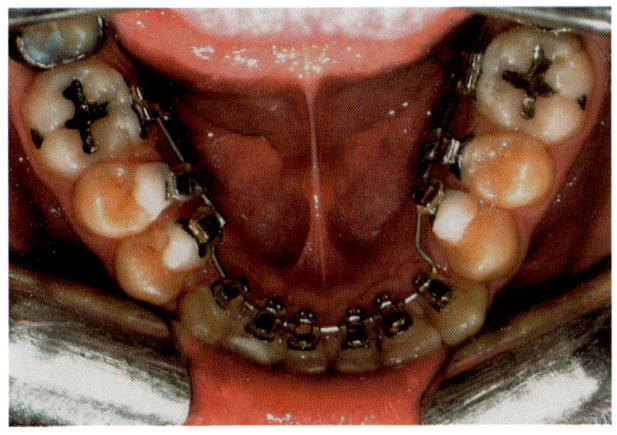

Fig. 21-65A   Caso # 8 – Tratamiento en el maxilar inferior

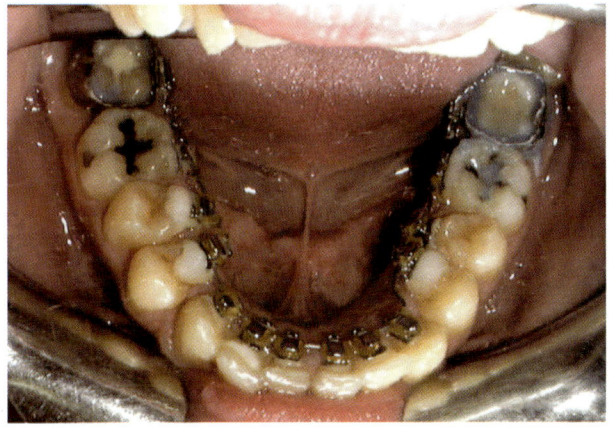

Fig. 21-65B   Caso # 8 – Tratamiento en el maxilar inferior (progreso)

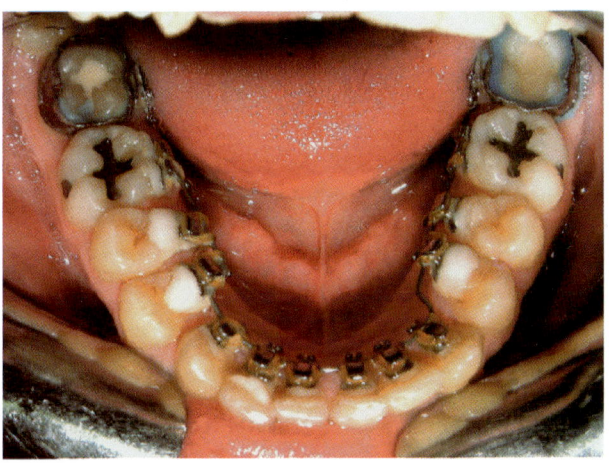

Fig. 21-65C   Caso # 8 – Tratamiento en el maxilar inferior (progreso)

403

Confort del paciente 22

- Introducción 407
- Máximo confort en ortodoncia lingual 408

Introducción

Es muy importante el cuidado del paciente en cuanto a minimizar las molestias que puede tener durante el tratamiento de ortodoncia lingual.

En general el paciente adulto refiere más dolor al tratamiento ortodóncico, tanto vestibular como lingual, que el paciente adolescente. Pero además, el tratamiento lingual origina algunas molestias específicas.

En un estudio realizado en Japón por Miyawaki y colaboradores con cuestionarios a 111 pacientes, obtuvieron los siguientes resultados:

- 57 a 76% se quejaron de dolor en la lengua, dificultad para masticar comidas fibrosas, dificultades para pronunciar la "S" y la "T" (en inglés), y dificultad para el cepillado.
- 20 a 44% experimentaron altos niveles de las molestias antes mencionadas.
- 20 a 46% sintieron las molestias hasta que se quitaron los brackets.
- El ratio de disconfort en cuanto a dolor en la lengua y dificultad de pronunciación fue aproximadamente igual con los brackets superiores e inferiores.
- Los estudios mostraron que cuanto más profunda la mordida, más alto el nivel de dolor en la lengua, dolor en los dientes y dificultad en masticar comida dura, y que cuanto más overjet, más dolor en la lengua.

Los estudios de Fillión, revelaron los siguientes resultados:

Duración del período de adaptación:
- 1 semana   9%
- 2 semanas   29%
- 3 semanas   26%
- Más de 3 semanas   36%

Lo encontró:
- Fácilmente soportable   27%
- Moderadamente soportable   45%
- Difícil   27%

Qué le molestó más:
- El contacto con la lengua   44%
- Masticación   20%
- Pronunciación   36%

Fue el período de adaptación más largo:
- Para el maxilar superior   53%
- Para el maxilar inferior   47%

Habló bien después:
- Si   82%
- No   18%

Masticó bien después:
- Si   80%
- No   20%

El tratamiento le molestó en su actividad profesional:
- Si   12%
- No   88%

Fig. 22-01 Algunos de los trípticos de información a pacientes diseñados y producidos en la consulta del autor

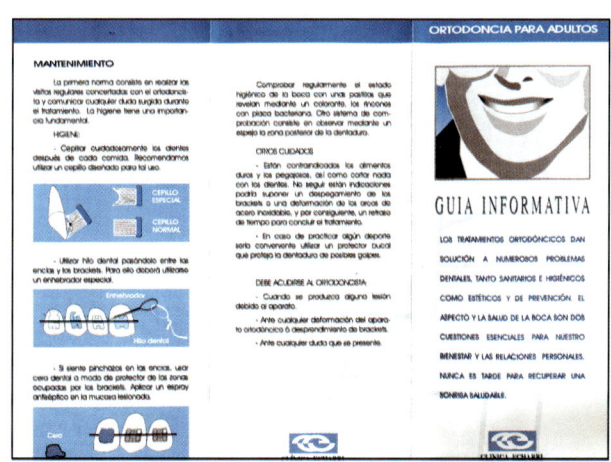

Fig. 22-02A Tríptico de información sobre ortodoncia en adultos editado en Clínica Echarri (anverso)

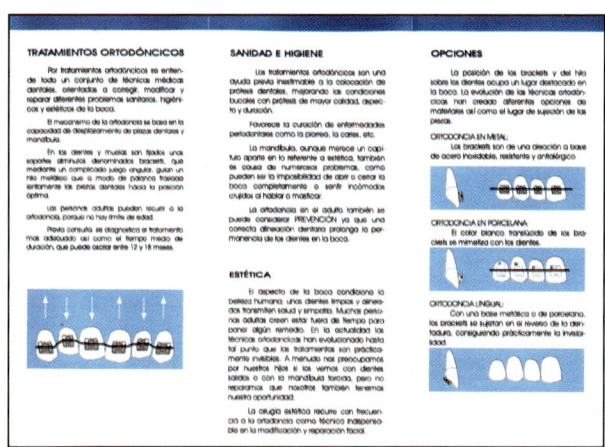

Fig. 22-02B Tríptico de información sobre ortodoncia en adultos editado en Clínica Echarri (reverso)

El tratamiento le molestó en su actividad social:
- Si   6%
- No   94%

Fig. 22-03A Tríptico de información sobre ortodoncia lingual editado en Clínica Echarri (anverso)

En mi práctica encontramos que:
- Los pacientes adultos refieren mucho más dolor y molestias al tratamiento ortodóncico, tanto sea con brackets vestibulares o linguales, pero refieren más molestias todavía si los aparatos son palatinos (botón de Nance, disyuntores, etc.) o si los aparatos ortodóncicos interfieren la oclusión.
- Los pacientes de ortodoncia lingual aprecian la estética del tratamiento, pero la mayoría refiere molestias durante las primeras 3-4 semanas de tratamiento.
- Los pacientes aprecian mucho todos los cuidados que podamos ofrecerles y la posibilidad de obtener rápidamente solución e información respecto a su problema.
- Sólo un mínimo porcentaje de pacientes no refiere ningún tipo de molestias desde el inicio del tratamiento.
- La mayoría de los pacientes superan las molestias después del primer mes de tratamiento y las molestias pueden aparecer sólo de forma esporádica durante el resto de tratamiento.

Máximo confort en Ortodoncia Lingual

A continuación se describen algunas maniobras clínicas que permitirán al clínico maximizar el confort del paciente.

Máxima información al paciente

El paciente debe estar completamente informado de los inconvenientes o molestias que va a sentir. Las explicaciones se deben realizar en la primera visita por parte del

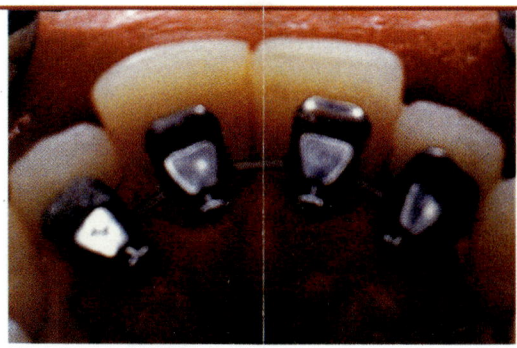

Fig. 22-03B Tríptico de información sobre ortodoncia lingual editado en Clínica Echarri (reverso)

ortodoncista, y el personal auxiliar debe repetir la información que debe ser clara y concisa. Asimismo la ayuda con folletos explicativos, páginas web de consulta, o teléfono de consulta resultan muy útiles (figs. 22-01 a 22-05). Las molestias más frecuentes son dificultad de vocalización, masticación y deglución, así como molestias en la lengua durante un período de aproximadamente 3-4 semanas.

Se pueden indicar ejercicios para mejorar la pronunciación más rápidamente (consultar con logopedas).

Servicio de urgencias 24 horas, 365 días

Se debe ofrecer a los pacientes un servicio de urgencias de 24 horas durante 365 días con personal debidamente entrenado para solucionar emergencias de técnica lingual. Si se realizan convenios con otras clínicas a las que se dirigen los pacientes en horarios fuera de los habituales, se debe explicar al personal de estas clínicas cuál es la mejor forma de tratar las emergencias en ésta técnica. Se debe prestar especial atención a los desplazamientos del paciente por trabajo o vacaciones y facilitar un servicio "in situ" a pacientes que se desplazan desde lejos. El servicio de consulta por teléfono y/o página web resulta imprescindible, pero también se debe contactar con profesionales de la zona donde se desplaza el paciente para atender nuestras urgencias. Las sociedades de ortodoncia lingual resultan especialmente útiles para identificar a los ortodoncistas familiarizados con la técnica.

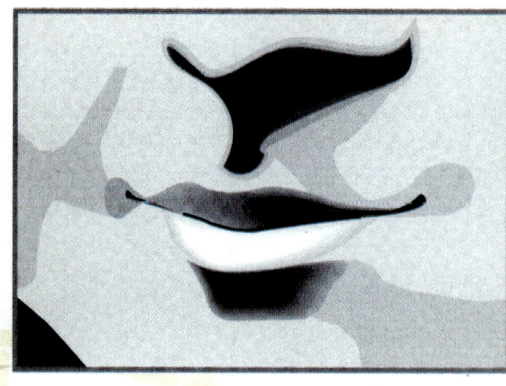

Fig. 22-04A   Tríptico de información sobre retención editado en Clínica Echarri (anverso)

Máxima estética

El paciente de ortodoncia lingual valora la estética por lo que además de utilizar brackets linguales se deben realizar otras acciones para mejorar la estética como el recubrimiento estético de bandas por vestibular utilizando composites y la utilización de pónticos para los espacios de extracción (figs. 22-06A y B).

Utillaje de higiene

Es recomendable proveer al paciente con el utillaje necesario para la higiene dental o la protección de úlceras. Se recomienda entregar al paciente todo lo necesario para asegurarse de que dispone de estos elementos. Diferentes compañías ofrecen estuches preparados con todo lo necesario como: cepillos denta-

TRATAMIENTO

Una vez hemos conseguido que los dientes ocluyan correctamente, los brackets son despegados, pero el tratamiento no está terminado, pues los factores que provocaron la mal oclusión todavía pueden estar activos:

- Crecimiento dentario desfavorable.
- Disfunciones bucales, etc.

La continuación del tratamiento en esta fase de retención se inicia con un aparato removible que servirá para consolidar los resultados obtenidos.

APARATOS REMOVIBLES

Los aparatos removibles no están fijados o cementados en los dientes, como en el caso de los aparatos fijos a base de brackets. Los aparatos removibles se sostienen en la dentadura a base de anclajes y ganchos sin sujeción mecánica directa.

Durante todo el tratamiento, los aparatos se usan por la noche.

APARATOS FIJOS

En la etapa de RETENCIÓN, todavía pueden necesitarse aparatos fijos. Los aparatos fijos utilizados en esta etapa pueden consistir en unos arcos de fibra óptica muy finos (sin brackets), colocados en la parte interior de los dientes; por esta razón su uso pasa totalmente desapercibido.

RESULTADOS

Al finalizar el tratamiento, será posible comparar mediante dos fotografías los resultados obtenidos.

Fig. 22-04B Tríptico de información sobre retención editado en Clínica Echarri (reverso)

les especiales para ortodoncia, cepillos interdentales, hilo dental, enhebradores, etc. Es muy importante en ortodoncia lingual el uso de irrigadores bucales con colutorios (figs. 22-07A y B). Se deben entrenar a los pacientes en el uso de todos los elementos de higiene. En la figura 22-05 se puede ver la información que se les entrega a los pacientes, y en las figuras 22-08A a 22-10D se puede observar el entrenamiento de un paciente utilizando un tipodonto con brackets linguales.

No cementar las dos arcadas en la misma visita

Algunos autores recomiendan cementar las dos arcadas

Fig. 22-05 Información sobre instrucciones para pacientes de ortodoncia lingual editado en Clínica Echarri

Capítulo 22

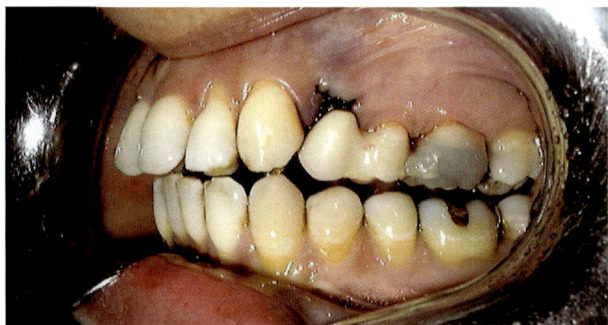

Fig. 22-06A Paciente con recubrimiento estético de la banda del primer molar y póntico estético para cubrir el espacio de extracción del primer premolar (vista lateral)

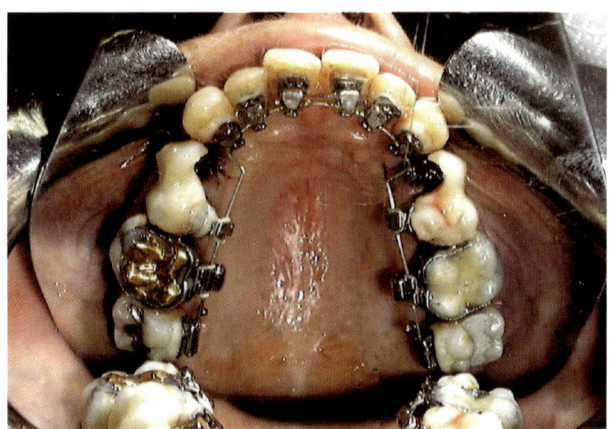

Fig. 22-06B Paciente con póntico estético para cubrir el espacio de extracción del primer premolar (vista oclusal)

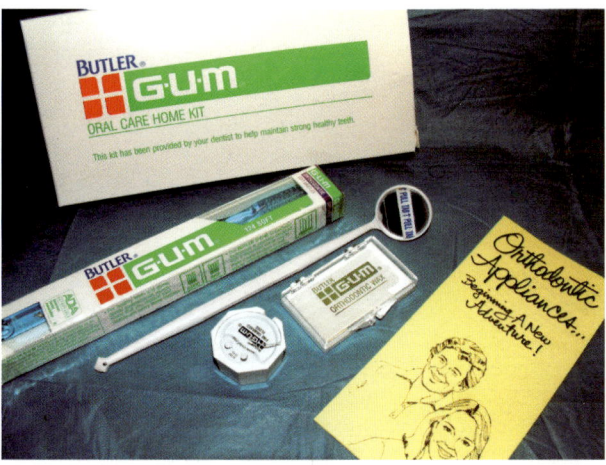

Fig. 22-07A Estuche para la higiene bucal de los pacientes portadores de ortodoncia

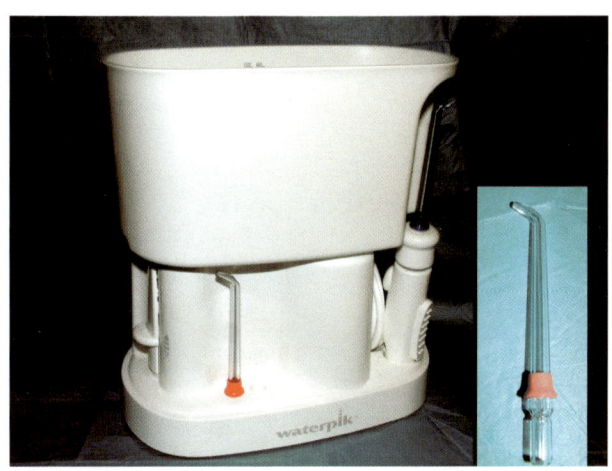

Fig. 22-7B Irrigador bucal

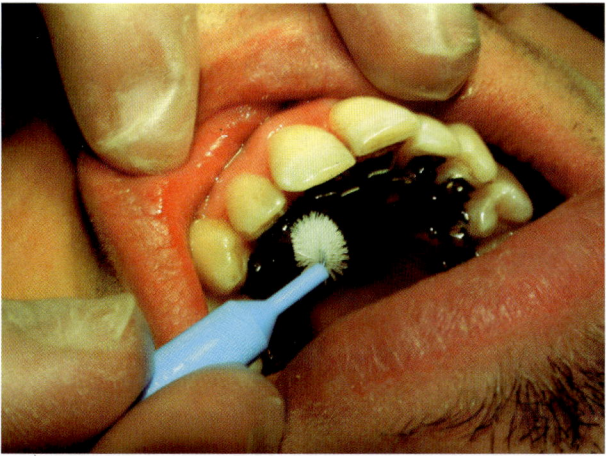

Fig. 22-08A Utilización del cepillo interdental en boca

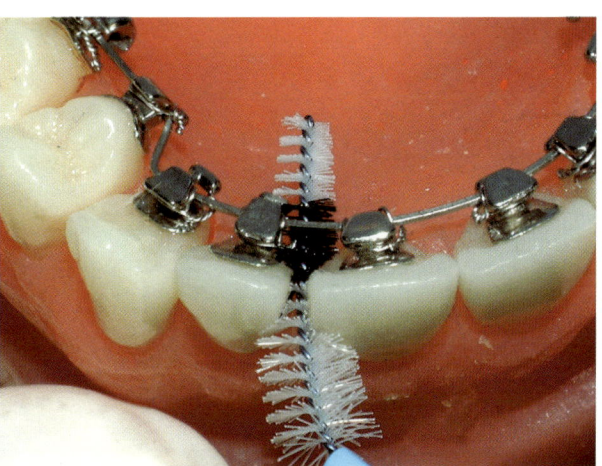

Fig. 22-08B Utilización del cepillo interdental en tipodonto

en la misma visita. El autor recomienda cementar la arcada superior y esperar por lo menos un mes hasta que el paciente se adapte para cementar la arcada antagonista. Si se planifica un tratamiento más largo en una de las dos arcadas, se debe cementar primero la arcada de mayor tratamiento y la arcada antagonista se podría cementar meses más tarde calculando el tiempo para acabar las dos simultáneamente.

Confort del paciente

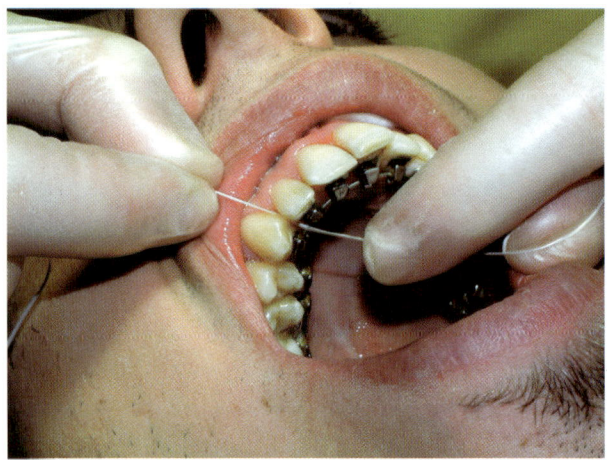

Fig. 22-09A Utilización de la seda dental normal por encima del arco en boca

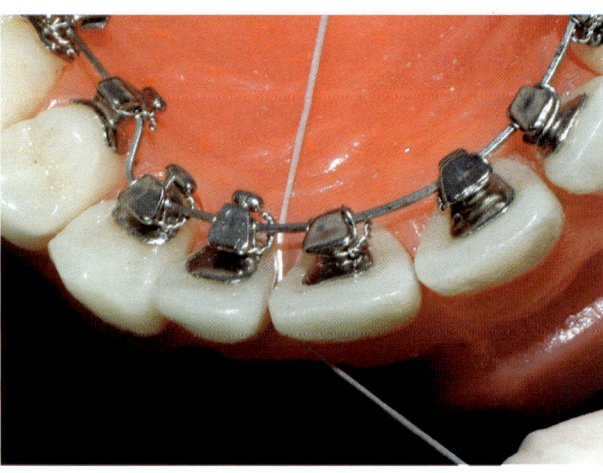

Fig. 22-09B Utilización de la seda dental normal por encima del arco en tipodonto

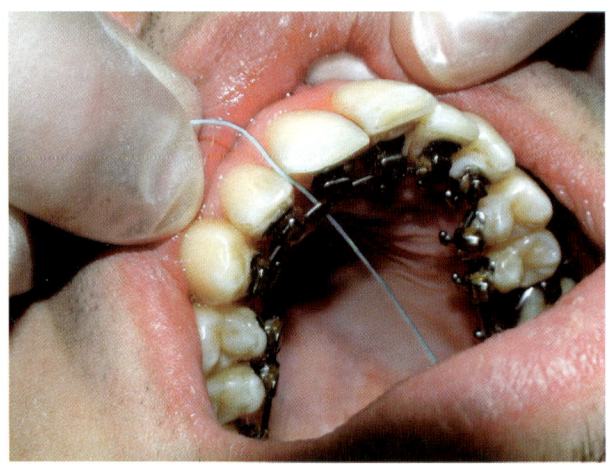

Fig. 22-10A Utilización de la seda dental tipo FLOSS pasando por debajo del arco en boca

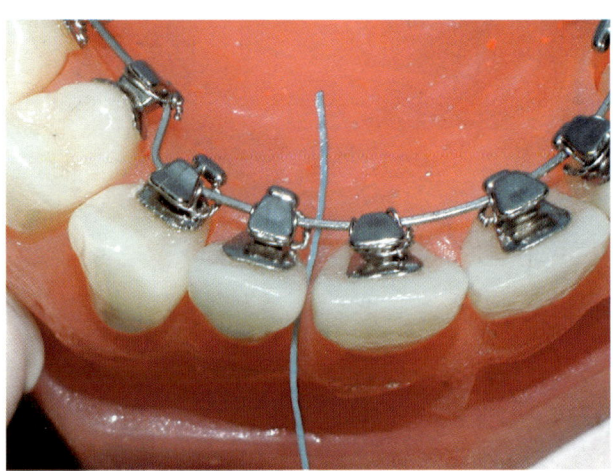

Fig. 22-10B Utilización de la seda dental tipo FLOSS pasando por debajo del arco en tipodonto

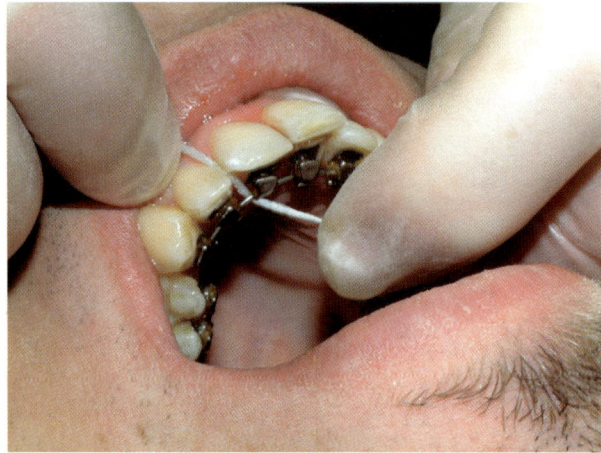

Fig. 22-10C Utilización de la seda dental tipo FLOSS ya pasada por debajo del arco en boca

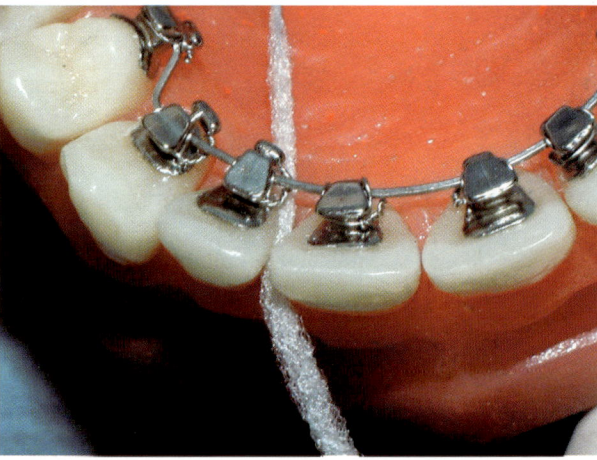

Fig. 22-10D Utilización de la seda dental tipo FLOSS ya pasada por debajo del arco en tipodonto

Doblez distal de TODOS los arcos

Todos los arcos se deben doblar en distal del último tubo ya sea para limitar el efecto sliding como para evitar lesiones cuando el arco va sobresaliendo de los tubos molares durante el cierre de espacios.

Capítulo 22

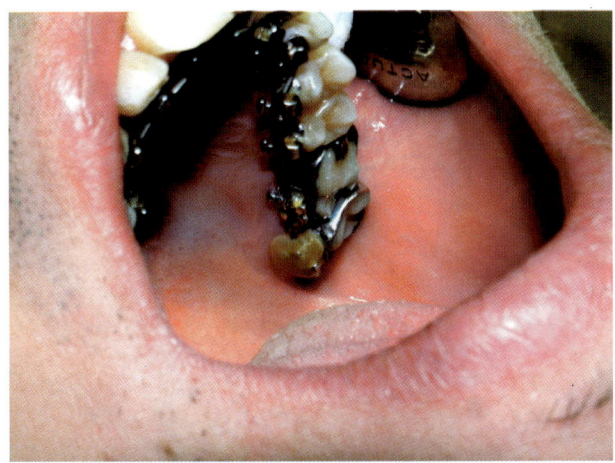

Fig. 22-11A   Utilización de cera o silicona en boca

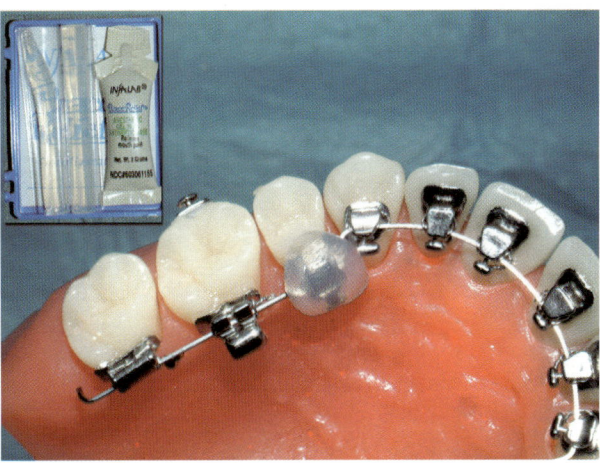

Fig. 22-11B   Utilización de cera o silicona en tipodonto

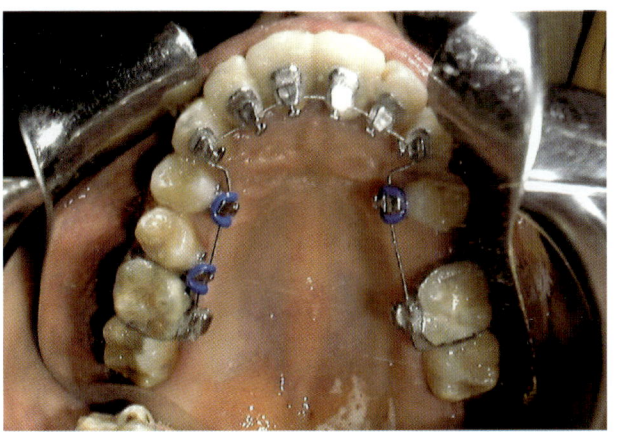

Fig. 22-12A   Paciente de ortodoncia lingual que consulta por molestias múltiples en toda la lengua, especialmente durante la noche

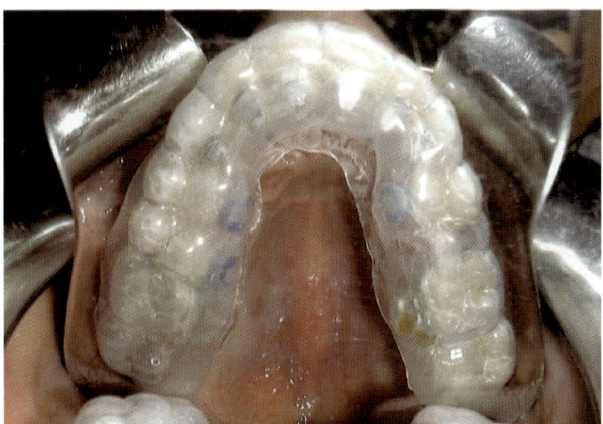

Fig. 22-12B   Protector de Bioplast de 2 mm para dormir, vista oclusal

Protección directa

También se debe proveer al paciente de elementos para la protección contra úlceras como: cera dental, silicona con anestésico-antiséptico (INFA-LAB) (figs. 22-11A y B). También se deben recetar antisépticos-anestésicos en spray o colutorios.

Protectores blandos

Para pacientes muy susceptibles se pueden utilizar protectores blandos de BIOPLAST de 2 mm para los primeros días aislando la lengua de los brackets (figs. 22-12A, B y C).

Protección directa sobre un bracket

Si el paciente siente molestias en una zona determinada, se puede utilizar Fermit – High elastic (más resiliente) o Fermit-N - Low elastic (más duro) (Vivadent). Se cubre

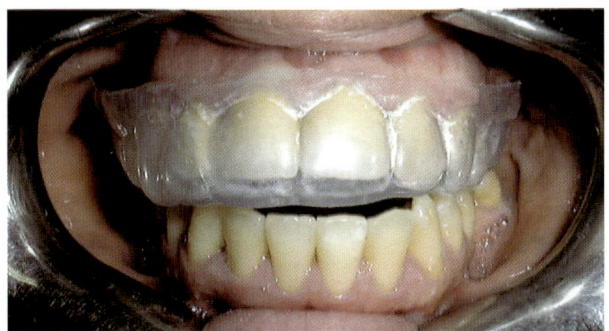

Fig. 22-12C   Protector de Bioplast de 2 mm para dormir, vista frontal

el bracket con Fermit o Fermit-N utilizando una espátula mojada con Primer de composite y se fotopolimeriza con lámpara halógena. También se puede usar Barricaid. Ofrecen una superficie suave a la lengua, son más duraderos que la cera o la silicona y son fáciles de retirar por el profesional con una sonda (figs. 22-13 y 22-14).

415

Confort del paciente

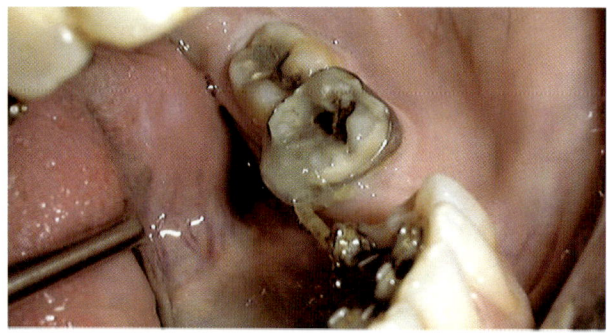

Fig. 22-13   Protección directa con Fermit

Fig. 22-14   Fermit y Fermit-N

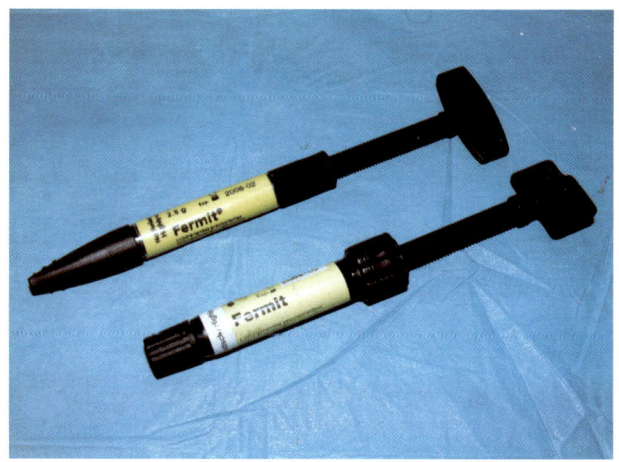

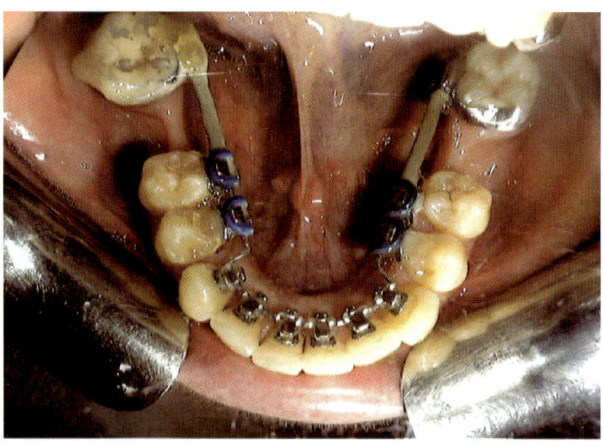

Fig. 22-15   Protección del arco en zona desdentada con Arch-sleeve

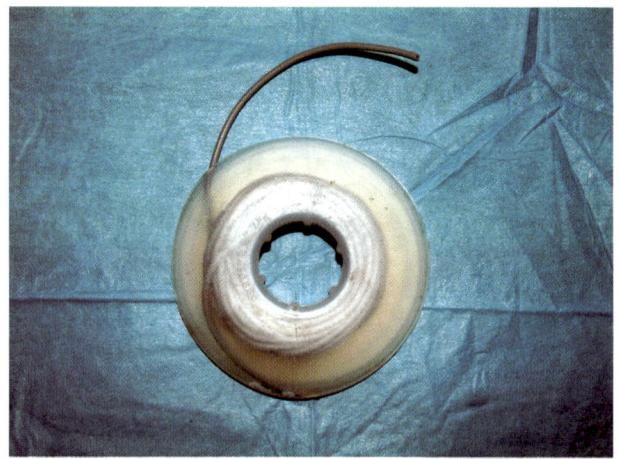

Fig. 22-16   Arch-sleeve

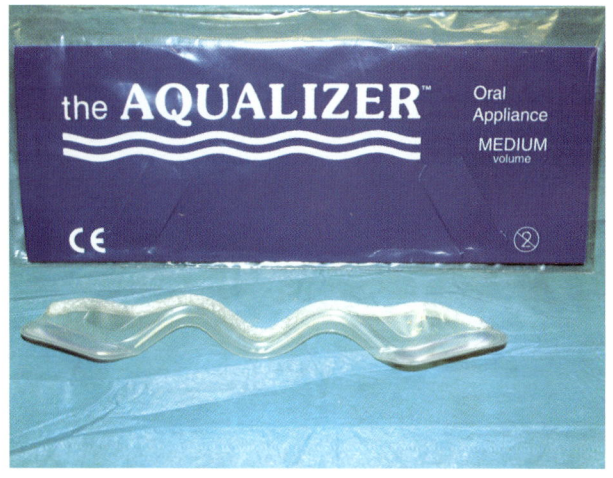

Fig. 22-17   Aqualizer

Arch-sleeve para proteger el arco en áreas dendentadas

Los arcos pueden lesionar la lengua en las áreas desdentadas. Para evitarlo, se puede utilizar el recubrimiento de latex para arcos (arch-sleeve). Este recubrimiento mantiene el espacio y no permite cerrar espacios por lo que tiene que ser más corto que el espacio en los arcos de cierre (figs. 22-15 y 22-16).

Build-ups molares

En casos de mordida profunda anterior el plano de mordida de los brackets de incisivos provoca una desoclusión a nivel de molares que dificulta la masticación. Se debe indicar dieta blanda durante los primeros días, pero si el paciente no puede soportarlo, se pueden realizar build-ups molares con composite para equilibrar la oclusión. También se puede indicar el uso de build-ups molares cuando el contacto (al inicio del tratamiento) es de sólo un bite-plane contra los incisivos inferiores. Estos build-ups se deben ir ajustando y desgastando a medida que se va corrigiendo la mordida profunda anterior. La realización de los build-ups ha sido tratada en otras partes de este libro. Otra solución puede ser la utilización de un Aqualizer (Jumar) (fig. 22-17) hasta que el paciente se adapte.

Cementado progresivo

En pacientes en que se intuye posible baja tolerancia a los brackets, se puede realizar un cementado progresivo, es decir no cementar todos los brackets en la primera visita. Este tema ha sido objeto del capítulo 13.

Excelencia de técnica de cementado

Evidentemente el descementado de brackets significa una molestia para el paciente y para el profesional. Se debe conseguir la mejor técnica de cementado posible para conseguir el mínimo de "despegamientos" y necesidad de "re-cementados". Este tema ha sido tratado en el capítulo 12.

Arcos Ni-Ti Copper y TMA

Los arcos TMA y NiTi Copper realizan menos fuerza por lo que resultan mucho más confortables (ver capítulo 5).

Mínima cantidad de asas posibles

Las asas son una fuente de molestias para el paciente por lo que debe evitarse su realización dentro de lo posible. Para ello se debe mantener el máximo control sobre la nivelación y el torque incisivo durante todo el tratamiento.

Secuencia de arcos mínima

Es recomendable realizar tratamientos con la menor cantidad posible de cambios de arcos para evitar sesiones largas, también molestas para el paciente.

Mínima cantidad posible de aparatología vestibular (botones, etc.)

De esta forma se optimiza la estética del tratamiento, y el paciente está más predispuesto a colaborar.

Mínima indicación posible de elásticos intermaxilares

De esta forma se mejora la estética y se requiere menos colaboración del paciente.

Comparación de los tratamientos ortodóncicos realizados con ortodoncia vestibular y con ortodoncia lingual

23

- Introducción 421
- 1. Estética durante el tratamiento 421
- 2. Estética al final del tratamiento 421
- 3. Fuerza de cementado, resistencia al descementado 421
- 4. Posicionamiento de brackets 422
- 5. Biomecánica de los brackets 422
- 6. Biomecánica de los arcos 423
- 7. Secuencia de movimientos 424
- 8. Dificultades para el paciente 424
- 9. Dificultades para el ortodoncista 424
- 10. Limitaciones propias del tratamiento ortodóncico con técnica lingual 425
- 11. Resultados 425

Introducción

Este capítulo está basado en un artículo que publiqué en la *Revista Española de Ortodoncia* y en el cual se analizan las diferencias que existen entre los tratamientos ortodóncicos realizados con técnica vestibular y con técnica lingual, desde diferentes puntos de vista:

1. Estética durante el tratamiento.
2. Estética al final del tratamiento.
3. Fuerza de cementado, resistencia al descementado.
4. Posicionamiento de brackets.
5. Biomecánica de los brackets.
6. Biomecánica de los arcos.
7. Secuencia de movimientos.
8. Dificultades para el paciente.
9. Dificultades para el ortodoncista.
10. Limitaciones propias del tratamiento ortodóncico con técnica lingual.

1. Estética durante el tratamiento

Ya se ha dicho en numerosas ocasiones que parece una incoherencia que para alcanzar los objetivos de un tratamiento cuyo motivo de consulta es mayoritariamente la estética, se deba ser portador de aparatos tan poco estéticos durante un período de tiempo prolongado.

La estética de la técnica lingual no se limita a ocultar los brackets. Se puede denominar "técnica de ortodoncia estética invisible" incluyendo los siguientes conceptos:

a. Cementar los brackets en la cara lingual de los dientes.
b. Utilizar tubos de adhesión directa en molares o usar bandas con carillas estéticas de composite por vestibular.
c. La minimización del uso de brackets o botones en la cara vestibular.
d. La minimización del uso de elásticos intermaxilares.
e. La utilización de dientes provisionales de resina para cubrir los espacios de extracción.
f. La minimización del uso de aparatos extraorales o arcos labiales.
g. La minimización del tiempo de tratamiento con brackets linguales, mediante la utilización de pre-aparatos de expansión/disyunción, distalización o la técnica de cementado progresivo.
h. La minimización del tiempo de tratamiento por la reducción del tiempo final de ajuste mediante la individualización de la prescripción al posicionar los brackets en el modelo y cementado indirecto.

2. Estética al final del tratamiento

La técnica lingual ofrece muchas más ventajas que la técnica vestibular desde el punto de vista estético y es una técnica especialmente diseñada para el paciente adulto.

Las ventajas de la técnica lingual en la estética final del tratamiento son:

a. La evaluación estética de los dientes del paciente es mucho más exacta sin brackets que distorsionen o dificulten la visión.
b. La evaluación de la estética facial del paciente es mucho más exacta sin la presencia de los brackets que modifiquen la posición de los labios tanto de frente como de perfil.
c. El paciente tampoco se verá diferente después de retirarle los brackets y puede dar su opinión sobre su estética facial y dental cuando estamos a tiempo de realizar pequeños ajustes finales.
d. La utilización de brackets en la cara lingual de los dientes provoca que los eventuales efectos secundarios de descalcificación, caries o manchas sólo se podrían producir en la cara lingual de los dientes.

La técnica lingual está muy indicada para los efectos deseados en adultos: protrusión, expansión y aumento de la dimensión vertical (contrarrestando los efectos de la edad), aunque puede ser utilizada para casi todos los casos. En realidad no existen casos que no se puedan tratar con ortodoncia lingual, si pueden ser tratados con ortodoncia vestibular, aunque sí existen pacientes que no es aconsejable tratar con esta aparatología porque resulta más molesta que los brackets vestibulares durante las primeras 3 semanas aproximadamente.

Los movimientos hacia vestibular son más fáciles porque los arcos deben presionar los dientes, en vez de traccionarlos como en la técnica vestibular. El aumento de dimensión vertical se produce porque el contacto del borde incisal de los incisivos inferiores contra el plano de mordida de los brackets de incisivos superiores, favorece la extrusión de molares. Esta desoclusión posterior también favorece los movimientos vestíbulo-linguales o mesio-distales de la piezas posteriores, ya que no está presente la oposición al movimiento producida por las fuerzas de la oclusión.

Los planos de mordida de los brackets de los incisivos superiores actúan también como una férula de desoclusión posterior, de relajación muscular, por lo que los pacientes suelen referir una sensación de relajación a nivel de los músculos elevadores de la mandíbula, a la vez que favorecen la descarga de la articulación témporo-mandibular y la reposición de la mandíbula a relación céntrica.

3. Fuerza de cementado, resistencia al descementado

Numerosos estudios confirman que las superficies linguales de los dientes ofrecen igual o mayor capacidad para soportar los brackets cementados sin "despegamientos" y que la técnica de cementado indirecto tampoco aumenta las posibilidades de descementados.

En el manual *Lingual Orthodontics* de Ormco se establece que la fuerza de adhesión de los brackets al diente no es diferente en la cara lingual o vestibular.

Sin embargo, los estudios de Chumak y cols. determinaron que la resistencia al "descementado" de brackets en las caras linguales es mayor que en las caras vestibulares. Su estudio "in vitro" dio como resultado:

Diente	Resistencia al despegamiento (kg/cm^2)	
	Vestibular	Lingual
Premolares superiores	127,7	138,2
Premolares inferiores	121,6	136,2
Incisivos Inferiores	161,1	166,3

Tabla 23-01 Estudios de Chumak y cols.

Los estudios de Wang, Tarng y Chen también sobre premolares "in vitro", dieron como resultado mayor resistencia al "descementado" en la cara lingual que en la vestibular: una media de 7,2 MPa en la cara lingual y de 7,0 MPa en vestibular.

Zachrisson y cols. concluyeron a partir de sus estudios, que no existen diferencias significativas entre los resultados obtenidos con cementado directo o indirecto, en cuanto a la resistencia al despegamiento.

4. Posicionamiento de brackets

En la técnica vestibular han sido estudiadas las causas por las que la técnica de arco recto no consigue los resultados esperados con una sola prescripción, en un brillante artículo de Creekmore y Kunik. El autor también ha discutido estas razones en numerosos artículos y al igual que Vardimon.

Básicamente estas imperfecciones son: los errores en el posicionamiento de brackets (Balut); las variaciones anatómicas de la cara vestibular (Taylor); la diferencia de prescripción necesaria según el tipo facial (Ross); las variables biológicas que influyen en la posición dentaria (Germane); y las imperfecciones técnicas del arco recto como imposibilidad de aplicar la fuerza sobre el centro de resistencia, "juego" del arco en el slot y minimización progresiva de la fuerza (Creekmore y Kunik).

Todas estas variantes son siempre tenidas en cuenta en la técnica lingual, tanto en el diagnóstico de la prescripción de los brackets linguales, como en el posicionamiento de los brackets en el modelo para la técnica de cementado indirecto.

En técnica vestibular también se encuentran frecuentes errores en el posicionamiento de los brackets recementados como consecuencia de un "descementado". En técnica lingual se dispone de un protocolo para el recementado de brackets.

El posicionamiento de brackets en el modelo y la técnica de cementado indirecto utilizada rutinariamente en técnica lingual permiten obtener la individualización de la prescripción según el caso y mayor precisión en el cementado que con la técnica directa de cementado utilizada regularmente en técnica vestibular.

5. Biomecánica de los brackets

En el capítulo 4 de este libro se explica detalladamente la biomecánica de los brackets linguales comparando los diferentes tipos de slots por lo que en este capítulo sólo se enumerarán las ventajas biomecánicas.

Para comparar la mecánica de éstos brackets, deberemos considerar los 5 parámetros principales de los mismos:

    a. Altura.
    b. In-out.
    c. Rotación.
    d. Inclinación.
    e. Torque.

a. Altura

La altura es un parámetro inherente al posicionamiento del bracket y no al propio bracket en sí. El objetivo de un correcto cementado en altura es la correcta nivelación de las arcadas.

El control de altura depende del cementado. El cementado indirecto es más preciso en el control de la altura que el cementado directo y en técnica lingual se utiliza siempre el cementado indirecto, por lo que el control de la altura es mejor en técnica lingual.

También es fundamental prestar atención a los efectos secundarios de los arcos linguales y su control (especialmente durante el cierre de espacios), el control de la rotación mandibular y seguir los protocolos de anclaje sagital y vertical.

b. In-out

El objetivo ortodóncico, desde el punto de vista de la alineación de la arcada, es alinear los dientes desde la cara lingual para lograr contactos intermaxilares simultáneos (coordinación de las arcadas superior e inferior).

La técnica lingual mantiene un estricto control también sobre el in-out mediante el posicionamiento indirecto de los brackets.

c. Rotación

Desde el punto de vista de la rotación, el objetivo ortodóncico es alinear todos los bordes incisales de los dientes anteriores y los surcos medios de los dientes posteriores. De esta forma se pueden conseguir movimientos friccionantes libres sin interferencias. También un correcto control de las rotaciones permite alinear los puntos de contacto interdentarios evitando los empaquetamientos alimenticios.

El menor diámetro mesio-distal de los brackets linguales (distancia intrabrackets reducida) disminuye el control de la rotación con respecto a los brackets gemelos vestibulares, pero es mayor que en los brackets vestibulares simples.

La morfología de la cara lingual de los dientes, especialmente incisivos y caninos, complica el control de la rotación pero el cementado indirecto optimiza el control de la rotación si se compara con el control obtenido con brackets vestibulares cementados de forma directa, especialmente en caninos con caras vestibulares muy convexas o cuando el cementado en el centro de la cara vestibular es imposible debido a rotaciones o apiñamientos.

En técnica lingual la rotación es controlada suficientemente mediante el cementado con sobrecorrección y ligaduras circunferenciales de Scott.

Durante los movimientos mesio-distales también son necesarias algunas compensaciones debido al efecto bowing horizontal: la curva horizontal de compensación en el arco (curva toe-out), ligadura circunferencial de Takemoto, técnica de cementado de Takemoto.

d. Inclinación

De la misma forma que la distancia intrabrackets afecta a la rotación, afecta también al control de la inclinación, pero el cementado indirecto minimiza los errores de orientación del bracket, por lo que el control de la inclinación es suficiente.

La inclinación puede verse afectada durante los movimientos mesio-distales y la individualización de la prescripción compensa estos efectos secundarios. Además, en técnica lingual se han desarrollado métodos para un correcto control de la inclinación durante los movimientos mesio-distales.

e. Torque

Teniendo en cuenta que la profundidad del slot (.025") es la misma en técnica vestibular y en técnica lingual, el par de fuerzas que se genera es el mismo en ambos brackets si se utiliza un arco de igual sección. El control del torque es independiente de la distancia intrabracket.

La base de los brackets de técnica vestibular es normalmente más cóncava que la convexidad de las caras vestibulares de los dientes, por lo que, salvo excepciones, los brackets vestibulares suelen conseguir el torque de su prescripción con el cementado directo. En técnica lingual es imprescindible el cementado indirecto porque la anatomía de los dientes es mucho más variable, pero los diferentes métodos de posicionamiento de brackets aseguran un correcto control del torque.

Durante los movimientos vestíbulo-linguales (protrusión/retrusión y expansión/contracción) se ve afectado el torque tanto en técnica vestibular como en técnica lingual. En técnica vestibular numerosos autores recomiendan utilizar diferentes prescripciones de torque dependiendo del caso. En técnica lingual también resulta imprescindible, por lo que se deberá individualizar la prescripción (ver capítulo 10).

Los diferentes casos pueden necesitar torques diferentes. La técnica vestibular de cementado directo no contempla estas modificaciones y requiere ajustes finales mediante dobleces de tercer orden en el arco o mediante la utilización de posicionadores de terminación. La técnica de cementado indirecto incorpora estas modificaciones minimizando la necesidad de ajustes finales, y como la técnica lingual utiliza rutinariamente la técnica de cementado indirecto, se puede concluir que tiene un suficiente control del torque.

6. Biomecánica de los arcos

Los arcos utilizados en técnica lingual realizan más presión que los mismos arcos utilizados en técnica vestibular por la reducida distancia interbracket principalmente a nivel de los dientes anteriores. Las equivalencias entre los arcos vestibulares y linguales, establecidas por el Dr. Morán, son estudiadas en el capítulo 5.

La secuencia normal de arcos para casos con extracciones en técnica lingual, teniendo en cuenta que el bracket utilizado tiene un slot horizontal de .018", es de:

1. Distalización inicial de caninos: .016" de acero.
2. Alineación, nivelación y corrección de rotaciones: .016" de NiTi, .016" de TMA, ó .017" x .017" de Copper NiTi.
3. Establecimiento del torque y nivelación de la curva de Spee: .0175" x .0175" de TMA ó .017" x .025" de Copper NiTi.
4. Cierre de espacios: .016" x .022" de acero para mecánica de deslizamiento ó .017" x .025" de TMA para mecánica de asas.
5. Terminación: .016" de acero, .016" de TMA ó .0175" x .0175" de TMA.

La secuencia normal de arcos para casos sin extracciones en técnica lingual, teniendo en cuenta que el bracket utilizado tiene un slot horizontal de .018", es de:

1. Alineación, nivelación y corrección de rotaciones: .016" de NiTi, .016" de TMA, ó .017" x .017" de Copper NiTi.
2. Establecimiento del torque y nivelación de la curva de Spee: .0175" x .0175" de TMA ó .017" x .025" de Copper NiTi.
3. Establecimiento de forma de arcada y elásticos intermaxilares: .016" x .022" de acero.
4. Terminación: .016" de acero, .016" de TMA ó .0175" x .0175" de TMA.

***En los casos sin extracciones, se utilizan aparatos o arcos previos para:
   a. Distalización: Péndulo en el maxilar superior o Placas Dobles de Scuzzo, en el maxilar inferior.
   b. Expansión/Disyunción: Disyuntor Hyrax de adhesión directa.
   c. Protrusión: arco de .016" NiTi ó .016" TMA con omega de protrusión.
   d. Stripping: arco de .016" de acero con omega de anclaje.

Los elásticos intermaxilares utilizados por lingual tienen un componente mucho más vertical que requiere más refuerzo de anclaje en caso de ser utilizados. Pero también se debe tener en cuenta que los elásticos intermaxilares resultan mucho más efectivos por lingual, como asegura el Dr. Kelly.

La técnica lingual tiene una secuencia de arcos estudiada y protocolizada para los diferentes tratamientos y se debe tener en cuenta que es una técnica que requiere mayor control de anclaje ántero-posterior y vertical.

7. Secuencia de movimientos

Una diferencia importante resulta evidente en el cierre de espacios.

En técnica vestibular, el autor realiza la distalización inicial de caninos en dos etapas en los casos de extracciones. La primera distalización se realiza cuando es necesario conseguir espacio para la alineación y nivelación de incisivos sin protrusión. Luego de la etapa ANR (Alineación, Nivelación y corrección de Rotaciones), se procede a la distalización definitiva de caninos. Esta segunda distalización no será exactamente hasta la clase I canina (dependiendo de la discrepancia de Bolton "6") sino hasta conseguir el espacio necesario para corregir el overjet y la línea media.

La distalización de caninos se puede realizar entonces en 2 etapas en la técnica vestibular, en vez de ser realizada completamente en la primera etapa de tratamiento. La ventaja del movimiento canino en dos etapas se basa en que la primera distalización se debe realizar con un arco muy ligero (antes de la ANR) y por ello, con poco control sobre este diente. Por este motivo el autor prefiere realizar la mayor parte de la distalización cuando ya se puede utilizar un arco de canto más pesado y con mucho mayor control, después de la ANR.

En la etapa ETRI (cierre de Espacios, establecimiento del Torque, corrección de la Relación Incisiva) en técnica vestibular, realizamos la distalización de caninos de forma separada de la retrusión incisiva por 2 motivos:

- Al separar el movimiento canino del movimiento incisivo se disminuye la necesidad de refuerzo de anclaje molar. La fuerza de "reacción" que se ejerce sobre los molares para primero distalizar caninos y luego retruir el frente es menor que si se hacen los dos movimientos de forma conjunta.
- El movimiento del canino es un movimiento mesio-distal y tiene efectos secundarios sobre la inclinación y la rotación; mientras que el movimiento de retrusión del frente es un movimiento vestíbulo-lingual, con efectos secundarios sobre el torque y la nivelación. Realizando este movimiento en forma separada, podemos tener más control sobre cada uno de los movimientos.

En técnica lingual se debe realizar primero la distalización inicial de caninos y luego los dos movimientos (segunda distalización canina y retrusión del frente) de forma conjunta porque:

- Se trata de una técnica completamente estética e intentamos evitar la aparición del diastema que se formaría entre canino e incisivo lateral si distalizamos previamente el canino.
- Al retruir caninos e incisivos simultáneamente utilizamos sólo un arco con el in-set distocanino ajustado a distal del bracket del canino. Para realizar este movimiento en 2 etapas necesitaríamos por lo menos 3 arcos: el primero con el in-set separado del canino para poder distalizarlo, el segundo con un asa antecanina para retruir el frente, y el tercero nuevamente con el in-set ajustado para acabar de cerrar espacios por pérdida de anclaje.

Este hecho aumenta la necesidad de reforzar anclaje molar en técnica lingual con respecto a la técnica vestibular anteriormente descrita.

También resulta muy importante corregir y sobrecorregir el torque incisivo y nivelar completamente la arcada (establecer contacto molar y premolar) antes de comenzar la etapa de cierre de espacios, porque de lo contrario se multiplica el efecto secundario de bowing vertical.

8. Dificultades para el paciente

Didier Fillión, Mariotti, Subtelny y Baker, y Sinclair describen las dificultades para el paciente durante aproximadamente las 3 primeras semanas de tratamiento.

En la experiencia clínica del autor también se verifica

que la mayoría de los pacientes describen molestias durante las 3 primeras semanas de tratamiento, teniendo en cuenta que normalmente el paciente adulto describe más dolor que el paciente adolescente.

Las molestias para el paciente específicas de técnica lingual son:
- Lesiones en la lengua.
- Dificultad de masticación durante la desoclusión posterior.
- Dificultad de deglución durante la desoclusión posterior.
- Dificultad de pronunciación durante las primeras 3 semanas, especialmente de la "S" y de la "TR".

El autor describe las maniobras clínicas que permiten al clínico maximizar el confort del paciente de técnica lingual en el capítulo 22.

Se debe advertir al paciente de las dificultades que se encontrará al inicio del tratamiento y las precauciones que debe tener en cuenta para minimizar sus molestias.

9. Dificultades para el ortodoncista

Las dificultades para el ortodoncista son analizadas en el capítulo 2 pero estas dificultades que encuentra el ortodoncista que se inicia en técnica lingual no son demasiado diferentes de las dificultades que se puede encontrar si se inicia en una nueva técnica vestibular.

10. Limitaciones al tratamiento ortodóncico lingual

En realidad existe el paciente, pero no el caso, que no se puede tratar con ortodoncia lingual.

Las limitaciones propias de todo tratamiento ortodóncico vestibular también son aplicables a los tratamientos linguales, pero la ortodoncia lingual tiene algunas restricciones propias que son analizadas en el capítulo 3.

Las limitaciones más importantes son: caras linguales cortas y anfractuosas, trismus y poca colaboración del paciente.

11. Resultados

Los resultados que se pueden obtener con técnica lingual son iguales a los que se pueden obtener con técnica vestibular. Para llegar a esta conclusión basta con repasar la bibliografía recomendada en este libro y con observar los casos publicados en el mismo.

El tiempo de tratamiento es mayor, dependiendo de la práctica del ortodoncista, pero en pacientes igualmente colaboradores, el tiempo de tratamiento es un 10 a 20% mayor en técnica lingual que con técnica vestibular en la experiencia del autor.

15 claves para el éxito en Ortodoncia Lingual

24

- Introducción 429
- Las 15 claves 429
- Clave 1. Selección del paciente, motivación del paciente,
  entrenamiento del paciente, servicio de urgencias 429
  - 1.a. Higiene oral 429
  - 1.b. Adaptación del habla e irritación de la lengua 429
  - 1.c. Carácter del paciente 429
  - 1.d. Anatomía dentaria 429
  - 1.e. Post-rotación mandibular 430
  - 1.f. Servicio de urgencias 430
- Clave 2. Educación continuada del equipo: ortodoncista,
  higienista y/o asistente dental y técnico de laboratorio 430
- Clave 3. Diagnóstico y plan de tratamiento. Individualización de los protocolos 430
- Clave 4. Posicionamiento de brackets. Individualización de la prescripción 430
- Clave 5. Soldadura de precisión 430
- Clave 6. Preparación de la boca para los brackets linguales 430
- Clave 7. Técnica de cementado 430
- Clave 8. Técnica de re-cementado 431
- Clave 9. Diseño de la forma de arcos 431
- Clave 10. Secuencia de arcos: complete primero la ANR:
  Alineación, Nivelación y corrección de Rotaciones 431
- Clave 11. Secuencia de arcos: Exprese completamente el torque
  antes de cerrar espacios 431
- Clave 12. Secuencia de arcos: Está contraindicado cerrar espacios
  o retruir incisivos con arcos ligeros 431
- Clave 13. Secuencia de arcos: Terminación y detallado 431
- Clave 14. Retención 431
- Clave 15. La ortodoncia lingual debe ser considerada como un tratamiento
  a pacientes VIPs (pacientes muy importantes): optimice la estética
  y el confort del paciente y realice un tratamiento de alta calidad en cada visita 431
- Conclusiones 432

Introducción

En sus inicios en ortodoncia lingual, el autor encontró de gran ayuda los consejos enumerados en el célebre artículo «Keys to success in lingual therapy» escrito por la Task Force (Craven Kurz, John Courtney Gorman, Bob Smith, y Richard Dunn) publicado en 1986 en el *Journal of Clinical Orthodontics*.

En este capítulo el autor, basándose en su experiencia, enumera las claves que considera más importantes, esperando que sean de utilidad para los ortodoncistas que se inician en la ortodoncia lingual. Estas claves incluyen desde criterios para la selección de pacientes y protocolos para cada una de las etapas clínicas, hasta conceptos de organización clínica, y permitirán al ortodoncista cumplir los objetivos de la terapia lingual:

- Obtener los mismos resultados que con brackets vestibulares en un tiempo similar de tratamiento.
- Utilizar la aparatología y el diseño de arcos más estéticos, confortables y efectivos posibles.
- Tratar todo tipo de maloclusiones.

Las 15 claves

Clave 1. Selección del paciente, motivación del paciente, entrenamiento del paciente, servicio de urgencias

Ya ha quedado demostrado que cualquier tipo de maloclusión puede ser tratada con ortodoncia lingual pero evidentemente existen factores para la selección de pacientes que pueden facilitar o complicar los tratamientos discutidos en el capítulo 3.

1.a. Higiene oral

La mala higiene es un factor negativo en cualquier tratamiento de ortodoncia, pero aún más en técnica lingual, debido a que los brackets linguales se deben posicionar muy próximos al margen gingival, lo que favorece la irritación de estos tejidos. Siempre que sea posible se deben separar los brackets un mínimo de 1,5 mm de los tejidos gingivales pero frecuentemente esto no es posible, especialmente en los premolares inferiores. Las caras linguales cortas son factores negativos para este fin. Es recomendable doblar los ganchos de los brackets con un alicate en el laboratorio antes de cementarlos en el modelo cuando se verifique que están en contacto, para evitar la irritación mecánica directa. También es muy importante limpiar los posibles excesos de cemento en contacto con la encía para evitar la irritación química.

El entrenamiento del paciente para la higiene oral y la motivación continuada son factores esenciales para la preservación de la encía. Se debe proveer al paciente del armamentarium necesario para su limpieza con elementos como: cepillos interproximales e irrigadores bucales tipo Water-Pick. La higiene del paciente es especialmente importante durante la corrección de rotaciones y en el cierre de espacios para evitar hipertrofias gingivales. La educación del paciente se completa con indicaciones para complementar el uso de la seda dental con cepillos interproximales durante el tratamiento, la utilización de colutorios con el irrigador, dieta en cuanto a calidad y consistencia (pudiendo indicarse suministros accesorios de vitaminas A y C) y aplicaciones de bicarbonato en cada cambio de arco para eliminar la placa bacteriana.

1.b. Adaptación del habla e irritación de la lengua

En un estudio realizado en el Eastman Dental Center se llegó a la conclusión de que los pacientes de ortodoncia lingual presentan una alteración de la pronunciación durante 1 a 9 meses especialmente en los sonidos «S», «SH», «T/D» y «TH», que la apreciación de los pacientes es de que la alteración del habla no supera el mes de adaptación y que los pacientes tratados con ortodoncia lingual en el maxilar superior y ortodoncia vestibular en el maxilar inferior se adaptan más rápidamente.

El autor realiza mayoritariamente tratamientos con ortodoncia lingual en ambos maxilares y de acuerdo con su experiencia los pacientes presentan problemas en los sonidos «S» y «R» (especialmente «R» compuesta como «DR» o «TR») y se adaptan en aproximadamente un mes.

1.c. Carácter del paciente

La elección de un paciente colaborador, con un nivel de exigencias razonables, con un buen desarrollo motriz (buena higiene, adaptación de la pronunciación), con un nivel bajo de sensibilidad oral (poca predisposición a náuseas y lesiones bucales) y con un cierto grado de «complicidad» con el ortodoncista, especialmente en los primeros pacientes de ortodoncia lingual, puede animar o desanimar profundamente al clínico. El autor cree que éste es uno de los factores más importantes.

1.d. Anatomía dentaria

Los dientes con caras linguales muy cortas, dientes parcialmente erupcionados, abrasionados o fracturados, microdoncias, etc., pueden ocasionar problemas a la hora de posicionar los brackets. También se deben considerar los accidentes anatómicos como crestas marginales y cíngulos muy anfractuosos, tubérculos de Caravelli, etc. Si bien en algunos artículos se recomienda la gingivectomía para aumentar la superficie de la cara lingual y facilitar el posicionamiento de brackets, el autor opina que no es conveniente el gravado y cementado sobre cemento radicular, por lo que prefiere reconstruir las cúspides linguales de forma temporal para obtener la superficie lingual necesaria para alojar al bracket. Muchas veces será necesario el desgaste o alisado de las anfractuosidades presentes en las caras linguales, siempre que sea posible.

1.e. Post-rotación mandibular

Utilizando los brackets de Kurz con plano de mordida se provoca una post-rotación mandibular en los casos de mordida profunda anterior con overjet normal. Los incisivos inferiores contactan con el plano de mordida de los brackets superiores provocando una post-rotación mandibular por la extrusión molar. Esto se deberá controlar, especialmente en pacientes dólicofaciales, mediante un refuerzo de anclaje vertical de molares. También se debe tener en cuenta que la post-rotación desplaza la mandíbula hacia distal retruyendo la sínfisis y aumentando la clase II incisiva y molar.

1.f. Servicio de urgencias

Se debe facilitar un servicio de atención o consulta de urgencias de 365 días – 24 horas, tal y como se explica en el capítulo 22.

Clave 2. Educación continuada del equipo: ortodoncista, higienista y/o asistente dental y técnico de laboratorio

La ortodoncia lingual se encuentra actualmente en gran auge y numerosos oradores principalmente de Europa, Estados Unidos, Corea y Japón dictan conferencias y cursos. También se está publicando intensamente acerca de este tema por lo que se debe realizar un gran esfuerzo para permanecer actualizado. Es imprescindible que la evolución sea simultánea en todo el equipo de trabajo, ya que de poco sirve que el ortodoncista vaya corrigiendo errores y optimizando protocolos, si no actualiza también al personal auxiliar y al personal de laboratorio.

Clave 3. Diagnóstico y plan de tratamiento. Individualización de los protocolos

Es imprescindible conocer las peculiaridades mecánicas de los tratamientos linguales para tenerlas en cuenta en el diagnóstico y en el plan de tratamiento.
Actualmente se han establecido protocolos de tratamientos que especifican secuencias de tratamiento perfectamente definidas para el tratamiento de las diferentes maloclusiones, tanto para casos con o sin extracciones. Secuencias de aproximadamente 3 a 5 arcos con objetivos perfectamente definidos para etapas han sido determinados, así como los refuerzos de anclaje necesarios, etc. Es imprescindible que el clínico esté familiarizado con estos protocolos, pero existen algunas características propias de cada caso que pueden obligar a individualizar estos protocolos. Se deben conocer estas características especiales y tomarlas en cuenta.

Clave 4. Posicionamiento de brackets. Individualización de la prescripción

Existen varios sistemas para el posicionamiento de brackets en el modelo como el CLASS System, la TARG Unit o la SLOT MACHINE, siendo este último el sistema utilizado por el autor. La Slot Machine ha sido extensamente discutida en el capítulo 9.
Del correcto posicionamiento de bracket dependerá la necesidad de hacer dobleces de compensación en los arcos, los cuales son muy difíciles en técnica lingual debido a la corta distancia interbracket y a la incomodidad para el paciente en caso de realizar asas.

Clave 5. Soldadura de precisión

Es recomendable utilizar bandas con apoyos oclusales que permitan el posicionamiento exacto de la banda en boca en el momento del cementado (capítulo 9). Una vez que se confeccione la banda sobre el modelo, se posiciona el tubo con la Slot Machine para obtener la prescripción adecuada. El tubo se fija a la banda con los electrodos eléctricos manuales y luego se suelda eléctricamente (si se adapta bien) o con soldadura de plata, si existen desajustes.

Clave 6. Preparación de la boca para los brackets linguales

El autor ha descrito un protocolo de 10 pasos para preparar la boca para recibir los brackets linguales en condiciones óptimas (capítulo 12), facilitando así el tratamiento y reduciendo el tiempo que el paciente debe llevar los brackets linguales.

Clave 7. Técnica de cementado

Es fundamental realizar una técnica de cementado indirecto muy depurada teniendo en cuenta que el acceso a la superficie lingual y el aislamiento del campo para mantenerlo seco, pueden presentar algunas dificultades. También se debe tener en cuenta que la mayoría de los pacientes son adultos y que pueden presentar coronas u obturaciones que deben ser tratadas de forma especial con el fin de optimizar la adhesión (capítulo 12).

El correcto posicionamiento de los brackets facilita la adaptación de los arcos y la utilización de arcos súperelásticos (sin necesidad de dobleces de 1er, 2do y 3er orden). La excelencia de cementado evita la «caída» de brackets que provoca desaliento del paciente y aumenta los tiempos de tratamiento y de sillón.

Clave 8. Técnica de re-cementado

La técnica de recementado es también especialmente importante. Gran parte de los errores en la terminación de casos proviene de errores en el posicionamiento de los brackets «caídos» y recementados.

Los brackets deben ser recementados con la cubeta individual recortada para ese diente y en los protocolos se contemplan todas las opciones (capítulo 12).

Clave 9. Diseño de la forma de arcos

La forma de los arcos debe ser realizada indirectamente sobre el modelo y con los datos obtenidos de la lectura de la Slot Machine. Con estos datos se confecciona una plantilla que se deberá conservar durante el tratamiento, ya que es muy difícil el ajuste directo en boca (capítulo 11).

Clave 10. Secuencia de arcos: complete primero la ANR: Alineación, Nivelación y corrección de Rotaciones

Es indispensable completar la alineación, nivelación y corrección de las rotaciones antes de continuar el tratamiento. Para ello utilizaremos arcos de .0155" ó .0175" trenzados, de .016" de níquel-titanio, de .017" x .017" de Copper NiTi ó .016" de TMA, dependiendo del grado de apiñamiento. En el maxilar inferior normalmente se deben utilizar arcos más ligeros debido a la menor distancia interbrackets. Las ligaduras de Scott facilitan la corrección de rotaciones.

Clave 11. Secuencia de arcos: Exprese completamente el torque antes de cerrar espacios

Una vez completada la fase de ANR, se debe continuar con un arco de .0175 x .0175" de TMA ó .017" x .017" Copper NiTi para expresar completamente el torque antes de cerrar espacios o retruir el frente para evitar efectos secundarios (efectos bowing sagital y transversal).

Clave 12. Secuencia de arcos: Está contraindicado cerrar espacios o retruir incisivos con arcos ligeros

El cierre de espacios se debe realizar con arcos de .016" x .022" de acero (mecánica de deslizamiento) ó de .017 x .015" TMA (mecánica de asas), especialmente si se utilizan elásticos intermaxilares. Con arcos más ligeros podrían aumentarse los efectos secundarios.

Clave 13. Secuencia de arcos: Terminación y detallado

En los casos en que se consigue un cementado excelente y que no es necesario realizar frecuentes recementados, se puede acabar con arcos ideales. En ocasiones se deben realizar compensaciones en los arcos finales. En la mayoría de los artículos se describe la terminación con arcos de .016" de acero y esto resulta eficaz cuando sólo se deben realizar dobleces de compensación de 1er y 2do orden. En los casos en que se deba ajustar el torque, será necesario terminar con un arco de .016" x .016" ó .016" x .022 de acero y utilizar las llaves de torque lingual para el ajuste final (capítulo 20).

Clave 14. Retención

La manutención de los resultados obtenidos es fundamental. Si no se han realizado cambios en la forma de arcada y sólo se debe mantener la corrección de apiñamientos y rotaciones, puede ser suficiente la retención permanente fija con arcos de alambre o con fibra óptica. Si se trata de un caso en que se han realizado expansión, disyunción, distalización, etc., es preferible recurrir a un retenedor como el Round-retainer gnatológico (capítulo 20) que no cruza la oclusión con ninguno de sus elementos. Si se trata de un caso en que se ha corregido una mordida profunda se pueden utilizar carillas linguales de porcelana como retención permanente (capítulo 20).

Clave 15. La ortodoncia lingual debe ser considerada como un tratamiento a pacientes VIPs (pacientes muy importantes): optimice la estética y el confort del paciente y realice un tratamiento de alta calidad en cada visita

El paciente de ortodoncia lingual normalmente es un adulto muy exigente con la estética y con los resultados. Normalmente será también exigente con el tiempo de espera en la sala, solicitará explicaciones de la evolución del tratamiento muy frecuentemente y exigirá que no se le atienda en una sala con más sillones dentales, es decir que desea privacidad. De todos estos detalles surgirá el grado de satisfacción que experimenta el paciente con respecto a los resultados obtenidos. El cuidado en todas las maniobras clínicas, la higiene, etc., es muy valorado por estos pacientes.

Por otra parte también se debe optimizar la estética, por ejemplo usando pónticos provisionales en los espacios de extracción para evitar que se vea el espacio desdentado. Este póntico se irá recortando a medida que se cierre el espacio.

También se deberá proveer al paciente de cera y silicona con las que se bloquearán los posibles bordes afilados hasta la siguiente visita, se doblarán cuidadosamente los extremos del arco hacia los dientes, se cubrirán con Fermit-N (cemento provisional fotopolimerizable) los ganchos o bordes agudos y se pueden ligar los premolares con elásticos separadores para evitar molestias con los ganchos de los brackets. En general se prestará especial atención a cualquier comentario que pueda resultar útil al paciente.

Conclusiones

El autor ha descrito 15 claves que cree fundamentales para optimizar la satisfacción tanto del paciente como del profesional durante la práctica de la ortodoncia lingual. La lectura de este capítulo debería realizarse al final de la lectura del libro para la completa comprensión de todos los pasos.

Para familiarizarse con todos los procedimientos de esta técnica: particularidades biomecánicas, técnica de cementado indirecto, ajuste y activación de arcos, percepción del tratamiento por parte del paciente, etc., el ortodoncista puede realizar tratamiento de ortodoncia lingual segmental preprotésica que resulta más sencilla y es un buen entrenamiento (capítulo 21).

Bibliografía recomendada

Libros y Syllabus exclusivamente de Ortodoncia Lingual

- Echarri, P: Syllabus: "Procedimiento para el Posicionamiento de Brackets en Técnica Lingual", Ed. LADENT, S.L.; Badalona, Barcelona, España, 1995
- Echarri, P.: "Syllabus de Ortodoncia Lingual", Ed. Ladent, S.L., Badalona, Barcelona, España.
- Echarri, P.: "Lingual Course Syllabus", Ed. Ladent, S.L., Badalona, Barcelona, España.
- Fujita, K.: "The Mushroom Archwire and the Lingual Bracket Appliances Philosophy and Technique", Association of Orthodontists Using the Fujita Method, Japan.
- Garland-Parker, L: "The Complete Lingual Orthodontic Training Manual", Ormco, Division of Sybron Corporation, Glendora, California, USA, 1989
- Koyata, H.: "Esthetic Orthodontics: Basic Technique of Lingual Orthodontics", Quintessence Publishing Co., Tokio, 1996
- Kurz, C.: "Lingual Orthodontics Course Syllabus", Ormco, Division of Sybron Corporation, Glendora, California, USA, 1989
- Kurz, C.: "Contemporary Lingual Orthodontics. Principles and Technique", Tiffani Cardi, California, USA, 1998
- "Manual de Utilización de la SLOT MACHINE", Creekmore Enterprises Inc.
- Paz, M.: "Hands-on Lingual Course Syllabus". Ed. Mario Paz, Beverly Hills, Marina del Rey, California, USA
- Romano, R.: "Lingual Orthodontics", B.C.Decker, Hamilton, London, 1998
- Rosevear, A.J.: "Lingual Orthodontic: A Manual of Current Theory and Technique", American Orthodontics, 1982
- Siciliani, G.: "Ortodonzía Linguale", Ed. Masson, Italia, 1992
- Takemoto K.: "Syllabus de Ortodoncia Lingual", Ormco, Division of Sybron Corporation Glendora, California, USA
- Takemoto, T.; Scuzzo, G.: "The Lingual Orthodontic Multimedia Manual" en CD ROM. Ed. Giuseppe Scuzzo, Lido, Roma, Italia.
- "Torque / Angulation Reference Guide". Syllabus editado por ORMCO

Capítulos de ortodoncia lingual en libros de ortodoncia

- Alexander, R.: "The Alexander Discipline", Ormco Corp, Glendora, California, 1987
- Echarri, P.: «Diagnóstico en Ortodoncia. Estudio Multidisciplinario», Quintessence Books, Barcelona, España, 1998
- Melsen, B.: "Current Controversies in Orthodontics" Quintessence Publishing Co., Chicago, Illinois, USA, 1991
- Marks, M.H.; Corn, H.: "Atlas de Ortodoncia del Adulto", Ediciones científicas y técnicas S.A., 1992
- Philippe, J.: "L´orthodontie de L´adulte", La Bibliothèque Orthodontique, Editions S.I.D., Francia, 1989
- "Tratado de Odontología" 1ª ed. de Smithkline Beecham S.A., Trigo ediciones S.L., Madrid, 1998

Libros relacionados

- Andrews, L.F.: "Straight Wire - The Concept and Appliance", L.A. Wells Co., San Diego, California, 1989
- Grummons, D.: "Orthodontics for the TMJ & TMD Patient", Wright &Co. Publishers, Inc., Scottsdale, Arizona, USA, 1994
- Marcotte, M.R.: "Biomecánica en Ortodoncia", Masson/SALVAT Odontología; Ediciones Científicas y Técnicas S.A., Barcelona, España, 1992
- Ricketts, R.M.; Roth, R.H.; Chaconas, S.J.; Schulhof, R.; Engel, G.A.: "Orthodontic Diagnosis and Planning: Their Roles in Preventive and Rehabilitative Dentistry", Rocky Mountain Data Systems, USA, 1982
- Thurow, R.C.: "Ortodoncia de Arco de Canto", Limusa, México, 1988

Bibliografía recomendada

Journals que han publicado numerosos artículos de ortodoncia lingual

- Journal of Lingual Orthodontics, Canadá.
- JALOA – Journal of the American Lingual Orthodontics Association (Actualmente no se publica).
- Journal of Clinical Orthodontics, Estados Unidos.
- Ortodoncia clínica, España.

Bibliografía de la TASK FORCE

- Alexander, C.M.; Alexander, R.G.; Gorman, J.C. et al.: "Lingual Orthodontics: A Status Report. Part 1"; J Clin Orthod; 1982; 16: 255-62
- Alexander, C.M.; Alexander, R.G.; Gorman, J.C. et al.: "Lingual Orthodontics: A Status Report. Part 5. Lingual Mechanotherapy"; J Clin Orthod; 1983; 17:99-115
- Alexander, C.M.; Alexander, R.G.; Sinclair, P.M.: "Lingual Orthodontics: A Status Report. Part 6. Patients and Practice Management"; J Clin Orthod; 1983; 17: 240
- Alexander, R.G.; Sinclair, P.M.; Goates, L.J.: "Differential Diagnosis and Treatment Planning for the Adult Non-surgical Orthodontic Patient"; Am J Orthod; 1986; 89: 95-103
- Gorman J.C.; Hilgers, J.J.; Smith, J.R.: "Lingual Orthodontics: A Status Report. Part 4. Diagnosis and Treatment Planning"; J Clin Orthod; 1983; 17: 26-3
- Kurz, C.; Swartz, M.L.; Andreiko, C.: "Lingual Orthodontics: A Status Report. Part 2. Research and Development"; J Clin Orthod; 1982; 16: 735-40
- Kurz, C.; Gorman, J.C.: "Lingual Orthodontics: A Status Report. Part 7A. Case Reports-Non-extraction, Consolidation"; J Clin Orthod; 1983; 17: 310-21
- Scholz, R.P.; Swartz, M.L.: "Lingual Orthodontics: A Status Report: Part 3. Indirect Bonding - Laboratory and Clinical Procedures"; J Clin Orthod; 1982; 16: 812-20
- Smith, J.R.: "Lingual Orthodontics: A Status Report. Part 7B. Case Reports - Extraction"; J Clin Orthod; 1983; 17: 464-73
- Smith, J.R.; Gorman, J.C.; Kurz, C.; Dunn, R.: "12 Keys to Success in Lingual Therapy. Part 1"; J Clin Orthod; 1986; 20: 252-61
- Smith, J.R.; Gorman, J.C.; Kurz, C.; Dunn, R.: "12 Keys to success in Lingual Therapy. Part 2"; J Clin Orthod; 1986; 20: 330-40

Bibliografía del Dr. "Wick" Alexander

- Ver capítulos de Ortodoncia lingual en libros de ortodoncia.
- Ver artículos de la Task Force

Bibliografía del Dr. Altounian

- Altounian, G., en "L´orthodontie de L´adulte" de Julien Philippe. La Bibliothèque Orthodontique. Editions S.I.D. Francia, 1989
- Altounian, G. :"Le Targ"; L'information Dentaire; 1985; 67: 2225-34
- Altounian, G.: "Le Collage des Attaches en Orthodontie. 2ª partie: Le Collage des Attaches en Méthode Indirecta"; Cah Prothese; 1986; 54: 135-64
- Altounian, G.: "La Thérpeutique à Attaches Linguales: Une Autre Approche de L'ortodontie" Rev. Orthop. Dento Faciale; 1986; 20: 319-362

Bibliografía del Dr. Creekmore

- Creekmore, T.D.: "The Importance of Interbracket Width in Orthodontic Tooth Movement"; J Clin Orthod; 1976; 10: 530-4
- Creekmore, T.D.: "Lingual Orthodontic - Its Renaissance"; Am J Orthod Dentofac Orthop; 1988; 96: 120-37
- Creekmore, T.D.; Kunik, R.L.: "Straight wire: The Next Generation." Am J Orthod Dentofac Orthop; 1993; 104: 8-20

Bibliografía del Dr. Echarri

- Echarri, P.: «La Oclusión Dinámica en Ortodoncia»; Gaceta Dental; 1992; 31: 177-179
- Echarri, P.: «Retenedor Permanente Fijo Lingual de Fibra Óptica»; Revista Portuguesa de Ortodoncia; 1995; 1: 11-19
- Echarri, P.: «Procedimiento para el Posicionamiento de Brackets en Ortodoncia Lingual. (Parte I)»; Rev. Portuguesa de Ortodoncia; 1996; 3: 70-83
- Echarri, P.: «Técnica de Posicionamiento de Brackets Linguales Class System»; Rev. Iberoamericana de Ortodoncia; 1997; 16:1-17
- Echarri, P.; Baca, A.. «Ortodoncia Lingual. Determinación de la Forma del Arco»; Rev. Iberoamericana de Ortodoncia; 1998; 17: 1-8
- Echarri, P.: «Ortodoncia Lingual, Ortodoncia Invisible, Estado Actual de la Técnica»; Revista de Sonhiadent; 1998; 12: 16-25
- Echarri, P.: «Procedimiento para el Posicionamiento de Brackets en Ortodoncia Lingual. (Parte I)»; Ortodoncia Clínica; 1998; 1: 69-77
- Echarri, P.: «Procedimiento para el Posicionamiento de Brackets en Ortodoncia Lingual. (Parte II)»; Ortodoncia Clínica; 1998; 1: 107-117
- Echarri, P.: "Carrillas Linguales de Porcelana como Retención Permanente en Casos de Mordida Profunda"; Ortodoncia Clínica; 1998; 1: 3-13
- Echarri, P.: "Segmental Lingual Orthodontics in Preprosthetic Cases"; JCO, 1998, 32: 716-719
- Echarri, P.: "Capítulo 20 – Diagnóstico de la Prescripción" en "Diagnóstico en Ortodoncia. Estudio Multidisciplinario" de Pablo Echarri, Ed. Quintessence, Barcelona, España, 1998

- Echarri, P.: " Capítulo 13.1 - Segmental Lingual Orthodontics in Multidisciplinary Cases" en "Lingual Orthodontics" de Rafi Romano, Ed. B.C. Decker, Notario, Canada, 1998
- Echarri P.: «Ortodoncia Lingual. Puesta al Día del Procedimiento Clínico de Cementado Indirecto. (Parte III)»; Ortodoncia Clínica; 1999; 2: 8-36
- Echarri, P.: "15 Claves para Optimizar los Tratamientos de Ortodoncia Lingual"; Cúspide (Revista de la Fundación Centro de Rehabilitación y Estética Oclusal); 1999; 2: 6-10
- Echarri, P.: "Técnica Lingual. IV parte. Preparación de la Boca en 10 Pasos"; Ortodoncia Clínica; 1999; 2: 74-81
- Echarri, P.: "Ortodoncia Lingual. V parte. Tratamiento con Extracciones"; Ortodoncia Clínica; 2000; 3: 22-31
- Echarri, P.: "Ortodoncia Lingual. VI-A parte. Tratamiento sin Extracciones"; Ortodoncia Clínica; 2000; 3: 86-93
- Echarri, P.: "Ortodoncia Lingual. VI-B parte. Tratamiento sin Extracciones" Ortodoncia Clínica; 2000; 3: 132-142
- Echarri, P.: "Ortodoncia Lingual. VII parte. Terminación de Casos" Ortodoncia Clínica; 2000; 3: 206-212
- Echarri, P.: "Ortodoncia Lingual. VIII-A parte. Materiales e Instrumental Utilizados y Confort del Paciente"; Ortodoncia Clínica; 2001; 4: 206-212
- Echarri, P.: "Ortodoncia Lingual. VIII-B parte. Materiales e Instrumental Utilizados y Confort del Paciente"; Ortodoncia Clínica; 2001; 4: 95-102
- Echarri, P.: "Ortodoncia Estética Invisible en Adultos"; Ortodoncia Clínica; 2001; 4: 134-5
- Echarri P.; Baca A.: "Ortodoncia Lingual. 10 años de Experiencia en el Posicionamiento Indirecto de Brackets"; Ortodoncia Clínica; 2001; 4: 142-50
- Echarri, P.: "Sagittal and Vertical Control in Lingual Orthodontics"; Journal of Lingual Orthodontics; 2002; 2: 48-56
- Echarri, P.: "Comparación de los Tratamientos Ortodóncicos Realizados con Ortodoncia Vestibular y con Ortodoncia Lingual"; Revista Española de Ortodoncia; 2002; 32: 207-32

Bibliografía del Dr. Fillion

- Fillion, D.: «A la Recherche de la Précision en Technique à Attaches Linguales»; Revue d'Orthopedie Dento Faciale; 1986, 20: 401-413
- Fillion, D.: «Orthodontie Linguale: Systèmes de Positionnemet des Attaches au Laboratoire»; L'Orthodontie Francaise; 1989; 60: 695-704
- Fillion, D.; Leclerc, J.F.: "L'orthodontie Invisible: L'orthodontie Linguale"; Rev Odontostomatol; 1989; 18: 133-52
- Fillion, D.: "Orthodontie Linguale: Réflexions cliniques". Revue D'Orthopedie Dento Faciale; 1990; 24: 475-500
- Fillion, D.: "Orthodontie Linguale et Mini-plaques: Esthétique et Confort dans les Traitements Chirúrgico-Orthodontiques"; Inf Dent; 1990; 20: 1757-66
- Fillion, D.; Leclerc, J.F.: "L' Ortodontie Linguale: Pourquoi Est-elle en Progrès¿"; L'Orthodontie Francaise; 1991; 62: 793-801
- Fillion, D: "The Viewpoint of the French Lingual Orthodontics Society"; Orthod-Fr; 1992; 63: 562
- Fillion, D. : "Apport de la Sculpture Amélaire Interproximale à l´Orthodontie de l´Adulte (premiére partie)"; Rev Orthop Dento Faciale; 1992; 26: 279-293
- Fillion, D. : "Apport de la Sculpture Amélaire Interproximale à l´Orthodontie de l´Adulte (deuxiéme partie)"; Rev Orthop Dento Faciale; 1993; 27: 189-214
- Fillion, D. : "Apport de la Sculpture Amélaire Interproximale à l´Orthodontie de l´Adulte (troisiéme partie)"; Rev Orthop Dento Faciale; 1993; 27; 353-367
- Fillion, D.: "Improving Patient Comfort with Lingual Brackets", Journal of Clinical Orthodontics; 1997; 31: 689-94
- Contribución en libro de Romano, R.: "Lingual Orthodontics", B.C. Decker, Hamilton, London, 1998
- Fillion, D.: "The Resurgence of Lingual Orthodontics"; Clin. Impress.; 1998; 7: 2-9
- Fillion, D.: "Update on Lingual Indirect Bonding Procedure"; Journal of Lingual Orthodontics; 1999; 1: 4-8
- Fillion, D.: "Copper NiTi: The Inside Story"; Clinical Impressions, 1999; 8: 12-13 y 28
- Fillion, D.: "Elastomeric Chain as Double-over Ties"; Journal of Lingual Orthodontics; 2000; 1: 12-14
- Fillion, D.: "Anterior Cross-bite and Midline Discrepancy Treatment"; Journal of Lingual Orthodontics; 2001; 1: 19-29

Bibliografía del Dr. Fujita

- Ver manual de Fujita en Libros y syllabus.
- Fujita, K.: "Development of Lingual Bracket Technique: Esthetic and Hygiene Approach to Orthodontic Treatment"; J Jpn Res Soc Dent Mater Appliances; 1978; 46: 81-86
- Fujita K.: "New Orthodontic Treatment with Lingual Bracket and Mushroom Archwire Appliance"; Am J Orthod; 1979; 76: 657-75
- Fujita K.: "Multilingual Bracket and Mushroom Archwire Technique: A Clinical Report"; Am J Orthod; 1982; 82: 120-40
- Fujita, K.: "Desarrollo de la Técnica de Brackets Linguales. Una Aproximación Higiénica y Estética al Tratamiento Ortodóncico: Bases y Diseño"; Ortodoncia clínica; 2001; 4: 176-80

Bibliografía del Dr. Gorman

- Ver artículos de la TASK FORCE

- Gorman, J.C.: "Lingual Appliances are Here to Stay". Summarized by Vincent Kokich, Journal of Pacific Coast of orthodontics; 1983; 54: 55-7
- Gorman, J.C.: "Treatment with Lingual Appliances: The Alternative for Adult Patients". The International Journal of Adult Orthodontics and Surgery; 1987; 3: 131-149
- Gorman, J.C.: Smith, R.C: "Comparison of Treatment Effects with Labial and Lingual Fixed Appliances"; Am J Orthod Dento Facial Orthop; 1991; 99: 202-9
- Gorman, J.C.: "About Lingual Orthodontics"; Clinical Impressions; ORMCO corporation; 1993; 2: 2-5

Bibliografía del Dr. Gorman Jr.

- Gorman Jr., J.C.: "Ortodoncia Lingual". Clínicas Odontológicas de Norteamérica; 1997; 1: 119-135
- Gorman Jr., J.C.: "Treatment of Class III Open Bite Malocclusion"; J. Ling. Orthod.; 1999; 2: 33-36

Bibliografía del Dr. Kurz

- Ver artículos Task Force
- Kurz, C.: "Lingual Orthodontics Course Syllabus", Ormco, Division of Sybron Corporation, Glendora, California, USA, 1989
- Kurz, C.: Capítulo "Ortodoncia Lingual" en el libro "Atlas de Ortodoncia del Adulto" de Manuel H. Marks y Herman Corn, Ediciones científicas y técnicas S.A., Barcelona, España, 1992
- Contribución en el libro de Romano, R.: "Lingual Orthodontics", B.C.Decker, Hamilton, London, 1998
- Kurz, C.: "Contemporary Lingual Orthodontics. Principles and Technique", Tiffani Cardi, California, USA, 1998
- Kurz, C.: "Consideraciones Especiales en el Diagnóstico del Paciente Adulto" en "Diagnóstico en Ortodoncia. Estudio Multidisciplinario" de Pablo Echarri. Quintessence Books, Barcelona, España, 1998, 377-385

Bibliografía de Dr. Scuzzo

- Scuzzo, G.; Cannavó, M.: «Alternativa di Montaggio Indiretto Linguale: Sistema Bass». Ortognatotodonzia Italiana; 1993; 2: 95-99
- Contribución en el libro de Romano, R.: "Lingual Orthodontics", B.C.Decker, Hamilton, London, 1998
- Scuzzo, G.; Pisani, F.; Takemoto, K.: "Maxillary Molar Distalization With a Modified Pendulum Appliance"; JCO; 1999; 33: 645-50
- Scuzzo, G., Cirulli, N.; Macchi, A.: "A Simple Lingual Bracket (2D-Control) for Minor Crowding and Periodontal Problems"; Journal of Lingual Orthodontics; 2000; 1: 1-4
- Scuzzo, G.; Takemoto, K.; Pisani, F.; Della Vecchia, S.: "The Modified Pendulum Appliance with Removable Arms"; J Clin Orthod; 2000; 34: 244-6

Bibliografía del Dr. Wiechmann

- Wiechmann, D; Ehmer, U.; Dörr-Neudeck, K.: "Le Procede de Double Socle Calibre Prefabrique – KDMMS"; Rev. Stomatol. Chir. Maxillofac.; 1997; 98: 91-95
- Wiechmann, D.; Rummel, V.: "Ortodoncia Lingual. Una Nueva Filosofía de Tratamiento"; Ortodoncia clínica; 1998; 1: 97-106
- Wiechmann, D.; Rummel, V.: "The Crimpable Hook: An Aid in Lingual Orthodontic Treatment"; Journal of Lingual Orthodontics; 1999; 1: 1-3
- Wiechmann, D.; Rummel, V.; Sachdeva R.: "Precision Finishing in Lingual Orthodontics"; J Clin Orthod; 1999; 23: 101-103
- Wiechmann, D.: "Lingual Orthodontics, Part 1: Laboratory Procedure"; J Orofac Orthop/Fortschr Kieferorthop; 1999; 60: 371-9
- Wiechmann, D.: "Lingual Orthodontics, Part 2: Archwire fabrication" J Orofac Orthop/Fortschr Kieferorthop; 1999; 60: 416-26
- Wiechmann, D.; Stamm, T.; Heinecken, A. et al.: "Relation Between Second and Third Order Problems in Lingual Orthodontic Treatment"; J Ling Orthod; 2000; 3: 5-11
- Wiechann, D: "Lingual Orthodontics, Part 3: Intraoral Sandblasting and Indirect Bonding"; J Orofac Orthod; 2000; 61: 280-91
- Wiechann, D: "Lingual Orthodontics, Part 4: Economic Lingual Treatment (ECO-Lingual Therapy)"; J Orofac Orthod; 2000; 61: 359-70
- Wiechmann, D.: "La Thérapeutique Eco-Linguale. Deuxième partie: Aspects cliniques", J de Edge; 2001; 43: 9-37
- Weichmann, D.: "Eine neue Ligatur in der Lingualtechnik – Das German Overtie"; Poster Presentation; 74th Annual Congress of the German Orthodontic Society; Friedrichshafen; 2001
- Wiechmann, D.: "Modulus-Driven Lingual Orthodontics"; Clin. Impress; 2001; 10: 2-7 & 22-23
- Wiechmann, D.; Hoch, L.: "Les Finitions Oclusales Assistées par Ordinateur"; Orthod Fr; 2002; in press.
- Wiechmann, D.: "A New Bracket System for Lingual Orthodontic Treatment. Part 1. Theoretical Background and Development"; J Orofac Ortop/Fortschr Kiefereorthop 2002; 63: 234-45

Varios

- Aguirre, M.J.; King, G.J.; and Waldron, J.M.: "Assessment of Bracket Placement and Bond Strength When Comparing Direct Bonding and Indirect Bonding Techniques"; Am J Orthod; 1982; 82: 269-78
- Aguirre, M.J.: "Indirect Bonding for Lingual Cases"; Journal of Clinical Orthodontics; 1984; 18: 565-9
- AlQabandi, A.K.; Sadowsky, C.; BeGole, E.A.: "A Comparison of the Effects of Rectangular and Round

- Archwires in Leveling the Curve of Spee"; Am J Orthod Dentofacial Orthop; 1999; 116: 522-29
- Andrews, L.F. : "The Straight Wire Appliance Explained and Compared"; J Clin Orthod 1976; 10: 174-195
- Artun, J.; Osterberg, S.K., Kokich, V.G.: "Long-term Effect of Thin Interdental Alveolar Bone on Periodontal Health After Orthodontic Treatment"; J Periodont; 1986; 57: 341-6
- Artun, J.: "A Post-treatment Evaluation of Multibonded Lingual Appliances in Orthodontics"; European J Orthod; 1987; 9: 204-10
- Baca G.A.; Canut Brusola, J.A.: "Ortodoncia Lingual: Posibilidades Clínicas Actuales"; ROE; 1996; 241-52
- Baca G.A.: "Ortodoncia Lingual u Ortodoncia Invisible" Tomo II, Capítulo 13 en:. "Tratado de Odontología", 1ª Ed. Smithkline Beecham S.A., Madrid, Trigo ediciones S.L., 1998
- Baca G.A.: "Criterios Estéticos en la Aparatología y Terapéutica Ortodóncica"; Ortodoncia Española; 1999; 39: 89-97
- Ballard, M.L.: "A symmetry in Tooth Size: A Factor in the Etiology, Diagnosis and Treatment of Malocclusion"; Angle Orthod; 1944; 67-70
- Balut, N.; Klapper, L.; Sandrik, J.; Bowman, D.: "Variations in Bracket Placement in the Preadjusted Orthodontic Appliance"; Am J Orthod Dentofac Orthop; 1992; 102: 62-67
- Begg, P.R.; Kesling, P.C.: "Begg Orthodontic Theory and Technique"; Filadelfia: Sounders, 1977: 22-24
- Bennett, J.C.; McLauglin, R.P.: "Manejo Ortodóncico de la Dentición con el Aparato Preajustado", Isis Medical Media Ltd, 1988, Oxford, England.
- Bennett, J.C.; McLaughlin, R.P.: "Consideraciones sobre la Forma de la Corona de los Incisivos en el Tratamiento Ortodóncico"; Rev Esp Ortod; 1997; 27: 359-69
- Betteridge, M.A.: "Index for Measurement of Lower Labial Segment Crowding"; Br J Orthod; 1976; 3:113-116
- Betteridge, M.A.: "The Effects of Interdental Strippingon the Labial Segments Evaluated One Year Out Of Retention"; Br J Orthod; 1981; 8: 193-7
- Boese, I.R.: "Fibrotomy and Reaproximation Without Lower Retention: 9 Years in Retrospect: part I"; Angle Orthod; 1980; 50: 88-90
- Boese, I.R.: "Fibrotomy and Reaproximation Without Lower Retention: 9 Years in Retrospect: part II"; Angle Orthod; 1980; 50: 169-78
- Bolton, W.A. : "Disharmony in Tooth Size and its Relation to the Analysis and Treatment of Malocclusion"; Angle Orthod; 1958; 28: 113-30
- Bryant, R.M.; Sadowsky, P.L.; Hazelrig, J.B.: "Variability in Three Morphologic Features of the Permanent Maxillary Central Incisor"; Am J Orthod 1984; 86: 25-32
- Byloff, F.K.; Darendeliler, M.A.: "Molar Distalization with the Pendulum Appliance. Part 1: Clinical and Radiological Evaluation"; The Angle Orthodontist; 1997; 67: 249-60
- Byloff, F.K.; Darendeliler, M.A.; Clar, E.; Darendeliler, A.: "Distal Molar Movement Using the Pendulum Appliance. Part 2: The Effects of Maxillary Molar Root Uprighting Bends"; The Angle Orthodontist; 1997; 67: 261-70
- Burstone, C.J.: "Deep Overbite Correction by Intrusion"; Am J Orthod; 1977; 72: 1-22
- Carlsson, R.; Rönermann, A.: "Crown-root Angles of Upper Central Incisors"; Am J Orthod; 1973; 64: 147-154
- Carter, R.N. : "Reproximation and Recontouring Made Simple"; J Clin Orthod ; 1989; 23: 636-7
- Crain, G. ; Sheridan, J.J.: "Susceptibility to Caries and Periodontal Disease after Posterior Air-Rotor Stripping"; J Clin Orthod; 1990; 24: 84-85
- Cetlin, N.M.; Ten Hoeve, A.: "Non-extraction Treatment"; J Clin Orthod; 1983; 17: 396-413
- Chaconas, S.J.; Caputo A.A.; Brunetto, A.R.: "Force Transmission Characteristics of Lingual Appliances"; J Clin Orthod; 1990; 24: 24-36
- Chumak, L.: "An In Vitro Investigation of Lingual Bonding". Am J Orthod Dentofacial Orthop; 1976; 95: 20-8
- Cozza P.; Sciarretta M.G.; Bossú M.; Grandinetti A.; Siciliani, G.: "Caratteristiche Biomeccaniche e Fisiche Dell'attaco Linguale a Caricamento Orizzontale"; Mondo Ortodóntico; 1990; 15: 659-665
- Croll, B.M.: "Emergence Profiles in Natural Tooth Contour. Part I: Photographic Observations"; J Prosthet Dent; 1989; 62: 4-10
- Diamond, M.: "Critical Aspects of Lingual Bracket Placement"; Journal of Clinical Orthodontics; 1983; 17: 689-91.
- Diamond, M.: "Improved Vision and Isolation for Direct Lingual Bonding of the Upper Arch" J Clin Orthod; 1984; 18: 814-5
- Drake, S.R.; Wayne, D.M.; Powers, J.M.; Asgar, K.: "Mechanical Properties of Orthodontic Wires in Tension, Bending and Torsion"; Am J Orthod; 1982; 82: 206-10.
- Eversoll, D.K.: "Enhance Your Clinical Bonding Experience With Ortho Solo"; Clin Impress; 2001; 10: 10-11
- Fulner, D.T.; Kuftinec, N.M.: "Cephalometric Appraisal of Patients Treated With Fixed Lingual Orthodontic Appliances: Historic Review and Analysis of Cases"; Am J Orthod; 1989; 95: 514-20
- Genone B.; Siciliani, G.: "Trattamenti Ortodontici Mediante Sistema Meccanici a Colocazione Linguale (Ricerca Biomecánica ed Esperienze Cliniche)"; Mondo Ortodontico; 1984; 5: 15-41
- Germane, N.; Bentley, B.E.; Isaacson, R.J.: "Three Biologic Variables Modifying Faciolingual Tooth Angulation by Straight-Wire Appliance"; Am J Orthod Dentofac Orthop; 1989; 96: 312-19

Bibliografía recomendada

- Geron, S: "The Lingual Bracket Jig"; Journal of Clinical Orthodontics; 1999; 33: 457-63
- Geron, S.; Romano, R.: "El Posicionamiento de los Brackets en Ortodoncia Lingual: Revisión Crítica de Varias Técnicas"; Ortodoncia Clínica, 2001; 4: 136-41
- Geron, S.; Chaushu, S.: "Lingual Extraction Treatment of Anterior Open Bite in an Adult"; J Clin Orthod; 2002; 36: 441-6
- Gianelly, A.A.; Vaitas, A.S.; Thomas W.M.; Berger, D.G.: "Distalization of Molars with Repelling Magnets. Case Report"; J Clin Orthod; 1988; 22: 40-4
- Gillings, B.; Buonocore, M. : "An Investigation of Enamel Thickness in Human Lower Incisor Teeth"; J Dent Res; 1961; 40: 105-118
- Ghosh, J.; Nanda, R.S.: "Evaluation of an Intraoral Maxillary Molar Distalization Technique"; Am J Orthod; 1996; 110: 639-46
- Gracioso, M.: "Attachi Linguali: L'ortodonzia Invisibile"; Dental Press; 1990; 19-25.
- Harfin, J.: "Indicaciones y Contraindicaciones del Desgaste Proximal en el Tratamiento de los Apiñamientos en el Paciente Adulto" en "Tratamiento Ortodóncico en el Adulto" de Julia Harfin. Ed. Panamericana 1999, Buenos Aires, Argentina: 69-132
- Harfin, J.: "Interproximal Stripping for the Treatment of Adult Crowding"; J Clin Orthod; 2000; 34: 424-33
- Hashiba, C.: "Lingual Orthodontics Utilizing the Concept of Smile Design"; Journal of Lingual Orthodontics; 2002; 2: 6-14
- Hickham, JH: "Cementado Indirecto Predecible"; Journal of Clinical Orthodontics; Edición en Español, 1996; 3: 255-7
- Hilgers, J.J.: "A Palatal Expansion Appliance for Noncompliance Therapy", J Clin Orthod; 1991; 25: 491-7
- Hilgers, J.J.: "The Pendulum Appliance... an update"; Clin Impress; 1993; 2: 15-7
- Hilgers, J.J.; Bennett, R.K.: "The Pendulum Appliance. Creating the Gain"; Clin Impress; 1994; 3: 14-8.
- Hilgers, J.J.; Bennett, R.K.: "The Pendulum Appliance. Part II. Maintaining the Gain"; Clin Impress; 1994; 3: 6-9 y 14-23
- Hilgers, J.J.: "El Pendulum en el Tratamiento de la Clase II sin Necesidad de Cooperación"; Journal of Clinical Orthodontics; Edición en Español; 1996; 3: 190-8
- Hilgers, J.J.: "The Non-compliance Bible – A Current Primer on Non-extraction Therapy in the Eight Classical Types of Class II Malocclusion" Editorial: Specialty Appliances.
- Hinton, R.J.: "form and Pattern of Anterior Tooth Wear among Aboriginal Human Groups"; Am J Phys Anthropol; 1981; 54: 555-64
- Hiro, T.; Takemoto K.: "Resin Core Indirect Bonding System – Improvement of Lingual Orthodontic Treatment"; J Jpn Orthod Soc; 1998; 57: 83-91
- Hiro, T: "Preparation for the New Generation of Lingual Orthodontics – Six Keys to Success in Lingual Straight Wire Appliance"; Journal of Lingual Orthodontics; 2002; 2: 29-47
- Hocevar; R.A.; Vincent, H.F.: "Indirect versus Direct Bonding: Bond Strength and Failure Location"; Am J Orthod Dento Facial Orthop; 1988; 94: 367-71
- Hoffman, B.D.: "Indirect Bonding With a Diagnostic Setup"; J Clin Orthod; 1988; 22: 509-511
- Hong, R.K.; Sohn, H.W.: "Update on the Fujita Lingual Bracket"; Journal of Clinical Orthodontics; 1999; 33: 136-42
- Hong, RK; Sohn, BC: "Customized Indirect Bonding Method for Lingual Orthodontics"; J Clin Orthod; 1996; 30: 136-142
- Hong, R.K.; Hong, H.P.; Koh, H.S.: "Effect of Reverse Curve Mushroom Archwire on Lower Incisors in Adult Patients: A Prospective Study"
- Hudson, A.R.: "A Study to the Effects of Mesiodistal Reduction of Mandibular Anterior Teeth"; Am J Orthod; 1956; 42: 615-624
- Jeckel, N.; Rakosi, T.: "Molar Distalization by Intraoral Force Application"; Eur J Orthod; 1991; 13: 43-6
- Jones, R.D.; White, M.J.: "Rapid Class II Molar Correction with an Open-Coil Jig"; J Clin Orthod; 1992; 26: 661-4
- Jost-Brinkmann, P.G.; Papra, P.C.; Halbich, T.: "Un Paso Hacia el Éxito en el Tratamiento con Ortodoncia Lingual. Procedimientos de Laboratorio Para el Cementado Indirecto"; Quintessence técnica (ed. Esp) 2000; 11: 465-74
- Kapur, K.K.; Fischer, E.E.; Manly, R.S.: "Effect on Surface Alteration in the Permeability of Enamel to a Lactate Buffer"; J Dent Res; 1961; 40: 1174-82
- Kelly, V.M.: "Dr. Vincent M. Kelly on Lingual Orthodontics"; J Clin Orthod 1982: 15: 461-76
- Kim, T.W.: "New Indirect Bonding Method for Lingual Orthodontics"; J of Clin Orthod; 2000; 34: 348-50
- Kim, B.C., Kyung, H.M.; Sung, J.H.: "The Effect of Resin Base Thickness on Shear Bonding Strength in Lingual Tooth Surface"; Journal of Lingual Orthodontics; 2002; 2: 15-21
- Koo, B.C.; Chung, C.H.; Vanarsdall, R.L.: "Comparison of the Accuracy of the Bracket Placement Between Direct and Indirect Bonding Techniques"; Am J Orthod Dentofacial Orthop 1999; 116: 346-51
- Kubo, N: "A Case Report That Le Fort I Surgery Applied Because the Control was Lost by Lingual Treatment"; J Japan Ling Orthod Assoc; 1992; 23-6
- Kuhlberg, A.J.; Glynn, E.: "Consideraciones Sobre la Planificación del Tratamiento Para Pacientes Adultos"; Clínicas Odontológicas de Norteamérica; 1997; 1: 17-28
- Kusy, R.P.: "Comparison of Nickel Titanium and Beta Titanium Wire Sizes to Conventional Archwire Materials"; Am J Orthod 1981;79: 625-9
- Kusy, R.P.; Greenberg, A.R.: "Effects of Composition and Cross Section on the Elastic Properties of Orthodontic Wires"; Angle Orthod; 1981; 51: 325-41

- Kusy, R.P.; Greenberg, A.R.: "Comparison of the Elastic Properties of Nickel-titanium and Beta-titanium Archwires"; Am J Orthod; 1982; 82: 199-205
- Kusy, R.P.: "On the Use of Nomograms to Determine the Elastic Property Ratios of Orthodontic Archwires"; Am J Orthod; 1983; 83: 374-81
- Kyung, H.M.; Park, H.S.; Sung, J.H.: "The Mushroom Bracket Positioner for Lingual Orthodontics"; Journal of Clinical Orthodontics; 2002; 36: 320-8
- Lazzati, M.; Macchi A.; Nidoli G.: "Le Apparecchiature Linguali: Contributo per la Determinazzione dell'Angollo di Torque"; Mondo Ortodontico; 1983; 8: 33-46
- Lew, K.K.: "Actualización del Desgaste Interproximal de Esmalte y Aparato con Resorte para Alineación"; Quintessence (ed. Esp.); 1995; 8: 531-36
- Lindquist, J.T.: "The Edgewise Appliance", in: Graber T.M.; Swain B.F, editors. Orthodontics: current principals and techniques. St. Louis: Mosby, 1985
- Little, R.M.: "The Irregularity Index: A Quanitave Score of Mandibular Anterior Alignment"; Am J Orthod; 1975; 554-563
- Lucchese, A.; Porcù, F.; Dolci, F.: "Effects of Various Stripping Techniques on Surface Enamel"; J Clin Orthod; 2001; 35: 691-5
- Macchi, A.; Maijer, O.; Nidolli, G.: "Il Set-up: Revisione della Metodica e Impostazione di un Nuovo Protocollo"; Mondo Ortodontico; 1990; 15: 191-195
- Macchi, A.: "Tecnica Linguale e Tecnica Vestibolare: Differenze Biomeccaniche (parte I)"; Odontoiatria Oggi & Sel.; 1996; 1: 7-31
- Macchi, A.; Cirulli, N.: "Fixed Active Retainer for Minor Anterior Tooth Movement"; J Clin Orthod; 2000; 34: 48-9
- Macchi, A.; Tagliabue, A.; Levrini, L.; Trezzi, G.: "Philippe Self-Ligating Lingual Brackets". J of Clin Orthod; 2002; 36: 42-5
- Magness, W.B.: "The Straight Wire Concept"; Am J Orthod 1978; 73: 541-550
- Magnus, F.C.; Hellsing, E.: "The Effects of the Lingual Arch Appliance With Anterior Bite Plane in Deep Overbite Correction"; European J Orthod; 1984; 6: 107-15
- Marcotte, M.R.: "The use of the Occlusogram in Planning Orthodontic Treatment"; Am J Orthod; 1976; 69: 655-67
- Margolis, M.J.: "Consideraciones Estéticas en el Tratamiento Ortodóncico del Adulto"; Clínicas Odontológicas de Norteamérica; 1997; 1: 29-50
- Melsen, B: "Entrevista del Dr. Burstone a la Dra. Melsen sobre Ortodoncia en Adultos"; Journal of Clinical Orthodontics; Edición en Español; 1996; 3: 217-29
- Melsen, B; Miethke, R.R.: "Effect of Variation in Tooth Morphology and Bracket Position on First and Third order Correction With Preadjusted Appliances"; Am J Orthod Dentofacial Orthop; 1999; 116: 329-335
- Meyer, M; Nelson, G.: "Preadjusted Edgewise Appliances: Theory and Practice"; Am J Orthod; 1978; 73: 485-498
- Milne, J.W.; Andreasen, G.F.; Jakobsen, J.R.: "Bond Strength Comparison: A Simplified Indirect Technique Versus Direct Placement of Brackets"; Am J Orthod Dentofacial Orthop; 1989; 96: 8-15
- Miyawaki, S.; Koh, Y.: "Correction of Mesiolinguoversion of the Upper Lateral Incisors With Lingual Appliances"; Journal of Clinical Orthodontics; 1997; 31: 499-502
- Miyawaki, S.; Yasuhara, M.; Koh Y.: "Discomfort Caused by Bonded Lingual Orthodontic Appliances in Adult Patients as Examined by Retrospective Questionnaire"; Am J Orthod Dentofacial Orthop; 1999; 115: 83-8
- Moran, K.I.: "Effective Steel Ligation for Lingual Appliances"; J Clin Orthod; 1984; 18: 733
- Moran, K.I.: "Relative Wire Stiffness due to Lingual Versus Labial Interbracket Distance"; Am J Orthod; 1987; 92: 24-32
- Morrow, J.B.: "The Angular Variability of the Facial Surfaces of the Human Dentition: An Evaluation of the Morphological Assumptions Implicit in the Various 'Straight Wire Techniques' (master's thesis)", St. Louis: St. Louis University, 1978
- Moskowitz, E.M.; Knight, L.D.; Sheridan, J.J.; Esmay, T.; Tovilo, K.: "A New Look on Indirect Bonding"; J Clin Orthod; 1996; 30: 277-81
- Murphy, T.: "Reduction of the Dental Arch by approximal attrition"; Br J Orthod; 1964; 116: 483-488
- Neumann, G.; Holgrave, E.A.: "Self-ligating Brackets in Lingual Orthodontics"; Journal of Lingual Orthodontics; 1999;1: 19-21
- Nidoli, G.; Lazati, M.; Macchi, A.: "Applicazione Diretta o Indiretta del Bracket Linguali"; Mondo Ortodóntico; 1984; 3: 63-72
- Nidoli, G.; Lazzati, M.; Macchi, A.; Castoldi, A.: "Analisi Clinico-Statistica della Morfologia Dentale in Rapporto al Posizionamento dei Brackets Linguali"; Mondo Ortodontico; 1985; 95: 45-53
- Nidoli, G.; Macchi, A.; Lazzati, M.: "Migliora L'estetica con L'incollagio Linguale dei Brackets"; Attualità Dent; 1988; 4: 12
- Nidoli, G.; Lazzati, M.; Macchi, A.; Casagrande, V.: "Apparecchiature Linguale Nota I"; Mondo Ortodóntico; 1989; 1: 23-30
- Nidoli, G.; Macchi, A.; Lazzati, M., Casagrande, V.: "Apparecchiature Linguali: Applicazione Indiretta dei Brackets Linguali, Nota II"; Mondo Ortodontico; 1989; 14: 165-171
- Nidoli, G.; Macchi, A.; Lazzati, M.; Casagrande, V.: "Apparechiature Linguali: Parte III"; Mondo Ortodontico; 1989; 14: 335-341.
- Olsen, M.E.; Bishara, S.E.; Damon P.; Jakobsen, J.R.: "Comparison of Shear Bond Strength and Surface Structure Between Conventional Acid Etching and Air-

Abrasion of Human Enamel"; Am J Orthod Dentofac Orthop; 1997; 112: 502-6
- Padrós, E.: "Ortodoncia lingual: ¿De dónde venimos? ¿A dónde vamos?"; Ortodoncia Clínica; 2001; 4: 166-74
- Paige, S.F.: "A Lingual Light-Wire Technique"; J Clin Orthod 1982; 16: 534-44
- Paige, S.F.: "Une Technique Linguales Avec Arcs Legers"; Rev Orthop Dento-Fac; 1983; 17: 391-408
- Paz, M.: "Multi-Uses of the Ormco Lingual Appliance"; Clin Impress 1992; 1: 6-8 y 15
- Peck, H.; Peck, S.: "An Index for Assessing Tooth Shape Deviations as Applied to Mandibular Incisors"; Am J Orthod; 1972; 61: 384-401
- Peck, H.; Peck, S.: "Reproximation (Enamel Stripping) as an Essential Orthodntic Ingredient". Transcripts of the 3rd International Congress. London: Staples, 1975: 513-523
- Philippe, J.: " Vers des Appareils Non Visibles"; Rev Orthop Dento Faciale; 1986; 20: 313-317
- Poon, K.C.; Taverne, A.A.: "Lingual Orthodontics: A Review of Its History"; Aust Orthod J; 1998; 15: 101-4
- Pümpel, E.; Günther, B.C., "Sequential Bonding Procedure"; Journal of Lingual Orthodontics; 2001; 1: 30-33
- Pümpel, E.; Marigo, M., "The Extraction Pontic or the Invisible Extraction Site"; Journal of Lingual Orthodontics; 2002; 2: 1-5
- Radlanski, R.J.; Jäger, A.; Schwestka, R.; Bertzbach, F.: "Plaque Accumulations Caused by Interdental Stripping"; Am J Orthod Dentofac Orthop; 1988; 94: 416-420
- Radlanski, R.J.; Jäger, A.; Zimmer, B.: "Morphology of Interdentally Stripped Enamel One Year After Treatment"; J Clin Orthod; 1989; 23: 748-750
- Rogers, G.A.; Wagner, M.J.: "Protection of Stripped Enamel Surfaces with Topical Fluoride Application"; Am J Orthod; 1969; 56: 551-9
- Ronchin, M: "Técnica individuale di montaggio indiretto degli attachi linguali" Deis. Audiovisive Medical Video. Milano, 1991.
- Ronchin, M.: "Aesthetics With Lingual Orthodontics: Resolving Class II Malocclusions With Molar Distalization"; Pract Perio Aesthet Dent; 1994; 6: 51-8
- Ross, V.A.; Isaacson, R.J.; Germane, N.; Rubenstein, L.K. "Influence of Vertical Growth Pattern on Faciolingual Inclinations and Treatment Mechanics"; Am J Orthod Dentofac Orthop; 1990; 98: 422-29
- Saverio, F.: "Lingual Orthodontics Indirect Bonding Transfer Trays"; Journal of Lingual Orthodontics; 1999; 1: 22-24
- Sedennes, V.: "Une Technique de Collage Indirect"; Rev Orthop Dento Faciale; 1991; 25: 79-83
- Sernik, J.H.; Nowroozi, N.; Hsin, L.Y.; Maxson, R.: "Desarrollo, Maduración y Envejecimiento del Hueso Alveolar. Nuevas Revelaciones"; Clínicas Odontológicas de Norteamérica; 1997; 1: 1-16
- Sheridan, J.J.: "Air-Rotor Stripping (ARS). The Articles, Notes and Advice of Dr. Jack Sheridan"; Raintree Essix, Metairie, L.A., USA. Updated 1992.
- Sheridan, J.J.: "Air-Rotor Stripping"; J Clin Orthod; 1985; 19: 43-9
- Sheridan, J.J.: Air-Rotor Stripping Update"; J Clin Orthod; 1987; 21: 781-8
- Sheridan, J.J. : "The Physiologic Rationale for Air-Rotor Stripping"; JCO, 1997; 31: 609-612
- Shillingburg Jr, H.T.; Grace, C.S.: "Thickness of Enamel and Dentin"; J S Calif Dent Assoc; 1973; 41: 33-6
- Siciliani, G.; Fassetta, F.; Mulà L.: "Problematiche Fonetiche Nelle Apparecchiature Ortodontiche ad Approccio Linguale"; Quaderni di Odontostomatologia; 1987; 4: 1
- Siciliani, G.: "Apparecchiature Ortodontiche Linguali – Esperienze Cliniche"; Dental Cadmos; 1988; 18: 17-41
- Silverman, E.; Cohen, M.; Gianelly, A.A.; Dietz, V.S.: "An Universal Direct Bonding System for Both Metal and Plastic Brackets"; Am J Orthod; 1972; 62: 236-244
- Silverman, E.; Cohen, M.: "Current Adhesives for Indirect Bracket Bonding"; Am J Orthod; 1974; 65: 76-84
- Silverman, E; Cohen, M.: "A Report on a Major Improvement in the Indirect Bonding Technique"; Journal of Clinical Orthodontics; 1975; 9: 270
- Sinclaire, P.M.; Cannito M.F.; Goates, L.J.; Solomos, L.F.; Alexander, C.M.: "Patient Responses to Lingual Appliances"; J Clin Orthod; 1986; 20: 396
- Sleichter, C.G.: "Effects of Maxillary Bite Plane Therapy in Orthodontics"; Am J Orthod; 1954; 40: 850-70
- Sondhi, A.: "Efficient and Effective Indirect Bonding"; Am J Orthod Dentofacial Orthop; 1999; 115: 352-9
- Sondhi, A.: "The Truth About Bond Failures"; Orthodontic Perspectives; 1999; 6: 3-5
- Sondhi, A.: "Bonding in the New Millennium: Reliable and Consistent Bracket Placement With Indirect Bonding"; World J Orthod; 2001; 2: 106-114
- Smith, G.A.; McInnes-Ledoux, P.; Ross-Ledoux, W.; Weinberg, R.: "Orthodontic Bonding to Porcelain - Bond Strength and Refinishing"; Am J Orthod Dento Facial Orthop; 1988; 93: 341-5
- Stamm, T., Weichmann, D., Heineken, A.; Ehmer, U.: "Relation between Second and Third Order Problems in Lingual Orthodontics"; Journal of Lingual Orthodontics; 2000; 1: 5-11
- Stroud, J.L.; English, J.; Buschang, P.H.: "Enamel Thickness of the Posterior Dentition: Its Implications for Non-extraction Treatment"; Angle Orthod; 1998; 68: 141-6
- Swain, B.F.: "Straight Wire Design Strategies: Five-year Evaluation of the Roth Modification of the Andrews straight Wire Appliance", in: Graber, L.W., editor. "Orthodontics: State of the Art, Essence of the Science"; St. Louis: The CV Mosby Company; 1986; p. 279-98.

- Tagliabue, A.; Levrini, L.; Macchi, A.: "Attachi Linguali Phillippe: Considerazioni cliniche"; Mondo Ortod; 2000; 25: 187-92

- Takemoto, K.: "Lingual Orthodontics Extraction Therapy"; Clin Impress; 1995; 4: 2-7, 18-21.

- Tarnow, P.D.; Magner, A.W.; Fletcher, P.: "The Effect of the Distance from the Contact Point to the Crest of Bone on the Presence or Absence of the Interproximal Dental Papilla"; J Periodont; 1992: 995-6

- Taylor, N.G.; Cook, P.A. "The Reliability of Positioning Pre-adjusted Brackets: An In Vitro study"; British Journal of Orthodontics; 1992; 19: 25-34

- Taylor, R.M.S.: "Variation in Form of Human Teeth: II. An Anthropologic and Forensic Study of Maxillary Canines" J Dent Res; 1969; 48: 173-82

- Ten Hoeve, A.: "Palatal Bar and Lip Bumper in Non Extraction Treatment"; J Clin Orthod; 1985; 19: 272-91

- Thomas, R.G.: "Indirect Bonding. Simplicity in Action"; J Clin Orthod; 1979; 13: 93-105

- Tuverson, D.L.: "Anterior Interocclusion Relations"; Am J Orthod; 1980; 78: 361-93

- Valdetaro, H.: "Actualización Clínica en Cementado Indirecto"; Ortodoncia clínica; 2001; 4: 152-7

- Vardimon, A.D.; Lambertz, W.: «Statistical Evaluation of Torque Angles in Reference to Straight-Wire Appliance (SWA) Theories»; Am J Orthod; 1986; 89: 56-66

- Wang, W.N.; Tarng, T.H.; Chen, Y.Y.: "Comparison of Bond Stregth Between Lingual and Buccal Surfaces on Young Premolars"; Am J Orthod Dentofac Orthop; 1993; 104: 251-3

- Velo, S.; Dal Broi, G.; Piubelli, C.: "Lingual Technique: Silent and Invisible Orthodontics"; The First E.S.L.O. Congress. Proceedings and abstracts, 1994

- White, L.W.: "The Clinical Use of Occlusogramas"; J Clin Orthod; 1982; 16: 92-103

- White, L.W.: "Technique of Making Broader Arch Form Occlusograms"; Método no publicado entregado en los cursos del Dr. White.

- Wirtz, U.; Kinzinger, G.: "Fabricación de Aparatos Oscilantes en el Laboratorio Técnico"; Quintessence Técnica (ed. Esp); 2002;13: 292-304

- Wolpoff, M.H.: "Interstitial Wear"; Am J Phys Anthropol; 1971; 34: 205-28

- Zachrisson, B.U.; Brobakken, B.O.: "Clinical Comparison of Direct Versus Indirect Bonding With Different Bracket Types and Adhesives"; Am J Orthod 1978; 74: 62-78

- Zachrisson, B.V.: "Excellence in Finishing"; JCO; 1986; 20: 536-56

- Zachrisson, B.U.; Büyükyilmaz, T.; Zachrisson, Y.O.: "Improving Orthodontic Bonding to Silver Amalgam"; The Angle Orthodontist; 1995; 65: 35-42

- Zachrisson, B.U.; Buyukylmaz, T.: "Recientes Avances en el Cementado Sobre Superficies de Oro, Amalgama y Porcelana"; Journal of Clinical Orthodontics; Edición en Español, 1996; 3: 235-49

- Zubicki-Ferrari, E.: "Treatment and Retention in Advanced Periodontitis"; Journal of Lingual Orthodontics; 2001; 1: 34-40

- Zhong, M.: Jost-Brinkmann, P.G.; Radlanski, R.J.; Miethke, R.R.: "SEM Evaluaton of a New Technique for Interdental Stripping"; J Clin Orthod; 1999; 5: 286-92.